D1720026

J. Nentwig

Lexikon Folientechnik

parat

Vertrieb:

VCH, Postfach 101161, D-6940 Weinheim (Bundesrepublik Deutschland)

Schweiz: VCH, Postfach, CH-4020 Basel (Schweiz)

United Kingdom und Irland: VCH (UK) Ltd., 8 Wellington Court, Cambridge CB1 1HZ (England)

USA und Canada: VCH, Suite 909, 220 East 23rd Street, New York, NY 10010–4606 (USA)

ISBN 3-527-28181-9 ISSN 0930-6862

Joachim Nentwig

parat

Lexikon Folientechnik

Weinheim · New York
Basel · Cambridge

Dr. Joachim Nentwig
Ahornweg 11
D-3043 Schneverdingen

Lektorat: Dr. Hans-Dieter Junge

CIP-Titelaufnahme der Deutschen Bibliothek:
Nentwig, Joachim:
Lexikon Folientechnik / Joachim Nentwig. – Weinheim ;
New York ; Basel ; Cambridge : VCH, 1991
(Parat)
ISBN 3-527-28181-9
NE: HST

Gedruckt auf säurefreiem Papier

Satz: U. Hellinger, D-6901 Heiligkreuzsteinach. Druck: Colordruck Kurt Weber GmbH, D-6906 Leimen. Bindung: Verlagsbuchbinderei Kränkl, D-6148 Heppenheim.
Printed in the Federal Republic of Germany

Vorwort

Die Folientechnik hat sich in den letzten Jahrzehnten stürmisch entwickelt. Auf dem größten Anwendungsgebiet, der Verpackung, wurden beträchtliche Erfolge erzielt. Vielleicht noch erstaunlicher aber sind die Fortschritte beim Einsatz von Folien auf dem technischen Sektor. Neue Rohstoffe und neue Verfahren eröffneten Möglichkeiten zur optimalen Anpassung der Folien an das jeweilige Einsatzgebiet.

Nach mehr als zehnjähriger Vorstandsverantwortung im Bereich Technik für ein Unternehmen mit dem Schwerpunkt Folientechnologie war es für mich ein ganz besonderes Erlebnis, dieses faszinierende Gebiet einmal mit einer völlig anderen Aufgabenstellung zu erleben. Bei der Stoffsammlung ergaben sich neben den altvertrauten Fakten immer wieder neue Perspektiven. Die nicht ganz leichte Abgrenzung des Gebietes findet sich beim Stichwort Folientechnologie.

Bei meiner Arbeit haben mich viele Unternehmen durch Informationsmaterial unterstützt. Ich möchte besonders die BASF, Ludwigshafen, die Bayer AG, Leverkusen, die Höchst AG, Geschäftsbereich Folien, Wiesbaden, die Alusingen GmbH, Singen und die Wolff Walsrode AG, Walsrode erwähnen. Aber auch bei vielen weiteren Firmen möchte ich mich herzlich bedanken. Ihre technischen Unterlagen bilden einen sehr wichtigen Bestandteil der verarbeiteten Informationen. Quellenangaben finden sich im Verzeichnis der Abbildungen.

Ein besonderer Dank gilt meinen früheren Kollegen und Mitarbeitern der Bayer AG, der Agfa-Gevaert AG und vor allem der Wolff Walsrode AG für kritische Hinweise und die Diskussion einiger Einzelfragen.

Die Bearbeitung eines so umfangreichen Gebietes für ein Lexikon ist ein riskantes Unternehmen. Verlag und Autor sind deshalb für alle Hinweise sehr dankbar, durch die Fehler beseitigt und Lücken geschlossen werden können.

Der Zusatz “Lit.“ am Ende eines Stichwortes weist auf weiterführende Veröffentlichungen hin, die im Literaturverzeichnis angegeben sind.

Joachim Nentwig

Inhalt

A

abbaubare Kunststoffe, biologisch abbaubare Kunststoffe, *<biodegradable plastics>*, zerfallen unter dem Einfluß von Licht, Luft und Wasser zunächst mechanisch und werden dann biologisch zu kleineren Molekülen abgebaut. Als Endprodukt dieses Prozesses sollen möglichst ausschließlich Kohlendioxid und Wasser entstehen.

Derartige Kunststoffe werden in der Öffentlichkeit häufig als ideale Produkte zur Lösung der beim Einsatz von Kunststoffverpackungen auftretenden Abfallprobleme dargestellt. Die gründliche Diskussion der Fachleute zeigt jedoch, daß die Gründe für oder gegen den Einsatz von abbaubaren Kunststoffen sehr sorgfältig abgewogen werden müssen. Dafür spricht z.B. die Verringerung des Deponievolumens, die Möglichkeit zur Kompostierung von Hausmüll ohne störende Produkte oder die Lösung des → Litter-Problems. Auch politische Argumente, z.B. die Vermeidung restriktiver Maßnahmen gegen die Kunststoff-Verpackung, wurden angeführt.

Gegen die Entwicklung abbaubarer Kunststoffe spricht die Tatsache, daß eine fast unübersehbar große Zahl völlig verschiedener Materialien bearbeitet werden müßte, da es einen universell einsatzbaren Thermoplasten mit großer Wahrscheinlichkeit nicht gibt. Die Entwicklungskosten wären enorm, der Erfolg zweifelhaft. Beim Einsatz abbaubarer Kunststoffe wäre die Zuverlässigkeit der → Verpackung in Frage gestellt, bei der Verpackung von Lebensmitteln insbesondere die Haltbarkeit. Vor allem aber sind Art und Eigenschaft der beim Abbau entstehenden Zwischen- und Endprodukte kaum zu übersehen. Schließlich gibt es auch gegen den Einsatz abbaubarer Kunststoffe politische und psychologische Gründe, z.B. die unerwünschte Förderung des Wegwerfgedankens und eine größere Leichtfertigkeit im Umgang mit Abfall. Folien und andere Kunststoffe, die auf eine Deponie verbracht werden, sind zudem nicht mehr dem Luftsauerstoff ausgesetzt. Es kann daher nur ein anaerober Abbau eintreten, bei dem u.a. Methan entsteht. Mitte 1989 hat sich die EG-Kommission für eine verstärkte Forschung zu Problemen der Wiederverwertung von Verpackungs-Materialien ausgesprochen. Sie warnte gleichzeitig vor übertriebenen Erwartungen zum Einsatz biologisch abbaubarer Stoffe. „Wenn sie zerfallen, bevor die Verpackung leer ist, entspricht dies nicht mehr ihrem ursprünglichen Zweck, nämlich zu schützen, ihren Inhalt zu konservieren und den Transport zu erleichtern“. Außerdem bestünde die Gefahr der Grundwasserverunreinigung durch Abbauprodukte. „Der Einsatz von biologisch abbaubaren Stoffen muß daher mit Vorsicht betrachtet werden“.

Als abbaubare Kunststoffe zur Herstellung von Folien wurden in letzter Zeit vor allem Produkte auf Basis von → Stärke und Polyisobuttersäure untersucht. Ein Einsatz solcher Produkte ist bisher nur im Versuchsmaßstab bekannt. Auf der → Interpack 1990 wurde eine abbaubare → Polyethylenfolie, vor allem zur Herstellung von → Trage-

taschen, vorgestellt. Basis ist PE-LD, welches Kohlenhydrate und Fettsäuren enthält. Die Folie ist durch eine Stickstoff und Kohlendioxid abgebende Substanz aufgeschäumt. Das Produkt macht äußerlich einen guten Eindruck. Die technischen Angaben sind jedoch in keiner Weise geeignet, die generellen Bedenken gegen den Einsatz abbaubarer Kunststoffe zu zerstreuen.
Der wahrscheinlich beste Weg zur Bewältigung des Abfallproblems bei Verwendung von Folien im besonderen und Kunststoffen im allgemeinen ist deshalb sicher ein verantwortungsvoller Umgang mit den Abfällen durch eine Kombination von Maßnahmen wie → Rückführung, geordnete → Deponie, → Verbrennung oder → Pyrolyse. Auch der Vorschlag zur Bewältigung des Litter-Problems durch Einsatz von abbaubaren Kunststoffen scheint eine eher vordergründige und nicht zu Ende gedachte Lösung. Noch unrealistischer ist die Idee einer → kunststofffreien Verpackung. Lit.

abbaubare PE-Folie, *<biodegradable PE-film>*, → abbaubare Kunststoffe.

Abbinden, *<tie>*, das Verschließen von → Wursthüllen mit Garn. Dies ist auch heute noch die am häufigsten angewendete Methode. Neben dem Abbinden oder zusätzlich spielt das → Clippen als weitere Verschlußart eine sehr wichtige Rolle. Die unterschiedlichen Abbindeformen wurden stark durch die Abbindeautomaten und -geräte mitbestimmt.
Die Durchführung der Abbindung erfolgt in drei Schritten:
1. Schneiden der Wursthülle auf die gewünschte Länge,
2. Plissieren, (das Ende der Wursthülle wird in Falten gelegt),
3. Verknoten dieses Teils der Hülle mit Garn.
Während früher die offenen Garnenden zur Schlaufenbildung noch einmal verknotet werden mußten, liefert heute die Abbindemaschine fertige Schlaufen.

Abbrand, *<organic loss>*, → Flammkaschieren.

Abdeckfolie, *<covering film, masking film>*, dient dem zeitweiligen Schutz von Werkstoffen oder Gütern während des Transports oder bei der Bearbeitung oder verhindert als Trennschicht die unerwünschte Vermischung oder Durchdringung verschiedener Materialien.
Die Funktion von Abdeckfolien zeigt einige Parallelen zu Eigenschaften und Anwendungen von → Trägerfolien für → Klebebänder und → Etiketten. → Siegelschichten werden gelegentlich fälschlich Abdeckfolien genannt. Verpackungsfolien schützen zwar den Inhalt der Packung, werden aber nicht als Abdeckfolien bezeichnet. Wichtige Beispiele für die Anwendung von Abdeckfolien sind:
1. Provisorische Verpackung, z.B. zum Schutz von lackierten Teilen, die zwischengelagert werden, oder zum Abdecken von Fertigprodukten mit empfindlicher Oberfläche während des Transports. Man benötigt dafür eine

preiswerte Folie, die gut an der Oberfläche des abzudeckenden Materials haftet und sich dann wieder leicht abziehen läßt (Haftfolie).
2. In der Landwirtschaft und im Gartenbau als Schutz- und Trennschichten (→ Landwirtschaftsfolien, → Silagefolien sowie für spezielle Anwendungen, z.B. zur → Bodensterilisation).
3. Als → Baufolien zum provisorischen Schutz von Gebäudeteilen oder von Estrichen bei der Aushärtung.
4. Als Abdeckmasken bei der Lackierung oder Bedruckung, wenn bestimmte Bereiche der Oberfläche unlackiert oder unbedruckt bleiben sollen. Hier werden sehr häufig, vor allem bei handwerklichen Arbeiten, → Klebebänder verwendet („Abkleben von Oberflächen“).
5. Abdeckung von Kunststoff-Formmassen oder Klebmassen zur Vermeidung der Verdunstung der in diesen Produkten enthaltenen flüchtigen Bestandteile wie Lösungsmittel oder Reaktionskomponenten. Die Folien können kurzzeitig während der Produktionsverfahren aufgelegt werden oder die Formmasse vom Herstellungsprozeß bis zum Verarbeiter begleiten (z.B. bei → Harzmatten).
6. Als Abdeckfolien werden auch häufig → Frontfolien für beleuchtete Informationsträger wie Signalanzeigen, Zifferblätter oder Instrumentenskalen bezeichnet.

Abfall, *<waste>*, → Entsorgung.

Abfallwirtschaft, *<waste economy>*, → Entsorgung.

Abriß, *<web break>*, → Folienbahn.

Abroller, *<adhesive tape applicator>*, → Klebeband-Verarbeitungsgeräte.

Abquetschen, *<squeeze>*, → Abquetschwalzen.

Abquetschwalzen, *<squeezing rolls, squeeze rolls>*, dienen der Entfernung von überschüssigem Auftragsmaterial bei dem Beschichten oder Bedrucken von Folien durch *Abquetschen.*
Bei der → Blasfolienextrusion wird die Folienblase durch Abquetschwalzen so zusammengedrückt, daß ihre Stabilität durch einen ausreichenden Druck der Innenluft gewährleistet ist. Die Abquetschwalzen überführen die Folienblase in eine Folienbahn, die nach → Flachlegung aufgewickelt wird.
Mit Rillen versehene → Walzen zur Entfernung von Luft, die sonst in die Folienbahn eingezogen würde, werden nicht als Abquetschwalzen bezeichnet.

ABS, → Acrylnitril-Butadien-Styrol-Copolymer.

Abschrecken, *<quenching, shock cooling>*, → Quenchen.

Abstandshalter, *<anti blocking agents>*, → Antiblockmittel.

Acrylnitril-Butadien-Styrol-Copolymer, *ABS*, *<acrylonitrile-butadiene-styrene copolymer, ABS>*, durch Polymerisation in Masse (in Substanz), nach dem Suspensions- oder vorzugsweise nach dem Emulsionsverfahren herge-

stellter Kunststoff. Nach dem letzterem Prozess wird eine Polybutadien-Dispersion mit Acrylnitril und Styrol gepfropft. Dabei beeinflußt die Größe der Polybutadien-Teilchen in starkem Maße die Eigenschaften des Endprodukts.
ABS ist ein → elastomerer Kunststoff. Er ist nicht transparent und weist wegen des geringen Gehalts an Polyacrylnitril keine Sperrschicht-Eigenschaften (→ Sperrschicht-Folien) auf. Es wird deshalb nur in geringem Umfang zur Folienherstellung eingesetzt. Ausnahmen sind einige Spezialgebiete wie Margarinebecher, die durch → Warmformung aus ABS-Folien gewonnen werden.

Acrylnitril-Copolymer, *<acrylonitrile copolymer>*, → Polyacrylnitril.

Adapter-Coextrusion, *<adapter coextrusion>*, → Coextrusion.

Additive, *Zusatzstoffe, Hilfsmittel, <additives, auxiliary agents>*, Stoffe, die den polymeren, zur → Folienherstellung verwendeten Rohstoffen vor oder während der Verarbeitung zugesetzt werden. Ziel dieser Zusätze sind Erleichterungen bei der Verarbeitung der Polymeren oder eine Verbesserung der Eigenschaften der Endprodukte.
Wichtige Gruppen von Additiven sind → Antiblockmittel, → Antioxydantien, → Antistatika, → Biostabilisatoren, → Färbemittel, → Gleitmittel, → Lichtschutzmittel, → optische Aufheller, → PVC-Stabilisatoren, → PVC-Verarbeitungshilfsmittel und → Weichmacher.
Die Entwicklung von Additiven setzte mit der Verarbeitung von Polymeren zu Kunststoff-Formteilen ein. Schwerpunkt war lange Zeit → Polyvinylchlorid. Dieses Material kann wegen seiner thermischen Instabilität ohne Additive überhaupt nicht thermoplastisch verarbeitet werden. Andererseits wurde PVC gerade durch seine ausgeprägte Fähigkeit zur Aufnahme größerer Mengen von Zusätzen zu einem äußerst vielseitig verwendbarem Rohstoff, dessen Eigenschaften sich durch die Anwendung maßgeschneideter Additive dem jeweiligen Verwendungszweck optimal anpassen lassen.
Heute ist die Anwendung von Additiven nicht mehr auf PVC beschränkt. Bei fast allen Thermoplasten, die zur Herstellung von Folien eingesetzt werden, kann man durch Zusatz von Additiven die Verarbeitung erleichtern oder die Eigenschaften der erhaltenen Folien gezielt verbessern. Von der Entwicklung neuer Additive oder Additiv-Kombinationen werden vielleicht sogar in Zukunft stärkere Impulse für die Folientechnologie ausgehen als von der Entwicklung neuer Basisrohstoffe. Ein interessantes Beispiel ist die → Nukleierung von Thermoplasten.
Additive müssen stets auf die jeweiligen Rohstoffe sorgfältig abgestimmt sein, wozu eine enge Zusammenarbeit zwischen Folienhersteller und Rohstofflieferant erforderlich ist. Zunehmend werden Additiv-Kombinationen entwickelt und angeboten. Diese insbesondere bei der Verarbeitung von PVC eingesetzten „one-packs“ enthalten Gleitmittel, Fließhilfen, Thermostabilisatoren und Antioxydantien und

ermöglichen die Rationalisierung der Verarbeitung durch höheren Ausstoß bei verbesserter Qualität des Endprodukts. Lit.

Adipat, *<adipate>*, → Adipinsäureester.

Adipinsäureester, *Adipate*, *<adipate>*, Ester der 1,4-Butandicarbonsäure ROOC-CH_2-CH_2-CH_2-CH_2-COOR. Die Ester höherer Alkohole werden als → Weichmacher verwendet.
Wichtigstes Produkt ist das 2-(Ethylhexyl)-adipat, meist als Dioctyladipat, DOA, bezeichnet. DOA ist eine farb- und geruchslose Flüssigkeit (d = 0,925 g/cm^3; Kp ca. 450 °C bei 26 mbar). Dioctyladipat wird besonders zur Herstellung von kältefesten → Weich-PVC-Folien verwendet.

Alkylsulfonsäureester, *ASE*, *<alkylsulfonic-acid-esters>*, aus aliphatischen Kohlenwasserstoffen durch Sulfochlorierung und anschließende Umsetzung mit Phenol/Kresol-Gemischen hergestellte → Weichmacher. Ihren chemischen Aufbau zeigt die folgende Formel:

$$R-SO_2-O-C_6H_4-CH_3$$

$R = C_{13}-C_{21}$

Die Produkte sind klare, neutrale, nicht ganz geruchsfreie Flüssigkeiten, die in den meisten organischen Lösungsmitteln löslich, in Wasser unlöslich sind. Sie werden vor allem zur Herstellung von → Weich-PVC-Folien verwendet. Ihr Einsatz erfolgt meist in Mischung mit anderen Weichmachern.

Alufolie, *<aluminum foil>*, → Aluminiumfolie.

Alu-Formpackung, *<strech-format aluminum package>*, → Aluminium-Formverpackung.

Aluminium, *<aluminium>*, chemisches Symbol *Al*, Dichte 2,7 g/cm^3, ein Leichtmetall. Aluminium findet sich in Form von chemischen Verbindungen sehr häufig und in großen Lagerstätten. Wichtigstes Mineral für die Gewinnung von Aluminium ist der Bauxit, ein Gemisch verschiedener Aluminiumhydroxide. Das Mineral muß zunächst durch Umsetzung mit Natronlauge gelöst und dadurch von anderen Metalloxiden, vor allem von Eisenoxiden, befreit werden. Als Zwischenprodukt entsteht Natriumaluminat, das in reines Aluminiumoxidhydrat umgewandelt wird. Durch Trocknung erhält man Aluminiumoxid, Al_2O_3. Dieses wird durch Schmelzflußelektrolyse an Kohleelektroden in Aluminium und Sauerstoff zerlegt. Der Sauerstoff setzt sich an der Anode mit dem Kohlenstoff zu Kohlenmonoxid und Kohlendioxid um, das Aluminium wird als Metall abgeschieden. Um den sehr hohen Schmelzpunkt des Aluminiumoxids zu erniedrigen, ist der Zusatz von Kryolith, (Na_3AlF_6), erforderlich.
Aluminium ist ein silberweißes Metall, das von Säuren und Laugen angegriffen

wird. An der Luft überzieht es sich an der Oberfläche mit einer sehr dünnen, ca. 0,1 μm starken, beständigen Oxidschicht, die das Metall vor weiterer Sauerstoffeinwirkung schützt (Passivierung).

Aluminium ist sehr dehnbar und läßt sich durch Walzen zu → Aluminiumfolien und → Aluminiumbändern verarbeiten. Beide Produkte werden nach DIN zur Gruppe „Aluminiumfolien und dünne Bänder" zusammengefaßt. Etwa 10% der Aluminium-Produktion gehen in diesen Bereich.

Wegen seiner einwandfreien physiologischen Eigenschaften ist Aluminium ein idealer Werkstoff für die Verpackung (→ Aluminiumbehälter). Aluminiumfolien finden jedoch auch auf vielen Gebieten des → technischen Sektors Anwendung.

Für die Herstellung von Aluminiumfolien wird Reinaluminium (Al-Gehalt 99,5%) verwendet. Für die Herstellung von Aufreißdeckeln werden auch Aluminiumlegierungen mit einem Mangangehalt von 2-5% verwendet, da diese eine größere Festigkeit besitzen.

Der Verbrauch an elektrischer Energie für die Aluminium-Herstellung ist relativ hoch. Er konnte jedoch im Lauf der letzten 30 Jahre wesentlich verringert werden.

Es bleibt weiter zu beachten, daß über 60% des Aluminiums durch elektrische Energie, die aus Wasserkraft stammt, gewonnen werden. Aluminium-Verpakkungen sind sehr gut zur → Rückführung und Wiederverwertung geeignet. Verpackungen aus Aluminium sind deshalb weder „Energiefresser" noch „Luxusausstattungen". Dies wurde in letzter Zeit auch durch die Aufstellung von → Ökobilanzen untermauert. Selbstverständlich bleibt es Aufgabe der Technik, Aluminium sparsam zu verwenden, seine Wiederverwertung zu fördern und es dort durch Verbundfolien (→ Aluminium-Verbunde) oder durch metallisierte Kunststoff-Folien (→ Metallisieren) zu ersetzen, wo dies sinnvoll ist. Lit.

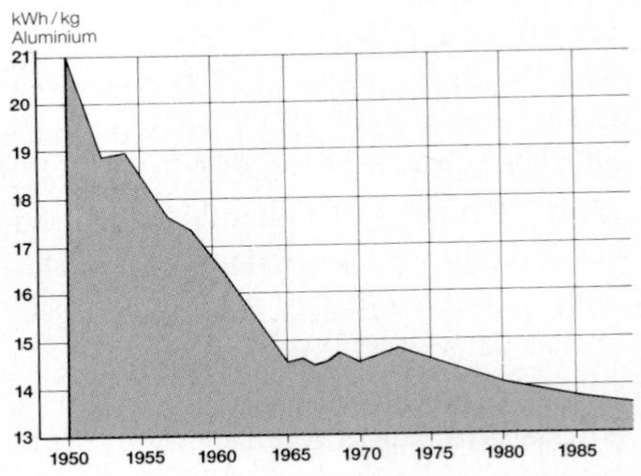

Aluminium. Firmenschrift Alcan Deutschland GmbH, Eschborn.

Aluminiumband, <*aluminum thin strip*>, werden aus Aluminium hergestellt und nach DIN mit den → Aluminiumfolien in einer Gruppe zusammengefaßt. Etwa 10% der Aluminiumfolienproduktion geht in diesen Sektor. Während zur Herstellung von Folien Aluminium mit Reinheitsgraden zwischen 99,0 und 99,5% verwendet wird, werden für Aluminiumbänder auch Reinheitsgrade über 99,5%, seltener Produkte mit 99,99% Al eingesetzt. Auch Legierungen des Aluminiums mit geringen Mengen von Mangan, Kupfer, Zinn oder Magnesium werden wegen ihrer besseren mechanischen Eigenschaften verwendet.

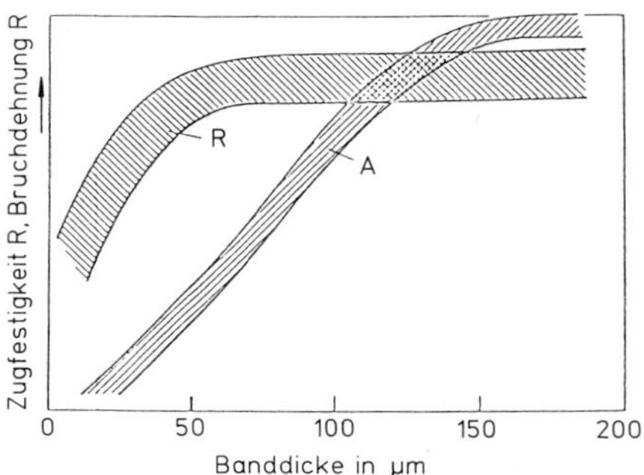

Aluminiumband. Abb. 1. Vortrag W. Geier, Alusingen 8.10.1986.

Die Produktion von Aluminiumbändern entspricht weitgehend den bei Aluminiumfolien beschriebenen Verfahren. Ihre Dicke liegt nach DIN 1784, Blatt 2, zwischen 21 und 350 μm. Als unveredelte, „weiße" Alu-Bänder werden sie als dünnes Material zur Herstellung von → Kronenkorken, mit größeren Dicken vor allem zur Herstellung von → Aluminiumbehältern eingesetzt. Dazu sind neben den bekannten guten Eigenschaften der Alufolien für die Verpackung auch die mechanischen Festigkeiten sehr wichtig. Eine Konstanz der Bruchdehnung A und Zugfestigkeit R wird erst bei etwa 100 μm Banddicke erreicht.

Dies liegt vor allem an dem kristallinen Gefüge der Aluminiumbänder. Im Ex-

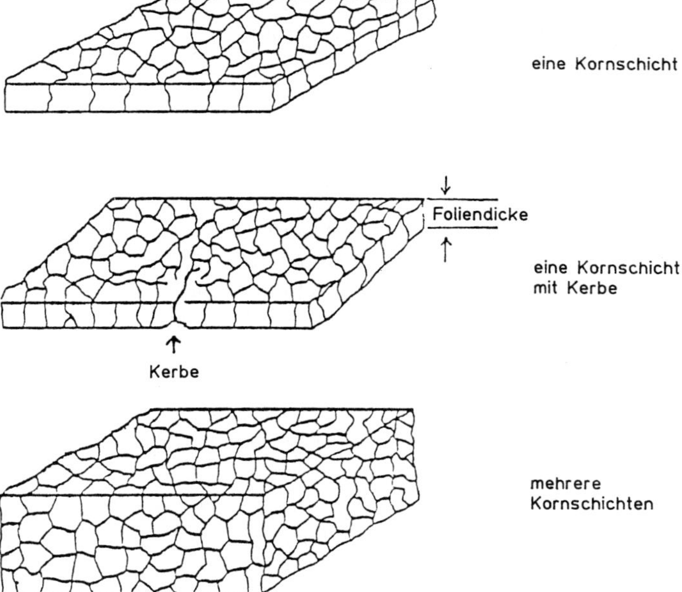

Aluminiumband. Abb. 2. Vortrag W. Geier, Alusingen 8.10.1986.

tremfall kann eine Folie oder ein dünnes Band von einer einzigen Kornschicht gebildet werden. Scher- und Kerbwirkungen machen dann das Material sehr empfindlich. Ein Ausgleich dieser Schwachstellen erfolgt erst durch mehrere *Kornschichten* bei entsprechend dickeren Bändern.

Aluminiumbänder können wie Aluminiumfolien durch → Lackieren vergütet werden.

Bei extrem hohen Anforderungen an die Reinheit der Oberfläche muß diese chemisch entfettet werden. Dazu dienen meist alkalische Entfettungs- und Nachbehandlungsbäder.

Zur Erzielung besonders guter → Planlage werden die Bänder gelegentlich einem → Reckverfahren unterworfen. Aluminiumbänder werden nur in → Längsrichtung gereckt.

Eine besondere Aufrauhung der Bänderoberflächen kann durch → Bürsten erfolgen. Wenn dies nicht ausreicht, kann die Oberfläche des Bandes elektrochemisch um ein Vielfaches vergrößert werden. Dieser auch als Ätzverfahren bezeichnete Prozeß kann bei Aluminiumbändern mit Dicken ab etwa 100 μm angewendet werden. Derartige Produkte dienen zur Herstellung von Elektrolytkondensatoren.

Aluminiumbänder werden, wie die entsprechenden Folien, auch bei vielen Anwendungen im technischen Sektor eingesetzt. Spezielle Beispiele sind elektrostatische Abschirmung (→ statischer Schirm), → Schichtmantelkabel, → Gurtbänder für elektronische Bauelemente und Anwendungen in Wärmeaustauschern.

Aluminiumbehälter, *<aluminum containers>*, Verpackungen aus Aluminium, die aus → Aluminiumbändern hergestellt werden. Dabei sind neben den bekannten guten Eigenschaften des → Aluminiums auch die mechanischen Festigkeiten sehr wichtig. Eine Konstanz von Bruchdehnung und Zugfestigkeit wird erst etwa bei 100 μm Banddicke erreicht. Dieser Sachverhalt ist bei dem Stichwort Aluminiumbänder eingehend dargestellt.

Der Elastizitätsmodul von Aluminium ist gegenüber dem von Stahl niedriger. Die Formsteifigkeit ist dementsprechend geringer, was durch eine Vergrößerung der Foliendicke um den Faktor 1,4 ausgeglichen werden kann. Die Gewichtersparnis gegenüber Stahl beträgt auch dann noch über 50%.

Sofern die Behälter zur Aufnahme agressiver Produkte dienen sollen, muß die Chemikalienbeständigkeit des Materials durch → Lackieren verbessert werden.

Man unterscheidet zwischen *Dosen* und *halbstarren Leichtbehältern*. Dosen werden durch einen Doppelfalz mechanisch verschlossen. Halbstarre Behälter und auch flexible Packungen haben auf der dem Produkt zugewandten Seite eine Siegelschicht, die durch → Heißsiegeln verschlossen wird. Das Prinzip von Bördel- und Siegelverschluß zeigt Abb. 1.

Den Einfluß der Behälterart auf die Kerntemperatur bei der → Sterilisation zeigt Abb. 2.

Die zur Konservierung erforderliche Temperatur von 121 °C wird beim

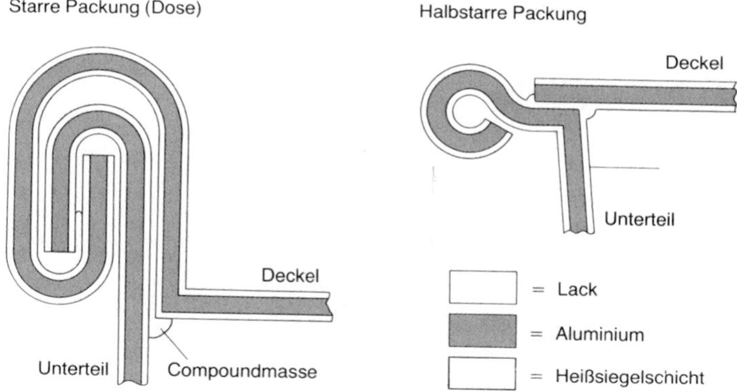

Aluminiumbehälter. Abb. 1. Alusingen, Singen/Hohentwiel, Firmenschrift.

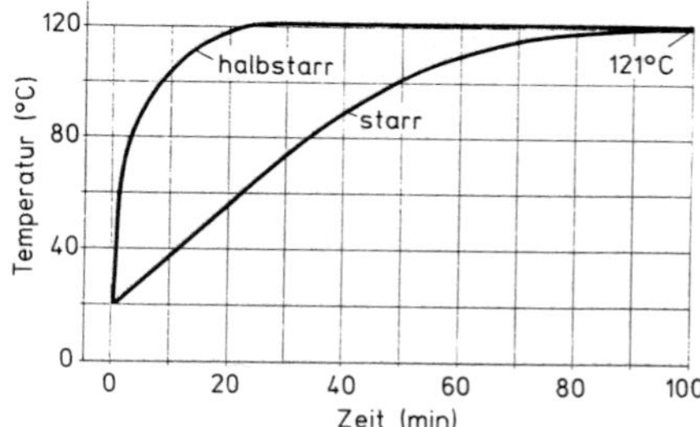

Aluminiumbehälter. Abb. 2. Anstieg der Kerntemperatur bei einer Runddose und einem flachen Leichtbehälter (Inhalt 400 cm^3) Alusingen, Singen/Hohentwiel, Firmenschrift.

halbstarren Behälter wesentlich schneller erreicht als bei der starren Dose.

Die Dicken der Aluminiumbehälter liegen für Dosen und Dosendeckel bei 220 und 270 μm, bei halbstarren Behälter zwischen 50 und 110 μm.

Für die Herstellung von rechteckigen Behältern mit Füllvolumina von etwa 20 ml bis 2,2 l werden → Aluminiumverbunde mit Polyesterfolie als Trägerschicht und Polypropylenfolie als Siegelschicht eingesetzt.

In der Konservenindustrie ist Aluminium wegen seiner sehr guten Wärmeleitfähigkeit, Dichtheit und Verformbarkeit ein vielseitig einsetzbares Ausgangsmaterial.

Aluminiumdose, *<aluminum can>*, → Aluminiumbehälter.

Aluminiumfolie, *Alufolie*, *<aluminum foil, foil>*, wird durch Walzen aus → Aluminium hergestellt und nach DIN mit den → Aluminiumbändern zusammengefaßt. Es wird in den meisten Fällen Aluminium mit Reinheitsgraden von mindestens 99 bis 99,5% verwendet.

Die Entwicklung des *Walzverfahrens* begann 1910, nachdem vorhergehende Versuche, Folien durch Hämmern zu erzeugen, wegen hoher Kosten und schlechter Qualität aufgegeben wurden. 1950 erreichten die Walzwerke Breiten bis zu 1.000 mm. Heute liegen diese bei über 2.000 mm. Die Durchmesser der Arbeitswalzen betragen 200 bis 250 mm, die der Stützwalzen 500 bis 700 mm. Die Walzgeschwindigkeiten wurden im Laufe der Entwicklung ständig gesteigert und betragen heute bis zu 2.500 m/min. Die Gewichte der Folienrollen, bei Aluminiumfolien als *Coils* bezeichnet, liegen bei etwa 15 t. Derartige Leistungen sind nur durch rechnergesteuerte Anlagen und durch voll integrierte Transportsysteme möglich.

Ausgangsmaterial sind Walzbarren aus Reinaluminium, die bis zu 15 t Gewicht haben können. Diese werden von ihrer Gußhaut durch Fräsen befreit, in einem Glühofen auf ca. 500 °C erwärmt und auf Warmwalzwerken in mehreren Durchgängen zu Platten von 10 bis 15 mm gewalzt. Nach dem Erkalten werden diese mittels Bandwalzwerken auf eine Dicke von 0,6-0,8 mm gebracht. Die erhaltenen Bänder werden besäumt, um Kantenrisse zu entfernen, und dann aufgewickelt.

Bei der mechanischen Verformung durch das Kaltwalzen wird die Härte des Materials wesentlich erhöht. Die so erhaltenen *Vorwalzbänder* müssen deshalb durch Glühen bei 400 bis 500 °C wieder in einen weichen Zustand übergeführt werden, um die Weiterverarbeitung zu ermöglichen.

Die Folien werden zweilagig gewalzt. Dadurch hat ihre der polierten Stahlwalze zugekehrte Seite eine glänzende Oberfläche, während die der gleichzeitig gewalzten zweiten Folie zugekehrte Seite matt ist. Auch beidseitig hochglänzende Folien sind herstellbar. Man muß dann jedoch auf die größere Wirtschaftlichkeit der beidseitigen Walzung verzichten. Die Dicken solcher Folien liegen über 12-15 μm.

Durch die starke mechanische Beanspruchung beim Folienwalzen wird das Material erneut sehr hart und erlaubt keine Formänderung mehr. Durch einen weiteren Glühvorgang bei etwa 400 °C werden die Folien wieder geschmeidig und dehnbar gemacht. Die Folien-Doppelbahn wird dann in Einzelfolien auseinandergewickelt. Durch das *Glühen* sind die Folien völlig keimfrei und sehr sauber.

Beim Kaltwalzen der Vorwalzbänder werden spezielle, niedrig viskose *Walzöle* eingesetzt, durch die Rückstände höher viskoser Walzöle aus vorhergegangenen Walzprozessen restlos verdrängt werden. Die niedermolekularen Walzöle werden ihrerseits beim Glühprozess rückstandslos verdampft. Hierfür haben sich besonders niedermolekulare → Polybutene bewährt.

Die Dicke der Alufolien liegt zwischen 5 und 20 μm. Für Verpackungszwecke werden meist Folien mit 7 bis 20 μm verwendet, für die der DIN-Entwurf 1784, Blatt 3, gilt. Die Tendenz geht langsam weiter zu dünneren Folien; 6,75 und 6,35 μm sind bereits realisiert. Die Lösung des Problems der → Porosität wird jedoch bedeutend schwieriger. Die nach dem letzten Glühprozeß erhaltenen sogenannten *„Weißen Folien“* sind bereits unmittelbar für einige Anwendungen geeignet. Sie dienen vor allem zur Schokoladenverpackung, weil sie durch ihr ausgezeichnetes Wärmerückstrahlvermögen das Füllgut vor Einwirkung höherer Temperatur schützen. Dies war das älteste Anwendungsgebiet für Alufolien. Weiße Alufolien werden ferner als → Haushaltsfolien, → Kondensatorfolien und als → Isolierfolien eingesetzt. In den meisten Fällen werden Aluminiumfolien und -bänder jedoch vor ihrem Einsatz noch behandelt oder veredelt. Beispiele für Nachbehandlungen sind das → Prägen und → Bürsten. Die Veredlung durch → Lackieren, → Kaschieren, → Bedrucken oder die Herstellung von → Aluminium-Verbunden dient vor allem der Verbesserung der mechanischen Eigenschaften. Diese sind, bedingt durch die unter → Aluminiumband näher beschriebene Struktur des Materials, für viele Anwendungsfälle beim Rohprodukt unbefriedigend.

Aluminiumfolien sind ab 20 μm Dicke absolut undurchlässig für Wasserdampf, Gase, Aromastoffe und Licht. Sie bieten deshalb als Verpackungsmaterial optimalen Schutz für das Füllgut. Ihre gute Wärmeleitfähigkeit wirkt sich bei der → Dampfsterilisation und beim → Heißsiegeln günstig aus. Sie stehen in der Verpackung im Wettbewerb mit den meist transparenten Kunststoffolien, die durch Metallisieren modifiziert sein können. Aluminium- und Kunststoffolien bilden jedoch in sehr vielen Anwendungsgebieten eine wertvolle gegenseite Ergänzung.

Aluminiumfolien wurden neben dem Gebiet der → Verpackung auch auf dem → Technischen Sektor vielfältig eingesetzt. Beispiele für einige auf der Hannovermesse Industrie Mai 1990 gezeigte neue Entwicklungen sind:

1. Schall- und Hitzeschutz. Im Motorraum von Kraftfahrzeugen werden insbesondere die Bereiche mit Katalysatoren sehr heiß. Isolationselemente aus beidseitig mit Aluminium-Folie verpreßten Mineralwollen bringen hier an Stelle der bisher verwendeten Elemente aus Voll-Aluminium wesentliche Gewichtseinsparung.
2. Flexible Rohre aus Glasgewebe, kombiniert mit Aluminium-Folien haben interessante Anwendungsgebiete in der Kfz-Industrie und im Maschinenbau.
3. Als Rückseiten von Solarzellen bieten Aluminium-Folien vollständige Wasserdampfsperre.
4. Mit Aluminiumfolie verstärkte Polypropylenrohre in Wasserleitungen sind stabil auch in der Wärme. Das Durchbiegen der Rohre („Wäscheleinen-Effekt“) wird wirksam verhindert.

Die wirtschaftliche Bedeutung der Aluminiumfolien ist sehr groß. Die in Europa produzierte Menge lag 1988 bei über 500.000 t. Der Pro-Kopf-Verbrauch ist in den einzelnen Ländern sehr unterschiedlich (s. Tab. S. 12).

In den letzten Jahren war eine mittlere Mengensteigerung von 3% zu verzeichnen, obwohl die Tendenz zu immer dünneren Folien offensichtlich ist (Abb.).

Der Anteil an Folien mit Dicken unter 7 μm stieg um 14% im Jahre 1980 auf 25% im Jahre 1988.

Aluminiumfolie.
Pro-Kopf-Verbrauch von Aluminiumfolie in kg.

	1987	1988
Benelux	1,364	1,588
BR	1,720	1,823
Frankreich	1,322	1,406
Italien	1,037	1,126
Großbritannien	1,108	1,149
Skandinavien	1,150	1,124
Schweiz	3,161	3,332
Österreich	1,519	1,635
Spanien	0,923	1,009
Griechenland	0,491	0,522

EAFA = Europäische Aluminium-Folien Vereinigung

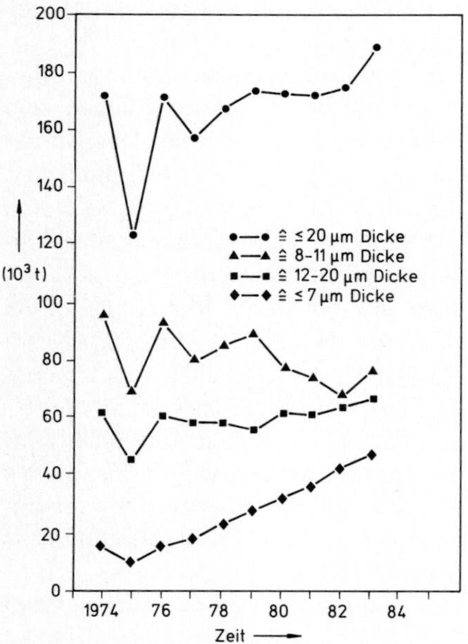

Aluminium-Folie. Vortrag W. Geier, Alusingen 8.10.1986.

Aluminiumformverpackung, *Alu-Formpackung, <stretch-formed aluminum package>*, eine Packung aus Aluminium-Kunststoff-Verbundfolien, die zur Aufnahme des Füllguts kalt verformt wurde.

Die Alu-Formpackung stellt ein eigenständiges System dar. Im Gegensatz zur → Blisterverpackung und der → Skinverpackung, die nach dem Prinzip der → Warmformung von Kunststoffolien hergestellt werden, wird hier als *Bodenfolie* ein Aluminium-Kunststoffverbund eingesetzt, der durch Streckziehen, „Tiefen", verformt wird. Als *Deckfolie* wird in der Regel ebenfalls eine Aluminiumfolie verwendet.

Die Aluminium-Formpackung ist eine noch relativ neue Entwicklung der letzten 10 Jahre. Hauptziel war die Nutzung der hervorragenden Eigenschaften der Aluminiumfolie für die sichere Verpackung vor allem von Pharmaprodukten unter extemen Bedingungen.

Aluminiumfolie läßt sich im Verbund mit einer Stützfolie auf Kunststoffbasis in der Kälte verformen. Allerdings ist das Verformungsverhalten von Aluminium und Kunststoff so unterschiedlich, daß für beide Produkte besondere Materialien entwickelt werden mußten.

Der mittlere Durchmesser von Aluminium-Kristallen liegt normalerweise bei etwa 40 μm. Folien mit Dicken um oder unter 40 μm weisen also nur eine einzige Kornschicht auf und neigen bei der Verformung zum Bruch oder zur Bildung feiner Risse oder Löcher. Durch Entwicklung besonders feinkörniger Aluminiumlegierungen konnte die Stabilität der Folie wesentlich erhöht

werden. Dies gelingt auch durch Kombination von zwei dünnen Aluminiumfolien zu einer → Doppelfolie.
Die Kunststoff-Stützfolie besteht aus biaxial verstreckten Material, wie → Polyester-Folien, → BOPP oder → Polyamid-Folien. Zur optimalen Anpassung der Dehnbarkeit dieser Stützfolien können die Bedingungen des Reckverfahrens variiert werden. Aluminium und Stützfolie werden durch geeignete Kaschierklebstoffe verbunden. Die andere Seite der Aluminiumfolie erhält eine → Siegelschicht oder wird mit einer siegelfähigen Kunststoff-Folie verbunden. Diese verleiht dem System größere Steifigkeit. Sie kann aus → Hart-PVC-Folie, → Polyethylen-Folie oder BOPP bestehen. Diese Folien können noch mit einer zusätzlichen Sperrschicht versehen sein. Wenn zur Herstellung der Stützfolien zwei Folien kombiniert werden, kommt man zu Vierschicht-Verbunden. Den schematischen Aufbau derartiger Folien zeigt Abb. 1, den Aufbau im Einzelnen Abb. 2.
Für eine sichere Verformung, d.h. zur Herstellung einer absolut dichten Packung sind das Kristallgefüge der Aluminiumschicht (Einzelheiten → Aluminiumband), Fließverhalten und Lastaufnahme der Stützfolie, das Dikkenverhältnis der Folien und ihre Verbindung durch den → Haftvermittler von entscheidender Bedeutung. Ebenso wichtig ist jedoch die Wahl einer optimalen Verformungstechnik. Zur Herstellung der sehr kleinen Pharmaverpackung wird die *Stempelverformung* eingesetzt, deren Schema Abb. 3. zeigt. Der Aufbau des Werkzeugs muß eine gleichmäßige Verteilung der Spann- und Haltekräfte über die gesamte

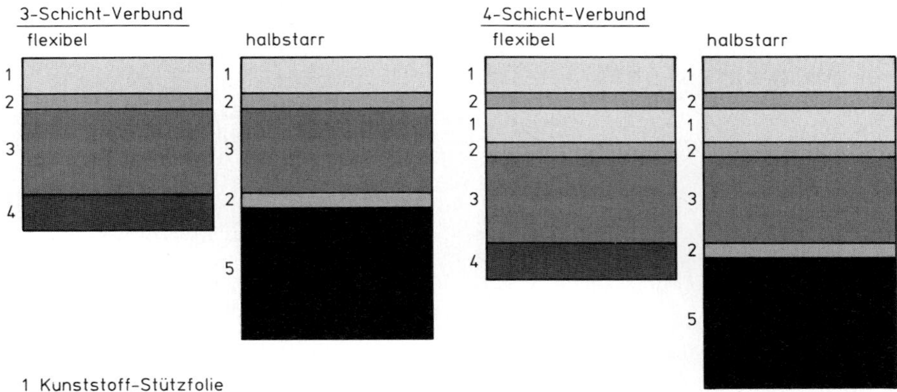

Aluminiumformverpackung. Abb. 1. Alusingen, Firmenschrift.

Packstoffkombination		1	2	3	4	5
Stützfolie	OPA µm	—	—	15—25	15—25	15—25
	OPA µm	—	—	—	—	15—25
	OPP µm	15—30	15—30	—	—	—
Sperrschicht	AL µm	40	70	50	40	40
Siegelschicht	PVC µm	—	—	—	60	60
	PO µm	25	30	20	—	—

Aluminiumformverpackung. Abb. 2. Nach Gerber, Verpackungs-Rundschau *35*, 354 (1984).

Spannfläche sicherstellen. Während des Umformungsprozesses darf kein Material aus der Halterung nachrutschen. Form und Oberflächengüte des Stempels bestimmen wesentlich das Fließen der Verbundfolie während der Formgebung und damit des Umformergebnis. Die partielle Oberflächendehnung soll im gesamten Verformungsbereich möglichst gleichmäßig sein. Die Maximalwerte liegen im allgemeinen bei 65 bis 70%.

Ein wichtiges Kriterium für die Leistungsfähigkeit der Aluminium-Formverpackung ist das Tiefungsverhältnis

$$\beta = D/T,$$

wobei D der obere Innendurchmesser der Einzelmulde oder der Stempeldurchmesser und T die Tiefe der Packung bedeuten. Das Tiefungsverhältnis ist abhängig vom Packstoffaufbau, dem Flankenwinkel und der Bodenform der Mulde und vom Reibungsverhältnis zwischen Stempel und Verbundfolie. Es können heute Tiefungsverhältnisse bis zu etwa 3, in besonders günstig gelagerten Fällen auch darunter erzielt werden.

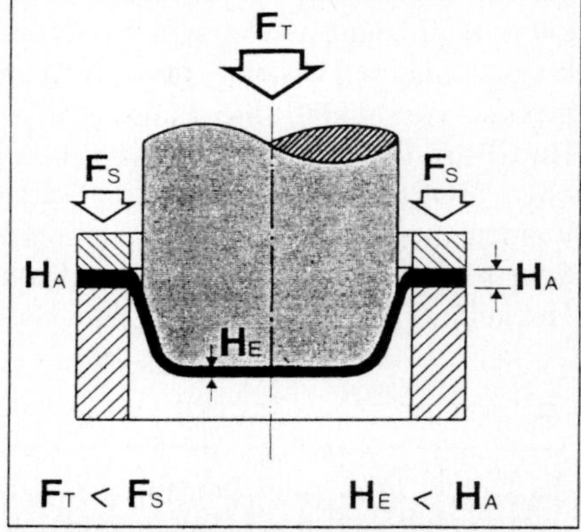

Schematische Darstellung des Umformverfahrens „Tiefen"
F_T = Verformungskraft
F_S = Spannkraft
H_A = Ausgangsdicke
H_E = Dicke nach der Verformung

Aluminiumformverpackung. Abb. 3. Nach Gerber, Verpackungs-Rundschau *35*, 354 (1984).

Zum Verschließen der getieften und mit dem Packgut befüllten Bodenfolien werden im einfachsten Fall Oberfolien aus lackiertem Aluminiumband verwendet. Meist werden jedoch Verbundfolien aus einer 20 bis 40 μm

dicken Al-Folie mit Kunststoffschichten oder auch mit Papier eingesetzt. Diese Packungsart wird vor allem für Tabletten, Kapseln, Dragees und medizinische Kleinartikel verwendet.
Zur Verpackung von Suppositorien, von pastösen und flüssigen Produkten werden häufig zwei symmetrisch aufgebaute und symmetrisch verformte Aluminium-Verbunde gegeneinander versiegelt.
Die Aluminiumformverpackung weist eine Reihe hervorragender Eigenschaften auf. Sie hat eine Lücke zwischen Glas-, Metall- und Kunststoffverpackung geschlossen. Der kritische Schritt ist die Kaltverformung des Aluminium-Kunststoff-Verbundes. Das sehr sorgfältige Studium dieser Technologie und die Schaffung einiger spezieller Testmethoden (→ Berstdruckprüfung mit Wölbhöhenmessung, → MAD-Test, → Hoogovenraster) haben zur Entwicklung optimal geeigneter Verbundfolien geführt und die Produktion von Aluminium-Formverpackungen wesentlich sicherer gemacht. Die Blister-Verpackung bleibt jedoch ein wichtiges Wettbewerbsverfahren, zumal an der Entwicklung von Verbundfolien mit noch geringerer Durchlässigkeit für Wasserdampf und Gase weiter gearbeitet wird. Eine Kombination von Blisterverpackung und Alu-Formpackung stellt die → tropensichere Blisterpackung dar. Lit.

Aluminiumoxid-Wirbelbett, *<fluidized bed>*, → Reinigen von Werkzeugen.

Aluminiumtube, *<aluminum tube>*, → Metalltube.

Aluminium-Verbunde, *<aluminium multi-layer film>*, wichtige Gruppe von → Verbundfolien, die aus einer Aluminiumfolie und mindestens einer anderen flächigen Bahn aufgebaut sind. Als Verbundmaterialien für Aluminiumfolie kommen alle aus thermoplastischen Kunststoffen hergestellte Folien, → Cellophan, → Papier und Pappe sowie Gewebe in Frage. Das flächige Verbinden wird durch → Kaschieren oder → Extrusionsbeschichten, häufig in Verbindung mit der → Coextrusion durchgeführt.
Die Durchlässigkeit von Aluminiumfolie ist bei ausreichender Foliendicke praktisch gleich Null. Die Undurchlässigkeit für Sauerstoff, Wasserdampf, Gase und Aromen ist deshalb besser als bei den aus Kunststoffen aufgebauten → Sperrschichtfolien. Nachteil oder Vorteil ist je nach Anwendungsgebiet die Undurchsichtigkeit der Aluminium-Verbunde. Sie bedeutet hervorragenden Lichtschutz, aber keine Transparenz.
Bei Kombinationen von Alufolien mit Kunststoff-Folien sind die mechanischen Eigenschaften gegenüber der Aluminium-Solofolie entscheidend verbessert. Die Reißfestigkeit setzt sich annähernd additiv aus den Werten der Verbund-Komponenten zusammen. Die Bruchdehnung, die bei Aluminiumfolien nur etwa 3% beträgt, erreicht bei Verbunden 15 bis 25%, ohne daß es zur Bildung von Poren kommt.

So können Aluminium-Verbunde, wenn auch nicht im Maße der Kunststoff-Verbundfolien, durch Warmformen oder durch mechanische Verformung getieft werden. Diese Verfahren werden u.a. bei der → Blister-Verpackung und bei der → Aluminium-Formverpackung angewendet.

Bei der Herstellung von Dreischicht-Verbunden wird die Aluminiumfolie stets als mittlere Schicht eingesetzt. Sie ist dadurch sehr gut geschützt, ihre geringe Chemikalienbeständigkeit ist irrelevant, und die mechanischen Eigenschaften des Verbunds sind optimal. Eine der Kunststoff-Schichten dient als → Siegelschicht, sie wird in der Regel mit der matten Seite der Alufolie verbunden. Die zweite Kunststoff-Schicht dient als → Trägerfolie und wird mit der glänzenden Seite verbunden. Die Siegelschicht wird meist nach innen gewickelt.

Die Tabelle zeigt einige Kombinationsmöglichkeiten für Dreischichtverbunde. Aluminium-Verbunde mit mehr als drei Schichten sind ebenfalls bekannt.

Die Aluminium-Verbunde eignen sich zum Verpacken von festen, flüssigen und pastösen Produkten. Sie werden vor allem bei feuchtigkeits- und aromaempfindlichen Gütern, z.B. bei der → Kaffeeverpackung, eingesetzt. Für die → Vakuum- oder Schutzgasverpackung werden sie häufig verwendet, sofern ihre Verformbarkeit ausreicht. Wegen ihrer guten Sterilisierbarkeit eignen sie sich für die → medizinische Verpackung ebenso wie für die → aseptische Verpackung. Aluminiumverbunde spielen auch zur Herstellung von Tuben (→ Laminattuben) und Etiketten eine wichtige Rolle. Ebenso finden sie wegen ihrer hohen Reißfestigkeit als → *Aufreißstreifen* Verwendung.

Aluminium-Verbunde.

	Werkstoff	Schichtdicke
Außenschicht	Polyester	12– 30μm
	Polyamid	15– 25μm
	Polypropylen	12– 25μm
	Zellglas	28– 45g/m^2
	Papier	20–100g/m^2
Sperrschicht	Aluminiumfolie	bis 20μm
	Aluminiumband	> 20μm
Innenschicht (Siegelschicht)	Polyethylen	15–100g/m^2
	Polypropylen	15–100g/m^2
		15– 75g/m^2
	Hotmelt	5– 20g/m^2

Nach Alusingen, Singen/Hohentwiel, Firmenschrift

American Society for Testing and Materials, → Normung.

Ampullenverpackung, *<ampoule package>*, → Blister-Packmaschinen.

Anilindruck, *<aniline printing>*, veraltete Bezeichnung für → Flexodruck.

Anisotropie *<anisotropy>*, die Richtungsabhängigkeit der physikalischen Eigenschaften und des Verhaltens von Stoffen. In der Folientechnologie liegt Anisotropie vor, wenn bei einer Folienbahn die Eigenschaften in → Längsrichtung anders sind als in Querrichtung. In der Regel wird bei der Folienherstellung das Gegenteil, nämlich *Isotropie*, angestrebt. Ausnahmen gibt es, wenn bei einem Reckverfahren die Folie nur in einer Richtung verstreckt wird. → Magnetbandfolien werden z.B. in Längsrichtung stärker verstreckt, um in dieser Richtung besonders gute mechanische Eigenschaften zu erzielen. Entsprechendes gilt für → Schrumpfbänder, die in Querrichtung wesentlich stärker schrumpfen sollen als in Längsrichtung.

Antibeschlag-Effekt, <*antifog*>, → Antifog-Effekt.

Antibeschlagmittel, Antifog-Mittel, <antifogging agent>, eine Substanz, die das Beschlagen der Innenfläche einer Packung mit Wassertröpfchen aus feuchtem Packgut verhindert. Es werden meist nicht-ionische, grenzflächenaktive Substanzen verwendet wie z.B. Umsetzungsprodukte höherer Alkohole mit Ethylenoxid oder Glycerol-Fettsäureester.

Antiblockmittel, *Slipmittel, Trennmittel, Abstandshalter*, <*anti-blocking-agent* (bei PVC), *slip-agents* (bei Polyolefinen)>, Additive, die bei Folien die Neigung zum Blocken, d.h. zum Zusammenbacken in der → Folienrolle oder im Stapel von → Folienbögen verringern. Die gelegentlich gebrauchte Bezeichnung → Gleitmittel sollte den Additiven vorbehalten bleiben, die als Verarbeitungshilfen dienen.

Ursprünglich wurde das Blocken durch Pudern der Folienoberfläche mit hochdispersen Kieselsäuren oder mit fein verteiltem Stärkepulver verhindert. Wegen der dabei unvermeidlichen Staubbildung arbeitet man heute Antiblockmittel in die polymeren Rohstoffe vor der Verarbeitung ein. Beispiele sind Kreide, Siliziumoxide oder Fettsäureamide, die in Mengen zwischen 0,05 und 0,1% zugesetzt werden. Sie wandern an die Folienoberfläche und Wirken dort als Abstandshalter. Für Folien aus PE-LD hat sich Ölsäureamid, für Folien aus PP Erucasäureamid besonders bewährt. Eine weitere Maßnahme zur Verbesserung des Blockverhaltens ist die Zugabe sehr geringer Mengen von Polymeren, die mit dem Grundmaterial der Folie unverträglich sind; so wandert z.B. ein Polyamid aus einer Polypropylenfolie aus und besetzt die Oberfläche mit winzigen Partikeln, die als Abstandshalter wirken. Antiblockmittel verhindern nicht nur das Zusammenbacken von Folien in der Rolle oder im Stapel, sondern verbessern auch bei der Verarbeitung und Anwendung die → Maschinengängigkeit der Folien.

Antifog-Effekt, *Antibeschlag-Effekt*, <*antifog*>. Die Verhinderung der Bildung von Wassertröpfchen an der Innenseite von Folienpackungen. Das Beschlagen der Folie tritt besonders bei der Verpackung von stark wasserhaltigen Gütern wie Salat, Obst und Gemüse ein und beeinträchtigt das Aussehen der Ware.

Antifog-Effekte werden bei Verwendung von Folien mit hoher → *Wasser-*

dampf-Durchlässigkeit, z.B. von → Cellophan oder → OPS-Folie, durch → Perforation von wasserdampfundurchlässigen Folien oder durch Zusatz von → Antibeschlagmiteln erzielt.

Antifog-Mittel, <*antifogging agents*>, → Antibeschlagmittel.

Antioxydant, <*antioxydant*>, ein Additiv, das die qualitätsschädigende Oxidation von Polymeren mindert: Alle zur Herstellung von Folien verwendeten Polymeren unterliegen bei der Einwirkung von Sauerstoff einem mehr oder weniger starkem oxidativen Abbau. Dieser macht sich durch eine Verschlechterung der optischen und mechanischen Eigenschaften der Folien bemerkbar. Polypropylen und Polyethylen sind z.B. stärker gefährdet als Polyethylenterephthalat. Antioxydantien schützen zum einen die Polymeren während der thermoplastischen Verarbeitung, wo die Einwirkung von Sauerstoff wegen der erhöhten Temperatur besonders gefährlich ist und zum anderen bei Anwendungen, bei denen es langfristig auf die Erhaltung guter mechanischer Eigenschaften ankommt, insbesondere bei → *Landwirtschaftsfolien.*

Die schädliche Einwirkung von Sauerstoff während der thermoplastischen Verarbeitung zeigt sich im Anstieg des → Schmelzflußindex und in der Bildung von → Stippen infolge von Vernetzungsreaktionen. Die Abb. 1 zeigt die Veränderung des Schmelzflußindex von Polypropylen bei mehrfacher Extrusion. Die beste Wirkung zeigt die

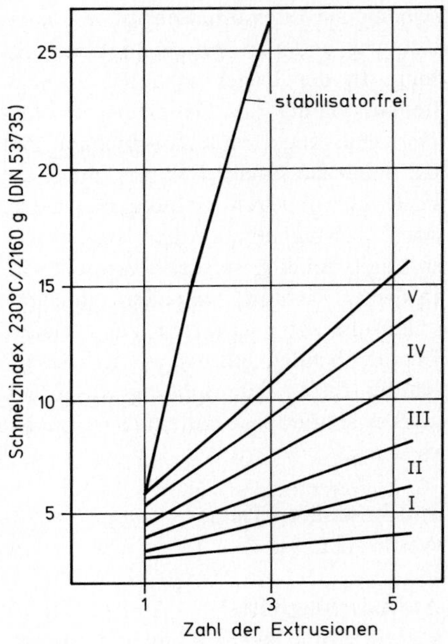

Antioxydant. Abb. 1. Nach Gächter, Taschenbuch der Kunststoff-Additive, Hanser Verlag 1990.

Kombination von Phosphoniten oder Phosphiten mit Langzeit-Antioxydantien (I und II); bei Herabsetzung der Stabilisatormenge auf die Hälfte wird das Ergebnis III erzielt. IV und V zeigt die Verhältnisse bei Anwendung verschiedener Konzentrationen von Langzeit Antioxydantien ohne zusätzliche Antioxydantien. Ähnliche Bedingungen gelten für das zur Folienherstellung besonders häufig verwendete → Polyethylen niedriger Dichte (PE-LD).

Als Langzeit-Antioxydantien dienen höhermolekulare, sterisch gehinderte Phenole und Amine, häufig in Kombination mit Thioäthern. Ihre Prüfung erfolgt meist bei höherer Temperatur (Ofentest), um den Alterungsvorgang zu beschleunigen.

Abb. 2 zeigt die Temperaturabhängigkeit der Ofenstandzeit von → Folienbändchen aus Polypropylen bei Zusatz von Antioxydantien. Als Kriterium für die Schädigung diente die mit der Zeit zunehmende Versprödung. Der Einsatz von Antioxydantien ist besonders bei solchen Folien wichtig, bei denen die schädliche Einwirkung von Sauerstoff durch starke Einstrahlung von Licht noch erhöht wird (→ Lichtschutzmittel).

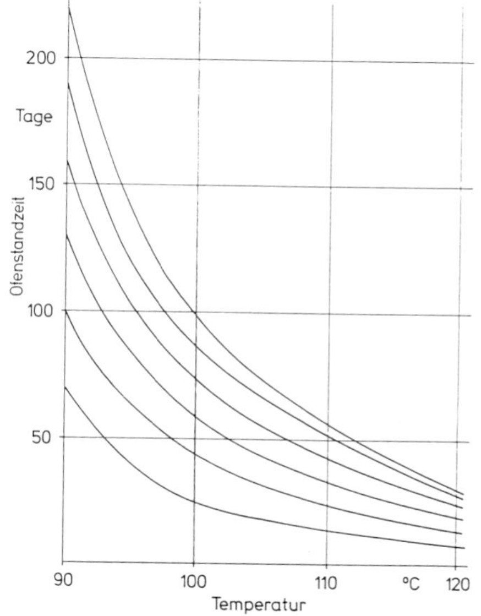

Antioxydant. Abb. 2. Nach Gächter, Taschenbuch der Kunststoff-Additive, Hanser Verlag 1990.

Antistatikum, *<antistatic agent>*, ein Additiv, das die elektrostatische Aufladung von Folien verhindert oder vermindert. Antistatika werden den für die Folienherstellung verwendeten Kunststoffen zugesetzt. Eine nachträgliche antistatische Behandlung von Folien ist im Gegensatz zum Textil-Sektor bisher nicht bekannt geworden.

Antistatika erhöhen die Leitfähigkeit der Folienoberfläche. Die Ableitung der elektrostatischen Aufladungen erfolgt im Idealfall so schnell, daß eine Aufladung gar nicht nachweisbar ist.

Alle Antistatika sind grenzflächenaktive Substanzen. Ihre Wirkung beruht auf einer → Migration an die Oberfläche der Folie. Die hydrophoben Anteile des Antistatikums sind dann der Innenseite der Folie, die hydrophilen Anteile der Außenseite der Folienoberfläche zugewandt. Diese wird dadurch so hydrophil, daß sich eine monomolekulare Wasserschicht bildet. Voraussetzung für das Abfließen der elektrischen Ladung ist eine relative Luftfeuchtigkeit von mindestens 50%.

Die Migration des Antistatikums an die Oberfläche braucht Zeit. Besonders bei kristallinen Folien, wie sie nach dem Prozeß der → Blasfolienextrusion oder nach einem → Reckprozeß erhalten werden, kann es mehrere Tage dauern, bis die gesamte Oberfläche eine einheitliche Belegung durch die antistatisch wirksame Substanz aufweist.

Antistatische Wirkung kann auch durch Zusatz von fein dispergiertem → Ruß erfolgen. Wegen der guten Leitfähigkeit solcher Folien sind Durchschläge und damit Lochbildung bei der → Oberflächenbehandlung möglich. Die fehlende Transparenz bedeutet eine weitere, erhebliche Einschränkung des Anwendungsbereichs solcher Folien.

Arbeitsschutz, <*safety provisions*>, die Gesamtheit aller Maßnahmen, die die Sicherheit der Mitarbeiter bei der Produktion von Gütern gewährleisten. Bei der Folienherstellung und Folienverarbeitung liegen die größten Unfallgefahren im mechanisch-technischen Sektor.
Kritische Bereiche sind vor allem die zahlreichen, mit hoher Geschwindigkeit rotierenden Walzen und die Vorrichtungen beim → Schneiden und Wickeln. Die Maschinenhersteller gehen immer mehr dazu über, solche Anlageteile völlig abzuschirmen und damit das Hineingreifen während der Fertigung auszuschließen. Weitere Gefahren können von heißen Kunststoffschmelzen, agressiven Additiven, Stäuben oder von bei höheren Temperaturen entstehenden Zersetzungsprodukten ausgehen. Seltener sind Gefährdungen durch toxische Chemikalien, die in der Folientechnologie nur noch bei der Herstellung von Cellophan und Cellulosedärmen (→ Cellophan-Herstellung) auftreten.
Sorgfältige Beachtung der Sicherheitsvorschriften ist auch wichtige Voraussetzung der → Good Manufacturing Practices.

Aromadurchlässigkeit, <*flavour permeability*>, die Eigenschaft einer Folie, für Aromastoffe durchlässig zu sein.
Die Durchlässigkeit für Aromastoffe ist meßtechnisch außerordentlich schwierig zu erfassen. Folien mit niedriger → Gasdurchlässigkeit sind im allgemeinen auch für Aromen schwer durchlässig. Die Gasdurchlässigkeit hat deshalb eine Leitwertfunktion. Sofern Aromastoffe mit Wasserdampf flüchtig sind, hat die → Wasserdampfdurchlässigkeit einen direkten Einfluß auf die Aroma-Durchlässigkeit. Viele Hersteller von Verpackungsfolien benutzen zur Bestimmung der Aromadurchlässigkeit interne Methoden. Die so erhaltenen Werte für einzelne Substanzen geben sicherlich wertvolle Hinweise, sind aber für die Praxis mit großer Vorsicht zu betrachten. In einer Mischung von Aromastoffen kann das Verhalten der Einzelkomponenten und ihre gegenseitige Beeinflussung das Bild total verfälschen. Sensorische Prüfungen, den jeweiligen Praxisverhältnissen angepaßt, sind deshalb zur Beurteilung der Folien-Eigenschaften unerläßlich. Hersteller von Zigaretten haben versucht, die Messung der Aroma-Durchlässigkeit zu objektivieren. In einem Zweikammerbehälter werden die beiden Kammern durch eine Folie getrennt. Eine Kammer wird mit einem Stickstoff-Menthol-Gemisch, die andere mit reinem Stickstoff befüllt. In einem Langzeitversuch über mehrere Wochen wird der Anstieg des Menthol-Gehalts in der Kammer mit reinem Stickstoff gemessen. Die Methode erlaubt Rückschlüsse auf die relative Aromadurchlässigkeit verschiedener Folientypen. Ihr Wert ist begrenzt, weil wichtige Einflüsse, wie Temperatur und Luftfeuchtigkeit, nicht berücksichtigt werden. Lit.

Aromastoffe, *<flavour>*, → Aroma-Durchlässigkeit.

AS, *<tear tape, pull tape>*, → Aufreißstreifen.

ASE, → Alkylsulfonsäureester.

aseptische Verpackung, *<aseptic packaging>*, das keimfreie Abpacken insbesondere von Lebensmitteln zur Erhöhung der Haltbarkeit und zur Verbesserung von Geschmack und Nährwert der Nahrungsmittel. Das Verfahren setzt lückenlose Keimfreiheit im gesamten Prozeß voraus. Diese beginnt beim Nahrungsmittel, gilt für Behälter und Deckel, Füll-, Transport- und Verschließstationen, kurz für die gesamte Verpackungsstraße und sämtliche eingesetzten Materialien.
Die aseptische Verpackung macht die → Sterilisation der fertig verpackten Ware überflüssig.
Als Material für die aseptische Verpackung werden vor allem metallische Behälter und Kombinationen aus Pappe mit *polyethylenbeschichteten Aluminiumfolien* eingesetzt, die von der Rolle nach dem Form-, Füll- und Schließverfahren verarbeitet werden. Anfang der 80er Jahre wurde in den USA ein Verfahren entwickelt, das mit einer Verbundfolie direkt von der Coextrusionsanlage in die Verpackungslinie geht. Das noch heiße Material ist naturgemäß keimfrei, wird zu einer Packung geformt und unter entsprechenden Vorsichtsmaßnahmen befüllt. Ein weiterer Lösungsvorschlag für die aseptische Verpackung sind → NAS-Folien (*N*eutral *A*septic *S*ystem). Als Füllgüter bei der aseptischen Verpackung spielen hitzeempfindliche Lebensmittel wie Milchprodukte und Fruchtsäfte eine besonders große Rolle. Lit.

ASTM, *American Society for Testing and Materials*, → Normung.

Atmos-Pak-Verfahren, *<atmos-pack technique>*, → Frischfleischverpackung.

Aufreißkerbe, *<tear notch>*, → Zackenschnitt.

Aufreißperforation, *<tear perforation>*, eine → Öffnungshilfe für Folienpackungen. Sie wird vor allem bei Siegelrandbeuteln aus Verbundfolien angewendet. Der Kopfbereich der Packung wird durch besondere Gestaltung des Siegelwerkzeugs im Siegelbereich durchgehend perforiert. Anwendungsbeispiele sind vor allem Kleinstpackungen für Senf, Dressings, Ketchup und ähnliche Produkte.
Eine Variante der Aufreißperforation ist die Perforation bei Haushaltfolien, die ein bequemes Abreißen einzelner Stücke von einer Folienrolle erlaubt.

Aufreißstreifen, *AS*, *<tear tape, pull tape>*, schmale Folienstreifen, die nach dem abgeschlossenen Verpackungsvorgang auf die Verpackungsfolie aufgebracht werden. Der Aufreißstreifen überdeckt den gesamten Packungsumfang und hat ein überstehendes freies Ende von einigen Millimetern. Der AS ist die vielseitigste → *Öffnungshilfe* in der Folienverpackung. Die Verbindung von Folie und Aufreißstreifen erfolgt durch Heißsiegeln oder durch Kleben. Das System muß dabei so abgestimmt sein, daß der Verbund des Aufreißstreifens mit der Folie stärker als die Reißfestigkeit der Folie ist. Durch Ziehen am freien Ende des Aufreißstreifens wird die Verpackungsfolie gelöst.

Aufreißstreifen werden als Spulen oder als Rollen geliefert.

Die Abb. zeigt das Prinzip beider Anwendungsmöglichkeiten. Spulen enthalten die fertig geschnittenen Aufreißstreifen, in der Regel bis zu einer Breite von 8 mm. Die Lauflänge hängt von Breite und Dicke des Streifens ab. Sie kann bis zu 8.000 m betragen. Für das Bedrucken sind alle Möglichkeiten gegeben. Der Streifen kann fortlaufend mit Text, Symbolen oder Linien bedruckt sein. Beim Einsatz von Rollenware wird der Aufreißstreifen erst auf der Verpackungsanlage geschnitten. Dies erfolgt quer zur Laufrichtung der Rolle. Die Länge des Aufreißstreifens entspricht der Breite der Folienrolle. Da das Bedrucken nur in Laufrichtung der Folie erfolgen kann, ist die Druckausstattung begrenzt. Fortlaufende Texte oder Linien auf dem Streifen sind nicht machbar. Für die Funktion des Streifens ist bei Spulenware die Festigkeit in Längsrichtung, bei Rollenware in Querrichtung wichtig.

Aufreißstreifen können aus → Cellophan als → Solo- oder Doppelfolie, → BOPP in lackierter oder coextrudierter Form, aus → Aluminium-Verbunden und aus einer Vielzahl von Verbundfolien hergestellt werden. Die Dicken der Streifen liegen bei etwa 30 bis 80 μm, die Breiten bei 2 bis etwa 10 mm. Sie sind meist heißsiegelfähig oder mit Schmelzklebstoffen beschichtet.

Eine noch relativ neue Entwicklung sind die *selbstklebenden Aufreißstreifen*. Mit diesen wird die unerwünschte

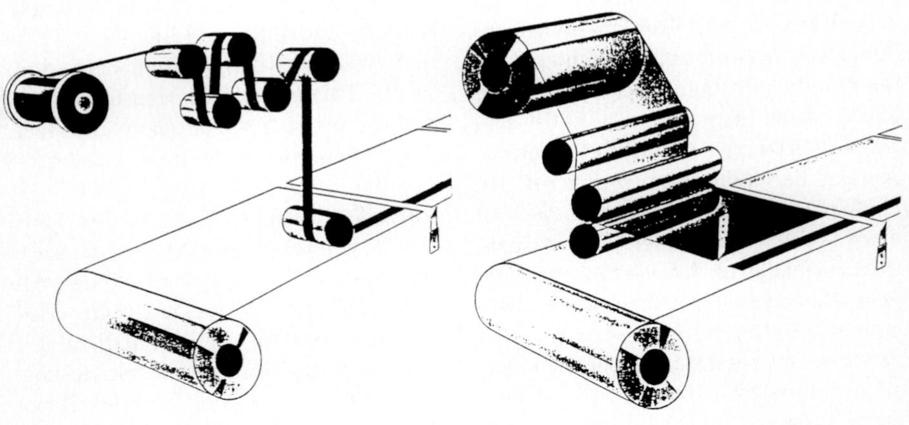

Aufreißstreifen. Wolff Walsrode AG, Walsrode, Firmenschrift.

Kräuselung der Packung im AS-Bereich vermieden. Diese tritt vor allem bei Cellophan-Streifen durch wechselnden Wassergehalt der Folie auf. Aber auch bei thermoplastischen AS kann Kräuselung auftreten, vor allem durch Überhitzung bei der Heißsiegelung. Weitere Vorteile der selbstklebenden AS sind das Aufbringen bei Raumtemperatur, der Wegfall von Schmelzklebstoff und Heißsiegelstation, erhöhte Produktionsleistung und sichere Verbindung des Aufreißstreifens mit der Folie.
Selbstklebende AS werden in Form von Kleinspulen mit ca. 6.000 m Lauflänge und in Groß- oder Jumbospulen mit Durchmesser von ca. 400 mm geliefert. Sie sind im Preis etwas höher, was durch ihre Verarbeitungsvorteile mehr als ausgeglichen wird.
Aufreißstreifen werden in einer kaum zu übersehenden Vielfalt für die Verpackung der verschiedensten Produkte eingesetzt. Ihre Auswahl und der richtige Einsatz ist mit dem Packgut, der Verpackungsfolie und den Einschlagmaschinen-Systemen abzustimmen.
Der Schutz von Flaschen- und Behälterverschlüssen wird häufig durch umgelegte Folienstreifen gewährleistet, die vor Gebrauch entfernt werden müssen. Solche Produkte sind Aufreißstreifen im weiteren Sinne. Auch manche Anwendungen von → Klebebändern haben Parallelen zur Funktion der Aufreißstreifen.

Aufrötung, *<meat oxidation>*, → Frischfleischfarbe.

Ausbeute, *<yield>*, → Flächenausbeute.

Ausbildung, *<education>*, die Erlernung und Ausformung bestimmter Fähigkeiten und Fertigkeiten. Eine akademische Ausbildung, die speziell auf Folientechnologie ausgerichtet ist, gibt es in der Bundesrepublik Deutschland nicht. Am nächsten kommen diesem Fachgebiet die Institute und Lehrstühle für Kunststofftechnologie. Jeder Ingenieur, insbesondere aus dem Bereich Maschinenbau, wird sich jedoch leicht in das Gebiet der Folientechnologie einarbeiten. Dies gilt auch für Chemiker, deren Fachwissen bei der großen Zahl von Rohstoffen und Additiven, die zur Herstellung und Verarbeitung von Folien eingesetzt werden, gefragt ist.
Auch die Ausbildung zum Fachingenieur für Verpackungstechnik oder zum Chemieingenieur ist eine gute Grundlage. Eine gezielte Ausbildung in der Verpackungstechnik, die das größte geschlossenen Einzelgebiet der Folientechnologie darstellt, bieten die folgenden Fachhochschulen und Hochschulen (s. Tab. S. 24).
In der Industrie werden bisher gelernte und angelernte Kräfte an den Anlagen zur Folienherstellung und Folienverarbeitung eingesetzt. Gute Voraussetzungen bringen Maschinenschlosser, Elektriker sowie Meß- und Regeltechniker mit. Trotzdem ist es bei den wachsenden Anforderungen schwer, die erforderliche hohe Qualifikation zu erreichen. Der neu geschaffene Lehrberuf Kunststoff-Formgeber schließt hier eine Lücke.

Technische Fachhochschule Berlin	Verpackungstechnik
Fachhochschule Hamburg	Bioingenieurwesen, Produktionstechnik und Verfahrenstechnik
Fachhochschule Lemgo-Lippe	Lebensmitteltechnologie
Fachhochschule München	Verfahrenstechnik a) Papiererzeugung b) Papier- und Kunststoffverarbeitung
Fachhochschule für Druck Stuttgart	Verpackungstechnik und Druckverarbeitung
Gesamthochschule Wuppertal	Druckereitechnik / Produktionsorganisation und Betriebswirtschaft
Hochschule Bremerhaven	Transportwesen
Technische Hochschule Darmstadt	Maschinenbau / Papieringenieurwesen
Universität Dortmund	Maschinenbau

Ausblühen, *Ausschwitzen, <blooming>*, das Herauswandern von niedermolekularen Substanzen während der Produktion oder der Verarbeitung von Folien. Die ausblühenden Produkte bestehen meist aus niedermolekularen Anteilen der Polymeren, sowie Anteilen der angewendeten → Stabilisatoren oder *Gleitmittel.* Sie bilden Ablagerungen auf Düsen, Walzen oder anderen Werkzeugen und können damit zu Produktionsstörungen führen. Ein vorwiegend für PVC angewendeter Test, der eine Voraussage über das Verhalten der Polymermischung erlaubt, ist der → Plate out Test.

Das Ausblühen von Bestandteilen aus Folien und anderen Kunststoff-Formteilen nach der Verarbeitung kann sich über sehr lange Zeiträume hinziehen (→ Migration). Nach Monaten oder sogar Jahren können Oberflächen ihre ursprüngliche optisch einwandfreie Beschaffenheit verlieren. Das Ausblühen von Gleitmitteln kann das *Bedrucken* und das *Siegelverhalten* von Folien ganz erheblich beeinträchtigen. Die Erscheinung des Ausblühens trifft man allerdings fast ausschließlich bei Formteilen aus Weich-PVC. Bei Verdacht auf ausblühende Gleitmittel wird hier der → Blooming-Test angewendet.

Auskleiden, *<lining>*, dient dem Schutz von Behältern gegen agressive Medien. Die verwendeten Folien müssen neben hoher → Chemikalienbeständigkeit meist auch gute → Wärmebeständigkeit aufweisen. Hervorragende Eigenschaften haben Folien auf Basis von → Fluorpolymeren, → elastomeren Kunststoffen und → thermoplastischen Elastomeren. Auch → Polyisobuten-Folien werden häufig zum

Auskleiden von Behältern in der chemischen Industrie eingesetzt.

Ausschwitzen, *<blooming>*, → Ausblühen.

Außenkühlung, *<external cooling>*, → Blasfolienextrusion.

äußerer Weichmacher, *<external plasticizer>*, → Weichmacher.

Ausstellungen, *<exhibitions>*, → Messen.

Ausweiskarten, *<identity cards, ID-cards>*, → ID-Karten.

Ausziehfähigkeit, *<extensibility, extendibility>*, → Blasfolienherstellung, Optimierung.

Automatenblocken, *<blocking in cigarette vending machines>*, das unerwünschte Zusammenbacken von Zigarettenpäckchen durch Adhäsion im Verkaufsautomaten. Die Entnahme der Packung wird dadurch erschwert oder sogar unmöglich gemacht.
Folien für die → Zigarettenverpackung müssen eine Reihe hoher anwendungstechnischer Anforderungen erfüllen. Die geforderte gute Maschinengängigkeit wird durch Zusatz von → Additiven erreicht. Diese sind auch für eine Minimierung der Gefahr des Automatenblockens verantwortlich.

Automatikdüsen, *<thickness controlling dies>*, Werkzeuge für die Folienextrusion, bei denen Dickenabweichungen der Folie direkt auf die Verhältnisse an der Düse einwirken, so daß sofortige Korrekturen möglich sind. Mit Hilfe der Automatikdüsen wird eine Dickengleichmäßigkeit erreicht, wie sie durch Einstellung von Hand niemals möglich war. Die Folienqualität wird dadurch wesentlich verbessert, die Rohstoffeinsparungen sind beträchtlich. Der Aufwand an Meß - und Regeltechnik ist allerdings sehr hoch, so daß der Einsatz von Automatikdüsen nur bei Großanlagen sinnvoll ist.
1. Automatikdüsen für die *Flachfolien-Extrusion.* Diese Werkzeuge wurden in den 80er Jahren entwickelt. Die Regulierung der Dickengleichmäßigkeit in Querrichtung zur Folienbahn erfolgt bei Breitschlitzdüsen durch die in regelmäßigen Abständen angebrachten Stellschrauben oder Metallbolzen, mit denen die Düsenspaltweite verändert werden kann. Die Messung der Foliendicke wird nun mit der Wärmeausdehnung der Stellschrauben in einem Regelkreis gekoppelt. Abweichungen der Foliendicke führen automatisch zu einer korrigierenden Veränderung der Stellschrauben.
Dieses Dehnbolzensystem bedeutete einen wichtigen Fortschritt gegenüber der manuellen Regelung der Düsenspaltweite. Es reagiert jedoch relativ träge. Eine wesentliche weitere Verbesserung der Automatisierung brachte die Dickenregulierung mit Translatorensystem. Diese Stellelemente arbeiten nach dem piezoelektrischen Effekt. Die Zuführung von elektrischen Spannungen verändert die Länge eines Translators praktisch ohne jede Zeitverzögerung.

Die Längenveränderung kann im Bereich von mm-Bruchteilen bis zum mm-Bereich erfolgen.
Abb. 1 zeigt die schematische Darstellung einer solchen Breitschlitz-Automatikdüse. Ausgangspunkt des zugehörigen Regelkreises ist ein Dickenmeßgerät für die gerade erkaltete Folie. Aus den gemessenen Werten ermittelt ein Rechner die für die einzelnen Translatoren benötigten Ansteuerungsspannungen (Abb. 2).
Durch die unmittelbare Rückkopplung der Foliendicke auf die Steuerung des Düsenspalts wird die Anfahrzeit auf ein Minimum reduziert.
2. Automatikdüsen für die *Blasfolien-Extrusion.* Abweichungen in der Foliendicke wirken hier über einen Regelkreis auf die Temperatur in der Ringdüse. Diese ist abschnittsweise beheizt. Sobald in einem Abschnitt zuviel oder zu wenig Schmelze austritt, wird die Temperatur entsprechend korrigiert. Diese Korrektur bewirkt eine Veränderung der Schmelzviskosität und damit einen veränderten Materialfluß. Der Schmelzestrom wird über den gesamten Düsenumfang gleichmäßig verteilt. Das Ergebnis ist eine deutliche Verminderung der Dickenunterschiede in der Folienbahn.
Die Einführung der Automatikdüsen bei der Blasfolien-Extrusion hat auch die Gestaltung der → Rotations- und Reversiersysteme beeinflußt.

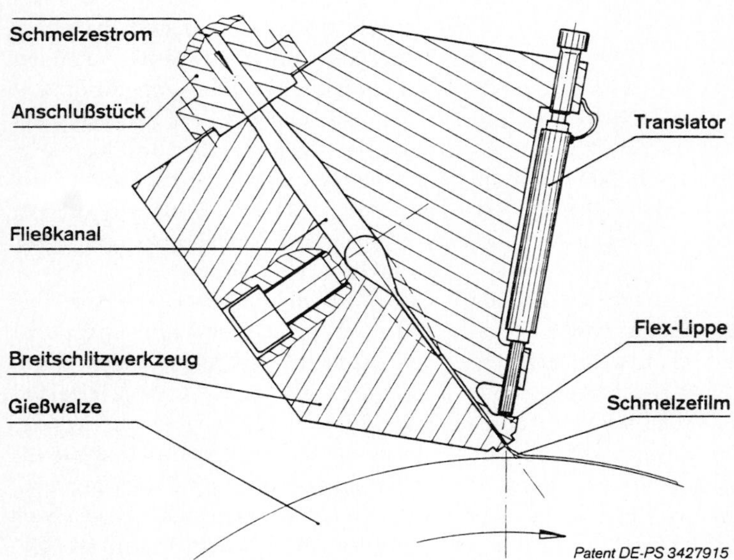

Automatikdüsen. Abb. 1. Schematische Darstellung einer Breitschlitzdüse mit Translatoren-Regulierung. Reifenhäuser-Nachrichten, Nov. 1987.

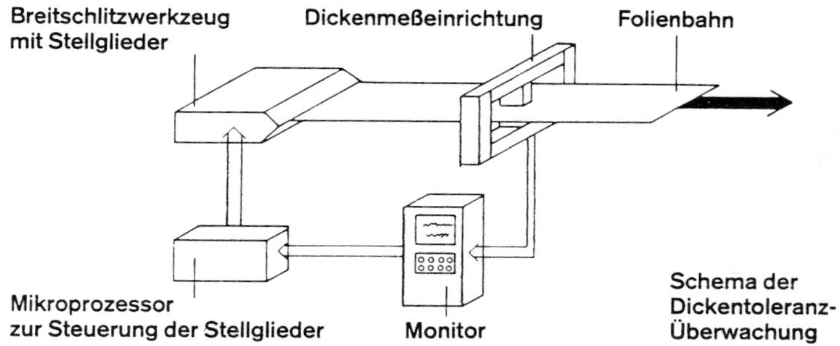

Automatik-Düsen. Abb. 2. Reifenhäuser-Nachrichten, Nov. 1987.

Automatischer Rollenwechsel, *Fliegender Rollenwechsel, <flying splice, flying transfer, non-stop roll transfer>* → Rollenwechsel.

Automatisierung, *<automation>*, → Prozeßleittechnik.

Azodicarbonamid, *<azo dicarboxylic amid>*, → Treibmittel.

B

Backwarenverpackung, <*baked goods packaging*>.
1. *Weich-Backwaren*, wie die meisten Brotsorten, Kuchen und Konditorwaren, enthalten bis zu 45% Wasser und haben sehr poröse Strukturen. Sie neigen bei Lagerung zur Wasserabgabe und damit zum Vertrocknen. Als Verpackungsfolien werden wegen ihrer geringen → Wasserdampf-Durchlässigkeit → Polyethylen-Folien, → BOPP, lackiertes → Cellophan oder mit → Polyethylen beschichtetes → Papier eingesetzt. Aluminium-Verbundfolien erhöhen die Lagerbeständigkeit beträchtlich.
2. *Hart-Backwaren*, wie Kekse oder Kräcker, haben in der Regel einen niedrigen Wassergehalt und einen hohen Fettgehalt. Die Verpackungsfolien sollen neben Undurchlässigkeit für Wasserdampf unempfindlich gegen Fett sein. Um ein Ranzigwerden der Ware zu vermeiden, werden auch → Sperrschichtfolien eingesetzt. Auch → Aluminium-Verbunde finden Verwendung.
3. *Getreideprodukte* <*Cereals*> können durch Aufnahme von Wasser leicht an Qualität verlieren. Auch hier sind also nur Folien mit geringerer Wasserdampf-Durchlässigkeit zur Verpackung geeignet. Um die Ware vor Geschmacks-Beeinträchtigung zu schützen, werden ebenfalls → Sperrschichtfolien verwendet, die geringe → Aroma-Durchlässigkeit haben.
Bei der Verpackung von Backwaren, vor allem bei der Brotverpackung, wird in den letzten Jahren verstärkt von der → Schutzgas-Verpackung Gebrauch gemacht. Dies gilt vor allem für Westeuropa, wo die Verwendung von chemischen Konservierungsmitteln, wie Sorbinsäure oder Benzoaten, gesetzlich beschränkt ist. Eine Verpackung unter Kohlendioxid scheint neben der Haltbarkeit der Ware auch die geschmackliche Qualität günstig zu beeinflussen. Dabei ist ein Mindestgehalt von 20% CO_2 erforderlich, die Erniedrigung der Sauerstoff-Konzentration allein hat keinen Effekt. Ethanol in sehr kleinen Mengen von etwa 0,1% hat einen günstigen Einfluß auf die Qualitäts-Erhaltung.
Bei der Herstellung flexibler Verpackungen wird das Kohlendioxid im Gegenstrom der Packung zugeführt. Bei anderen Verfahren wird die Packung vor dem Verschließen zunächst evakuiert und anschließend mit Kohlendioxid beaufschlagt.
Das Angebot vorgebackener Waren, vor allem von Baguettes in Spezialfolien ermöglicht dem Verbraucher die Bereitung ofenfrischer Produkte.

Bag-in-Box, <*bag-in-box, BIB*>, ein Verpackungssystem, bei dem ein flexibler Innenbeutel gemeinsam mit einer standfesten Außenverpackung eingesetzt wird.
Für die Verpackung fester Produkte, vor allem von Snackartikeln und Gebäck werden überwiegend Innenbeutel aus Papier oder → Fettbeständigen Papieren eingesetzt. Für empfindlichere, feuchte oder stark fetthaltige Lebensmittel bestehen die Innenbeutel aus

Folien. Dies ist auch dann der Fall, wenn → Aseptische Verpackung erforderlich ist. Beispiele sind die Verpackung von Ketchup, gewürfelten Tomaten, Früchten oder Saucen. In diesen Fällen werden häufig → Sperrschichtfolien oder → PA/PE-Folien verwendet.
Verpackungsmachinen für das Bag-in-Box-System fertigen in line den → Faltkarton und den Innenbeutel, der dann gefüllt und verschlossen wird. Bei Folienbeuteln wird dazu das → Heißsiegeln angewendet. Es werden Produktionsgeschwindigkeiten bis zu 200 Packungen/Minute erreicht.
Bei Anwendung des Bag-in-Box-Systems auf flüssige Produkte werden die Innenbeutel stets aus Folien gefertigt. Nur so kann die Forderung erfüllt werden, daß der Beutel eng an der äußeren, standfesten Packung anliegt, weil Hohlräume zu Schädigungen beim Transport führen können. Die Beutel werden mit einer zylindrischen, verschließbaren Tülle versehen, durch die befüllt und entleert wird. Zur Herstellung werden zwei Folienbahnen zusammengeführt. In die eine Bahn wird die Tülle eingesiegelt, danach werden beide Folienbahnen zunächst an den Seiten und dann an den Enden durch → Siegeln verbunden.
Als Folien werden zwei und mehrschichtige Verbunde verwendet, die gute Flexibilität und Festigkeit haben müssen. Als Rohstoffe dienen vor allem → Ethylen-Vinylacetat-Copolymere, die mit metallisierten → Polyesterfolien kombiniert wurden und andere → Sperrschichtfolien. Die Folien sind etwa 80 bis 120 μm dick. Bag-in-Box-Systeme für Flüssigkeiten haben in USA stärkere Anwendung gefunden als in Europa. Verpackt werden z.B. Wein, Fruchtsäfte und Tomatenprodukte.

Bahnfehler, *<web defect>*, → Folienbahn.

Bahnspannung, *<web tension>*, → Folienbahn.

Bahnverlauf, *<web off-center>*, → Planlage.

Baktericide, *<bactericide>*, → Biostabilisatoren.

Ballenbreite, *<bowl width, face width>*, → Walzen.

BAM, → Bundesanstalt für Materialprüfung.

Bandgießverfahren, *<belt film casting>*, → Gießverfahren.

Bandspender, *<adhesive tape applicator>*, → Klebeband-Verarbeitungsgerät.

Bandtabak, *<tobacco film>*, → Tabakfolien.

Barrierefolien, *<barrier film>*, → Sperrschichtfolie.

Barrierekunststoffe, *<barrier plastics>*, → Sperrschichtfolie.

Baufolie, *<film for the building industry>*, eine Folie zur kurzfristigen Ab-

deckung oder Isolierung während der Bautätigkeit oder als Bestandteil von Bauelementen zum langfristigen Einsatz. Im ersten Fall bestehen sie meist aus preiswerten → Solofolien, vor allem aus → Polyethylen oder → Weich-PVC. Hochwertige Verbunde aus Folien mit Verstärkungsmaterial werden dann verwendet, wenn eine Baustelle in dicht bewohnten Gebieten wirksam, für längere Zeiträume und optisch annehmbar abgedichtet werden soll.
Auch an Folien für technische Anwendungen in Bauteilen werden höhere Ansprüche gestellt. Beispiele sind → Dachbahnen, → Dachunterspannbahnen oder → Bodenbeläge.

Bedampfen, *<vacuum deposition>*, das Aufbringen dünner Schichten auf Folienoberflächen. Elemente oder chemische Verbindungen werden bei höheren Temperaturen in einer Vakuumkammer verdampft, in der eine Folie zwischen zwei Walzen umgerollt wird. Die technisch wichtigste Bedampfung ist das → Metallisieren. Die → Siliciummonoxid-Bedampfung befindet sich in Entwicklung.
Während durch die Bedampfung Schichten von weit unter 1 μm aufgebracht werden, liefert die → Beschichtung wesentlich höhere Schichtdicken.

Bedruckbarkeit, *<printability>*, → Bedrucken von Folien.

Bedrucken von Folien, *Foliendruck, Drucken, <film-printing, foil-printing, printing>*, die Übertragung von Schriftzeichen oder Bildern auf die Oberfläche der Folien mit Hilfe von → Druckfarben nach verschiedenen → Druckverfahren.
Das Bedrucken ist meist die letzte Fertigungs- oder Veredelungsstufe vor der Anwendung oder dem Verbrauch der Folien.
Das Bedrucken von Folien ist vor allem bei ihrer Anwendung in der Verpackungstechnik von Bedeutung. Es dient der Werbung und Information, wobei der zweite Faktor im allgemeinen unterschätzt wird. Ein besonders gutes Beispiel ist das Bedrucken von → Blisterverpackungen, die für Pharmaprodukte verwendet werden. Die aufgedruckten Informationen bedeuten für Arzt, Krankenhauspersonal und Patienten nicht nur eine wesentliche Erleichterung, sondern können mit relativ großer Sicherheit auch Verwechslungen und Irrtümer bei der Anwendung ausschließen. Auch die Herstellung von → Verfälschungssicheren Packungen wird durch geeignetes Bedrucken der eingesetzten Folien wesentlich erleichtert.
Bei der Verwendung von Folien als Packmaterial für den Endverbraucher spielt naturgemäß auch die Werbewirksamkeit eine sehr große Rolle. Daraus ergeben sich für das Bedrucken von Folien einige wichtige Vorbedingungen, wie sie in diesem Maße nur dort gegeben sind. Grund dafür ist die Verwendung der Folien zum Verpacken von Markenartikeln. Hier muß eine hohe Gleichmäßigkeit des Druckbildes über die gesamte Länge und Breite der Folienbahn gegeben sein. In den meisten Fällen werden Folien in mehreren Nutzen und in großen Längen bedruckt. Es

ist also durchaus möglich, daß nach der Anwendung der Folien Packungen aus ganz verschiedenen Bereichen der Folienbahn im Handel nebeneinander liegen. Für das Image eines Markenartikels ist es nicht annehmbar, daß sich derartige Packungen vor dem Konsumenten in verschiedener Druck- oder Farbqualität präsentieren.
Zur Forderung nach Gleichmäßigkeit kommen hohe Anforderungen an die Qualität des Drucks. Die Bilder auf bedruckten Folien, die der Verpackung hochwertiger Produkte dienen, sind oft recht klein. Schon dadurch wird eine saubere Ausführung des Druckbildes schwierig. Für die Qualität des Drucks ist eine hohe → Rapportgenauigkeit eine wichtige Voraussetzung.
Bei der Verpackung von Lebensmitteln mit bedruckten Folien ist darauf zu achten, daß die bedruckte Seite der Folien nicht mit dem Packungsinhalt in Berührung kommt. Dies ist der Grund für die sehr häufige Verwendung des *Konterdrucks*. Dabei wird die Folie auf der Rückseite bedruckt und danach auf dieser Seite mit einer anderen unbedruckten Folie verbunden. Das Verfahren des Konterdrucks schützt nicht nur das verpackte Lebensmittel vor der Berührung mit der Druckfarbe. Es gibt vielmehr dem Druck auch einen weit besseren Glanz. Auch die Beständigkeit des Druckbildes bei mechanischer Beanspruchung der Folie wird erhöht. Das Prinzip des Konterdrucks wurde übrigens schon in der sehr alten und in vielen Regionen unserer Welt ausgeübten Kunst der Hinterglasmalerei genutzt. Der *Frontaldruck*, das Bedrucken einer Folie auf der Vorderseite wird bei weniger anspruchsvollen Verpackungsaufgaben angewendet. Um eine Isolierung der bedruckten Folienfläche gegenüber den verpackten Lebensmitteln zu gewährleisten, kann eine Lackierung erfolgen. Verwendet werden PVDC- oder Ionomerdispersionen. Die Dicke der Lackschicht liegt bei 5 μm oder darunter. Mit einer solchen Lackierung wird auch eine Siegelfähigkeit der bedruckten Folienfläche erreicht. In den meisten Fällen ist die zusätzliche Ausrüstung der Druckmaschinen mit einem *Trockenkanal* erforderlich. Dieser wird in der betrieblichen Umgangssprache als *Kamelrücken* bezeichnet. Das Verfahren wird wegen relativ hoher Investitionskosten nicht bei Folienbreiten von über 1500 mm angewendet. Es ist trotzdem immer noch wirtschaftlicher als eine off-line Lackierung. *Aluminiumfolien* oder metallisierte Kunststoff-Folien werden zur Erzielung besonderer optischer Effekte oft mit transparenten, farbigen Lacken bedruckt. Die Bedruckbarkeit von Folien kann insbesondere bei Weich-PVC-Folien durch das → Ausblühen von Additiven beeinträchtigt werden. Dies muß bei der Auswahl der Zusatzstoffe durch entsprechende Prüfung berücksichtigt werden. Viele Folien, insbesondere solche auf Basis von Polyolefinen, benötigen eine → Oberflächenbehandlung, damit sie erfolgreich bedruckt werden können. Die in der Folientechnologie mit Abstand am häufigsten angewendeten Druckverfahren sind der → Flexodruck und der → Tiefdruck. Der → Siebdruck wird vor allem zum Bedrucken von Fo-

lien im → Technischen Sektor und zum Bedrucken von Tuben eingesetzt. Neben dem Bedrucken von Folien spielen andere Verfahren zum → Dekorieren, wie → Prägen oder → Metallisieren eine untergeordnete Rolle. Eine besondere Herausforderung beim Bedrucken von Folien stellte in den letzten Jahren die Einführung der → Strichcodes auf Folienpackungen dar.
Das Bedrucken von Folien erfolgt meist im → Mehrfarbendruck. Wenn das Bedrucken ausschließlich für die Kennzeichnung oder für einfache Informationen dient, wird häufig nur einfarbig bedruckt.

Beflocken, <*flocking, flock finishing*>, das Aufbringen von klein geschnittenen Fasern oder Schnitzeln auf ein nicht leitendes Kunststoff-Formteil, z.B. auf eine Folienbahn. Die Abb. zeigt das Prinzip einer Beflockungsanlage.
Zur Bindung der aufzubringenden Partikel an die Folienbahnen werden → Kaschierklebstoffe eingesetzt.

Begasungsextruder, <*gas injection extruder*>, → Schaumfolien.

Benetzbarkeit, <*wetting power*>, bei → Aluminiumfolien ein Maß für die Verarbeitbarkeit, vor allem für das Naßkaschieren und → Bedrucken. Die Benetzbarkeit ist von dem Entfettungsgrad nach den Walz- und Glühprozessen abhängig. Die folgende empirische Prüfmethode beruhrt auf Empfehlungen der Aluminiumindustrie.
Als Prüfflüssigkeiten werden Mischungen von dest. Wasser mit 10, 20, 30 und 40 Vol% Ethylalkohol verwendet.

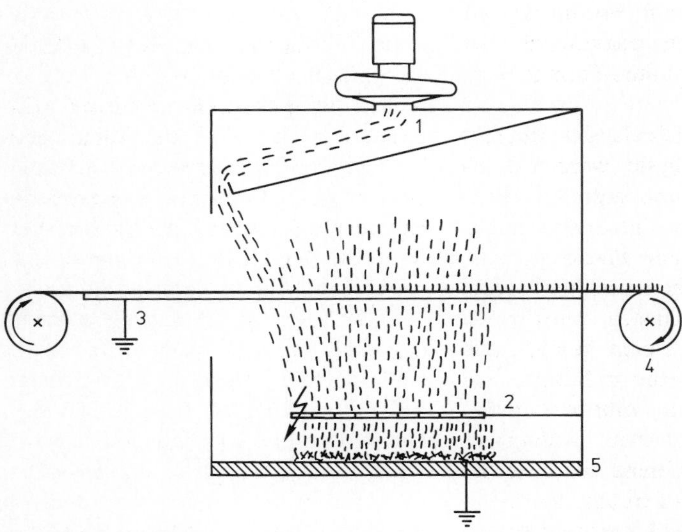

Beflocken. Nach Ullmann, **15**, 347.

Mit einer Pipette werden Tropfen von 40 bis 80 mg auf die horizontal liegende Folienbahn in Abständen von 5 bis 10 cm über die ganze Breite der Bahn aufgebracht. Danach wird die Oberfläche der Folienbahn um 40 bis 60° geneigt. Die Form der ablaufenden Tropfen ergibt den Benetzungsindex.

Die Prüfung kann auch mit einem aus einer Spritzflasche gleichmäßig über die Breite der Folienbahn aufgebrachte Prüfflüssigkeit durchgeführt werden.

Die Benetzbarkeit von Aluminiumfolien hat bei Kunststoff-Folien ihre Parallele in der Notwendigkeit einer → Oberflächenbehandlung, um die Affinität zu wäßrigen Systemen zu verbessern.

Berstdruckprüfung mit Wölbhöhenmessung, *<bursting pressure test>*, eine Prüfmethode zur Ermittlung der maximal möglichen porenfreien Tiefung bei → Aluminium-Formpackungen.

Aus dem Packstoff, einer Aluminium-Kunststoff-Verbundfolie, werden durch Streckziehen Kalotten geformt, deren Tiefe gegenüber der gesondert ermittelten Wölbhöhe beim Platzen in festgelegten Abstufungen verringert wird. Über einem Lichtkasten werden die Kalotten dann auf Poren geprüft. Die Kalotte, bei der keine sichtbaren Poren mehr auftreten, gibt die maximal mögliche porenfreie Tiefung an. Je geringer die Differenz zwischen der Wölbhöhe beim Platzen und der porenfreien Tiefung, umso besser ist die Qualität des Aluminium-Verbundes.

Im Gegensatz zu dem ebenfalls zur Beurteilung von Alu-Formpackungs-Folien benutzten → MAD-Test wird die Berstdruckprüfung mit Wölbhöhenmessung nicht durch die Gleitreibung beeinflußt.

Berührungsloses Drucken, *<contact-free printing>*, → Druckverfahren.

Beschichten, *Lackieren*, *<coating>*, das Aufbringen einer oder mehrerer Schichten auf eine Unterlage, z.B. auf → Papier, Textilien oder eine → Folienbahn. Ziel ist die Verbesserung der → Folieneigenschaften oder der Auftrag einer funktionellen Beschichtung auf eine → Trägerfolie, z.B. bei der Herstellung von → Magnetband- oder → Photofolien. Zur Herstellung von → Etiketten und → Klebebändern werden Folien mit selbstklebenden Schichten versehen.

Zum Beschichten von Folien gibt es verschiedene Möglichkeiten.

Abb. 1 zeigt das Schema für ein *Walzenauftragswerk* mit Tauchwalze, Abb. 2 für einen Umkehrwalzenbeschichter. Bei diesem sehr häufig angewendeten Beschichtungsprinzip erfolgt der Auftrag der Beschichtung zwischen zwei

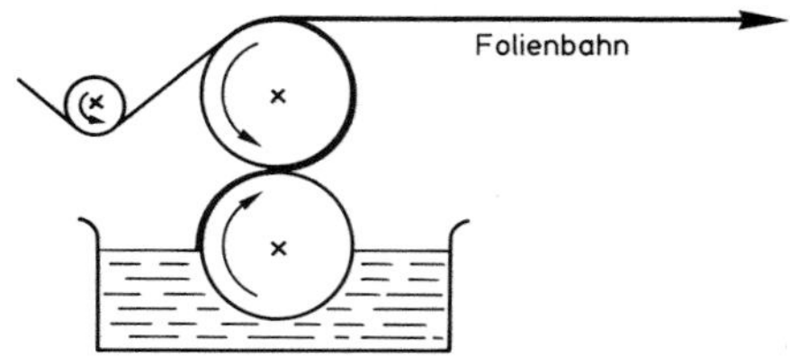

Beschichten. Abb. 1. Wittfoht, Kunststofftechnisches Wörterbuch, 3, 71, Hanser Verlag 1981.

gegenläufigen Walzen. Die Auftragswalze trägt das Beschichtungsmaterial gegen die Folie auf. Auch das → Kalandrieren kann in abgewandelter Form zum Beschichten dienen, wie Abb. 3 zeigt.

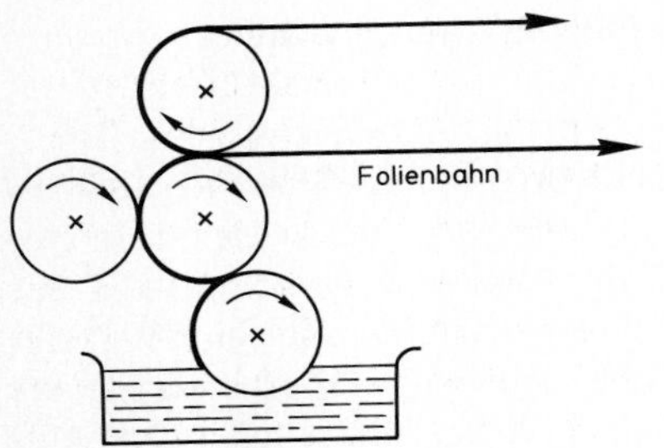

Beschichten. Abb. 2. Wittfoht **3**, 71.

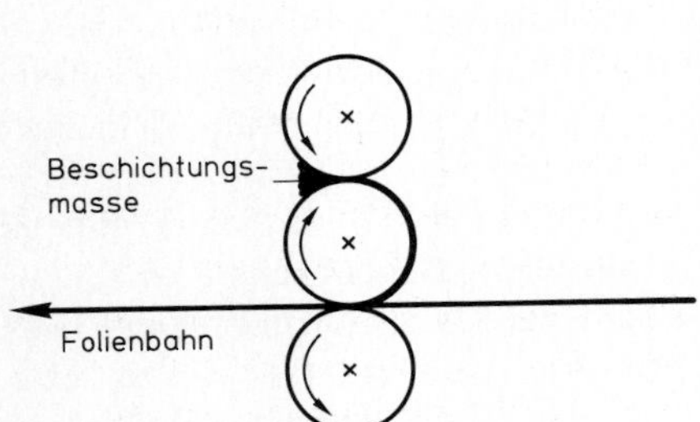

Beschichten. Abb. 3. Wittfoht **3**, 69.

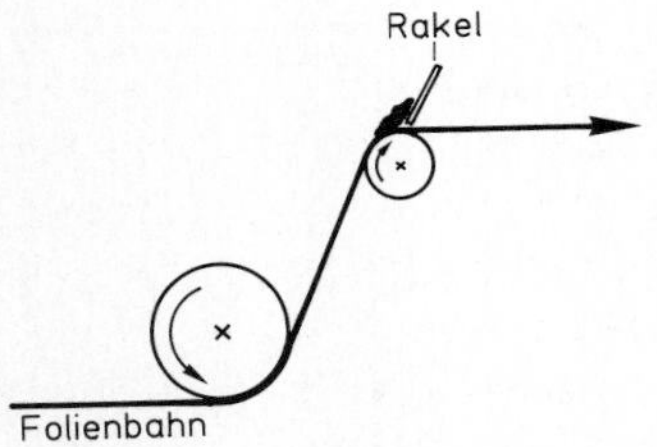

Beschichten. Abb. 4. Wittfoht **3**, 69.

Abb. 4 gibt zwei Beispiele für Rakel-Beschichtungsanlagen. Folien werden sehr häufig auch durch Tränken auf einer Tauchwalze beschichtet (Abb. 5). Dem Beschichtungsvorgang schließt sich das Trocknen der Folienbahn an. Diese erfolgt in Trockenkanälen unter Einwirkung von Heißluft. Die Trocknung kann durch Infrarotstrahlung im kurwelligen Bereich beschleunigt werden.

Durch das Beschichten werden die → Folieneigenschaften meist wesentlich verändert. So wird → Cellophan durch Beschichten mit → Cellulosenitrat oder

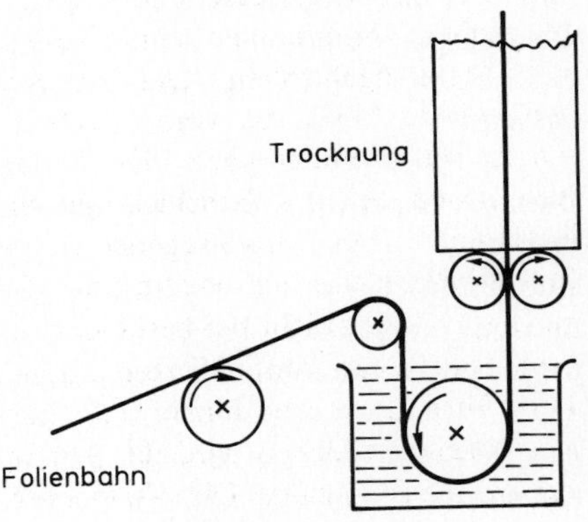

Beschichten. Abb. 5. Wittfoht **3**, 81.

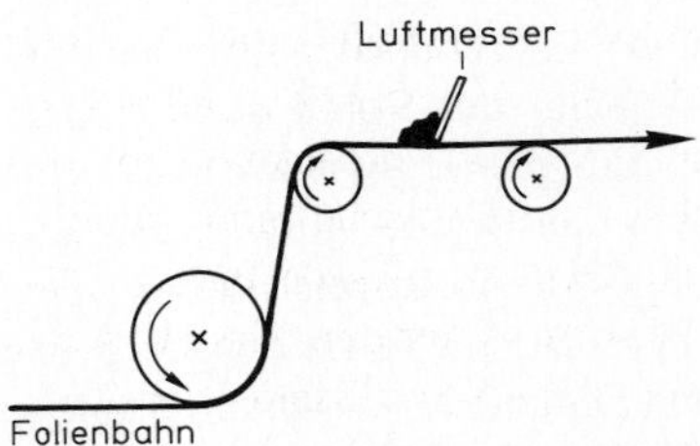

→ Polyvinylidenchlorid wasserfest und siegelfähig. Auch → BOPP wird durch eine Beschichtung, meist mit Acrylaten, siegelfähig. Durch Beschichten können → Sperrschichtfolien gewonnen werden. Die Beschichtung von → Aluminiumfolien verbessert die mechanischen Eigenschaften und ermöglicht die → Heißsiegelung.

Die früher meist lösungsmittelhaltigen Beschichtungsmittel werden heute immer mehr aus Gründen des Umweltschutzes durch → Dispersionen ersetzt. Auch die → Extrusionsbeschichtung, das → Kaschieren und die → Coextrusion sind interessante und umweltfreundliche Alternativen zum Aufbau von Mehrschichtfolien. Die Abgrenzung dieser Verfahren vom Beschichten ist nicht immer ganz klar. In der Regel sind bei der Beschichtung die Schichtdicken der aufgetragenen Stoffe im Verhältnis zum Folienkern sehr viel geringer. Man spricht bei beschichteten Folien auch nicht von → Verbundfolien. Zum Aufbringen sehr dünner Schichten auf Folienoberflächen wird das → Bedampfen angewendet. Die → Oberflächenbehandlung und das → Bedrucken von Folien rechnet man nicht zum Beschichten.

Bestrahlung, Einfluß auf Verpackungsfolien, <*radiation, effects on packaging films*>, Verpackte Güter, insbesondere medizinische und pharmazeutische Artikel, müssen häufig sterilisiert werden. Unter den verschiedenen Methoden der → Sterilisation ist die → Bestrahlungs-Sterilisation ein vielseitig anwendbares Verfahren.

Die zur Herstellung von Verpackungsfolien eingesetzten Polymeren reagieren sehr unterschiedlich auf energiereiche Strahlen. Obwohl stets mehrere chemische Reaktionen nebeneinander ablaufen, kann man im Prinzip drei verschiedene Folientypen in ihrem Verhalten bei Bestrahlung unterscheiden:

1. Folien, die Abbaureaktionen zeigen. Zu den gegen Strahlung besonders empfindliche Produkten gehören → Fluorpolymere, besonders Polytetrafluorethylen und Poly-chlortrifluorpolyethylen. Auch Poly-vinilydenchlorid zeigt Abbauerscheinungen, verbunden mit Verfärbung. Bei Folien, die mit PVDC beschichtet sind, sollte dies berücksichtigt werden. Sehr empfindlich sind fast alle Makromoleküle, die Ethergruppen enthalten, z.B. → Cellulose und damit → Cellophan. Celluloseester-Folien sind weit weniger empfindlich. → Poly-propylenfolien werden insbesondere in Gegenwart von Sauerstoff durch Strahlung abgebaut. Sie können jedoch durch Zusatz von → Antioxydantien stabilitsiert werden. → Polycarbonatfolien können ohne Beeinträchtigung ihrer Eigenschaften mit Einzeldosen bestrahlt werden. Mehrfache Bestrahlung führt jedoch besonders bei dünnen Folien zu Verfärbung und Versprödung.

2. Vernetzung der Polymeren. Diese Reaktion ist für die Eigenschaften der Verpackungsfolien weit weniger schädlich. Die mechanischen Eigenschaften werden zwar bei höheren Strahlungs-Dosen verändert, jedoch sehr häufig nicht in negativem Sinne. Gezielte → Strahlenvernetzung von Folien findet in einigen

Spezialfällen bereits kommerzielle Anwendung. Unter den Bedingungen der Sterilisation treten bei → Polyethylen-Folien praktisch keine Effekte auf. Die Unempfindlichkeit des PE steigt mit höherer Dichte des Materials. Auch → Ethylen-Vinylacetat-Copolymere und → Isomere sind stabil. Das gleiche gilt für → Polystyrol-Folien. Die Strahlungsempfindlichkeit steigt demgegenüber bei → Acrylnitril-Butadien-Styrol-Copolymeren leicht an. → Polyethersulfone sind trotz ihrer Ethergruppen sehr beständig. Im Gegensatz zu den leicht abbaubaren Homopolymeren des Tetrafluorethylens zeigen seine Copolymere mit Ethylen nach der Bestrahlung höhere Wärmebeständigkeit und Stoßfestigkeit.

3. Verschiedene Effekte. Beim → Polyvinylchlorid wird in der Literatur sowohl über Abbau- als auch über Vernetzungsreaktionen berichtet. Die Effekte der Strahlung hängen außerdem stark von der Art der eingesetzten Folien ab. → Hart-PVC-Folien spalten unter Zersetzung Chlorwasserstoff ab. Die so ausgebildeten Doppelbindungen können wiederum zu Vernetzungen führen. Sie zeigen sich optisch durch mehr oder weniger starke Verfärbung. Durch geeignete Additive kann die Beständigkeit von PVC gegen Bestrahlung wesentlich verbessert werden. Sehr schwierig abzuschätzen ist die Beeinflussung der Eigenschaften von Verbundfolien durch Bestrahlung. So kann die Kombination eines schwachen Materials wie → Cellophan mit z.B. Polyethylen die Beständigkeit wesentlich verbessern. Strahlenempfindliche Produkte können aber auch störende Schwachstellen in Verbundfolien darstellen. Auch die Beständigkeit der verwendeten Klebstoffe, Haftvermittler, Beschichtungen und gegebenenfalls Druckfarben sind Faktoren im Verhalten von komplexer aufgebauten Verbunden.

Zur Frage der Einwirkung von UV-Strahlen auf Folien → Lichtschutzmittel. Lit.

Bestrahlungssterilisation, *Strahlensterilisation, <radiation sterilization>*, die → Sterilisation von Materialien durch energiereiche Strahlen. Strahlungsquelle ist meist radioaktives Cobalt 60 für β-Strahlen (Elektronenstrahlung). Strahlungs-Sterilisation wird überwiegend in der → medizinischen Verpackung mit Kunststoff-Folien als Packstoffen angewendet.

Gegenüber anderen Methoden, wie → Dampfsterilisation oder → chemischer Sterilisation hat die Strahlensterilisation einige wichtige Vorteile:

1. Die Packung ist vor der Sterilisation komplett versiegelt und dicht. Dies schließt eine neue Verunreinigung vor dem Öffnen aus.

2. Die Strahlen erreichen auch die unzugänglichsten Bereiche der Packung.

3. Der Prozeß ist sehr sicher, einfach und schnell. Mit Ausnahme der Messung der Strahlungsdosis sind kaum Kontrollen der Sterilisationsbedingungen erforderlich. Rückstände wie bei der chemischen Sterilisation treten nicht auf.

4. Anwendung von Wärme (wie bei der Dampfsterilisation) ist nicht nötig.

Die Temperatur steigt bei der Bestrahlung nur wenig an, insbesondere, wenn Kunststoffe als Packmaterial verwendet werden.
Bei der Auswahl von Folien für die Verpackung entfallen also viele der Anforderungen, die bei der Dampfsterilisation an die Eigenschaften des Produkts zu stellen wären. Man muß aber berücksichtigen, daß Kunststoff-Folien durch Strahlen geschädigt werden können, → Bestrahlung, Einfluß auf Verpackungsfolien. Angaben zur Folienauswahl → medizinische Verpackung. Von einer Anwendung der Bestrahlungs-Sterilisation auch zur keimfreien Verpackung von Lebensmitteln erwarten viele Fachleute geradezu revolutionäre, neue Entwicklungen in der Lebensmittel- und Verpackungstechnologie. In Japan und in den USA, wird intensiv an diesen Fragen gearbeitet. In der Bundesrepublik Deutschland ist die Bestrahlungssterilisation bis auf ganz wenige Ausnahmen verboten. Dem Verfahren stehen starke, meist emotional begründete Bedenken entgegen. Es ist jedoch nicht so, daß die Bestrahlung von Lebensmitteln eine neue, unerforschte Technik darstellt. Vielmehr arbeitet man seit 30 Jahren auf diesem Gebiet. Nach vielen Tierversuchen hat die Weltgesundheitsorganisation eine Bestrahlung zur Sterilisation und Haltbarmachung bis zu einer Dosis von 10 Kilogray für toxikologisch unbedenklich erklärt. Bestrahlung und entsprechende Verpackung würde sehr wahrscheinlich einen großen Beitrag zur Verhinderung des Verderbs von Lebensmitteln, verbunden mit einer Einsparung von Verpackungsmaterial leisten. Lit.

Betastrahlen-Methode, *<beta-ray method>*, → Dickenmessung.

Beutel, *<bag>*, ein Behältnis für Füllgüter. Beutel werden für Industrie- und Verbrauchsgüter, zur Lagerung und zum Berührungsschutz von Produkten, zum Transport von Gütern und in technisch anspruchsvollen Anwendungen zum sicheren Verpacken empfindlicher Waren über längere Zeiträume eingesetzt. Das am häufigsten verwendete Material zur Beutelherstellung ist → Papier. Folien aus Kunststoff gewinnen jedoch auch bei einfachen Anwendungen immer mehr an Bedeutung. Zur Lösung anspruchsvoller Verpackungsprobleme sind Beutel aus → Solofolien oder → Verbundfolien wegen ihrer besonderen Eigenschaften inzwischen unentbehrlich geworden.
Die Abgrenzung zu → Säcken ist nicht klar definiert. Die Füllmengen von unter etwa 10 kg wird man eher von Beuteln sprechen.
Die Herstellung von Beuteln erfolgt entweder in einem gesonderten Prozeß, der Beutelherstellung oder unmittelbar vor der Verpackung des Füllguts im → Form-, Füll- und Schließverfahren. Eine Sonderform der Beutel sind die → Tragetaschen.
1. Herstellung von der Folienrolle auf → Verpackungsmaschinen, vor allem nach dem → Form-, Füll- und Schließverfahren. Die Beutel werden hierbei unmittelbar nach ihrer Herstel-

lung mit dem Packgut befüllt und verschlossen.
2. Herstellung von der Folienrolle oder aus Folienbögen auf Beutel-Herstellungsmaschinen zum späteren maschinellem oder manuellem Befüllen mit Packgut.
Die Konstruktion der Beutelmaschinen ist von der Art der Beutel abhängig. Die Abb. zeigt fünf Grundformen von Beuteln. Flachbeutel (A), Seitenfaltenbeutel (B), Flachbeutel mit Bodenfalte (C), Kreuzbodenbeutel (D), Klotz- oder Blockbodenbeutel (E) verlangen unterschiedliche Fertigungsmaschinen.
Beim Perforationsverfahren zur Herstellung von Flach- und Seitenfaltenbeuteln wird die Folienbahn vorperforiert und nach der Schlauchbildung durch den Zug einer Abreißwalze vereinzelt. Die Nahtbildung bei der Beutelherstellung kann durch → Heißsiegeln oder durch → Kleben erfolgen. Beide Verfahren werden auch zum Verschließen von Beuteln angewendet, es gibt jedoch auch spezielle → Beutelverschlüsse.

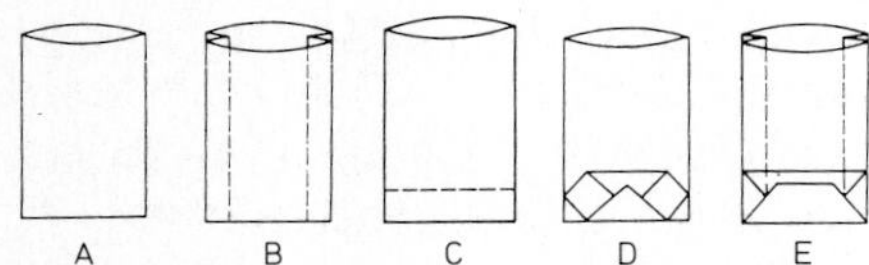

Beutel. Beutelformen.

Beutelverschluß, *<bag-closing>*, ein mechanisch wirkendes Hilfsmittel zum einfachen Verschließen und erneutem Öffnen von → Beuteln oder → Säcken aus Papier oder Kunststoff-Folien. Man kann folgende Verschluß-Mechanismen unterscheiden:

1. *Drahtbänder <wire ties>* sind Folien oder Papierstreifen, die in der Längsrichtung durch einen Metalldraht verstärkt sind. Sie werden zum Verschließen von Brot- oder Backwarenbeuteln in großen Mengen eingesetzt. Die Drahtbänder werden von der Rolle in einer breiten Bahn abgewickelt, längs auf die Anwendungsbreite von wenigen mm geschnitten und automatisch appliziert. Die Länge des Einzelstreifens liegt bei etwa 6 bis 10 cm. Der Verschluß erfolgt durch Verdrehen oder Übereinanderfalten der beiden Enden des Drahtendes. Die Maschinenleistung beim Verschließen der Beutel liegt bei etwa 60 Packungen/min.. Die Produkte bestehen meist aus Kunststoff-Folien, z.B. aus Polyethylen oder Weich-PVC, aus Papier oder aus Papier/Kunststoff-Verbundfolien. Sie werden häufig eingefärbt. Zum manuellen Verschließen von Beuteln, vor allem im Haushalt, werden die Drahtbänder in fertigem Zuschnitt geliefert. Sie sind zur Erleichterung der Handhabung meist zu 10 oder 20 Stück nebeneinander auf Papier oder Folie geklebt, wobei die Klebeverbindung leicht zu lösen ist.
2. *Verschlußlaschen <closing flaps>* werden aus etwa 1 mm dicken, nicht zu steifen Folien aus Polyethylen oder Polyvinylchlorid durch Ausstanzen hergestellt. In den meisten Fällen sind sie eingefärbt, um eine gewisse Aufmachung zu erzielen. Die Form einer Verschlußlasche zeigt Abb. 1.
Der zackenförmige Rand der Zone A-C sichert einen festen Sitz, wenn nach dem Durchstecken von A durch die Öffnung B die Lasche angezogen wird.

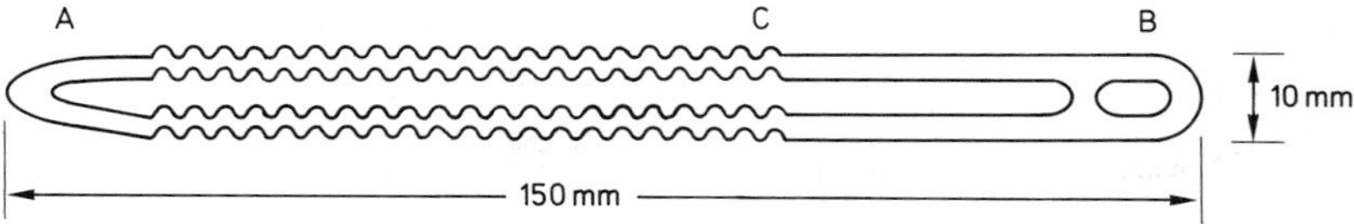

Beutelverschluß. Abb. 1. Autor.

Die Lasche verhindert die Öffnung des Beutels, dessen oberer Teil eine gute Tragemöglichkeit bildet. Für Papierbeutel ist wegen den Empfindlichkeit des Materials dieser Verschluß nicht geeignet.

3. *Verschluß-Clips <clip closure>* werden aus etwa 1 mm dicken Folien hergestellt, die eine gewisse Elastizität, verbunden mit gutem Rückstellvermögen haben müssen. Formen derartige Produkte zeigt Abb. 2. Der Kunststoffbeutel wird im oberen Teil zusammengerafft und durch den Schlitz des Clips geschoben. Bei richtiger Abstimmung der Form des Clips auf Beutel kann ein sehr guter und dichter Verschluß erreicht werden. Die Methode ist in erster Linie für Beutel und Säcke aus Kunststoff-Folien geeignet. Die Verschluß-Clips werden meist aus Polystyrol hergestellt. Sie können eingefärbt und mit Informationen über den Packungsinhalt bedruckt werden.

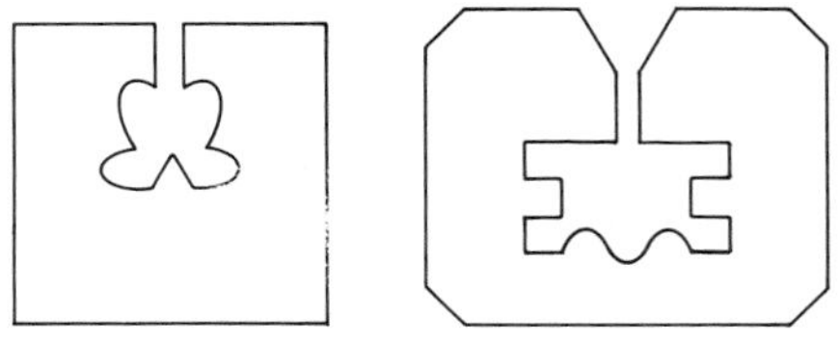

Beutelverschluß. Abb. 2. Autor.

Bewitterung, *<weathering, outdoor exposure>*, das Aussetzen von Prüfkörpern, z.B. von Folienabschnitten, unter definierten klimatischen Bedingungen zur Prüfung der Wetter- und Lichtbeständigkeit. Die natürliche Bewitterung im Freien ist die beste und die einzig praxisnahe Prüfmethode. Allerdings dauert es sehr lange, bis man Ergebnisse erhält. Man hat deshalb Geräte entwickelt, mit denen unter verschärften Bedingungen geprüft wird, wodurch eine wesentliche Verkürzung der Prüfzeit erreicht wird. Die Apparate arbeiten meist mit Xenonbrennern als Lichtquelle, deren Spektrum durch geeignete Filter dem des Sonnenlichtes angeglichen wurde. Gleichzeitige, bei manchen Apparaten wechselnde Einwirkung von Temperatur und Feuchtigkeit verbessert die Simulation einer natürlichen Bewitterung. Trotzdem ist bei der Übertragung der Ergebnisse aus Schnelltests auf die Anwendung in der Praxis Vorsicht geboten.

Eine sehr häufig angewendete natürliche Bewitterungsmethode ist die Florida-Bewitterung. Unter standardisierten Bedingungen führt dieses Verfahren wegen der hohen Sonneneinstrahlung in Florida verhältnismäßig schnell zu sehr verläßlichen Werten. Die Beurteilung erfolgt meist durch

Feststellung eines bestimmten Schädigungsgrades einer oder mehrerer Folieneigenschaften.
In der Folientechnologie ist die Anwendung von Bewitterungstests vor allem zur Beurteilung von → Landwirtschaftsfolien wichtig. Sie dient auch zur Prüfung von → Lichtschutzmitteln, → Antioxydantien und → PVC-Stabilisatoren, sowie zur Beurteilung der Eignung von → Füllstoffen und Pigmenten wie → Titandioxid und → Ruß. Wenn in den letzteren Fällen nur Vergleiche zwischen verschiedenen Produkttypen angestellt werden sollen, genügt die Untersuchung mit Laborgeräten. Ein leicht zu ermittelndes Maß für die Schädigung von Folien durch UV-Strahlen ist die → *CO-Zahl.* Lit.

BGA, → Bundesgesundheitsamt.

biaxial orientiertes Polypropylen, *<biaxially oriented polypropylene>*, → BOPP.

Biegefestigkeit, *<flexural strength, cross breaking strength, maximum surface strength in bend>*, ein Maß für die Festigkeit bei Biegebeanspruchung. Zur Prüfung von Folien wurde ein einfaches Gerät mit Dreipunktbelastung entwickelt (DIN 53 362). Die Biegefestigkeit wird aus der Biegelänge ermittelt. Zur Prüfung des Verhaltens von Folien bei mehrfacher Biegebelastung gilt DIN 53 374. Die Folie wird um 90 °aus ihrer Ausgangslage so lange gebogen, bis es zum Bruch kommt. Ein Beispiel für die Bedeutung einer hohen Biegefestigkeit sind → Folienschalter.

Big-Bag, → Großsack.

Bindemittel, *<binding [bonding] agent, binder>*, → Druckfarbe.

biologische abbaubare Kunststoffe, *<biodegradable plastics>*, → abbaubare Kunststoffe.

biologischer Abbau von Folien, *<biodegradation of films>*, → abbaubare Kunststoffe.

Biostabilisatoren, *Bakterizide, Fungizide*, *<biodeterioration stabilizers>*, Additive, die Kunststoffe gegen den Angriff von Mikroorganismen schützen. Die meisten der für die Herstellung von Folien eingesetzten Kunststoffe sind gegenüber Mikroorganismen weitgehend stabil. Dagegen werden sehr oft Weichmacher durch Mikroben angegriffen, was letztlich auch zu einer Schädigung der Weichmacher enthaltenden Folien führt. Gefährdet sind in erster Linie Folien aus → Weich-PVC, die unter Umweltbedingungen angewendet werden, die für die Entwicklung von Mikroorganismen günstig sind. Beispiele sind → Dachfolien, → Landwirtschaftsfolien, Deponiefolien sowie Folien, die zur Beschichtung von Textilien oder Leder eingesetzt werden.
Als Wirkstoffe dienen z.B. Tributylzinnoxid und seine Derivate, organische Arsen-, Antimon- und Kupferverbindungen. Die angewendeten Mengen liegen bei 0,2 bis 1%.

Bitumenbahn, *<bitumen roof covering>* → Dachbahn.

Black-Box, *<black box>*, → Coextrusion.

Blasenverpackung, *<blister package>*, → Blister-Verpackung.

Blasfolie, *<blown film>*, schlauchförmiges Gebilde, das durch → Blasfolienextrusion hergestellt wird. Als Formwerkzeuge dienen Ringdüsen. Flachfolien werden dagegen nach → Gießverfahren oder → Flachfolienverfahren mit Hilfe von Breitschlitzdüsen gewonnen.

Blasfolienextrusion, *Schlauchfolienextrusion, <blown film extrusion, tubular film extrusion>*, ein Verfahren zur → Folienherstellung, bei dem → thermoplastische Kunststoffe im → Extruder aufgeschmolzen und durch eine Ringdüse zu einem Schlauch geformt werden, der durch Einblasen von Luft aufgeweitet wird. Abb. 1 zeigt das Schema des Verfahrens. Vom → Extruder (a) wird die Polymerschmelze durch ein → Siebpaket, das als Filter wirkt (b) und über → Misch- und Scherelemente (c) zum → Formwerkzeug (d) gefördert. Der Folienschlauch wird mit einer Geschwindigkeit abgezogen, die größer als die Austrittsgeschwindigkeit der Schmelze ist. Durch Unterschreiten des Schmelzbereichs werden Dicke und Umfang des Schlauches fixiert. Er passiert eine → Flachlegung (e) und wird dann zwischen zwei Rollen (f) abgequetscht (*Abquetschwalzen*) um der

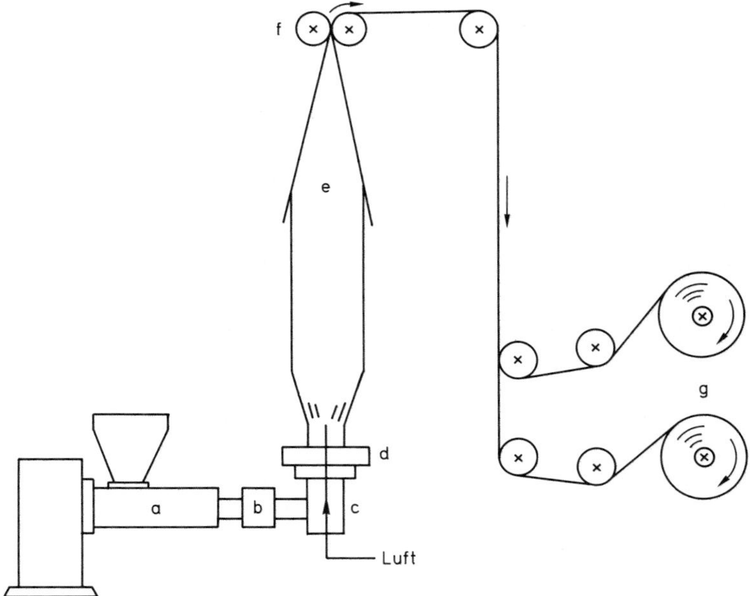

Blasfolienextrusion. Abb. 1. Ullmann A 11, S.90.

eingeblasenen Luft einen Widerstand entgegenzusetzen. Der Schlauch wird aufgeschnitten, die so erhaltenen beiden Folienbahnen werden aufgewickelt (g). Zur Erzielung einer gleichmäßigen → Folienbahn sind beim Blasfolienverfahren → Rotations- und Reversiereinrichtungen erforderlich. Die Prozeßführung erfolgt in der Regel vertikal aufwärts. Besondere Arbeitsbühnen für den Extruder sind dabei nicht erforderlich. Das Eigengewicht des Schlauchs wird von dem erstarrten Schlauchteil getragen, was besonders für dickwandige, schwere Schläuche vorteilhaft ist. Die Prozeßführung vertikal abwärts findet sich nur bei Anlagen mit kleinen Durchsätzen.

Da überwiegend Extruder mit horizontal arbeitender Schnecke eingesetzt werden, ist eine Umlenkung der Schmelze durch ein Blasfolienwerkzeug nötig. Dabei muß die Rohrströmung der Schmelze in eine Ringspaltströmung umgewandelt werden. Gegenüber dem Stegdornhalter hat sich heute der Wendelverteiler fast überall durchgesetzt. Er ist universell einsetzbar und führt zu einen gleichmäßigeren, qualitativ besseren Aussehen der Folienoberfläche. Abb. 2 zeigt das Prinzip eines *Wendelverteiler-Werkzeugs*. Die Schmelze tritt durch eine zentral angebrachte Bohrung in der Bodenplatte ein und wird dann durch Verteilerkanäle wendelförmig nach außen geführt. Das Volumen der Kanäle nimmt in Fließrichtung ab, so daß ein Teil der Schmelze über den Spalt zwischen den Kanälen axial austritt. Auf diese Weise wird der Ka-

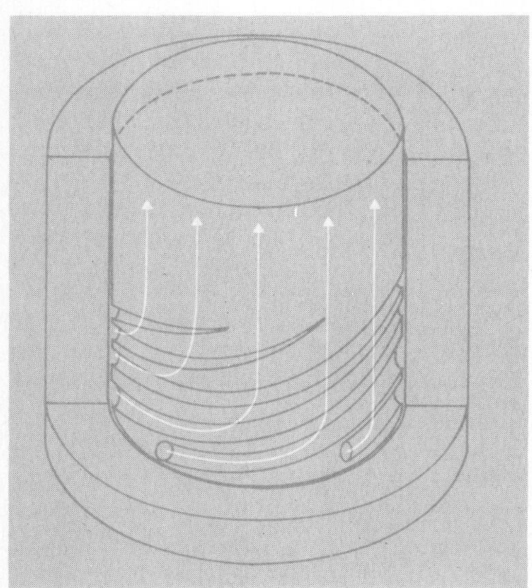

Blasfolienextrusion. Abb. 2. BASF, Ludwigshafen, Firmenschrift.

nalinhalt umgelenkt und gleichmäßig in Umfangsrichtung verteilt. Durch Überlagerung von Schmelzeströmen werden 3 bis 5 Schmelzeschichten übereinandergelegt, wodurch eine sehr gute → Dickengleichmäßigkeit der Folie in Umfangsrichtung erreicht wird (Abb. 3). Einer der wichtigsten Faktoren für Qualität und Produktionsgeschwindigkeit bei der Blasfolienextrusion ist die Kühlung des Folienschlauchs. Sie erfolgte zunächst nur durch *Außenkühlung*. Heute ist die zusätzliche *Innenkühlung* ein wesentlicher Bestandteil moderner Blasfolienanlagen.

Bei der Außenkühlung wird der Luftstrom durch einen Kühlring oberhalb der Düse möglichst gleichmäßig in Umfangsrichtung verteilt und möglichst laminar zum Lippenspalt geführt. Der in Maschinenrichtung austretende Luftstrahl ist turbulent. Er verformt wegen des im Strahl vorhandenen Unterdrucks den Folienschlauch. Abhängig von der Elastizität der Schmelze und der Reibung der Kühlluft entlang der Folienoberfläche kommt es zu einem Gleichgewicht mit einer stabilen und konstanten Form des Folienschlauchs. Diese kann durch Veränderung der Strömungsverhältnisse stark beeinflußt werden.

Der Kühlluftstrahl wird durch Erwärmung und durch Ansaugung von Kaltluft aus der Umgebung verbreitert. Der Wärmeübergang zur Folienoberfläche wird dadurch verschlechtert. Er kann z.B. durch Einbau von Luftleitringen oder durch Verlängerung der Oberlippe des Kühlrings erhöht werden (Abb. 4). Derartige Einbauten verhindern ein zu frühzeitiges Ansaugen von Kaltluft. Strömungsgeschwindigkeit und Wärmeübergang bleiben dementsprechend länger erhalten. Eine Beeinflussung der Schlauchform und damit der Qualität der Folie ist dabei allerdings nicht möglich.

In die gleiche Richtung wirkt der Einbau einer → Irisblende (Abb. 5). In der zusammen mit dem Kühlringgehäuse ausgebildeten Kammer erzeugt der Luftstrom einen Unterdruck, durch den der Folienschlauch unmittelbar nach der Düse stark ausgeweitet wird. Wegen des relativ schlechten Wärmeübergangs in diesem Bereich tritt die Kühlwirkung erst oberhalb der Irisblende am auf-

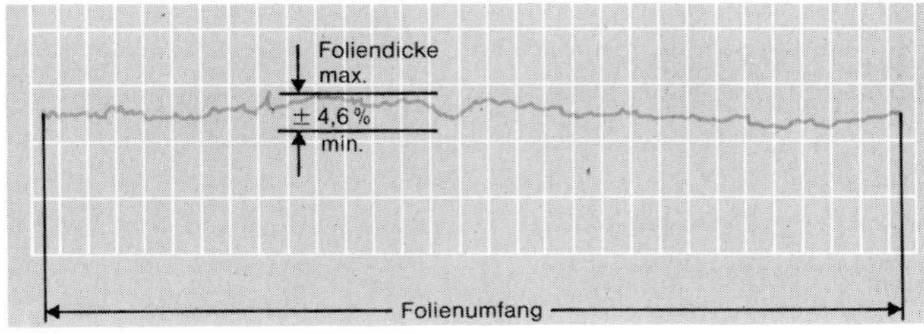

Blasfolienextrusion. Abb. 3. BASF, Ludwigshafen, Firmenschrift.

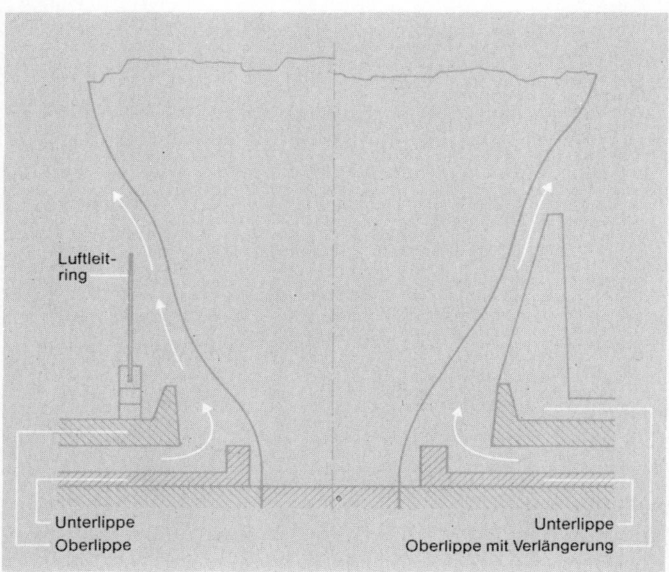

Blasfolienextrusion. Abb. 4. BASF, Ludwigshafen, Firmenschrift.

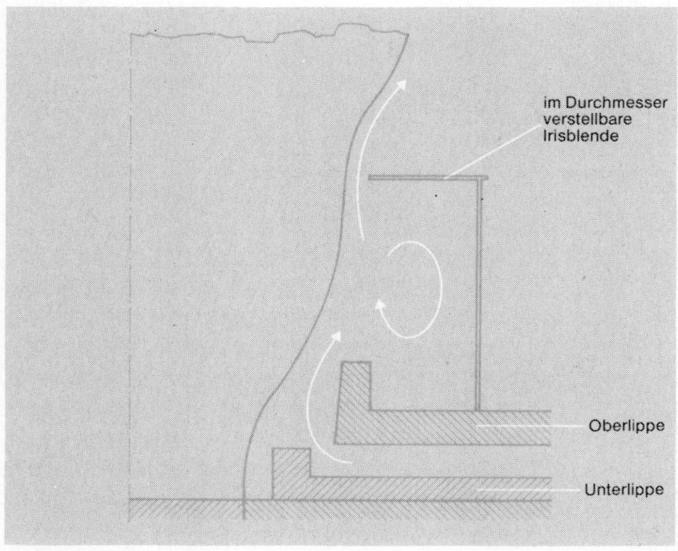

Blasfolienextrusion. Abb. 5. BASF, Ludwigshafen, Firmenschrift.

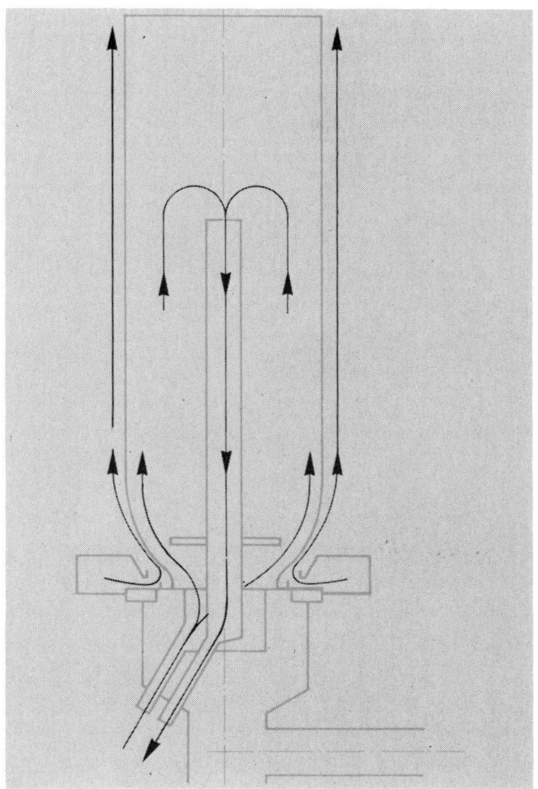

Blasfolienextrusion. Abb. 6. BASF, Ludwigshafen, Firmenschrift.

geweiteten Schlauch ein. Auch hier sind die Einflußmöglichkeiten auf die Schlaufform sehr gering.

Wesentliche Fortschritte bei der Blasfolienextrusion hat die Einführung der *Innenkühlung* gebracht. Sie ist aus räumlich-konstruktiven Gründen erst bei Düsendurchmessern ab etwa 140 mm möglich. Ihr Prinzip zeigt Abb. 6. Infolge der erhöhten Wärmeabfuhr läßt sich der Durchsatz der Anlagen beträchtlich steigern (Abb. 7).

Die Luft zur Innenkühlung wird am Düsenaustritt über ein Lippenpaar eingeführt. Ein Teil des Luftstroms wird durch ein Abluftrohr abgesaugt. Innen- und Außenkühlung ergeben durch das Zusammenwirken zweier Luftströme eine wesentlich verbesserte Stabilität des Folienschlauchs. Es gibt inzwischen eine Vielzahl von Variationen dieses einfachen Prinzips. So wurden Drosselelemente zur besseren Luftverwirbelung eingebaut oder spezielle For-

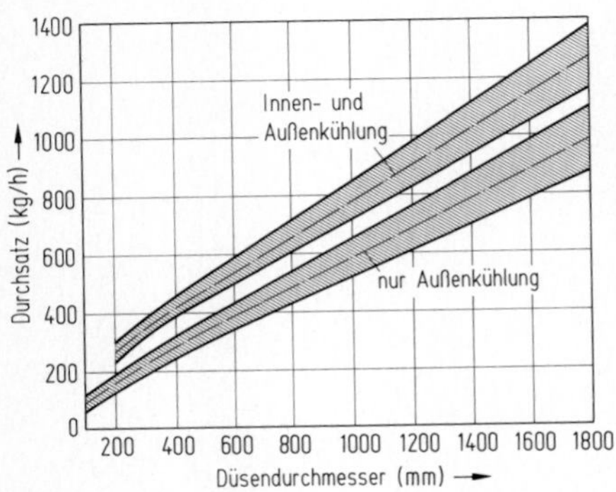

Blasfolienextrusion. Abb. 7. BASF, Ludwigshafen, Firmenschrift.

men der Lippen konstruiert. Auch die Zuführung der Luft für die Innenkühlung über mehrere Kanäle und die wahlweise Abführung von Teilströmen hat wesentliche Verbesserungen durch größere Variabilität gebracht.

Die genannten Kühlsysteme sind für die Herstellung von Folien aus → Polyethylen optimal, reichen aber bei Folien aus → Polypropylen nicht aus, um qualitativ hochwertige Produkte zu erzielen. Insbesondere hohe → Transparenz ist wegen der wesentlich höheren Kristallinität des Polypropylens nur mit einer schockartigen Abkühlung, dem sog. → Quenchen zu erreichen.

Das mit Abstand auf Blasfolienanlagen am häufigsten verarbeitet Material ist Polyethylen. Hier gab es in den letzten 20 Jahren sehr viele Neuentwicklungen, die für die Maschinenhersteller eine große Herausforderung bedeuteten. Viel Entwicklungsarbeit war insbesondere für die Herstellung von → PE-LD und PE-LLD-Folien zu leisten. Zusammenfasung → Blasfolienextrusion-Optimierung.

Blasfolienherstellung, Optimierung, *<blown film production, optimization>*, die Veränderung der Herstellungsparameter, bis die besten Bedingungen zur Erzielung optimaler Ergebnisse erreicht sind. Ein auf allen Gebieten der → Folientechnologie geübtes Verfahren, das wegen der großen wirtschaftlichen Bedeutung der Blasfolienherstellung in einem eigenen Stichwort behandelt wird. Die Einführung neuer Rohstoffe, vor allem zur Herstellung von → PE-LD- und PE-LLD-Folien hat zu wesentlichen Fortschritten in der → Blasfolienextrusion geführt. Dies gilt im maschinentechnischen Bereich für → Extruder, → Werkzeuge, → Rotations- und Reversiereinrichtungen und die → Flachlegung. Aber auch neue Erkenntnisse über die Prozeßführung haben wesentlich zur Verbesserung der Folieneigenschaften beigetragen.

Diese sind in hohem Maße von der → Orientierung der Makromoleküle abhängig. Sie erfolgt durch einen → Reckprozeß, der verfahrenstechnisch bedingt bei der Aufweitung des Folienschlauches während er Blasfolienherstellung eintritt. Die Form des Schlauches hat dabei einen großen Einfluß. Sie kann durch eine Reihe von Parametern beeinflußt werden.

Wie bei allen Extrusionsprozessen sind → Massetemperatur, Homogenität der Schmelze, Temperatur und Konstruktion des → Werkzeugs von Bedeutung. Für die Form des Schlauchs sind bei der Blasfolienextrusion zusätzlich vor allem das Aufblasverhältnis und der Einfrierabstand bestimmend:

Die *Ausziehfähigkeit,* gemessen an der

erreichten Foliendicke, ist nicht nur für die Erzielung guter Folieneigenschaften, sondern auch für die Wirtschaftlichkeit des Verfahrens von Bedeutung. Eine Verbesserung der Ausziehfähigkeit kann bei konstantem Aufblasverhältnis durch Abstandserhöhung der Einfriergrenze oder bei konstanter Lage der Einfriergrenze durch Erhöhung des Aufblasverhältnisses erreicht werden.
Die Ausziehfähigkeit nähert sich bei beiden Einflußgrößen einem Grenzwert, der durch die steigende Instabilität des Folienschlauches bedingt ist. Die Gleichmäßigkeit der Foliendicke nimmt mit beiden Parametern zunächst zu, wird aber dann durch mangelhafte Stabilität des Schlauches schnell schlechter. Die bestehenden Beziehungen hängen natürlich auch stark vom eingesetzten Rohstoff ab.
Eine viel wirksamere Maßnahme zur Steigerung der Ausziehfähigkeit bei gleichzeitiger Verbesserung der mechanischen und optischen Eigenschaften ist die gezielte Veränderung der Schlauchform, die Prozeßführung mit „Hals" oder mit *„Langem Hals"*, wie sie in Abb. 4 schematisch dargestellt ist. Die Ausbildung des Halses wird durch Einstellung eines möglichst großen Austrittsspalts für die Kühlluft erreicht. Die Strömungsgeschwindigkeit sinkt und es entsteht ein relativ hoher statischer Druck auf den Austrittsbereich der Schmelze. Dieser verhindert die frühzeitige Aufweitung, es bildet sich ein Hals, dessen Durchmesser meist sogar kleiner als der Düssendurchmesser ist. Der Hals bleibt mangels Kühlung auf erhöhter Temperatur, wodurch die aus der Materialströmung stammenden Orientierungen ausgeglichen werden. Der Schlauch wird erst unmittelbar vor Erreichung der Einfriergrenze schnell auf den endgültigen Durchmesser aufgeweitet.

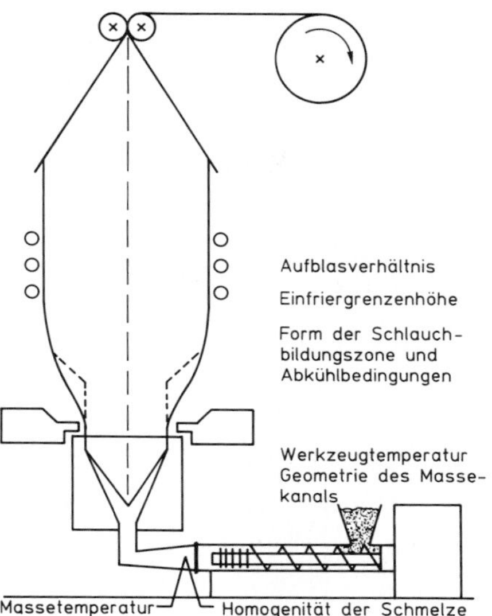

Blasfolienherstellung, Optimierung. Abb.1.
BASF, Ludwigshafen, Firmenschrift.

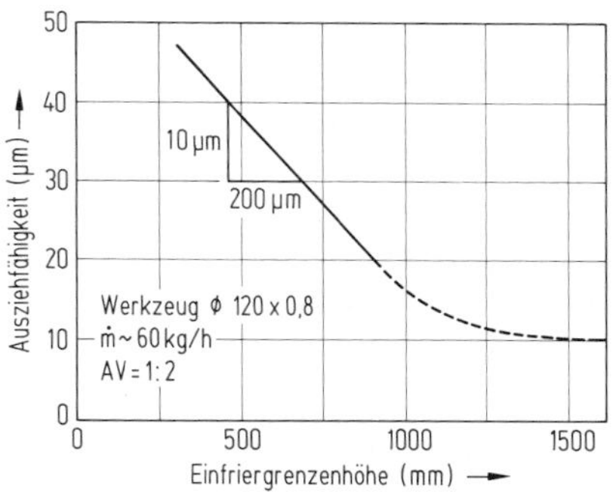

Blasfolienherstellung, Optimierung. Abb.2.
BASF, Ludwigshafen, Firmenschrift.

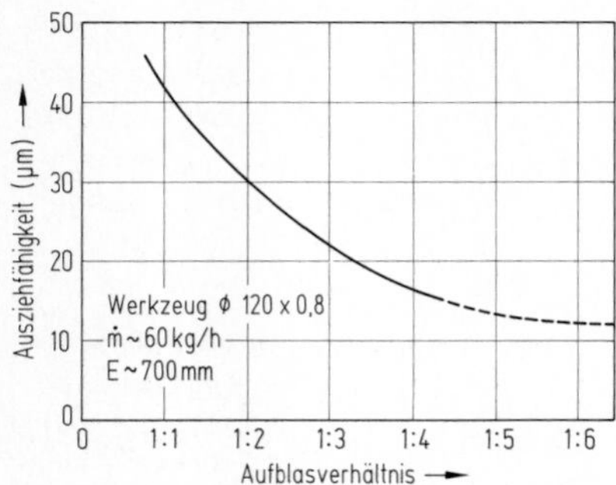

Blasfolienherstellung, Optimierung. Abb.3.
BASF, Ludwigshafen, Firmenschrift.

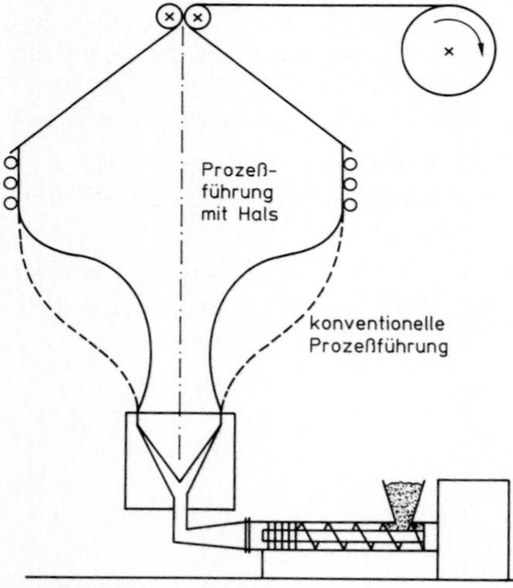

Blasfolienherstellung, Optimierung. Abb.4.
BASF, Ludwigshafen, Firmenschrift.

Wenn eine Veränderung der Blasenform durch Vergrößerung des Kühlringspalts nicht möglich ist, führt der Einsatz eines Werkzeugs mit großem Austrittsspalt zu ähnlichen Ergebnissen. Der entstehende dickwandige Schlauch kühlt langsamer ab und bleibt so länger dehnfähig. Auch hier gelingt der Ausgleich von Spannungen durch eine längere Verweilzeit aufgrund der geringeren Strömungsgeschwindigkeit der Schmelze. Lit.

Blattgold, *<leaf gold>*, feinst ausgewalzte oder ausgeschlagene Metallfolie aus sehr reinem Gold. Die Dicke der Folie liegt bei etwa 0,11 bis 0,14 μm. Bei 0,1 μm wird die Goldfolie durchsichtig.
Blattgold wird zum Vergolden, z.B. beim Buchschnitt oder bei Gemälden und Skulpturen verwendet.
Unechtes Blattgold (Schlagmetall, Blattmetall, Pariser Gold, Franzgold) besteht aus feinst ausgewalzten Legierungen, z.B. aus 80% Kupfer und 20% Gold oder aus Kupfer-Zink-Legierungen (Messing). Mit 20 bis 40% Zink werden hellgelbe Produkte erhalten. Kupferlegierungen mit weniger als 18% Zink sind rotgelb.

Blattmetall, *<foil>*, → Metallfolie.

Blattsilber, <silver leaf>, feinst ausgewalzte → Metallfolie aus Silber zum Versilbern von Kunstgegenständen. Unechtes Blattsilber besteht aus Legierungen von Kufper, Zink und Nickel.
Wichtiger für Dekorationszwecke ist das → Blattgold.

Blaueffekt, *<blueing>*, → optische Aufheller.

Blends, *Compounds, Kunststoff-Blends, Kunststofflegierungen, <blends, compounds>*, entstehen durch

mechanisches, intensives Mischen oder durch gemeinsame → Extrusion von zwei oder mehr Polymeren. Die Einhaltung definierter Temperatur- und Scherbedingungen ist sehr wichtig, weil die Eigenschaften der Blends nicht nur von der Art der Komponenten, sondern auch von der Struktur der Polymeren bestimmt werden.
Die Abgrenzung der Blends von den → Formmassen, Kunststoff-Mischungen mit größeren Mengen von → Additiven, ist nicht genau definiert. Ein Beispiel ist → Polystyrol mit → Schlagzähigkeitsverbessern.
Für Folienanwendungen auf technischen Spezialgebieten führt der Einsatz von Blends oft zu optimalen Lösungen. Die Herstellung von → Folienschaltern aus einem Polycarbonat/Polybutylenterephthalat-Blend ist ein Beispiel. Zur Technologie der Blendherstellung → Compoundieren. Lit.

Blister-Packmaschine, *<blister-packaging machine>*, eine Maschine zur Herstellung von → Blister-Verpackungen. Besonders zur Verpackung pharmazeutischer Produkte ist die Technologie der Blister-Packmaschinen in den letzten Jahren stark entwickelt worden. Das Arbeitsprinzip einer kleinen Blister-Packmaschine zeigt die Abb.
Mit einer Standfläche von etwa 1 m^2 und einer Leistungsaufnahme von ca. 3 kW können bis zu 100 Blister/min hergestellt werden. Größere Maschinen haben naturgemäß einen wesentlich höheren Automatisierungsgrad und bieten entsprechend höhere Leistung und Produktionssicherheit. Die einzelnen Stationen bleiben jedoch im Prinzip unverändert:
1. Zuführung der Bodenfolie. Die thermoverformbare Folie wird über Rollen mit eigenem Antrieb abgezogen. Der Rollenwechsel erfolgt meist halbauto-

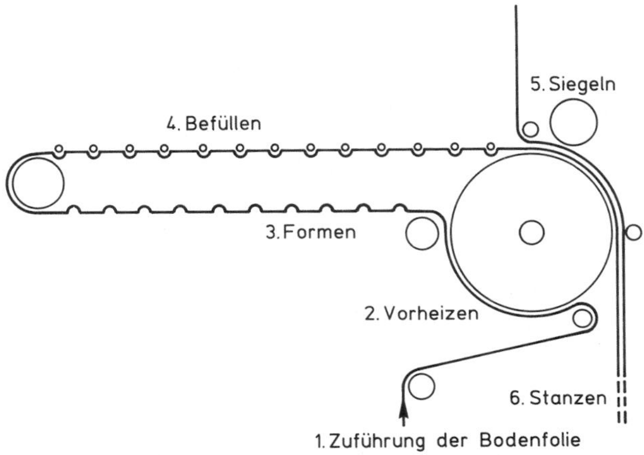

Blister-Packmaschine. Autor.

matisch, bei Großanlagen im Fliegenden → Rollenwechsel.
2. Vorheizen. Die Folie wird zwischen zwei Platten auf 100-120 °C erwärmt. Die eingestellte Temperatur wird konstant gehalten.
3. Formen. Die Folie wird unter Vakuum verformt. Die Formatbereiche liegen zwischen 100 · 150 mm und 250 · 300 mm. Die Ziehtiefen betragen 10 bis 20 mm. Die → Warmformung kann durch gezielte Anwendung von Druckluft oder durch Stempel vervollkommnet bzw. vertieft werden. Die geformte Bodenfolie ist nach Abkühlung zur Aufnahme des Füllgutes bereit. Heiz- und Formstation fahren bei größeren Anlagen mit der kontinuierlich durchgezogenen Folie mit und gehen nach Abschluß der Formgebung in die Ausgangsstellung zurück.
4. Befüllen. Das Füllgut wird über Zuführsysteme in die kontinuierlich weiter geführte Bodenfolie eingetragen. Durch mechanische oder optisch-elektronische Kontrollen werden Fehlpackungen ausgeschieden.
5. Siegeln. Die Verschluß- oder Deckfolie wird von der Rolle mit der gefüllten Bodenfolien-Bahn zusammengeführt. Beide Folien werden über mitlaufende Plattenwerkzeuge gegeneinander versiegelt. Hoher Schließdruck bewirkt ein gutes Siegelbild und Dichtheit der Packungen. Nach Abkühlung wird der Packungsstrang intermittierend weiter transportiert.
6. Stanzen. Die Packungen können zunächst perforiert und mit Herstelldatum, Chargennummer oder anderen Daten versehen werden. Danach werden die Packungsformate aus der Folienbahn ausgestanzt. Der Abfall wird zerkleinert und gesammelt. Die erhaltenen Packungen können gestapelt und automatischen Kartonierstationen zugeführt werden.

Die Leistungen der Blister-Packmaschinen hängen naturgemäß sehr stark vom Packgut ab. Sie liegen zwischen 10 und 80 Takten im Form und Siegelbereich und bis zu 300 Takten im Stanzbereich. Die Leistungsaufnahme der Maschinen reicht von ca. 3 kW bis 15 kW, ihr Gewicht von etwa 250 kg bis über 3.000 kg. Eine Variante der für die Verpackung von Tabletten, Dragees oder Kapseln entwickelten Blister-Packmaschinen sind Anlagen zur *Ampullen-Verpackung*. Die Ampullen können in line gereinigt, sterilisiert, etikettiert, Blister-verpackt und kartoniert werden. Weitere Beispiele sind Blister-Packmaschinen für Antibiotika oder medizinische Artikel, wie Spritzen und Kanülen.

Die Verpackung von größeren, unregelmäßig geformten Teilen ist naturgemäß nicht so leicht zu automatisieren. Manuelles Einlegen des Packgutes und manuelle Kontrolle des Verpackungsvorgangs sind hier nötig. Oft wird man in diesen Fällen der → Skin-Verpackung den Vorzug geben. In vielen Fällen sind Blister-Packmaschinen relativ leicht in → Skin-Packmaschinen umzurüsten.

Blister-Verpackung, *Blasenverpackung, Glockenverpackung, Konturenpackung, Trägerkarton-Verpackung, <blister packaging, bubble packaging,*

carded packaging>. Aus Folien aus Kunststoff werden durch → Warmformen definierte Hohlräume (Blasen) erzeugt, die das Füllgut aufnehmen. Danach wird diese Bodenfolie durch eine Deckschicht aus Kunststoff, Papier, Pappe oder Aluminium verschlossen. Die Blisterverpackung gehört zu den besonders schnell wachsenden Verpackungsarten. Sie erlaubt die Vermarktung von Einzelartikeln in der Selbstbedienung ebenso wie die sichere Handhabung von Arzneimitteln. Die Pakkungs-Rückseite wird durch Bedrucken zum wichtigen Informationsträger. Mit der Blisterverpackung sind die → Skin-Verpackung und die → Aluminium-Formverpackung verwandt. Abb. 1 zeigt den Grundaufbau verschiedener Blister-Packungen für größere Teile.

1) Die dem Packgut entsprechend thermogeformte Folie wird am Rand auf die einzelnen Papp- oder Papierschnitte aufgesiegelt. Dies kann durch Direkt-

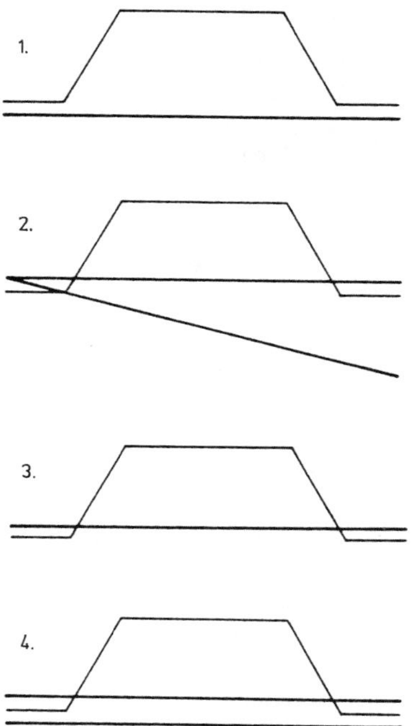

Blister-Verpackung. Abb.1. Nach Bakker, The Wiley Encyclopedia of Packaging Technology, New York 1986.

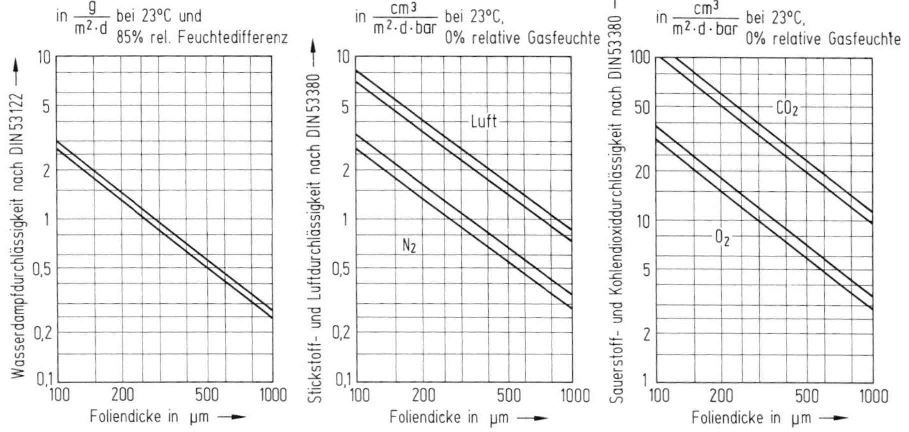

Blister-Verpackung. Abb.2. Firmenschrift Hoechst AG.

versiegelung der Folie oder durch eine gesondert aufgebrachte Heißsiegelschicht geschehen.
2) Der Rand der thermogeformten Folie wird mit einem vorgestanzten Kartons durch Hießsiegelung verbunden.
3) Ein Faltkarton ermöglicht die Verbindung von Ober- und Unterseite der Folie mit dem Träger. Die Verbindung kann durch Heißsiegeln, Kleben oder mit Hilfe von Metallklammern erfolgen.
4) Auch beim Sandwich- oder Doppelkarton-Verfahren werden beide Seiten der vorgeformten Folie mit dem Träger verbunden.

Die als Trägermaterial eingesetzte Pappe ist in der Regel mit einer Kreideschicht ausgerüstet, um die Bedruckbarkeit zu erleichtern. nach erfolgtem Drück wird noch eine Beschichtung für das → Heißsiegeln aufgebracht. Die Blister-Verpackung ist für pharmazeutische und medizinische Artikel, wie Tabletten, Dragees, Kapseln, Spritzen, Kanülen und Ampullen besonders wichtig. Ihre Bedeutung ist allerdings heute geographisch noch sehr unterschiedlich. Während in Europa Pharmaprodukte kaum noch in Flaschen, sondern fast ausschließlich in Blister-Verpackung auf den Markt kommen, wird diese Verpackungsart in USA auf weniger als 10% der im Handel befindlichen Arzneimittel angewendet. Gründe dafür liegen in der unterschiedlichen Distribution und wohl auch im reichlichen Vorhandensein von Flaschen-Abfüll-Maschinen.

Zur Blister-Verpackung von Pharmazeutika werden als Bodenfolie leicht thermoverformbare Materialien eingesetzt, die dann mit einer Trägerbahn aus Aluminium, Kunststoff, Papier oder einer *Verbundfolie* verschlossen werden.

Die heute mit Abstand am häufigsten verwendeten Folien aus → Hart-PVC vereinigen in sich eine Reihe von Eigenschaften, die für die Blister-Verpackung besonders wichtig sind. Dazu gehören hohe Stabilität, leichte Verformbarkeit, Wärme- und Kälte-Resistenz, Tropenfestigkeit und gute mechanische Eigenschaften. Die Folien sind transparent und glasklar. Sie können auch eingefärbt werden, um bei immer noch möglicher optischer Kontrolle des Packungsinhalts Lichtschutz zu gewährleisten. Die Oberfläche der Folien, die sehr gut bedruckbar sind, kann matt oder glänzend eingestellt werden.

Die Dicke der Hart-PVC-Folien liegt zwischen 100 und 1000 μm. Einen Überblick über die → Gasdurchlässigkeit in Abhängigkeit von der Foliendicke gibt Abb. 2. Die guten Werte dürfen jedoch nicht darüber hinwegtäuschen, daß die intakte Versiegelung zwischen Blisterfolie und Trägerfolie für die Dichtheit der Packung von ausschlaggebender Bedeutung ist.

Neben Hart-PVC werden → Celluloseester-Folien, → OPS-Folie und Folien aus → Styrol-Butadien-Copolymerisation eingesetzt.

Blister-Verpackungen weisen gegen über anderen Verpackungsarten eine Reihe von Vorteilen auf. Die Packungen schützen den Inhalt optimal und erlauben gleichzeitig eine leichte Begutachtung durch den Käufer. Als Einzelteile werden z.B. kleinere Haushaltswaren, Schreibgeräte, Spielwaren, Mode-

schmuck oder Backwaren verpackt. Bei größeren Teilen wie Küchengeräten, Werkzeugen oder Spielzeug ist die → Skinverpackung im allgemeinen kostengünstiger. Dies gilt auch für Sammelpackungen für Kleinteile.
Für die Verpackung von Arzneimitteln sind die Vorteile der → Blisterpackung besonders deutlich:
1. Das Pharmaprodukt gelangt vom Hersteller über den Großhandel, den Apotheker oder Drogisten, den Arzt oder das Krankenhaus ohne jede Manipulation wie Umfüllen oder Abzählen des Inhalts zum Verbraucher.
2. Die Entwicklung der Durchdrückpackung brachte eine besonders bequeme Handhabung für den Verbraucher und die Möglichkeit zur kontrollierten Entnahme einzelner Dragees, Tabletten oder Zäpfchen.
3. Die Produkt- und Packungs-Integrität ist leicht erkennbar. Die Blisterpackung wird so zu einer → verfälschungssicheren Packung.
4. Eine kindersichere Packung ist durch zusätzliche Maßnahmen leicht zu erreichen. Es genügt z.B. das Aufbringen einer weiteren, nicht ganz leicht abziehbaren Papier-Kunststoff-Verbundfolie.
5. Durch entsprechendes Bedrucken kann die vorgeschriebene Dosierung nach Daten, Tagen und Mengen auf der Packung deutlich gemacht werden. Irrtümer und Verwechslungen werden so unwahrscheinlicher.
Zur Verpackung besonders empfindlicher Produkte, die unter extremen Bedingungen gelagert werden müssen, wurde eine → tropensichere Blisterpackung entwickelt. Für die Herstellung von Blister-Verpackungen sind → Blister-Packmaschinen mit hoher Effizienz entwickelt worden. Lit.

Blocken, *Blockneigung*, *<blocking, sticking>*, unerwünschte, zu starke Adhäsion zwischen der Folie untereinander oder zwischen Folie und anderen Materialien. Prüfnorm: ASTM D 1893. Eine zu starke Haftung von Folien untereinander kann zu erheblichen Störungen bei der Verarbeitung führen. Folienrollen können unbrauchbar, die → Maschinengängigkeit kann erheblich beeinträchtigt werden. Für Zigarettenfolien ist das → Automatenblocken eine unerwünschte Erscheinung.
Zur Verringerung des Blockens können → Antiblockmittel eingesetzt werden. Hinweise für die Neigung einer Folie zum Blocken gibt die → Reibungszahl. Zum Blocken kann es auch infolge von → Durchschlägen kommen.

Blockcopolymer, *<block copolymer>*, → Polymerisation.

Blockneigung, *<blocking>*, → Blocken.

Blooming-Test, *<blooming test>*, eine Methode zur Beurteilung des → Ausblühens von → Gleitmitteln aus → Weich-PVC-Folien. Die zu prüfende Mischung wird auf einem Walzwerk plastifiziert und zu 1 mm dicken Folien gepreßt. 40 · 20 mm große Plättchen aus dieser Folie werden zwischen zwei Spiegelglasplatten gelegt und 24 Stunden bei 90 °C getempert. Nach dem Erkalten werden die Glasscheiben entfernt und optisch beurteilt. Wenn sich Beläge zeigen, liegt der Verdacht auf ausblühende Produkte auch unter Normalbedingungen nahe.

Bodenbelag, *Fußbodenbelag, <floor covering>*, ein Schutz- oder Laufbelag für Fußböden. Bodenbeläge werden in die beiden Gruppen *textile* und *elastische* Beläge eingeteilt. Zur Herstellung elastischer Bodenbeläge spielen → Weich-PVC-Folien auch heute noch eine große Rolle. Das Gebiet wird meist nicht als Teil der Folientechnologie betrachtet, soll aber hier kurz behandelt werden.
Die Produkte werden durch → Kalandrieren hergestellt und bestehen im wesentlichen aus Suspensionspolymerisaten (S-PVC). Häufig werden Emulsionspolymerisate (E-PVC) zur Erleichterung der Verarbeitung zugesetzt. Als Weichmacher wird vor allem Dioctylphthalat (→ Phthalate) verwendet. Füllstoffe wie Kreide, Schwerspat oder gemahlener Kalkstein verringern in erster Linie die Kosten für das Rohmaterial, tragen aber auch zur Modifikation der anwendungstechnischen Eigenschaften bei. Zur Stabilisierung der Fußbodenbeläge werden → PVC-Stabilisatoren und → Lichtschutzmittel verwendet; → Färbemittel werden häufig eingesetzt. Die Abb. zeigt eine Kalanderanlage, die speziell zur Herstellung von Bodenbelagfolien modifiziert wurde. Aus den Vorratsbehältern (1) werden die festen bzw. flüssigen Rohstoffe über automatische Waagen (2) und Vormischer (3) in den Kneter (4) gegeben. Dort wird die Masse bei 170 bis 190 °C homogenisiert und geliert. Sie wird dann auf dem Walzwerk (5) zu einem Fell geformt. Durch rotierende Messer wird ein schmaler Streifen abgenommen, der dem Walzwerk

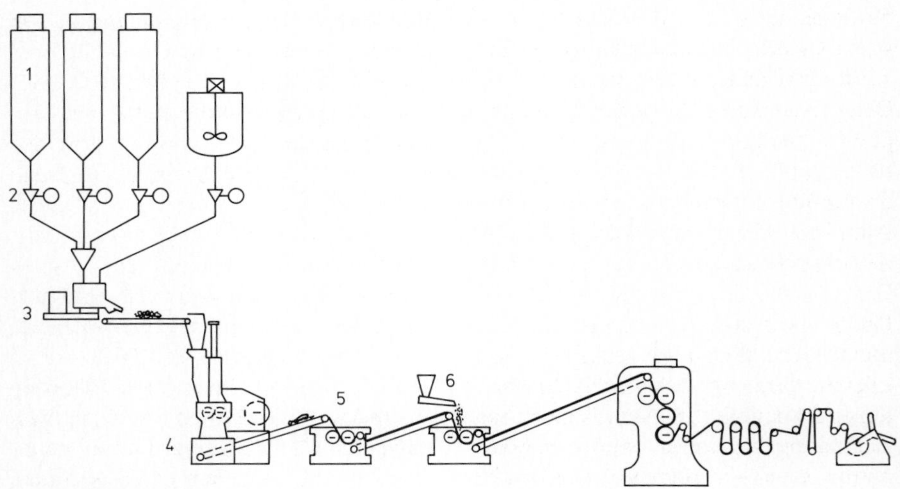

Bodenbelag. Ullmann, *12*, 27 Abb. 5.

(6) zugeführt wird. Dieses dient zum Einfärben des Produkts und zur Erzeugung der sehr wichtigen Musterung. Die Kalander-Temperaturen liegen bei 160 bis 180 °C. Die Dicke der so erzeugten Folien liegt zwischen 0,5 und 0,75 mm. Zur Herstellung dickerer Beläge müssen mehrere dieser Folien durch Druck und Temperatur auf besonderen Schweißanlagen kontinuierlich miteinander verbunden werden. Die Verbindung kann auch in Etagenpressen erfolgen.
Viele Versuche zur Herstellung entsprechender Folien in Extrudern nach der Methode der → Flachfolienextrusion sind nicht gelungen, da marktgerechte Musterungen nicht zu produzieren waren.
Gummibeläge werden aus synthetischem Kautschuk hergestellt. Sie haben wegen ihres vergleichsweise höheren Preises spezielle Anwendungsgebiete auf stark frequentierten Verkehrsflächen, da sie sehr widerstandsfähig gegen mechanische und chemische Einwirkungen sind. Im Gegensatz zu PVC-Belägen sind sie auch gegen Zigarettenglut beständig.

Bodenfolie, *<bottom film>*, 1. → Aluminium-Formverpackung; 2. → Blisterverpackung.

Bodensterilisation, *<soil sterilization>*. Vor dem Einbringen einer neuen Pflanzenkultur wird der Boden in manchen Fällen durch Sterilisation von schädlichen Insekten, wie Fadenwürmern (Neumatoden) befreit. Dazu muß der Erdboden duch Folie abgedeckt werden, um eine genügend lange Einwirkung des Sterilisationsmittels sicherzustellen und sein Entweichen in die Athmosphäre zu verhindern. Die Folie wird in 2-3 m breiten Bahnen ausgelegt, verschweißt und an den Rändern durch Eingraben oder Anschütten von Erde abgedichtet. Danach wird das Sterilisationsmittel, meist Methylbromid, eingeführt. Die Einwirkungsdauer beträgt 24 Stunden. Es werden Folien aus Polyethylen und Polyvinylchlorid verwendet. Dabei ist im ersten Fall die ungenügende Gasdichte der Folie, im zweiten Fall der bei der schließlichen Vernichtung der Abdeckfolie störende Chlor-Gehalt problematisch. Es wurden deshalb spezielle → Sperrschicht-Folien auf Basis → Poly-(ethylen-vinylalkohol), EVOH, entwickelt, die beide Nachteile vermeiden. Allerdings ist der Preis dieser Folien wegen der komplizierteren Herstellung und des teureren Ausgangsmaterials höher. Die Sterilisation des Bodens kann auch mit Dampf erfolgen. Als Abdeckfolien werden Polyethylen- und Polyvinylchlorid-Folien mit Dicken über 100 μm verwendet, die die früher eingesetzten wasserdichten textilen Materialien ersetzt haben.

BOPP, *biaxial orientiertes Polypropylen, oPP, orientiertes PP, <BOPP, biaxially orientated Polypropylene>*, Aus → Polypropylen hergestellte, biaxial verstreckte Folie. Die Kurzbezeichnung BOPP hat sich weltweit eingebürgert. Im Vergleich zu unverstreckten oder in nur einer Richtung verstreckten → Polypropylenfolien hat

BOPP eine ganz wesentlich größere Bedeutung.

Die Herstellung von BOPP erfolgt durch → Extrusion des → Polypropylens mit einem in der Regel unmittelbar anschließendem → Reckverfahren. Durch Änderung der Morphologie des Polymeren werden wichtige Eigenschaften der Folie, wie → Transparenz, Steifigkeit, → Kältebeständigkeit und Undurchlässigkeit für Wasserdampf und Gase wesentlich verbessert. Man unterscheidet zwei Verfahren:

1. Flachfilm-Reckverfahren, Tenter-Verfahren, Stenter Verfahren. Polypropylen wird nach dem Verfahren der → Flachfolien-Extrusion zu einem Dickfilm von einigen mm Stärke geformt. Die Folienbahn wird auf einer → Kühlwalze oder im Durchzug durch ein Wasserbad möglichst schnell abgekühlt (→ Quenchen), um eine zu schnelle → Kristallisation des Materials zu vermeiden. Nach erneutem Erwärmen auf eine Temperatur zwischen → Schmelzbereich und → Glasübergang erfolgt zunächst Verstreckung in → Längsrichtung im Reckverhältnis 1:5 bis 1:10. Dabei wird die Folienbahn durch ein Walzensystem schneller abgezogen, als sie zugeführt wird. Anschließend erfolgt die Verstreckung in Querrichtung. Die Folienbahn wird seitlich durch Greifelemente, Kluppen oder Clips, erfaßt, die auf einer *Kluppenkette* montiert sind. In einem beheizten Recktunnel wird die Folienbahn V-förmig auseinandergezogen. Das Reckverhältnis beträgt etwa 1:5 bis 1:10. Quer- und Längsreckung werden so abgestimmt, daß ein Oberflächen-Reckverhältnis von etwa 1:50 erreicht wird. Im allgemeinen werden isotrope Folien angestrebt, d.h. Produkte, bei denen das Eigenschaftsprofil in Längs- und Querrichtung in etwa gleich ist. Eine Optimierung der mechanischen Festigkeit in Längsrichtung wird im Gegensatz zu → Polyesterfolien, die zur Herstellung von → Magnetband-Folien und → Photofolien verwendet werden, meist nicht verlangt. Die BOPP-Bahn wird im Anschluß an die Querreckung für einige Sekunden auf ca. 180 °C erhitzt. Diese Thermofixierung bewirkt eine Stabilisierung der → Folien-Eigenschaften durch Vervollständigung der Kristallisation und verhindert den → Memory-Effekt.

Nach dem Abkühlen der Folienbahn werden die Kluppen geöffnet. Der in Querrichtung unverstreckte Rand der Bahn wird abgtrennt. Diese wird dann entweder in ganzer Breite oder aufgeteilt in drei oder vier entsprechend schmaleren Bahnen zu → Folienrollen aufgewickelt.

Das Längsreckverfahren zur Herstellung von BOPP weist viele Ähnlichkeiten mit dem Prozess zur Gewinnung von → Polyesterfolien (Abb.) auf.

2. → Blasfolienextrusion. Polypropylen wird extrudiert und mit einer Ringdüse zu einem Schlauch geformt. Wie bei der Flachfolien-Extrusion ist der Primärfilm (Dickfilm) mehrere mm dick. Der Reckprozeß tritt beim Aufweiten und Abziehen des Folienschlauches ein. Die Längsreckung ergibt sich durch eine Abzugsgeschwindigkeit, die höher ist als die der Folien-Zuführung. Die Verstreckung in Querrichtung hängt vom

Durchmesser der Blase ab, der seinerseits durch die Menge der eingeblasenen Luft bestimmt wird. Zur Stabilisierung der Folie muß auch hier eine Thermofixierung des Kristallzustandes erfolgen.
a. Die flachgelegte Folie wird dazu über eine Reihe von geheizten Walzenpaaren geführt. Die Temperatur wird auf einen Wert unterhalb des → Schmelzbereichs und oberhalb des → Glasübergangs erhöht.
b. Der flachgelegte Folienschlauch wird erneut mit Luft zu einer zweiten Blase aufgeweitet (*Double-bubble-Process*) und dann thermofixiert.
Danach wird der Folienschlauch aufgeschnitten und aufgewickelt.
Das Blasfolien-Reckverfahren ist dem Flachfolien-Verfahren mit anschließendem Reckprozeß eindeutig unterlegen. Schwierigkeit bereitet die Kontrolle der → Dickengleichmäßigkeit und der → Transparenz. Vor allem aber sind eine in beiden Richtungen gleichmäßige Verstreckung und eine gute Thermofixierung wenn überhaupt nur mit sehr hohem technischen Aufwand zu erreichen. Qualität und Einsatzmöglichkeiten der so erhaltenen Folien sind begrenzt. Es ist deshalb verständlich, daß weltweit über 80% des BOPP nach dem Längsreckverfahren hergestellt wird.
Die so erhaltenen Folien sind nicht heißsiegelfähig.
Wichtige Einsatzgebiete sind die → Hochglanzkaschierung, die Textilkaschierung und die Verwendung als → Trennfolien. BOPP kann mit → Cellophan, → Aluminiumfolie, anderen Kunststoff-Folien oder Papier durch → Extrusionsbeschichtung oder → Kaschierung zu Verbunden kombiniert werden. BOPP wird auch zur Herstellung von → Beuteln eingesetzt.
Wesentlich größere Bedeutung als die nicht siegelfähigen Folien haben Produkte, die sich nach den in der Verpackungstechnologie üblichen Verfahren des → Heißsiegelns verarbeiten lassen. Zur Herstellung dieser BOPP-Folien werden drei Wege beschrieben:
a. Modifizierung des Polypropylens mit einem hohen Anteil (bis zu 20%) an *Terpen-Kohlenwasserstoffen* vor der Folienherstellung. Der Siegelbereich dieser Produkte ist relativ eng, die Möglichkeit zur Variation ihrer Eigenschaften beschränkt. In der → Zigaretten-Verpackung werden sie mehr und mehr durch lackierte und coextrudierte BOPP-Folien verdrängt.
b. → Beschichten der verstreckten Folie. Die Siegelschicht kann ein- oder beidseitig aufgebracht werden. Es werden Folienlacke aus Acrylpolymeren, Acryl-PVC-Copolymeren, Vinylacetat-Copolymeren und PVDC eingesetzt. Das Verfahren erlaubt die Herstellung sehr vielseitig verwendbarer Folien mit maßgeschneiderten Eigenschaften. So ist z.B. der Siegelbereich weitgehend variierbar. Nachteilig ist das zweistufige Herstellungsverfahren und die Notwendigkeit der Lösungsmittel-Rückgewinnung.
c. Die → Coextrusion ist das mit Abstand verbreitetste Verfahren zur Herstellung siegelfähiger BOPP-Folien. Die Herstellung erfolgt wie oben beschrieben. Als → Siegelschichten dienen Copolymere aus Ethylen und einem

hohen Anteil Propylen oder aus Vinylacetat, Ethylen und Propylen. Auch niedermolekulare Produkte, wie Terpolymere aus Ethylen, Propylen und Butylen sowie → Ionomere werden verwendet. Die Variationsbreite des Verfahrens ist sehr groß, seine Wirtschaftlichkeit den Lackierverfahren überlegen. Es wurde in den letzten Jahren ständig weiter entwickelt. Bei modernen Anlagen liegt die Breite der Folienbahn bei 8 bis 10 m. Der Durchsatz an Polypropylen kann je nach Folientyp bis zu 3 t/h betragen. Es werden meist Tandemextruder eingesetzt. Die Foliendicken liegen zwischen 10 und 60 μm, die Kapazität einer Anlage beträgt zwischen 15.000 bis 20.000 t/a.

BOPP-Folien vereinigen in sich eine Reihe hervorragender Eigenschaften. Ihre → Mechanischen Eigenschaften, wie Reiß-, Stoß- und Durchstoßfestigkeit sind sehr gut. (Verwendung für *Aufreißstreifen*). Sie sind unempfindlich gegen Wasser und undurchlässig für Wasserdampf. Ihre Wärme- und Kältebeständigkeit, Dimensionsstabilität und Kratzfestigkeit sind ausgezeichnet. Sie besitzen hervorragende → Optische Eigenschaften, wie Glanz und Transparenz. Ihre Beständigkeit gegen Öle, Fette und Lösungsmittel ist sehr gut. Die Folien sind geruchs- und geschmacksneutral und physiologisch unbedenklich. BOPP hat wegen seines niedrigen spezifischen Gewichts von 0,9 g/cm^2 eine hohe Flächenausbeute und ist frei von Weichmachern. Heißsiegelfähiges BOPP findet ausgedehnte Verwendung in der Verpackung von Süß- und Backwaren, Snackartikeln, Teigwaren und Trockenfrüchten, Kartoffelprodukten, Papierwaren, Textilien, kosmetischen und medizinischen Artikeln. Ein Anwendungsgebiet mit besonders hohen Anforderungen ist die → Zigarettenverpackung. BOPP ist zum Einsatz auf allen → Verpackungsmaschinen geeignet. Besondere Anstrengungen galten in den letzten Jahren der Verbesserung der Siegelfestigkeit. Abb. 1 zeigt einen Vergleich von beschichteten und coextrudierten Produkten. Auch im → Hot-Tack zeigen die coextrudierten Folien die besseren Werte (Abb. 2). Für die → Zigarettenverpackung und die → Metallisierung werden Spezialtypen angeboten. BOPP kann mit Hilfe von → Additiven antistatisch ausgerüstet oder besonders gleitfähig gemacht werden. Die Folien sind nach einer → Oberflächenbehandlung gut bedruckbar. BOPP-Folien werden im großen Maßstabe zur Herstellung von → Verbundfolien eingesetzt. Sie haben in den letzten zwei Jahrzehnten das früher vorherrschende → Cellophan weitgehend verdrängt (→ Cellopp-Markt). BOPP gehört zu den jüngsten Produkten auf dem Foliensektor. Die Entwicklung begann Anfang der 60er Jahre und hat sich seit Mitte der 70er Jahre sehr stark beschleunigt. Neben der Substitution von Cellophan ist die Entwicklung von neuen BOPP-Typen für neue Anwendungsgebiete für das starke Wachstum verantwortlich.

Zu nennen sind insbesondere → opaque BOPP-Folien, die auf Spezialgebieten Substitutionsprodukte für → Papier, vor allem für → Fettbeständige Papiere sind, → Kondensatorfolien, Folien für

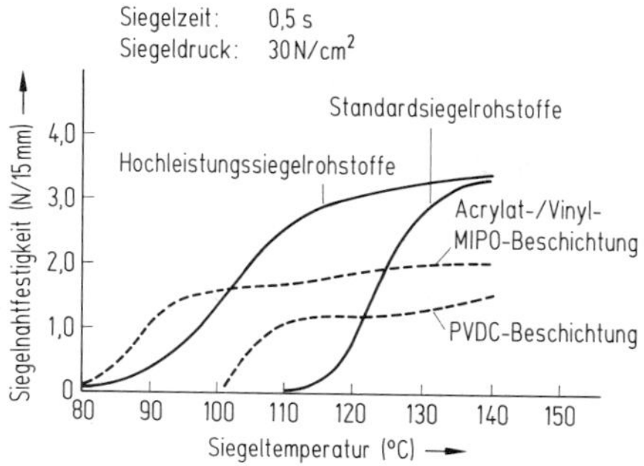

BOPP. Abb.1. G. Hohl, Verpackungsrundschau 9/89, 951-955.

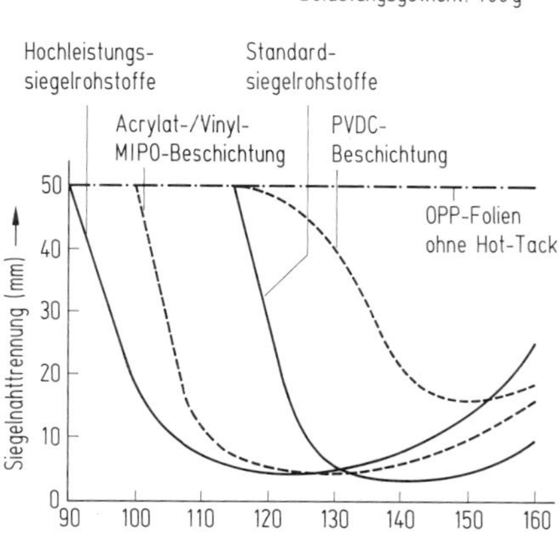

BOPP. Abb.2. G. Hohl, Verpackungsrundschau 9/89, 951-955.

die → Hochglanzkaschierung von → Karton, → Papier und Pappe sowie die Gewinnung von → orientierten Polypropylenplatten.

Die Entwicklung des Verbrauchs seit Einführung des BOPP zeigt Abb. 3.

Die jährliche Zuwachsraten werden für

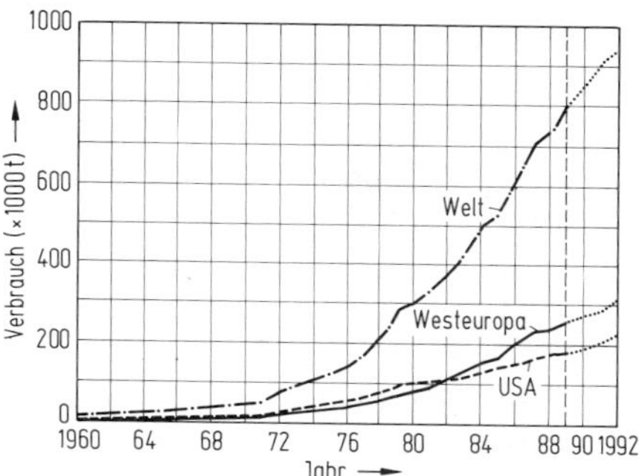

BOPP. Abb.3. Seifried, Kunststoffe *79*, S.1233-1237 (1989).

die nächste Zeit auf etwa 10% geschätzt. Sie könnten bei einer breiteren Substitution anderer Folientypen, insbesondere von PVC-Folien, noch höher ausfallen. Mit sehr großer Wahrscheinlichkeit wird die Marke von 1 Million t 1990/1991 überschritten werden. Lit.

Brandschutzausrüstung, *<fire proofing>*. Als organische Verbindungen sind die meisten → thermoplastischen Kunststoffe mehr oder weniger leicht brennbar. Die Brandschutzausrüstung hat das Ziel, die Brennbarkeit von Kunststoff-Formteilen herabzusetzen. Das → Brennverhalten von Folien ist vor allem beim Einsatz für technische Zwecke und bei ihrer Verwendung auf dem Bausektor zu beachten.

Wirksame Produkte für die Brandschutzausrüstung sind Halogenverbindungen, vor allem Bromverbindungen, Phosphor-verbindungen, wie Acrylphosphate und Antimontrioxid, das in Verbindung mit anderen Brandschutzmitteln synergistisch wirkt. Brandschutzausrüstung wird vor allem bei Weich-PVC-Folien angewendet. Ein Beispiel für eine Rezeptur zeigt die Tabelle (nach Gächter, Taschenbuch der Kunststoff-Additive, Hanser Verlag 1990).

Brandschutzausrüstung.

53,5%	Suspensions-PVC,
27,7%	Dioctylphthalat,
4,9%	epoxidierter Ölsäureester,
4,9%	Pentabromdiphenylether,
8,3%	Trikresylphosphat,
0,5%	Gleitmittel,
0,4%	Stabilisator

Bräthaftung, *<meat cling>*, → Schälverhalten.

Brandverhalten, *<combustion behaviour>*, → Brennverhalten.

Bratfolie, *<baking film>*, eine Folie, die meist aus hochkristallinen → Polyestern besteht. Bratfolien sind 30 bis 50 μm dick und bis ca 230 °C hitzebeständig. Wegen ihrer guten Temperaturbeständigkeit werden auch → Polyamidfolien als Bratfolien verwendet. Sie dienen zum Umhüllen von Lebensmitteln, die im Ofen bei höheren Temperaturen gegart werden. Die Bratfolie ermöglicht die einfache und schnelle Zubereitung von Speisen, die wegen der Abwesenheit von Ölen und Fetten kalorienarm sind. Bratfolien werden häufig auch mit → Perforation oder Mikroperforation angeboten. Durch die → Mikrowellentechnik verliert dieses Verfahren ständig an Bedeutung, jedoch sind Folien mit der Eigenschaft der → Dual-Ovenability in der Verpackungstechnik und als → Haushaltsfolien gefragt.

Brechungsindex, *Brechungszahl*, *<refractive index>*, eine optische Kennzahl; Prüfnorm: DIN 53491. Die leicht zu messende Größe kann zur Charakterisierung von Folien oder deren Ausgangsmaterialien dienen. Der Brechungsindex n_D^{20} liegt bei den meisten Folien zwischen 1,5 und 1,6, für Polyimidfolien bei 1,78. Vergleichsweise beträgt er für Glas 1,5.

Brechungszahl, *<refractive index>*, → Brechungsindex.

Breithalter, *<expander>*, → Breithaltewalzen.

Breithaltewalzen, *Breithalter*, *<expander>*, verhindern, daß die Folienbahn während der Herstellung oder Verarbeitung schmaler wird oder sich krümmt, und verbessern dadurch die → Planlage. Man unterscheidet:

1. → Walzen mit progressiv geschnittenem Gewinde oder Wendeln, die von der Walzenmitte ausgehen und zu beiden Walzenenden verlaufen. Die nicht angetriebene Walze zieht die Folienbahn von der Mitte her nach beiden Seiten auseinander. Die Oberfläche derartiger Walzen ist in der Regel aus Metall. Gummierte Walzen haben vergleichsweise dünnere Rillen in einer dichteren Anordnung. Sie sind vor allem für dünnere Folien geeignet und vermeiden eine Krümmung der Bahn quer zur Laufrichtung.

2. Walzen mit geringem Durchmesser, die auf einer leicht gekrümmten Achse laufen, bewirken durch eine Überdehnung der Bahnmitte eine Breitenstreckung.
3. Zwei Paare von Quetschwalzen, die auf beiden Seiten der Folienbahn in einer Halterung befestigt sind, die in einem rechten Winkel zur Walzenachse drehbar ist. (Abb.) Durch geeignete Einstellung ziehen die beiden nicht angetriebenen Quetschwalzen die Bahn auseinander und eliminieren Falten.

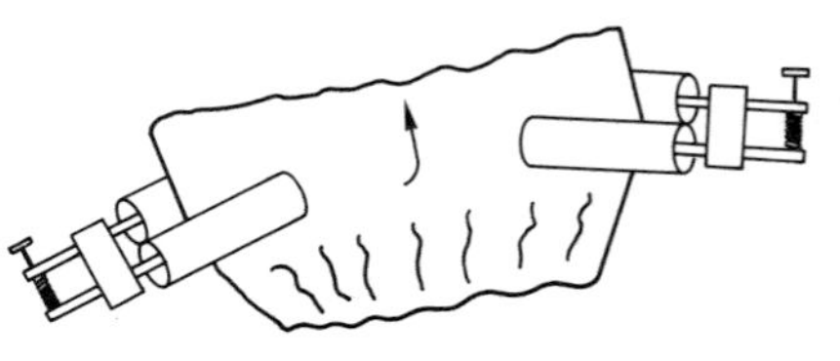

Breithaltewalzen. Autor.

Brennverhalten, *Brandverhalten, Entflammbarkeit, <burning rate, flammability, combustion behaviour>*. Fast alle organische Materialien sind mehr oder weniger gut brennbar. Sie können durch chemische Modifizierung oder durch Zusätze schwer entflammbar gemacht werden. Die exakte Bestimmung des Brennverhaltens ist sehr schwierig. Es gibt eine große Anzahl von Prüfnormen, die unter Berücksichtigung des Anwendungsfalles ausgewählt werden sollten, um eine möglichst praxisnahe Prüfung zu gewährleisten.
Die früher in großem Maß eingesetzten sehr leicht brennbaren Folien aus → Cellulosenitrat sind seit langem vollständig durch andere Produkte verdrängt. Das Brennverhalten für Folien ist nur beim Einsatz im → Technischen Sektor, vor allem für Anwendungen in der Elektrotechnik und im Bauwesen von Bedeutung. Bei → Polyesterfolien treten bis 400 °C keine entflammbare Gase auf (DIN 40634 oder VDE 0345). → Polycarbonatfolien können durch Zusätze oder chemische Modifikation schwer entflammbar gemacht werden. Folien aus PVC sind wegen ihres hohen Chlorgehalts nicht leicht entflammbar, können aber durch eine → Brandschutzausrüstung noch verbessert werden.
Beim Einsatz von Folien für die → Verpackung und als → Landwirtschaftsfolien ist die gute Verbrennbarkeit (Ausnahme: PVC) für die → Entsorgung der Folien sogar ein Vorteil.

Breitschlitzextrusion, *<flat film extrusion>*, → Flachfolienextrusion.

Bruchdehnung, *<percentage elongation at break>*, → Reißdehnung.

Bundesanstalt für Materialprüfung, *BAM*, wurde 1954 gegründet und untersteht dem Bundesministerium für Wirtschaft. Die BAM führt die Tradition verschiedener Vorgänger-Institute weiter, die bis 1870 zurückgeht. Zu nennen sind vor allem das Materialprüfamt Berlin-Dahlem und die Chemisch-Technischen Reichsanstalt.
Die BAM nimmt umfassende Aufgaben wahr, zu denen auch Fragen auf dem Gebiet der → Folientechnologie gehören. Sie berät Hersteller und Verarbeiter von → Folien und führt auftrags-

gebundene Forschungsarbeiten durch. Auch übergeordnete Kontrollaufgaben und Mitarbeit bei der Schaffung von → Normen gehören zum Arbeitsgebiet. Mit anderen → Forschungsinstituten ist die BAM in der → IAPRI zusammengeschlossen. Die Schwester-Institution in der Schweiz ist die Eidgenössische Materialprüfungs- und Forschungsanstalt, EMPA. Beide Organisationen haben in letzter Zeit durch die Erstellung von → Ökobilanzen neue Wege zur Versachlichung der Diskussion über die → Rückführung von Folienabfällen beschritten.

Bundesgesundsheitamt, *BGA*, eine oberste Bundesbehörde des Bundesministeriums für Jugend, Familie und Gesundheit mit Sitz in Berlin. Das BGA wurde 1952 geschaffen und knüpft an die Tradition des bereits 1876 gegründeten Kaiserlichen Gesundheitsamtes an. Im Rahmen des BGA beschäftigen sich sieben Institute wissenschaftlich mit gesundheitsrelevanten Fragen, z.B. mit Lebensmittelhygiene, Toxikologie und Pharmakologie. Das BGA nimmt großen Einfluß auf die → Gesetzgebung in der Bundesrepublik Deutschland. Es wirkt beispielsweise bei der Aufstellung von → Positivlisten und bei der Erstellung von Richtlinien zur → Migrationsprüfung mit. Über Fragen des Einsatzes von Kunststoffen auf dem Lebensmittelsektor arbeitet eine Kunststoff-Kommission. Das Amt kann von Herstellern und Anwendern von Folien für die → Lebensmittelverpackung zu Beratung und Information sowie zur Durchführung auftragsgebundener Forschung in Anspruch genommen werden.

Bürofolien, *<plastic films for office equipment>*, Sammelbegriff für Folien aus Thermoplasten, die als Büromaterialien eingesetzt werden. Diese Produkte bilden seit einiger Zeit eine sinnvolle Ergänzung der früher ausschließlich eingesetzten Papiere. So werden z.B. heute Kohle-„Papiere“ aus einer → Polyesterfolie als Träger mit einer porösen Schicht, die ein flüssiges, äußerst fein dispergiertes Farbkonzentrat enthält, angeboten. Man erhält sofort wischfeste Durchschläge. Wegen ihrer besseren mechanischen Eigenschaften und des recht großen Farbvorrats haben diese Folien gegenüber den *Kohlepapieren* eine wesentlich längere Gebrauchsdauer.

Folien für die Direktbeschriftung als Projektions-Zubehör werden als Blattware und in Rollenform hergestellt. Als Rohmaterial werden → Hart-PVC-Folien, → Polyester- oder → Polypropylenfolien, sowie bei besonderen Ansprüchen an Planlage, Kratzfestigkeit und Transparenz → Celluloseester- oder → Polycarbonatfolien eingesetzt. Die Foliendicken liegen zwischen ca. 20 und 80 μm. Farbige Haftfolien dienen zum Abdecken und ermöglichen eine bessere Präsentation von Texten auf Projektionsfolien als bei der Abdeckung durch Papier. Auch dunkel eingefärbte Folien, die bei Anwendung spezieller Schreibstifte ihre Farbe ändern, erweitern die Möglichkeiten.

Transparentfolien für die Verwendung in Kopiergeräten bestehen meist aus Polyesterfolien in Dicken von etwa 100 μm. Sie werden in der Regel mit Kopf- oder Seitenverleimtem Rückenblatt geliefert.

Die modernen Schreibmaschinentechnik ist ohne die Entwicklung von → Schreibbändern aus Folien nicht denkbar. Auch → Klebebänder und → Etiketten werden in vielfältiger Weise zur Herstellung von Büro-Hilfsmitteln verwendet. Transparente und eingefärbte Folien in Dicken von 0,30 bis etwa 1000 μm dienen zur Herstellung von Schutzhüllen, Dokumententaschen, Heftstreifen, Trennblättern, Photo- und Briefmarkenalben, Prospekthüllen, Registern oder als → Fensterfolien für Briefumschläge.

Bürsten, <*brushing*>, die Nachbehandlung von Aluminiumfolien und -bändern. Diese haben verfahrenstechnisch bedingt eine glänzende und eine matte Seite. Wenn diese Mattierung mit ihrer geringen → Rauheit nicht ausreicht, werden die Folien oder Bänder unter rotierenden mechanischen Bürsten hindurchgeführt, deren Drehrichtung der Maschinenrichtung entgegengesetzt ist. Diese Behandlung bedeutet eine starke mechanische Beanspruchung, die nur bei Bändern von mindestens 30 μm Dicke und nur mit durch → Kaschierung verstärkten Folien durchgeführt werden kann.

C

Campus, Kurzbezeichnung für *Computer Aided Material Preselection by Uniform Standards*, eine Datensammlung für → Kunststoffe und → Formmassen, die zur Verarbeitung zur Verfügung stehen. Campus ist eine Gemeinschaftsentwicklung der Firmen BASF, Bayer, Hoechst und Hüls, die inzwischen von weiteren Rohstoffherstellern übernommen wurde.
Die einzelnen Firmen stellen eine Diskette zur Verfügung, auf der die lieferbaren Produkte mit zahlreichen Daten gespeichert sind. Die Benutzer wählen zunächst eine der am Programm beteiligten Firmen aus und können anschließend nach bestimmten Produkten und deren Eigenschaften fragen.
Die Entwicklung von Campus erforderte umfangreiche Vorarbeiten zur internationalen Harmonisierung von Prüfmethoden und klare Regeln bei der Herstellung von Prüfkörpern. Seit Anfang 1989 wird an der Entwicklung der Version „Campus 2" gearbeitet, die auf der → K-Messe 1989 als Prototyp vorgestellt wurde und nunmehr verfügbar ist. Das System ist benutzerfreundlicher, bietet erweiterte Darstellungsmöglichkeiten für Tabellen und Diagramme und wurde durch weitere Eigenschaften der Produkte ergänzt.

Carbondisulfid, *Schwefelkohlenstoff, CS_2, <carbon disulfide>*, eine farblose, klare Flüssigkeit, Siedepunkt 47 °C, Dichte 1,26-1,27 g/cm^3, die bei der → Cellophan-Herstellung zur Gewinnung der Viskose eingesetzt wird. CS_2 sollte dazu weniger als 5 ppm Schwefelwasserstoff enthalten und frei von Carbonylsulfid und Säure sein. Der nicht flüchtige Rückstand soll weniger als 0,01% betragen. Der Verbrauch an Carbon-disulfid liegt zwischen 220 und 400 kg für 1.000 kg Cellophan.
Carbondisulfid ist ein sehr leicht entflammbares Produkt. Es bildet mit Luft explosible Gemische und ist deshalb mit besonderer Vorsicht zu handhaben.

Carbonyl-Zahl, *<carbonyl number>*, → CO-Zahl.

Cellophan, Zellglas, *<cellophane>*, eine Folie auf Basis regenerierter → Cellulose, die nach einem → Gießverfahren hergestellt wird (→ Cellophan-Herstellung). Cellophan wurde in den 20er Jahren erfunden und war damals als erstes durchsichtiges Verpackungsmaterial („transparentes Papier"!) eine Sensation. Es gewann seine große Bedeutung aber erst nach dem zweiten Weltkrieg als universell einsetzbare Verpackungsfolie. Heute hat Cellophan durch die Konkurrenz von → BOPP viel von seiner Bedeutung verloren.
Die bei der Cellophan-Herstellung anfallende Folie ist nicht siegelbar und deshalb in ihren Einsatzmöglichkeiten beschränkt. Um → Heißsiegeln möglich zu machen, muß Cellophan lackiert werden (→ Beschichten).
Für die Cellophan-Typen gibt es eine international einheitliche Nomenklatur. Jeder Folientyp ist durch zwei Kennzeichen definiert:
1. Eine dreistellige Zahl, die das 10fache des Flächengewichts in g/m^2 angibt.

Den Zusammenhang zwischen Flächengewicht <*gauge*>, Dicke <*thickness*> und Flächenausbeute <*coverage*> in internationalen und englischen Einheiten gibt die Tabelle.
2. Eine Buchstabenkombination zur Kennzeichnung der wichtigsten Eigenschaften, z.B.:

P unlackiert
D einseitig lackiert
M nitrolackiert
X PVDC-lackiert
S heißsiegelbar
F geeignet für → Dreheinschlag
D hohe → Wasserdampfdurchlässigkeit.

Zusätzliche Buchstaben und/oder Ziffern weisen auf spezielle Eigenschaften der Folie hin und sind bei den einzelnen Herstellern verschieden. Unlackiertes Cellophan ist glasklar und glänzend, reißfest, durchlässig für Wasserdampf und begrenzt durchlässig für Gase, undurchlässig für Aromastoffe, resistent gegen Fette und Öle, physiologisch unbedenklich. Es ist empfindlich gegen Wasserdampf. Unlackiertes Cellophan findet Verwendung bei der Verpackung von Gebäck (kurze Lagerzeiten), Teigwaren, Hülsenfrüchten, im → Dreheinschlag für Pralinen und Bonbons, für Textilien, Papierwaren, Seifen. Als → Trägerfolie dient es zur Herstellung von Klebebändern.
Lackiertes Cellophan besitzt die guten mechanischen und optischen Eigenschaften der unlackierten Folie. Es ist wasserfest und zum → Heißsiegeln geeignet. Seine → Durchlässigkeit für

Cellophan.

SI Einheiten			Englische Einheiten Flächenmasse		
Flächenmasse 10g/m^2	Orden µm	Fläche/Masse m^2/kg	in.^{2}/lb/100 oder in.^{2}/100 lb)	Dicke mil	Fläche/Masse in.^{2}/lb
280	19,8	35,7	250	0,78	25,000
306	21,6	32,7	230	0,85	23,000
320	22,9	31,3	220	0,90	22,000
335	23,6	29,9	210	0,93	21,000
340	23,9	29,4	207	0,94	20,700
350	24,9	28,6	200	0,98	20,000
360	25,4	27,8	195	1,00	19,500
391	27,4	25,6	180	1,08	18,000
440	31,0	22,7	160	1,22	16,000
445	31,2	22,5	150	1,23	15,000
460	32,3	21,7	153	1,27	15,300
500	35,3	20,0	140	1,39	14,000
600	42,7	16,7	116	1,68	11,600

Gase, Wasserdampf und Aromastoffe wird durch die Art der Beschichtung bestimmt. Lackiertes Cellophan wird zur Verpackung für Brot und Backwaren, besonders für stark fetthaltige Produkte, für Nährmittel, Gewürze, Nüsse, Trockengemüse, Trockenobst, Schokolade, Pralinen, Bonbons, Snackartikel, Produkte mit intensivem Geruch und zur → Zigarettenverpackung eingesetzt. Lackiertes Cellophan ist auch zum Banderolen- und Volleinschlag von Packungen geeignet.

Alle Cellophan-Typen sind zur Herstellung von → Verbundfolien verwendbar. Unlackierte Folien können nur geklebt, lackierte Folien können auch durch → Kaschieren verarbeitet werden. Ganz besonders ist die gute → Maschinengängigkeit und die relative Unempfindlichkeit des lackierten Cellophans beim → Heißsiegeln hervorzuheben. Da Cellulose, das Ausgangsmaterial zur Herstellung von Cellophan, nicht schmilzt, führt eine zu hoch eingestellte Siegeltemperatur nicht zu unansehnlichen und undichten Siegelnähten. Die Bedeutung des lackierten Cellophans ist innerhalb der letzten 10 bis 15 Jahre sehr stark zu Gunsten von BOPP zurückgegangen. Beide Produkte stehen in sehr vielen Anwendungen, insbesondere bei der Verpackung von Lebensmitteln und Zigaretten, miteinander im Wettbewerb, so daß man von einem → Cellopp-Markt spricht. Es gibt viele Gründe für ein weiteres Vordringen des BOPP gegen Cellophan. Es scheint jedoch sicher, daß es noch für lange Zeit einen Restmarkt für Cellophan geben wird.

Cellophan-Herstellung, <*cellophane production*>, → Cellophan wird aus → Cellulose nach einem → Gießverfahren hergestellt. Die Abb. 1 zeigt das Verfahrensschema.

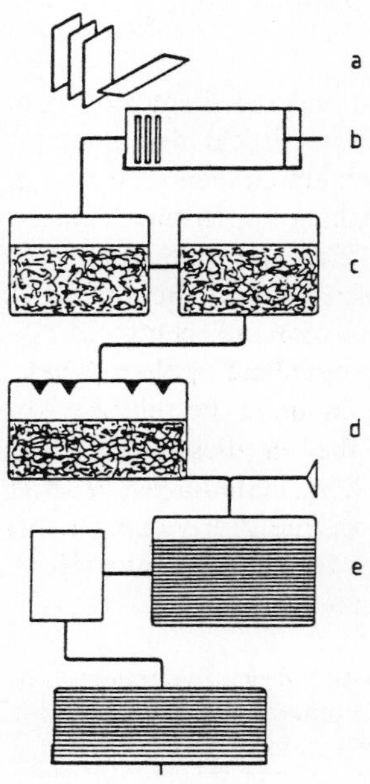

Cellophan-Herstellung. Abb. 1. Nach Ullmann A5, 403.

Zellstoff wird in Form von Rollen, seltener in Form von Platten (a) in Natronlauge getaucht und abgepreßt (b). Es entsteht Natriumcellulose, die in Zerkleinerungs-Aggregaten (Schreddern) homogenisiert wird (c). Die Masse wird mit → Carbondisulfid (Schwefelkohlenstoff, CS_2) zu Natrium-cellulose-xanthogenat umgesetzt (d). Dieses wird in Natronlauge gelöst (e), filtriert und der Düse zugeführt.

Die Reaktion zwischen den Hydroxyl-Gruppen der Cellulose und dem Schwefelkohlenstoff wird durch folgende Gleichung beschrieben:

$$-OH + CS_2 + NaOH \longrightarrow -O-C\begin{matrix} \diagup SNa \\ \\ \diagdown\!\diagdown S \end{matrix} + H_2O$$

Der Substitutionsgrad liegt bei etwa 0,5 bis 0,6. Man drückt den Substitutionsgrad auch durch den γ-Wert, die Zahl der Xanthatgruppen pro Glukose-Einheit, aus. Um eine gute filtrierbare, faserfreie Viskose zu erhalten, muß der γ-Wert mindestens 50 betragen. Der theoretisch erreichbare γ-Wert beträgt 300, man kann unter besonderen Bedingungen nahe an diesen Wert herankommen. Die Verteilung der Xanthatgruppen auf die drei verschiedenen C-Atome der Glukose-Einheiten in % zeigt die Tabelle:

Cellophan-Herstellung. Verteilung der Xanthogenat-Gruppen in den Glukose-Einheiten in % substituierter OH-Gruppen

	nach	nach	nach	
			frisch	gereifte Viskose
C-2	43	38	} 69	0-40
C-3	20	28		
C-4	37	34	31	60-100

Die xanthogenierte Cellulose, eine honigartige, zähflüssige Masse, bezeichnet man als Viskose. Vor der Verarbeitung muß diese durch Lagerung einen bestimmten Reifegrad erhalten. Es findet dabei ein Abbau der Molekülketten statt. Während ein Cellulose-Molekül in Zellstoffen ca. 1.000 bis 1500 Glukose-Einheiten enthält, sind im Cellulose-xanthogenat die Makromoleküle auf etwa 800 bis 900 Einheiten abgebaut. Nach der Reife bestehen die Moleküle der in der Viskose enthaltenen Cellulose-Derivaten nur noch aus etwa 400 Glukose-Einheiten. Der Einsatz von nicht gereifter Viskose führt zu trüben Folien. Der Reifegrad kann durch die → Hottenroth-Zahl beschrieben werden.

Nach sorgfältiger Filtration wird die Viskose den Gießmaschinen zugeführt (Abb. 2). Sie wird durch eine horizontal angeordnete Düse, die auch als *Gießer* (a) bezeichnet wird, unter Druck unmittelbar in ein schwefelsaures Fällbad gepumpt (b). Dort verfestigt sich die geschlossenen Viskosebahn durch Koagulation unter Rückbildung (Regenierung) der Cellulose. Als Nebenprodukte entstehen Natriumsulfat und Schwefelwasserstoff. Der noch sehr weiche und recht instabile Film wird von einer Walze unterhalb des Gießers aufgenommen und weitertransportiert. In einer Reihe von Bädern (c, d, e) wird die sich immer mehr verfestigende Folienbahn nachbehandelt. Saure Waschflüssigkeiten vervollständigen die Regenierung der Cellulose, ein Bleichprozess mit → Natriumhypochlorid beseitigt die noch vorhandenen Gelbfärbung. Mehrere Konditionierbäder bringen Weichmacher und Feuchthaltemittel in das Cellophan. Solche Produkte sind z.B. → Glycerin, → 1,2-Propylenglykol, Di-, → Tri- und Polyethylen-glykole oder → Harnstoff. Am Ende der Nachbehandlung schließt sich ein Trockenteil mit einer größeren Zahl von auf 60 °C bis 80 °C geheizten Walzen an (f). Am Ende der

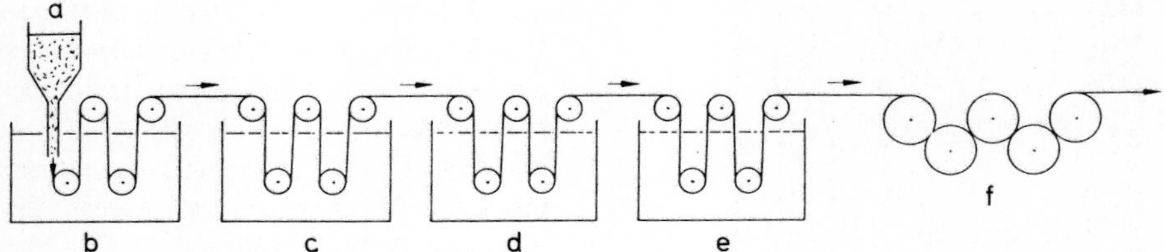

Cellophan-Herstellung. Abb. 2. Ullmann A11, 88.

Gießmaschine wird das fertige Cellophan auf Metallkerne aufgewickelt.
Der Prozess zur Cellophan-Herstellung ist zwar über 60 Jahre alt und dementsprechend sehr gut durchforscht und technologisch durchgearbeitet. Er bleibt trotzdem aus einer Reihe von Gründen ein schwieriger und unter Umweltgesichtspunkten unangenehmer Prozess:
Die Qualität der Cellulose als natürlich gewachsener Rohstoff unterliegt Schwankungen. Der Einsatz von Schwefelkohlenstoff ist gefährlich, da diese Verbindung leicht brennbar ist, bereits bei 47 °C siedet und mit Luft explosible Gemische bildet. Natronlauge wirkt ätzend. Durch den als Nebenprodukt entstehenden, übel riechenden und hochgiftigen Schwefelwasserstoff sind aufwendige Maßnahmen zum Schutz der Mitarbeiter und der Umwelt zu treffen. Der Prozeß muß vollkontinuierlich durchgeführt werden. Jede Unterbrechung führt zur Bildung von Ablagerungen, die unlöslich werden und bei der Wiederaufnahme der Produktion zu erheblichen Störungen durch Abrisse der → Folienbahn und zu Qualitätseinbußen führen. Zur Durchführung von Reparaturen notwendige Betriebsunterbrechungen müssen deshalb mit besonderer Sorgfalt (Spülung der Apparate, Beachtung der Sicherheitsvorschriften) durchgeführt werden.
Die wirtschaftlichen und ökologischen Probleme der Cellophan-Herstellung haben dazu beigetragen, daß Cellophan gegen → BOPP erheblich an Bedeutung verloren hat. Lit.

Cellophanmembran, *<Cellophanmembrane>*, eine → Membran aus regenerierter → Cellulose. Die analog der → Cellophan-Herstellung gewonnene Viskose-Membran verhält sich nicht so günstig wie die mit Hilfe von → Kupferoxid-Ammoniak gewonnene Folie, die meist als Cuprophan-Membran bezeichnet wird. So ist das Wasserrückhaltevermögen bei einer Cuprophanmembran größer und von der Quelldauer unabhängiger als bei einer nach dem Viskoseverfahren hergestellten Cellophanmembran (Abb. 1).
Dies liegt im wesentlichen an der weicheren Außenhaut der Cuprophanmembran, bei der die Cellulose nicht durch ein stark saures Fällbad regeniert wird. Beide Produkte wurden 1937 eingeführt und dienen auch heute noch in großem Maßstabe als Dialysemembranen in der Medizin.

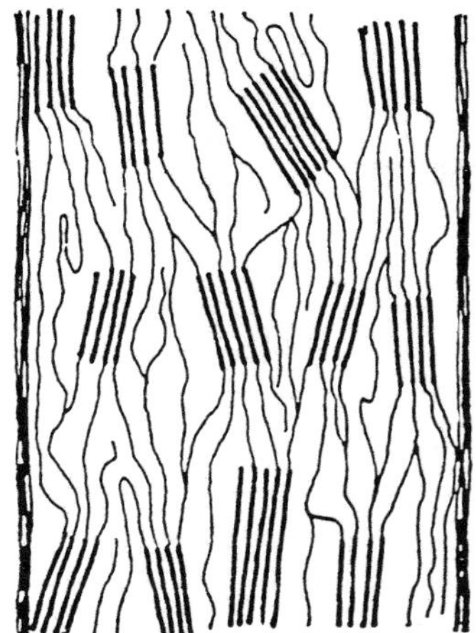

Cellophanmembran. Abb. 1. H. Mark und A. V. Tobolsky, Physical Chemistry of high polymeric Systems, New York 1950.

Die flächigen Cellophanmembranen werden in Plattendialysatoren eingesetzt, bei schlauchförmigen Cellophanmembranen werden mehrere Schläuche in einem Aggregat zusammengefaßt. Die Tendenz geht zu schlauchförmigen Produkten. Cellophanmembranen haben eine → Orientierung in → Längsrichtung. Ihre Struktur ist teilkristallin, wie Abb. 2 schematisch zeigt. Sie sind Porenmembranen. Ihre Wirkung kann mit der eines Siebs verglichen werden. Die Membran ist jedoch zwischen den Poren nicht völlig undurchlässig, so daß sie auch Eigenschaften von Lösungsmembranen aufweist. Der mittlere Durchmesser der Poren beträgt 20 bis 80 Å. Teilchen bis zu Molekülmassen von etwa 15.000 können die Membran passieren. In trockenem Zustand sind Cellophanmembranen 20 bis 100 μm dick. Durch Aufquellen in Wasser steigt die Dicke um ein Vielfaches. Erst dann erreicht die Membran ihre charakteristische Eigenschaften. Cellophanmembranen enthalten Carboxylgruppen und tragen deshalb eine negative Ladung.

Membranen aus Naturstoffen, insbesondere aus → Kollagen, zeigen einige gegenüber den Cellophanmembranen verbesserte Eigenschaften, vor allem eine verbesserte Selektivität. Ihr wesentlich höherer Preis steht jedoch einem breiteren Einsatz entgegen. Lit.

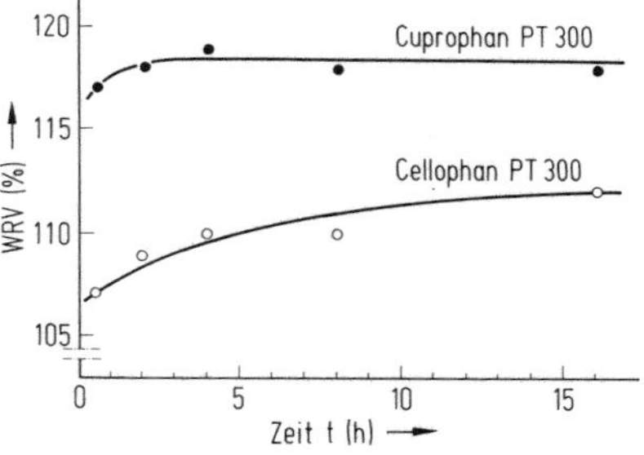

Cellophanmembran. Abb. 2. G. Jayme und K.Balsen, 21, 678-688 (1967).

Cellopp-Markt, *<Cellopp-market>*, der Gesamtmarkt für → Cellophan und → BOPP. Diese beiden Folien stehen insbesondere bei der Lebensmittel- und → Zigaretten-Verpackung im Wettbewerb. → Cellophan war die erste transparente Folie, die für diesen Verwendungszweck hervorragend geeignet war. Mit der Entwicklung unseres heutigen Distributions-Systems für Nahrungs- und Genußmittel wurde Cellophan zu einem unentbehrlichen Material in der → Verpackung und damit zu einer Folie von enormer wirtschaftlicher Bedeutung. Auf dem Höhepunkt der Entwicklung gab es weltweit etwa 50 Hersteller mit einer Jahreskapazität von ca. 700.000 t. Diese Zahl dürfte Ende der 80er Jahre auf weniger als ein Drittel zurückgegangen sein. In Westeuropa erreichte die Produktion von Cellophan um 1970 mit etwa 270.000 t ihren Höhenpunkt. Heute finden wir hier nur noch drei nennenswerte Hersteller mit einer (nicht ausgenutzten) Kapazität von etwa 70.000 t. Grund für diesen drastischen Rückgang der Nachfrage für Cellophan ist die in den 60er Jahren einsetzende Entwicklung des biaxial gereckten Polypropylens (→ BOPP, → Polypropylen-Folie). BOPP bringt gegenüber Cellophan eine Reihe von prinzipiellen Vorteilen mit sich:

1. Die → Cellophan-Herstellung ist ökologisch und ökonomisch schwierig, weil das Ausgangsmaterial → Cellulose nicht schmilzt und mit Hilfe von chemischen Umsetzungen in Lösung gebracht werden muß. Dadurch fallen zwangsläufig große Mengen unerfreulicher Abfälle an, die die Umwelt belasten. Dagegen ist → Polypropylen als thermoplastischer Kunststoff problemlos allein durch Wärme zu verarbeiten.
2. Bei der Herstellung von BOPP ist die → Rückführung der Abfälle weitgehend möglich, bei Cellophan nicht.
3. Eine siegelfähige Polypropylen-Folie kann in *einem* Arbeitsgang hergestellt werden, was beim Cellophan nicht möglich ist.
4. Die Dichte von Cellophan liegt bei ca. 1,6 g/cm^3, die Dichte von BOPP bei ca. 1,0 g/cm^3. Dies bedeutet, daß die → Flächenausbeute, auf die es bei der Verpackung wesentlich ankommt, beim BOPP wesentlich größer ist als beim Cellophan. Die Abb. zeigt den Verbrauch von Cellophan und BOPP innerhalb der letzten 60 Jahre in Bezug auf die eingesetzte Folienfläche.

Trotz der überwältigenden wirtschaftlichen Vorteile der PP-Folie verlief der Verdrängungsprozeß relativ langsam. Es lag dies an den hervorragenden Eigenschaften des Cellophans, insbesondere an seiner sehr guten Maschinengängigkeit und an der Notwendigkeit, die Eigenschaften der PP-Folie in

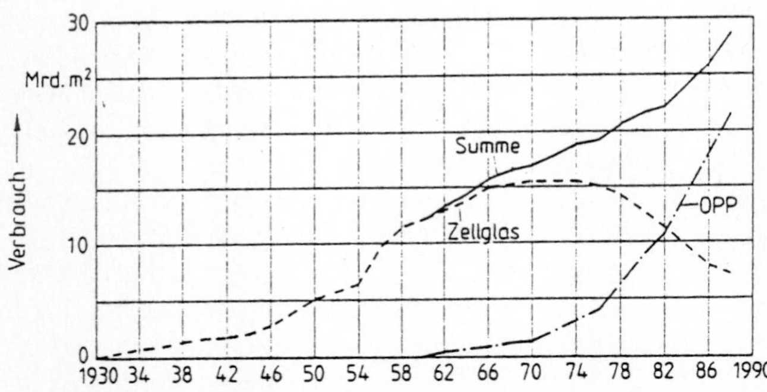

Cellopp-Markt. Seifried, Kunststoffe 79, S. 1233-37 (1989).

kostspieligen Entwicklungen den hohen Anforderungen anzupassen. Schließlich war und ist die Umstellung von → Verpackungsmaschinen auf eine neue Folie nur unter Durchführung einiger Investitionen möglich. Trotzdem ist der Penetrationsgrad, d.h. der %-Satz des von der PP-Folie verdrängten Cellophans in den letzten zwei Jahrzehnten ständig gestiegen. Er liegt in Japan und den USA zwischen 80 und 90%. Europa folgt etwas langsamer, aber auch hier werden inzwischen 70 bis 80% erreicht. Viele Hersteller von Cellophan haben ihre Produktion eingestellt oder gedrosselt, während die Kapazität für BOPP stark ausgebaut wurden. Es ist trotzdem anzunehmen, daß für Cellophan noch für lange Zeit ein beachtlicher Restmarkt bestehen bleiben wird. Im übrigen hat BOPP nicht nur durch die Substitution des Cellophans, sondern auch durch die Erschließung neuer Einsatzgebiete Marktanteile gewonnen.

Cellulose, Zellulose, *<cellulose>*, ein in der Natur sehr verbreiteter polymerer Stoff, dessen Makromoleküle aus Glukose-Einheiten aufgebaut sind und der durch die Summenformel $(C_6H_{10}O_5)_n$ beschrieben werden kann. Die Struktur wird durch die Abb. wiedergegeben. Zwei Glukose-Moleküle sind zu einer Gruppierung zusammengeschlossen, die die eigentliche Grundeinheit der Cellulose-Ketten bildet.

Das Cellulose-Molekül weist in jeder Glukose-Einheit drei Hydroxylgruppen, OH-Gruppen, auf. Diese ermöglichen den Umsatz der Cellulose zu Derivaten wie → Cellulosenitrat, Carboxymethylcellulose und → Celluloseacetaten. Die verschiedenen, in der Natur vorkommenden Cellulosen unterscheiden sich im Reinheitsgrad und im durchschnittlichem Polymerisationsgrad (DP), der gleich der Zahl der Glukose-Einheiten ist. Eine besonders reine Cellulose liegt in den Baumwoll-Linters vor. Aus wirtschaftlichen Gründen werden diese jedoch nur selten zur technischen Herstellung von Cellulose-Derivaten eingesetzt. Sehr viel häufiger ist die Verwendung von aus Holz gewonnen Chemie-Zellstoffen.

Cellulose ist nicht schmelzbar, kann also nur nach dem → Gießverfahren zu Fasern oder Folien verarbeitet werden. Es gibt nur wenige und relativ kompliziert Stoffgemische, in denen Cellulose aufgelöst werden kann.

→ Kupferhydroxid-Ammoniak wird heute nur noch in geringem Umfange

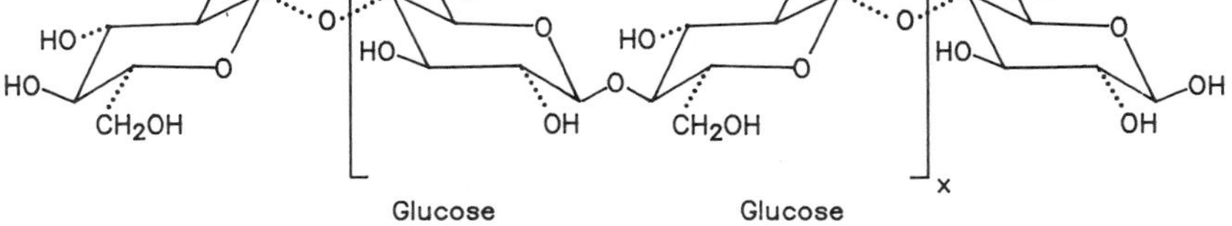

Cellulose.

zur Herstellung von → Cellophan-Membranen verwendet.
Dagegen wird die Reaktion von Cellulose zu Cellulose-xanthogenaten in großem Maßstab zur Herstellung von → Cellophan und → Cellulosedarm genutzt. Die hierfür geeigneten Zellstoffe sind meist gebleichte Holzzellstoffe, die bestimmten Reinheitsanforderungen genügen müssen. Neben dem Durchschnitts-Polymerisationsgrad und einem möglichst geringen Gehalt an anorganischen Stoffen ist der Gehalt an Hemicellulosen für den reibungslosen Ablauf des Prozesses und für die Cellophan-Qualität entscheidend. Unter Hemicellulosen versteht man Produkte mit niedrigem DP (unter 200). Diese sind in 17,5%iger Natronlauge löslich. Beim Zusatz von Methanol werden die sog. β-Cellulosen ausgefällt, während die α-Cellulosen in Lösung bleiben. Der Gehalt an in Lauge unlöslichen α-Cellulosen soll für die Cellophan-Herstellung mindestens bei 90% liegen. Im übrigen ist natürlich neben der Reinheit der Rohstoffe auch die Technologie des angewandten Verfahrens von großer Bedeutung.
Bei der Herstellung von → Cellulosedarm sind die Anforderungen an einen hohen Gehalt an α-Cellulose noch höher, als bei der Cellophan-Herstellung.

Celluloseacetat, *<cellulose acetate>*, ein thermoplastischer Kunststoff, hergestellt aus → Cellulose durch Reaktion mit → Essigsäureanhydrid. Celluloseacetate dienen zur Herstellung von → Celluloseester-Folien. Ihre Struktur ist auf der Abb. idealisiert wiedergegeben (Abb.).
Zur Herstellung hochwertiger Celluloseester werden Cellulosen mit hohem α-Gehalt eingesetzt. Der durch Vortrocknung eingestellte optimale Wassergehalt liegt bei 4 bis 7%. Ein niedrigerer Feuchtigkeitsgehalt setzt die Reaktionsfähigkeit stark herab, ein höherer führt zu beträchtliche Essigsäureanhydrid-Verlusten. Vor der Veresterung wird die Cellulose bei etwa 50 °C mit Eisessig vorbehandelt. Die Veresterung erfolgt dann mit einem Überschuß von 10 bis 40% Essigsäureanhydrid. Als Katalysatoren dienen starke Säuren wie Schwefelsäure oder Perchlorsäure. Die Reaktion kann auf verschiedene Weise durchgeführt werden und führt zu unterschiedlichen Produkten:
1. Veresterung im homogenen System mit 100%-iger Essigsäure (Eisessig) oder mit vorzugsweise → Methylenchlorid als Lösungsmittel. Das gebildete Cellulosetriacetat geht in Lösung. Bei Verwendung von Methylenchlorid wird die Reaktionswärme durch das verdampfende und wieder konden-

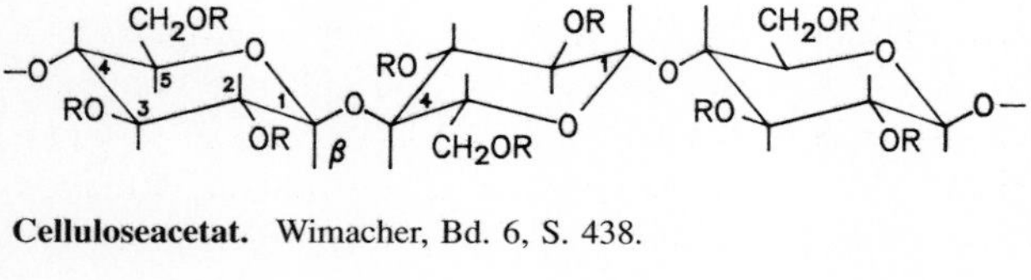

Celluloseacetat. Wimacher, Bd. 6, S. 438.

sierte Lösungsmittel abgeführt. Nach beendeter Reaktion wird das Celluloseacetat durch gezielte Hydrolyse bis zum gewünschten Substitutionsgrad abgebaut. Das Methylenchlorid wird abdestilliert, das Reaktionsprodukt mit wäßriger Essigsäure ausgefällt, gewaschen und getrocknet.
2. Veresterung im heterogenen System unter Zusatz von Nichtlösern wie Tetrachlorkohlenstoff oder Toluol. Das erhaltene sog. Faseracetat wird durch Filtration abgetrennt und aufgearbeitet.
Cellulose-acetobutyrat und -propionat werden auf ähnliche Weise gewonnen, haben aber nicht die Bedeutung des Celluloseacetats erreicht.

Celluloseacetobutyrat, *<cellulose acetobutyrate>*, → Celluloseacetat.

Cellulose-Behälter, *<molded pulp>*, in Analogie zur Papierherstellung aus Cellulose geformte Schalen oder Trays. Sie bilden dreidimensionale Verpackungselemente zur Aufnahme von Lebensmitteln und werden aus einer wäßrigen Aufschlämmung von Cellulosefasern hergestellt. Die Produkte stehen im Wettbewerb mit entsprechenden Materialien aus → Schaumfolien, vor allem aus → Polystyrol.
Interessant sind Kombination dieser Produkte mit thermoplastischen Folien, die auf eine Oberfläche der geformten Cellulosetrays laminiert werden. Derartige Verbunde bieten einen wesentlich besseren Schutz gegen den Angriff von Feuchtigkeit und können für Tiefkühlkost eingesetzt werden.
Eine recht neue Entwicklung ist die Kombination geformter Celluloseartikel mit Folien nach dem → Vakuum-Formverfahren. Die so erhaltenen Produkte besitzen → Dual-Ovenability.
Auch im Nicht-Verpackungsbereich finden Kombinationen aus geformter Cellulose mit Folien zunehmende Beachtung.

Cellulosebutyrat, *<cellulose butyrate>*, → Celluloseacetat.

Cellulosedarm, *<cellulosic sausage casing>*, → Wursthülle, aus regenerierter Cellulose. Cellulosedärme werden überwiegend nach dem Viskoseverfahren hergestellt, (→ Cellophan-Herstellung). Im Unterschied zu diesem Verfahren werden zur Produktion von Cellulosedärmen meist höherwertigere Cellulosen, d.h. Produkte mit einem α-Cellulosegehalt von über 95% eingesetzt. Weiterhin sind die Anlagen zur Herstellung der Cellulosedärme komplizierter als die der Cellophan-Produktion. Die Viskose wird durch Ringdüsen mit Ringschlitzen in das Fällbad gedrückt und dabei zu einem Schlauch geformt. Der Vorgang erfolgt entweder senkrecht nach oben oder senkrecht nach unten.
Nur die sehr exakte Einhaltung der Verfahrensbedingungen und äußerst sorgfältige Konstruktion der Ringdüsen gewährleisten eine hohe und gleichmäßige Qualität der Wursthüllen, insbesondere die Einhaltung der sehr wichtigen Genauigkeit des → Kalibers. Vor der Trocknung des Cellulosedarms kann die Innenseite imprägniert werden, um eine optimale Haftung des Wurstbräts an

der Hüllenoberfläche zu gewährleisten. Zur Trocknung wird der Cellulosedarm mit Luft gefüllt, um eine zu starke Schrumpfung zu vermeiden. Bei der Trocknung darf ein Feuchtigkeitsgehalt von etwa 10% nicht unterschritten werden, da sonst die Wursthüllen spröde werden und nicht mehr einwandfrei verarbeitet werden können.
Bei der Herstellung von Cellulosedärmen sind die Produktionsgeschwindigkeiten relativ gering. Sie liegen meist unter 1.000 m/h. Die Spinmaschinen arbeiten deshalb in der Regel mit mehreren, parallel angeordneten Düsen. Zur Herstellung eingefärbter Produkte werden der Viskose geeignete → Färbemittel zugemischt.
Wursthüllen, die ausschließlich aus regenerierter Cellulose bestehen, werden in allen gebräuchlichen → Kalibern hergestellt. Sie werden zur Füllung mit streichfähigen Rohwurstbräten eingesetzt. Sonderkapitel der Cellulosedärme bilden der → Schäldarm und der → Faserdarm.

Celluloseester, *<Celluloseester>*, Ester der → Cellulose mit anorganischen oder organischen Säuren. → Cellulosenitrat war einer der ersten Kunststoffe und wurde zur Herstellung von → Photofolien lange Zeit in großem Maßstabe eingesetzt. Wegen seiner leichten Brennbarkeit wurde das Material schon vor längerer Zeit vollständig durch → Celluloseester-Folien ersetzt, die ihrerseits heute weitgehend von → Polyesterfolien verdrängt sind.
Ester der Cellulose mit organischen Säuren werden dagegen noch heute zur → Folienherstellung eingesetzt. Von Bedeutung sind → Celluloseacetat und Mischester der Cellulose mit Essigsäure und Buttersäure.

Celluloseesterfolien, *<Celluloseesterfilm>*, eine Folie auf Basis von → Celluloseacetat und anderen → Celluloseestern. Die Herstellung erfolgt in der Regel nach dem → Gießverfahren. Wichtige Rohstoffe sind Celluloseacetate mit Veresterungsgraden von 2,5 bis 3, die auch als 2-Acetat, 2,5-Acetat und 3-Acetat bezeichnet werden. In den meisten Fällen wird → Methylenchlorid als Lösungsmittel verwendet. Zur besseren Verarbeitung werden den Celluloseacetaten bis zu 30% → Weichmacher, wie → Phthalate oder → Phosphorsäureester zugesetzt. Die Konzentration an Celluloseacetat liegt zwischen 17 und 26% bei Viskositäten von ca. 15 bis ca. 30 Pa·s.
Die Eigenschaften der Celluloseacetat-Folien hängen stark vom Veresterungsgrad ab. Je höher der Acetatgehalt, umso geringer werden Wasserempfindlichkeit, Wasseraufnahme und Wasserdurchlässigkeit. Die Folien sind glasklar und besitzen bei normalen Temperaturen und Luftfeuchtigkeiten gute → Dimensionsstabilität und sehr gute → elektrische Eigenschaften.
Celluloseacetat-Folien werden als → Photo-Folien verwendet. Hier haben sie die leicht brennbaren Folien aus → Cellulosenitrat abgelöst, wurden aber ihrerseits zunehmend durch → Polyesterfolien substituiert. Weitere Anwendungen sind → Magnetbandfolien,

→ Elektroisolierfolien und → Dekorfolien. Für den Einsatz als → Kaschierfolien zu Herstellung hochwertiger Papiere für Schallplattenhüllen und Bucheinbände können die Celluloseacetat-Folien durch spezielle Präparation der bei der Herstellung eingesetzten Metallbänder mit einer besonders glatten und glänzenden Oberfläche versehen werden. Umgekehrt können auf diese Weise auch matte oder oberflächenrauhe Folien gewonnen werden. Die Dicke der Folien liegt zwischen 25 und 180 μm. Folien aus Celluloseacetobutyrat werden ebenfalls nach dem Gießverfahren hergestellt, enthalten aber wesentlich weniger Weichmacher. Ihre Wärmebeständigkeit ist höher, ihre Wasseraufnahme geringer als die der Acetat-Folien. Wegen ihrer guten elektrischen Eigenschaften finden sie Verwendung als → Elektroisolierfolien.

Cellulosenitrat, CN, Nitrocellulose, <*cellulose nitrate, CN, nitrocellulose*>, wird durch Behandlung von → Cellulose mit einem Gemisch von Salpetersäure, Schwefelsäure und Wasser (Nitriersäure) gewonnen. Dabei geht ein Teil der Hydroxygruppen der Cellulose in Nitratgruppen über:

$$R\text{–}OH + HNO_3 = R\text{–}O\text{–}NO_2 + H_2O$$

Es entstehen also keine Nitrogruppen; trotzdem hat sich die (chemisch inkorrekte) Bezeichnung Nitrocellulose im Deutschen und Englischen eingebürgert. Cellulosenitrat war der erste zur Herstellung von Folien genutzte Kunststoff. Die Produkte waren wegen ihrer guten Dimensionsstabilität, ihren hohen Transparenz und ihrer guten mechanischen Eigenschaften ausgezeichnet als Trägerfolien für photografische Schichten geeignet. Wegen ihrer hohen Brennbarkeit wurden sie jedoch bald durch andere → Photofolien ersetzt.
Cellulosenitrat spielt auch heute noch eine große Rolle als Lackrohstoff, z.B. zum → Beschichten von → Cellophan. Auch Haftschichten von Photofolien enthalten CN als Komponente.

CEN, → Normung.

Chemiewerkstoffe, <*plastics*>, → Kunststoffe.

Chemiezellstoffe, <*pulp*>, → Cellulose.

Chemikalienbeständigkeit, chemische Beständigkeit, Chemikalienfestigkeit, <*chemical resistance, resistance to chemical substances*>, das Verhalten von Folien gegen Chemikalien und gegen Produkte des täglichen Gebrauchs im Haushalt und in der Industrie.
Folien aus Polykohlenwasserstoffen wie → Polyethylen, → Polypropylen und → Poylstyrol sind gegen Alkalien, Säuren und Salzlösungen gut beständig. Die Beständigkeit gegen organische Lösungsmittel ist bei Polystylrol begrenzt. Nur bedingt beständig gegen Alkalien und Säuren sind alle Folien, die Ester- oder Amid-Bindungen enthalten also → Polyesterfolien, → Polycarbonatfolien, → Polyamidfolien und → Celluloseesterfolien. Hier tritt leicht chemi-

scher Abbau durch Hydrolyse ein. Auch die Lösungsmittel-Beständigkeit dieser Folien ist begrenzt.
Besonders gute Chemikalienbeständigkeit zeigen → Polytetrafluorethylen-Folien und Produkte aus → Polyphenylensulfid, aus → Poly(4-methyl-1-pentan) und aus → Polyetherketonen. Wichtige Folienklassen wurden sehr eingehend auf ihre Beständigkeit gegen eine Vielzahl von Chemikalien geprüft. Beurteilungskriterien sind vor allem Beobachtungen der Quellung, des Gewichtsverlusts, der → Reißdehnung und anderer → Mechanischer Eigenschaften. Die Befunde sind in den Merkblättern der Folienhersteller zusammengefaßt. Der Verlauf der Chemikalieneinwirkung auf Kunststoff-Folien ist sehr komplex und wird durch die Prüfbedingungen, wie Temperatur, Zeitdauer und gleichzeitige mechanische Belastung der Folien stark beeinflußt. Inhomogenität der Folienstruktur durch eingefrorene oder gebrauchsbedingte Spannungen können die Chemikalienbeständigkeit wesentlich verschlechtern. Die Lagerung von Prüfkörpern in Chemikalien gibt daher stets nur einen Anhaltspunkt für das Verhalten des Produkts in der Praxis. Deshalb müssen insbesondere die für den → Technischen Sektor eingesetzten Folien sehr sorgfältig auf die Anforderungen im jeweiligen Einzelfall untersucht werden.
Dies gilt wegen der meist wesentlich kürzeren Gebrauchsdauer in abgeschwächter Form auch für den Einsatz von Folien zur → Verpackung. Lebensmittel können mehr oder weniger agressive flüssige Bestandteile, vor allem Säuren, Öle und Fette, enthalten.
Folien können jedoch nicht nur durch den Angriff flüssiger Chemikalien geschädigt werden. Wenn Folien für Dämpfe oder Gase permeabel sind (→ Durchlässigkeit), können → Additive, vor allem → Weichmacher, dabei herausgelöst werden. → Polyesterfolien verspröden bei Temperaturen von über 100 °C bei der längeren Einwirkung von Wasserdampf durch Hydrolyse. Chemische Stoffe können → Spannungsrißbildung auslösen und dadurch eine wesentliche Schwächung der mechanischen Eigenschaften verursachen.

Chemikalienfestigkeit, *<chemical resistance>*, → Chemikalienbeständigkeit.

Chemische Behandlung von Folienoberflächen, *<chemical film surface treatment>*, → Oberflächenbehandlung von Folien

Chemische Beständigkeit, *<chemical resistance>*, → Chemikalienbeständigkeit.

chemische Sterilisation, *Gas-Sterilisation <chemical sterilization, gas sterilization>*, die Sterilisation von Produkten mit Hilfe von Chemikalien. Sie wird vor allem in der → medizinischen Verpackung von den Herstellern medizinischer Gerätschaften angewendet.
Zur Sterilisation der verpackten Produkte wird in Großbritanien und in anderen Ländern Europas, Dampf in Mi-

schung mit → Formaldehyd eingesetzt. In den USA und den meisten anderen Ländern ist → Ethylenoxid das am häufigsten eingesetzte Mittel. Die verwendeten Packstoffe, meist Folien, müssen für Ethylenoxid durchlässig sein. Die Anforderungen an ihre Hitzebeständigkeit sind im Gegensatz zur → Dampfsterilisation jedoch gering, so daß die Materialauswahl wesentlich größer ist.
Zur Durchführung der Sterilisation werden die verpackten Produkte in eine Vakuumkammer eingelegt. Diese wird evakuiert und dann mit Ethylenoxid oder mit einer Mischung von Ethylenoxid und Kohlendioxid beschickt. Die Sterilisation dauert 6 bis 12 h und wird bei Temperaturen von maximal 60 °C durchgeführt. Formaldehyd und Ethylenoxid sind beim Gebrauch nicht ungefährlich. Die Sterilisationsanlagen müssen auf Undichtigkeiten kontrolliert und dürfen nur von erfahrenem Personal bedient werden. Im Anschluß an die Sterilisation sind längere Belüftungszeiten der Packungen erforderlich, meist unter Anwendung von Vakuum. Lit.

Chill-Roll, *<chill roll>*, → Kühlwalzen.

Chill-Roll-Extrusion, *<chill roll extrusion>*, → Flachfolienextrusion.

chloriertes Polyethylen, CPE, *<chlorinated polyethylene, CPE>*, gehört zur Gruppe der → thermoplastischen Elastomere. Die Produkte werden durch Chlorierung von Polyethylen bis zu Chlorgehalten von ca. 65 Gew.% gewonnen. Die Reaktion wird bei Normaldruck oder leicht erhöhtem Druck durchgeführt. Man arbeitet in wäßriger Suspension, in Lösungsmitteln oder auch in zweiphasigen Systemen. Die Produkte werden durch Strahlung oder mit Hilfe von Peroxyden teilvernetzt.
Chlorierte Polyethylene lassen sich bei Temperaturen zwischen 170 und 180 °C thermoplastisch zu Folien, Schläuchen oder Bändern verarbeiten, die in Dichtungen, Förderbändern oder Kabelummantelungen verwendet werden. Chlorierte Polyethylene besitzen außergewöhnlich gute Ölbeständigkeit und hohe Alterungs- und Abriebfestigkeit. Sie können Nitril- und Chloroprenkautschuke substituieren, denen sie wegen ihrer leichteren Verarbeitbarkeit überlegen sind. Ihre Wärmestandfestigkeit ist allerdings geringer.
Neben Polyethylen werden auch Polypropylen zur Herstellung chlorierte Produkte eingesetzt.

Clippen, *<clipping>*, das Verschließen von Beuteln oder Säcken aus Papier oder Folien, vor allem jedoch von → Wursthüllen mit Metallklammern. Wie bei → Beutelverschlüssen gibt es auch bei Clips für Wursthüllen verschiedene Formen und zahlreiche Varianten von mehr oder weniger automatisierten Clipmaschinen und -geräten. Bei der industriellen Fleischverarbeitung werden z.B. Doppelclipgeräte eingesetzt, mit denen die gefüllten Wursthüllen unter gleichzeitiger Portionierung von beiden Seiten verschlossen werden.
Häufig werden durch → Abbinden

verschlossene Wursthüllen nachträglich noch mit einem Clip versehen.

Codierung, <*coding*>, → Strichcode.

Coextrusion, *Mehrschichtextrusion*, <*coextrusion*>, die gleichzeitige Verarbeitung von zwei oder mehr → thermoplastischen Kunststoffen über → Extruder, bei der Folien entstehen, die aus zwei oder mehr Schichten aufgebaut sind. Es gibt zwei unterschiedliche Prinzipien der Coextrusion.

1. *Düsen-Coextrusion.* Hier werden die Polymerschmelzen aus den Extrudern einer Mehrschichtdüse zugeführt. Sie kombiniert mehrere Einzeldüsen; die Schmelzen werden erst kurz vor dem Düsenspalt vereinigt. Die meisten Düsenkonstruktionen ermöglichen die getrennte Dickeneinstellung der einzelnen Schichten, z.B. durch Staubalken. Diese Einstellung ist jedoch sehr schwierig, da die Veränderung des Durchsatzes einer Düse auch die Masseströme in den anderen Düsen beeinflußt. Die Schwierigkeiten wachsen naturgemäß mit der Zahl der Schichten. In der Praxis werden deshalb überwiegend Zweischicht- und Dreischicht-Düsen verwendet. Mehrschichtdüsen sind zudem schwer zu reinigen und zu montieren.

2. *Adapter-Coextrusion.* Die Schmelzströme aus den Extrudern werden hier einem gemeinsamen Kanal zugeführt. Man bezeichnet das Verbindungs-Element zwischen den Extrudern und der Düse als Adapter oder auch als „*Black Box*". Die Konstruktion des Adapters sorgt dafür, daß die vereinigten Schmelzströme laminar fließen. Es treten keine Vermischungen an den Berührungsflächen auf. Allerdings gibt es Abweichungen in der Dicke der Einzelschichten. Die Einhaltung der Dickengleichmäßigkeit der Gesamtfolie ist nicht schwieriger einzuhalten, als bei der Extrusion von Monofolien. Die Adapter-Coextrusion ist leichter zu beherschen als die Düsen-Coextrusion. Es ist theoretisch der Aufbau von Verbundfolien mit beliebig vielen Schichten möglich. Die technisch und wirtschaftlich vernünftige Grenze dürfte jedoch bei 7 bis höchstens 9 Schichten liegen. Die Abb. zeigt schematisch die Herstellung einer 5-Schicht-Folie durch Adapter- und einer 3-Schicht-Folie durch Düsen-Coextrusion.

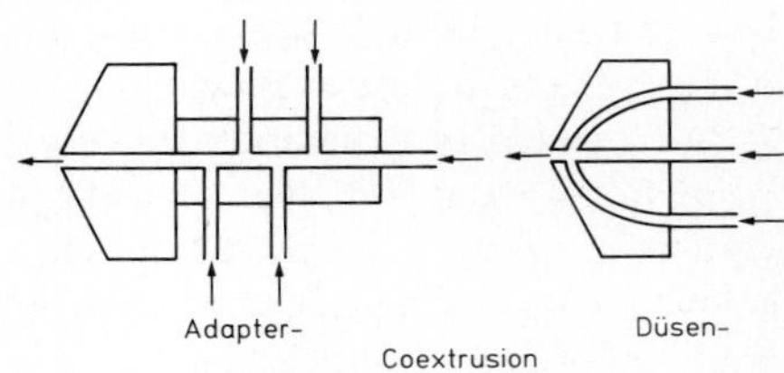

Coextrusion.

In vielen Fällen ist die Verwendung von → Haftvermittlern bei der Herstellung von Verbundfolien erforderlich.

Die Coextrusion ist das in den letzten Jahren wohl am häufigsten diskutierte Verfahren zur Herstellung von → Verbundfolien. Es wird heute weltweit von allen namhaften Folienherstellern eingesetzt. Die Möglichkeiten zur Kombination verschiedener Thermoplaste zur Erzielung optimaler Verbundfolien-Eigenschaften sind fast unbegrenzt.

Wichtig ist, daß die Dicken der einzelnen Schichten so gewählt werden können, daß mit einem Minimum an Materialeinsatz ein Maximum an Wirkung erzielt werden kann. Dazu haben auch die in jüngster Zeit entwickelten → Automatikdüsen wesentlich beigetragen. Es ist weiterhin möglich, regenierte Abfälle der Folienherstellung wieder zu verwenden. Durch diese, durch → Rückführung von Folienabfällen eingebauten Scrabschichten wird der Preis für die Coextrusions-Folie wesentlich herabgesetzt. Die Coextrusion kann beim → Flachfolien und beim Blasfolien-Extrusionsverfahren eingesetzt werden. Auch die Kombination von Coextrusion und → Extrusionsbeschichtung ist möglich und wird zur Herstellung von Verbundfolien genutzt. Dabei können extrudierbare, thermoplastische Polymere mit nicht extrudierbaren Materialien, wie → Aluminiumfolien, → Papier oder Pappe kombiniert werden. Auch für die Herstellung von → Sperrschicht-Folien ist die Coextrusion unentbehrlich.
Die Coextrusion ist ein anspruchsvolles Verfahren, das nicht nur engsten Kontakt zwischen Folienproduzenten und Maschinenhersteller bei der Errichtung neuer Anlagen, sondern auch gute Zusammenarbeit mit den Rohstofflieferanten verlangt. Die Bedeutung der Kenntnis physikalischer Größen der thermoplastischen Kunststoffe wie → Schergeschwindigkeit, → Scherspannung oder → Schmelzviskosität und die Abhängigkeit dieser Größen von den Verhältnissen im Extruder wie → Massedruck und → Massetemperatur wird immer wichtiger werden, wenn eine optimale Folienqualität erzielt werden soll.
Die Coextrusion wird, wie viele Verfahren zur Folienherstellung, natürlich auch zur Produktion von Platten, Blaskörpern, Flaschen usw. eingesetzt. Lit.

Coil, *<coil>*, → Rolle von → Aluminiumfolie.

Compoundierung, *<compounding>*, Verfahren zum intensiven Mischen mehrerer Polymerer miteinander oder mit → Additiven, → Pigmenten und anderen Zusatzstoffen. Man erhält auf diese Weise → Blends, → Formmassen, → Kautschukmischungen oder → Masterbatches. Die Abb. auf S. 80 zeigt eine komplette Compoundieranlage für → Polyvinylchlorid (PVC). Dieses sehr vielseitige Material wird stets mit mehr oder weniger großen Mengen verschiedener → Additive verarbeitet. Auch die Abmischung unterschiedlicher Typen von PVC bringt technische Vorteile. Die rationelle Fertigung von Mischungen hat deshalb beim Polyvinylchlorid besondere Bedeutung.

Compound, *<compound>*, → Blend.

Computerband, *<computer tape>*, → Magnetbandfolie.

Copolyester/Ether-Elastomer, *<copolyester-ether-elastomer>*, → Polyether/ester-Elastomere.

Copolymerisation, *<copolymerization>*, → Polymerisation.

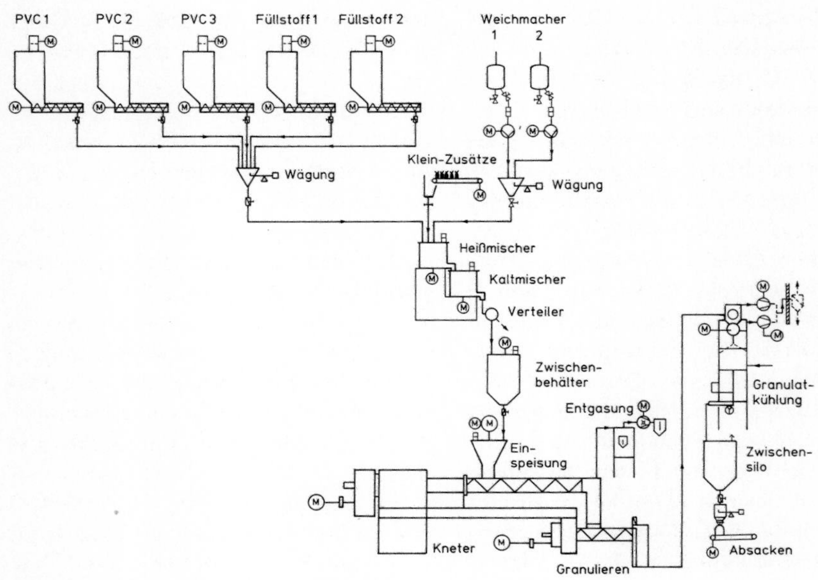

Compoundierung. Buss AG, Basel, Firmenschrift.

Corona-Behandlung, *Korona-Behandlung*, <*corona treatment*>, das mit Abstand am häufigsten angewendete Verfahren zur → Oberflächenbehandlung von Folien. Die Polarität der Oberfläche wird erhöht, Benetzbarkeit und chemische Affinität werden wesentlich verbessert. Dies ist Voraussetzung für einen optimalen Verlauf vieler Prozesse der Folienverarbeitung, wie → Beschichten, → Kaschieren oder → Bedrucken. Bei unpolaren Folien sind derartige Fertigungsverfahren nur nach einer Oberflächenbehandlung möglich. Die Oberflächenspannung liegt bei Polyolefinen bei etwa 30 bis 32 mN/m. Um einwandfreie Ergebnisse zu erzielen, muß dieser Wert bei Polyethylenfolien für das Bedrucken auf etwa 40, für das Kaschieren auf etwa 45 und für das Kleben auf etwa 50 mN/m erhöht werden. Für Polypropylen gelten Werte zwischen 36 und 38 mN/m.

Die Corona-Behandlung wird bei der Folienherstellung meist kontinuierlich am Ende des Fertigungsprozesses durchgeführt. Die Folienbahn wird dabei einer elektrischen Entladung ausgesetzt. Zwischen einer geerdeten, blanken Walze aus Stahl oder Aluminium und einer darüber befindlichen isolierten Elektrode tritt eine kontinuierliche, selbstständige Entladung ein, die auf die Oberfläche der Folienbahn trifft. Die Folie muß unmittelbar auf der Walze aufliegen. Sobald ein Luftspalt vorhanden ist, wird auch die Rückseite der Folien mit behandelt. Der Hochfrequenzgenerator erzeugt eine Wechselspannung von 10 bis 20 kV mit Frequenzen zwischen 10 bis 60 kHz.

Der Wirkungsmechanismus der Corona-Behandlung ist trotz der sehr weiten Verbreitung dieses Verfahrens und zahlreicher, in der Literatur veröffentlichter Arbeiten noch nicht völlig geklärt. Sicherlich spielen Oxydationsvorgänge, die der Folienoberfläche eine größere Hydrophilie verleihen, die entscheidende Rolle. Es ist weiterhin nachgewiesen, daß ein Abbau der Molekülketten eintritt. Dies ist besonders bei hoher Luftfeuchtigkeit der Fall. Auch eine Vernetzung der Makromoleküle ist offensichtlich, da die Siegelfähigkeit durch die Corona-Behandlung verschlechtert wird.

Die Wirksamkeit der Coronabehandlung nimmt mit der Zeit ab. Die Lagerfähigkeit der behandelten Folien ist deshalb begrenzt. Die Abb. zeigt den Abfall der Oberflächenspannung an → Polyethylenfolien von 40 μm Dicke von zwei unter Standardbedingungen erzielten Ausgangswerten. Gemessen wurde unmittelbar nach der Folienherstellung, nach einem Tag, dann nach einer, vier und acht Wochen Lagerzeit.

→ Gleitmittel und → Antistatika bewirken, vor allem bei Anwendung in höheren Konzentrationen, einen stärkeren Abfall der Oberflächenspannung.

Antiblockmittel sind praktisch ohne Einfluß.

Der Entladungsvorgang wird vom Auftreten von Ozon begleitet, das leicht am Geruch zu erkennen ist. Ozon ist ein hoch giftiges, sehr korrosi-

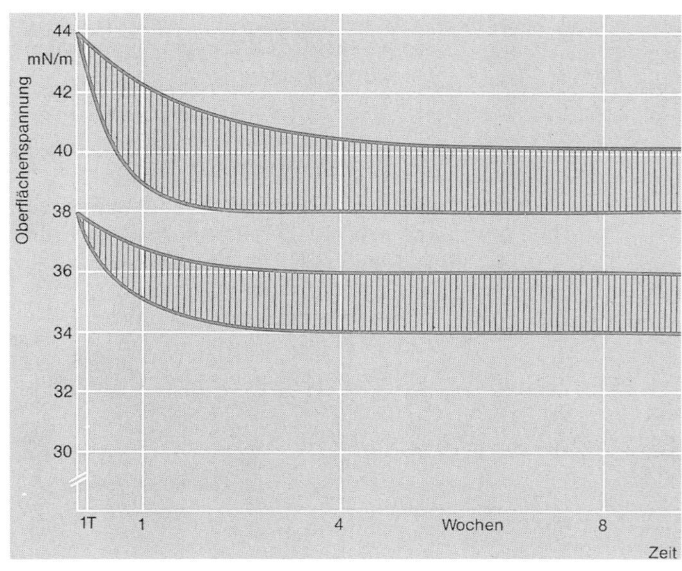

Corona-Behandlung. BASF, Ludwigshafen, Firmenschrift.

ves Gas. Deshalb ist für entsprechende Belüftung zu sorgen. Das Ozon kann dabei durch Katalysatoren in Sauerstoff umgewandelt werden. Wegen des Auftretens von Ozon wird die Corona-Behandlung häufig auch inkorrekt als Ozonbehandlung bezeichnet. Trotz ihrer weiten Verbreitung ist die Corona-Behandlung nicht ganz einfach zu beherrschen. Ungleichmäßige Verteilung der elektrischen Entladung kann zum → Durchschlagen führen. Bei zu starker Behandlung tritt ein in der betrieblichen Praxis sogenannter „Maggi-Geruch" auf, der vermutlich auf die Bildung von Carbonsäureamiden beruht.
Die Beurteilung der Wirksamkeit der Corona-Behandlung mit einfachen Mitteln ist schwierig. In der Praxis benutzt man den → Tintentest und prüft die Benetzbarkeit der behandelten Folie mit gefärbten Flüssigkeiten. Dies ist eine recht grobe, wenn auch einfach durchzuführende Methode. Exaktere Aussagen sind z.B. durch Messung des Randwinkels möglich.

CO-Zahl, Carbonyl-Zahl, *<CO-number>*, Ein Maß für den Grad der Photooxydation von Polyethylen, ausgedrückt durch die Menge des chemisch gebunden Sauerstoffs. Die CO-Zahl kann leicht durch ein Infrarot-Spektrum ermittelt werden. Sie ist durch den Quotienten der Extinktion bei zwei Wellenlängen definiert:

$$\text{CO-Zahl} = \frac{D_{5,8}}{D_{4,95}}$$

Bei unbehandeltem Polyethylen ist die CO–Zahl = 0, sie steigt in dem Maße der Schädigung des Materials durch Photooxydation an. Die Tabelle zeigt die Einwirkung von UV-Strahlung bei 40 °C in Abhängigkeit von relativer Luftfeuchtigkeit und Zeit.

rel. Feuchte %	24 h	48 h	72
20	0,30	0,54	0,61
55	0,47	0,92	1,29
95	0,73	1,70	2,50

IAPRI World Conference on Packaging Hamburg 1989, Handbuch S. 541-551

Es besteht ein Zusammenhang mit den Ergebnissen der → Bewitterung von Folien. Zur Beurteilung von → Lichtschutzmitteln und bei der Prüfung der Beständigkeit von Folien könnte die Ermittlung der CO-Zahl hilfreich sein. Lit.

Criss-Cross-Folie, *<criss cross film>*, → Gitterfolien.

Cryovac-Verfahren, *<cryovac process>*, ein Verfahren zur → Lebensmittel-Verpackung unter Verwendung von → Sperrschichtfolien mit Schrumpfeigenschaften. Der Schrumpfprozess für die Packung wird in einem beheizten Wasserbad durchgeführt. Das Verfahren wird überwiegend zur → Fleischwarenverpackung angewendet und wurde in den USA entwickelt.

Cuoxam, → Kupferhydroxid-Ammoniak.

Cuprophan-Membran, *<curpophane membrane>*, → Cellophan-Membranen.

D

Dachbahn, *Dachschweißbahn, Dachfolie, <roof membrane, roofing membrane>*, ein flexibler Verbund von Folien aus → thermoplastischen oder → elastischen Kunststoffen mit textilen Vliesen, Geweben oder Gewirken, Glasfasermatten oder Schaumstoffbahnen. In selteneren Fällen werden auch → Solofolien oder → Verbundfolien eingesetzt. Dachabdeckfolien werden auf der Dachkonstruktion verlegt und dienen zur Abdichtung des Gebäudeinneren gegen Witterungseinflüsse. Sie werden häufig in Verbindung mit *Dachpappe* oder anderen *Bitumenbahnen* verwendet. Zusätzlich zu einer Ziegel-, Schiefer-, Betonplatten- oder Kunststoffabdeckung werden oft → Dachunterspannbahnen eingesetzt.

Als Folien sind eine große Anzahl verschiedener Produkte geeignet. Neue Entwicklungen sind nicht einfach, weil sich die Materialien in langen Anwendungszeiten bewähren müssen. Es werden → Weich-PVC, → Polyethylen, → Polypropylen, → Polyisobutylen, Styrol-Butadien-Kautschuk, Ethylen-Propylen-Terpolymer, Acrylnitril-Butadien-Kautschuk oder → chloriertes Polyethylen verwendet.

Die Folien enthalten oft größere Mengen von → Füllstoffen. Sie werden in Dicken von 1 bis 3 mm geliefert.

Auch die noch relativ neuen → thermoplastischen Elastomeren werden zu Dachabdichtungsfolien, vor allem aber zu → Dachunterspannbahnen verarbeitet.

Folien für Dachbahnen sollen gute → mechanische Eigenschaften, vor allem hohe → Reißdehnung und → Zugfestigkeit, sowie ausreichende → Wärmebeständigkeit und → Kältefestigkeit haben. Langzeitbeständigkeit ist von besondere Wichtigkeit, ebenso günstiges → Brennverhalten.

Beim Verlegen müssen die einzelnen Bahnen dicht miteinander verbunden werden. Dies kann durch → Kleben oder durch Verschweißen geschehen. Das Verkleben erfolgt meist mit heißem Bitumen.

Bei der Herstellung von Bitumenbahnen werden in der Regel → *Trennfolien* eingesetzt, die ein Zusammenkleben der Bahnen bei Lagerung und Transport verhindern. Während elastomere Folien oder PVC-Folien vor der Verwendung der Bitumenbahn entfernt werden müssen, kann eine Folie aus → BOPP, biaxial verstrecktem Polypropylen, auf der Bahn verbleiben. Beim Verschweißen mit der Unterlage mit der Gasflamme schrumpft die Folie zunächst und verbrennt dann weitgehend rückstandsfrei. Beim Einlegen der Trennfolie in die Bitumenbahn sollte die Temperatur weniger als 100 °C betragen, da BOPP oberhalb dieser Temperatur schrumpft. Eine anwendungstechnische Variante ist die Verwendung von perforiertem BOPP. Luft- und Wasserdampfeinschlüsse zwischen Trennfolie und Bitumenbahn werden vermieden. Punktförmig durchtretende Bitumenmasse beeinträchtigt die Trennwirkung nicht, bildet aber beim Verlegen der Rollen eine Art Haftschicht, die das Abrollen der Bahn auf schrägen Dächern verhindert.

Dachfolie, *<roof membrane>*, → Dachbahn.

Dachpappe, *<tar paper, roof paper>*, → Dachbahn.

Dachschweißbahn, *<roof membrane>*, → Dachbahnen.

Dachunterspannbahn, *<roof lining, roof substrate>*, wird unterhalb der eigentlichen Dachabdeckung als zusätzlicher Gebäudeschutz vor Klimaeinflüssen wie Feuchtigkeit, Wärme und Kälte eingesetzt. Dachunterspannbahnen bestehen aus einer Folie, die mit Isolier- und Verstärkungsmaterialien verbunden sind.
Die Folien dienen als Sperrschicht gegen Wasser, sollten jedoch Wasserdampf durchlassen, damit Feuchtigkeit aus dem Inneren des Gebäudes entweichen kann. Bei den dazu verwendeten perforierten → Polyethylen- oder → Weich-PVC-Folien besteht die Gefahr des Eindringens von Wasser durch die Poren. Sicherer sind Folien, die gleichzeitig undurchlässig für Wasser und durchlässig für Wasserdampf sind. Diese Forderung wird z.B. von → Polyurethanfolien erfüllt, die außerdem ausgezeichnete mechanische Eigenschaften aufweisen.
Als Verbundwerkstoffe dienen Schaumstoffbahnen, die zusammen mit einem Glasgewebe als Verstärkung durch → Flammkaschieren miteinander verbunden werden.

Dampfsterilisation, *Hitzesterilisation*, *<steam sterilization>*, die Sterilisation von Materialien durch Dampf. Diese älteste Sterilisationsmethode wird noch heute vor allem in Krankenhäusern am häufigsten angewendet. Das Verfahren ist sicher, schnell und relativ kostengünstig. Die Anwendung von Heißdampf führt bei 121 °C in ca. 30 min, bei 132 °C in ca. 3 min zu nahezu vollständiger Keimfreiheit. Für das Einwickeln zur Aufbewahrung der sterilisierten Teile werden neben Textilien, → Non-Wovens und speziellen Papieren auch Folien, z.B. verstreckte Polypropylen- und Polyesterfolien eingesetzt. Das Einwickeln sterilisierter Geräte im Krankenhaus oder in der Arztpraxis ist natürlich von der sterilen → medizinischen Verpackung zu unterscheiden, die ganz anderen Ansprüchen zu genügen hat. Die Dampf-Sterilisation stellt so hohe Ansprüche an die mechanische Eigenschaften des Packmaterials, daß die Hersteller von medizinischen Gerätschaften in der Regel andere Sterilisations-Verfahren bevorzugen.
Lebensmittel, die in Metall- oder Glasbehältern verpackt sind, können nach Verschließen der Behälter durch Hitze sterilisiert werden. In neuerer Zeit wurden Folien entwickelt, die als → standfeste, sterilisierbare Packungen einsetzbar sind.

Dart-drop-Test, *Fallbolzenprüfung*, *<dart-drop-test>*, ASTM 1709/Methode A, ein Test zur Beurteilung der Festigkeit von Folien bei schockartiger Beanspruchung (Abb. 1). Ein genormter Fallbolzen, dessen Masse variiert werden kann, fällt aus 66 cm Höhe auf

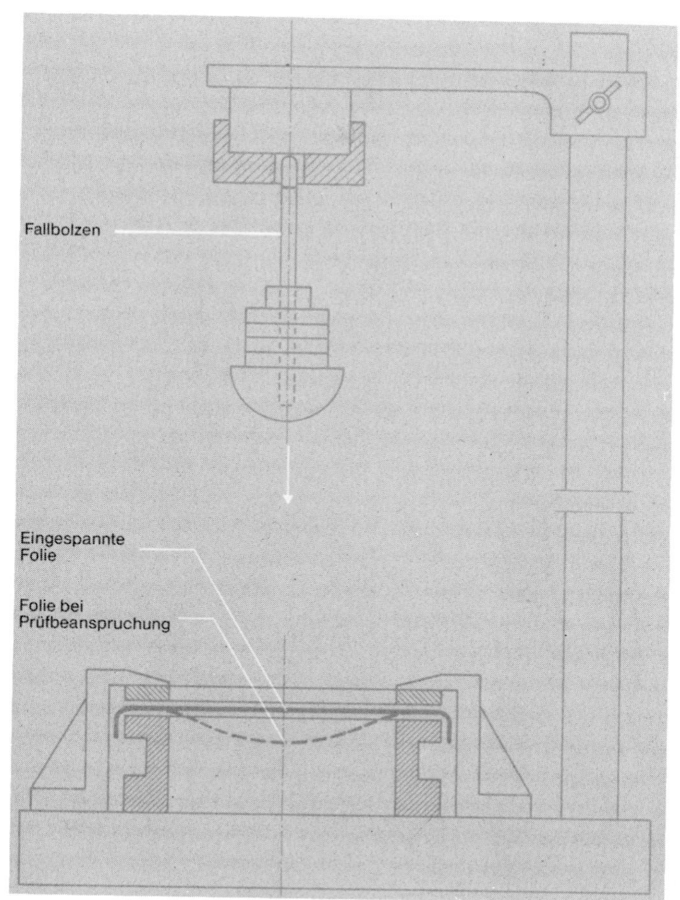

Dart-drop-Test. Abb. 1. BASF, Ludwigshafen, Firmenschrift.

die waagerecht eingespannte Folie. Der Fallbolzen besteht aus einer Halbkugel mit dem Durchmesser 38 mm. Es wird diejenige Fallmasse in g bestimmt, bei der 50% der Proben einen Bruch zeigen. Die Auswertung erfolgt graphisch (Abb. 2). Der spezifische Dart-drop-Wert ist als Fallmasse/Foliendicke definiert und wird in g/μm angegeben.

Der Dart-drop-Test wird in den USA häufiger angewendet als in Europa. Er stellt eine schnell auszuführende, bequeme und recht billige Methode dar, die allerdings nicht die Genauigkeit des ebenfalls zur Ermittlung der Festigkeit von Folien dienenden → DYNA-Test erreicht.

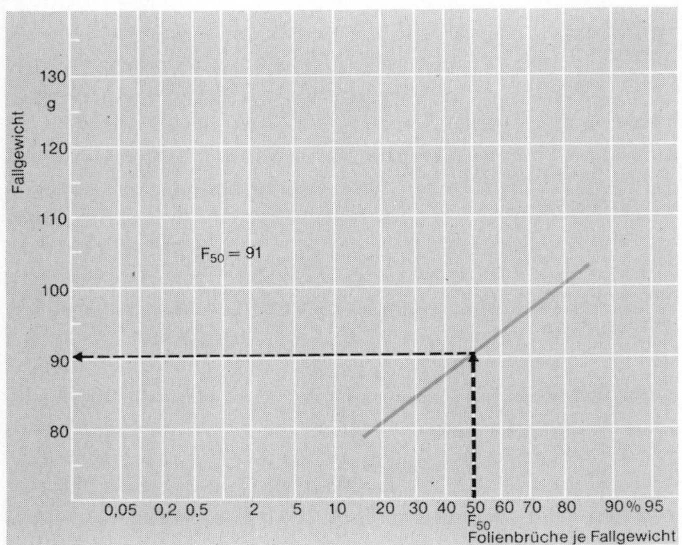

Dart-drop-Test. Abb. 2. BASF, Ludwigshafen, Firmenschrift.

Dauerwärmebeständigkeit, <*heat stability*>, → Wärmebeständigkeit.

DDK, → Dynamische Differenz-Kalorimetrie.

Deadfold, → Dreheinschlag.

Deckelfolie, <*lidding film*>, dient als Verschluß für die verschiedensten Typen von Packungen. Wegen der unterschiedlichen Anforderung an ihre Qualität sind sie nur selten aus einer einzigen Folie aufgebaut. Die Mehrzahl der Deckelfolien besteht aus mehreren Schichten. In den meisten Fällen ist eine → Siegelschicht erforderlich. Diese wird ergänzt durch eine Schicht, die gute mechanische Eigenschaften beiträgt. In vielen Fällen werden → Sperrschichtfolien verwendet. Deckelfolien dienen verschiedenen anwendungstechnischen Aufgaben. In einigen Fällen ist nur ein relativ kurzfristiger Schutz des Packungsinhalts erforderlich. Andere Deckelfolien sollen Sperrschichteigenschaften für Gase, Wasserdampf oder Sauerstoff aufweisen. In vielen Fällen, so beim Verpacken von Lebensmitteln, die in der Tiefkühlkette gehandelt und vor dem Verbrauch erhitzt werden, sind Kälte- und Hitzebeständigkeit erforderlich. Die Deckelfolie kann in diesem Falle → Dual-Ovenability besitzen, sie kann während der Erwärmung auf der Packung verbleiben oder vorher entfernt werden. Das letztere wird bei Aluminiumfolien oder Aluminiumverbunden beim Gebrauch der → Mikrowellentechnik die Regel sein. Man verlangt von Deckelfolien manchmal, daß sie

eine → Verfälschungssichere Packung bilden. Produkte, die eine → Sterilisation unterworfen werden, benötigen entsprechend widerstandsfähige Deckelfolien.
Die Verbindung der Deckelfolie mit dem Behälter kann auf verschiedene Weise erfolgen. Deckelfolien können kaltsiegelnde, druckempfindliche oder heißsiegelnde Schichten enthalten. Bei der in den meisten Fällen angewendeten → Heißsiegelung führt eine Verschweißung der Deckelfolie mit dem Rand des Behälters zu einer sehr festen Verbindung, die meist nur durch Aufschneiden gelöst werden kann. Verbraucher-freundlicher sind Deckelfolien, die sich relativ einfach abziehen lassen. Diese werden auch im Deutschen häufig als *Peel-Folien* oder *Easy-peel-Folien* bezeichnet. Ihre Siegelschichten werden auf eine mittlere, definierte Nahtfestigkeit eingestellt. Die Nähte sind absolut dicht. Hohe Nahtfestigkeit hat nichts mit hoher Nahtdichte zu tun.
Beim Abziehen sollten möglichst keine Reste der Siegelschicht auf dem Behälterrand verbleiben, und die Deckelfolie sollte nicht einreißen, sondern sich in einem Stück abziehen lassen.
Die Vielzahl dieser Forderungen muß zwangsläufig zu Kompromissen führen. Wichtig ist insbesondere die sehr genaue Abstimmung zwischen den Eigenschaften des Behälters, des Füllguts und der Deckelfolie.
Die zur → Blisterverpackung verwendeten Abdeckfolien werden zumindest im deutschen Sprachgebrauch nicht als Deckelfolien bezeichnet.
Beispiele für Deckelfolien sind Verbundfolien aus Polyamid und Polyethylen (→ PA/PE-Folien), Kombinationen von → Polypropylen- oder → Polyesterfolien mit → Aluminiumfolien und gegebenenfalls mit Papier. Zur Erfüllung besonders hoher Anforderungen an die mechanischen Eigenschaften werden oft Folien aus → Ionomeren verwendet. Häufig werden auch → BOPP oder Polyesterfolien eingesetzt, die mit → Ethylen-vinylacetat-Copolymeren oder mit → Polyvinylidenchlorid beschichtet sind.
Sehr dünne Folien aus Polyester, die durch Oberflächenbehandlung siegelfähig gemacht wurden, werden häufig als Deckelfolien für die Verpackung von Lebensmitteln genutzt, die nur kurze Zeit haltbar bleiben müssen. Hier kommt es überwiegend auf einen mechanischen Schutz des Füllgutes an. Aufwendigere Folien-Verbunde auf Basis Polyester werden als Deckelfolien in der → Mikrowellentechnik eingesetzt.
Deckelfolien aus Aluminium werden häufig für die Verpackung von Fertiggerichten verwendet. Hier muß nicht unbedingt eine Versiegelung mit dem meist ebenfalls aus Aluminium bestehenden Behälter erfolgen. Vielmehr genügt mechanische Festlegung der Deckelfolie durch Faltung. Derartige Deckelfolien sind allerdings nur zum Erhitzen im Ofen geeignet. Die Verpackung ist aufwendig, da Behälter und Deckel aus relativ dickem Material hergestellt werden müssen.
Siegelfähige Folien aus Aluminium und Kunststoffschichten bieten hervorragenden Schutz für Kunststoff-Trays zur

Verpackung von Fertiggerichten. Die Deckelfolie wird beim Erhitzen im Ofen auf der Packung belassen, beim Gebrauch der Mikrowelle vorher entfernt.

Deckfolie, *<cover film>*, → Aluminium-Formverpackung; → Blisterverpackung.

DEG-Affäre, *<DEG case>*, → Diethylenglykol.

Dehnbarkeit, *<extensibility>*, → Dehnfähigkeit.

Dehnfähigkeit, *Dehnbarkeit, Dehnung, <extensibility, stretchability, elongation>*, die Fähigkeit eines Materials zur Ausdehnung unter Belastung. Die Dehnung wird als Prozentsatz der ursprünglichen Länge angegeben. DIN 53 445, ISO/R 527, 1184. Sie stellt unter den → Mechanischen Eigenschaften eine wichtige Größe zur Beurteilung von → Stretchfolien dar. Oft wird auch das Reckmodul, das Verhältnis der Zunahme der Belastung zum Längenwachstum, angegeben.

Dehnfolie, *<stretch film>*, → Stretchfolie.

Dehnung, *<extensibility>*, → Dehnfähigkeit.

Dekorfolie, *Ornamin-Folie, <decorating foil, Ornaminfilm>*, ein bedrucktes, blattförmiges, flächiges Gebilde, das beim Pressen oder Spritzen von Kunststoff-Teilen in die Form eingelegt wird und nach Abschluß des Formvorgangs fest mit der Kunststoffoberfläche verbunden ist.
Die ersten vor etwa 20 Jahren als Dekorfolien verwendeten Produkte waren mit Melaminharzen getränkte, ausgehärtete und bedruckte Papiere. Dieses Prinzip gilt noch heute. Das Produktsortiment wurde jedoch durch Entwicklung von Spezialpapieren und Spezialharzen sowie durch Anwendung von Kunststoff-Folien und Papier-Folien-Kombinationen verbessert und erweitert.
Mit Dekorfolien aufgebrachte Druckbilder oder Beschriftungen sind abriebfest, farbecht und klar in der Wiedergabe von Details. Die Bedruckmöglichkeiten sind praktisch unbegrenzt. Die Folie wird nach etwa 40% der erforderlichen Preßzeit mit ihrer bedruckten Seite auf den Preßling aufgelegt. Durch Schließen der Form wird nachgepreßt. Die Zeit dafür sollte mindestens eine Minute betragen. In einem dritten Preßgang kann dem Druckbild hoher Glanz verliehen werden. Die Folien werden als Flachfolien, Ringfolien und als vorgeformte Folien für geometrisch komplizierte Teile hergestellt. Sie sind bei Lagerung bei höchstens 15 °C etwa sechs Monate verarbeitungsfähig.
Dekorfolien stehen auch für die Gestaltung der Oberflächen von Verbundwerkstoffen zur Verfügung. Sie bestehen meist aus mit Duroplasten getränkten Papieren. Es werden Melamin- und Harnstoffharze sowie ungesättigte Polyesterharze eingesetzt. Flexible Bahnen und Kantenstreifen werden vor allem in der Möbelindustrie angewen-

det und im Heimwerkermarkt angeboten. Die noch nicht ausgehärteten Polymeren werden durch Wärme vernetzt und dabei praktisch untrennbar mit der Unterlage verbunden.
Neben den aus Duroplasten bestehenden Duro-Folien wurden später auch Dekorfolien für das Dekorieren thermoplastischer Formteile entwickelt. Sie bestehen in der Regel aus dem gleichen Material wie die zur Herstellung der Formteile verwendeten Polymeren. Es stehen Folien aus Poylethylen, Polypropylen, Polystyrol, Polycarbonat und anderen Materialien in Dicken von 50 bis 200 μm zur Verfügung. Beim Einlegen in die Spritzgußform muß die unbedruckte Seite an der Formwand liegen. Um das Verrutschen der Folie beim Spritzvorgang zu vermeiden, kann diese elektrostatisch aufgeladen werden.
Die Anwendungsgebiete für Dekorfolien sind sehr vielfältig. Beispiele sind Haushalts- und Kinderartikel, Werbeträger wie Aschenbecher oder Zahlteller, Gebrauchsartikel und Geräte der Elektro- und Automobilindustrie, Wandteller und Souvenirartikel.
Die zur Übertragung von Druckbildern auf Folien und andere flache Gebilde entwickelten → Prägefolien werden gelegentlich ebenfalls als Dekorfolien bezeichnet. Auch die z.B. bei → Folienschaltern verwendeten → Frontfolien werden Dekorfolien genannt. Schließlich könnte man auch mit Informationen oder Bildern bedruckte → Klebefolien oder → Etiketten als Dekorfolien bezeichnen. Tatsächlich sind die Übergänge hier fließend und die einzelnen Produkte nicht klar definiert. Lit.

Dekorieren, *<decorating>*. 1. Das Dekorieren von Folien durch Behandlung ihrer Oberflächen, durch direktes → Bedrucken oder durch Aufbringen von Druckbildern mit Hilfe von → Prägefolien, durch → Metallisieren oder → Prägen.
2. Das Dekorieren von Materialien aller Art mit Hilfe von Folien. Bei der Herstellung von Kunststoff-Formteilen aus Preßmassen werden → Dekorfolien in die Form eingelegt. → Klebefolien werden zum einfachen Anbringen von Schrift oder Bildern verwendet. Hierzu gehören auch → Etiketten, die aus Folien oder → Schrumpfbändern hergestellt wurden.

Delaminieren, *<delamination, scalping>*, 1. Die Ablösung einzelner Schichten von → Verbundfolien. Sie kann verschiedene Ursachen haben. Beim → Kaschieren ungenügende Abstimmung von Folien und → Kaschierklebstoff oder schlecht abgestimmte Bahnspannungen. Bei der → Coextrusion Einsatz von Rohstoffen mit zu großen Unterschieden in der → Schmelzviskosität. Bei der Herstellung von → PA/PE-Folien ungeeignete → Haftvermittler, schlechte Temperatur- und Schichtdicken-Kontrolle. Bei beiden Verfahren kann auch schlechte → Oberflächenbehandlung Ursache für mangelhafte Verbundhaftung sein. Sehr häufig liegen jedoch die Probleme schon beim Einsatz von fehlerhaften → Folienbahnen, vor allem von Materialien mit schlechter → Planlage. Wenn das Delaminieren bei der Fertigung nicht erkannt wird, kann es

bei der Anwendung der Folie zur Verpackung empfindlicher Lebensmittel durch Bildung von Leckstellen zu frühzeitigem Verderb des Packungsinhalts kommen. Aber auch beim Einsatz der Verbundfolien auf dem → Technischen Sektor ist das Delaminieren für die Langzeitbeständigkeit der Produkte außerordentlich gefährlich. Problematisch ist besonders die Verbindung von Produkten mit sehr unterschiedlicher chemischer Struktur, z.B. bei → Polarisationsfolien.
2. Die Ablösung von Schichten, die z.B. durch → Metallisieren auf Folien aufgebracht wurden. Auch bei → Trägerfolien, z.B. → Magnetbandfolien ist eine gute Haftung der aufgetragenen Schicht unerläßlich.
3. Das Auftreten von Hohlräumen (Vakuolen) zwischen → Füllstoffen und Folie. Ursache ist hier mangelnde Benetzung der Füllstoffe durch die Kunststoffschmelze beim Herstellungsprozeß. Diese mangelnde Haftung zwischen Folie und Füllstoff kann zu Abrissen bei der Verarbeitung oder zu Störungen der anwendungstechnischen Eigenschaften führen.

Demetallisierung, *<de-metallizing>*, → Entmetallisierung.

Deponie, *Mülldeponie*, *<waste deposit>*, ein geordneter Lagerplatz für Abfälle. Im Zusammenhang mit der → Entsorgung von Folienabfällen wird das Verfahren der Deponierung zunehmend kritisch diskutiert. Diese Diskussion ist berechtigt, sie wird jedoch sehr häufig unsachlich, einseitig und mit falschen Argumenten geführt.
Die geordnete Ablagerung von Folien ist in der Regel problemlos. Alle Folien zur Verpackung von Bedarfsgütern, insbesondere von Lebens- und Genußmitteln, müssen für ihre Anwendung physiologisch einwandfrei sein. Aber auch Folien, die nicht als Packmittel eingesetzt werden, geben keine schädlichen Stoffe an ihre Umgebung ab und stellen also keine Gefahr für das Grundwasser dar.
Beim Deponieren von → Cellophan hat man wegen des „natürlichen" Rohmaterials → Cellulose Vorteile auf Grund einer biologischen Abbaubarkeit zu harmlosen Endprodukten sehen wollen. Es ist jedoch sehr zweifelhaft, ob unter den Bedingungen der Deponie (dicht gepackte Cellophanlagen, mangelnder Zutritt von Luft) überhaupt ein Abbau stattfindet. Sicherlich spielen in Mülldeponien anaerobe Abbauprozesse eine wesentliche größere Rolle. Das dabei entstehende Methan stellt eine Umweltbelastung dar, die aber zum wenigsten den Folien anzulasten ist.
Wesentliche Nachteile der Deponie sind die relativ hohen Kosten und der große Platzbedarf. Man muß deshalb auch in der Folientechnologie so gut wie möglich schon das Entstehen von Abfall vermeiden. Wenn eine → Rückführung von unvermeidlichen Folienabfällen nicht möglich ist, ist die Entsorgung durch → Verbrennung oder → Pyrolyse der Deponie in den meisten Fällen vorzuziehen. Dies gilt nicht für → PVC-Folien; die hier vorgeschlagenen Entsorgungskonzepte erscheinen

so aufwendig, so daß die Deponierung wohl das bessere Entsorgungsverfahren ist.
Der Einsatz → abbaubarer Kunststoffe zur Herstellung von Folien ist kaum ein geeigneter Weg zur Einsparung von Deponieraum. Die Idee einer → kunststofffreien Verpackung ist bei näherer Betrachtung unrealistisch.

Destatisierung, *<destatization>*, die Behandlung von Kunststoffen mit dem Ziel, ihre elektrostatischer Aufladung zu verhindern oder zu verringern (→ Antistatika).

Dichlormethan, *<Dichloromethane>*, → Methylenchlorid.

Dichroismus, *<dichroism>*, → Polarisationsfolie.

Dichte, *<density>*, Masse pro Volumen, Einheit: g/cm^3. Prüfnorm DIN 53479, ASIM-D 1505-68. Für den Einsatz von Folien zur → Verpackung ist grundsätzlich eine möglichst niedrige Dichte erwünscht, weil sich dadurch zwangsläufig die → Flächenausbeute oder Ergiebigkeit erhöht.
Mit 0,83 g/cm^3 haben Folien aus → Poly-4-methyl-1-pentan die niedrigste Dichte. Unter 1 g/cm^3 liegen → Polyethylen- und → Polypropylen-Folien. Hart-PVC-Folien liegen bei 1.36 g/cm^3. Dichten über 1.5 g/cm^3 haben → PVDC-Folien und die Dichte der nicht auf dem Verpackungssektor verwendeten → Polytetrafluorethylen-Folien liegt bei 2,1 bis 2,2 g/cm^3.

Dichtheit von Packungen, *<impermeability of packages>*, da es in vielen Fällen keine absolute Dichtheit von Packungen gibt, zweckmäßigerweise der Wert, bei dem der Durchtritt anwendungstechnisch relevanter Stoffe nicht mehr stört. Die Dichtheit einer Folienpackung wird durch die → Durchlässigkeit des Materials, durch die Herstellungsbedingungen (→ Löcher in der Folienbahn, → Perforation) und die Sorgfalt bei der Produktion der Packungen (→ Siegelnahtfestigkeit) bestimmt. Zur Kontrolle der Dichtheit dient die → Lecksuche bei Packungen.

Dickengleichmäßigkeit, *<thickness gauge>*, die möglichst konstante Dicke einer Folie über die Breite der → Folienbahn. Ungleichmäßigkeiten sind bei keinem Prozeß zur Folienherstellung oder Folienverarbeitung gänzlich vermeidbar. Abweichungen sind innerhalb gegebener Grenzen tolerierbar, sofern die Folien direkt dem Endverbraucher zugeführt oder unmittelbar nach ihrer Herstellung zu Fertigprodukten wie Beuteln, Säcken oder Tragetaschen verarbeitet werden. Dies ist jedoch relativ selten der Fall. Fast immer sind die Folien für eine Weiterverarbeitung bestimmt. Sie müssen dazu zu Folienrollen aufgewickelt werden.
Bei diesem Prozeß addieren sich kleinste Unregelmäßigkeiten der Dicke zu Fehlern der Folienrolle. Dies können wulstartige Erhebungen, Einbrüche oder Waschbrett-Strukturen sein.
Eine ständige Kontrolle der Foliendicke ist deshalb bei allen Fertigungsverfahren nötig.

Bei der → Blasfolien-Extrusion ist die Erzielung guter Dickengleichmäßigkeit schwieriger als bei der → Flachfolien-extrusion. Die beiden Verfahren haben sich jedoch in dieser Hinsicht durch die Entwicklung der → Automatikdüsen einander stark angeglichen. Trotzdem müssen bei der Blasfolien-Extrusion die Dickenungleichmäßigkeiten durch → Rotations- und Reversiersysteme über die Breite der Folienbahn verteilt werden.

Dickenmessung, *<thickness control, thickness gauge>*. Die Messung der Dicke von Folien und → Beschichtungen ist eine der wichtigsten Maßnahmen zur Sicherstellung einer wirtschaftlichen → Folienherstellung und → Folienverarbeitung. Möglichst gute → Dickengleichmäßigkeit ist bei Folien ein entscheidendes Qualitätsmerkmal. Dickenmessungen spielen auch in der Analytik von Folien eine wichtige Rolle. Ihre Haupteinsatzgebiet ist jedoch die on-line-Messung in der laufenden Produktion.

Die Dickenmeßgeräte traversieren dabei kontinuierlich in Querrichtung zur Folienbahn. Die gemessenen Werte geben ein Dickenprofil über die Breite der Folienbahn wieder. Bei relativ niedrigen Produktionsbreiten kann eine Traverse mit einseitiger Aufhängung eingesetzt werden. Solche Geräte haben eine kompakte Bauweise und geringen Platzbedarf. In den meisten Fällen, insbesondere bei größern Produktionsbreiten, ist jedoch ein auf beiden Seiten der Anlage verankerter *Traversierrahmen* erforderlich. Das Meßgerät läuft in diesem Rahmen kontinuierlich in Querrichtung über die Folienbahn. Die Steuerung der Traversierung erfolgt über die Erfassung der Bahnkanten. Bei den heute vor allem bei → Polyesterfolien und → BOPP üblichen Arbeitsbreiten von mehr als 8.000 mm sind eine extrem stabile Bauweise des Traversierrahmens und eine sehr gute Laufgenauigkeit erforderlich. Als Ergebnis werden bei der *Nullpunkt- Kontrolle* ausgezeichnete Ergebnisse erhalten, wie die Abb. 1 mit dem Nullprofil eines 12 m langen Traversierrahmens zeigt. Gemessen wurde in diesem Fall das → Flächengewicht, exakter gesagt, die Flächenmasse. Diese kann bei einheitlicher → Dichte der Folie leicht auf die Dicke umgerechnet werden.

Zur Dickenmessung stehen verschiedene Verfahren zur Verfügung. Sie kann durch Absorption von Betastrahlen oder Gammastrahlen, durch Infrarotmessung und durch mechanische Fühler erfolgen.

1. Die *Betastrahlen-Methode* ist das am häufigsten angewendete Verfahren. Sie führt über die Bestimmung des Flächengewichts zur Ermittlung der Gesamt-Foliendicke. Die Energie der Betateilchen wird beim Durchtritt durch die Folie absorbiert. Daneben findet eine Streuung einzelner Teilchen statt, die deshalb den Detektor nicht erreichen. Trotzdem hängen die Meßwerte annähernd exponentiell von der Flächenmasse der Folienbahn ab. Das Prinzip der Meßanordnung zeigt die Abb. 2.

Die Strahlenquelle befindet sich auf der einen, die Ionisationskammer als De-

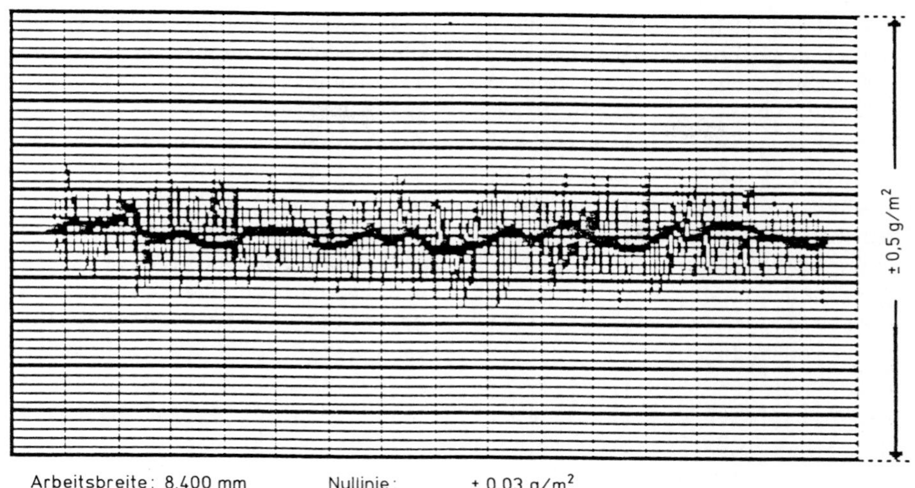

Dickenmessung. Abb. 1. Lippke GmbH, Neuwied.

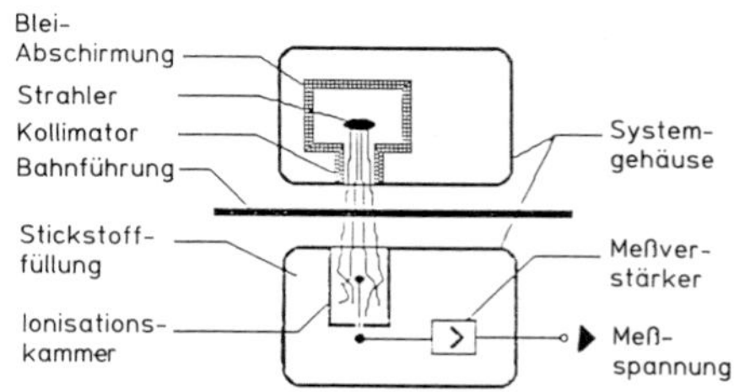

Dickenmessung. Abb. 2. Lippke GmbH, Neuwied.

tektor auf der anderen Seite der Folienbahn. die austretenden Betastrahlen werden durch einen Kollimator zu einer wirksamen Meßfläche von etwa 5 bis 15 mm Durchmesser gebündelt. In der mit Argon gefüllten Ionisationskammer werden durch die eintretenden Betateilchen Ionen erzeugt. Die an die Kammer angelegten Spannung bewirkt einen elektrischen Strom. Dieser ist der durchtretenden Betastrahlung proportional. Nach entsprechender, vom System abhängiger Eichung, wird der Meßwert auf die Flächenmasse bzw. die Foliendicke umgerechnet. Die Art der Strahlungsquelle richtet sich nach der Meßaufgabe. Promethium führt wegen seines niedrigen Energiespektrums zu einer sehr guten Meßwertstatistik. Zudem ist die Meßfläche mit etwa 4 mm Durchmesser sehr klein und damit die Querprofil-Auflösung sehr hoch. Bei Folien mit Flächengewichten über 200 g/m^2 (Foliendicke etwa 180 bis 220 μm) werden Krypton-Quellen, über 1000 g/m^2 (Foliendicke ab etwa 1 mm) Strontium-Quellen verwendet.

2. Bei der *Gammastrahlen-Methode* zeigt die Absorption eine streng expo-

nentielle Abhängigkeit von der Flächenmasse der Folie. Sie hängt außerdem sehr stark vom jeweiligen Material ab. Das Meßprinzip entspricht weitgehend der Betastrahlen-Methode, die Auswertung der Meßsignale ist unterschiedlich. Strahlenschutz und Sicherheitsmaßnahmen sind bei beiden Verfahren zu beachten.

3. Die *Infrarot-Messung* nutzt die Tatsache, daß jeder chemischer Stoff in diesem Wellenbereich charakteristische Absorptionsmaxima aufweist. Das Meßprinzip zeigt Abb. 3. Von der Sendeoptik oberhalb der Folienbahn wird durch eine Halogenlampe die Folie mit Licht mit einem kontinuierlichen Linienspektrum durchstrahlt. Die gestreuten und unterschiedlich absorbierten Lichtwellen werden durch ein Rad mit Interferrenzfiltern selektiert und in einem Photodetektor in elektrische Meßwerte umgewandelt. Diese werden verstärkt und dem Rechner zugeführt.

Die Methode ist auf Folien mit Dicken von mindestens 15 bis 20 μm anwendbar. Zur Messung von dünneren Beschichtungen auf Papier, Aluminiumfolie oder Karton wird das Substrat als Streukörper benutzt. Die durch das Beschichtungsmaterial hindurchtretenden Infrarotstrahlen werden von der Substratoberfläche reflektiert und dann im Detektor gemessen.

4. *Induktive Dickenmessung*. Hier wird die Foliendicke direkt gemessen. Das Verfahren wird deshalb dann angewendet, wenn die Umrechnung des Flächengewichts wegen stark schwankender oder unbekannter Dichte der Folien nicht möglich ist. Das Prinzip zeigt Abb. 4. Auf beiden Seiten der Folienbahn befinden sich mechanische Fühler, die direkten Kontakt mit der Folienoberfläche haben. Die Fühler sind in einen elektromagnetischen Schwingkreis integriert. Der aktive Teil des Schwingkreises befindet sich auf der Sensorplatte. Die Resonanzfrequenz wird von der Referenzplatte als passives Element in Abhängigkeit von der Dicke der Folie beeinflußt. Die erhaltene Frequenzen werden im Rechner in die Foliendicke umgerechnet.

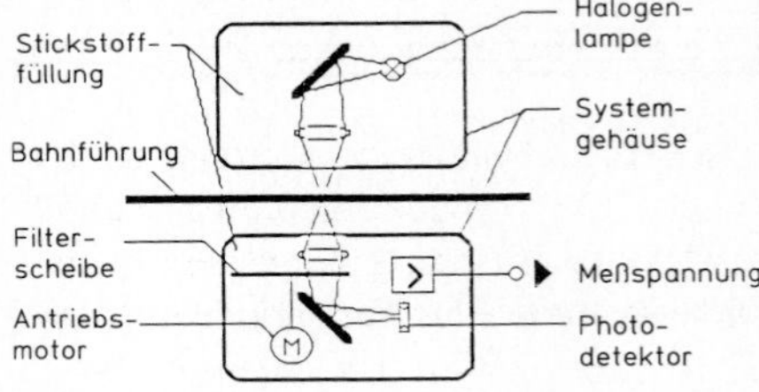

Dickenmessung. Abb. 3. Lippke GmbH, Neuwied.

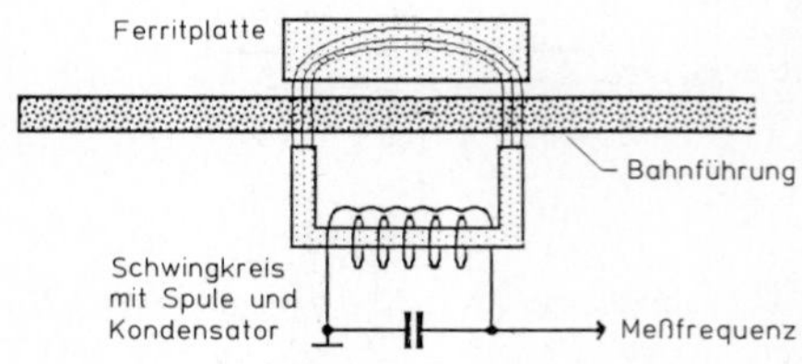

Dickenmessung. Abb. 4. Lippke GmbH, Neuwied.

Infolge der wachsenden Bedeutung der → Coextrusion hat die *selektive Dickenmessung* der Einzelschichten von → Verbundfolien in letzter Zeit steigender Bedeutung erlangt. Im allgemeinen wird die Infrarot-Messung eingesetzt. Aber auch Kombinationen, bei denen die Gesamtschichtdicke durch Bestrahlung und die Einzelschichtdicke durch Infrarot gemessen werden, stellen interessante Problemlösungen dar.

Die Verknüpfung der Dickenmessung mit der Steuerung von Maschinenteilen hat zu großen Rationalisierungserfolgen und Qualitätsverbesserungen bei der Folienproduktion geführt. Genannt seien insbesondere die → Automatikdüsen. Die konsequente Anwendung von automatischen Regelungen führte schließlich in Verbindung mit Computertechnik zur Entwicklung der → Prozeßleittechnik. Lit.

Dickfilm, *Primärfilm*, <*primary film*>, die bei der Produktion von verstreckten Folien zunächst hergestellte, mehrere Millimeter dicke und sehr steife Folie, die dann sofort einem → Reckverfahren unterworfen wird. Wichtigste Beispiele für die Erzeugung eines Dickfilms sind die Herstellung von → Polyesterfolien und → BOPP.

dielektrischer Verlustfaktor, <*dielectric dissipation factor*>, → Verlustfaktor, dielektrischer.

dielektrisches Schweißen, <*dielectric welding*>, → Heißsiegeln.

Dielektrizitätskonstante, <*dielectric constant*>, → Dielektrizitätszahl.

Dielektrizitätszahl, *Dielektrizitätskonstante*, <*dielectric constant, relative permittivity, specific induction capacity*>, das Verhältnis der Kapazität eines Kondensators, in dem der Raum zwischen den Elektroden mit einem Isolati-

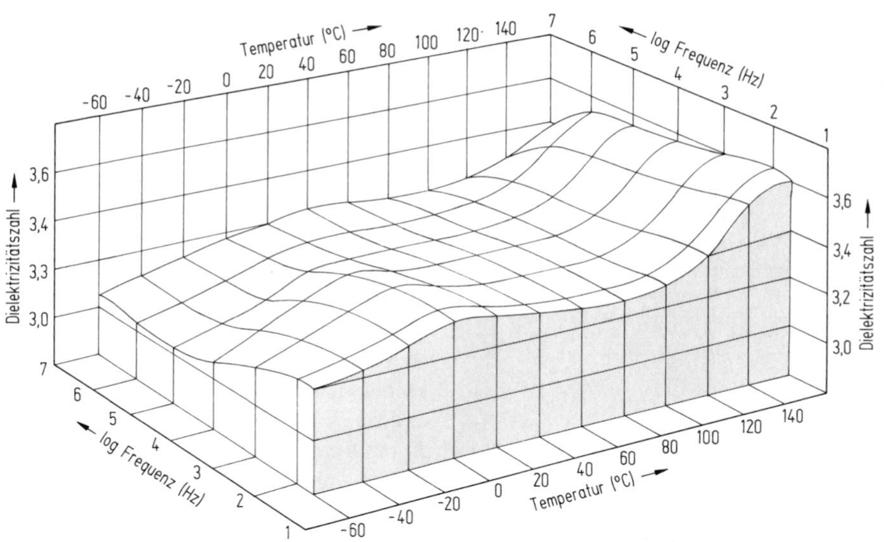

Dielektrizitätszahl. Abb. 1. Höchst AG, Firmenschrift.

onsmaterial gefüllt ist, zu der Kapazität der gleichen Anordnung der Elektroden im Vakuum. Prüfnorm DIN 40634, VDE 0345. Die Dielektrizitätszahl hängt von der Temperatur, der Frequenz und der Feldstärke ab. Sie liegt bei Kunststoff-Folien zwischen 2,1 und 4,5. Zum Vergleich: Porzellan 5-8, Glas 5-15, Transformatorenöl 12,2-2,5. Die Abb. 1 gibt die Dielektrizitätszahl von → Polyesterfolien in Abhängigkeit von Temperatur und Frequenz wieder. Die Dielektrizitätszahl von → Polycarbonatfolien ist in einem weiten Frequenz- und Temperaturbereich praktisch konstant (Abb. 2). Die Dielektrizitätszahl ist ein wichtiger Wert unter den → Elektrischen Eigenschaften von Folien. Sie ist für das Verhalten von → Elektroisolierfolien und → Kondensatorfolien von Bedeutung.

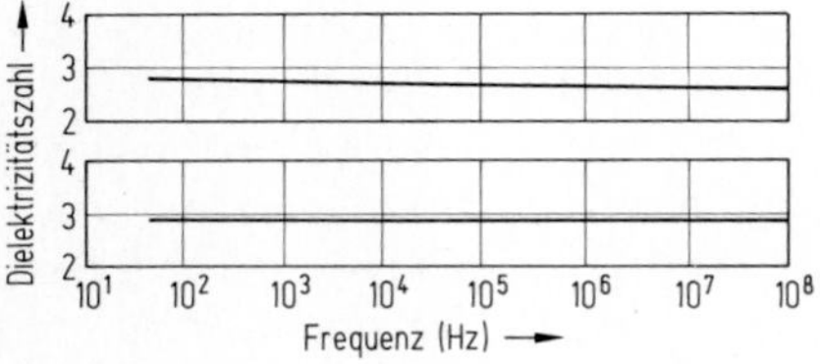

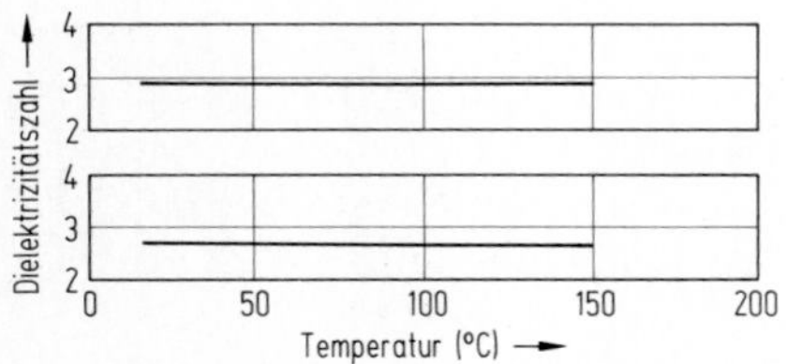

Dielektrizitätszahl. Abb. 2. Bayer AG, Leverkusen, Firmenschrift.

Diethylenglykol, *DEG*, *<diethylenglycol>*, HO-CH_2-CH_2-O-CH_2-CH_2-OH, farblose, viskose, süßliche schmeckende Flüssigkeit; Dichte 1,12 g/cm^3, F = -10,5 °C, Kp. = 245 °C. Dient bei der Herstellung von → Cellophan als Weichmacher und Feuchthaltemittel. Herstellung durch Reaktion von Ethylenoxyd mit Wasser. DEG wird auch als Frostschutzmittel im Kühlwasser von Motoren verwendet und ist dadurch für jederman leicht zugänglich. Mit Diethylenglykol wurde 1980 in Österreich Wein verfälscht. Als es etwa gleichzeitig in „Gummibärchen" entdeckt wurde (allerdings in sehr viel geringerer Menge), wurde erkannt, daß die Substanz vom Cellophan auf die Gummibärchen übergangen war. Die Folge war eine große Verunsicherung der Verbraucher, ein beträchtlicher Schaden für die Verwender und Hersteller von Cellophan und eine beschleunigte Umstellung von Cellophan auf andere Verpackungsfolien, vor allem → BOPP. Man hatte die betrügerische Verwendung von DEG im Wein und die von der → Gesetzgebung ausdrücklich erlaubte Verwendung von DEG im Cellophan gleichgesetzt und außerdem nicht beachtet, daß die Menge von 10-20% DEG im Wein mit der Menge von unter 0.01% DEG in den Gummibärchen nicht miteinander zu vergleichen waren. Die meisten europäischen Hersteller von Cellophan haben damals das DEG durch andere Weichmacher, z.B. durch → Triethylenglykol ersetzt. Die unerfreuliche Angelegenheit ist in der Fachwelt als *DEG-Affäre* oder *Zellglas-Affäre* bekannt geworden.

Differential-Thermo-Analyse, *thermische Analyse, DTA, <differential thermal analysis>*, eine Methode zur Bestimmung der Temperaturfunktion von physikalisch-chemischen Vorgängen, durch die Rückschlüsse auf Phasenumwandlungen, Stabilität von Polymeren oder Polymer-Mischungen, Morphologie, → Kristallinität, Thermische Verhaltensweisen von Kunststoffen usw. möglich sind.
In einem Ofen werden die zu untersuchende Probe und eine Vergleichssubstanz, die in dem angewandten Temperaturbereich keine thermischen Reaktion zeigt, symmetrisch angeordnet. Die Aufheiz- oder Abkühlgeschwindigkeit wird so gewählt, daß sich die Temperatur der Vergleichssubstanz linear ändert. Die Temperaturen beider Proben werden kontinuierlich gemessen und zusammen mit der Temperaturdifferenz aufgezeichnet. Tritt in der Untersuchungsprobe irgendeine exotherme oder endotherme Reaktion auf, so wird die Temperatur der Probe über bzw. unter der Temperatur der Vergleichsprobe liegen.
Die DTA kann zur Charaktierisierung und Identifizierung von Polymeren, z.B. zur Ermittlung des → Schmelzbereichs dienen.
Wichtige Verianten der Differential-Thermo-Analyse sind die → Thermogravimetrie und die → dynamische Differenz-Kalorimetrie.

Dimensionsstabilität, *Maßbeständigkeit, <dimensional stability>*, die Fähigkeit eines Materials, seine Form und Gestalt auch unter wechselnden Bedingungen nicht oder nur unwesentlich zu verändern. Die Dimensionsstabilität von Folien ist bei Anwendungen im graphischen Bereich besonders wichtig, z.B. bei → Bürofolien. Auch Trägerfolien, wie → Magnetband-Folien oder → Photofolien müssen in hohem Maße dimensionsstabil sein. Die Dimensionsstabilität soll sich über einen möglichst weiten Temperaturbereich erstrecken.
Zur Beurteilung der Dimensionsstabilität können u.a. folgende Meßwerte herangezogen werden:
1. Die Schrumpfung in Längs- und Querrichtung, gemessen bei Temperaturen von etwa 100 bis 200 °C über 20 bis 30 min. Prüfnorm: DIN 40634 und VDE 0345. Die Werte liegen beispielsweise für → Polyesterfolien von 12 μm Dicke bei Temperaturen bis zu 150 °C und 30 min zwischen 0,4 und 2%. Geringe Schrumpfung zeigen auch → Polycarbonatfolien und → BOPP.
2. Der lineare Wärmeausdehnungs-Koeffizient, die reversible Längenänderung eines Materials pro Längeneinheit und pro Grad Temperaturänderung.
3. Die Formbeständigkeit unter Druck und unter Zug bei thermischer Beanspruchung. Prüfnorm: DIN 40634 und VDE 0345.
Die Dimensionstabilität einer Folie hängt auch von ihrer → Wasseraufnahme ab. Niedrige Werte wirken sich naturgemäß günstig aus.

DIN-Normen, → Normung.

Diocthylphthalat, *<dioctyl phthalate>*, → Phthalat.

Direkt-Metallisierung, *<direct metallization>*, → Metallisieren.

Dispersion, *<dispersion>*, ein zwei- oder mehrphasiges Stoffsystem, bei dem ein Stoff in einem anderen in feinster Form verteilt, dispergiert ist. In der Folientechnologie wichtige Dispersionen sind Emulsionen (flüssig/flüssig) und Suspensionen (flüssig/fest). Beispiele für das Arbeiten mit Disperionen sind:
1. → Polymerisation von → Thermoplastischen Kunststoffen. Bei der Suspensions- oder Emulsions-Polymerisation werden die reaktiven Komponenten in Nichtlösern dispergiert. Nach Einleitung der Reaktion durch Katalysatoren fallen die Polymeren in Form von fein verteilten Partikeln an und werden durch Filtration abgetrennt. Die nach der Aufarbeitung durch Waschen und Trocknen erhaltenen Pulver oder „Perlen" können direkt zu Halbzeug, wie Folien oder Platten verarbeitet werden. In den meisten Fällen ist eine weitere Verdichtung durch → Granulieren erforderlich. Die Dispersions-Polymerisation wird z.B. bei der Herstellung von → Polyvinylchlorid, → Polyethylen, → Polypropylen und bei → Fluorpolymeren angewandt.
2. Herstellung von niedermolekularen Polymeren. Dispersionen auf Basis von Vinylchlorid, Vinylacetat und Acrylsäurederivaten dienen zum → Beschichten von Folien, als → Klebstoffe beim → Kaschieren von Folien oder als Zusatzmittel bei der Herstellung von → Druckfarben.
3. Herstellung von Folien. Für Polymere, die nicht oder nur schwer löslich sind, und die auch über die Schmelze nicht verarbeitet werden können, ist die Formgebung über eine Dispersion meist die einzige Alternative. Dieses aufwendige Verfahren ist nur für spezielle Anwendungen im → technischen Sektor mit hohen Anforderungen an die Folien-Eigenschaften vertretbar. Beispiele sind das Gießen dünner → Polytetrafluorethylen-Folien und von Polyimidfolien mit anschließendem - Sintern der Folienbahn.
4. Herstellung von Additiven. → Additive sind für die Produktion von Folien, insbesondere von → PVC-Folien von besonderer Bedeutung. Für viele Formulierungen sind Dispergiermittel wichtig, so zur Herstellung von Pigment-Dispersionen.

Distanzfolie, *Spacerfolie*, *<spacer film>*, Element von → Folienschaltern und Folientastaturen. Distanzfolien werden als doppelseitig mit Haftklebstoffen beschichtete → Klebefolien hergestellt. Sie ermöglichen den definierten Abstand zwischen der Leiterplatte und der Schaltfolie.
Als Trägerfolien werden überwiegend → Polyesterfolien in Dicken von 6 bis etwa 180 μm verwendet. Diese Folien gewährleisten hohe Maßhaltigkeit, gute → Dimensionsstabilität, Temperaturbeständigkeit und dynamische Belastbarkeit. Als Klebstoffe werden Acrylate verwendet, die das System des Folienschalters hermetisch abschließen und vor äußeren Einflüssen optimal schützen. Die Dicke der Klebstoffschicht liegt bei 70 bis 100 μm.

Die Folien sind doppelseitig mit Papier oder Papier-Polyethylen-Verbunden abgedeckt. Sie werden als Rollen, in Bögen und in Form von Stanzteilen konfektioniert.

Doppelfolie, *Duplo-Folie*, *<double film>*, eine kombinierte Folie aus zwei Schichten aus dem gleichen Ausgangsmaterial. Doppelfolien stehen zwischen den → Solofolien mit einer einheitlichen Schicht und den → Verbundfolien aus mehreren Schichten verschiedenartiger Materialien.
Es ist nicht korrekt, Doppelfolien als Produkte aus zwei identischen Kunststoffschichten zu bezeichnen. Die Identität zweier Solofolien über die gesamte → Folienbahn ist höchst unwahrscheinlich. Neben der Erzeugung größerer Foliendicken ist ein wesentlicher Grund für die Herstellung von Doppelfolien gerade der Ausgleich von Unregelmäßigkeiten in den Folienbahnen aus identischen Rohstoffen.
So werden durch das Zusammenfügen von zwei → BOPP-Bahnen oder von zwei → Cellophan-Bahnen Mikroporen ausgeschaltet und eine gleichmäßigere Verteilung der mechanischen Eigenschaften über die Folienbahn erreicht. ähnliches gilt für Doppelfolien aus Aluminium für die Herstellung sicherer → *Aluminium-Formverpackungen.*
Wenn zwei längsgereckte → Polyethylen- oder → Polypropylen-Folien so miteinander laminiert werden, daß die Streckrichtungen im Endprodukt einen Winkel von 90° bilden, werden sogenannte *XF-Folien* mit sehr guten mechanischen Eigenschaften in Längs- und Querrichtung bei minimalem Materialeinsatz erhalten. Diese nach dem Prinzip der Sperrholzherstellung erhaltenen Produkte müßte man eigentlich bereits als Verbundfolien bezeichnen, jedoch sind die Grenzen wegen der vielfältigen Kombinationsmöglichkeiten fließend.
Eine Variante der Doppelfolien-Herstellung ist die Coextrusion von zwei Schichten eines Thermoplasten an Stelle von einer einzigen dickeren Schicht. Auch hier gelingt häufig eine Optimierung der Eigenschaften.

Doppelschneckenextruder, *<double screw extruder>*, → Extruder.

Dose, *<can>*, → Aluminiumbehälter.

Dosieren, *<feeding, proportioning, dosing (am.), metering (engl.)>*, das Eingeben von Material in bestimmten Mengen in eine Produktionsanlage. In der Folientechnologie vor allem die geregelte Materialzufuhr von Kunststoffen beim → Extrudieren, → Kalandrieren oder anderen Verfahren der → Folienherstellung und → Folienverarbeitung.
Man unterscheidet zwischen kontinuierlicher und diskontunierlicher, volumetrischer und gravimetrischer Dosierung. Für die gleichzeitige Zuführung von mehreren Stoffen gibt es Mehrkomponenten-Dosiereinrichtungen.
Beim *volumetrischen Dosieren* wird mit Schnecken, Scheiben oder Walzen stets das gleiche Schüttgutvolumen gefördert. Schwankungen in der → Schüttdichte werden nicht ausgeglichen. Die Anlagekosten sind zwar nied-

Dosieren.

	Chargenwaage	kontinuierliche Trichterwaage	kontinuierliche Trichter- und Chargenwaage	quasi-kontinuierliche Schüttwaage	Differential-Dosierwaage
Arbeitsprinzip	Durchsatz-meßwaage	Durchsatz-meßwaage	Durchsatz-meßwaage	Dosierwaage	kontinuierliche Dosierwaage
Rezeptureingabe	nein	nein	nein	ja	ja
kontinuierliche Probenahme neben dem Prozeß möglich	nein	nein	nein	ja	ja
Mischungsprüfung möglich	nein	nein	nein	nein	ja
Gesamtdurchsatz-Erfassung	ja	ja	ja	nein	ja
Erfassung der Einzelkomponente	nein	nein	nein	ja	ja
Metergewichtsregelung möglich	ja	ja	ja	nein	ja
arbeitet ohne Zwischenaggregat					
- auf Einschneckenextrudern	ja	ja	aj	nein	ja
- auf Doppelschneckenextrudern	nein	nein	nein	ja	ja
Steuerung über Füllstandsüberwachung					
- Extruderregelung	nein	nein	nein	nein	ja
- Dosierleistungsregelung	nein	nein	nein	nein	ja

H.J. Sohn, Kunststoffe **79**, 1168-1171 (1989)

rig, jedoch sind Überwachung und Leistung beschränkt, so daß das Verfahren nur für einfache Aufgaben geeignet ist. Das *gravimetrische Dosieren* erlaubt dagegen gerade bei modernen Produktionsanlagen eine leistungsfähige und sehr genaue kontinuierliche Materialzuführung, von der Produktqualität und Fertigungskosten wesentlich abhängen. Einen Vergleich gravimetrischer Dosiersysteme beim Extrudieren zeigt die Tabelle. Eine Verbindung von Differential-Dosierwaagen mit Betriebsdaten-Erfassungssystemen ermöglicht optimale Prozeßkontrolle und die Erstellung von Produktionsprotokollen. Das Dosieren mehrerer Materialien kann gekoppelt werden.

Generell wird das Dosieren bei Rohstoffen durch → Granulieren und bei → Additiven durch den Einsatz von → Masterbatches wesentlich erleichtert.

Lit.

Double-bubble-Prozeß, → Reckverfahren; → BOPP.

Doublieren, <*doubling*>, → Doppelfolien.

Drahtband, <*wire tie*>, → Beutelverschlüsse.

Dreheinschlag, <*twist wrapping*>, eine Methode zur Verpackung von Bonbons. Diese werden dazu in Folienabschnitte eingeschlagen, deren Enden zusammengedreht werden und dadurch ohne zusätzliches Kleben oder Siegeln eine stabile Umhüllung bilden. Der Dreheinschlag verlangt Folien, bei denen der Anteil an elastischer Verformung im Vergleich zur plastischen Verformung gering ist. Solche Folien bleiben in der verformten Position unverändert. Sie haften aneinander und zeigen nur sehr geringe Rückstellneigung. Ein solcher Effekt wird als *Deadfold* bezeichnet.
In hervoragender Weise bringt mit → Cellulosenitrat lackiertes → Cellophan diesen Effekt mit. Auch → Hart-PVC-Folien in Dicken von 20 bis 30 μm werden häufig verwendet. Der Einsatz dieser Folien geht jedoch wegen der bekannten Vorbehalte gegen den hohen Chlorgehalt von Polyvinylchlorid zurück.
Viele Versuche, Substitutionsprodukte für das relativ teure Cellophan zu schaffen, waren bisher nur bedingt erfolgreich. So wurden vor allem → Polystyrol-Folien und → Polypropylenfolien für den Dreheinschlag eingesetzt. Moderne Maschinen für den Dreheinschlag arbeiten vollkontuierlich und unter Einhaltung höchster Hygieneansprüche. Die Abb. zeigt das Arbeitsprinzip. Die Leistung derartiger Maschinen kann bis zu 1.000 Wicklungen/min. betragen.

Drehmoment-Rheometer-, <*torque rheometer*>, → Rheometer.

Drop-out, → Magentbandfolien.

Drucken, <*printing*>, → Bedrucken von Folie.

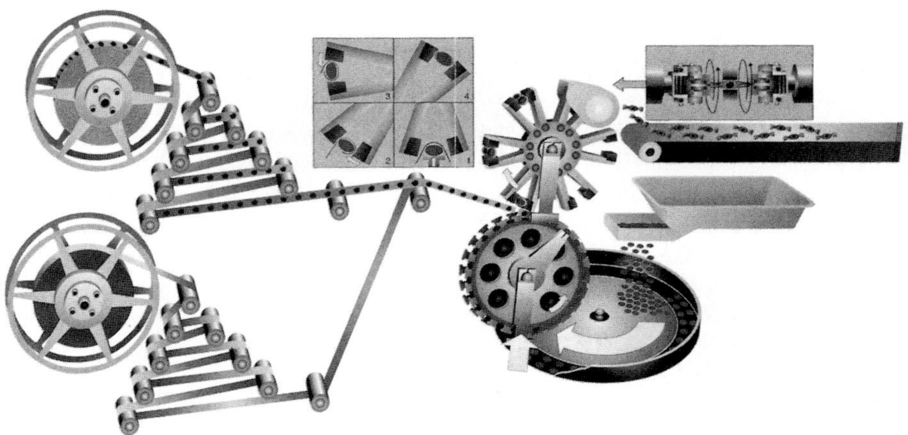

Dreheinsschlag. Otto Hänsel GmbH, Hannover, Firmenschrift.

Druckfarbe, *<ink, print ink>*, eine Mischung, die zum Bedrucken von Substraten unterschiedlicher Beschaffenheit, speziell zum → Bedrucken von Folien nach verschiedenen → Druckverfahren dient. Druckfarben bestehen zu etwa gleichen Teilen aus *Pigmenten* bzw. *Farbstoffen*, Bindemitteln und Lösungs- oder Dispergiermitteln.

1. Pigmente und Farbstoffe. Wichtigstes Weißpigment ist → Titandioxid, wichtigstes Schwarzpigment → Ruß. Die meisten Buntpigmente sind organische Produkte. Anorganische Farbpigmente haben trotz hervorragender anwendungstechnischer Eigenschaften an Bedeutung verloren, da sie meist Schwermetall-Verbindungen darstellen, die aus Gründen des Umweltschutzes problematisch sind.

2. *Bindemittel.* Es wird eine große Anzahl der verschiedenartigsten Polymeren, z.B. Maleinsäureharze, Acrylharze, Alkydharze, Polyesterharze, niedermolekulare Polyamide, Polyurethane und Melaminharze verwendet. In sehr vielen Fällen wird → Cellulosenitrat wegen seiner ausgezeichneten physikalischen Trocknung zugesetzt. UV- oder Elektronenstrahl-härtende Systeme werden im Foliendruck heute noch nicht industriell eingesetzt.

3. Lösungsmittel. Das mit Abstand am häufigsten verwendete Lösungsmittel ist Ethylacetat. Daneben finden Isopropylalkohol, Diethylketon und Toluol Verwendung. Aromatische Lösungsmittel sind jedoch wegen ungünstiger toxikologischer Eigenschaften kaum mehr im Gebrauch.

Im Papierdruck sind in den letzten Jahrzehnten die meisten Druckfarben auf lösungsmittelfreie, wäßrige Systeme umgestellt worden. Dies ist im Foliendruck ebenfalls versucht worden, jedoch scheiterten diese Versuche in den meisten Fällen an den unpolaren, hydrophoben Eigenschaften der Folienoberfläche. Papierbahnen nehmen Wasser auf und ermöglichen dadurch einen sauberen Druck mit wäßrigen Druckfarben. Das Wasser wird „weggeschlagen”. Dies ist beim Bedrucken von Folien nicht möglich. Es wird häufig vom Erfolg wäßriger Druckfarben für Folien in den USA berichtet. Dies liegt sicher teilweise an schlecht definierten Begriffen. So werden in den USA Druckfarben, bei denen die Lösungsmittel zu 78% durch Wasser ersetzt sind, bereits als Produkte auf Wasserbasis bezeichnet. Wenn durch Einsatz solcher Druckfarben der Lösungsmittelgehalt in der Abluft von Druckereien vermindert wird, ist dies sicherlich ein Erfolg. Es ist jedoch fraglich, ob dies bei den in der Bundesrepublik Deutschland vorhandenen gesetzlichen Auflagen ausreichen würde.

Foliendruckmaschinen wurden deshalb in den letzten Jahren zunehmend mit Lösungsmittel-Rückgewinnungs-Anlagen ausgestattet. Ältere Betriebe sind durch die strikte Umweltschutz-Gesetzgebung gezwungen, entsprechende Anlagen zusätzlich zu installieren. Auf längere Sicht könnte sich allerdings eine *Lösungsmittel-Rückgewinnung* lohnen. Voraussetzung ist die Verwendung von Lösungsmitteln, die möglichst wenig Komponenten enthalten und die sich nach der Rückgewinnung leicht zu reinen Produkten aufarbeiten lassen.

Drucksintern, *<sintering under pressure, hot pressing>*, → Sinterverfahren.

Drucktechniken, *<printing processes>*, → Druckverfahren.

Druckverfahren, *Drucktechnik*, *<printing process>*, ein technischer Prozess zum Bedrucken der Oberfläche von Gegenständen mit Texten oder Bildern. Man unterscheidet verschiedene Druckverfahren.
1. *Hochdruckverfahren* arbeiten mit einer Druckform, bei der die druckenden Teile erhaben sind und ein Relief bilden. Die Hochdruckverfahren haben ihren Ursprung im Buchdruck. Die früher benutzten metallischen Druckelemente sind heute durch Platten aus synthetischem Kautschuk oder durch Platten aus Photopolymeren ersetzt. Unter den Hochdruckverfahren spielt zum → Bedrucken von Folien der → Flexodruck heute noch die bedeutenste Rolle.
2. *Flachdruckverfahren* verwenden eine Druckform, deren druckende und nicht druckende Teile praktisch in einer Ebene liegen. Die ersten Verfahren waren der Lichtdruck und der Steindruck. Heute spielt der Offsetdruck vor allem zum Bedrucken von Papier oder Papier-Folien-Kombinationen auf der Papierseite eine wichtige Rolle. Für den direkten Foliendruck wird das Verfahren nicht eingesetzt.
3. *Tiefdruckverfahren* verwenden eine Druckform, deren druckende Teile vertieft sind. → Tiefdruck spielt in der Folientechnologie eine bedeutende Rolle. Das Verfahren steht im Wettbewerb mit dem Flexodruck, dem es wichtige Qualitätsmerkmale voraus hat.
4. *Durchdruckverfahren.* Das Drucken durch eine Schablone aus einem farbdurchlässigen Material. Es wird auch als → Siebdruck bezeichnet. Das Verfahren ist für den Druck langer Folienbahnen wenig geeignet. Es findet hauptsächlich zum Bedrucken von gewölbten oder unregelmäßigen Oberflächen Verwendung, z.B. bei → Tuben und bei Folien für den → technischen Sektor.
5. *Berührungsloses* Drucken. Diese Verfahren benötigen keine Druckform. Feinste Druckfarbentröpfchen, die elektrostatisch aufgeladen sind, werden durch ein elektrisches Feld in gezielter Weise auf die zu bedruckende Oberfläche gelenkt. Die Verteilung dieser Tröpfchen ist auf der Matrix elektrisch oder elektromagnetisch vorprogrammiert. Der Prozeß befindet sich seit Anfang der 70er Jahre in Entwicklung. Er hat sich bisher, vor allem für das Bedrucken von Folien, noch nicht durchgesetzt.
Die genannten Druckverfahren können nach drei Prinzipien durchgeführt werden:
1. Fläche gegen Fläche. Der Abdruck der Druckform erfolgt in einem Schritt. Die dazu notwendigen Kräfte sind sehr hoch, die Formate sind deshalb begrenzt.
2. Zylinder gegen Fläche. Der Abdruck der Druckformen erfolgt an der Berührungslinie zwischen dem rotieren-

den Druckzylinder und der wagerecht darunter angeordneten Druckform.
3. Zylinder gegen Zylinder. Dieses, für das → Bedrucken von Folien fast ausschließlich angewendete Verfahren wird als Rotationsdruck bezeichnet. Die Folienbahn wird an der Berührungsstelle eines die Druckform bildenden Zylinder und einer Gegendruckwalze bedruckt. Das kontinuierliche arbeitende Verfahren ermöglicht hohe Druckgeschwindigkeiten.

Dryblend, eine rieselfähige Trockenmischung von Polymeren, → Formmassen, → Blends.

DTA, → Differential-Thermo-Analyse.

Dual-Ovenability, *<dual ovenability>*, die gleichzeitige Ofen- und Mikrowellenfestigkeit von Folien oder anderen Verpackungsmaterialien für Lebensmittel. Im Gegensatz zu dual-ovenable Produkten sind ofenfeste (ovenable) Materialien nur für den Gas- oder Elektroherd, mikrowellenfeste (microwavable) Stoffe nur für den Mikrowellenherd geeignet. Die Forderung nach Produkten, die in beiden Erwärmungssystemen einsetzbar sind, wurde durch den Erfolg der → Mikrowellen-Technik ausgelöst.

Düse, *<die; hopper (bei der Cellophanherstellung)>*, Maschinenteil, bei dem eine Flüssigkeit oder eine Schmelze aus einem Spalt in einer möglichst gleichförmigen Strömung austritt und dadurch gleichmäßig verteilt wird. Düsen dienen zum Verteilen von relativ niedrig viskosen Harzlösungen beim → Beschichten von Folien, bei den → Gießverfahren für viskose Lösungen von Polymeren bis zum Einsatz für hochviskose Schmelzen von → Thermoplastischen Kunststoffen. Sie werden im letzteren Fall als → Formwerkzeuge bezeichnet. Die Breite des Düsenspalts bestimmt die Dicke der erzeugten Folien. Zur Erzielung guter → Dickengleichmäßigkeit wurden → Automatikdüsen entwickelt.

Düsen-Coextrusion, *<die coextrusion>*, → Coextrusion.

Düsenglasieren, *<die glazing>*, → Glanz.

Duplo-Folie, *<double film>*, → Doppelfolie.

Durchdruckverfahren, *<screen printing>*, → Siebdruck.

Durchdrückpackung, *<blister packaging>*, → Blisterverpackung.

Durchgangs-Widerstand, spezifischer, *Isolationswiderstand, Volumenwiderstand, <volume resistivity, specific insulation resistance>*, eine der → elektrischen Eigenschaften, die bei der Verwendung von → Elektroisolier-Folien und → Kondensatorfolien eine Rolle spielen. Der Durchgangswiderstand betrifft die Stromleitung im Inneren des Isolierstoffes und ist vom → Oberflächenwiderstand zu unterscheiden.
Prüfnorm DIN 40634, VDE 0345, Ein-

heit Ω·cm. Der spezifische Durchgangswiderstand liegt bei → BOPP, → Polyesterfolien, → Polycarbonatfolien und bei → Polytetrafluorethylenfolien bei 23 °C bei 10^{17} bis 10^{18}Ω·cm, bei Celluloseester-Folien etwa 3 Zehnerpotenzen darunter. Bei höheren Temperaturen nimmt er bei Polyesterfolien und Polycarbonatfolien nur um 2 bis 3 Zehnerpotenzen ab.

Durchlässigkeit, *Permeation, Permeabilität, Diffusion, <permeability>.* Folien sind für Gase, Dämpfe oder Flüssigkeiten mehr oder weniger durchlässig. Die Durchlässigkeit von Folien ist bei ihrem Einsatz zur Verpackung von Lebens- und Genußmitteln besonders zu beachten. Hier gilt es, hochwertige Produkte vor Einwirkungen aus der Umgebung zu schützen und den Austritt von wichtigen Inhaltsstoffen aus den verpackten Gütern zu verhindern. Die Durchlässigkeit von Folien ist aber auch bei zahlreichen technischen Anwendungen von Bedeutung. Man unterscheidet die → Wasserdampf-Durchlässigkeit, die → Gasdurchlässigkeit, die → Durchlässigkeit für Dämpfe, die → Durchlässigkeit für Flüssigkeiten und die → Aromadurchlässigkeit.

Hohe oder niedrige Durchlässigkeiten von Folien für bestimmte Stoffen können dabei je nach Anwendungsgebiet erwünscht oder unerwünscht sein. So wird bei den meisten Anwendungen eine niedrige Durchlässigkeit für Sauerstoff gefordert, um einen Verderb der Ware durch Oxydation zu verhindern. Bei der → Fleisch- und Fleischwarenverpackung gibt es jedoch Fälle, wo die verwendeten Folien höhere Sauerstoff-Durchlässigkeiten aufweisen sollen, damit die hellrote Färbung des Produkts erhalten bleibt. Ein anderes Beispiel ist die Durchlässigkeit für Wasserdampf. Auch diese ist in den meisten Fällen unerwünscht, um das Austrocknen der Ware zu verhindern. Bei der Verpackung von Frischgemüse ist dagegen eine hohe Wasserdampf-Durchlässigkeit erwünscht, weshalb man bewußt eine → Perforation von Folien durchführt.

Bei fast allen Folien mit Ausnahme von → Cellophan verringert sich die Durchlässigkeit mit der Dicke. Ein Beispiel bietet → BOPP:

Tabelle 1 zeigt die Abhängigkeit der Durchlässigkeit von der Dicke bei → BOPP. Mit steigender Temperatur wird die Durchlässigkeit von Folien größer. Der wichtigste Faktor für die Durchlässigkeit einer Folie ist jedoch ihre chemische Struktur und ihre Verwandtschaft zum diffundierenden Stoff. Ähnliche Strukturen bedeuten eine gute Verträglichkeit und begünstigen das Eindringen der jeweiligen Gase, Dämpfe oder Flüssigkeiten in die Folie. Als weiterer Faktor für die Durchlässigkeit ist die Wanderungs-Geschwindigkeit in der Folie entscheidend. Diese ist in hohem Maße von der → Kristallinität der Folie abhängig. In amorphen Bereichen wandern die diffundierenden Stoffe schneller. Dies zeigt ein Vergleich von Durchlässigkeiten einer nach dem → Flachfolien-Extrusion hergestellten unverstreckten und einer in einem → Reckverfahren orientierten Polypropy-

Durchlässigkeit. Tab. 1.

Dicke	mm	DIN 53370	23 °C/ 50% r.F.	0,020	0,025	0,030	0,035	0,040	0,050
Wasserdampf	g/m^2·d	DIN 53122	23 °C/ 85% r.F.	1,4	1,1	0,9	0,8	0,7	0,6
Stickstoff				450	375	310	270	250	200
Sauerstoff	cm^3	DIN 53380	23 °C	1800	1500	1250	1070	940	750
Kohlendioxid	m^2·d·bar			6300	5250	4400	3750	3300	2600

Wolff Walsrode AG, Walsrode, Firmenschrift

Durchlässigkeit. Tab. 2.

Medium	Einheit	PP-Flachfilm	BOPP
H_2O-Dampf[2)]	$\frac{g}{m^2 \cdot d}$	1,3	0,6
O_2	$\frac{cm^3}{m^2 \cdot d \cdot bar}$	2000	900
CO_2	$\frac{cm^3}{m^2 \cdot d \cdot bar}$	6000	3000
N_2	$\frac{cm^3}{m^2 \cdot d \cdot bar}$	400	180

BASF, Ludwigshafen, Firmenschrift

lenfolie mit einer Dicke von 40 μm. (Tab. 2). Man erkennt deutlich die Verringerung der Durchlässigkeiten durch die höhere Kristallinität beim BOPP.

Wenn besonders niedrige Durchlässigkeiten gefordert werden, kann dies in der Praxis fast nie mit → Solofolien erreicht werden. Nur mit → Verbundfolien, wie z.B. *Aluminium-Verbunden*, und insbesondere von → Sperrschichtfolien können extrem niedrige Durchlässigkeiten erreicht werden.

Eine interessante und zunehmend genutzte Variante der Kombination von Kunststoff- und Aluminium-Eigenschaften ist das → Metallisieren von Kunststoff-Folien und in Zukunft vielleicht das → Bedampfen mit SiO. Zu erhöhter Durchlässigkeit von Folien können Fehler bei der → Folienherstellung durch → Perforation und Mängel bei der Anwendung durch schlechtes → Siegelverhalten führen. Die Schutzfunktion der Folie als Verpackungsmaterial kann dadurch entscheidend beeinträchtigt werden. Es gibt eine Reihe von Methoden zur → Lecksuche bei Packungen.

Eine Sonderform des Durchtritts von Stoffen durch Folien ist die → Migration.

Durchlässigkeit für Dämpfe, *<vapour permeability>*. In ihrer Bedeutung steht die → Wasserdampfdurchlässigkeit an erster Stelle, besonders beim Einsatz von Folien auf dem Verpackungssektor. Bei technischen Anwendungen ist jedoch auch die Durchlässigkeit von Folien für Lösungsmittel-Dämpfe wichtig.

In Anlehnung an die Wasserdampf-Durchlässigkeit wird die Durchlässigkeit von Dämpfen in g/m^2·d angegeben. Es werden meist interne Methoden der Folienhersteller angewendet.

Durchlässigkeit für Flüssigkeiten, *<permeability for liquids>*. Die → Durchlässigkeit einer Folie für Flüssigkeiten hängt wie bei Gasen und Dämpfen stark von der Löslichkeit der Stoffe in dem jeweiligen Polymeren ab. Sie wird durch die chemische Verwandschaft zwischen polymeren Material und Lösungsmittel bestimmt. So ist die Durchlässigkeit der sehr unpolaren Folien aus Polyethylen und Polypropylen für polare organische Stoffe, wie Alkohole, Ketone oder Carbonsäure gering. Unpolare Stoffe, wie Kohlenwasserstoffe, halogenierte Kohlenwasserstoffe oder Carbonsäureester haben höhere Durchlässigkeiten. Die Tabelle zeigt die Durchlässigkeit von Polyethylen für verschiedene Flüssigkeiten in Abhängigkeit von der Dichte (nach DIN 53 122 bei 23 °C. Foliendicke 500 μm). Die Undurchlässigkeit von Folien für Wasser ist für viele Anwendungsgebiete, z.B. als Dachabdichtungsfolien oder als → Baufolien wichtig. Die meisten Kunststoff-Folien erfüllen die geforderten Bedingungen. Für spe-

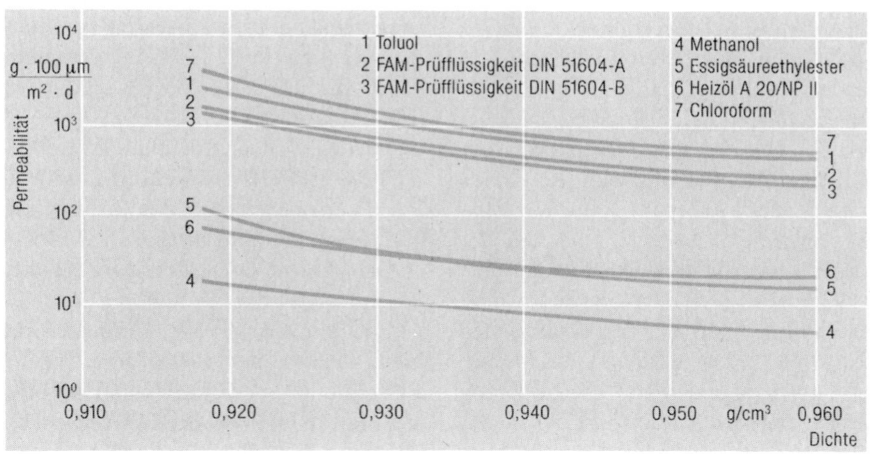

Durchlässigkeit für Flüssigkeiten. Nach BASF, Ludwigshafen, Firmenschrift.

zielle Anwendungen sind → Polyurethanfolien mit einer absoluten Undurchlässigkeit für Wasser, verbunden mit einer hohen → Wasserdampfdurchlässigkeit von Interesse. Lit.

Durchmesser des Folienschlauchs, *<caliper>*, → Kaliber.

Durchschlag, *<disruptive discharge, bleed-out, bleedthrough>*. Eine Modifikation von Folien kann durch → Oberflächenbehandlung, durch Aufbringen neuer Schichten oder durch Zusammenfügen von zwei oder mehreren Folien erfolgen. In der Regel soll die Veränderung der Eigenschaften nur auf einer Seite der Folienbahn wirksam werden. Das unerwünschte Auftreten entsprechender Effekte auf der Rückseite führt meist zu mehr oder weniger großen technischen Schwierigkeiten. Als Ursache für Durchschläge seien genannt:
1. Löcher in der Folienbahn. Diese führen beim → Beschichten oder → Kaschieren zum Durchschlagen von Beschichtungsmaterial oder von Klebstoffen. Nach dem Aufwickeln zeigt sich → Blocken der Folien, was zur völligen Unbrauchbarkeit der Rollen führen kann. Löcher in Trägerfolien haben verheerende Folgen z.B. bei der Herstellung von → Klebebändern.
2. Migration von Haftvermittlern oder Klebstoffen bei Verbundfolien tritt meist nur in so geringen Maße auf, daß keine gravierende Veränderung der Folienoberfläche erfolgt. Auch das beim Bedrucken von Papier gefürchtete Durchschlagen von Druckfarben stellt bei Folien kein Problem dar.
3. Bei der → Corona-Behandlung sind Durchschläge der elektrischen Entladung häufig Ursachen des Blockens von Folienrollen und für Störungen beim → Heißsiegeln. Obwohl andere Verfahren zur Modifikation der Folienoberfläche wie die → Flammbehandlung, diesen Nachteil nicht zeigen, ist die Coronabehandlung immer noch das am häufigsten angewendete Verfahren. Die → Fluorierung von Folien ist noch im Anfangsstadium der Entwicklung. Die → Durchschlagfestigkeit ist eine wichtige Eigenschaft von Folien bei ihrem Einsatz in der Elektrotechnik.

Durchschlagfestigkeit, *elektrische Festigkeit, Isolationsfestigkeit, <dielectric strength>*, eine → elektrische Eigenschaft von Folien, ein Maß für die Beständigkeit eines Isoliermaterials gegen einen inneren Durchschlag. Sie ist von der Dicke der Folie und von der Temperatur abhängig. Für Gleichspannung und Wechselspannung werden verschiedene Werte erhalten. Prüfnorm DIN 40634, VDE 0345, Einheit kV/mm.
Unter den Kunststoff-Folien weisen → BOPP, → Polycarbonatfolien und → Polyesterfolien besonders hohe Werte auf. Für die Anwendung als Elektroisolierfolien und → Kondensatorfolien ist die Konstanz der Werte über einen möglichst großen Temperaturbereich wichtig.
Beispiele für verschiedenen Durchlässigkeiten von Polyesterfolien zeigt die Tabelle. Die Temperaturabhängigkeit der elektrischen Durchschlagfestigkeit

Durchschlagfestigkeit.

Dicke	Richtwert	Einheit	Prüfnorm	Prüfbedingungen
6μm	580	kV/mm		23 °C; Gleichspannung
	410	kV/mm		23 °C; 50Hz
	300	kV/mm		150 °C; 50Hz
25μm	510	kV/mm	DIN 40634 oder VDE 0345 in Luft	23 °C; Gleichspannung
	320	kV/mm		23 °C; 50Hz
	250	kV/mm		150 °C; 50Hz
190μm	420	kV/mm		23 °C; Gleichspannung
	150	kV/mm		23 °C; 50Hz
	135	kV/mm		150 °C; 50Hz

Hoechst AG, Firmenschrift

einer 12 μm dicken, biaxial verstreckten Polyesterfolie ist in Abb. 1 dargestellt.

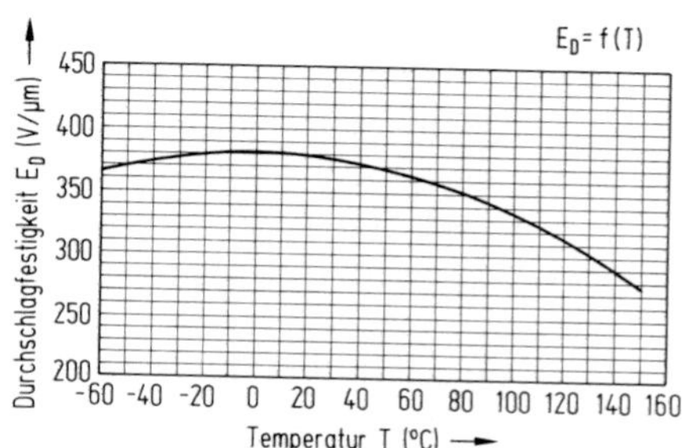

Durchschlagfestigkeit. Abb.1. Hoechst AG, Firmenschrift.

Abb. 2 zeigt die Abhängigkeit der Durchschlagsfestigkeit von Polycarbonatfolien von der Alterung.

Durchsichtigkeit, *<transparency>*, → Transparenz.

Durchstoßversuch, *<penetration test>*, ein Versuch, bei dem, meist mit Hilfe eines Fallbolzens, die Widerstandsfähigkeit von Folien gegen mechanische Stoßbelastungen gemessen wird. Beispiele für die Ermittlung der Durchstoßfestigkeit von Folien sind der → Dart-drop-Test und der → Dyna-Test.

Duroplaste, *<thermoset plastics>*, → Duroplastische Kunststoffe.

duroplastische Kunststoffe, *Duroplaste, <thermoset plastics, TP>*, werden durch Wärme, Katalysatoren, Bestrahlung oder andere Methoden zu unlöslichen und unschmelzbaren Produkten unter Vernetzung ausgehärtet. Duroplastische Kunststoffe sind per definitionem nicht zur Herstellung von flexiblen Folien geeignet. Sie bilden sich jedoch bei manchen Verfahren der Folienverarbeitung als Zwischenschichten

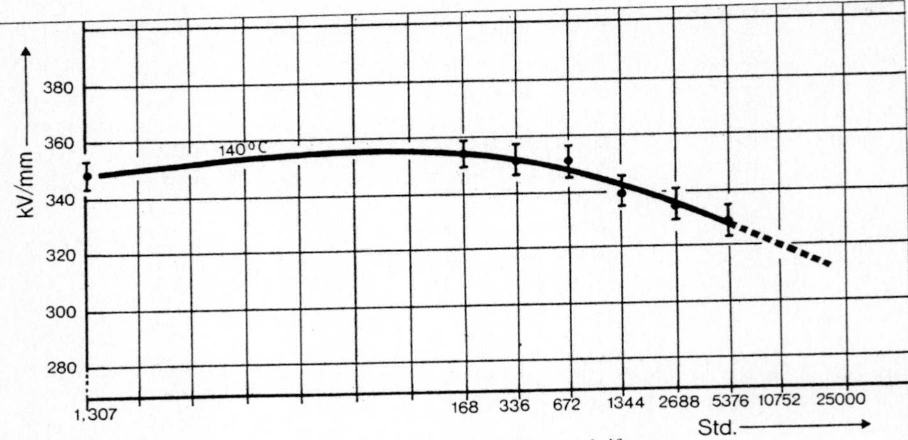

Durchschlagfestigkeit. Abb.2. Bayer AG, Leverkusen, Firmenschrift.

von → Verbundfolien, (→ Haftvermittler, → Kaschierklebstoffe).
Folien aus → thermoplastischen Kunststoffen können durch → Strahlenvernetzung in eine teilvernetzte Struktur übergeführt werden. Auch → Polyimidfolien liegen in vernetzter Form vor.

Düsen-Coextrusion, *<die coextrusion>*, → Coextrusion.

dynamische Differenz-Kalorimetrie, *DDK, <dynamic difference calorimetry, DDC>*, eine verbreitete Variante der → Differential-Thermoanalyse. Die Probe eines makromolekularen Stoffes wird mit konstanter Geschwindigkeit aufgeheizt. Die lineare Temperatursteigerung beträgt meist 10 °/min. Parallel dazu wird das Wärmeaufnahmevermögen gemessen und auf der Y-Achse in Abhängigkeit von der Temperatur aufgezeichnet.
Man erhält eine Kurve, aus der Umwandlungsvorgänge in dem untersuchten Produkt erkannt werden können. Genannt seien Schmelzen, Verdampfen von Zusätzen, Zersetzung oder Änderung in der Morphologie des Polymeren. Neben der qualitativen Beschreibung sind auch quantitative Aussagen möglich, z.B. über die Schmelzwärme.
Die Methode, die mit sehr kleinen Probemengen von 5 bis 20 mg auskommt, ermöglicht bei Vorliegen entsprechender Vergleichsproben auch Aussagen über das voraussichtliche Verhalten eines Thermoplasten bei der Verarbeitung. Sie kann zur Rohstoffkontrolle und zur analytischen Aufklärung unbekannter Materialien herangezogen werden.
Eine im Prinzip verwandte Methode zur Beurteilung von Polymeren ist die → Thermogravimetrie.

DYNA-Test, *<DYNA-Test>*, DIN 53 455, ein Test zur Beurteilung der Festigkeit von Folien bei schockartiger Bela-

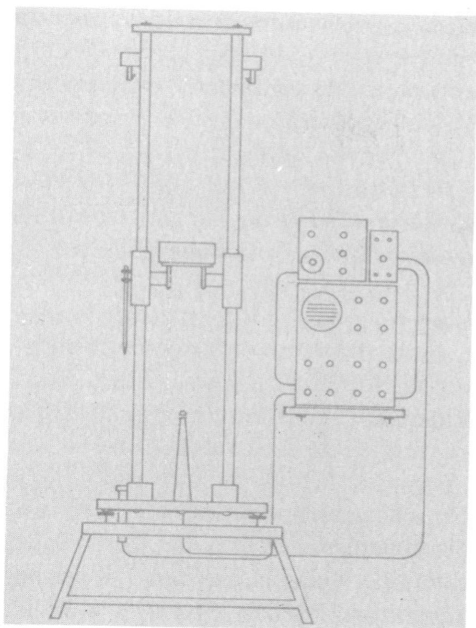

DYNA-Test. Abb.1. BASF, Ludwigshafen, Firmenschrift.

stung (Abb. 1). Eine waagerecht in einem Rahmen eingespannte Folie fällt auf einen Dorn. Die zur Schädigung notwendige Kraft wird durch einen Kraftaufnehmer ermittelt und in Abhängigkeit von der Verformung graphisch ausgewertet (Abb. 2).

Die Methode ist wesentlich genauer als der → Dart-drop-Test. Sie erlaubt außerdem viel weiter gehende Aussagen über den Deformationsweg und die aufgewendete Arbeit. Man kann weiterhin zwischen der Schädigungsarbeit W_S beim ersten Anriß und der gesamten Schädigungsarbeit W_{ges}, die für den Durchstoß nötig ist, unterschieden. Das Gerät für den DYNA-Test ist allerdings wesentlich teuerer als das für den Dart-Drop-Test (Verhältnis etwa DM 5 000 zu DM 100 000).

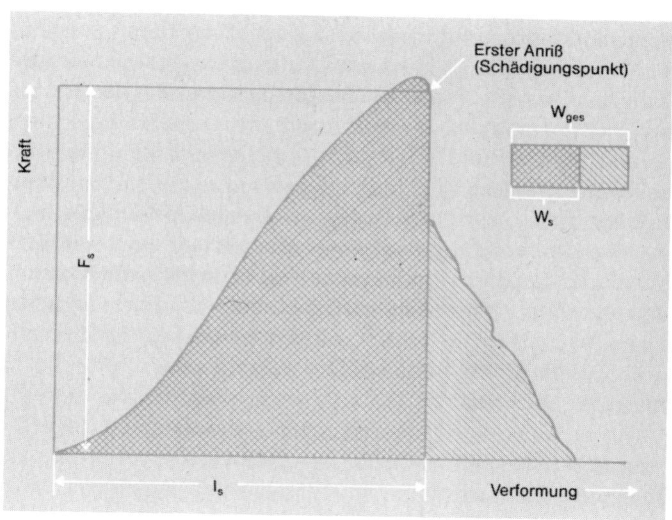

DYNA-Test. Abb.2. BASF, Ludwigshafen, Firmenschrift.

E

E-Modul, *<modulus of elasticity>*, → Elastizitätsmodul.

EAN-Code, → Strichcode.

Easy-peel-Folie, *<easy peel film>*, → Deckelfolie.

Einfärbung, *<colouration>*, durch Zusatz von → Färbemitteln, d.h., von Farbstoffen oder Pigmenten, erfolgt bei Folien relativ selten. Farbigkeit spielt zwar bei der Anwendung von Verpackungsfolien aus Gründen des Marketing eine außerordentliche bedeutende Rolle. Die gewünschten Effekte werden jedoch überwiegend durch → Bedrucken der Folien erzielt. Beispiele für eingefärbte Produkte sind schwarz pigmentierte Folien auf Basis Polyethylen, die als → Abdeckfolien oder zur Herstellung von → Säcken dienen. Die Lichtbeständigkeit von PE-Folien wird durch die Einfärbung wesentlich verbessert, da der in den meisten Fällen dafür verwendete → Ruß eine hohe UV-Absorption besitzt. → Opaques BOPP zeigt besondere optische Effekte und wird in der Lebensmittelverpackung eingesetzt. Der Zusatz sehr geringer Mengen (weniger als 1%) von → Titandioxid verleiht Polyethylenfolien eine glänzende und sehr glatte Oberfläche.
Farbige Folien findet man überwiegend in technischen Anwendungen, z.B. bei → Klebebändern.
Bei der Verarbeitung pigmentierter Folien können sich an den Werkzeugoberflächen Ablagerungen bilden, die zu beträchtlichen Störungen des Produktionsprozesses führen (→ Plate-out-Test). → Migration tritt bei anorganischen Pigmenten nicht auf.

Einfriertemperatur, *<glas transition temperature>*, → Glasübergang.

Einschlagmaschinen, *<wrapping machinery>*, → Verpackungsmaschinen.

Einschneckenextruder, *<single-screw extruder>*, → Extruder.

Einschnürung, *Neck-In, <neck-in>*, das Schmalerwerden einer Folienbahn, wenn das Material aus dem Düsenspalt austritt und erkaltet. Eine Verringerung des Neck-in gelingt bei der → Flachfolienextrusion durch eine elektrostatische Fixierung (Punktauflader). Die Einschnürung ist bei der → Extrusionsbeschichtung ein Störfaktor, weil die Bahn des Substrats breiter ist, als die aufextrudierte Schicht. Auch bei → Stretchfolien spricht man von Einschnürung, wenn die Folienbahn beim Verstrecken schmaler wird. Man versucht, die Einschnürung durch die Materialauswahl und die Art der Herstellung klein zu halten, um eine möglichst große Folienausbeute bei der Stretch-Verpackung zu erzielen.

Einstellsäcke, *<liner>*, → PE-HD-Folie.

Einziehdarm, *<ham casting, casting for cured meat produce>*, → Wursthülle, die mit gepökelten Fleisch-

stücken gefüllt und deren Inhalt nach dem Verschließen der Wursthülle durch Räuchern und Kochen haltbar gemacht wird. Die wichtigste Anwendung der Einziehdärme liegt in der Schinkenherstellung. Sie kann handwerklich oder industriell mit entsprechend aufwendig konstruierten Maschinen erfolgen.
Die zur Herstellung der Einziehdärme eingesetzten Produkte müssen für Gase und Wasserdampf durchlässig sein, um ein wirksames Räuchern zu ermöglichen. Weitere Anforderungen sind gutes Dehnvermögen und hohe mechanische Festigkeit. Bevorzugte Produkte sind → Cellulosedarm und → Faserdarm. Cellulosedärme werden meist zur Herstellung kleinerer Schinken, Faserdärme zur Herstellung von voluminöseren Produkten eingesetzt. Bei Anwendung von Faserdarm kann die Herstellung der Kochschinken ohne Einsatz von Formen erfolgen.
Für dieses Verfahren wurden in den letzten Jahren → PA/PE-Folien entwickelt, die unter dem Stichwort Kochschinken-Verpackung näher beschrieben sind. Die häufige Überschneidung in der Anwendung von Wursthüllen und Folien wird an diesem Beispiel besonders deutlich.

elastische Turbulenz, *<melt fracture>*, → Schmelzbruch.

Elastizitätsmodul, *E-Modul, <elastic modul, modulus of elasticity>*, Einheit: N/mm^2 oder N/cm^2. Prüfnorm DIN 53457. Besonders hohe Werte haben Folien aus → Polyphenylensulfiden, → BOPP und → Polyesterfolien. Die Abhängigkeit des E-Moduls von der Temperatur bei Polyesterfolien ist bei diesen graphisch dargestellt.

Elastomer, *<elastomer plastic>*, → elastomerer Kunststoff.

elastomerer Kunststoff, *Elastomer, <elastomer plastic>*, ein Produkt, das auf mindestens das Doppelte seiner ursprünglichen Länge gedehnt werden kann und bei Aufhebung der Spannung wieder auf seine ursprüngliche Länge zurückgeht. Die entscheidende Abgrenzung gegen die in der Folientechnologie wesentlich bedeutenderen → thermoplastischen Kunststoffe sei durch Vergleich des Spannungs-Dehnungs-Verhaltens an einem Beispiel dargestellt (Abb.). Elastomere Materialien fallen nach ISO-Norm nicht unter die Kunststoffe. Als Kautschuke bilden sie in der Literatur und in der Statistik eine Sondergruppe. In der Folientechnologie stellen sie wie → Pa-

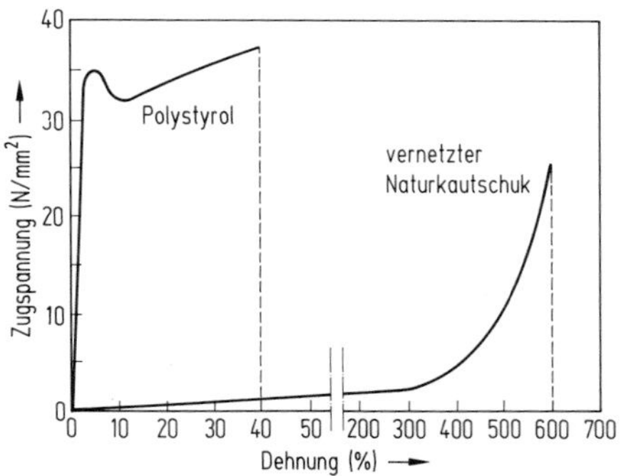

elastomerer Kunststoff. Winnacker-Küchler, Chemische Technologie Band 6, S. 514, Hanser Verlag, München 1982.

pier, → Glas oder → Metall oftmals Wettbewerbs-Produkte für Folien dar. In der Praxis ergänzen sich die genannten Materialien jedoch zu vielseitig einsetzbaren Produkten für den → Technischen Sektor und die → Verpackung. Elastomere Kunststoffe werden deshalb als Grenzgebiet der Folientechnologie in diesem Buch in beschränktem Umfang mitbehandelt.

Elastomere weisen eine vernetzte Molekülstruktur auf. Sie können nicht wie → thermoplastische Kunststoffe über ihre Schmelze zu Folien verarbeitet werden. Die wichtigsten Verarbeitungsschritte für Elastomere Kunststoffe sind die Herstellung der → Kautschuk-Mischungen, die → Kautschuk-Formgebung und die → Vulkanisation. Einfacher als die Verarbeitung von Festkautschuken ist die Formgebung von Latex. Vor allem Folien, Schläuche und andere dünnwandige Artikel werden aus Latices hergestellt.

Zwischen elastomeren und thermoplastischen Kunststoffen steht die Gruppe der → thermoplastischen Elastomeren, die in letzter Zeit zunehmend Bedeutung für die Folienherstellung gewonnen hat.

Elastomerfolie, *Gummifolie, Kautschukvulkanisat, <elastomer, elastomeric compound, rubber article, rubber film>*, eine Folie auf der Basis von weitmaschig vernetzten Polymeren, den → elastomeren Kunststoffen, die hohe Elastizität mit geringer Härte und mittlerer Festigkeit verbinden. In der Fachliteratur werden dünne, flexible, flächige Gebilde aus Elastomeren nicht unter den Begriff „Folien" gefaßt, obwohl sie streng genommen darunter fallen. Andererseits werden die → thermoplastischen Elastomere mit Recht als neue und sehr interessante Bereicherung der Folientechnologie angesehen und entsprechend eingeordnet.

Elastomerfolien können nach den Verfahren der → Kautschuk-Formgebung hergestellt werden. Je nach Aufbau der Makromoleküle sind aber auch die Verfahren der → Folienherstellung, meist nach einiger verfahrenstechnischer Abwandlung, anwendbar. Eine Sonderform zur Herstellung fertiger Gebrauchsartikel aus Elastomer-Folien ist das → Tauchen.

elektrische Eigenschaften, *<electrical properties>*. Alle Folien aus organischen Polymeren sind sehr gute elektrische Isolierstoffe. Sie besitzen hohen → Durchgangswiderstand und → Oberflächenwiderstand sowie gute → Durchschlagfestigkeit. → Dielektrizitätszahl und → dielektrischer Verlustfaktor sind niedrig.

Für den Einsatz von Folien in der Elektrotechnik müssen diese Eigenschaften über einen möglichst großen Temperaturbereich konstant bleiben. Weitere Voraussetzungen sind gute → mechanische Eigenschaften und ausreichende → chemische Eigenschaften der Folien. Als → Elektroisolierfolien und Kondensatorfolien haben sich vor allem → Polyesterfolien, → Polycarbonatfolien und → BOPP bewährt.

Die elektrischen Eigenschaften von Kunststoff-Folien können sich andererseits auch unangenehm auswirken. So gibt es bei der Herstellung, Verarbeitung und Anwendung von Folien immer wieder das Problem der → Elektrostatischen Aufladung, das durch technische Maßnahmen oder durch Zusatz von → Antistatika gelöst werden muß. Für einige Anwendungsgebiete werden → Elektrisch leitfähige Kunststoff-Folien hergestellt. Lit.

elektrische Festigkeit, *<dielectric strength>*, → Durchschlagsfestigkeit.

elektrisch leitfähige Kunststoff-Folie, *leitfähige Kunststoff-Folie, <electroconductive film>*. Folien aus organischen Polymeren sind in der Regel gute Isolations-Materialien. Für einige Anwendungen werden jedoch elektrisch leitfähige Produkte benötigt. Es gibt prinzipiell drei Wege zu ihrer Herstellung.
1. Erzeugung der Leitfähigkeit durch die chemische Struktur der Polymeren. Geeignet sind polykonjugierte Systeme, z.B. Polyacetylene, Polyphenylene oder Polypyrrole:

Polyacetylen

Polyphenylen

Polypyrrol

Derartige Produkte besitzen jedoch eine hohe Sauerstoff-Empfindlichkeit und ungenügende Stabilität und haben bisher nur theoretisches Interesse gefunden. In neuerer Zeit ist allerdings Polypyrrol in Form von Pulver und als nicht gestützte Solofolie in Dicken von 20 bis 500 μm verfügbar. Das Pulver kann thermoplastischen Materialien zugesetzt werden, um deren Leitfähigkeit zu erhöhen. Die spezifische Leitfähigkeit der tiefschwarzen *Polypyrrol-Folie* bleibt bei Raumtemperatur erstaunlich lange erhalten (Abb. 1).

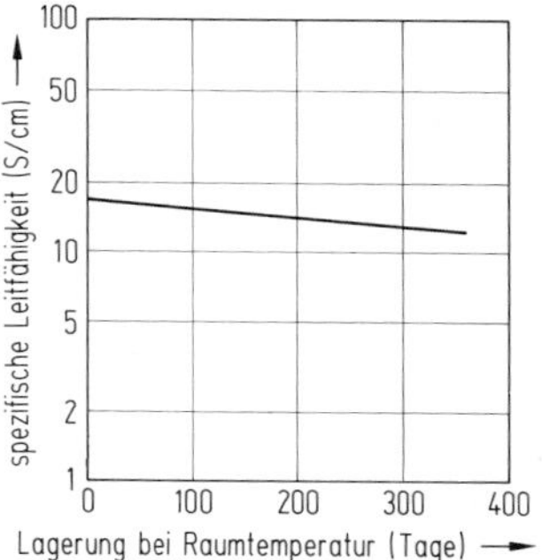

elektrisch leitfähige Kunststoff-Folie. Abb. 1. BASF, Ludwigshafen, Firmenschrift.

Die Folien werden bei der Herstellung hochwertiger Teile in der Elektrotechnik eingesetzt, z.B. in wiederaufladbaren Batterien, und speziellen Kondensatoren oder Elektroden.
2. Aufbringen einer leitfähigen Oberflächenschicht. Dies kann durch Beschichten oder Bedrucken der Kunststoff-Folien mit leitfähigen Lacken oder Druckfarben geschehen. Wesentlich wichtiger ist das → Metallisieren der Folien. Die Leitfähigkeit solcher Folien ist ausgezeichnet, fällt aber bei mechanischer Verletzung der Oberfläche stark ab. Sie

kann auf Werte nahe Null zurückgehen, wenn nur noch metallische Inseln auf der Folienoberfläche vorliegen.

3. Einlagerung von leitfähigen Additiven. Geeignete Produkte sind → Ruß, Graphit und Metalle in Form von Pulvern, Flocken, Drähten oder Fäden. Zur Ausbildung geschlossener, elektrisch leitfähiger Bahnen muß eine bestimmte kritische Konzentration (Schwellenkonzentration) überschritten werden. Diese hängt von der Art des Additivs, seiner Kristallinität, Morphologie und Geometrie ab. Auch der Mischprozeß hat wesentlichen Einfluß.

Ruß ist wegen seiner geringen Dichte, seiner chemischen Indifferenz und seines niedrigen Preises das bevorzugte Zusatzmittel zur Herstellung leitfähiger Folien. Die Konzentrationen liegen zwischen 15 und 45%. Es besteht eine logarithmische Abhängigkeit der Leitfähigkeit von der Ruß-Konzentration. Bei der Verarbeitung der Ruß enthaltenden Thermoplasten kann es z.B. bei der → Blasfolien-Extrusion oder bei → Reckverfahren zu einer Orientierung der Rußteilchen kommen. Dies führt zu einer Anisotropie der Leitfähigkeit in der Folienbahn. Die mechanischen Eigenschaften der Folien werden durch höhere Rußkonzentrationen verschlechtert.

Im → Gießverfahren hergestellte, mit Ruß gefüllte → Polycarbonatfolien sind isotrop. Die Abhängigkeit des Spezifischen Oberflächenwiderstands in trockenem Zustand von der Foliendicke zeigt Abb. 2. Elektrisch leitfähige Kunststoff-Folien werden zur Verpackung von Bauelementen der Elektronik und Mikroelektronik verwendet. Der Schutz derartiger Produkte vor Beschädigung durch elektrische Entladung und durch die damit verbundenen elektrostatischen Felder ist mit der ständigen Verfeinerung der Bauteile immer wichtiger geworden. Die gilt für den industriellen und vor allem für den militärischen Bereich.

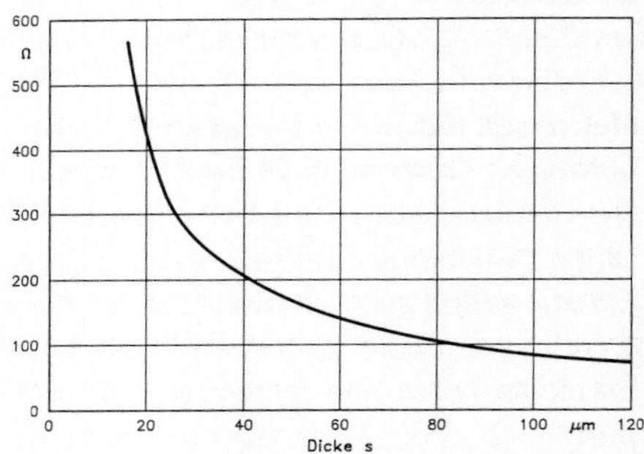

elektrisch leitfähige Kunststoff-Folie. Abb. 2. Bayer AG, Leverkusen, Firmenschrift.

Im → Technischen Sektor dienen rußgefüllte → Polyesterfolien mit eingearbeiteten Kupferbändern und durchschlagsicherer Abdeckfolie als Bauelemente für Fußboden- und Deckenheizungen.

Leitfähige Kunststoff-Folien wurden auch als Innenhüllen zur Verpackung von Schallplatten vorgeschlagen.

Die Prüfung der leitfähigen Folien erfolgt meist durch Messung des elektrischen Widerstands. Lit.

Elektroisolierband, *<tape for electrical insulation>*, → Elektroisolierfolie, → Klebebänder.

Elektroisolierfolie, *<film for electrical insulation>*, ein in Elektrotechnik und Elektronik verwendeter *Isolierstoff*. Einen Überblick über wichtige Eigenschaften solcher Produkte gibt die Tabelle.

Neben guten → Elektrischen Eigenschaften müssen derartige Folien auch über gute Temperaturbeständigkeit verfügen. In dieser Hinsicht wurden in den letzten Jahren besonders stabile → Hochleistungsfolien entwickelt. Elektroisolierfolien werden auf vielen Gebieten als meist selbstklebende Isolierbänder eingesetzt (→ Klebebänder). Die Folien sind zur Kennzeichnung häufig eingefärbt.

Elektroisolierfolien, z.B. → Polycarbonatfolien, werden auch als schwer entflammbar ausgerüstetes Material hergestellt.

Eine Spezialanwendung für den Einsatz von Folien als elektrische Isolierstoffe sind die → Kondensatorfolien.

Elektrostatische Abschirmung, *<static shield>*, → statischer Schirm.

Elektrostatische Aufladung, *<electrical charge>*. Die meisten Kunststoffe sind sehr schlechte Leiter für den elektrischen Strom. Damit verbunden ist ihre Fähigkeit zur elektrostatischen Aufladung, vor allem durch Reibung. Die Herstellung, Verarbeitung und Anwendung von Folien ist immer mit Bewegungsabläufen verbunden. Das Auftreten von elektrostatischer Aufladung ist deshalb unvermeidlich.

Diese kann während der Produktion und der Anwendung von Folien zu Störungen, im Extremfall sogar zu ge-

Elektroisolierfolie.

Kunststoffbasis der Folie		Einstellung	Mechanische Eigenschaften		Elektrische Eigenschaften				Thermische Eigenschaften	
	s. S.		Zugfestigkeit längs N/mm^2	Reißdehnung längs %	Dielektrizitätszahl bei 50 Hz/20 °C	Dielektrischer Verlustfaktor bei 50 Hz/20 °C $\tan\delta \cdot 10^3$	Spez. Durchgangswiderstand $\Omega \cdot cm$	Durchschlagfestigkeit kV/mm	Formbeständigkeit unter Zug bei kurzzeitiger thermischer Beanspruchung °C	Verhalten bei Langzeitbeanspruchungen (Grenztemperatur) °C
Polypropylen	236	biaxial verstreckt	150	75	2,3	0,7	10^{17}	300	150	105
Polystyrol	241	wärmebeständig	70	4	2,5	< 0,2	10^{17}	200	110	90
Polytetrafluorethylen	277		17	350	2,1	< 0,3	10^{17}	100	190	< 180
Polyethylenterephthalat	311	biaxial verstreckt	210	111	3,3	2	10^{17}	300	240	130
Polycarbonat	307	normal	90	110	3,1	2,5	10^{17}	240	150	130
		kristallisiert und verstreckt	250	35	2,8	1,2	10^{17}	280	230	130
Polyphenylenoxid	320		65	25	2,7	1,5	10^{16}	300	170	110
Polysulfon	320		80	65	3,1	1,2	$5 \cdot 10^{14}$		185	165–170
Polyhydantoin	484		100	119	3,3	1,5	$4 \cdot 10^{16}$	250	260	160
Polyamidimid	321		180	45	4,2	9	$3,5 \cdot 10^{17}$	200	> 250	
Polyimid	453		180	70	3,5	2	10^{17}	270	> 350	> 180
Cellulosetricetat	324	normal	90	23	4,5	12	10^{14}	220	190	120
		weich	80	27	4,3	21	10^{15}	200	170	120
Celluloseacetobutyrat	324	normal	80	25	4,1	11	10^{15}	230	150	120

Saechtling, Kunststoff-Taschenbuch, 23. Ausgabe, Hanser Verlag

fährlichen Situationen führen. Beispiele sind Verschmutzung der Folienbahn durch elektrostatische Anziehung von Schmutzpartikeln aus der Umgebung, Aufladung von Personen mit nachfolgendem Entladungs-Schlag, Produktionsstörungen durch Klumpenbildung bei der Förderung von Kunststoff-Pulvern oder -Granulaten, Zusammenbacken von Folienbahnen bis zu Funkenbildungen, die Staub- oder Lösungsmittel-Explosionen auslösen können.
Wichtigste Maßnahmen zur Vermeidung von Gefahren durch elektrostatische Aufladung ist die Ableitung der elektrischen Ladung durch Erdung der entsprechenden Maschinenteile. Die Erhöhung der Luftfeuchtigkeit begünstigt die Leitfähigkeit der Folien-Oberflächen und damit den Abfluß elektrostatischer Aufladung. Die Erhöhung der Leitfähigkeit der Umgebungsluft durch Ionisatoren ist eine mehr theoretische Möglichkeit zur Vermeidung elektrostatischer Aufladung.
Für die Vermeidung von elektrostatischer Aufladung von Folien ist die Anwendung von → Antistatika unerläßlich. Für spezielle Verpackungen wurden → Elektrisch leitfähige Kunststoff-Folien entwickelt.

Emballage, → Messen.

Empfänger, *<susceptor>*, → Mikrowellentechnik.

Entflammbarkeit, *<combustion behaviour>*, → Brennverhalten.

Entmetallisierung, *<de-metallizing>*. Durch → Metallisieren mit Aluminium hergestellte Folien werden gezielt vom Metall befreit. Wo die Metallschicht erhalten bleiben soll, wird sie durch einen Lackauftrag geschützt. Die Folie wird dann mit verdünnter Natronlauge behandelt, die die Aluminiumschicht auflöst. Nach Waschen und Trocknen erhält man ein Produkt mit den vorgegebenen Mustern.
Das Verfahren ist zum → Dekorieren von Folien durchaus interessant. Seiner praktischen Anwendung steht bisher die ungünstige Wirtschaftlichkeit entgegen.

Entsorgung, *<waste removal>*. Abfälle, die während der Herstellung und Verarbeitung von Folien entstehen oder die nach dem Gebrauch der Folien (z.B. Verpackung von Bedarfsgegenständen) anfallen, sind aus Gründen des Umweltschutzes nicht unproblematisch.
Es wird für die Entsorgung von Folienabfällen mit Sicherheit keine Patentlösung geben. Es muß vielmehr dringend eine systematische *Abfallwirtschaft* entwickelt werden. Sicher ist dazu viel Forschungs- und Investitionsaufwand erforderlich.
Der Gedanke an die Entsorgung muß schon bei der Auswahl der zur → Folienherstellung verwendeten Rohstoffe mitspielen. → thermoplastische Kunststoffe mit niedriger Dichte ergeben eine bessere Flächenausbeute, chlorfreie Produkte sind per se unproblematischer.
Sparsamer Materialeinsatz war schon aus wirtschaftlichen Gründen stets ein sehr wichtiges Ziel der Folientechnolo-

gie. Durch die Entwicklung neuer Verfahren und neuer Rohstoffe konnten die Foliendicken in vielen Fällen bei voller Erhaltung der → mechanischen Eigenschaften stark verringert werden. Ein eindrucksvolles Beispiel sind die → PE-LD- und PE-LLD-Folien. Auch die Kombination verschiedener Rohstoffe zu → Verbundfolien hat erhebliche Einsparungen bei Kunststoff- und Aluminium-Folien geführt.
Der Entsorgung von Folienabfällen ist die Wiederverwendung vorzuziehen. Bei der → Folienherstellung sind große Fortschritte bei der → Rückführung von Abfällen erzielt worden. Schwieriger wird das Problem bei der → Folien-Verarbeitung, da hier meist Produkte eingesetzt werden, die aus mehreren verschiedenen Polymeren aufgebaut und außerdem sehr häufig noch bedruckt sind. Besonders schwierig wird die Entsorgung, wenn es sich um verschmutzte Folien handelt. Die Lösung des → Litterproblems mit Hilfe technischer Mittel wird nicht möglich sein.
Zur Entsorgung von unvermeidbaren Folienabfällen werden die geordnete → Deponie und die → Verbrennung eingesetzt. In Zukunft wird möglicherweise die → Pyrolyse als Verfahren zur Entsorgung zur Verfügung stehen. Der Einsatz → abbaubarer Kunststoffe zur Herstellung von Folien erscheint, ebenso wie die → kunststofffreie Verpackung, dagegen problematisch.

Epoxide, *<epoxides>*, enthalten die Gruppe ,

die mit vielen anderen funktionellen Gruppen nach dem Schema der → Polyaddition reagieren kann. Die Reaktion ist für die Herstellung von → Kaschierklebstoffen von Bedeutung. → Epoxydweichmacher werden in → Weich-PVC-Folie, Ethylenoxid zur → chemischen Sterilisation verwendet.

Epoxid-Weichmacher, *<epoxide plasticizers>*, werden durch Umsetzung von ungesättigten Fettsäureestern mit Persäuren hergestellt und dienen als → Weichmacher. Besondere Bedeutung haben sie bei der Verarbeitung von → Weich-PVC und → Hart-PVC. Epoxy-Weichmacher sind Acceptoren für abgespaltenen Chlorwasserstoff und wirken deshalb stabilisierend. Die Wirkung von anderen → PVC-Stabilisatoren wird verstärkt. Beispiele sind Epoxy-Stearinsäureester und epoxidiertes Soja- oder Leinöl.

Ergiebigkeit, *<yield>*, Flächenausbeute.

Erinnerungsvermögen, *<memory effect>*, → Memory-Effekt.

Ernteverfrühung, *<crop acceleration>*, → Landwirtschaftsfolien.

Essigsäure, *Eisessig, <acetic acid>*, CH_3COOH, eine klare, farblose Flüssigkeit von stechendem Geruch, die auf Haut und Schleimhäute stark ätzend wirkt. D = 1,05 g/ml, F = 17 °C, Kp. = 117,9 °C. Essigsäure findet als Lösungsmittel vor allem bei Acetylierungen, z.B. bei der Herstellung von → Cellulose-acetat, Verwendung.

Essigsäureanhydrid, *Acetanhydrid,* *<acetic anhydride>*, eine farblose Flüssigkeit, die stark ätzend und stechend riecht. D = 1,08 g/ml, F = -73 °C, Kp = 139 °C, MAK 20 mg/m^3. Es wird zur Durchführung von Acetylierungen verwendet, z.B. zur Herstellung von → Cellulose-acetat.

ETFE-Folie, → Polyethylen-Tetrafluorethylen-Folie.

Ethylcellulosefolie, *<Ethylcellulose film>*, wird aus Ethylcellulose nach einem → Gießverfahren mit → Methylenchlorid als Lösungsmittel hergestellt. Die Folien enthalten meist ca. 15% → Weichmacher. Die Folien sind transparent bis opak. Ihre Erweichungstemperatur liegt bei 151 °C. Sie werden in kleinem Umfang in der Feuerwerks- und Raketentechnik eingesetzt.

Ethylenoxid, *EO, Oxiran, veraltet Äthylenoxyd, ÄO, <ethylene oxide>*, CH_2-CH_2, ein farbloses, süßlich rie-

–CH–CH– (über O zum Ring verbunden)

chendes Gas, giftig, schleimhautreizend, carcinogen. MAK-Wert 90 mg/m^3. EO bildet mit Luft explosible Gemische in sehr weiten Grenzen (2,6 bis 100 Vol.-%). Seine Herstellung erfolgt durch Oxydation von Ethylen mit Luft unter Einsatz von Katalysatoren.

Ethylenoxid ist ein wichtiges Zwischenprodukt u.a. zur Herstellung von Polyethylenglykolen wie → Diethylenglykol und → Triethylenglykol, → Weichmachern und Dispergiermitteln. Es wird zur → chemischen Sterilisation, vor allem in der → Medizinischen Verpackung, eingesetzt. Die Sterilisation von Lebensmitteln ist in vielen Ländern, auch in der Bundesrepublik Deutschland, verboten. Für die Entkeimung von Gewürzen ist EO zugelassen.

Ethylen-Vinylacetat-Copolymere, *EVA, <Ethylen-vinyl-acetate, EVA>*, werden aus Ethylen und Vinylacetat

$H_2C=CH_2$ $H_2C=CH{-}O{-}C(=O){-}CH_3$

durch → Polymerisation gewonnen. Die Produktionsmethoden entsprechen weitgehend den zur Herstellung von → Polyethylen angewendeten Verfahren.

Der Anteil an Vinylacetat kann in sehr weiten Grenzen schwanken und bei einigen % bis weit über 50% liegen. Produkte mit mehr als 50 Gew.% werden häufig auch als VAE, *Vinylacetat-Ethylen-Copolymere* bezeichnet.

EVA mit niedrigem VA-Gehalt sind thermoplastisch. Mit höheren Vinylacetat-Anteilen nehmen die elastischen Eigenschaften zu. Die Produkte werden, gegebenenfalls nach weiterer Modifizierung durch Pfropfpolymerisation, als → Schlagzähigkeitsverbesserer für → Polyvinylchlorid und → Polyethylen eingesetzt. Bei → Stretch-Folien aus PE-LD werden Dehnbarkeit und Elastizität erhöht. Auch bei Folien für die → medizinische Verpackung verbessert ein Zusatz von etwa 5% EVA zum Polyethylen einige mechanische Eigenschaften und das Verhalten beim →

Heißsiegeln. Verbundfolien mit EVA-Schichten wurden für spezielle Anwendungen in der Verpackungstechnik, z.B. für die → Bag-in-Box Verpackung entwickelt.

EVA-Copolymere stellen die am häufigsten verwendete Produktgruppe zur Herstellung von → Schmelzklebstoff dar. EVA-Polymere werden auch als → Haftvermittler, als Isoliermaterial in der Kabeltechnik und als Zusätze von Kautschuk-Mischungen verwendet. Produkte mit Vinylacetat-Gehalten von etwa 50% sind oxidativ und chemisch vernetzbar und können zu besonders wärmestandfesten Synthekautschuken verarbeitet werden.

Eine vergleichende Übersicht über Ethylen-Vinylacetat Copolymere zeigt die Tabelle auf S. 122. Es wird deutlich, wie vielfältig diese Kunststoffgruppe in der Folientechnologie eingesetzt wird. Die Bedeutung der Produkte ist steigend.

EVA-Copolymere sind auch Ausgangsprodukte zur Herstellung von → Ethylen-Vinylalkohol-Copolymeren, die für die Herstellung von → Sperrschicht-Folien Bedeutung haben.

Ethylen-Vinylalkohol-Copolymere, *EVOH, (veraltet) EVAL, <ethylene-vinylalcohol-copolymer, EVOH>*, ein thermoplastisches Copolymer des Vinylalkohols mit Ethylen. Sie können durch folgende Struktur beschrieben werden:

$$-(CH_2-CH_2)_n-(CH_2-\underset{\underset{\underset{\displaystyle O}{\|}}{O-C-CH_3}}{\overset{|}{CH}})_m-$$

Vinylalkohol ist eine nicht beständige chemische Verbindung. Die Polymeren werden durch Verseifung aus Vinylacetat-Ethylen-Copolymeren gewonnen

$$-(CH_2-CH_2)_n-(CH_2-\underset{OH}{\overset{|}{CH}})_m-$$

und enthalten deshalb stets noch Acetatgruppen. EVOH ist hochkristallin. Die Eigenschaften hängen stark vom Aufbau der Produkte ab (Tabelle).

Ethylen-Vinylalkohol-Copolymere.

Eigenschaft	Einheit	Bereich
Ethylen-Gehalt	mol %	29–48
Dichte	g/cm^3	1,13–1,21
Schmelzbereich	°C	158–189
Schmelzindex	g/10 min.	0,7–20

Wichtigstes Merkmal des EVOH ist seine sehr geringe → Durchlässigkeit für Gase, insbesondere für Sauerstoff. Diese liegt unter vergleichbaren Bedingungen noch etwas niedriger als die von → Polyvinyliden-chlorid. Beide Produkte stehen bei der Herstellung von → Sperrschicht-Folien miteinander im Wettbewerb. EVOH hat Vorteile, weil es kein chemisch gebundenes Chor enthält. Dadurch ist EVOH ohne Korrosionsgefahr zu extrudieren, Abfälle können wegen seiner größeren thermischen Stabilität in den Prozeß zurückgeführt werden und es entsteht bei der → Entsorgung durch Verbrennung kein Chlorwasserstoff.

Die Herstellung von → Solofolien aus Ethylen-Vinylalkohol-Copolymeren er-

Ethylen-Vinylacetat-Copolymere.

VA-Gehalt der Coploymerisate	Eigenschaften und Anwendungen (Gew.-%)
1 bis 10	im Vergleich mit Homo-LDPE transparenter, flexibler, zäher (Schwersackfolien, Tiefkühlverpackungen), leichter siegelnd (Beutel, Verbundfolien), weniger anfällig gegen Spannungsrißbildung (Kabelummantelungen), bei niedrigerer Temperatur höherer Schrumpf (Schrumpffolien), geringere Relaxation vorgedehnter Folien (Streckfolien).
15 bis 30	noch thermoplastisch verarbeitbar, sehr flexibel und weich, kautschukähnlich (Anwendung vergleichbar mit Weich-PVC, besonders für Verschlüsse, Dichtungen, rußgefüllte thermoplastische Massen für die Kabelindustrie).
30 bis 40	hohe elastische Dehnung, Weichheit mit Füllstoffaufnahmefähigkeit, breiter Erweichungsbereich, Polymerisate mit großer Festigkeit und guter Adhäsion für Beschichtungen und Klebstoffe.
40 bis 50	Produkte mit noch ausgeprägter Kautschuk-Eigenschaften (peroxidisch und mit Strahlen vernetzbar, z.B. für Kabel; für Pfropfreaktionen, z.B. für hochschlagfestes PVC mit sehr guter Witterungsbeständigkeit; durch Hydrolyse resultieren Polymerisate für Gewebebeschichtungen, Schmelzkleber, thermoplastische Verarbeitung zu Formkörpern und Folien mit hoher Festigkeit und Zähigkeit).
70 bis 95	Verwendung in Form von Latices für Emulsionsfarben, Papierbeschichtung, Klebstoffe und von Verseifungsprodukten für Folien und spezielle Kunststoffe.

Saechling, Kunststoff-Taschenbuch, 23. Ausgabe, Hanser Verlag.

folgt durch → Extrusion. Die Folien sind bei genügend hohem Gehalt an Vinylalkohol wasserlöslich. Ihre Anwendung ist auf spezielle Fälle beschränkt. Durch → Coextrusion hergestellte Verbundfolien werden in steigendem Maße in der Lebensmittel-Verpackung als → Sperrschicht-Folien eingesetzt.

Etikett, *<label>*, eine flächige Markierung kleineren oder mittleren Formats auf der Grundlage von Papier oder Folien. Etiketten werden auf der Oberfläche von Gütern aller Art aufgebracht. Ihr Aufdruck dient der Information über die Art des etikettierten Produkts oder der Werbung für dieses Produkt.

Die überwiegende Menge der Etiketten basiert auf Papier. Der Einsatz von Kunststoff-Folien bedeutet eine wesentliche Verbesserung der Chemikalien- und Wasserbeständigkeit und der mechanischen Eigenschaften. Die Prinzipien der Etikettenherstellung ähneln sehr stark dem Aufbau der → Prägefolien und der → Klebebänder.
Als Folien wurden früher in großem Maßstabe → PVC-Folien eingesetzt. Heute werden mehr und mehr → Polyethylenfolien verwendet. Beide Folientypen sind knitterfest, dehnbar, geschmeidig, kältefest und bis ca. 70 °C wärmefest. Etiketten auf Basis PE haben den Vorteil der Freiheit von Weichmachern und der größeren Flächenausbeute. Zur Etikettierung von Luxusgütern werden auch → Metallfolien oder metallisierte Kunststoff-Folien eingesetzt.
Etiketten auf Basis Polyethylen, verstrecktem Polypropylen, PVC oder geschäumten Folien werden auch zur Rundum-Etikettierung von Glasflaschen verwendet. Sie bieten neben der Dekoration zusätzlichen Schutz für die Flasche beim Handling. Schrumpfetiketten werden in Form von → Schrumpfbändern aufgebracht.

Europäisches Kommitee für Normung, *CEN*, → Normung.

EUWID Kunststoffdienst, ein wöchentlich erscheinendes Mitteilungsblatt mit Nachrichten über den Kunststoffmarkt, Herstellerfirmen, Entwicklungstendenzen und Literaturauszügen.

Ex-line Produktion, *<ex-line production>*, Gegenteil von → In-line Produktion.

Exportverpackung, *<export packaging>*, → Institut für Exportverpackung.

Extender-Füllstoff, *<extender filler>*, → Füllstoff.

Extruder, *Schneckenstrangpresse, Schneckenpresse, „Schnecke" (Betriebsjargon), <extruder, screw extruder>*, ein Gerät zum kontinuierlichen Aufschmelzen von → thermoplastischen Kunststoffen, das im wesentlichen aus einer oder mehreren Schnecken besteht, die in einem Zylinder rotieren. Der Einsatz von Extrudern begann um 1930 mit der Verarbeitung von → Polyvinylchlorid. Die Extrudertechnologie wurde seitdem ständig weiterentwickelt und durch die Einführung neuer Rohstoffe immer wieder vor neue Herausforderungen gestellt.
Es gibt zahlreiche Varianten von Extruder-Schnecken. Abb. 1 zeigt Beispiele für die zur Folienherstellung in der Regel eingesetzten Einschnecken-Extruder. Die Extruder werden durch den Zylinder- bzw. Schneckendurchmesser D und die wirksame Schneckenlänge L als Vielfaches des Durchmessers gekennzeichnet. Die Durchmesser liegen bei etwa 30 bis 200 mm, die Längen bei 15 bis 45 D. Die Antriebsleistungen betragen 5 bis über 500 kW. Die Arbeitsweise eines Einschnecken-Extruders zeigt Abb. 2.

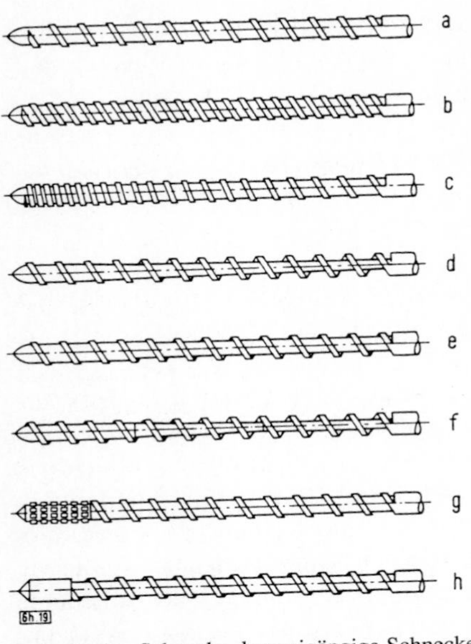

a eingängige Schnecke; b zweigängige Schnecke; c steigungsdegressive Schnecke; d kernprogressive Schnecke; e Kurzkompressionsschnecke; f Dreizonenschnecke; g Schnecke mit Mischteil; h Schnecke mit Scherteil

Extruder. Abb. 1. Ullmann *15*, 297.

Der thermoplastische Rohstoff wird als Pulver oder als Granulat durch einen Trichter zugeführt. Dieser ist gekühlt, um ein Anbacken des Polymeren an der Trichterwand zu verhindern. Im ersten Schneckenteil, der Einzugszone, wird das Material vorgewärmt, verdichtet und entgast. In der folgenden Umwandlungszone beginnt der Aufschmelzvorgang, das Produkt wird dabei weiter komprimiert. Die → Schüttdichte ist bei Thermoplasten etwa doppelt so groß wie die Dichte der Schmelze. Die zweite Schneckenzone wird häufig auch als Kompressions- oder Aufschmelzzone bezeichnet. Der dritte Schneckenteil, die Ausstoß- oder Metering-Zone, dient der Homogenisierung des Materials. Hier wird auch der nötige Druck aufgebaut, um den Widerstand beim Eintritt der Schmelze in das → Formwerkzeug zu überwinden. Dieses muß sorgfältig mit dem Extruder abgestimmt sein. Das Temperaturprofil des Zylinders muß in Fließrichtung ansteigen. Aus dem

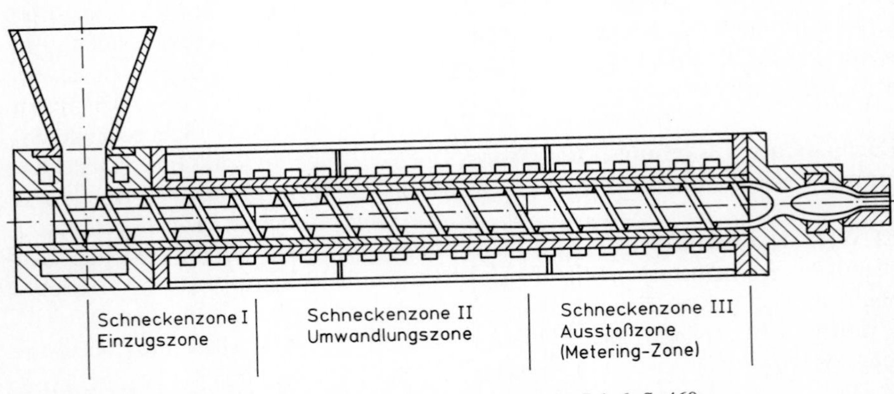

Extruder. Abb. 2. Winnacher-Küchler, Chemische Technologie, Bd. 6, S. 460.

Kunststoffgranulat wird an der heißen Zylinderwand ein Schmelzefilm gebildet, der von der Schnecke abgeschält, axial vorwärts transportiert und mit der im mittleren Zylinderteil bereits vorhandenen Schmelze vermischt wird. Bei zu hohen Temperaturen gleitet das Material an der Zylinderwand auf einem niedrigviskosen Schmelzefilm. Zu geringe Temperaturen bewirken eine Störung der Reibungsverhältnisse. In beiden Fällen wird die Förderung verringert oder sie bricht ganz zusammen. Auch durch zu hohe Drehzahlen, die eine Rückströmung der Schmelze begünstigen, kann die Förderung zusammenbrechen. Für einen stabilen Betriebszustand müssen also Temperatur, Drehzahl und Strömungswiderstand aufeinander abgestimmt sein. Die Erwärmung der plastifizierten Masse erfolgt in der Austragszone zunehmend autotherm, d.h. durch Reibungs- und Scherenergie. Die in den letzten 10 Jahren intensiv bearbeitete Herstellung von → PE-LD- und PE-LLD-Folien hat zu einigen Neuentwicklungen bei Extrudern geführt. Ein wichtiges Beispiel sind Extruder mit genuteter Einzugszone. Die Zylinderwand wird mit Nuten versehen, die meist einen rechteckigen Querschnitt haben und in Achsrichtung angeordnet sind. Dieser Bereich muß intensiv gekühlt werden, um eine Haftung des Polymeren an der Zylinderwand zu verhindern. Durch optimale Abstimmung von Zylinder- und Schneckengeometrie können die Durchsätze im Vergleich zu Extrudern mit glatter Innenfläche wesentlich gesteigert werden. Die Tabelle 1 zeigt die Verhältnisse bei PE-LD und die Tabelle 2 bei → Polypropylen.

Zur Erzielung höherer Durchsätze, wie sie z.B. bei der Herstellung von → BOPP oder von → Polyesterfolien durchaus üblich sind, werden zwei Extruder zu einem Tandem-Aggregat vereinigt.

Im Gegensatz zum Einschnecken-Extruder bewirkt der Mehrschnecken-Extruder mit eng ineinander greifenden Schnecken eine Zwangsförderung des polymeren Materials. Zweischnecken-Extruder sind aufwendiger und werden deshalb nur dort eingesetzt, wo befrie-

Extruder. Tab. 1.

Zylinder-Durchmesser	Einzugszone glatt Förderrate	Einzugszone glatt Durchsatz	Einzugszone genutet Förderrate	Einzugszone genutet Durchsatz
(mm)	(kg/h · min^{-1})	(kg/h)	(kg/h · min^{-1})	(kg/h)
60	0,6 ... 0,7	140	0,9 ... 1	220
90	1,7 ... 1,9	300	2,6 ... 2,8	450
120	3,2 ... 4,2	470	5 ... 5,2	650
150	7 ... 8	470	8 ... 8,5	840
200	15 ... 17	1200	18 ... 20	1550

BASF, Ludwigshafen, Firmenschrift.

Extruder. Tab. 2.

Zylinder-Durchmesser	Einzugszone glatt Förderrate	Einzugszone glatt Durchsatz	Einzugszone genutet Förderrate	Einzugszone genutet Durchsatz
(mm)	(kg/h · min^{-1})	(kg/h)	(kg/h · min^{-1})	(kg/h)
60	0,5	120	0,60	150
90	1,8	250	2,33	2850
120	3,0	400	5,00	5250
150	6,0	600	8,50	730

BASF, Ludwigshafen, Firmenschrift.

digende Ergebnisse mit Einschnecken-Maschinen nicht erreicht werden. Dies gilt vor allem für die → Compoundierung von Polyvinylchlorid-Pulvern, wo überwiegend gleichsinnig drehende Schnecken eingesetzt werden und für die Herstellung von Hart-PVC-Folien, bei der Extruder mit gegenläufigen Schnecken verwendet werden. Verschiedene Schneckenkonstruktionen zeigt Abb. 3. Die Durchmesser der Schnecken liegen zwischen 30 bis 160 mm, ihre Längen bei 8 bis 22 D. Die Umdrehungszahlen sind niedrig und betragen 5 bis 50 U/min.. Die Leistungen liegen bei der Folienherstellung bei etwa 60 bis über 1000 kg/h.. Zur Optimierung von Extrudern stehen eine Reihe von Zusatz-Aggregaten zur Verfügung. Wichtig sind vor allem → Siebpakete, → Misch- und Scherelemente, sowie Meßgeräte zur Bestim-

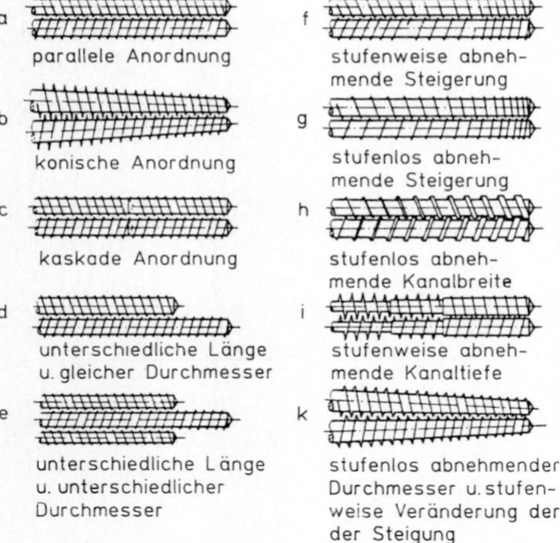

Extruder. Abb. 3. Winnacher, Bd. 6, S. 461.

mung von → Massetemperatur und → Massedruck. Extruder werden in der Folientechnologie in sehr großen Umfange zur → Extrusion thermoplastischer Kunststoffe eingesetzt. Lit.

Extrudieren, *<extrusion>*, → Extrusion.

Extrusiometer, *<metering extruder>*, ein kleiner → Extruder für Laborarbeiten mit Schneckendurchmessern zwischen 20 und 30 mm und einer Schneckenlänge von 20 D, der mit einer Anzahl von besonderen Meßeinrichtungen ausgestattet ist, um Temperatur und Druck der Polymerschmelze sowie Drehmoment, Drehzahl und Schneckenrückdruck aufzuzeichnen. Das Extrusiometer erlaubt eine umfassende Beurteilung des → Fließverhaltens von Thermoplasten, Aussagen über die Wirkung von → Additiven, z.B. von → Gleitmitteln, sowie über → Thermostabilität und Viskositätsverhalten der extrudierten Polymeren.
Das Extrusiometer ist zur Klärung von Extrusions-Problemen, zur Optimierung von Verfahrensparametern und Rezepturen ein sehr wichtiges Hilfsmittel. Typische Meßwerte eines Extrusiometerversuchs zeigt die Abb. am Beispiel einer PVC-Mischung.

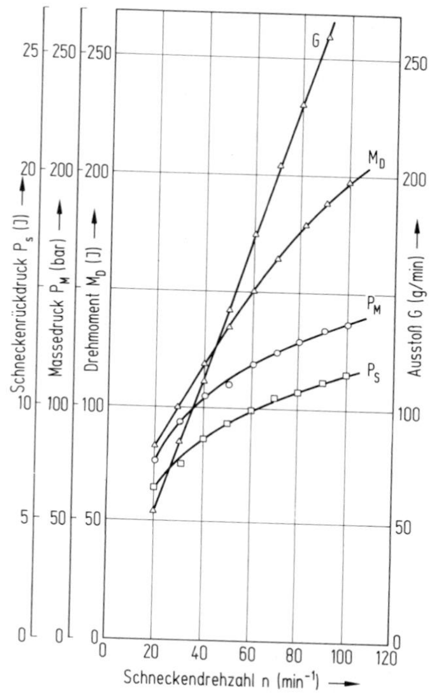

Extrusiometer. Nach Gächter, Taschenbuch der Kunststoff-Additive, Hanser Verlag 1990.

Extrusion, *<extrusion>*, ein wichtiges Verfahren zur Formgebung für → thermoplastische Kunststoffe und für die → Folienherstellung. Wesentliche Bestandteile einer Anlage zur Folienextrusion sind der → Extruder und das → Formwerkzeug. Die beiden wichtigsten Verfahren sind die → Blasfolien-Extrusion und die → Flachfolien-Extrusion. Besondere Bedeutung zur Herstellung von → Verbundfolien hat die → Coextrusion erlangt. Lit.

Extrusions-Beschichten, *Extrusions-Kaschieren, <extrusion laminating, extrusion coating>*, die Herstellung von → Verbundfolien, indem ein → thermoplastischer Kunststoff durch → Extrusion aus der Schmelze auf eine vorgefertigte → Folienbahn aufgebracht wird. Das Prinzip zeigt die Abb. 1. Es entsteht eine 2-Schicht-Verbundfolie. Das Verfahren wird häufig zum Aufbringen von Siegelschichten angewendet. An die Stelle der Folienbahn kann eine Papier- oder Textilbahn treten. Es werden dann zweischichtige Verbunde entsprechender Art erhalten.

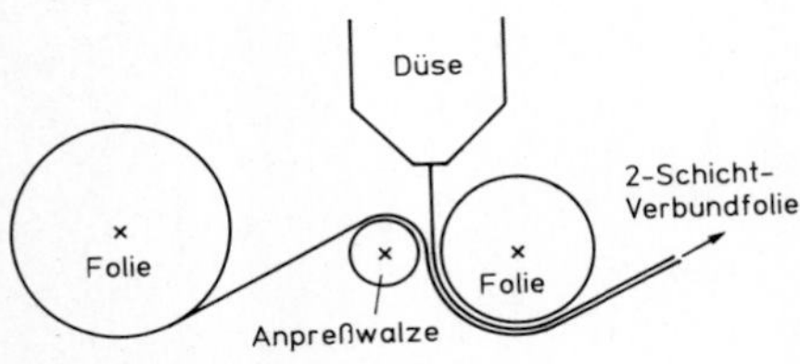

Extrusions-Beschichten. Abb. 1.

Eine Variante dieses Verfahrens ist das Einbringen einer Polymerschmelze zwischen zwei Folienbahnen, wobei eine 3-Schicht-Verbundfolie gebildet wird (Abb. 2).

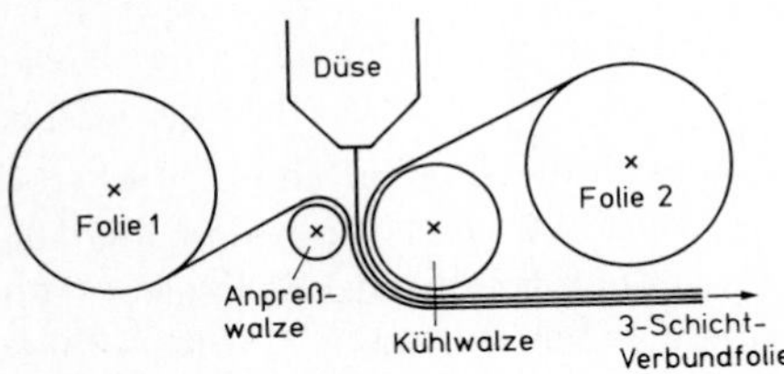

Extrusions-Beschichten. Abb. 2.

Die zur Extrusionsbeschichtung eingesetzte Folienbahn kann eine → Solofolie sein, also aus einer einheitlichen Schicht bestehen oder aber bereits eine Verbundfolie darstellen. Im zweiten Fall werden Verbundfolien mit mehr als zwei bzw. mehr als drei Schichten erhalten. An Stelle von Kunststoff-Folien werden auch *Aluminiumfolien, Aluminiumverbunde* oder → Papier eingesetzt.

Als thermoplastische Kunststoffe werden meist leicht extrudierbare Produkte, vor allem → Polyethylene, → Ionomere oder → Ethylen-Vinylacetat-Copolymere eingesetzt. Diese Materialien müssen eine gute Verbundhaftung aufweisen, um ein späteres → Delaminieren zu verhindern. Gegebenenfalls müssen → Haftvermittler verwendet werden.

Häufig werden die durch Extrusions-Beschichten erhaltenen Bahnen direkt weiterverarbietet, z.B. zu → Kartons, → Beuteln oder → Säcken.

Als Verfahren zur Herstellung von Verbundfolien steht das Extrusionsbeschichten im Wettbewerb mit dem → Kaschieren und dem → Beschichten von Folien. Zwischen den Verfahren gibt es Grenzfälle, z.B. beim Kaschieren mit → Schmelzklebstoffen. Ein weiteres, besonders wichtiges Verfahren zur Verbundfolien-Herstellung ist die → Coextrusion. Häufig wird in der Praxis eine Kombination von mehreren dieser Verfahren angewendet.

Extrusions-Kaschierung, *<extrusion coating>*, → Extrusionsbeschichtung.

F

Fächerpackung, *<shingle pack>*, → Fleischwaren-Verpackung.

Fachzeitschriften, *<journals>*. Für das Gebiet der Folientechnologie gibt es im deutschen Sprachraum keine spezifische, periodisch erscheinende Publikation. Sehr viele und wichtige Beiträge zu diesem Gebiet bringen Fachzeitschriften auf dem Gebiet der Kunststoffe.
Eine umfangreiche Zeitschriftenauswahl besteht auf dem Gebiet der → Verpackung, das mit Abstand das größte Einzelgebiet für die Anwendung von Folien ist (siehe Anhang).

Fahrsilo, → Silagefolien.

Fallbolzenprüfung, *<dart-drop test>*, → Dart-drop-Test.

Fall-Länge, *<length of foil unwinding under its own weight>*, → Kleben von Aluminium-Folien.

Faltkarton, *<folding carton>*, ein Karton, der zunächst ausschließlich aus Papier und Hartpapier hergestellt wurde. Heute sind Kombinationen dieser Materialien mit Kunststoff- oder Aluminiumfolien üblich, weil diese vielfältige neue Möglichkeiten bieten. Zur Herstellung werden eine oder beide Seiten einer Hartpapierbahn mit einer dünnen Schicht von etwa 15 bis 30 μm eines thermoplastischen Polymeren beschichtet. Am häufigsten werden PE-LD-Typen verwendet. Schichten aus diesem Material sind heißsiegelbar und bieten eine gute Wasserdampfsprerre. Bei höheren Temperatur-Beanspruchungen können Schichten aus → Polypropylen oder → Polyethylenterephthalat eingesetzt werden. Derartige Produkte besizten bei geeigneter Materialauswahl → Dual-Ovenability. Die Coextrusion von zwei oder mehr verschiedenen Kunststoffschichten auf Papier wurde vielfältig diskutiert, scheint aber bisher noch keine komerzielle Anwendungen gefunden zu haben.
Die → Laminierung mit Hilfe von Klebstoffen ist die älteste Form der Kombination von Papier mit Kunststoff-Folien. Hierbei können besondere Papierqualitäten, z.B. → fettbeständige Papiere ggf. in Kombination mit Aluminiumfolien eingesetzt werden. Es werden Sperrschicht-Eigenschaften oder optische Effekte erzielt.
Eine besondere Form des gefalteten Kartons ist der *Tetrapack-Faltkarton.* Dieses sehr alte Produkt wurde zunächst aus wachsbeschichtetem Papier hergestellt. Seit den 60er Jahren wurden Kombinationen von Papier und Folien eingeführt. Das Produkt war lange Zeit die bevorzugte Packung für Milch, Fruchtsäfte und andere flüssige Lebensmittel, vor allem in den USA. Neue Entwicklungen könnten dieser Form der Verpackung neuen Auftrieb geben. z.B. wurde ein Sechs-Schicht Aufbau PE / Papier / Ionomer / Aluminium / Ionomer / PE vorgeschlagen.

Farbband, *<inking ribbon>*, → Schreibband.

Färbemittel, *Farbmittel*, <*colorant*>, eine Substanz zur Einfärbung von Substraten. Man unterscheidet zwischen *Farbstoffen*, die meist organischer Natur sind und sich in Kunststoffen lösen und unlöslichen *Pigmenten*. Pigmente können aus organischen oder anorganischen Substanzen bestehen.

Die Teilchengröße von Pigmenten kann in sehr weiten Grenzen schwanken. Die bei der Herstellung der Pigmente anfallenden Primärteilchen lagern sich stets zu größeren Agglomeraten zusammen, die beim Einarbeiten in thermoplastischen Kunststoffe dispergiert werden müssen. Um den damit verbundenen Aufwand zu verringern, werden Pigment-Zubereitungen in flüssiger oder fester Form hergestellt, in denen die Pigmente in dispergierter Form vorliegen. Häufig werden → Masterbatches aus temperaturbeständigen anorganischen Pigmenten und niedermolekularen Polyolefinen eingesetzt. Der Pigmentanteil kann bis zu 70% betragen. Die Pigmentkonzentrate werden in Form von Granulaten verwendet. Diese sind gut rieselfähig und ohne Staubbelästigung leicht zu handhaben. Das mit Abstand wichtigste Weißpigment ist → Titandioxid. Als schwarzes Färbemittel dient speziell hergestellter → Ruß. Für die Bunteinfärbung von Kunststoffen werden anorganische und organische Pigmente in etwa gleichem Maße eingesetzt. Beispiele sind Mischoxide von Chrom oder Nickel mit Titan, Eisenoxid, Chromate, Azopigmente und Phthalocyanine.

Bei Folien, die der Witterung ausgesetzt sind, muß darauf geachtet werden, daß die → Lichtbeständigkeit durch Zusatz von Pigmenten negativ beeinflußt werden kann. Das gilt insbesondere für organische Pigmente, wie Abb. 1 am Beispiel von 50 μm dicken vorstabilisierten Polypropylen-Folien zeigt. In Abb. 2 werden verschiedene anorganische Pigmente verglichen. Schädigungs-Kriterium war bei beiden Untersuchungen der Abfall der Reißfestigkeit auf 50%. Die Befunde zeigen, daß die richtige Auswahl von Pigmenten außerordentlich wichtig ist,

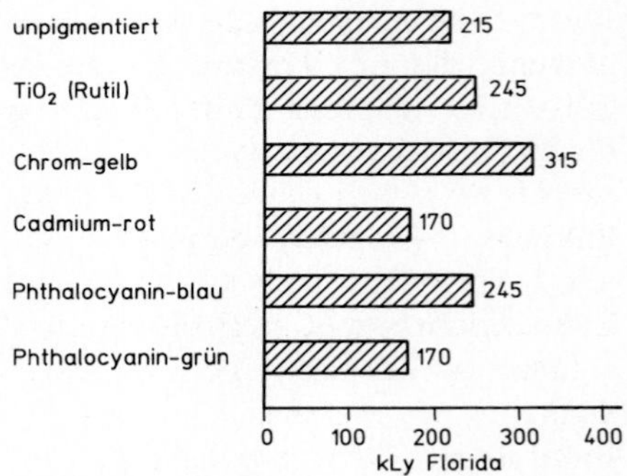

Färbemittel. Abb. 1. Ciba-Geigy AG, Basel, Firmenschrift.

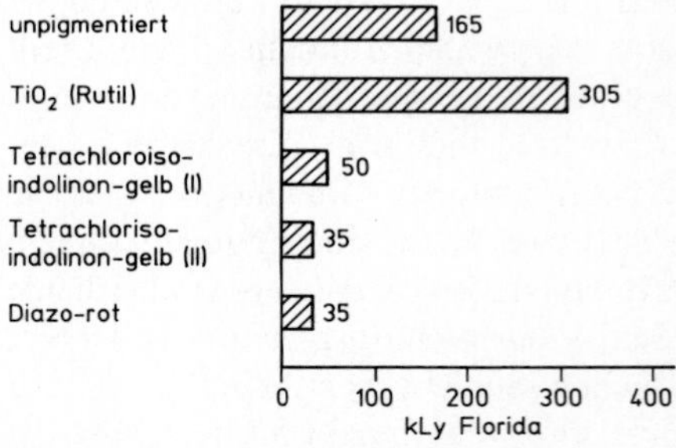

Färbemittel. Abb. 2. Ciba-Geigy AG, Basel, Firmenschrift.

wenn eingefärbte Folien unter athmosphärischen Bedingungen eingesetzt werden.

Farbmittel, <*colorant*>, → Färbemittel.

Farbruß, <*carbon black*>, → Ruß.

Farbstoffe, <*colouring matters, ~ substances, colourants*>, → Färbemittel, → Druckfarbe.

Faserdarm, <*cellulosic fibrous casing*>, → Wursthülle, die aus regenerierter Cellulose unter Verstärkung mit naß verfestigten Faservliesen hergestellt wird. Es werden überwiegend Vliese aus Hanffasern eingesetzt, die zur Verfestigung mit stark verdünnter Viskose oder mit Celluloseacetat-Lösung imprägniert sind. Das Faservlies wird durch eine Formschulter zu einem Schlauch mit überlappender Längsnaht geformt und durch eine Ringdüse mit Ringschlitz geführt. Hier erfolgt die Beschichtung mit Viskose, die einseitig oder beidseitig durchgeführt werden kann. Die Breite des Faservlieses entspricht dem → Kaliber des Faserdarms. Die Verspinnung erfolgt überwiegend senkrecht absteigend.

Das mit Viskose durchtränkte Faservlies wird entsprechend der → Cellophan-Herstellung durch Fäll- und Reinigungsbäder geführt und getrocknet. Gegenüber dem aus homogenen Cellulosehydrat bestehendem → Cellulosedarm hat der Faserdarm wesentlich verbesserte mechanische Eigenschaften, vor allem eine erheblich gesteigerte Naßfestigkeit. Auch die Gleichmäßigkeit des → Kalibers ist wesentlich besser.

Faserdärme werden überwiegend in mittleren und großen Kalibern hergestellt. Die meist beidseitig viskosierten Produkte weisen hohe mechanische Festigkeiten auf. Ihr → Schrumpfverhalten ist sehr gut, so daß unter Verwendung von Faserdärmen hergestellte Wurstwaren stets prall und fest aussehen. Die Durchlässigkeit für Rauch und Wasserdampf ist gut, so daß die Produkte für alle Reifeverfahren, wie Pöckeln, Heiß- und Kalträuchern geeignet sind. Faserdärme werden vor allem zur Roh- und Brühwurst-Herstellung, sowie als → Einziehdarm eingesetzt.

Eine interessante Variante des Faserdarms wird durch eine zusätzlich aufgebrachte PVDC-Schicht gewonnen. Diese Lackierung kann auf der Außenseite oder auf der Innenseite erfolgen. Insbesondere der innen lackierte Faserdarm hat eine Reihe von vorteilhaften Eigenschaften. Hervorzuheben sind sein anwendungstechnisch günstiges → Schrumpfverhalten verbunden mit sehr guten Sperrschichteigenschaften für Wasserdampf. So entfällt nach Durchführung des Garprozesses das Räuchern der Wurstwaren. Weiterhin wird eine sehr lange Haltbarkeit erzielt. Vor der Lackierung des Faserdarms werden Haftvermittler aufgebracht. Zur Lackierung werden überwiegend PVDC-Dispersionen, seltener PVDC-Lösungen eingesetzt. Die Innenlackierung ist naturgemäß verfahrenstechnisch schwieriger. Innenlackierte Faserdärme können entweder

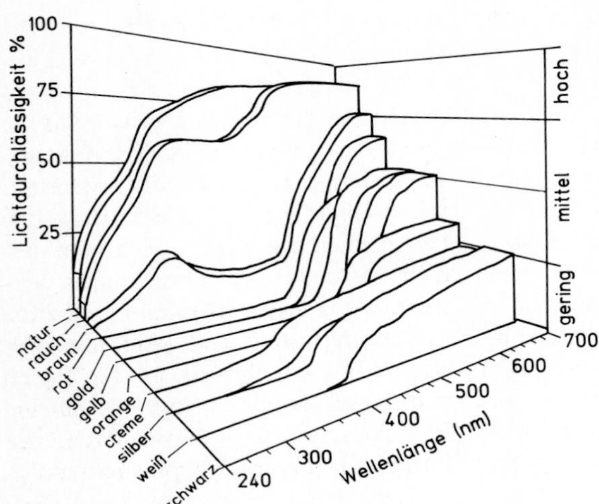

Faserdarm. Wolff Walsrode AG, Walsrode, Firmenschrift.

direkt oder durch Wenden von außen lackierten Produkten hergestellt werden. Durch Einsatz eingefärbter Viskose werden farbige Produkte gewonnen. Diese schützen das Wurstbrät vor der schädlichen Einwirkung von Licht. Einen Überblick über die besonders häufig angewendeten Einfärbungen und ihre Lichtschutzwirkung gibt die Abb.

F.D.A., *Food and Drug Administration,* → Gesetzgebung in den USA.

Fensterfolie, *<window film>*, → Sichtfenster-Folie.

Fertigkaliber, *<finish caliper>*, → Kaliber.

fettbeständiges Papier, *<grease resistant paper>*, steht in manchen Anwendungen, vor allem in der Verpackungstechnik, mit Folien im Wettbewerb. Gegenüber Folien hat → Papier eine wesentlich geringere Beständigkeit gegen Wasser und gegen Fette. Diese Nachteile werden durch Einsatz von Fettbeständigen Papieren gemildert. Zu ihrer Herstellung werden im wesentlichen drei Verfahren angewendet:

1. Chemische Behandlung von Papier. Man erhält *Pergamentpapier* (pflanzliches Pergament). Die Papierbahn wird durch ein Schwefelsäurebad gezogen. Dabei werden die Cellulosefasern angelöst und miteinander verklebt. Die Schwefelsäure-Behandlung darf nur kurz sein, um einen Schädigung der Fasern zu verhindern. Anschließend wird mit Wasser gewaschen, neutralisiert und getrocknet.

Pergamentpapier ist durchscheinend. Vor seiner Herstellung kann die Papiermasse eingefärbt oder mit Füllstoff angereichert werden.

Pergamentpapier ist bei genügend großen Schichtdicken fast vollkommen beständig gegen Fett. Seine Wasserfestigkeit erreicht bis zu 60% der mechanischen Festigkeit im trockenen Zustand. Das Produkt kann zur weiteren Steigerung der Wasserfestigkeit mit Wachsen imprägniert werden. Bedrucken ist möglich. Pergamentpapier ist ein sehr gutes Packmaterial für Butter und Fette. Als Zwischenschicht wird es bei der Verpackung von Fleischwaren und Käsescheiben verwendet. Es wird gelegentlich auch für die Verpackung medizinischer Geräte genutzt, da es bei der Dampfsterilisation nicht zerstört wird.

2. Besondere Herstellungsbedingungen bei der Papierproduktion. Durch einen Mahlprozeß werden die Cellulosefasern so verändert, daß sie oberflächlich gelatiniert und klebrig werden. Die Wasseraufnahme steigt stark an, weshalb man von hydratisiertem Papier, manchmal auch von *Pergamentersatz* spricht. In diesem Zustand lagern sich die Cellulosefasern zu einer dichten Packung zusammen. Das Wasser verbleibt in der Zellstruktur und wirkt fettabweisend. Die Produktionsgeschwindigkeiten für solche Papiere sind niedrig, der Herstellungsprozeß ist relativ teuer. Die verwendeten Zellstoffe müssen sorgfältig ausgewählt werden. Die Papiere werden z.B. zur Verpackung von Margarine, von Pommes Frites oder als innere Lage von Mehrschichtbeuteln eingesetzt. Sie finden auch zur Herstellung von → Papierverbunddosen Verwendung. Ein weiteres großes Anwendungsgebiet ist die Herstellung des unter Punkt 3 beschriebenen Pergamin.

3. Kalandrieren von Papier. Für diesen Prozeß werden ausgewählte Papiersorten, vor allem das unter Punkt 2 beschriebene Spezialpapier, verwendet. Diese Papiere gehen durch einen sog. Superkalander, der die Produkte so weit verdichtet, daß sie eine glatte, glasartige beschaffene Oberfläche erhalten. Das Ausgangsmaterial wird zunächst mit Wasserdampf behandelt und passiert dann einen Kalander mit 10 bis 14 Walzen, die unter sehr hohem Druck die Papierbahn verdichten. Die Cellulosefasern werden dabei zu einer noch dichteren Struktur umgeformt. Hohlräume werden weitgehend eliminiert, wodurch eine hohe Transparenz erzielt wird. Auch die Herstellung pigmentierter Produkte, z.B. unter Verwendung von Titandioxid ist möglich.

Das Produkt wird als *Pergamin*, gelegentlich auch mit dem englischen Ausdruck *Glassin* bezeichnet und hat sich für die Verpackung von Schokoladenriegeln, Nüssen und Backwaren bewährt. Seine glatte Oberfläche macht Glassin für eine Lackierung und für die Laminierung mit anderen Materialien, z.B. mit Folien, sehr gut geeignet. In Kombination mit Polyolefinfolien wird eine wesentlich verbesserte mechanische Festigkeit erreicht. Die Lackierung mit PVDC-Dispersion führt zur weiteren Verringerung der Durchlässigkeit für Wasserdampf und Sauerstoff. Pergamin ist sterilisierbar und kann deshalb in der → Medizinischen Verpackung genutzt werden.

Feuchtigkeitsaufnahme, *<water absorption>*, → Wasseraufnahme.

fibrilliertes Garn, → Foliengarn.

Film, *<film>*, → Folie.

Fischaugen, *<fish eye>*, → Stippen.

Flachdruckverfahren, *<flat printing>*, → Druckverfahren.

Flachfolie, *<flat film>*, eine durch → Flachfolien-Extrusion oder im → Gießverfahren erzeugte Folie. Als → Formwerkzeuge dienen Breitschlitzdüsen. *Blasfolien* werden im Gegensatz dazu bei der → Blasfolien-Extrusion durch Ringdüsen geformt.

Flachfolienextrusion, *Breitschlitzfolienextrusion, <chill roll extrusion>*, das neben der → Blasfolienextrusion bedeutendste Verfahren zur → Folienherstellung aus → thermoplastischen Kunststoffen (Abb. 1). Das Polymer wird in einem → Extruder (a) aufgeschmolzen. Über ein → Siebpaket (b), das als Filter wirkt, tritt die Schmelze aus einer Breitschlitzdüse als → Formwerkzeug aus. Die Abkühlung erfolgt auf einer → Kühlwalze (e). Eine → Luftbürste (d) sorgt für das Anliegen der Folienbahn auf der Oberfläche der Kühlwalze. Eine Kontrolle der → Dickengleichmäßigkeit erfolgt bei (f), dann wird die Folienbahn über weitere → Walzen zur Aufwicklung (g) geführt. Vor der Aufwicklung können je nach Art der Anlage weitere Verfahrenstufen zwischengeschaltet werden, z.B.

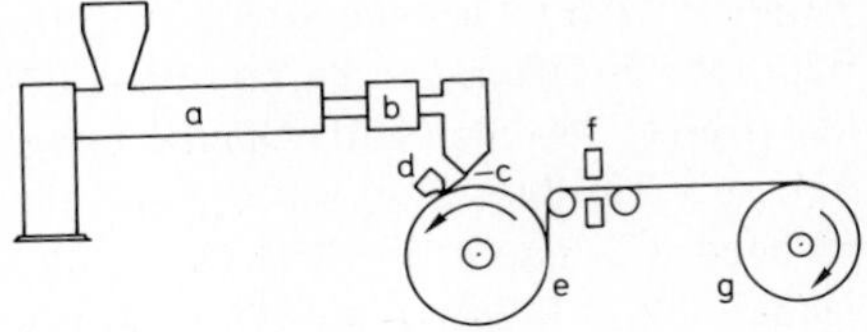

Flachfolienextrusion. Abb. 1. Ullmann A11, 89.

zum → Bedrucken der Folien, zur → Oberflächenbehandlung oder zum → Prägen. Bei großen Flachfolien-Extrusions-Anlagen wie sie zur Herstellung von → Polyesterfolien und → BOPP eingesetzt werden, ist in der Regel ein → Reckverfahren angeschlossen.

Die aus dem Extruder austretende Schmelze wird gegebenenfalls durch → Misch- und Scherelemente weiter homogenisiert. Der Schmelzestrom muß dann durch das Formwerkzeug umgeleitet werden. Die Abb. 2 zeigt eine Breitschlitzdüse, bei der die Schmelze in einem Kleiderbügel-förmigen Kanal gleichmäßig verteilt wird. Die Geometrie für die unterschiedlich langen Fließwege wird so berechnet, daß die Schmelze über die ganze Breite des Düsenspaltes mit gleicher Geschwindigkeit austritt. Der Düsenspalt kann mit Hilfe von Stellschrauben verändert werden, die im Oberteil der Düse angebracht sind. Dadurch werden Dickenunterschiede in Querrichtung der Folienbahn ausgeglichen. Da die Düsenlippe dazu flexibel sein muß, wird dieser Werkzeugtyp auch *Flex-Lipp-Düse* genannt (Abb. 3). Bei der Herstellung dickerer Folien bei weiter geöffnetem Düsenspalt sinkt der → Schmelzedruck ab und die Verteilung der Schmelze wird ungleichmäßig. Die Abb. 4 zeigt, wie durch einen zusätzlich eingebauten Staubalken der Querschnitt des Fließkanals vor der Düsenlippe und damit die Fließgeschwindigkeit örtlich verändert werden können.

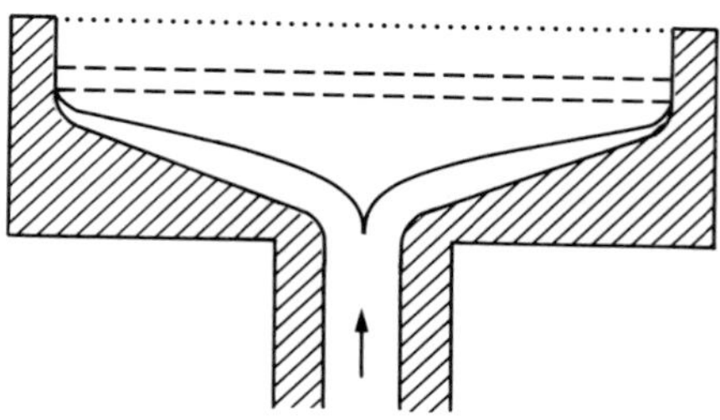

Flachfolienextrusion. Abb. 2. Autor.

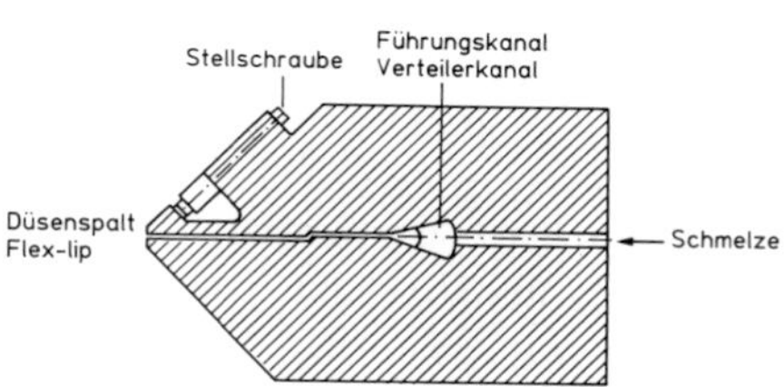

Flachfolienextrusion. Abb. 3. BASF, Ludwigshafen, Firmenschrift.

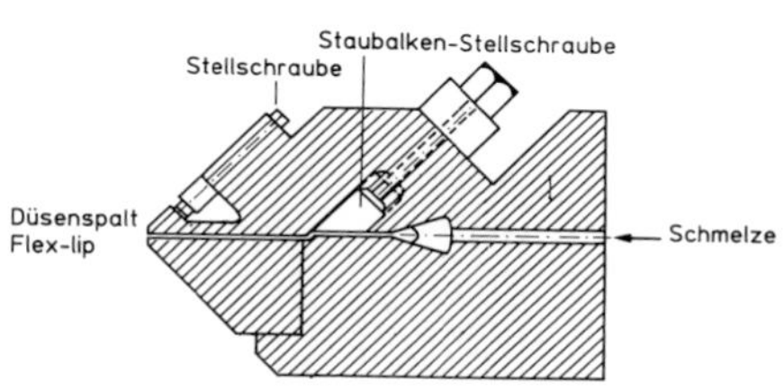

Flachfolienextrusion. Abb. 4. BASF, Ludwigshafen, Firmenschrift.

Die Regulierung der Stellschrauben zur Erzielung möglichst guter Dickengleichmäßigkeit erfolgt bei älteren Anlagen manuell. Dies führt zu langen Zeiträumen zur Einregulierung der Düsen und zu nicht voll befriedigenden Ergebnissen. Außerdem müssen die Dicken der Folien großzügig bemessen werden, um die erforderlichen Dickentoleranzen sicher einhalten zu können. Hier hat die Entwicklung von → Automatikdüsen große Fortschritte gebracht. Zusatzeinrichtungen dienen zur Verhinderung der → Einschnürung der Folienbahn auf der Kühlwalze, → Putzwalzen zum Blankhalten der Kühlwalze.
Die nach der Flachfolien-Extrusion hergestellten Produkte zeichnen sich gegenüber Schlauchfolien durch bessere → Optische Eigenschaften aus. Die früher auftretende schlechtere → Dickengleichmäßigkeit der Schlauchfolien gegenüber den Flachfolien ist heute durch Einführung der Automatikdüsen kein Problem mehr. Flachfolien haben verfahrensbedingt eine geringere → Orientierung in Querrichtung als Schlauchfolien. Lit.

Flachfolienverfahren, *<chill roll extrusion>*, → Flachfolien-Extrusion.

Flachlegung, *<flattening>*, der Übergang von der bei der → Blasfolien-Extrusion in Schlauchform vorliegenden Folie zu einer zweifachen Folienbahn, die anschließend in zwei getrennte Bahnen aufgeschnitten und aufgewickelt wird.
Faltenfreie Flachlegung ist neben der gleichmäßigen Verteilung von Dickenungleichmäßigkeiten durch → Rotations- und Reversiersysteme eine we-

sentliche Voraussetzung für → Folienbahnen mit guter → Planlage. Dazu wird der Schlauch kurz oberhalb der Einfriergrenze durch eine oder mehrere → Irisblenden abgestützt, die am Schlauch anliegen. Auch durch Abstimmung der Konstruktion des → Kalibrierkorbes und zusätzliche Führung des Schlauchs durch Flachlegeroste wird die einwandfreie Flachlegung gesichert.
Wichtig ist die Temperatur der Folie, die oberhalb der *Abquetschwalzen* deutlich über der Umgebungstemperatur liegen muß. Andererfalls kann die hohe Steifigkeit der kalten Folie zu Faltenbildung führen.

Flächenausbeute, *Ergiebigkeit,* *<yield>*, die Oberfläche einer Folie pro Masseeinheit. Sie wird vom Folienhersteller in m^2/kg angegeben und steht im umgekehrten Verhältnis zum → Flächengewicht der Folie mit der Einheit g/m^2. Beide Zahlen hängen von der Dicke der Folie und von der → Dichte des zur Folienherstellung verwendeten Rohstoffs ab und sind ein Maß für die Wirtschaftlichkeit bei der Verpackung.
Folien aus Rohstoffen mit hoher Dichte sind Produkten mit niedriger Dichte wegen ihrer geringeren Ergiebigkeit von vornherein unterlegen. Dies gilt besonders für → Cellophan gegen → BOPP, was sich auch deutlich auf die Entwicklung des → CELLOPP-Marktes ausgewirkt hat. Auch Folien aus → Polyvinylchlorid weisen im Vergleich zu den meisten anderen Materialien eine beträchtlich höhere Dichte und damit geringere Flächenausbeute auf.

Flächengewicht, *<weight per area>*, Gewicht pro Flächeneinheit. Die wissenschaftlich korrekte Bezeichnung *Flächenmasse* wird in der Praxis kaum benutzt. Einheit: g/m^2. Prüfnorm: DIN 53352.
Das Flächengewicht von Folien hängt von der → Dichte des verwendeten Rohstoffs und von der Dicke der Folie ab und ist in erster Linie für Anwendung bei der → Verpackung wichtig. Es wird vom Folienhersteller meist in Tabelle in Abhängigkeit von der Foliendicke angegeben. Der Folienanwender erhält so einen schnellen Überblick über die Wirtschaftlichkeit der Folie und kann den geeigneten Folientyp auswählen.
Die → Dickenmessung von Folien erfolgt bei den meisten Verfahren primär durch Bestimmung des Flächengewichts.

Flächengewicht.

Dicke	mm	DIN 53370	23 °C/50% r.F.	0,020	0,025	0,030	0,035	0,040	0,050
Flächengewicht	g/m^2	DIN 53352	23 °C/50% r.F.	18,2	22,7	27,3	31,8	36,4	45,5
Ergiebigkeit (Ausbeute)	m^2/kg	–	23 °C/50% r.F.	55,0	44,0	36,5	31,5	27,5	22,0

Wolff Walsrode AG, Walsrode, Firmenschrift

Im umgekehrten Verhältnis zum Flächengewicht steht die → Flächenausbeute oder Ergiebigkeit mit der Einheit m^2/kg. Die Tabelle zeigt die Abhängigkeit beider Werte von der Foliendicke am Beispiel von beidseitig heißsiegelbarem → BOPP.

Flächenmasse, *<weight per area>*, → Flächengewicht.

Flammbehandlung, *<flame treatment>*, ein Verfahren zur → Oberflächen-Behandlung von Folien, durch das die Polarität der Oberfläche erhöht wird. Benetzbarkeit und chemische Affinität werden wesentlich verbessert. Dies ist Voraussetzung für einen optimalen Verlauf vieler Prozesse der → Folienverarbeitung, wie → Beschichten, → Kaschieren oder → Bedrucken. Bei unpolaren Folien sind derartige Fertigungsverfahren nur nach einer Oberflächenbehandlung möglich.
Die Flammbehandlung ist neben der → Corona-Behandlung das am häufigsten angewendete Verfahren zur Modifizierung von Folienoberflächen. Die Folie wird dabei einer Flamme bei Gegenwart eines Sauerstoff-Überschusses ausgesetzt. Die chemischen Vorgänge, die sich bei diesem Verfahren abspielen, sind denen bei der Corona-Behandlung sehr ähnlich, allerdings auch hier noch nicht völlig geklärt. Bei der Flammbehandlung treten im Gegensatz zur Corona-Behandlung keine → Durchschläge auf.

Flammkaschieren, *<flame bonding>*, vollflächiges → Kaschieren von Materialbahnen, wobei die Verbindung durch Aufschmelzen der Oberfläche einer Bahn erfolgt. Das Flammkaschieren wird vor allem zum Verbinden von Schaumstoffen oder → Schaumfolien mit Textilien und anderen Materialien durchgeführt.
Das Verfahren benötigt keinen Klebstoff, da das Verkleben durch die angeschmolzene Oberfläche der Schaumstoffbahn erfolgt. Diese wird an einem Brenner vorbeigeführt. Der Schaumstoff schmilzt unter Zersetzung und wird mit der Textilbahn zwischen Kaschierwalzen, seltener in Flachpressen, verbunden.
Als Schaumstoffe werden in den meisten Fällen Produkte auf Basis von → Polyurethanen verwendet. Polyesterurethane sind einfacher zu kaschieren als Polyetherurethane, die bei höherer Temperatur schmelzen und längere Zeit bis zum Erreichen der vollen Haftfestigkeit des Verbundes benötigen. Die Schaumstoffe werden in der Regel von der Rolle als 1 bis 3 mm dicke Bahnen verarbeitet.
Bei der Flammkaschierung tritt eine geringfügige Verminderung der Bahndicke durch die thermische Zersetzung des Materials unter Bildung der klebenden Schicht ein. Diese Dickenverringerung wird allgemein, wenn auch inkorrekt, als *Abbrand* bezeichnet. Die wichtigsten Verfahrensparameter der Flammkaschierung sind:
1. Die Temperatur und Größe der Flamme, die durch den Gasdruck und das Gas-Luft-Verhältnis geregelt werden,
2. Die Anordnung des Brenners,

3. Der Walzendruck, der durch die Größe des Kaschierspalts, d.h. des Walzenabstands und durch die Art des Produkts bestimmt wird.
Verbundwerkstoffe aus Textil, Schaum und Folie können ebenfalls durch Flammkaschierung gewonnen werden. In einem ersten Schritt wird die Schaumstoffbahn an der Oberfläche angeschmolzen und zwischen Kaschierwalzen mit der Textilbahn verbunden. In einem zweiten Schritt läßt man auf den Schaumstoff erneut eine Flamme einwirken und kaschiert mit der Folienbahn. Häufig werden für derartige Verbunde → Polyurethanfolien eingesetzt. Die erhaltenen Produkte sind undurchlässig für Wasser und trotzdem atmungsaktiv, d.h. durchlässig für Wasserdampf.

Flaschenkapseln, <*shrink sleeve*>, → Schrumpfbänder.

Fleisch- und Fleischwaren-Verpackung, <*meat packaging*>. Die rationelle und wirksame Verpackung von Fleisch und Fleischwaren ist von großer Bedeutung. Die für die → Lebensmittel-Verpackung allgemein bestehenden Probleme sind hier besonders vielfältig. Sie konnten durch den Einsatz von Folien, insbesondere von maßgeschneiderten → Verbundfolien, weitgehend gelöst werden. Dennoch wird die Entwicklung durch Einsatz neuer oder modifizierter Rohstoffe und verfeinerter und rationalisierter Herstellungsverfahren weitergehen. Die Auswahl der richtigen Verpackung hängt sehr stark von Zustand und Art der Produkte ab. → Tierkörperverpackung, → Frischfleisch-Reifung, → Frischfleischverpackung und → Gefrierfleischverpackung stellen jeweils andere Anforderungen. Innerhalb der → Fleischwarenverpackung ist die → Kochschinkenverpackung ein Sonderfall, für den spezielle Folien zur Verfügung stehen. Schließlich bilden die zur Herstellung von Wurstwaren verwendeten → Wursthüllen ein eigenes Gebiet, das jedoch viele Parallelen mit der → Folien-Technologie aufweist. Lit.

Fleischwarenverpackung, <*processed meat packaging*>. Für die Verpackung von Fleischwaren stehen eine große Anzahl verschiedener Verbundfolien zur Verfügung. Zur → Vakuumverpackung dienen PA/PE-, PVC/PE oder PET/PE-Verbunde als Muldenfolien. Als Deckelfolien können neben den für Muldenfolien beschriebenen Aufbauten auch nicht verformbare Materialien, z.B. PE/Cellophan oder Aluminium-Verbunde eingesetzt werden. Sehr häufig werden → Sperrschichtfolien für Sauerstoff verwendet. Die Folien werden zu Schrumpfbeuteln konfektioniert oder direkt in den verschiedenen Verfahren der → Vakuumverpackung eingesetzt. Eine Alternative zur Packung mit Unterdruck ist die → Schutzgasverpackung, für die neben den genannten Verbundfolien-Typen auch sehr häufig Aluminium-Verbunde mit Cellophan, PET, PP, PA und PE eingesetzt werden.
Die für die Fleischwaren-Verpackung verwendeten Folien sind in den meisten Fällen bedruckt, um dem Ver-

braucher Informationen und optische Kaufanreize zu bieten. Beim → Bedrucken wird der Konterdruck angewendet.
Für Wurstwaren, die in der Selbstbedienung angeboten werden, ist aus hygienischen Gründen neben der → Wursthülle eine *Umverpackung* vorgeschrieben. Diese kann durch einfaches Einschlagen in Folienzuschnitte oder mit vorgefertigten Folienbeuteln erfolgen. Das Verschließen erfolgt mit → Beutelverschlüssen. Es werden Folien aus PVDC-Copolymeren, Cellophan oder Hart-PVC verwendet. Zur rationellen Umverpackung größerer Produkt-Mengen dienen Form-, Füll- und Schließmaschinen.
Die beiden gebräuchlichsten Verpackungsformen für in Scheiben aufgeschnittene Fleischwaren sind die *Fächerpackung* und die *Stapelpackung*. Bei der Fächerpackung werden die Scheiben in Schindelform übereinander gelegt und verpackt. Stapelverpackungen werden meist durch → Warmformen hergestellt und zwar als Vakuum oder Gaspackungen. Eine solche Packung kann z.B. aus einer standfesten PVC/PE-Multenfolie, einer leicht abziehbaren → Deckelfolie und einem separaten PVC-Stülpdeckel bestehen, der zum Wiederverschließen der angebrochenen Packungen dient. Sonderfälle der Fleischwaren-Verpackung sind die → Kochschinken- und die Würstchen-Verpackung.

flexible, sterilisierbare Packungen, <*retortable flexible packages*>, müssen einer thermischen Behandlung in einem geschlossenen Autoklaven bei Temperaturen von über 100 °C widerstehen, ohne dabei ihre Materialintegrität und die für das Packgut erforderlichen Sperrschichteigenschaften einzubüßen. Dies gilt nicht nur für die Zeit der thermischen Behandlung, sondern auch für den Versand und die Lagerung bis zum Verbrauch durch den Konsumenten. Äußere Einflüsse wie Feuchtigkeit, Sauerstoff, Licht oder das Eindringen von Mikroben dürfen den Packungsinhalt nicht schädigen oder beeinträchtigen. Abbaueffekte dürfen weder am Grundmaterial noch an den Siegelnähten stattfinden. Flexible, sterilisierbare Packungen sind naturgemäß weit empfindlicher als Metalldosen. Diese werden üblicherweise in überhitztem Wasserdampf bei 121 °C und einem Außendruck von ca. 205 kPa thermisch behandelt. Der Innendruck einer Metalldose kann dabei vom Außendruck des Dampfes in relativ weiten Grenzen abweichen. Dies ist bei flexiblen Packungen nicht möglich. Deshalb wird bei der Sterilisation dieser Packungen der Außendruck für Temperaturen von 121 °C auf 300 kPa erhöht. Unter den flexiblen, sterilisierbaren Packungen hat der sterilisierbare Beutel mit Abstand die größte Bedeutung. Materialien zur Herstellung dieser Beutel sind Kunststoff-Folien, Aluminiumfolien, metallisierte Folien, und vor allem Kombinationen dieser Produkte untereinander und mit Papier. Solofolien können selten die hohen Anforderungerungen erfüllen. Hochwertige Produkte sind → Sperrschichtfolien mit → Siegelschichten, die der jeweiligen

Verwendung angepaßt werden müssen. Sehr häufig sind sterilisierbare Beutel bedruckt. Die Entwicklung des sterilisierbaren Beutels begann in den USA Anfang der 40er Jahre. Gegenüber den bis dahin ausschließlich verwendeten Blechbehältern bietet der Einsatz flexibler Produkte höhere Wirtschaftlichkeit bei geringerem Gewicht. Auch heute noch findet der sterilisierbare Beutel immer neue Anwendungen, vor allem zur → Lebensmittelverpackung. Die → medizinische Verpackung stellt einen Sonderfall in der Anwendung dieser Verpackungsart dar.
Neue Anforderungen hat die → Mikrowellentechnik gebracht. Neben dem sterilisierbaren Beutel hat der standfeste oder halbflexible Behälter mit einem siegelbaren, flexiblen Deckel in der Lebensmittelverpackung große Bedeutung. Die Behälter oder Trays bestehen meist aus Aluminium-Kunststoff-Verbunden. Sie besitzen alle Vorteile des sterilisierbaren Beutels, können aber leicht wieder erhitzt und durch den Endverbraucher auch als Träger für den Inhalt verwendet werden. Die Materialien für diese Behälter können von der Folienrolle durch Warmverformung gewonnen werden. Die Versiegelung erfolgt mit flexiblen Verbundfolien.
Eine Sonderform, die in Zukunft möglicherweise größere Bedeutung erlangen wird, ist die → standfeste, sterilisierbare Packung.

Flexibilität, *<flexibility>*, → Biegefestigkeit.

Flex-Lipp-Düse, *<flex-lip die>*, → Flachfolien-Extrusion.

Flexodruck, *Anilindruck (veraltet), <flexoprinting, flexographic printing, flexography, letterpress printing>*, ein → Druckverfahren, bei dem die druckenden Teile der Druckform erhaben sind. Die Druckfarbe wird vom Druckzylinder an der Oberfläche der erhabenen Teile aufgenommen. Die umgebenden, nicht druckenden Bereiche liegen tiefer und nehmen keine Druckfarbe auf.
Im Flexodruck werden Druckwalzen aus flexiblen elastomeren Materialien hergestellt. Zur Montage stehen → Klischee-Klebefolien zu Verfügung. Die eingesetzten → Druckfarben sind im allgemeinen dünnflüssig und auf Lösungsmittelbasis aufgebaut.
Der Flexodruck wird für das → Bedrucken von Folien in großem Umfange eingesetzt. Er galt lange Zeit im Vergleich zum → Tiefdruck als ein qualitativ minderwertiges Druckverfahren. Dies gilt bei besonders hohen Ansprüchen auch heute noch. Die technische Weiterentwicklung des Flexodrucks in Verbindung mit neuen Druckfarben hat jedoch seine Qualitätsmerkmale schon sehr weitgehend denen des Tiefdrucks angenähert.
Flexodruckmaschinen werden üblicherweise mit 4 bis 6 Druckwerken ausgerüstet. Die Breiten liegen beim Foliendruck zwischen 1600 und 3000 mm. Die Druckgeschwindigkeiten konnten in letzter Zeit auf über 200 m/Min gesteigert werden.

Die Druckvorbereitung für den Flexodruck ist wesentlich weniger aufwendig als für den Tiefdruck. Der Flexodruck wird deshalb vor allem für das Bedrucken kleinerer Auftragslängen genutzt.

Flexodruckverfahren, *<flexo printing>*, → Flexodruck.

fliegender Rollenwechsel, *automatischer Rollenwechsel, <flying splice, flying transfer, non-stop roll tranfer>* → Rollenwechsel.

Fließeigenschaften, *<flow properties>*, → Fließverhalten von Thermoplasten.

Fließhilfe, *<flow agent>*, → PVC-Verarbeitungshilfsmittel.

Fließverhalten von Thermoplasten, *Rheologie von Kunststoffschmelzen, Fließeigenschaften, <flow properties>*, das Verhalten von → thermoplastischen Kunststoffen bei Temperaturerhöhung, insbesondere nach dem Schmelzen.
Die Eigenschaften von Kunststoffschmelzen sind für die Verarbeitung dieser Produkte zu Formkörpern, Fasern oder Folien sehr wichtig. Sie hängen in erster Linie von der → chemischen Struktur, der Morphologie und der → Molekülmasse der Polymeren ab, können aber auch stark durch → Additive beeinflußt werden. Die → Viskosität der Schmelzen und Lösungen von Polymeren nehmen mit wachsender Verzweigung und bei beginnender Vernetzung der Makromoleküle stark zu. Vernetzte Produkte sind überhaupt nicht mehr schmelzbar. Mit steigender Molekülmasse tritt ebenfalls Viskositätserhöhung ein.
Für die erfolgreiche Verarbeitung von thermoplastischen Kunststoffen sind die Fließeigenschaften von großer Bedeutung. → Schmelzbereich, → Schmelzindex und → Schergeschwindigkeit sind wichtige Größen. Wegen ihrer leichten Meßbarkeit wird auch die → Viskositätszahl oft zur Abschätzung des Fließverhaltens genutzt. Detaillierte Messungen erfolgen mit Hilfe von → Rheometern, vor allem bei der Beurteilung von → PVC-Verarbeitungshilfsmitteln.

Florida-Bewitterung, *<Florida outdoor exposure>*, → Bewitterung.

Flossenpackung, *<fin seal pack>*, Packung mit einer schmalen Längsnaht und einer meist mehr als 10 mm breiter Flächenversiegelung an beiden Enden. Auf diese Weise bilden sich an beiden Seiten der Packung zwei „Flossen". Zur leichteren Öffnung wird der Rand meist mit einem → Zackenschnitt versehen.

Flüssigkristallanzeige, *<liquid crystal display>*, → Polarisationsfolie.

flüssigkristalline Kunststoffe, *liquid crystals, LPCs, <liquid crystal polymers, LCPs>*, eine in der technischen Anwendung noch relativ neue Klasse von Polymeren. Ihre Molekülketten sind in der Schmelze oder in Lösung partiell geordnet. Man spricht im ersten Fall von thermotropen, im zweiten Fall

von lyotropen flüssigkristallinen Kunststoffen. Die ersten thermotropen LPCs wurden in den 70er Jahren hergestellt.
LPCs sind meist aus aromatischen Hydroxycarbonsäuren, Dicarbonsäuren und Diolen aufgebaut. Auch Polyestercarbonate, Polyesteramide und Polyesterimide spielen eine Rolle. Es gibt eine Fülle von Möglichkeiten zur Herstellung von Produkten mit unterschiedlichen Eigenschaften.
Die thermotropen LPCs können wie → Thermoplastische Kunststoffe verarbeitet werden. Ihre geordeten Strukturen sind bereits in der Schmelze ausgebildet. Diese Orientierung der Makromoleküle im fertigen Formteil führt zu einem verbesserten, anisotropen Eigenschaftsprofil.
Flüssigkristalline Kunststoffe werden auch zur Herstellung von → LCP-Folien eingesetzt. Lit.

Fluorierung, *<fluorination>*, ein Verfahren zur → Oberflächenbehandlung von Folien, durch das die Polarität der Oberfläche erhöht wird. Benetzbarkeit und chemische Affinität werden wesentlich verbessert. Dies ist Voraussetzung für einen optimalen Verlauf vieler Prozesse der Folienverarbeitung, wie → Beschichten, → Kaschieren oder → Bedrucken. Bei unpolaren Folien sind derartige Fertigungsverfahren nur nach einer Oberflächenbehandlung möglich. Die Fluorierung von Folien befindet sich noch im Anfang der technischen Entwicklung.
Die Fluor-Behandlung wird in inerter Atmosphäre mit einem Fluorgehalt zwischen 5 und 10 Vol% durchgeführt. Sie erfolgt in einer Reaktionskammer, durch die die Folienbahn hindurchgezogen wird. Das Gasgemisch wird umgepumpt. In der Kammer wird ein Unterdruck aufrecht erhalten, so daß weder Fluor noch Fluorwasserstoff nach außen dringen können. Am Eingang und am Ausgang ist die Kammer durch Schleusen abgedichtet. Die Entleerung des Systems erfolgt über einen Gaswäscher, in dem Fluor und Fluorwasserstoff in das unschädliche Calciumfluorid umgewandelt werden.
Der Prototyp einer Reaktionskammer ist 1 m lang und 30 cm hoch. Die Arbeitsbreiten liegen bei 1 m. Bei einer Bahngeschwindigkeit von 24 m/min und einer Fluorkonzentration von 5 Vol% wurde die Oberflächenenergie einer Reihe von Kunststoff-Folien z.T. wesentlich erhöht. Der Wert 72 mN/m bedeutet bereits Wasserbenetzbarkeit. Zum Vergleich zeigt die Tabelle die durch eine → Coronabehandlung erreichten Werte.

Fluorierung.

Folientyp	Oberflächenenergie mN/m Ausgangswert	Corona	Fluor
PE-LD	30	35	72
PE-DH	32	<32	72
BOPP	32	35	72
PETP	35	<54	72
PVC	40	<54	72
PUK	32	<32	>45
PEEK	35	>54	72
ABS	35	>54	72

R. Milker und A. Koch, Adhäsion 1989, Nr. 6, S. 33-35

Die durch die Fluorierung erzielten Veränderungen der Folienoberfläche beruhen auf der sehr starken Wirkung des Fluor als Oxidationsmittel. Sie sollen über wesentlich längere Zeiträume erhalten bleiben als bei Anwendung anderer Verfahren. Die Fluorierung führt im Gegensatz zur Coronabehandlung nicht zum → Durchschlag.
Sicherheitstechnische Bedenken scheinen bei geeigneter Gestaltung des Verfahrens unberechtigt. Für das bei der Coronabehandlung entstehende Ozon gilt der gleiche MAK-Wert von 0,1 ppm/m^3 wie für Fluor. Fluor macht sich bereits weit unter diesem Grenzwert durch seinen intensiven, an Chlor erinnernden Geruch warnend bemerkbar.
Die Fluorierung wird bei der Behandlung von Polyethylenbehältern in den USA angewendet.
Hauptziel der Container-Behandlung ist eine Erhöhung der Sperrschicht-Eigenschaften für unpolare Medien, wie Mineralöle und Treibstoffe durch Ausbildung einer sehr dünnen Fluorkohlenwasserstoff-Schicht. Dieser Effekt wäre natürlich auch für die Folientechnologie sehr interessant. Es dürfte jedoch schwierig sein, die zur Erzielung ausreichender Sperreigenschaften nötige Dicke der Fluorkohlenwasserstoff-Schicht zu erreichen. Die mit Fluor behandelten PE-Behälter sind übrigens in USA zum Gebrauch für Lebensmittel und Pharmazeutika zugelassen.
Ob die Behandlung von Folien mit Fluor in größerem Maßstab eine Zukunft hat, ist offen. Wenn die Fluorierung nicht nur in einem gesonderten Verfahrensschritt sondern während des Herstellungsverfahrens wichtiger Folien erfolgen soll, müßten Bahnbreite und Produktionsgeschwindigkeit ganz wesentlich erhöht werden. Als Variante der Fluorierung wurde kürzlich die Oxifluorierung für die Behandlung von Polyethylenbehältern vorgeschlagen. Das Verfahren arbeitet in Stickstoff-Atmosphäre mit 2,3% Fluor und 1% Sauerstoff. Die Behandlungszeiten sollen wesentlich kürzer und der Fluorverbrauch geringer sein. Lit.

Fluorpolymere, *<fluoropolymers>*, Polymere aus ungesättigten, Fluor enthaltenden Kohlenwasserstoffen. Man unterscheidet nach der chemischen Zusammensetzung drei Gruppen von Fluorpolymeren. Perfluorierte Produkte werden vor allem aus Tetrafluorethylen (a) und Hexafluorpropylen (b) hergestellt. Partiell fluorierte Polymere werden aus Vinylfluorid (c) oder Vinylidenfluorid (d) gewonnen. Fluor und Chlor enthaltende Polymere werden aus Chlor-trifluorethylen (e) oder durch Mischpolymerisation von unterschiedlichen, Chlor und Fluor enthaltenden Monomeren hergestellt. Bei der Copolymerisation von Trifluorethylen mit etwa 5% Perfluoralkyl-vinylether (f) werden extrudierbare Polymere erhalten.
Die Polymerisation von ungesättigten Fluor-Verbindungen verläuft außerordentlich stürmisch und verlangt besondere Vorsichtsmaßnahmen. Sie erfolgt in explosionsgesicherten Rührkesseln in wäßriger Suspension bei Temperaturen von 10 bis 80 °C und Drucken von 10 bis 30 bar. Die Katalysatoren, Redoxsysteme oder Peroxide,

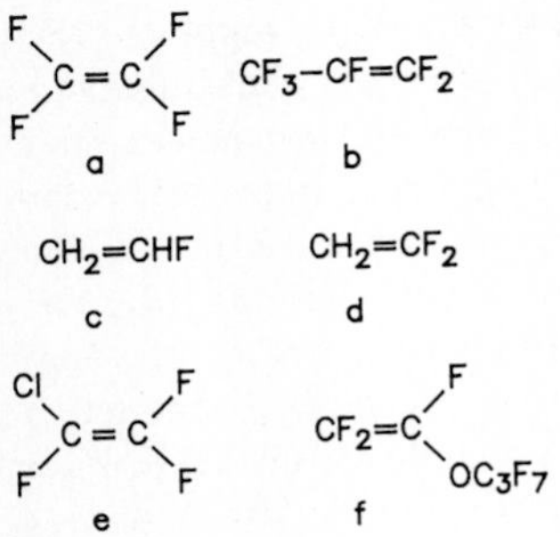

$F_2C{=}CF_2$ (a) $CF_3{-}CF{=}CF_2$ (b)

$CH_2{=}CHF$ (c) $CH_2{=}CF_2$ (d)

$ClFC{=}CF_2$ (e) $CF_2{=}CF{-}OC_3F_7$ (f)

dürfen keinen gebundenen Wasserstoff enthalten, weil solche Verbindungen zum Kettenabbruch führen. Das Polymere fällt in sehr unregelmäßigen, kaum rieselfähigen Teilchen an und muß deshalb durch eine Mahlung nachbehandelt werden. Die Extrusion von Polytetrafluor-ethylen ist nicht möglich, da das Polymere nicht schmelzbar ist. Alle anderen Fluorpolymeren sowie Copolymere des Polytetrafluorethylens können jedoch durch Extrudieren oder nach einem Gießverfahren zu Folien verarbeitet werden.

Von besonderer Bedeutung sind Polytetraethylen-, → Polychlortrifluorethylen-,→ Polyvinylfluorid- und → Polyvinylidenfluorid-Folien.

Copolymerisate von Tetrafluorethylen und andere Fluor enthaltenden Monomere mit 20 bis 25% Ethylen (ETFE) können durch Extrusion zu Ethylentetrafluorethylen-Folien verarbeitet werden. Das gleiche gilt für → Blends von Fluorpolymeren mit → Polysulfonen.

Folie, *Film, <film bei Verwendung von Kunststoff, foil bei Verwendung von Metall, bei dickeren Materialien sheet>*, ein flächiges, flexibles Material. Bei Herstellung, Verarbeitung und Anwendung liegen Folien meist in Form von → Folienrollen, seltener in Form von → Folienbögen, vor.

Folien sind mehr oder weniger flexibel. Ihre Flexibilität ist in hohem Maße von der Dicke, aber auch von der Art des eingesetzten Rohstoffs abhängig. Bei sehr steifen Produkten spricht man eher von Platten. Die Übergänge sind jedoch fließend und nicht klar definiert. Ein weiches, flexibles Material größerer Dicke wird eher als Folie angesehen werden, als ein dünnes aber sprödes Produkt.

Die Dicken der Folien liegen zwischen etwa 2 und etwa 500 μm. Bei noch dünneren Folien spricht man von → Membranen. Folien können transparent oder undurchsichtig sein.

Man unterscheidet → Solo- und → Verbundfolien, → Kunststoff und → Metallfolien. in der → Folientechnik werden die Kenntnisse über → Rohstoffe und → Additive, über → Folienherstellung, → Folienverarbeitung, Folienanwendung und → Qualitätskontrolle zusammengefaßt.

Folien gehören zu einer wichtigen, sehr vielseitig einsetzbaren Gruppe von Halbzeug, das mit anderen Werkstoffen, vor allem mit → Papier, → Glas und → Metall im Wettbewerb steht oder diese Stoffe ergänzt. Die Haupteinsatzgebiete von Folien liegen bei der → Verpackung und im → technischen Sektor. Ihre wirtschaftliche Bedeutung ist seit den 50er Jahren enorm stark gewachsen. Heute hat sich dieses Wachstum verlangsamt. Trotzdem haben Folien auch jetzt noch sehr gute Entwicklungsmöglichkeiten. Lit.

Folienanwendung *<film application>*, Den größten Anteil an der Folien-Anwendung hat der Bereich → Verpackung. Weiter sind der → technische Sektor und die Verwendung als → Baufolien und → Landwirtschafts-Folien zu nennen. Die Bedeutung der verschiedenen Anwendungen ist weltweit sehr unterschiedlich und von dem technischen und wirtschaftlichen Entwicklungsstand der Region, den Marktgegebenheiten und den Verbrauchergewohnheiten abhängig. Es gibt in Schwellen- und Entwicklungsländern Anwendungen, die uns als exotisch oder primitiv erscheinen, die aber unter den gegebenen Bedingungen dieser Länder wichtige Aufgaben haben.

Folienabzug, *<film haul-off>*, das Abziehen der Folienbahn nach Abschluß des Herstellungsprozesses. Wesentlicher Teil eines Folienabzugs ist ein Walzenpaar mit einer Antriebswalze und einer beweglichen, pneumatisch angepreßten Gegendruckwalze. Der Antrieb erfolgt durch Drehstom- oder Gleichstrommotoren mit guter Drehzahlkonstanz. Für die → Blasfolienextrusion und die → Flachfolienextrusion sind die Systeme etwa 500 bis 3000 mm breit. Die Abzugsgeschwindigkeiten betragen ca. 150 m/min. Für größere Breiten, wie sie bei Extrusion mit anschließendem → Reckverfahren erforderlich sind, ist die Konstruktion des Folienabzugs entsprechend aufwendiger.

Folienbändchen, *<film tape>*, schmale Bänder, die durch Aufschneiden von Folien in Längsrichtung erhalten werden, und die verschiedenen Anwendungen dienen.
1. Für das → Umreifen von Packgütern an Stelle der bisher überwiegend benutzten Metallbänder.
2. In Form von → Klebebändern für eine Vielzahl von Anwendungen in Industrie, Gewerbe und Haushalt. 3. Als → Öffnungshilfe für Packungen in Form von → Aufreißstreifen.
4. Als Vorprodukte zur Herstellung von → Foliengarn.
Folienbändchen werden aus → thermoplastischen Kunststoffen hergestellt. Da es meist auf gute mechanische Festigkeit in Längsrichtung ankommt, werden die Bändchen in einem Reckprozeß vergütet. Neue Entwicklungen setzen → Flüssigkristalline Kunststoffe zur Herstellung von → LCP-Folien ein. Folienbändchen werden auch aus → Metallfolien, vor allem aus → Aluminiumfolien hergestellt.
5. Für verschiedene Anwendungen dienen meist mehr als 10 mm und bis über 100 mm breite Bänder als Absperr-Markierungen, Zier- oder Schmuckbänder.

Folienbahn, *<film web>*, das bei der → Folienherstellung gebildete endlose Band. Die Folienbahn wird zur Weiterverarbeitung zu → Folienrollen aufgewickelt, die nur in seltenen Fällen zu Folienbögen geschnitten werden.
Die Reinheitsanforderungen an die → Rohstoffe zur Folienherstellung sind höher, als bei der Herstellung von

Kunststoffteilen. Nur bei Verwendung von Ausgangsmaterialien, die frei von → Stippen sind, können die unvermeidlichen *Abrisse* der Folienbahn auf ein wirtschaftlich vertretbaes Minimum reduziert werden. Für die Verarbeitung und Handhabung der Folienrollen ist eine einwandfreie, möglichst gleichmäßige Beschaffenheit der Folienbahn außerordentlich wichtig. Wichtige Forderungen sind → Dickengleichmäßigkeit, → Planlage, *Isotropie* der → Folieneigenschaften in → Längsrichtung und Querrichtung.

Moderne Produktionsanlagen verfügen über Regeleinrichtungen, die die Bahnspannung durch Steuermotore für die Antriebswalzen konstant halten. Dadurch werden Bahnfehler wie Bahnverlauf, Faltenbildung und → Rollneigung vermieden. Bei der Herstellung von → Verbundfolien ist die Gefahr des Auftretens von Bahnfehlern naturgemäß höher als bei der Fertigung von → Solofolien.

Von besonderer Bedeutung ist die absolute Staubfreiheit einer Folienbahn bei der Herstellung von → Photofolien und → Magnetbandfolien. Es wurden hierfür spezielle → Folienbahn-Reinigungssysteme entwickelt.

Folienbahn-Reinigungssysteme, *<web-cleaning systems>*, dienen der Reinigung von → Folienbahnen durch Entfernung kleiner Ablagerungen, die aus der Raumluft oder durch Materialabrieb auf die Oberfläche gelangt sind. Hauptursache für diese Verunreinigungen ist die elektrostatische Aufladung der Folienbahn. Da die Produktionsgeschwindigkeiten bei Folienherstellung und Folienverarbeitung immer größer werden, steigt auch die Gefahr größerer Aufladungen und damit stärkerer Verunreinigung.

Es gibt Versuche, Verunreinigungen von der Folienoberfläche durch ionisierte Druckluft zu entfernen. Das Verfahren ist jedoch ungeeignet, weil die Verunreinigungen in der Umgebungsluft verbleiben und im weiteren Produktionsprozeß die Folie wieder kontaminieren können. Praktikable Reinigungssysteme arbeiten nach zwei verschiedenen Prinzipien:

1. Kontakt-Reinigungssysteme berühren die Oberfläche der Folienbahn mit rotierenden oder stationären Bürsten. Diese sind in ein Absaugsystem unter Anwendung von Vakuum integriert. Die abgesaugten Partikel werden am Ende des Systems durch wirksame Filter, gegebenenfalls in Verbindung mit Cyclonen, abgeschieden. Hauptnachteil des Bürstensystems ist der hohe Wartungsaufwand, der vor allem durch die Notwendigkeit zur häufigen Reinigung der Bürsten bedingt ist. Ein weiterer Nachteil ist starke elektrostatische Aufladung der Folie beim Reinigungsvorgang. Diese Aufladung muß wieder neutralisiert werden.

2. Berührungsfreie Systeme. Der Gebrauch von Vakuum allein reicht im allgemeinen nicht aus, um Schmutzteilchen von der Folie zu entfernen, da diese Partikel durch elektrostatische Kräfte festgehalten werden. Die Vakuumbehandlung muß vielmehr durch andere Mittel ergänzt werden. So werden → Luftbürsten mit Ultraschall-

geräten kombiniert, wodurch hochfrequente Druckwellen auftreten. Das Ionisieren der Luft bringt zusätzliche Effekte. Dieses System ist sehr gut zur Entfernung extrem kleiner Partikel geeignet. Bei Teilchen von mehr als 40 μ Durchmesser läßt die Wirksamkeit des Verfahrens jedoch sehr stark nach. Andere Systeme setzen zur Unterstützung der Vakuumabsaugung kleine Luftvolumina ein, die jedoch sehr gezielt und agressiv auf die Folienoberfläche auftreffen. Es werden dadurch Turbulenzen erzeugt, in denen die Verunreinigungen von der Oberfläche abgehoben werden. Diese Methode ist bei Teilchen, die kleiner als 30 μ sind, weniger wirksam. Die genannten Systeme wurden im Detail konstruktiv immer mehr verbessert. Sie dienen natürlich nicht nur zur Reinigung von Folienbahnen, sondern in gleicher Weise zur Behandlung von Papier- oder Textilbahnen.
Ein anderes Prinzip zur Reinigung von Folienbahnen sind → Putzwalzen.

Folienbögen, *<film sheet>*, auf bestimmte Formate zugeschnittene Folien. Nur für wenige Anwendungen, wie z.B. als Verpackungsmaterial im Einzelhandel und bei der Verwendung im Haushalt, werden → Folienbahnen in Längs- und Querrichtung aufgeschnitten. Typische Formate sind ca. 30 mal 30 cm, selten über 1 m^2. Das Zusammenkleben der Folienbögen (Blocken) im Stapel muß durch den Zusatz von *Antiblockmitteln* verhindert werden.

Foliendruck, *<film printing>*, → Bedrucken von Folien.

Folieneigenschaften, *<film and foil properties>*, sind entscheidend für die → Folienverarbeitung und die → Folienanwendung. Neben allgemeinen Kenndaten wie → Dichte, → Flächengewicht und → Flächenausbeute unterscheidet man als Hauptgruppen → mechanische, → thermische, → optische, → elektrische und → chemische Eigenschaften.
Weiterhin spielen bei vielen Anwendungen die → Durchlässigkeit von Folien, ihre → Dimensionsstabilität und ihre → Wasseraufnahme eine große Rolle.

Folienfenster, *<film window>*, → Fensterfolien.

Foliengarn, *fibrilliertes Garn, Spaltfasergarn, Spleißfäden, <fibrillated yarn>*, aus Folien oder → Folienbändchen gewonnenes Material, das nach den üblichen textilen Verfahren verarbeitet werden kann. Der Titer dieser Garne oder Fäden liegt zwischen 0,8 und 8 tex (tex, Einheit für die lineare Dichte einer Faser; das Gewicht einer Faser von 1 km Länge in Gramm). Für die Herstellung von Foliengarn gibt es verschiedene Verfahren:
1. Stark verstreckte Folien oder Folienbänder werden thermofixiert und dann durch Nadelwalzen in Längsrichtung aufgerissen. Es ergibt sich eine unregelmäßige, noch zusammenhängende Struktur. Dieses Produkt wird auch als Netzwerkgarn bezeichnet.
2. Folienbändchen werden durch ein entsprechendes → Formwerkzeug mit einem Profil extrudiert, das vorgegebene Schwachstellen enthält (Abb. A)

Beim anschließenden Verstrecken werden die Bändchen an diesen Schwachstellen aufgespalten (B). Es entstehen vollständige voneinander getrennte sogenannte Barfilex-fibrillierte Folienfäden.

Foliengarn.

3. Unverstreckte Folien werden durch klar definiertes Schneiden in Längsrichtung zu Bändchen aufgeschnitten. Diese werden in Heißluftöfen bei 120 bis 140 °C verstreckt. Das Reckverhältnis beträgt 1:6 bis 1:8. Mit zunehmenden Reckverhältnis steigen Festigkeit, Steifigkeit und Schrumpfneigung an. Bei der anschließenden Thermofixierung werden die Bändchen durch entsprechende Geschwindigkeit der Abzugswalzen um etwa 5% geschrumpft.
Die Bändchen können leicht gekräuselt werden. Die Folienbändchen können auch unmittelbar vor dem Webstuhl von der Folienrolle erzeugt werden. In diesem Fall muß die Folie bereits in Längsrichtung verstreckt sein.
4. Durch Coextrusion von zwei Thermoplasten, die unterschiedliches Schrumpfverhalten haben, werden nach Aufreißen mit Nadelwalzen selbstkräuselnde, sog. Bikomponenten-Foliengarne erhalten.
Die Folien werden nach dem Verfahren der → Blasfolien- oder der → Flachfolienextrusion gewonnen. Meist werden → Polypropylen oder → Polyethylen hoher Dichte eingesetzt. Anwendungsgebiete sind wetterfeste technische Gewebe, Tauwerk, Bindegarn und Material für Teppichböden.

Folienlacke, *<film lacquer>*, → Beschichten.

Folienherstellung, *Folienproduktion*, *<film and foil manufacturing>*, die Umformung der → Rohstoffe, vor allem → thermoplastischer Kunststoffe und → Aluminium, zum Halbzeug Folie. Bei der → Folienverarbeitung geht man dagegen von fertigen Folien aus.
Die Verfahren zur Folien-Herstellung ergeben sich primär aus den chemischen, mechanischen und thermischen Eigenschaften der Ausgangsmaterialien. Selbstverständlich beeinflussen auch die Anforderungen an die → Folieneigenschaften die Wahl des Herstellungsverfahrens. Man kann die Verfahren zur Folien-Herstellung in folgende Hauptgruppen aufteilen:
1. Die thermoplastische Verformung von geeigneten Polymeren ist das mit Abstand wichtigste Verfahren zur Herstellung von Kunststoff-Folien. Sie kann durch → Kalandrieren, d.h. durch Anwendung hoher Scherkräfte bei erhöhter Temperatur oder durch Aufschmelzen im → Extruder, erfolgen. Man unterscheidet das → Blasfolienverfahren und das → Flachfolienverfahren. Die → Extrusion und vor allem die → Coextrusion haben für die Folien-Herstellung in den letzten Jahren steigende Bedeutung erlangt. Die enorme Vielfalt der angebotenen Thermoplasten, die schnelle Weiterent-

wicklung der Verfahren und nicht zuletzt die gegenüber Gießverfahren wesentlich günstigere Ökologie werden auch in Zukunft die Herstellung von Folien durch thermoplastische Verformung begünstigen. Im Anschluß an die Extrusion werden zur Verbesserung der Folien-Eigenschaften sehr oft → Reckverfahren angeschlossen.

2. Die Umformung von organischen Polymeren aus Lösungen wird bei Stoffen angewendet, die nicht oder nur unter Zersetzung schmelzen, wie → Cellulose oder → Polyimide. Die Technologie dieser sog. → Gießverfahren wurde vielfach in Anlehnung an die Prozesse zur Herstellung von synthetischen Fasern entwickelt. Noch heute haben die Verfahren zur Herstellung von Folien und Fasern bei Einsatz von nicht schmelzenden Polymeren manches gemeinsam. Da bei der Anwendung von Gießverfahren Lösungsmittel erforderlich sind, ist ihre Ökologie zwangsläufig ungünstiger als bei der thermoplastischen Verformung. In speziellen Fällen, vor allem zur Herstellung von sehr dünnen Folien, werden Gießverfahren trotzdem auch bei Thermoplasten angewendet. Ein wichtiges Beispiel ist die Herstellung von → Polycarbonatfolien.

3. Walzverfahren werden zur Herstellung von → Metallfolien, insbesondere von → Aluminiumfolien angewendet.

4. → Sinterverfahren sind bisher auf spezielle Produkte beschränkt geblieben. Beispiele sind Tetrafluorethylen-Folien und → Polyimidfolien.

5. Grenzfälle der Folien-Herstellung sind die Gewinnung von → Schaumfolien auf Basis Polyurethan oder Polyethylen und die Herstellung von → Elastomer-Folien.

Bei den meisten Verfahren zur Folienherstellung werden die erhaltenen → Folienbahnen zu → Folienrollen aufgewickelt und in dieser Form der Anwendung oder der weiteren Verarbeitung zugeführt.

Bei der Folienherstellung sind wie bei allen industriellen Verfahren, die Regeln für → Arbeitsschutz und Unfallsicherheit zu beachten. Ein noch verhältnismäßig neuer Begriff ist → Good Manufacturing Practises.

Folienprüfung, <*film and foil testing*>, → Qualitätskontrolle.

Folienrolle, <*roll*> (bei Aluminiumfolie <*coil*>), entstehen durch Wickeln der Folienbahn auf Papp- oder Metallkerne.

Die Handhabung der Folienrollen am Ende des Produktionsprozesses, zwischen den einzelnen Fertigungsverfahren und beim Versand zum Verbraucher wird mit der Steigerung der *Rollenbreiten* und *Rollendurchesser* immer schwieriger. Auch die wachsenden Fertigungs-Geschwindigkeiten zwingen zu immer weitergehender Automatisierung der Techniken zur Handhabung der Folienrollen. Beispiele sind moderne Anlagen zum → Schneiden und → Wickeln und der heute selbstverständliche fliegende → Rollenwechsel. Weiterhin wurden Geräte aller Art entwickelt, die selbst tonnenschwere Folienrollen bewegen, in der richtigen Weise in Produktionsanlagen einbrin-

Folienrolle.

Dicke my	Einheit Rollenaußendurchmesser Kerndurchmesser	1L 330 mm 76 mm	2L 500 mm 152 mm	3L 600 mm 152 mm	6L 800 mm 152 mm
12		6300	12600	18900	37800
15		5000	10000	15000	30000
20		3800	7600	11400	22800
21		3600	7200	10800	21600
25		3000	6000	9000	18000
25		3000	6000	9000	18000
30		2500	5000	7500	15000
35		2200	4400	6600	13200
40		1900	3800	5700	11400

Wolff Walsrode AG, Walsrode, Firmenschrift

gen oder für den Endverbraucher konfektionieren können.

Wichtige Kenngrößen bei Folienrollen sind Rollenbreite, Gewicht, Außendurchmesser der Rolle, Kerndurchmesser und Lauflänge. Man versteht darunter die auf einer Rolle verfügbare Länge der Folienbahn. Sie ist stark von der Art der Folie, vor allem von ihrer Dicke abhängig. Viele Hersteller bieten Folien zur Weiterverarbeitung in standardisierten Lauflängen an. Ein Beispiel für die Zusammenhänge der einzelnen Kenngrößen zeigt die Tabelle am Beispiel von → BOPP. Lauflänge L in m.

Das Handhaben von Folienrollen ist bereits bei der Planung von Produktionsanlagen stark zu berücksichtigen. Als Beispiel sei die Herstellung von → BOPP und → Polyesterfolien genannt. Die Produktionsanlagen für diese beiden besonders wichtigen Folien erreichen heute Breiten von über 8 m. Es gibt prinzipiell zwei verschiedene Wege, mit diesen extrem breiten und entsprechend schweren Großrollen fertigzuwerden:

1. Die Aufteilung der Folienbahn am Ende der Fertigung in 3 oder 4 Rohrollen entsprechend geringerer Breite, die dann für die weitere Verwendung geschnitten und gewickelt werden.
2. Die Direktkonfektionierung, d.h., der unmittelbare Einsatz der bei der Fertigung erhaltenen Großrollen zur Herrichtung für den Verwender. Dabei wird der Anfall von Rohrollen vermieden. Allerdings ist eine Zwischenlagerung der Großrollen erforderlich.

Eine Entscheidung für die eine oder die andere Methode ist schwierig, da Vor- und Nachteile einigermaßen gleichmäßig verteilt sind. Meist wird die Kundenstruktur den Ausschlag geben.

Die Standfestigkeit von Folienrollen hängt sehr stark vom Folienmaterial ab. Folienrollen von einer Breite über 60 cm sollten jedoch unabhängig davon stets waagerecht und im Wickelkern aufgehängt transportiert und gelagert werden. Die verwendeten Gestelle oder Halterungen werden auch im Deutschen meist als *Racks* bezeichnet. Das Aufstellen der Rollen auf ihre Grundfläche würde sehr leicht zu Verschiebungen innerhalb der Folienrolle und damit schnell zur Unbrauchbarkeit der Produkte führen.

Der automatische Transport von schweren Folienrollen auf führerlosen Fahrzeugen ist heute in moderen Produktionsanlagen sehr häufig verwirklicht. Dabei werden die Rohrollen automatisch gewogen, registriert, im Lager eingeordnet und damit für den Wiederabruf zur Verarbeitung bereitgestellt.

Folienschalter, *Membranschalter, Folientastatur, <membrane switch; switch-panel>*, mehrschichtiges, aus verschiedenen Folien aufgebautes Schaltelement, das als Bedieneinheit für Geräte, Apparaturen und Maschinen aller Art dient. Das Prinzip eines Folienschalters zeigt die Abb. Auf einer Basisfolie (1) befinden sich die Leiterbahnen (2), die von den auf der *Schaltfolie* (4) aufgebrachten leitfähigen Kontaktflächen (5) durch eine → Distanzfolie (3) getrennt sind. Durch Fingerdruck wird die Schaltfolie so weit durchgebogen, daß die Leiterbahnen auf der Basisfolie durch die leitfähige Kontaktfläche

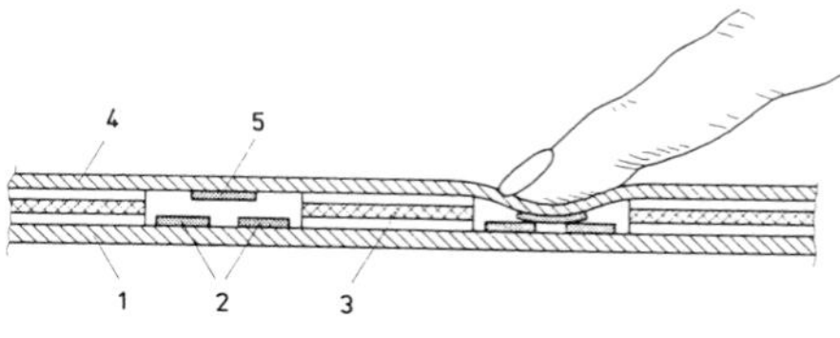

Folienschalter. W. Waldenrath, Kunststoff-Folien für Membranschalter, Kunststoffe **74**, 450 (1984)

auf der Schaltfolie überbrückt werden. Der Folienschalter ist geöffnet, der Strom kann fließen. Nach Aufhebung des Fingerdrucks federt die Schaltfolie in ihre Ausgangsposition zurück. Der Schalter ist geschlossen, der Schaltstrom wieder unterbrochen. Die Leiterbahnen können auch aus → gedruckten Schaltungen bestehen.

Die meisten Folienschalter tragen neben den drei Funktions-Schichten noch eine Deckfolie, auch → Front- oder Dekorfolie genannt. Diese wird meist als → Klebefolie ausgebildet. Sie wird auf der Rückseite im → Siebdruckverfahren mit allen Informationen bedruckt, die für die Bedienung des Schalters erforderlich sind. Die → optischen Eigenschaften dieser Folie müssen sehr gut sein. Von ihnen hängen Konturschärfe, Brillanz und Farbreinheit der rückseitig aufgedruckten Symbole und Schriftzeichen ab. Die Dekorfolie muß außerdem eine reflexionsfreie, kratzfeste, gegen Reinigungsmittel beständige Oberfläche haben, leicht bedruckbar, prägbar und verformbar sein und hohe dynamische Beständigkeit besitzen.

Als Basisfolien für flexible Membranschalter werden hauptsächlich → Polyester- und → Polycarbonatfolien in Dicken von 125 bis 200 μm verwendet. Starre Membranschalter haben eine Unterschicht aus Phenol- oder Epoxyharzen, die mit Glasfasern verstärkt sein können. Die aus Polyethylenterephthalat oder Polycarbonat bestehenden Distanzfolien sind 50 bis 200 μ dick. Sie sind beidseitig mit einem Acrylatkleber beschichtet, durch den sie mit den anderen Folien ver-

bunden werden. Die Dicken der Schaltfolien betragen 75 bis 200 μm. Die als Pasten aufgetragenen Kontaktbahnen müssen bei 100 bis 140 °C getrocknet werden, um gute Leitfähigkeit zu ergeben. Deshalb müssen die Basis- und Schaltfolien auch bei höheren Temperaturen sehr gute Dimensionsstabilität haben. Man erreicht diese bei Polyesterfolien durch eine thermische Vorbehandlung. Polycarbonatfolien besitzen ausgezeichnete Dimensionsstabilität, sind aber gegen einige Lösungsmittel empfindlicher als Polyesterfolien. Beim Einsatz von PC-Folien muß dies bei der Formulierung der Leitpasten berücksichtigt werden.
Neben Polyester und PVC ist Polycarbonat das z. Zt. am häufigsten verwendete Material für Deckfolien. Vorteile von Polycarbonat-Folien sind ihre sehr guten optischen Eigenschaften, die Unempfindlichkeit gegen Verkratzung und Fingerabdrücke. Ihre gute Kalt- und Warmformbarkeit ist für das Formstanzen von Kuppen, Umrandungen und anderen Oberflächenstrukturen wichtig. In der Beständigkeit gegen Fett, Öle, Alkohol, Salz, verdünnte Säuren und Waschmittel sind die Polyesterfolie und die Polycarbonatfolie gleichwertig. In der Beständigkeit gegen Lösungsmittel wie chlorierte Kohlenwasserstoffe, Aromaten oder Ketone ist die Polycarbonatfolie deutlich unterlegen. Eine aus einem Polymerblend von Polycarbonat und Polybutylenterephthalat extrudierte Folie hat unter Erhaltung der guten mechanischen und optischen Eigenschaften eine wesentlich verbesserte Chemikalienbeständigkeit.
Der Schaltweg ist bei Folienschaltern mit etwa 0,2 mm sehr klein. Deshalb ist eine optische oder akustische Kontrolle der Schaltfunktion zweckmäßig. Häufig werden die Deckfolien auch mit eingeprägten Kuppen oder Domen versehen, die den Schaltvorgang taktil und akustisch wahrnehmbar machen. Durch das verbesserte Schaltgefühl wird die Bedienungssicherheit von Folienschaltern erhöht. Bei der eingehenden Prüfung der Lebensdauer von Folienschaltern wurde ein sehr großer Einfluß der zur Bedruckung verwendeten Farben erkennbar. Diese ist bei Deckfolie mit Domprägung erwartungsgemäß noch größer als bei Flachtastaturen. Bei Verwendung hoch flexibler Siebdruckfarben, bei Verformung der Folie unterhalb von 80 °C und bei Einsatz von optimierten Prägewerkzeugen werden bei einer Prüfkraft von 10 N mehr als 3 Mio. Zyclen unbeschädigt überstanden. Parallel mit dem Fortschritt bei elektronischen Steuerungen haben sich Folienschalter in den letzten Jahren sehr schnell entwickelt. Auch für die nächste Zeit wird mit jährlichen Wachstumsraten von mehr als 20% gerechnet. Lit.

Folienschutzhaube, *<protective cap>*. Die Haube ist etwa 30 cm hoch bei einem Durchmesser von etwa 25 cm. Sie wird über den Kopf gestülpt und am Hals durch einen elastischen Kragen abgeschlossen. Die Haube besteht aus → Polyimidfolie. Dieses hitzebeständige und transparente Material ermöglicht bei guter Sicht die Flucht aus Gefahrenbereichen mit Rauch- und Gasentwicklung. Die Sauerstoff-Reserve von ca. 95 cm^3 ermöglicht die Atmung bis zu etwa 20 Minuten. Kohlendioxid wird in einem integrierten Wäscher absorbiert. Lit.

Folienstreifenverschluß, *F.T.S.-Verschluß*, *<fold-tape and seal>*, ein Verfahren zum Verschließen von → Säcken, insbesondere von ein- und mehrlagigen Papiersäcken.
Ein zur → Heißsiegelung fähiges Folienband sichert die doppelte Faltung des oberen Sackrandes. Die vom Füllgut ausgeübten Kräfte werden auf diese Weise optimal aufgefangen. Wenn das Folienband nicht in seiner ganzen Länge gesiegelt wird, erlaubt der überstehende Teil des Bandes ein einfaches Öffnen des Sackes.

Folientastatur, *<membrane keyboard>*, eine aus → Folienschaltern aufgebaute Tastatur.

Folientechnik, *<film and foil technology>*, → Folientechnologie.

Folientechnologie, *Folientechnik*, *<film and foil technology>*, die Gesamtheit der technisch-wissenschaftlichen Kenntnisse über → Folien in den Bereichen → Folienherstellung, → Folienverarbeitung, → Folieneigenschaften, → Folienanwendung und → Qualitätskontrolle. Die Folientechnologie schließt Kenntnisse über die verwendeten → Rohstoffe und → Additive ein und berührt deshalb gleichermaßen die Ingenieurwissenschaften, die Chemie und die Physik.
Wegen der Vielfalt der Einsatzgebiete für Folien sind Fragen der → Gesetzgebung auch bei der Folientechnologie zu berücksichtigen.
Grenzgebiete der Folientechnik, z.B. die Bereiche → Wursthüllen, → Membranen oder → elastomere Kunststoffe wurden ebenfalls behandelt.
Folien stehen auf vielen Gebiete in Wettbewerb mit anderen Materialien wie → Papier und Pappe, → Glas und → Metall. Das Problem der → Entsorgung von Folienabfällen ist gerade in jüngster Zeit zu einem wichtigen Aspekt der Folientechnologie geworden.

Folienverarbeitung, *<film and foil processing>*. Im Gegensatz zur → Folienherstellung, wo Rohmaterialien zu Folien umgeformt werden, werden hier technische Prozesse auf fertige Folienrollen angewendet. Einfachstes Beispiel ist → Schneiden und → Wickeln, wodurch Rohrollen für die weitere Verwendung konfektioniert werden. Durch Folien-Verarbeitung werden solche → Verbundfolien gewonnen, die nicht in einem Arbeitsgang durch → Coextrusion hergestellt werden. Wichtigste Verfahren sind das → Kaschieren und die → Extrusionsbeschichtung. Weitere Verarbeitungsverfahren verändern die Folienoberfläche durch → Bedampfen, → Beschichten, → Bedrucken oder → Beflocken. Die → Oberflächenbehandlung ist in den meisten Fällen in die Folienherstellung integriert. Dies kann natürlich auch bei einfachen Verarbeitungsprozessen der Fall sein, z.B. durch Einschaltung ei-

nes Druckwerks in das Verfahren der Folien-Herstellung.
Zur Folienverarbeitung zählt auch die Herstellung von → Beuteln, → Säcken und → Tragetaschen.
Sofern die Verarbeitung von Folien direkt zur Endnutzung führt, spricht man von → Folienanwendung.

Fondfarbe, → Mehrfarbendruck.

Food and Drug Administration, → Gesetzgebung in den USA.

Formaldehyd, *Methanal*, *<formaldehyde>*, Chemische Formel $H_2C{=}O$, ein farbloses, stechend riechendes Gas. Fp = -92 °C, Kp. = -19,2 °C. Formaldehyd ist sehr reaktionsfähig und giftig. MAK-Wert 1,2 mg/m^3. Die Dämpfe sind brennbar, sie bilden mit Luft explosible Gemische. Formaldehyd löst sich sehr leicht in Wasser. Die 35 bis 50 prozentigen Lösungen (Formalin) riechen ebenfalls stechend und wirken auf die Haut reizend und ätzend. Formaldehyd diente früher in Verbindung mit reaktiven Substanzen zur Imprägnierung von → Wursthüllen. Derartige Präparationen sind heute lebensmittelrechtlich verboten. Auch bei der → Chemischen Sterilisation, z.B. in der Medizinischen Verpackung, hat Formaldehyd stark an Bedeutung verloren.

Formbeständigkeit in der Wärme, *HDT*, *<deflection temperature under load, heat distortion temperature, HDT>*, bei → thermoplastischen Kunststoffen ein Maß für die → Wärmebeständigkeit, das zur Beurteilung der → Thermischen Eigenschaften von Folien wichtige Hinweise geben kann. Neben den → Vicat-Erweichungstemperatur sind zwei Methoden in der Praxis eingeführt, bei denen Probekörper einer Biegespannung ausgesetzt werden. Die Temperatur wird so lange gesteigert, bis eine vorgegebene Durchbiegung eintritt.
1. Prüfung im Tauchbad. Der an beiden Rändern unterstützte Probekörper wird durch einen Biegedorn in der Mitte belastet (Abb. 1). ISO R/75, DIN 53461.
2. Prüfung nach Martens (Abb. 2).
Ein verschiebbares Gewicht G wirkt über einen Belastungsheben auf den eingespannten Prüfkörper ein. Die Erwärmung erfolgt in der Luft. DIN 53462 (Gerät), DIN 53458 (Methode).
Die Ergebnisse beider Prüfungen sind nicht vergleichbar.

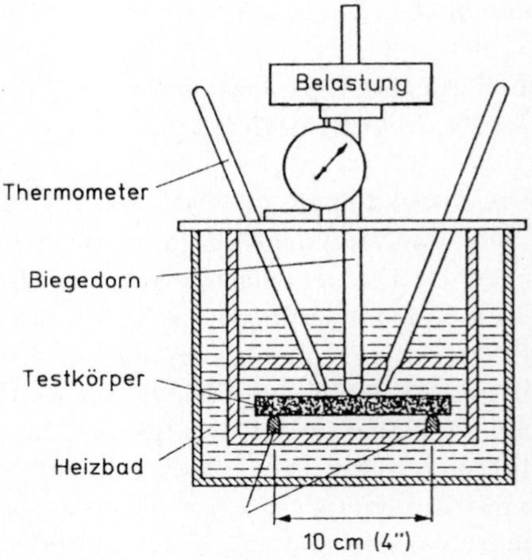

Formbeständigkeit in der Wärme. Abb. 1. Wittfoht, Kunststoff-Technisches Wörterbuch, 2, S. 155, Hanser Verlag 1983.

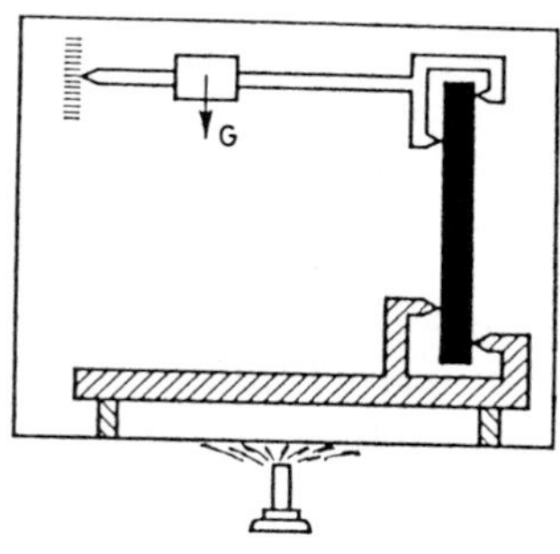

Formbeständigkeit in der Wärme. Abb. 2. Wittfoht, Kunststoff-Technisches Wörterbuch, 2, S. 155, Hanser Verlag 1983.

Form-, Füll- und Schließverfahren, *<form/fill/seal-processes>*. Auf → Verpackungsmaschinen laufen in-line nacheinander drei Produktionsschritte ab:

1. Eine → Folienbahn wird derart behandelt, daß Formen oder Gebilde entstehen, die Packgüter aufnehmen können.
2. Die Füllgüter werden eingebracht.
3. Die Packung wird verschlossen.

So einfach das Prinzip der Form-, Füll- und Schließverfahren erscheint, so vielfältig sind die dazu benutzten → Packmittel, die Technologie der Maschinen und die Form der erzeugten Packungen. Bei der Verpackung von Füllgütern in → Beuteln besteht der erste Schritt des Verfahrens in einer geeigneten Faltung der von der Rolle verarbeiteten Folie. Wie bei der Beutelherstellung werden die Folien durch → Heißsiegeln oder → Kleben verbunden. Die so erzeugten Beutel werden nach der Befüllung kontinuierlich verschlossen. Das weitgehend automatisierte Verfahren wird zur Verpackung einer großen Zahl von Füllgütern, vorzugsweise bei der → Lebensmittelverpackung angewendet. Es arbeitet sehr rationell, verlangt aber eine hohe Folien- und Maschinen-Qualität. Selbstverständlich lassen sich auch Bahnen aus → Papier oder aus Papier-Folien-Kombinationen verarbeiten. Die Produktionsanlagen sind entweder horizontal oder vertikal angeordnet.
Bei anderen Form-, Füll- und Schließverfahren werden die Folien durch → Warmformen zur Aufnahme des Füllguts vorbereitet. Hier sind vor allem die → Blisterverpackung und die → Skinverpackung zu nennen. Man spricht bei kontinuierlich arbeitenden Anlagen oft von *Thermoform-, Füll- und Schließmaschinen.* Mit mechanischer Verformung wird bei der → Aluminium-Formpackung gearbeitet. Sehr häufig wird eine Kombination von thermischer und mechanischer Formung angewendet.
Das Prinzip der Form-, Füll- und Schließverfahren wird auch zur Herstellung von Wurstwaren unter Einsatz von → Wursthüllen aus Thermoplasten angewendet.

Formkaschieren, *<form laminating>*, → Vakuum-Formkaschieren.

Formmassen, *Kunststoff-Formmassen, <moulding material, molding compound>*, zur formgebenden Verarbeitung durch Hitze und/oder Druck vorbereitete Kunststoffe oder Harze, die meist in Form von gut rieselfähigen

Partikeln, wie Granulaten, Pellets, Tabletten oder Perlen, in einigen Fällen auch in pastöser oder viskoser Form vorliegen. Formmassen enthalten alle zur Herstellung von Kunststoff-Formteilen oder von Halbzeug erforderlichen → Additive. Sie sind ohne weitere Zusätze fertig zur Verarbeitung durch Extrusion, Kalandrieren, Pressen, Spritzpressen, Spritzgießen usw.
Leicht zu verarbeitende Thermoplasten wie Polyolefine bestehen im wesentlichen aus dem Polymeren, allenfalls mit kleinen Zusätzen von → Gleitmitteln, → Antistatika oder Stoffen, die die → Nukleierung fördern. Man spricht bei diesen Produkten meist nicht von Formmassen.
Andere Polymere, z.B. → Weich-PVC, verlangen größere Mengen von → Weichmachern und anderen → Additiven. Derartige Formmassen sind komplexer zusammengesetzt, ihre Formulierung ist komplizierter.
Der Begriff Formmassen schließt auch rieselfähige Trockenmischungen von Polymeren, sog. → Dryblends, ein.
Formmassen werden meist kurz vor der Verarbeitung hergestellt, in manchen Fällen aber auch als lagerfähige Produkte, z.B. als → Harzmatten (Prepregs) angeboten. Bei ihrer Herstellung und Verarbeitung werden häufig → Trennfolien verwendet.

Formwerkzeug, *Werkzeug, Düse,* *<die, tool>*, in der Kunststoffverarbeitung ein Maschinenteil, das zur Formgebung für Polymere geeignet ist. Formwerkzeuge dienen in der → Folientechnologie hauptsächlich der Formung von → thermoplastischen Kunststoffen. Bei der → Folienherstellung werden Werkzeuge bei der → Blasfolienextrusion, der → Flachfolienextrusion und der → Coextrusion eingesetzt. Es sind Ring- bzw. Flachdüsen. Die in jüngster Zeit entwickelten → Automatikdüsen waren eine bedeutender Fortschritt in der Folienherstellung. Auch beim → Warmformen oder bei der Herstellung von → Blisterverpackungen spricht man vom Formwerkzeugen, beim → Heißsiegeln von Siegelwerkzeugen.
Für die → Reinigung von Werkzeugen gibt es eine Reihe von Verfahren und speziellen Anlagen.

Forschungsinstitute, *<research institutes>*. Die größte geschlossene Gruppe von Instituten, die sich mit → Folientechnologie befaßt, ist in der International Association for Packaging Research Institutes, → IAPRI zusammengeschlossen. Mitglieder in der Bundesrepublik Deutschland sind das → Institut für Exportverpackung, Hamburg, das → Fraunhofer-Institut für Lebensmitteltechnologie und Verpackung, ILV, München, die Abteilung für Logistik an der Universität Dortmund und die → Bundesanstalt für Materialprüfung.
In den neuen Bundesländern ist das → Forschungszentrum Verpackung, Dresden, zu nennen.
Wichtig für die → Folienherstellung aus → thermoplastischen Kunststoffen sind alle mit Kunststofftechnologie befaßten Institute, so z.B. das Deutsche Kunststoff-Institut, Darmstadt, und das Institut für Kunststoffverarbeitung

(IKV) an der Technischen Hochschule Aachen.

Forschungszentrum Verpackung, Dresden, *FZV, Dresden*, gegr. 1954. Es hat in den letzten Jahrzehnten wertvolle wissenschaftlich-technische Arbeiten im Bereich → Verpackung durchgeführt. Infolge der Isolierung und der wirtschaftlichen Situation der früheren DDR waren die meisten Aufgabenstellungen den örtlichen Gegebenheiten unterworfen und haben deshalb in der Bundesrepublik Deutschland nur wenig Beachtung gefunden.
Der politischen und wirtschaftlichen Neuorientierung stellt sich das Institut auf folgende acht Arbeitsgebieten:
1. Forschungs und Entwicklung für die Herstellung von Verpackungswerkstoffen, -mitteln und -hilfsmitteln
2. Unternehmensberatung
3. Entwicklung von Verpackungslösungen
4. Prüftechnische Leistungen
5. Standardisierungsleistungen
6. Informations-/ Dokumentationsleistungen
7. Trend-/Marktforschung
8. Öffentlichkeitsarbeit/ Qualifizierung/ Lehre
Das Institut verfügt über qualifizierte Fachkräfte, eine ausgezeichnete wissenschaftliche Bibliothek und über die nötigen technischen Hilfsmittel.

Fraunhofer-Institut für Lebensmitteltechnologie und Verpackung, ILV, Ansprechpartner für den Hersteller und Anwender von Folien für die → Lebensmittelverpackung bei technisch-wissenschaftlichen Fragestellungen. Seine Ziele werden im Jahresbericht 1988 wie folgt dargelegt:
„Die wissenschaftliche Aufgabenstellung des Fraunhofer-Instituts für Lebensmitteltechnologie und Verpackung (ILV) definiert sich aus der Begleitung des Lebensmittels vom Rohstoff bis zum verpackten Produkt mit allen damit verbundenen Fragestellungen bezüglich Qualität und Haltbarkeit.
Die Forschungsarbeiten dienen vor allem der Sicherung der Produktqualität wie z.B. der Ermittlung objektiver Qualitätskriterien und der Untersuchung qualitätsverändernder Einflüsse durch Verarbeitung und Verpackung. Eine Verschiebung dieser Aufgabenstellung in Richtung weiterer empfindlicher Produktgruppen wie Pharmazeutika, Kosmetika und Tabakwaren ist in den Forschungsaufträgen der Industrie an das ILV deutlich zu verzeichnen. Dies führt zu einer kontinuierlichen Schwerpunkterweiterung der Forschungsausrichtung des Instituts.
Die veränderten Randbedingungen der Lebensmittelproduktion erfordern insbesondere eine verstärkte wissenschaftliche Ausrichtung in den Bereichen Prozeßoptimierung und Automatisierung sowie in der Entwicklung prozeßintegrierter Umwelttechnologien. Die kritische Einstellung des Konsumenten im Hinblick auf Probleme des Verpackungsaufwandes bzw. auf die Anwendung von Konservierungsstoffen und Prozeßhilfsmitteln schlägt sich in der Schwerpunktsetzung der Forschung nieder. So existieren am ILV mittlerweile Arbeitsgruppen zu „Ökologischen

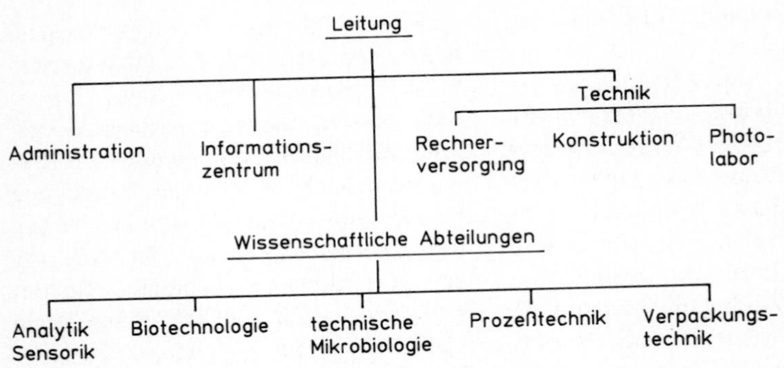

Fraunhofer-Institut für Lebensmitteltechnologie und Verpackung.

Profilen von Verpackungen", zu „Wechselwirkungen zwischen Packstoff und Füllgut" oder zur „Biokonservierung von Lebensmitteln".

Die Forschung des Instituts erfolgt als

- Grundlagen- und Vorlaufforschung als Basis für den Aufbau neuer Forschungsgebiete am ILV sowie für die Akquisition von Forschungsaufgrägen
- Forschungsprojekte für das Bundesministerium für Ernährung, Landwirtschaft und Forsten (BML) mit den Schwerpunkten Verbraucherschutz und Nachwachsende Rohstoffe
- Gemeinschaftsforschung für die Industrievereinigung für Lebensmitteltechnologie und Verpackung (IVLV), festgelegt durch den wissenschaftlichen Beirat der IVLV. Themembezogene Arbeitsgruppen diskutieren den Fortgang der Projekte laufend mit dem Institut und bemühen sich vor allem um die Übertragbarkeit der Forschungsergebnisse in die Praxis
- Gemeinschaftsprojekte (multi-client-projects) für jeweils eine Gruppe von Industriepartnern zu einer vorgegebenen gemeinsam interessierten Thematik
- Auftragsforschung für Industrie, Wirtschaftsverbände, Stiftungen und Staat."

Das Organogramm des Instituts zeigt die Abb.

Das Institut gehört zur Technischen Universität München und ist eng mit der → Industrievereinigung für Lebensmitteltechnologie und Verpackung verbunden. Es tritt mit Vorträgen und Publikationen an die Öffentlichkeit. Das ILV ist Mitglied in zahlreichen Gremien, Kommissionen und Ausschüssen, so bei → IAPRI, der Kunststoffkommission des → Bundesgesundheitsamtes und in mehren Ausschüssen des Deutschen Instituts für → Normung.

Anschrift: Schragenhofstr. 35, D-8000 München 50. Telefon (089) 149009-0, Telefax (089) 14900980.

Frischfleischfarbe, *<red meat colour>*. Die rote Farbe frischen Fleisches ist ein besonders wichtiges Qualitätsmerkmal und Verkaufsargument. Ihre Erhaltung wird durch die ver-

wendeten Verpackungsfolien wesentlich mitbestimmt.
Die Farbe von Fleisch wird durch seinen Gehalt an *Myoglobin* hervorgerufen. Dieser Muskelfarbstoff ist unmittelbar nach der Schlachtung dunkelrot und geht dann durch Anlagerung von Sauerstoff in das ziegelrote Oxymyoglobin über. Bei weiterer Einwirkung von Sauerstoff kommt es zu einer irreversiblen Oxydation unter Bildung von dunkelbraunem Metmyoglobin. Zur Erzielung der gewünschten hellroten Färbung dienen → Sperrschichtfolien für Sauerstoff bei der → Frischfleich-Reifung im Vakuumbeutel. Während der Reifung bleibt das Myoglobin erhalten, bei der Öffnung der Verpackung bewirkt der Sauerstoff die erwünschte Nachrötung der Ware. Zur → Frischfleischverpackung von Ware, die kurzfristig zum Verbrauch bestimmt ist, wählt man dagegen Folien, die für Sauerstoff durchlässig sind, um die Bildung von Oxymyoglobin zu ermöglichen.

Frischfleischreifung, *<red meat ripening>*. Während Scheinefleisch kurze Zeit nach der Schlachtung verzehrt werden kann, erhält Rindfleisch erst durch einen Reifeprozeß die gewünschten Eigenschaften.
Die lange Zeit übliche Reifung durch Abhängen wurde seit Anfang der 70er Jahre in steigendem Maße durch die Reifung im Kunststoff-Vakuumbeutel verdrängt.
Zu Beginn der Entwicklung wurden *Schrumpfbeutel* durch Konfektionierung von Schrumpfschläuchen hergestellt, die durch → Blasfolienextrusion gewonnen wurden. Ausgangsmaterialien waren PVC-PVDC-Copolymerisate. An Stelle der vorgefertigten Beutel werden vom Verpackungsbetrieb auch Folienschläuche direkt eingesetzt. Nach der Befüllung werden die Beutel wie bei der → Vakuumverpackung evakuiert. Die anschließende Schrumpfung erfolgt in Heißwasserbädern bei Temperaturen von ca. 80 bis 90 °C. Um eine zu starke Erhitzung der Fleischoberfläche zu vermeiden, dürfen die Schrumpfzeiten nur etwa 1 bis 2 sec. betragen. Verbundfolienbeutel bestehen aus 2 bis 3, gelegentlich auch aus 4 oder 5 Schichten. Sehr häufig werden → PA/PE-Folien eingesetzt. Die Polyolefinschicht besteht oft aus Copolymerisaten, z.B. aus → Ethylen-vinylacetat-Copolymeren oder aus → Ionomeren, die Folien mit besseren mechanischen Eigenschaften, vor allem mit höherer Durchstoßfestigkeit ergeben. Auch die Siegelfähigkeit und das Nachschrumpfverhalten werden auf diese Weise verbessert. → Sperrschicht-Folien verringern die Sauerstoffdurchlässigkeit. Die Tabelle 1 zeigt einige wichtige Eigenschaften von Folien für *Vakuumbeutel* aus Basis Polyamid/Polyolefin.
Auch Folienaufbauten wie PETP/PE; PETP/PVDC/PE sind zur Herstellung von Vakuumbeuteln für die Frischfleischreifung geeignet. Die Beutelabmessungen richten sich nach der Art der Fleischteile (Tabelle 2). Muldenpackungen werden vor allem bei Verarbeitung größerer Produktmengen bevorzugt. Man geht von Verbundfolien-Rollen aus, die durch → Warmformen zu Mulden geformt, nach Einlegen des

Frischfleischreifung. Tab. 1.

Schichtdicken PA/ Polyolefin µm	Dicke mm	Flächengewicht g/m²	Ausbeute m²/kg	Reißdehnung % längs	quer	Gasdurchlässigkeit cm³/m².d.bar 23 °C/75% r.F. Stickstoff	Sauerstoff	Kohlendioxid	Wasserdampfdurchlässigkeit g/m².d. bei 23 °C/85% r.F.
PA/PE-2-Schichten-Folie									
20 75	0,085	91,6	10,9	220-350	250-400	10	45	135	2,5
30 50	0,080	80,2	12,5	220-350	250-400	7	30	90	3,5
30 75	0,105	102,9	9,7	220-350	250-400	7	30	90	2,5
40 50	0,090	91,5	10,9	220-350	250-400	5	25	70	3,5
80 100	0,180	182,4	5,5	220-350	250-400	2	10	35	1,8
70 150	0,220	217,9	4,4	220-350	250-400	2,5	12	35	1,2
PA/PE-Sperr-Schicht-4-Schichten-Folie									
30 50	0,080	8,0	12,5	220-350	250-400	0,1	0,5	0,8	3,5
40 75	0,115	114,0	8,8	220-350	250-400	<0,1	0,5	0,8	2,5
80 100	0,180	182,0	5,5	220-350	250-400	<0,1	0,5	0,8	1,8
PA/Ionomer-2-Schichten-Folie									
30 40	0,070	71,5	14,0	250-450	300-500	7	30	80	3,5
60 120	0,180	181,8	5,5	250-450	300-500	4	16	40	1,4
70 150	0,220	220,0	4,5	250-450	300-500	2,5	12	35	1,0

Wolff Walsrode AG, Walsrode, Firmenschrift

Frischfleischreifung. Tab. 2.

Produkt	Format, mm
Filet, Beischeibe	255 × 520
Oberschale (klein), Schild	
Roastbeef	300 × 400
Nuß, geteilter Bauchlappen	300 × 600
falsches Filet	400 × 500
Unterschale mit Schwanzstück	400 × 650
Oberschale, dickes Bugstück	400 × 650
Bauchlappen	400 × 800

Wolff Walsrode AG, Walsrode, Firmenschrift

Füllgutes evakuiert und dann mit einer → Deckelfolie verschlossen werden. Der Aufbau der Muldenfolien entspricht weitgehend dem der Verbundfolien für Vakuumbeutel. Die Deckelfolien sind ebenfalls ähnlich aufgebaut aber wesentlich dünner. Eine Variante für das Einbringen der Polyamidschicht mit Hilfe der Coextrusion ist die Herstellung von Verbunden unter Einsatz von vorgefertigter, meist → orientierter Polyamidfolie. Um beim Vakuumreifen eine optimale Fleischqualität zu erzielen, muß dieses einen niedrigen Anfangs-Keimgehalt haben. Weiterhin darf die Kühlkette seit der Schlachtung nicht unterbrochen werden. Die optimale Temperatur im Fleischkern liegt bei 0 bis 2 °C, höchstens 4 °C, der optimale pH-Wert beträgt 5,4 bis 5,8, höchstens 6,0.

Zerlegung und Verpackung müssen schnell durchgeführt werden, um die rote → Frischfleischfarbe zu erhalten. Zur Beschleunigung des Verpackungsvorgangs dient das → Hi-vac-Verfahren. Die verpackte Ware wird kartoniert oder in Kunststoffkästen sofort in den Reiferaum übergeführt.

Die Frischfleischreifung im Vakuumbeutel hat gegenüber dem Abhängen eine Reihe von Vorteilen:

1. Schutz vor Austrocknung. Beim Abhängen im Kühlhaus bei 0 bis 2 °C ergibt sich durch Austrocknung ein nicht unbeträchtlicher Gewichtsverlust (Abb.). Dieser entfällt wegen der sehr niedrigen Wasserdampf-Durchlässigkeit oder Verbundfolien.
2. Schutz vor Luftsauerstoff. Die Oxydation von Fett wird verhindert, beim Öffnen tritt eine Aufrötung der Ware ein.
3. Vermeidung von Keimbefall.
4. Längere Erhaltung der Qualität, dadurch bessere Anpassungsmöglichkeit an den Markt.
5. Rationellere Lagerung und Distribution.

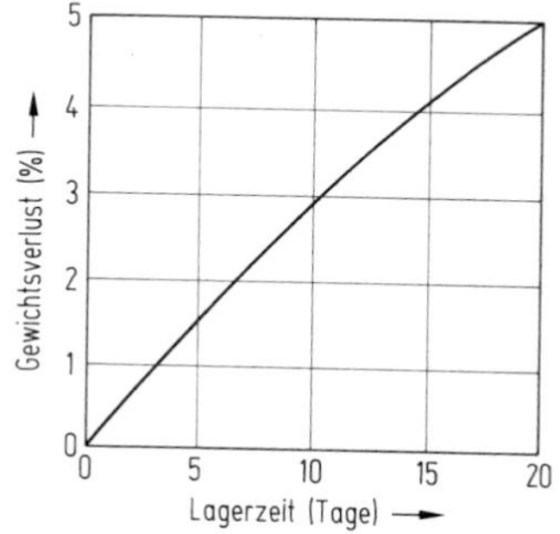

Frischfleischreifung. Nach W. Ermert, Verpackung von Fleisch und Fleischwaren, Bad Wörishofen, 1987.

Frischfleischverpackung, *<red meat packaging>*, die Verpackung von Frischfleisch zum Berührungsschutz. Sie wird entweder vom Verkaufspersonal durchgeführt oder erfolgt in Verpackungsbetrieben für den Vertrieb der Ware in der Selbstbedienung. Als Verpackungsmaterial werden häufig → fettbeständige Papiere verwendet. Folien haben den Vorteil der Transparenz und damit einer gefälligeren Darbietung der Ware. Es wurden in großem Maßstabe Folien aus lackiertem → Cellophan und aus → Weich-PVC verwendet. In jüngster Zeit werden Folien aus modifiziertem Polyethylen mit hoher Dehnfähigkeit und hoher Reißfestigkeit verstärkt verwendet. BOPP hat sich wegen seiner Rückstellneigung hier nicht bewährt. Alle genannten Folien verhindern durch ihren geringe → Wasserdampfdurchlässigkeit ein Austrocknen der verpackten Ware und gewährleisten durch ihre hohe Sauerstoff-Durchlässigkeit die Entwicklung der natürlichen roten → Frischfleischfarbe.

Das Angebot von Frischfleisch in Portionen zur Selbsbedienung ist in den letzten Jahrzehnten wesentlich ausgeweitet worden. Dies war bei dem schwierigen Packgut Fleisch nur durch

die Entwicklung optimaler Verpackungsfolien möglich. Die wichtigsten Verfahren sind:
1. *Verpackung in Trays* (vorgefertigte Schalen). Schalen aus gepreßtem Holzschliff oder → Cellulose-Behälter zeichnen sich durch hohe Gasdurchlässigkeit, gute Formbeständigkeit und hohe mechanische Belastbarkeit aus. Sie absorbieren außerdem ausgetretene Fleisch-Flüssigkeit und erhalten damit das gute Aussehen der verpackten Ware. Schalen aus geschäumten → Polystyrol und Kunststoffschalen, die durch → Warmformen von transparenten oder eingefärbten Folien hergestellt werden, haben geringere Bedeutung. Die gefüllten Schalen werden mit → Schrumpf-Folien umhüllt, die sich bei einer Wärmebehandlung dicht um den Behälter legen. Der Verpackungsvorgang wird von Hand oder maschinell durchgeführt.
Die Durchlässigkeit der Folien soll für Sauerstoff bei 0 °C ca. 2 000 $cm^3/m^2 \cdot d \cdot$ bar, für Wasserdampf höchstens 250 $g/m^2 \cdot d$ betragen. Die Folien müssen fettdicht und mechanisch ausreichend belastbar sein. Verwendet werden einseitig nitrolackiertes → Cellophan, modifiziertes → Polyethylen und → Weich-PVC. Cellophan hat hohe Durchlässigkeit für Sauerstoff und eine noch vertretbare Durchlässigkeit für Wasserdampf. Folien aus Weich-PVC weisen ideale Durchlässigkeit für sauerstoff bzw. Undurchlässigkeit für Wasserdampf auf. Ihre mechanischen Eigenschaften können leicht so modifiziert werden, daß Dehnverhalten und Schrumpfbarkeit optimal eingestellt werden können. Problematisch ist ihr Gehalt an Weichmachern. Für die Frischfleisch-Verpackung sind deshalb nur Weich-PVC-Folien zugelassen, die maximal 20 μm dick sind und höchstens 22% Weichmacher enthalten. Wegen dieser Einschränkung werden Weich-PVC-Folien zunehmend durch weichmacherfreie → PE-LD- und PE-LLD-Folien und Folien aus → Ethylenvinylacetat-Copolymeren ersetzt. Diese können als → Schrumpf- oder → Stretch-Folien ausgebildet werden. Die Lagerfähigkeit derartiger Packungen ist mit 2 bis 3 Tagen sehr kurz.
2. *Mulden-Verpackung*. Dieses Verfahren wird in gleicher Weise und mit ähnlich aufgebauten Folien wie bei der → Frischfleisch-Reifung durchgeführt. Eine bevorzugte Variante ist auch hier das → Hi-vac-Verfahren. Die Lagerfähigkeit dieser Packungen ist wesentlich höher und liegt je nach Fleischsorte zwischen ein und zwei Wochen. Ein Nachteil ist die dunkle Färbung von Rindfleisch. Wegen der Undurchlässigkeit der Packung für Sauerstoff tritt die gewünschte → Frischfleischfarbe erst 10 bis 30 min nach Öffnung der Packung ein.
3. *Atmos-Pack-Verfahren*. Es wird das Prinzip der → Schutzgasverpackung angewendet. Aus transparenten oder weiß pigmentierten Folien werden durch → Warmformen Mulden hergestellt. Vor dem Verschluß der Packung mit einer Deckelfolie erfolgt ein Austausch der Luft in der Packung durch ein Gasgemisch von etwa 70% Stickstoff und etwa 30% Kohlendioxid. Dadurch wird die → Frischfleischfarbe

erhalten und der mikrobielle Verderb verzögert. Die verwendeten Muldenfolien bestehen aus PVC/PE Verbunden mit 300 bis 400 μm PVC und 70 bis 100 μm PE oder aus PP/PA-Sperrschichtverbunden. Die Deckelfolien entsprechen in ihrem Aufbau den bei der → Frischfleischreifung verwendeten Produkten. Die Haltbarkeit liegt für Schweinefleisch bei etwa einer Woche, für Rindfleisch bis zu drei Wochen.
4. *Isopack-Verfahren.* Eine Vakuumverpackung mit einer Muldenfolie aus einem Karton-Aluminium-Ionomoer-Verbund, der mit einer tiefziehfähigen Deckelfolie auf der Unterseite versiegelt wird.

Frontaldruck, *<face printing>*, → Bedrucken von Folie.

Frontfolie, *<overlay, covering film>*, eine Folie zum Abdecken von Informationsträgern, wie Schildern, Skalenfeldern, Signalanzeigen oder Zifferblättern in der Auto-, Elektro- und Unterhaltungsindustrie. Frontfolien müssen gute → mechanische Eigenschaften mit sehr guten → optischen Eigenschaften verbinden.
Frontfolien werden häufig auch → Abdeckfolien oder → Dekorfolien genannt. Damit wird sicher ein Teil ihrer Funktion beschrieben, jedoch gelten diese beiden Bezeichnungen auch für andere Foliengruppen. Die Grenzen sind hier nicht genau zu definieren.
Als Frontfolien werden neben → Celluloseester- und → Hart-PVC-Folien in steigendem Maße → Polyester- und → Polycarbonat-Folien verwendet. Beide Folientypen besitzen sehr gute optische Eigenschaften. Bei Foliendicken über 250 μm sind Klarheit und Transparenz der Polycarbonatfolien überlegen. Die Abb. zeigt die Lichtdurchlässigkeit einer Extrusionsfolie aus Polycarbonat. Sie erreicht im sichtbaren Bereich ober-

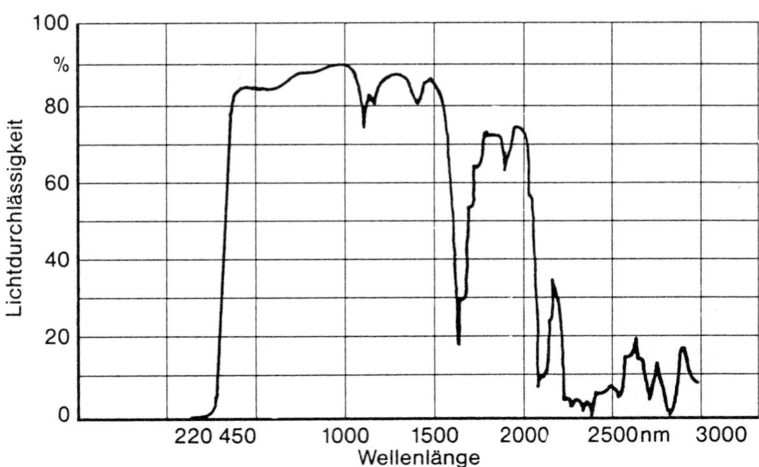

Frontfolie. Bayer AG, Leverkusen, Firmenschrift.

halb 400 nm Werte von 85 bis 89%. Die Bedruckbarkeit von Polycarbonatfolien ist ausgezeichnet. Beim → Bedrucken wird in der Regel der Konterdruck angewendet. Bilder und Schriftzeichen erscheinen in sehr guter Optik und sind vor mechanischer Schädigung geschützt. Polycarbonatfolien können durch Stanzen, Prägen, Kaltformen und Kleben verarbeitet werden. Beim → Warmformen liegt die Verformungstemperatur der Folien bei 190 bis 200 °C, die Formtemperatur bei 90 bis 110 °C. Besondere optische Effekte werden mit → Streulichtfolien erzielt.

F.T.S.-Verschluß, *<fold-tape and seal>*, → Folienstreifen-Verschluß.

Füller, *<filler>*, → Füllstoff.

Füllkaliber, *<staff diameter>*, → Kaliber.

Füllmaschine, *<filling machinery>*, → Verpackungsmaschine.

Füllstoff, *Füller*, *<filler>*, ein meist anorganischer fester Stoff, dem Polymere zugesetzt werden, um seine Eigenschaften günstig zu beeinflussen oder um Materialkosten zu senken. In der Folientechnologie finden im Gegensatz zur Herstellung anderer Kunststoff-Formteile Füllstoffe bisher wenig Verwendung. In allen Anwendungsgebieten, bei denen hohe → Transparenz der Folien gefordert wird, ist der Einsatz von Füllstoffen ohnehin nicht möglich. Eine Ausnahme bilden → Landwirtschafts-Folien für Gewächshäuser, wo bestimmte Füllstoffe einen günstigen Einfluß auf die Wärmeabstrahlung haben.
Bei der Herstellung von → Weich-PVC-Folien werden Calciumcarbonate in Form natürlicher Kreiden eingesetzt. Man erreicht eine Senkung der Materialkosten, weshalb man auch von Extender-Füllstoffen spricht. Füllstoffe verbessern aber auch häufig die mechanischen Eigenschaften der Folien, z.B. die Steifigkeit oder die Abriebfestigkeit. Derartige Folien finden Verwendung für Bodenbeläge, Verpackungsmaterialien oder zur Textilbeschichtung.
Folien aus → Polypropylen oder → Polyethylenterephthalat erhalten durch Zusatz von 5-10% Calciumcarbonat ein opakes Aussehen bei matt glänzender Oberfläche, → Opaque Polypropylen-Folie.
Füllstoffe können die Lichtstabilität von Folien sehr stark beeinflussen. Dies ist besonders bei der Anwendung als → Landwirtschaftsfolien von Bedeutung, wo Füllstoffe zur Erzielung einer Infrarotsperre eingesetzt werden. Die Abb. zeigt die Untersuchung von 200 μm dicken vorstabilisierten Folien aus PE-LD bei Florida-Bewitterung. Als Schädigungs-Kriterium diente die um 50% verminderte Dehnfähigkeit. Kaolin hat offensichtlich einen schädlichen Effekt, während sich Kreide weitgehend neutral verhält.
Die großen Erfolge, die durch den gezielten Einsatz von Füllstoffen zur Modifizierung von Thermoplasten in der Kunststofftechnik erzielt wurden, sollten sich durch systematische Entwicklungsarbeiten wenigstens zum Teil auch

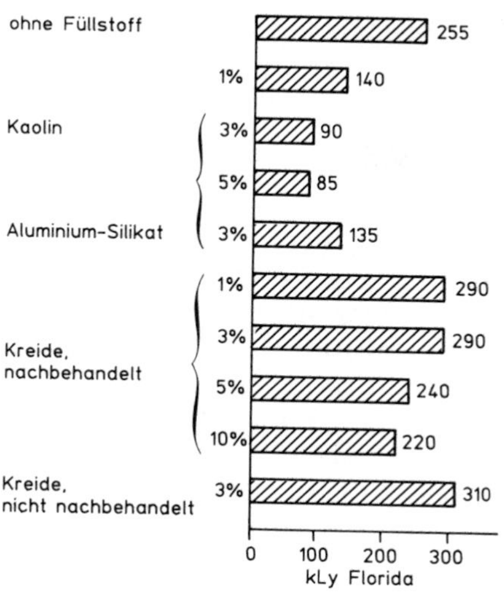

Füllstoff. Ciba-Geigy AG, Basel, Firmenschrift.

auf die Folientechnologie übertragen lassen. Lit.

Fungizide, <*fungicide*>, → Biostabilisator.

Fußbodenbelag, <*floor covering*>, → Bodenbelag.

FZV, Dresden, → Forschungszentrum Verpackung, Dresden.

G

Gammastrahlen-Methode, *<gamma ray method>*, → Dickenmessung.

Gartenfolie, *<agricultural film>*, → Landwirtschaftsfolie.

Gasdurchlässigkeit, *Gaspermeabilität, <gas barrier property, gas permeability>*. Die → Durchlässigkeit einer Folie für Gase, insbesondere Stickstoff, Sauerstoff und Kohlendioxid. Einheit ist das auf Normalbedingungen umgerechnete Gasvolumen, welches in 24 Stunden durch eine Fläche von 1 m^2 des zu prüfenden Stoffes bei 1 bar Druckdifferenz durchtritt: $m^3/m^2 \cdot d$. Prüfnorm: DIN 53 380, ASTM D 1434, ISO 2556. Die Durchlässigkeit für Gase steigt im allgemeinen von Stickstoff über Sauerstoff zum Kohlendioxid an, und zwar bei Homopolymeren aus Olefinen etwa im Verhältnis 1:4:20. Die Abb. zeigt Meßwerte an → Polyethylenfolien von 100 μm Dicke. Die Gasdurchlässigkeit ist von der → Dichte, die wiederum ein Maß für die → Kristallinität ist, abhängig. Auch für die meisten anderen Folientypen gelten ähnliche Verhältnisse. Hohe Gasdurchlässigkeit haben → BOPP, Polyethylen- und → Polystyrolfolien. Niedrige Werte liegen bei → Polyamidfolien, lackiertem → Cellophan, → Weich-PVC- und → Polyesterfolien vor.

Besonders wichtig für die Verpackung von Lebensmitteln ist die Sauerstoff-

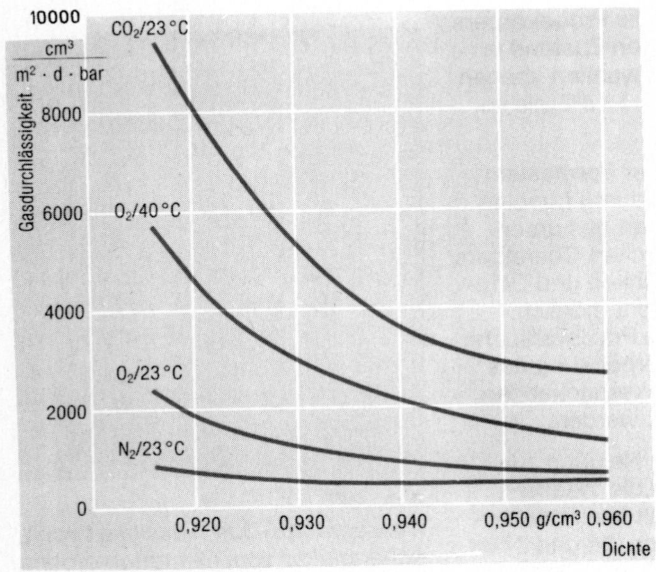

Gasdurchlässigkeit. Nach BASF, Ludwigshafen, Firmenschrift.

durchlässigkeit. Die hier geforderten sehr niedrigen Werte werden in der Praxis nicht durch → Solofolien erreicht. Vielmehr ist der Einsatz von → Sperrschichtfolien nötig. Zur weiteren Steigerung der Schutzwirkung für den Packungsinhalt werden in Spezialfällen → Sauerstoffadsorber eingesetzt.

Die Durchlässigkeit für Stickstoff und Kohlendioxid ist bei der → Schutzgasverpackung von Lebensmittel zu beachten. Zur Anwendung der → chemischen Sterilisation in der → Medizinischen Verpackung ist die Durchlässigkeit der verwendeten Folien für → Ethylenoxid eine Voraussetzung.

Für vielseitig eingesetzte Folientypen bei technischen Anwendungen, wie → Polyesterfolien, → Polycarbonatfolien und → BOPP, ist die Durchlässigkeit für eine große Anzahl der verschiedensten Gase untersucht worden.

Gas-Schweißen, <*gas sealing*>, → Heißsiegeln.

Gassterilisation, <*chemical sterilization*>, → chemische Sterilisation.

Gedruckte Schaltung, <*printed circuit*>. Der Stromkreis wird auf einem Träger mit einem leitfähigen Beschichtungsmaterial aufgebracht. Ein anderes Verfahren geht von metallisierten oder mit Kupferfolien kaschierten Trägern aus. Der Stromkreis wird dann mit einem isolierenden Bindemittel aufgedruckt und die Metallschicht durch Säuren entfernt. Beim Additivverfahren wird ein Negativbild der Schaltung aufgedruckt, die freien Leiterzüge werden galvanisch verkupfert.

Als Träger werden Kunststoff-Folien oder -Platten verwendet, an die hohe Qualitätsansprüche gestellt werden. Die Materialien müssen gute Temperaturbeständigkeit, hohe Dimensionsstabilität und gute mechanische Eigenschaften haben. Beispiele sind Folien aus → Polyethersulfon, → Polyimiden oder → Poly-(tetrafluorethylen)-Folien. Je nach Dicke der Folien, die zwischen etwa 20 und 350 μm liegen, können flexible, halbstarre oder starre gedruckte Schaltungen hergestellt werden. Auch ungereckte Folien aus Polyethylen-terephthalat werden verwendet. Flexible, gedruckte Schaltungen, die Lötbadbeständigkeit haben, müssen kurze Temperaturbelastungen bis zu 260 °C aufweisen. Diese Forderung wird bisher nur von → Polyimidfolien erfüllt. Diese werden ein- oder beidseitig mit → Kupferfolie kaschiert. Klebstoffe sind Aryl- oder Epoxyharze. Als neues Trägermaterial wurde kürzlich eine Folie aus → Polyether-Ether-Keton entwickelt, die mit Kupferfolien direkt, d.h. ohne Kaschierklebstoff, verbunden werden kann. Dadurch entfällt eine Fehlerquelle bei der Verarbeitung. Weitere Vorteile dieses Produkts gegenüber Polyimidfolie sind geringere Wasseraufnahme und bessere Dauerbiegebeanspruchung. Beim Aufbau von Mehrschicht-Schaltungen werden bis zu sieben Kupfer/Kunststoff-Folienlaminate miteinander verpreßt. Wenn diese zum Durchkontaktieren durchbohrt werden, kann das Eindringen von Kaschierklebstoff in die

Bohrlöcher zu Schwierigkeiten führen. Bei dem neuen, ohne Kaschierklebstoff hergestellten System ist dieses Problem gelöst.

Gefrierfleischverpackung, *<frozen meat packaging>*. Wie bei der → Frischfleischverpackung kommen auch hier Verbundfolien, die zu Mulden verformt und dann mit Deckelfolien verschlossen werden, zum Einsatz. Häufig werden → PA/PE-Folien verwendet. Zur Verbesserung der Kältebeständigkeit wird das PA oft zwischen zwei Polyethylen-Schichten gelegt. Es nimmt dann keine Feuchtigkeit auf. Zur Erhöhung der mechanischen Festigkeit kann die Verwendung von → Ethylen-Vinylacetat-Copolymeren oder von → Ionomeren beitragen. Extreme Undurchlässigkeit für Sauerstoff ist nicht unbedingt erforderlich. Die Werte sollten jedoch unter 100 $cm^3/m^2 \cdot bar \cdot d$ liegen. Die → Wasserdampfdurchlässigkeit sollte kleiner als 1,2 $g/m^2 \cdot d$ sein. Bei Verpackung in Schrumpfbeuteln werden EVA/PVDC/EVA-Verbunde verwendet. Bei Verpackung in Einzelfolie haben sich lackierte oder beschichtete → Aluminiumfolien bewährt. Die Haltbarkeit der Ware beträgt je nach Gefrierverfahren und Fleischsorte bis zu 2 Jahre.

Gelteilchen, *<fish eye>*, → Stippen.

Gesamtmigrat, *<total migrate>*, → Migrationsprüfung.

geschäumtes Polystyrol, *EPS*, *<expanded polystyrene, foamed polystyrene>*, → Polystyrol.

Gesetzgebung in der BRD, *<laws and regulations>*. Für Folienhersteller und Anwender ist die → Gesetzgebung in der Bundesrepublik Deutschland besonders wichtig. Durch das weitere Zusammenwachsen der einzelnen Mitgliederstaaten der Europäischen Gemeinschaft gewinnt die → Gesetzgebung in der EG zunehmend stärkere Bedeutung. Von vergleichbarer Wichtigkeit für Folienhersteller und Anwender ist jedoch auch die → Gesetzgebung in den USA. In Europa hergestellte Folien, die zur Verpackung von Produkten verwendet werden, die in die USA exportiert werden, müssen alle Anforderungen der dortigen Gesetzgebung erfüllen. Bei der Entwicklung neuer Folien sind alle Hersteller sehr gut beraten, sich frühzeitig über die Bedingungen für eine Zulassung durch die → Food and Drug Administration zu orientieren.

Die Abb. zeigt die Entwicklung der Gesetzgebung in Deutschland. Man erkennt leicht, vor welche Probleme die Wirtschaft dadurch gestellt wird.

Die Bundesrepublik Deutschland hat auch das älteste System gesetzlicher Regelungen über Art und Einsatz von Lebensmittel-Verpackungen. Wichtigstes Gesetz für Hersteller und Anwender von Folien ist das „Gesetz zur Neuordnung und Bereinigung des Rechts im Verkehr mit Lebensmitteln, Tabakerzeugnissen, kosmetischen Mitteln und sonstigen Bedarfsgegenständen" vom 15.8.1974, kurz Lebensmittelgesetz oder Lebensmittel- und Bedarfsgegenstände-Gesetz- (LMBG). Einige wichtige Passagen des Gesetzestextes sind:

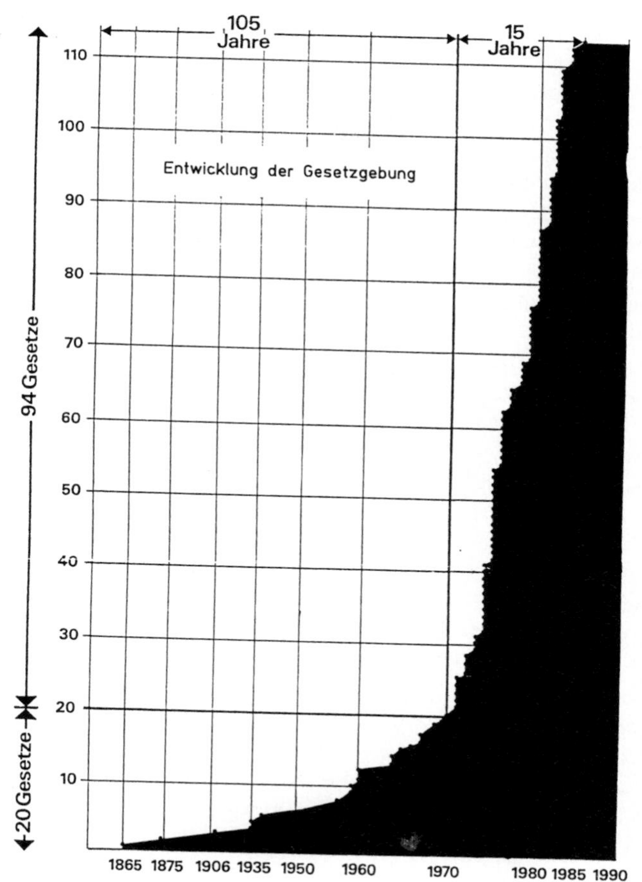

Gesetzgebung. Quelle. Volkswagen AG, Wolfsburg.

§5 Bedarfsgegenstände
(1) Bedarfsgegenstände im Sinne dieses Gesetzes sind:
1. Gegenstände, die dazu bestimmt sind, bei dem Herstellen, Behandeln, Inverkehrbringen oder dem Verzehr von Lebensmitteln in Berührung zu kommen oder auf diese einzuwirken.

2. Packungen, Behältnisse oder sonstige Umhüllungen, die dazu bestimmt sind, mit kosmetischen Mitteln oder mit Tabakerzeugnissen in Berührung zu kommen.

§31 Übergang von Stoffen auf Lebensmittel
(1) Es ist verboten, Gegenstände als Be-

darfsgegenstände im Sinne des §5 Abs. 1 Nr. 1 gewerbsmäßig so zu verwenden oder für solche Verwendungszwecke in den Verkehr zu bringen, daß von ihnen Stoffe auf Lebensmittel oder deren Oberfläche übergehen, ausgenommen gesundheitlich, geruchlich oder geschmacklich unbedenkliche Anteile, die technisch unvermeidbar sind.

§32 Ermächtigungen zum Schutze der Gesundheit

(1) Der Bundesminister wird ermächtigt, durch Rechtsverordnung mit Zustimmung des Bundesrates, soweit es erforderlich ist, um eine Gefährdung der Gesundheit durch Bedarfsgegenstände zu verhüten,

2. vorzuschreiben, daß für das Herstellen bestimmter Bedarfsgegenstände oder einzelner Teile von ihnen nur bestimmte Stoffe verwendet werden dürfen;

4. Höchstmengen für Stoffe festzusetzen, die beim Inverkehrbringen von bestimmten Bedarfsgegenständen als Reste in oder auf diesen vorhanden sein dürfen.

Zur Erfüllung der im Gesetz gestellten Forderungen gibt es Empfehlungen des → Bundesgesundheitsamtes. Dieses Amt erstellt auch → Positivlisten für → Rohstoffe und → Additive und Richtlinien für die → Migrationsprüfung.

Das Lebensmittelgesetz wird durch weitere Regulierungen, z.B. Die Butter-Verordnung, die Frischfleisch-Verordnung sowie durch Kommentare und Gerichtsentscheidungen ergänzt. Viele Begriffe dieser Gesetze wurden durch → Normen definiert. Bei der Gestaltung von Packungen sind ferner die Fertigpackungs-Verordnung und die Lebensmittel-Kennzeichnungs-Verordnung zu beachten.

Im Jahre 1989 wurden durch das Bundesumweltministerium → Zielfestlegungen der Bundesregierung aufgestellt, die die Hersteller und Anwender von Folien für die Verpackung von Lebensmitteln vor ernste Probleme stellen werden.

Neben der Gesetzgebung in der Bundesrepublik Deutschland sind in vielen Fällen auch die → Gesetzgebung in der EG und die → Gesetzgebung in den USA zu berücksichtigen.

Gesetzgebung in der EG, Schon heute haben die Entscheidungen der EG starke Auswirkungen vor allem auf die zur Verpackung von Lebensmitteln eingesetzten Folien. Der Vertrag von Rom sieht vor, daß Hindernisse im freien Warenverkehr durch Angleichung der Gesetzgebung in den Mitgliederstaaten beseitigt werden sollen. Dies kann nur durch eine Harmonisierung der Rechtslage in den einzelnen Staaten geschehen. Maßnahmen der EG begründen keine übernationale Gesetzgebung, sind jedoch für die Mitgliederstaaten bindend, denen Einzelheiten der Durchführung überlassen bleiben. Die „Direktiven" werden vom Ministerrat der EG verabschiedet. Die Zeiträume, in denen diese Richtlinien in den Mitgliederstaaten zu verwirklichen sind, werden festgesetzt. Streitfälle können vor den Europäischen Gerichtshof gebracht werden.

Der Ministerrat der EG wird bei seinen Entscheidungen von der Europäischen

Kommission beraten. Auch das Europa-Parlament wird im Hinblick auf Gesetzesinitiativen immer aktiver. Für die verschiedenen Bereiche existieren etwa 20 Ausschüsse. Verpackungsmaterialien und -prozesse, Kennzeichnungen, Zusatzstoffe und Behandlung von Lebensmitteln werden vom Wissenschaftlichen Ausschuß für Lebensmittel innerhalb der EG vertreten. Dieser konsultiert Experten der Industrie, der Verbraucherorganisationen und der Industrie- und Handelskammern. Die Kommission entscheidet nach ausführlicher Prüfung, welche Empfehlungen oder Entscheidungen dem Ministerrat vorgelegt werden. Nach Annahme einer Direktive wird diese im amtlichen Journal der Europäischen Gemeinschaft veröffentlicht und jedem Mitgliederstaat zugänglich gemacht. Es ist dann Aufgabe der Einzelstaaten, ihre Gesetze im vorgeschriebenen Zeitraum, der üblicherweise zwei Jahre beträgt, der europäische Gesetzgebung anzupassen.

Es gibt eine Reihe von Richtlinien der EG, die Folien für die Lebensmittelverpackung mehr oder weniger stark betreffen. Die erste Zahl gibt das Jahr der Erstveröffentlichung an.

1. Die Richtlinie 76/893 bildet einen sehr allgemein gehaltenen Rahmen; Materialien, die in Kontakt mit Lebensmitteln kommen, dürfen die Gesundheit nicht beeinträchtigen und keine unannehmbaren Veränderungen im Geschmack der Lebensmittel verursachen.
2. Die Richtlinie 78/142 beschränkt den Gehalt an Monovinylchlorid in daraus hergestellten Artikeln, also auch in → Weich-PVC- und → Hart-PVC-Folien, auf 1 ppm und in Nahrungsmitteln auf 10 ppb. Zwei weitere Direktiven, 80/766 und 80/432 beschreiben analytische Methoden für die Bestimmung von Vinylchlorid.
3. Die Richtlinie 80/590 schreibt bestimmte Kennzeichnungen für Lebensmittel-Packungen vor.
4. Die Richtlinie 82/711, die → Kunststoff-Richtlinie, betrifft den Einsatz von Kunststoffen im allgemeinen.
5. Die Richtlinie 83/229, befaßt sich mit → Cellophan.
6. Die Richtlinie 89/109 schreibt eine schriftliche Erklärung vor, wenn Materialien oder Gegenstände aus Kunststoff eingesetzt werden, die auf Grund ihrer Beschaffenheit nicht eindeutig für die Verwendung in Berührung mit Lebensmitteln bestimmt sind.

Für die Folientechnik ist die Kunststoff-Richtlinie besonders wichtig.

Die Direktive für Cellophan enthält bereits zwei Positivlisten für beschichtete und für unbeschichtete Folien. Zum Beschichten sind Lacke auf Basis von → Cellulosenitrat und → Polyvinylidenchlorid zugelassen, die spezielle Weichmacher bis zu einer bestimmten Obergrenze enthalten dürfen.

Weitere Richtlinien, die die Lebensmittelverpackung betreffen, sind in Vorbereitung. Für die Folientechnologie sind insbesondere solche Direktiven von Bedeutung, die → Additive aller Art betreffen. Auch der Migration wird zunehmend Aufmerksamkeit geschenkt. Richtlinien für die Produktbezeichnung betreffen den Anwender von Folien wesentlich stärker, als den Hersteller. Direktiven, die dem Umweltschutz gelten, werden in Zukunft die → Verpackung im allgemeinen und damit auch die Folientechnologie wesentlich beeinflussen. Hier ist vor allem die Tendenz zum Mehrwegbehälter und der Vorwurf einer Überverpackung oder exzessiven Verpackung zu nennen. Vermutlich werden jedoch die Bestrebungen in den einzelnen Ländern schneller größere Eingriffe bewirken, und sich dann noch durch gegenseitige Beeinflussung verstärken.

Gesetzgebung in den USA, Für die Hersteller und Anwender von Folien ist neben der Gesetzgebung in der Bundesrepublik Deutschland und der Gesetzgebung in der EG auch eine Kenntnis der entsprechenden Vorschriften in den Vereinigten Staaten von Amerika unerläßlich. Die USA bilden einen interessanten Markt für Lebensmittel, die in Europa hergestellt und verpackt werden. Die dazu verwendeten Produkte unterliegen der dortigen Gesetzgebung. Auch die Vorbereitung einer Folienproduktion in den Vereinigten Staaten fordert einiges Wissen über die dort gültigen Regelungen.

Die wichtigste Institution für die Kontrolle von Lebensmittel, Kosmetika und Pharmazeutischen Produkten in den USA ist die → *Food and Drug Administration, FDA*. Diese wurde 1906 gegründet, ihre Befugnisse wurden in den folgenden Jahrzehnten, meist ausgelöst durch aktuelle Ereignisse im Markt, ständig erweitert und ergänzt.

Die FDA befaßt sich seit 1958 verstärkt mit Zusatzstoffen zu Lebensmitteln und mit den in Packmaterialien enthaltenen chemischen Produkten. Als Ergebnis dürfen seit dieser Zeit Lebensmitteladditive nur dann verwendet werden, wenn diese durch die FDA zugelassen sind. Im Gegensatz zur → Gesetzgebung in der Bundesrepublik Deutschland wird zwischen direkten Additiven, d.h. Substanzen, die dem Lebensmittel zugefügt werden, und indirekten Additiven, die vom Packmaterial durch → Migration in den Packungsinhalt gelangen können, kein Unterschied gemacht. Beide Arten von Additiven werden in Gestzgebung, Vorschriften und Richtlinien gleich behandelt.

Es ist sehr wichtig, daß nach der Definition des Gesetzestextes drei Arten von im Packmaterial vorhandenen Substanzen *nicht* als Lebensmittel-Additive angesehen werden und deshalb *nicht* dem Gesetz unterliegen.

1. Substanzen, die bereits früher zugelassen wurden. Diese Stoffe sind in einer → Positivliste der FDA enthalten. Es gibt darüber hinaus eine größere Anzahl von Substanzen, gegen die vor 1958 keine Einwendungen erhoben wurden. Die FDA interpretiert jedoch wegen des inzwischen erfolgten Wissenszuwachs den Begriff „frühere Zulassung" sehr eng.

2. Substanzen, die allgemein als sicher anerkannt sind. Diese Stoffe werden in den USA als Produkte mit GRAS-Status (generally recognized as safe) bezeichnet. Auch für diese Substanzgruppe gibt es eine Positivliste. Die dort aufgenommenen Produkte müssen mit den in der Gesetzgebung oder im Food Chemicals Codex angegebenen Spezifikationen übereinstimmen. Wei-

tere Möglichkeiten, Zusatzstoffe auf die Liste der Produkte mit GRAS-Approval zu bringen, sind das Vorlegen von Expertengutachten und offizielle Anträge an die FDA.
3. Substanzen, von denen vernünftigerweise erwartet werden kann, daß sie vom Packmaterial nicht in das Lebensmittel übergehen. Diese Stoffklasse ist vom Umfang her besonders bedeutend und oft Gegenstand kontroverser Diskussionen. Die Definition ist weich und sehr auslegungsfähig. Hier ist die Frage, ob und in welchem Umfang → Migration stattfindet, von besonderer Bedeutung.
Die genannten Fälle, in denen eine Substanz keinen Zusatzstoff im Sinne der amerikanischen Gesetzgebung darstellt, werden oft zu wenig beachtet. Ein Antrag auf Zulassung einer Substanz als Lebensmittelzusatzstoff ist ausschließlich dann erforderlich, wenn keines der drei Kriterien gilt.
Der Antrag auf Zulassung eines Lebensmitteladditivs muß eine Reihe von wichtigen Daten enthalten. Chemische Struktur, Eigenschaften, Verhalten bei der Verarbeitung, Art der technischen Effekte, die mit dem Produkt erzielt werden, müssen ebenso ausführlich dargelegt werden wie eine einfache, sichere und reproduzierbare Methode zur Bestimmung der Migration vom Packmaterial in das Lebensmittel. Es ist unbedingt empfehlenswert, das Verfahren der Zulassung über ein in den USA ansässiges Institut zu betreiben.
Die von der FDA verlangten *Toxizitätsuntersuchungen* richten sich nach der geschätzten tägliche Aufnahme durch die Nahrung (estimated dayly intake, EDI). Je kleiner dieser Wert ist, umso geringer sind die Anforderungen an das Testverfahren. Der verhältnismäßig einfache Test der akuten oralen Toxizität wird bei neuen Produkten dann verlangt, wenn die EDI weniger als 50 ppb beträgt. Ist die geschätzte tägliche Aufnahme größer als 50 ppb, wird ein subchronischer Toxizitätstest gefordert, dessen Kosten 1984 in den USA bereits bei etwa 125.000 $ lagen. Beträgt die EDI mehr als 1 ppm, werden Langzeit-Fütterungs-Studien verlangt. Die Dauer für solche Versuche liegt bei etwa zwei Jahren. Hinzu kommt ein weiteres Jahr der Beobachtung. Die Kosten für derartige Tests der chronischen Toxizität liegen bei 1,2 bis 1,5 Mio US $.
Die FDA besitzt generelle Zuständigkeit für alle Lebensmittel. Das *U.S. Department of Agriculture* (USDA) hat jedoch neben anderen Aufgaben besondere Aufsichtspflichten bei der Fleisch- und Geflügel-Verpackung. Die Behörde kontrolliert durch Inspektoren auch die Übereinstimmung von Packmitteln mit der geltenden Gesetzgebung bei Betrieben der Fleisch- und Geflügel-Herstellung.
Die Verpackung pharmazeutischer Produkte wird von der FDA nur in Verbindung mit individuellen Medikamenten geprüft. Eine generelle Bewertung von Packstoffen, z.B. von Folien für → Blisterverpackungen, erfolgt grundsätzlich nicht. Deshalb müssen Informationen über Packmaterialien für Medikamente stets mit den verpackten Produkten gekoppelt sein.
Alle zugelassenen Packmaterialien, die

erforderlichen Zusatzstoffe, ihre Produktion und Verarbeitung müssen die Standards der → Good Manufacturing Practices erfüllen.

Getreideprodukte, <*cereals*>, → Backwarenverpackung.

Gewächshaus, <*green house*>, → Landwirtschaftsfolie.

Gießer, <*hopper*>, → Cellophanherstellung.

Gießverfahren, <*film casting*>, die → Folienherstellung aus Polymerlösungen. Diese können durch Auflösen der hochmolekularen Stoffen in Lösungsmitteln, also durch einen physikalischen Vorgang oder unter gleichzeitiger chemischer Umwandlung der unlöslichen Makromoleküle in lösliche Derivate hergestellt werden.
Beispiele für physikalische Lösungen sind die Herstellung von → Polycarbonat- und → Celluloseester-Folien. Ein Sonderfall ist die Verarbeitung von → Fluorpolymeren aus Pasten.
Das wichtigste Beispiel zur chemischen Umwandlung eines unlöslichen Polymeren in ein lösliches Derivat ist die Herstellung von → Cellophan aus → Cellulose.
Zur Herstellung von Folien aus Lösung gibt es mehrere Methoden. Beim *Naßgießverfahren* wird eine Polymerlösung in einem Bad ausgefällt, in der Regel durch Umkehrung der chemischen Reaktion, mit der das Polymere in Lösung gebracht wurde. Wieder ist Cellophan das wichtigste Beispiel. Die hochviskose Cellulose-Lösung wird durch eine Breitschlitzdüse in ein stark saures Fällbad gedrückt und so regeneriert.
Beim *Trockengießverfahren* wird das Lösungsmittel verdampft, das Polymere als Folie zurückgewonnen. Zur Durchführung werden Band- oder Trommelgießmaschinen verwendet.
1. *Bandgießverfahren.* Die Polymerlösung wird aus dem Vorratsbehälter (A) über ein Filter (B) gedrückt, um ungelöste Teilchen, die zur Bildung von → Stippen führen würden, zurückzuhalten. In einem Entgasungsbehälter (C) wird die Luft aus der Lösung entfernt. Durch eine → Düse (D) wird die Lösung auf ein endloses Metallband (E) gegossen (Abb.). Es besteht meist aus Edelstahl, jedoch werden auch Kupfer oder Nickelbänder verwendet. Für die Herstellung von Folien mit guten → Optischen Eigenschaften muß die Bandoberfläche hoch poliert sein. Die Bänder sind bis zu 50 m lang und 1 bis 2 m breit. Die Bandgeschwindigkeiten hängen stark vom eingesetzten Material und von der Foliendicke ab. Sie können zwischen zwei und 60 m/min. liegen. Nach Verdampfen des größten Teils der Lösungsmittel kann die Folie abgezogen werden. Sie wird durch einen Trockner (F) mit heißer Umluft oder mit → Heizwalzen zur Aufwicklung (G) geführt. Das verdampfte Lösungsmittel kann nach seiner Rückgewinnung (H) erneut eingesetzt werden.
Die Foliendicken können 15 bis 250 μm betragen.
2. *Trommelgießverfahren.* Hier wird an Stelle des Metallbandes eine beheizte → Trommel verwendet.

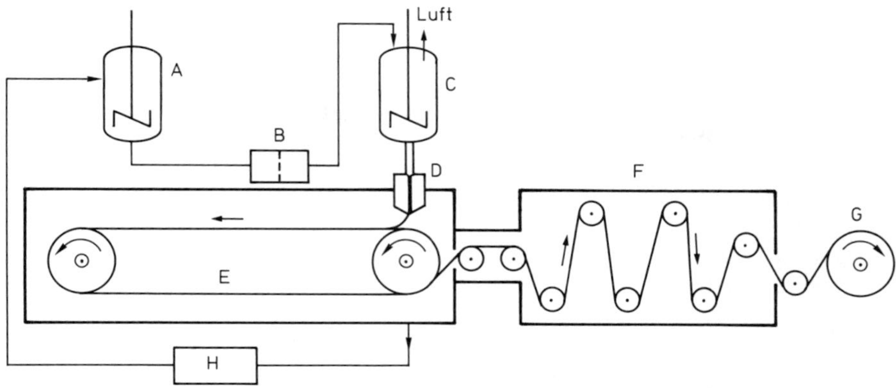

Gießverfahren. Nach Ullmann A11, 86.

Alle Gießverfahren sind durch den Zwang zur Verwendung von Lösungsmitteln bzw. durch den Anfall großer Mengen von Abwasser gegenüber den Verfahren zur Formung → thermoplastischer Kunststoffe aus der Schmelze benachteiligt. Sie sind trotzdem bei manchen Ausgangsmaterialien unvermeidlich. Weiterhin können besonders dünne Folien nur mit Gießverfahren erzeugt werden.

Gitterfolie, *<grid-type sheet, net film>*, eine Variante der → Verbundfolie. Gittergewebe aus textilen Materialien, Glasfasern, → Folienbändchen oder → Non-Wovens werden durch einen → Haftvermittler mit einer Trägerfolie verbunden. Die so erhaltenen Kombination kann zusätzlich mit einem → thermoplastischen Kunststoff durch → Extrusionsbeschichtung verstärkt werden. Die Produkte weisen gute mechanische Eigenschaften auf und können für spezielle Verpackungsprobleme oder als → Isolierfolien eingesetzt werden. Die *Criss-Cross-Folie* ist ein Dreikomponenten-Gitterfolie, die durch → Blasfolien-Extrusion gewonnen wird. Eine Außenschicht aus z.B. aus → Polyethylen niedriger Dichte wird gemeinsam mit einer mittleren Schicht aus Polyproplyen-Verstärkungsstreifen und einer inneren Haftvermittlerschicht aus → Ethylen-Vinylacetat-Copolymeren extrudiert. Dabei werden durch die Rotation eines Anlagenteils die Verstärkungsbänder in eine spiralförmige Lage gebracht. Die Geschwindigkeit der → Rotations- und Reversiersysteme ist dabei relativ hoch. Bei der → Flachlegung entsteht durch Verkleben der beiden inneren Schichten eine Gitterfolie mit sehr guten mechanischen Eigenschaften.

Glanz, *Hochglanz*, *<gloss>*, die Eigenschaft einer Folie, einfallendes Licht zu reflektieren. Hoher Glanz ist unter anderem bei der → Verpackung und bei der → Hochglanzkaschierung wichtig. Der Glanz wird durch Messung der Reflexion des in einem bestimmten Winkel einfallenden Lichts gemessen. Dieser Winkel sollte bei hochglänzenden Folien 20 ° betragen. Hohe Werte bedeuten stark glänzende Oberflächen. Die Maßeinheit ist %, Prüfnormen: DIN 67 530, ASTM D 2457. Ein Sonderfall sind Nachleuchtfolien. Hoher Glanz bedeutet bei Folien geringe → Trübung. Beide Werte hängen u.a. stark von der Temperatur der → Kühlwalze ab. Ein Beispiel ist bei → Polypropylenfolien angegeben. Ein Mittel zur Erreichung von Hochglanz ist das → Glasieren.

Glanzfolienkaschierung, *<high glass laminating>*, → Hochglanzkaschieren von Papier.

Glas als Packmaterial, *<glas as packaging material>*, steht seit der Einführung der → Massenkunststoffe mit diesen im Wettbewerb. In jüngster Zeit wurden Verbundfolien zur Herstellung → standfester, sterilisierbarer Packungen entwickelt, durch die Gebinde aus Glas durch eine wirtschaftlichere Problemlösung auf speziellen Gebieten ersetzt werden kann. In der öffentlichen Diskussion wird Glas gegenüber Kunststoffen häufig als besonders umweltfreundlich empfunden und dargestellt. Der Vergleich verschiedener Packstoffe in wirtschaftlicher und ökologischer Hinsicht ist jedoch außerordentlich schwierig (→ Ökobilanz).

Glasieren, *<glazing>*. Durch → Flachfolienextrusion hergestellte Folien können durch Wärmebehandlung mit Infrarotstrahlern mit besonders hohem → Glanz versehen werden. Wenn die Bestrahlung unmittelbar nach dem Austritt der Folie aus der Düse erfolgt, spricht man von Düsenglasieren. Die Folie durchläuft anschließend Glätt- und Kühlwalzen. Beim Walzenglasieren passiert die extrudierte Folie zunächst die Kühlwalzen. Sie wird nach dem Durchgang durch das erste Walzenpaar bestrahlt und durchläuft dann gegebenenfalls noch weitere Glättvorrichtungen.

Glasübergang, *<glass transition, gamma transition, second order transition, rubbery transition>*, die reversible Veränderung eines hochpolymeren Stoffes aus einem spröden, harten, glasartigem Zustand zu einem flexiblen, weichen, elastischen Verhalten. Der Übergang findet beim Erwärmen in einem engen Temperturbereich, der Glasübergangstemperatur T_g statt. Die Bezeichnung Einfriertemperatur ist synonym und beschreibt den gleichen Vorgang beim Abkühlen eines Polymeren. Der Glasübergang ist für die mechanischen Eigenschaften von Kunststoffen von besonderer Bedeutung: Oberhalb der Glasübergangstemperatur nehmen alle dimensionsstabilen Polymeren gummielastische Eigenschaften an, unterhalb dieser Temperatur verlieren gummielastische Produkte diese Eigenschaft.

Beim Glasübergang werden die bei tieferen Temperaturen „eingefrorenen”

Polymerketten beweglich. Das Material beginnt unter mechanischer Belastung zu fliessen. Bei weiterer Erhöhung der Temperatur können solche Polymere leicht aus der Schmelze verarbeitet werden. Dies gilt für Polymere mit amorpher Struktur. Bei kristallinen Polymeren kann man zwar auch einen Glasübergang bestimmen, die Produkte zeigen jedoch nur beschränkte Verformbarkeit, so lange der Kristallit-Schmelzpunkt noch nicht erreicht ist. Da die meisten für die Folienherstellung verwendeten Polymere amorphe und kristalline Bereiche haben, sind Glasübergangstemperatur und Kristallitschmelzpunkt wichtige Größen für die Verarbeitung und Anwendung von Folien.
Einen Überblick über Glasübergangs-Temperaturen einiger Thermoplasten gibt die Tabelle.

Glasübergang.

Polyethylen	-110 °C
Polypropylen symdiotectic	5 °C
Polyvinylchlorid	90 °C
Polytetrafluorethylen	125 °C
Polystyrol	94 °C
Polyethylenterephthalat	70 °C
Polyamid-6,6	50 °C
Polyamid-6	50 °C
Polycarbonat	150 °C

Glasübergangstemperatur, *<glas transition temperature>*, → Glasübergang.

Gleitfähigkeit, *<blocking resistance>*, → Reibungszahl.

Gleitmittel, *<lubricant>*, ein Additiv, das makromolekularen Stoffen zugesetzt wird, um ihre Verarbeitung bei der → Folienherstellung zu erleichtern. Es verbessert das → Fließverhalten der meist sehr hochviskosen Polymerschmelzen und verringert deren Neigung zur Haftung an den Oberflächen der Verarbeitungsmaschinen. Dadurch wird die Produktionsleistung erhöht und der Verschleiß an den Verarbeitungsaggregaten verringert. Man unterscheidet zwischen inneren und äußeren Gleitmitteln. Die inneren Gleitmitteln sind mit den → thermoplastischen Kunststoffen verträglich. Sie setzen die → Schmelzviskosität herab. Äußere Gleitmittel sind mit den Thermoplasten unverträglich und verhindern dadurch ein zu starkes Haften der Polymerschmelze an den Verarbeitungsmaschinen. In der Praxis treten fast immer beide Wirkungsmechanismen gleichzeitig auf. Abhängig von der Konzentration und von der Temperatur der Schmelze kann ein inneres Gleitmittel zu einem äußeren Gleitmittel werden und umgekehrt.
Gleitmittel sollen bei der Verarbeitungstemperatur nicht flüchtig sein, während oder nach der Verarbeitung nicht → Ausblühen und die Eigenschaften der hergestellten Produkte nicht verschlechtern. Sie müssen für jeden Anwendungsfall besonders augewählt werden, wobei auf Wechselwirkungen mit anderen → Additiven zu achten ist.
Als Gleitmittel kommen Kohlenwasserstoffe, wie Paraffinöle, Polyethylen- und Polypropylenwachse, höhere Alkohole und Carbonsäuren, Carbonsäu-

reester und -amide und Glyceride in Frage. Die Gleitmittel werden dem Polymeren in Mengen zwischen 0,01 und 4%, vorzugsweise zwischen 0,5 und 1% zugesetzt.
Zur Folienherstellung werden Gleitmittel in erster Linie beim Einsatz von → Polyvinylchlorid angewendet, das sich ohne solche Hilfsmittel gar nicht verarbeiten läßt. Beispiele von Richtrezepturen für die Herstellung von → Weich-PVC-Folien und → Hart-PVC-Folien sind:

Weich-PVC, Kalander-Folien (Barium-Cadmium-stabilisiert)
100,0 Gew.-Tle. S-PVC (K-Wert 70),
40,0 Gew.-Tle. Weichmacher,
1,5 Gew.-Tle. Barium-Cadmium-Stabilisator (fest),
0,3 Gew.-Tle. Chelator (organisches Phosphit),
0,2 Gew.-Tle. PE-Wachs hoher Dichte (molare Masse ca. 3000)

Hart-PVC, Blas-Folie (zinnstabilisiert)
100,0 Gew.-Tle. S- oder M-PVC (K-Wert 55 bis 58),
2,0 Gew.-Tle. Di-octylzinn-stabilisator,
0,2 Gew.-Tle. teilverseifter Montansäureester,
0,1 Gew.-Tle. PE-Wachs hoher Dichte (Molekulargewicht ca. 9000),
0,3 Gew.-Tle. Fettsäureester,
2,0 Gew.-Tle. Plastifizierhilfsmittel (z.B. Polymethylmethacrylat).

Beim Einsatz von PVC wählt meist der Verarbeiter die geeigneten Additive und damit auch die Gleitmittel aus und mischt diese mit dem Kunststoffpulver. Bei anderen Polymerisaten, z.B. bei → Polystyrol werden die Gleitmittel dagegen vom Hersteller dem Polymeren zugemischt. Äußere Gleitmittel werden in Mengen von 0,1 bis 0,5% verwendet und im allgemeinen im Trommelmischer auf das Granulat gebracht. Beispiele sind Zinkstearat, PE-Wachs und Montansäureester. Als innere Gleitmittel können Butylstearat oder Paraffinöl in Mengen bis zu 1,5% dienen.
Für die Verarbeitung von Polyolefinen sind Gleitmittel an sich nicht erforderlich. Zur Erhöhung der Ausstoßmengen werden jedoch insbesondere bei PE-Typen mit sehr hohen Molmassen, Gleitmittel zur Verbesserung der Fließfähigkeit und der Oberflächenqualität zugesetzt. Verwendet werden PE- und PP-Wachse, Amidwachse, Zink- und Calcium-Stearate und Glycerinmonostearat in Mengen von 0,25 bis 1,0%.
Da die Auswahl des richtigen Gleitmittels insbesondere bei der Verarbeitung von PVC recht schwierig ist, hat man einige Tests entwickelt, die eine Gleitmittel-Prüfung unter Einsatz kleiner Mengen im Laboratoriumsmaßstab ermöglichen. Neben die Beurteilung der physikalischen Eigenschaften eines Gleitmittels, wie Schmelzverhalten, Viskosität, Konsistenz, Thermostabilität, Rieselfähigkeit, Korngrößenverteilung und Flüchtigkeit, treten Prüfungen der Gleitmittelwirkung im

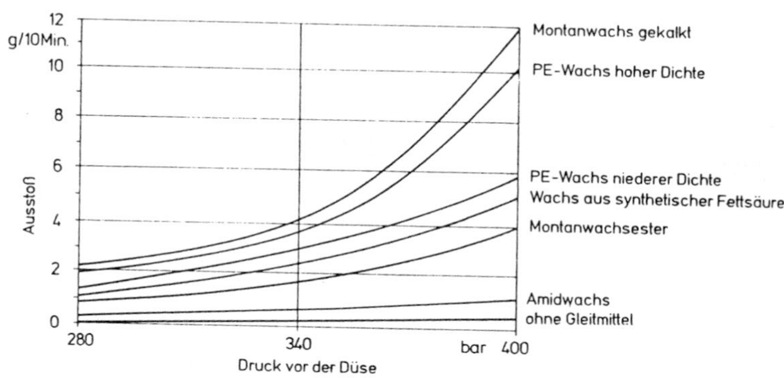

Fließverhalten von Hart-PVC mit Zusatz unterschiedlicher Gleitmittel, ermittelt im Hochdruck-Kapillar-Rheometer (Göttfert), Temperatur 180 °C, L/D-Verhältnis 15:1.
Zusammensetzung der Formmasse: 100 Gew.-Tle. S-PVC (K-Wert 70), 1 Gew.-Tl. Stabilisator (Hostastab SnS 61), 2 Gew.-Tle. Gleitmittel

Gleitmittel. Gächter, Taschenbuch der Kunststoff-Additive, Hanser Verlag 1990.

PVC, die im → Prüfwalzwerk, mit dem → Rheometer, im kleinen → Kneter oder im → Extrusiometer durchgeführt werden können (Abb.). Für die Herstellung von PVC-Folien ist die Beeinflussung der Transparenz durch Gleitmittel von besonderer Bedeutung. Wenn der Verdacht auf Ausschwitzen eines Gleitmittels während oder nach der Verarbeitung besteht, sollten vor seiner Anwendung der → Plate-out-Test und der → Blooming-Test durchgeführt werden.
Wegen des auch bei der Kunststoffverarbeitung erheblichen Rationalisierungsdrucks wird der Einsatz von Gleitmittel in Zukunft wahrscheinlich zunehmen. Gleitmittel werden immer häufiger auch bei solchen Thermoplasten Verwendung finden, bei denen ihre Anwendung nicht unbedingt erforderlich ist. Die Tendenz geht weiterhin immer stärker zu maßgeschneiderten Gleitmittelmischungen bzw. zur Kombination mehrerer Additivfunktionen in einem System. Die Aufgabe zur Optimierung dieser Systeme verlagert sich immer mehr vom Verarbeiter zum Hersteller der Thermoplastischen Kunststoffe.
Die bei der → Folienherstellung und → Folienverarbeitung eingesetzten Additive zur Einstellung des Reibungsverhaltens werden gelegentlich auch als Gleitmittel bezeichnet. Sie werden hier unter → Antiblockmittel behandelt. Lit.

Glockenverpackung, *<bubble packaging>*, → Blister-Verpackung.

Glühdrahtschweißen, *<hot wire welding>*, → Heißsiegeln.

Glühen, *<annealing>*, → Aluminiumfolie.

Glycerin, *1,2,3-Propantriol, <glycerol>*, farblose, klare, viskose Flüssigkeit. Geruchslos, süß schmeckend, hygroskopisch. Dichte 1,26 g/cm^3, F = 18,2 °C, Kp = 290 °C (unter Zersetzug). Wird als Weichmacher und Feuchthaltemittel bei der → Cellophan-Herstellung eingesetzt. Herstellung durch Verseifung natürlicher Fette und Öle oder aus Propylen über Acrolein oder Propylenoxyd.

G.M.P., → Good manufacturing practices.

Goldfolie, *<gold-film>*, → Blattgold.

Good Manufacturing Practices, *GMP*, ein in USA geprägter Begriff, der mit „sorgältigen Produktionsmethoden" oder „guten Produktionsgewohnheiten" nur schlecht zu übersetzen und deshalb in der englischen Version auch in unsere Sprache eingegangen ist.

Der Begriff steht in engem Zusammenhang mit der → Gesetzgebung in den USA, die die Herstellung und Verpackung von Lebensmitteln reguliert. Er gilt also auch für die → Folienherstellung und → Folienanwendung, wird aber heute auf fast allen Gebieten der Herstellung von Industrieprodukten gebraucht.

Es ist im Grunde genommen eine Selbstverständlichkeit, daß sich ein Hersteller von Folien um klar definierte Ausgangsmaterialien, sichere Zusatzstoffe, sorgfältig kontrollierte Produktionsanlagen und eine gute → Qualitätskontrolle bemüht, um einen gleichmäßig hohen Standard für seine Produkte zu garantieren. Auch die Good Manufacturing Practices setzen dies voraus. GMP fordert jedoch eine starke Formalisierung der Produktionsparameter, die sicher für die Gewährleistung einer qualitativ hochstehenden Produktion sehr nützlich ist, den Hersteller jedoch vor eine Reihe von Problemen stellt:

1. Die Arbeitsweise der Produktionsanlagen, die Art der verwendeten Materialien und die Häufigkeit von Kontrollen müssen offenbart werden.
2. Über alle relevanten Daten der Produktion müssen sorgfältige und ständige Aufzeichnungen vorgelegt und längere Zeit aufbewahrt werden. Die Art der Prozeßkontrolle ist zu beschreiben.
3. Zusätzliche Daten sind über wichtige Rohstoffe und Additive, die zur Produktion verwendet werden, anzugeben.

Die genannten Fakten, Daten und Aufzeichnungen sind überlicherweise beim Folienhersteller und Folienanwender vorhanden. Ihre Mitteilung und Registrierung bei außenstehenden Institutionen bringt jedoch den Produzenten sehr schnell an die Grenze der Offenbarung von wichtigem Firmen-Know-How. Der Folienproduzent wird auch große Schwierigkeiten haben, die geforderten umfangreichen Informationen von den Lieferanten seiner Rohstoffe zu erhalten. Das gleiche gilt für Daten und Informationen vom Verarbeiter seiner Produkte.

GMP stellt also, wenn es konsequent

im Sinne der amerikanischen Vorschriften betrieben wird, ein Problem dar. Es wird noch dadurch verschärft, daß zumindest in den USA periodische Kontrollen der Herstellungsbetriebe auf Einhaltung der GMP Bestandteil der Gesetzgebung sind. Besonders streng sind die Vorschriften bei der → medizinischen Verpackung.
Trotz aller Bedenken und Schwierigkeiten werden sich auch die deutschen Unternehmen in Zukunft den Forderungen der Good Manufacturing Practices stellen müssen.

Granulieren, *<pelletizing>*, das Umformen von → thermoplastischen Kunststoffen, die als Pulver, Schnitzel oder Folien-Abfälle vorliegen, zu einem Granulat.
Die Polymeren werden aus der Schmelze zu einem Strang von 2 bis 3 mm Durchmesser geformt, der dann durch Schneideinrichtungen in kleine, einige mm lange, mehr oder weniger zylindrische Stücke geschnitten wird. Wenn die Polymeren bei der Herstellung in der Schmelze anfallen, können sie direkt granuliert werden. Pulverförmige Produkte müssen verdichtet und aufgeschmolzen werden. Folienabfälle können nach dem Aufschmelzen entweder direkt in den Produktionsprozeß zurückgeführt oder durch eine Granulierung zur → Rückführung aufgearbeitet werden. Auch bei der Herstellung von → Blends und → Masterbatches, die über die Schmelze erfolgt, werden die Produkte granuliert.
Die Leistungen von Granulieranlagen reichen von einigen kg bis zu mehreren t/h. Die aus der Schmelze erhaltenen Kunststoffstränge müssen vor dem Schneiden abgekühlt werden. Dies erfolgt meist durch Wasser, seltener und nur bei kleineren Anlagen durch Luft. Die Abb. auf S. 182 zeigt eine Grossanlage. Die aus dem Gießer (1) austretenden Kunststoffstränge fallen auf ein mit Wasser bespültes Leitblech (2), auf dem sie einzelnen in Rillen dem Schneidwerk (3) zugeführt werden. Der Einzug der Stränge erfolgt durch zwei angetriebene, mit gleicher Geschwindigkeit laufenden Walzen. Das Schneidwerk besteht aus einem zylindrischen Schneidrotor und einem feststehenden Gegenmesser. Das erhaltene Granulat wird ausgeschwemmt und über einen Nachkühlstrecke (4) dem Trockner (5) zugeführt. Vibrationssieb (6), Bandfilter zur Wasserreinigung (7) und Wasserverteiler (8) ergänzen die Anlage.

GRAS-Status, Produkte, die „generally recognized as safe", → Gesetzgebung in den USA.

gravimetrisches Dosieren, *<gravimetric feeding, ~ proportioning, ~ dosing (A), ~ metering (E)>*, → Dosieren.

Griffschutz, *<grip protection>*, die zusätzliche Verpackung einer Ware, die in der Distribution, vor allem in der Selbstbedienung, vom Kunden durch Anfassen beurteilt oder geprüft werden kann. Es werden transparente Folien aus → Polyethylen, → Polypropylen, → Cellophan oder → Polyvinylchlorid eingesetzt. An die anwendungstechnischen Eigenschaften dieser Folien wer-

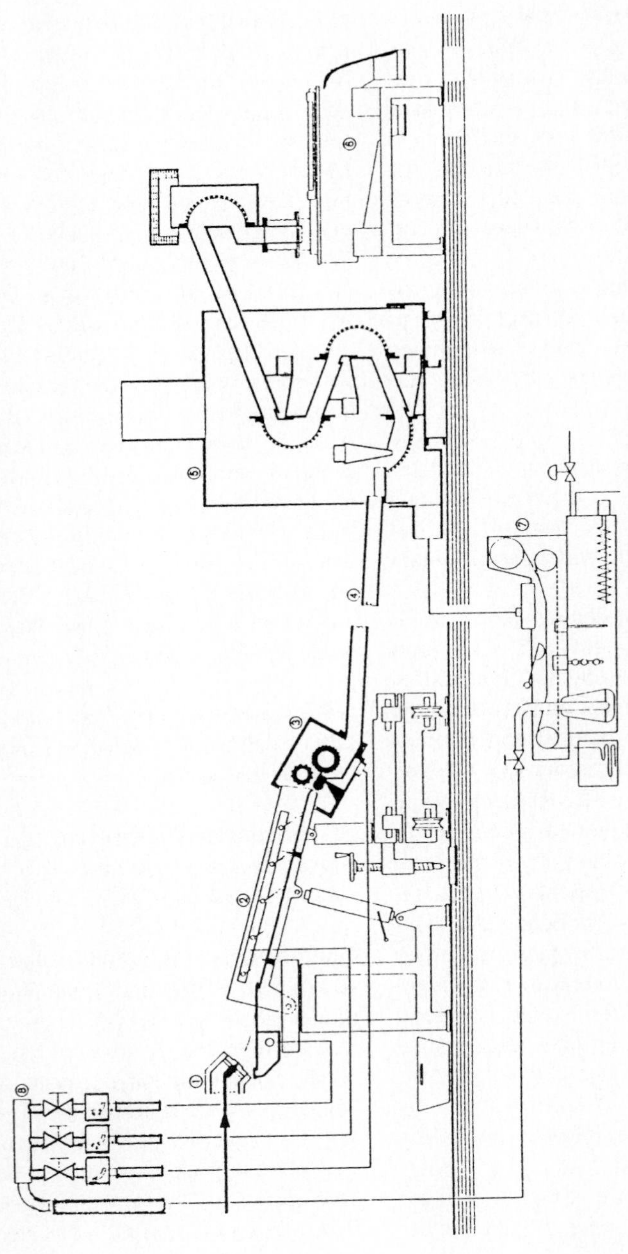

Granulieren. Firmenschrift Automatik GmbH, Großostheim.

den keinen besonders hohen Anforderungen gestellt, da sie nur die Aufgabe haben, eine bereits vorhandene, auf das Füllgut abgestimmte Verpackung zu schützen.
Griffschutz wird häufig bei → Fleisch- und Wurstwaren angewandt. In manchen Fällen muß die eingesetzte Folie durch → Perforation für Wasserdampf durchlässig gemacht werden. Die mechanischen Eigenschaften der Folien werden dadurch verschlechtert. Unlackiertes → Cellophan hat eine hohe Wasserdampf-Durchlässigkeit, was in diesem Fall einen anwendungstechnischen Vorteil bedeutet.

Großsack, *Big Bag*, *<big bag>*, ein Sack aus Geweben von verstreckten → Folienbändchen aus Polypropylen oder Polyethylen. Während → Säcke aus → PE-LD- und PE-LLD-Folien Füllgüter bis hochstens 50 kg aufnehmen können, sind Großsäcke für Mengen bis zu 2 t geeignet. Zur Befüllung mit staubförmigen Gütern enthalten sie meist einen Innensack aus Polyethylenfolie. Die Big Bags werden auch als Flexible Containersäcke, Flexible Intermediate Bulk Containers, FIBC, bezeichnet. Sie werden zunehmend für den Transport von Produkten der chemischen Industrie eingesetzt.

Gummiartikel, *<rubber article>*, → Kautschuk-Mischung.

Gummibelag, *<rubber coating>*, → Bodenbeläge.

Gummifolie, *<elastome film>*, → elastomere Folie.

Gurtband für elektronische Bauelemente, *<carrier tape for electronic elements>*, ein Verpackungssystem, mit dem diese auch SMD, surface mounted device genannten Teile, dem Bestückungsautomaten geordnet zugeführt werden. Die Gurtbänder können aus Karton und Kunststoff-Folien aufgebaut sein. Diese Systeme haben verschiedene Nachteile, so die Gefahr der elektrostatischen Aufladung, der Bildung von Papierfasern und der ungenauen Positionierung der Bauelemente. Eine Problemlösung wurde in Anlehnung an das Prinzip der → Aluminium-Formpackungen gefunden.
Als besonders geeignet hat sich ein Verbund aus → orientierter Polyamid-Folie, *Aluminiumband* und → Hart-PVC-Folie mit Schichtdicken von etwa 30, 40 und 150 μm erwiesen. Das Gurtband wird in einer elektronisch gesteuerten Presse durch Stempelverformung mit Mulden versehen und am Rand und in der Mitte der Mulde gelocht. Derartige Maschinen arbeiten mit etwa 200 Hüben pro Minute. Das Gurtband wird anschließend auf Spulen aufgewickelt.
Das Befüllen der Gurtbänder erfolgt automatisch. Das befüllte Band wird dann mit einer siegelfähigen Deckfolie verschlossen. Die Leistung der Abfüllmaschinen liegt bei über 300 Elementen pro Stunde. Die gefüllten Bänder werden umgespult und auf Längen von etwa 40 m mit 10.000 Bauelementen konfektioniert. Im Bestükkungsautomaten wird die Deckfolie ab-

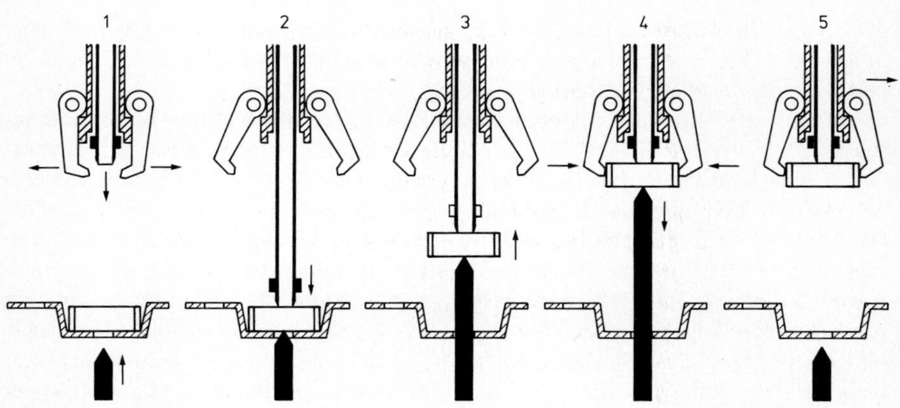

Gurtband für elektronische Bauelemente. H. Langen und W. Post, Packung u. Transport Heft 6, 1987.

gezogen. Die Abb. zeigt das Prinzip der automatischen Entnahme. Von oben wird eine Pipette mit Aufnahmeklammern abgesenkt, der von unten ein Stößel entgegenfährt. Das Bauelement wird von Klammern gefaßt und der zuvor festgelegten Stelle der Leiterplatte zugeführt. Moderne Montageautomaten erbringen Leistungen von über 3.000 SMD pro Minute. Lit.

H

Haftklebung, <*adhesive joining*>, das *Fügen* von Teilen durch ein doppelseitig mit Haftklebstoff beschichtetes → Klebeband oder eine → Klebefolie. Diese Montagetechnik findet vielfältige Anwendung im Automobilbau, in der Möbel- und Elektroindustrie, zum Befestigen von Schildern und Emblemen. Als Trägerfolien dienen → Hart-PVC-Folien, → Weich-PVC-Folien, → Polyesterfolien, → BOPP, → Schaumfolien, in vielen Fällen auch Spezialpapiere. Die Klebstoffschichten bestehen meist aus Acrylaten. Wenn gute Verbindungen von Werkstoffen auch bei rauhen Oberflächen erreicht werden soll, werden diese in verhältnismäßig dicken Schichten auf eine sehr dünne Folie aufgebracht. Ein Beispiel für die Haftung einer doppelseitig beschichteten PVC-Folie auf verschiedenen Werkstoffen zeigt die Abbildung.

Haftschicht für Photofolie, <*adhesive layer for photographic film*>, eine Schicht auf → Photofolie, um die Haftung der lichtempfindlichen Gelatineschicht zu ermöglichen. Da die photographische Emulsion stark hydrophil, die Trägerfolie dagegen stark hy-

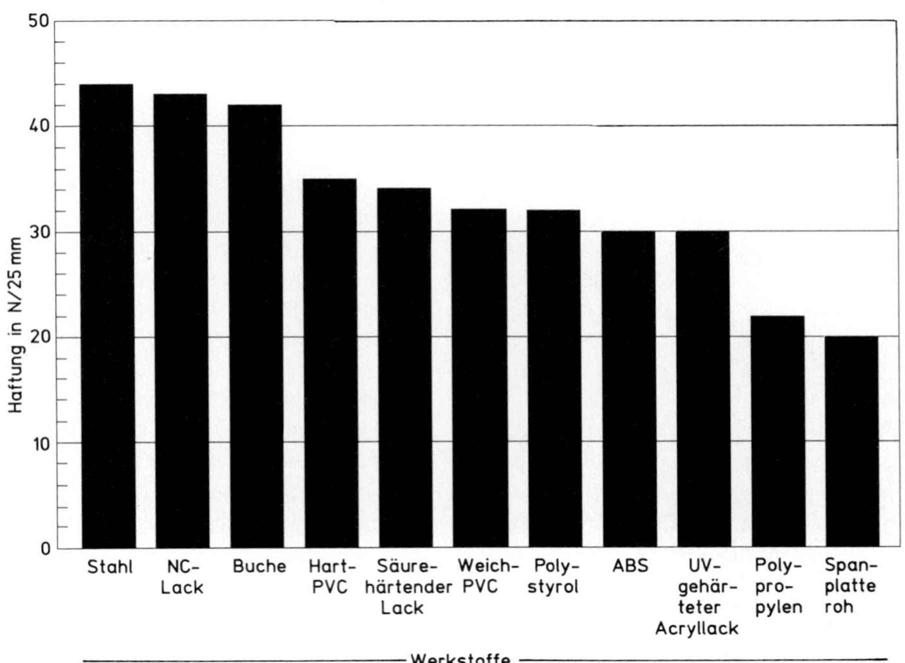

Haftklebung. Lohmann GmbH, Neuwied, Firmenschrift.

drophob ist, ergeben sich Probleme für die Vereinigung beider Materialien. Eine gute Haftung ist jedoch Voraussetzung für Herstellung und Einsatz von photographischen Filmen. Die Wirkungsweise der Haftschichten beruht im Prinzip auf einer Hydrophilierung der Trägerfolien. Folien auf Basis Celluloseacetat werden mit einer Gelatinelösung, die Quellmittel für das Polymere enthält, beschichtet. Um die anschließende Trocknung zu erleichtern, werden niedrig siedende Produkte wie Aceton eingesetzt. Als Lösungsvermittler dienen niedere Alkohole, wie Methanol oder Ethanol und Wasser. Um die Gelatine in Lösung zu halten, werden saure Stabilisatoren, wie Salizylsäure oder Essigsäure zugegeben. Die Übertragung dieses Prinzips auf die heute überwiegend als Photo-Folien eingesetzten Produkte auf Basis → Polyethylen-terephthalat ist nicht möglich, da dieses Polymere in den üblichen organischen Lösungsmitteln praktisch nicht anquillt. Man verwendet deshalb Zweischichtsysteme, bei denen die erste Schicht einen Übergang von der stark hydrophoben Polyesterfolie zu einer dünnen, stark hydrophilen Gelatineschicht schafft. Die erste Schicht besteht aus synthetischen Polymeren, deren Makromoleküle hydrophobe und hydrophile Gruppen enthalten. Beispiele sind Copolymere von → Vinylidenchlorid, Methacrylsäureestern und Itaconsäure, Polyethylacrylate oder → Ethylen-Vinylalkohol-Copolymere. Derartige Produkte werden vor dem → Reckprozeß aufgebracht und dann bei der Verstreckung in der Folienoberfläche verankert. Nach der Verstreckung wird eine etwa 2%ige Gelatinelösung aufgetragen. In anderen Verfahren werden in Chlorkohlenwasserstoffen gelöste Polyester, z.B. Polyethylen-isophthalat nach dem Reckprozeß aufgetragen. Die Zweitschicht kann neben Gelatine noch Nitrocellulose als Bindemittel enthalten. Neue Entwicklungen gehen in Richtung Einschichtsysteme, Vorgeschlagen wurden Formulierungen mit Gelatine und hydrophilen Polymeren, die vor dem Reckprozeß oder nach der Längsreckung aufgebracht werden. Wenn nach dem Verstrecken beschichtet wird, enthalten die Systeme in der Regel noch Quellmittel für PET, z.B. Phenole, Chlorphenole, Chloressigsäuren oder Chloralhydrat. Die Affinität zu den Haftschichten wird durch eine → Oberflächenbehandlung der Polyesterfolie verbessert.

Haftvermittler, *Primer*, *<primer>*. Substanzen zur festen Verbindung von zwei oder mehreren Folienschichten zu einer Verbundfolie. Sie sind vor allem dann erforderlich, wenn die chemische Zusammensetzung der zu verbindenden Folien sehr unterschiedlich ist. Haftvermittler haben große chemische Ähnlichkeit mit den zum → Kleben eingesetzten Klebstoffen. Es sind Harze oder hochpolymere Stoffe, die im allgemeinen polare Gruppen in den Molekülketten enthalten. Vielseitig einsetzbare Haftvermittler sind Ethylen-Acrylsäure- und → Ethylen-Vinylacetat-Copolymere sowie → Ionomere und → Styrol-Butadien-Blockcopolymere.

Haftvermittler werden meist während der Verbundfolien-Herstellung, z.B. durch → Coextrusion, eingebracht. Gelegentlich kann es zweckmäßig sein, eine Haftschicht in einem getrennten Produktionsschritt auf eine Folienbahn aufzubringen und diese dann mit einer zweiten Folie zu verbinden.

Häufig wird die Oberfläche anorganischer Produkte, die Kunststoffen als → Färbemittel oder → Füllstoffe zugesetzt werden, mit organischen Materialien vergütet. Die für dieses Verfahren, das sog. „Coaten" verwendeten Stoffe werden manchmal ebenfalls als Haftvermittler bezeichnet.

Die → Oberflächenbehandlung von Folien dient ebenfalls der Verbesserung der Haftung, insbesondere beim → Bedrucken von Folien.

Schließlich sei die chemische Modifikation von Kunststoffen durch Comonomere bei der → Polymerisation oder der → Polykondensation erwähnt. Durch diese kann das Polymere so verändert werden, daß bei der Kombination mit anderen Rohstoffen die Verwendung von Haftvermittlern überflüssig wird.

Halbkonserve, *<preserve>*, → standfeste, sterilisierbare Packung.

halbstarre Leichtbehälter, *<semi-rigid lightweight container>*, → Aluminiumbehälter.

Halbton, *<half-tone>*, → Tiefdruck.

HALS, *Sterisch gehinderte Amine*, *<hindered Amines light stabilizers, HALS>*, eine noch relativ neue Gruppe von → Lichtschutzmitteln, die besondere Bedeutung für den Schutz von Folien gegen Sonneneinstrahlung gewonnen hat. HALS werden vor allem in Polyolefinfolien eingesetzt, die als → Landwirtschafts-Folien und → Silagefolien verwendet werden. Sie wirken auch in dünnen Schichten und werden über längere Zeiträume nicht verbraucht. Wahrscheinlich wirken mehrere der bei → Lichtschutzmitteln genannten Mechanismen nebeneinander. Eine Theorie nimmt die Bildung von Nitroxyl-Radikalen durch Oxydation der HALS an, die ihrerseits mit freien Radikalen der Makromoleküle zu nicht radikalischen Aminoethern reagieren.

Neben definierten, niedermolekularen HALS wurden polymere sterisch gehinderte Amine entwickelt, die sich außer ihrer sehr guten Lichtschutzwirkung durch hervorragende Verträglichkeit, Widerstandsfähigkeit gegen Ausschwitzen und sehr niedrige Flüchtigkeit auszeichnen. Die Abb. zeigt die überragen-

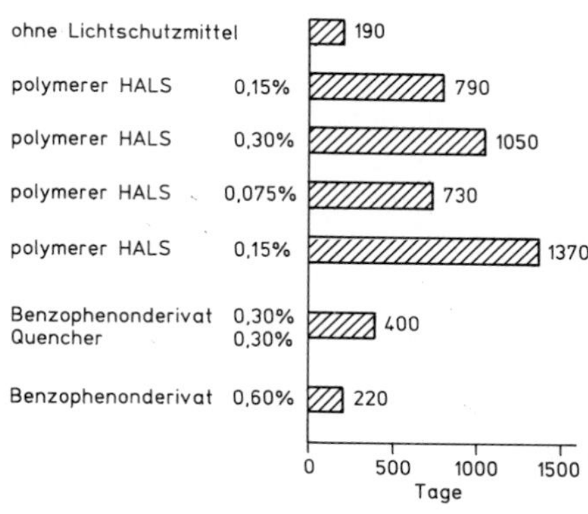

HALS. Ciba-Geigy, Basel, Firmenschrift.

de Wirksamkeit von HALS in Folien aus PE-LD Homopolymer. Die Dicke der Folien betrug 200 μm und ist damit typisch für die Anwendung als → Landwirtschafts-Folien. Die Prüfung wurde bei 100 °C durchgeführt. Als Schädigungs-Kriterium diente der Abfall der Dehnfähigkeit auf 50.
Dieser Labortest konnte durch → Florida-Bewitterung voll bestätigt werden. Ähnliche Ergebnisse wurden auch bei Folien aus → Ethylenvinylacetat-Copolymeren erzielt.

Hals, *<throat>*, → Blasfolien-Herstellung, Optimierung.

Harnstoff, *Carbamid, Carbamidsäureamid, Kohlensäure-diamid, <urea>*, H_2N-CO-NH_2, farblose, geruchfreie, ungiftige kristalline Substanz, F = 133 °C. Harnstoff wird in Gemischen mit anderen Stoffen bei der Cellophanherstellung als Weichmacher und Feuchthaltemittel eingesetzt und aus Ammoniak und Kohlendioxid bei 150 bis 250 bar und Temperaturen von 170 bis 200 °C hergestellt.

Hartbackwaren, *<biscuits>*, → Backwaren-Verpackung.

Hart-PVC, *<rigid-PVC>*, enthält im Gegensatz zum → Weich-PVC keine oder nur geringe Zusätze von → Weichmachern.
Es wird zu → Hart-PVC-Folien überwiegend durch → Kalandrieren verarbeitet. Einen Eigenschaftsvergleich von Hart- und Weich-PVC → Polyvinylchlorid.

Hart-PVC-Folie, *<rigid PVC film>*, eine Folie aus → Hart-PVC, das im Gegensatz zu → Weich-PVC keine oder nur kleine Mengen von → Weichmachern enthält. Zur einwandfreien Verarbeitung sind jedoch auch beim Hart-PVC → Additive erforderlich.
Die beiden wichtigsten Verfahren zur Herstellung von Hart-PVC-Folien sind die → Extrusion und das → Kalandrieren. Die Dicke von extrudierten Folien kann zwischen ca. 20 bis 700 μm liegen, es können aber auch Platten bis zu Stärken von etwa 25 mm hergestellt werden. Die Dicke von kalandrierten Folien bzw. Platten liegt zwischen 50 und 1000 μm.
Das Kalander-Verfahren erfordert größere Investitionen, ermöglicht aber einen höheren Ausstoß und bessere Kontrolle der → Dickengleichmäßigkeit. Es liefert Produkte mit besserer → Dimensionsstabilität, was für das → Warmformen von Bedeutung ist.
Hart-PVC-Folien werden im Bauwesen als Abdeckfolien und Isolierfolien, im → Technischen Sektor, z.B. im Apparatebau und in der Automobilindustrie, als → Bürofolien, vor allem aber in der Verpackungstechnik verwendet. Die Produkte können glasklar oder translucent sein. Einfärbung und → Bedrucken ist leicht möglich. Die chemische Beständigkeit der Produkte ist ausgezeichnet. Die wichtigste Eigenschaft von Hart-PVC-Folien für ihre Verwendung im Verpackungssektor ist ihre Fähigkeit zum → Warmformen. Mit diesem Verfahren können tiefgezogene Becher, Dosen und Schalen, → Blisterverpackungen, Faltschachteln und Sor-

tierböden für Pralinen und Konfekt gefertigt werden. In Längsrichtung verstreckte PVC-Folien eignen sich sehr gut als → Schrumpfbänder zur Herstellung von Schrumpfetiketten und Flaschenkapseln.

Harzmatte, *Prepreg*, *<pre-impragnated mat, prepreg>*, eine Matte oder ein Vlies aus Glasfasern wird mit in Styrol gelösten ungesättigten Polyesterharzen imprägniert. Die Harze sind teilvernetzt und können zwischengelagert werden. Ihre endgültige Aushärtung erfolgt in Formen durch Hitze und Druck.
Um die getränkte Glasfasermatte lager- und transportfähig zu machen, wird sie mit Hilfe einer → Trägerfolie und einer → Abdeckfolie, die beim Herstellungsverfahren eingearbeitet werden, in Form gehalten. Die Folien müssen auch unter den Bedingungen der Aushärtung dimensionsstabil sein. Auch an die mechanischen Eigenschaften der Folien werden hohe Anforderungen gestellt. Sie müssen außerdem für Styrol undurchlässig sein.
Unter einer Anzahl verschiedener Materialien haben sich in Längsrichtung → orientierte Polyamidfolien besonders bewährt. Sie werden in Dicken von 20 bis 30 μm eingesetzt. Ihre Dimensionsstabilität in Längsrichtung ist bei ansonsten vergleichbaren Eigenschaften wesentlich besser als die von nicht orientierten oder biaxial orientierten PA-Folien. Lit.

Haushaltsfolie, *<household film>*, nicht sehr klar abgrenzbare Bezeichnung für Folien, die im Haushalt, aber auch in Restaurants, Gemeinschaftsküchen oder beim Bord-Service in Flugzeugen ausgedehnte Verwendung finden.
Die häufigste und einfachste Anwendung ist das Einschlagen von Lebensmitteln, um diese vorübergehend vor äußeren Einwirkungen zu schützen. Es werden die üblichen Produkte wie → Aluminiumfolien, → Polyethylen- und → Polyesterfolien oder → BOPP verwendet, die für den benutzerfreundlichen Gebrauch in schmalen Rollen, meist mit einfachen Abreißvorrichtungen, konfektioniert sind.
Die Folien werden häufig auch in Form von Folienschläuchen angeboten, die abschnittsweise in Querrichtung verschweist und dicht hinter der Siegelnaht perforiert sind (→ Aufreißperforation). Beim Abtrennen der Abschnitte werden sofort gebrauchsfähige Folienbeutel erhalten. Für Gefrierbeutel werden → Sperrschichtfolien verwendet, für Innenbeutel in Abfallbehältern dünne aber mechanisch feste → PE-LD- und PE-LLD-Folien.
Spezielle Anforderungen werden an die auch im industriellen Bereich verwendeten → Haftfolien gestellt.
Es gibt auch → Bratfolien und Folien für die → Mikrowellentechnologie, z.B. Folien mit → Dual-Ovenability.

Hautfaserdärme, *<collagen casings>*, → Wursthüllen aus gehärtetem Eiweiß.

Hautverpackung, *<skin packaging>*, → Skinverpackung.

HDT, → Formbeständigkeit in der Wärme.

Heften mit Metallklemmen, <*staple*>, → Nähen.

Heißbandschweißen, <*band sealing*>, → Heiß-siegeln.

Heißdraht-Schweißen, <*wire welding*>, → Heißsiegeln.

Heißkaschieren, <*thermocompression bounding*>, → Thermokarschieren.

Heißsiegeln, *Thermosiegeln, Warmschweißen,* <*heat sealing*>, das → Siegeln von Folien durch Anwendung von Wärme. Heißsiegeln ist das mit Abstand bedeutendste Verfahren zum Verschweißen von Folien. Man unterscheidet im wesentlichen die folgenden Varianten:
1. Siegeln mit *Heizstab* oder *Heizlineal* zwischen *Siegelbacken*, gelegentlich auch als *Kontaktsiegeln* bezeichnet <*bar sealing*>. Ein Siegelwerkzeug ist schematisch in Abb. 1 dargestellt. Die bewegliche Siegelbacke A trägt den beheizten Stab B. Die feststehende untere Siegelbacke C ist mit einer Oberfläche aus elastischem Material ausgerüstet, um Unebenheiten in der Siegelnaht auszugleichen. Siegelelemente dieser Art werden in den meisten Maschinen zur Herstellung und zum Verschließen von → Beuteln und in → Form-, Füll- und Verschließmaschinen eingesetzt. Bei sehr langen Siegelnähten müssen die Heizstäbe äußerst maßgenau und ohne jede Abweichung gearbeitet sein,

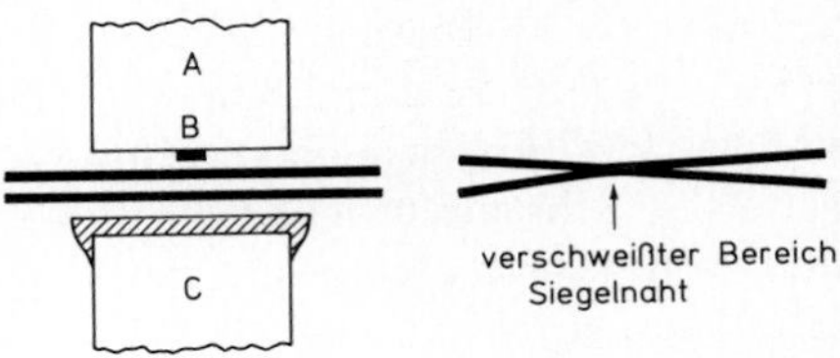

Heißsiegeln. Abb. 1. Autor.

um einen gleichmäßigen Druck über die gesamte Siegelfläche zu gewährleisten. Um saubere Siegelnähte zu erzielen, werden die Folien vor Eintritt in das Siegelwerkzeug häufig mit Hilfe von Streckvorrichtungen flachgelegt. Eine andere Möglichkeit ist die Anwendung von Heizstäben mit sägeartiger Siegelfläche, jedoch besteht dann die Gefahr der Lochbildung. Für die federnde Oberfläche der feststehenden, kalten Siegelbacke hat sich Silicongummi bewährt. Oft gibt man diesem Gegendruckbalken eine leicht gewölbte Form, wie sie in Abb. 2 überdeutlich dargestellt ist. Beim Siegelvorgang wird zunächst in der Mitte der Siegelnaht ein Druck aufgebaut, der sich beim Schließen des Werkzeugs zu den Rändern hin ausbreitet. Dies soll eine optimale Siegelnaht bewirken. Außerdem sollen kleine Flüssigkeitströpfchen aus dem Siegelbereich herausgedrückt werden, die durch Bildung von Wasserdampf die Siegelnaht zerstören würde.
Das Siegeln mit Heizstäben und Siegelbacken wird auch zum Aufschweißen von → Deckelfolien auf Becher, Schalen oder Trays angewendet. Die Siegelwerkzeuge müssen dabei dem Rand des

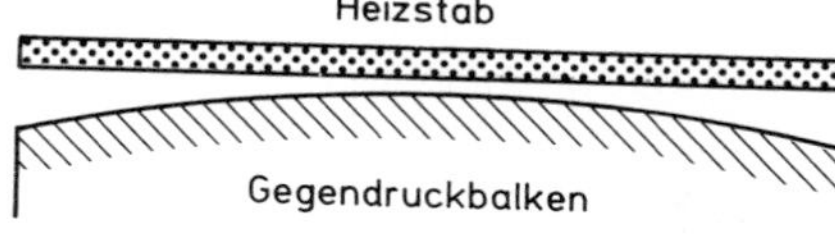

Heißsiegeln. Abb. 2. Autor.

zur verschließenden Behälters angepaßt sein.

2. *Impulssiegeln, <impulse sealing>*, Nach diesem Verfahren wird die Temperatur der Siegelbacken nur für einen kurzen Moment und nicht über den gesamten Siegelzyclus aufrechterhalten. Die nötige Energie wird durch zwei kleine Widerstandselemente auf beiden Siegelbacken erzeugt. Den schematischen Aufbau zeigt Abb. 3. Dabei bedeutet A die Siegelbacken, B sind elastische Schichten, z.B. aus Silicongummi und C die Widerstandselemente. Sobald das Siegelwerkzeug über der zu siegelnden Folie geschlossen ist, wird durch einen kurzen Stromstoß die Verschweißung durchgeführt. Im Vergleich zum Heizstabsiegeln ist die Zeit der Wärmeeinwirkung kürzer und die überschüssige Wärme wird sofort abgeleitet. Man kann deshalb Folien mit ungenügendem → Hot-Tak erfolgreich siegeln. Die Siegelfläche des Werkzeugs kann noch durch eine dünne, isolierende Folie aus Hitzebeständigem Material wie → Poly-(tetrafluor-ethylen)- oder → Polyimid-Folie abgedeckt sein, um ein Festkleben der gesiegelten Materiale zu verhindern.

3. *Heißbandschweißen <band sealing>*. Das Verfahren wird vor allem zum Verschließen von gefüllten Folienbeuteln verwendet. Zwei sich bewegende endlose Bänder werden durch geheizte Siegelbalken zusammengepreßt. Der zu verschließende Beutel wird durchgezogen. Vor der Siegelung muß eine Flachlegung der Beutelöffnung erfolgen. Der weiter durchlaufende Beutel kann anschließend durch auf die Bänder gepreßte Kühlelemente abgekühlt werden.

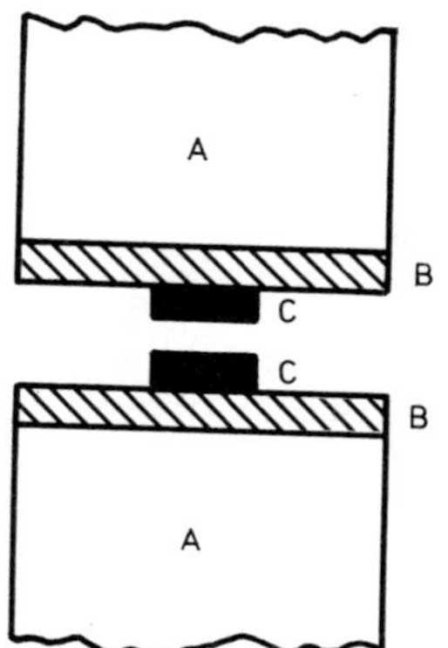

Heißsiegeln. Abb. 3. Autor.

4. *Trennschweißen*, Heiß- oder Glühdraht-Schweißen *<hot wire or knife sealing>*. Mit einem erhitzten Draht werden Folien gesiegelt und gleichzeitig getrennt. Das Verfahren wird vor allem bei der Herstellung von → Beuteln angewendet und erlaubt hohe Produktionsgeschwindigkeiten.

5. Dielektrisches Schweißen oder *Hochfrequenzschweißen <dielectric or hight frequency welding>*. Hier wird die nötige Wärme durch ein Hochfrequenzfeld erzeugt. Das Verfahren wird vor allem bei dünneren → PVC-Folien angewendet.

6. *Ultraschallschweißen <ultrasonic welding>.* Mechanischer Vibrationsdruck bei Ultraschallfrequenzen wird an den Berührungsflächen von Folien in Wärme umgewandelt und bewirkt die Versiegelung. Das Verfahren ist sehr schonend, weil die Erwärmung örtlich begrenzt an der Oberfläche erfolgt. Es wird für besonders dicke Folien angewendet, wo der Wärmedurchgang ungenügend ist. Weiterhin ist es das einzige Schweißverfahren für *Aluminiumfolien.*
7. *Wärmestrahlungsschweißen <radiation sealing>* wird zum Heißsiegeln von dickeren, insbesondere auch von orientierten Folien, z.B. beim Einschweißen von Dokumenten in Beuteln aus → Polyesterfolien, eingesetzt. Das Verfahren leistet auch zum Siegeln von → Non-Wowens gute Dienste.
8. *Gasschweißen <gas sealing>*, die direkte Anwendung einer Gasflamme, vor allem zum Heißsiegeln von dickeren thermoplastischen Folien und von PE-beschichtetem Karton.
Die Auswahl des richtigen Heißsiegelverfahrens muß von Fall zu Fall und in enger Zusammenarbeit von Anwender, Maschinenhersteller und Folienlieferanten erfolgen. Wichtige Vorinformation geben die Bestimmung der → Siegeltemperatur und der → Siegelfestigkeit einer Folie.

Heißsiegelschichten, *<sealing layer>*, → Siegelschichten.

Heizlineal, *<heated rule>*, → Heißsiegeln.

Heizschicht, *<heating layer>*, → Mikrowellentechnik.

Heizstab, *<hot bar>*, → Heißsiegeln.

Heizwalzen, *<heating rolls>*, Walzen, die mit Dampf oder Wärmeübertragungsflüssigkeiten beheizt sind und bei vielen Prozessen zur → Folienherstellung Anwendung finden. Beispiele sind das → Kalandrieren, die Thermofixierung bei → Reckprozessen oder die Trocknen von → Cellophan oder von → Cellulosedärmen.
Heizwalzen sind mit unter der Oberfläche gebohrten Kanälen oder mit Heizkammern ausgerüstet. Häufig wird zusätzlich elektrisch geheizt, vor allem an den Walzenrändern, oder durch einen Heizmantel über die gesamte Walzenlänge. Zur Prozeßkontrolle gehört die Messung und in vielen Fällen auch die Aufzeichnung der Walzentemperatur.

Helium-Detektor, *<Helium detector>*, → Lecksuche bei Packungen.

High-solid-Systeme, *<high-solid systems>*, → Kaschierklebstoffe.

Hilfsmittel, *<auxiliary agents>*, → Additive.

HIPS, → Polystyrol.

Hitzesterilisation, *<steam sterilization>*, → Dampfsterilisation.

Hi-vac-Verfahren, die Verwendung einer zusätzlichen Rootspumpe zur Aus-

rüstung von Anlagen zum → Warmformen. Dadurch werden die Zeiten bei der → Vakuumverpackung kürzer, der erreichbare Unterdruck wird niedriger. Die Beschleunigung des Verpackungsvorgangs bedeutet nicht nur eine Rationalisierung durch Zeitgewinn, sondern in vielen Fällen einen Qualitätsgewinn für das Füllgut durch geringeren Rest-Sauerstoffgehalt in der Packung.
Bei optimaler Anpassung der Anlagen wird innerhalb von 1 bis 2 s in der Packung ein Druck von ca. 10 bis 20 mbar erreicht. Bei der → Frischfleischreifung im Vakuumbeutel entspricht dies einem Sauerstoff-Partialdruck von $\leq$ 1 mbar.

Hochdruck-Kapillar-Rheometer, → Rheometer.

Hochdruck-Polyethylen, *<PE-LD>*, → Polyethylen.

Hochdruck-Polyethylen-Folie, *<PE-LD film>*, → PE-LD-Folien.

Hochdruckverfahren, *<high pressure prozess>*, → Druckverfahren.

Hochfrequenzschweißen, *dielektrisches Schweißen*, *<dielectric or high frequency welding>*, → Heißsiegeln.

Hochglanz, *<high gloss>*, → Glanz.

Hochglanzkaschieren, *Glanzfolienkaschieren*, *<high gloss laminating>*, wird bei Papier in steigendem Maße angewendet. Gegenüber dem → Kaschieren mit Hilfe von → Kaschierklebstoffen bietet das → Thermokaschieren eine einfache und umweltfreudliche Alternative.
Als Kaschierfolie dienen → Polyester-, → Hart- und → Weich-PVC-Folien, Folien aus → Celluloseacetat und → BOPP.
Mit etwa 80% hat BOPP für die Papierveredelung den mit Abstand größten Anteil. Die Folien bestehen aus einer Grundschicht von etwa 15 μm Dicke aus biaxial orientiertem Polypropylen und einer etwa 8 μm dicken Schicht, die mit ca. 85 °C einen deutlich niedrigeren Schmelzbereich als die Basisschicht aufweist. Größere Schichtdicken sind möglich, aber weniger wirtschaftlich. Sie führen zudem häufig zu Problemen bei der → Planlage.
Die mechanischen und optischen Eigenschaften der Folie sind ausgezeichnet. Unmittelbar nach der Kaschierung wird die Endhaftung erreicht. Die Schrumpfung liegt bei Kaschiertrommel-Temperaturen von 90 °C bei Null, bei 120 °C unter 1%.
Das Hochglanzkaschieren kann auf konventionellen Trommel-Kaschieranlagen erfolgen. Die Energiebilanz ist naturgemäß günstiger als beim → Naßkaschieren.
Die Abb. zeigt die Abhängigkeit der Verbundhaftung von der Kaschiertrommel-Temperatur. Bei genügender Wärmezufuhr nähern sich die Werte einem Grenzwert. Die Linienbelastung ist die Kraft, mit der die Gegendruckwalze gegen die Kaschiertrommel gepreßt wird, bezogen auf die Breite der Kaschierwalze. Die gute Verbundhaftung bleibt auch nach längerer

Lagerzeit voll erhalten. Hochglanzkaschierte Papiere und Pappen werden für Bucheinbände, Schallplattenhüllen, Propekte, Kataloge, Speisekarten, Landkarten und andere hochwertige Druckerzeugnisse, die längere Zeit haltbar bleiben sollen, verwendet. Der Markt in Westeuropa beträgt jährlich etwa 800 Mio. m^2.

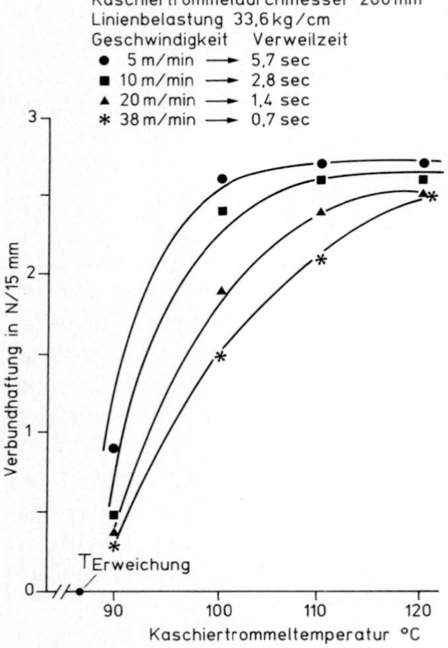

Hochglanzkaschieren. Vortrag Reiners, Wolff Walsrode AG.

Hochfrequenzschweißen, <*high frequency welding*>, → Heißsiegeln.

Hochleistungsfolie, <*high-performance film*>, eine in den letzten Jahren häufig gebrauchte Bezeichnung für Folien, die herausragende Eigenschaften besitzen. Der etwas verschwommene Ausdruck meint meistens Folien mit besonders guten → thermischen Eigenschaften für die Anwendung im → technischen Sektor, obwohl es natürlich auch auf vielen anderen Gebieten Folien mit besonders hochgezüchtetem anwendungstechnischem Verhalten gibt, z.B. → Sperrschichtfolien für die Lebensmittelverpackung. Einen Vergleich der Eigenschaften von Hochleistungsfolien als thermisch hoch belastbare → Elektroisolierfolien zeigt die Tabelle. Die Dicke der Folien beträgt in allen Fällen 50 μm. Lit.

Hochpolymere, <*polymers*>, → Kunststoffe.

Holzimitation, <*wood imitation, wood copie*>, → Prägefolie.

Hoogoven-Raster, <*Hoogoven screen*>. Für die sichere Herstellung von → Aluminium-Formverpackungen ist die Erfassung der partiellen Oberflächendehnung oder des Umformgrades an jeder Stelle des Verpackungsmaterials wichtig. In einem speziellen Prüfverfahren wird auf der Aluminium-Kunststoffverbundfolie der aus der Werkstoffprüfung bekannte Hoogroven-Raster aufgebracht. Dieser besteht aus einer Vielzahl ineinander verschlungener Kreise mit Markierung der Kreismittelpunkte. Bei einer Verformung gehen die Kreisformen des Rasters in

Hochleistungsfolie. Vergleich der Eigenschaften von Isolationsfolien aus unterschiedlichen Materialien (Dicke 50 μm).

	Prüfvorschrift	Einheit	PETP-BO[1]	PSU[3]	PEI[3]	PES[3]	PEEK[3]	PI[2]
Zugfestigkeit	DIN 53455							
bei RT		N/mm²	200	75	110	85	130	170
bei 160 °C		N/mm²	–	40	65	55	80	–
bei 200 °C		N/mm²	–	–	–	–	70	120
Reißdehnung	DIN 53455							
bei RT		%	110	100	100	100	200	70
bei 160 °C		%	–	70	70	70	295	–
bei 200 °C		%	–	–	–	–	305	90
Weiterreißfestigkeit	DIN 53128	N/mm	–	11	10	13	30	–
Dauergebrauchstemperatur	UL 746	°C	150[4]	160[5]	170[5]	180[5]	220[5]	230
Dimensionsstabilität Thermoschrumpf	PCD[8]-interne Prüfnorm (180 °C, 30 min)	%	3	< 0,5	< 0,5	< 0,5	< 0,5[6]	< 0,5
H_2O-Aufnahme	PCD-interne Prüfnorm	%	0,5	0,1	0,3	0,5	0,2	2,9
Chemikalienbeständigkeit[7] Medien								
Ethanol			+	+	+	+	+	+
Benzin			+	–	+	+	+	O
Azeton			+	–	+	–	+	O
Trichlorethylen			+	–	–	+	O	+
10% H_2SO_4			+	+	+	+	+	+
10% NaOH			O	+	+	+	+	–

1 Hersteller: Hoechst, 2 Hersteller: Du Pont, 3 Hersteller: Petrochemie Danubia, 4 Herstellerangabe, 5 erwartete Werte aus laufenden Prüfungen bei Underwriters Laboratories (UL), 6 teilkristalline Folie, 7 nach Herstellerangaben [4 bis 9], PCD Petrochemie Danubia
+ beständig, O bedingt beständig, – unbeständig

PETB = → Polyesterfolie, biaxial orientiert; PSU = → Polysulfone; PEI = → Polyetherimid; PES = → Polyethersulfon; PEEK = → Polyetheretherketon. In der letzten Spalte sind die nicht thermoplastischen Polyimidfolien dargestellt. G. Lux und B. Huber, Kunststoffe 79, 507 (1989)

Ellipsen über. Die Abb. zeigt einen Hoogoven-Raster vor und nach der Verformung.

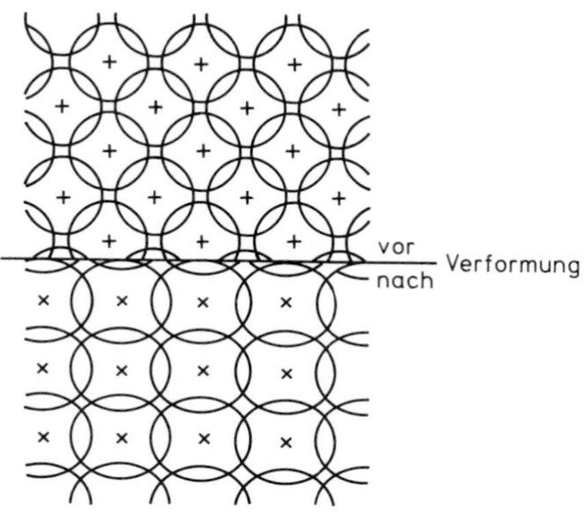

Hoogoven-Raster. Nach Gerber, Verpackungs-Rundschau, *35*, 354 (1984).

Durch Vermessung der Ellipsen-Achsen können die Flächenvergrößerungen bzw. die Dickenverringerungen an jedem Punkt der Oberfläche ermittelt werden. Durch die Auswertung der Messungen ist eine Vergleichmäßigung der Umformung über die Packungsoberfläche und damit eine erhöhte Sicherheit gegen die Bildung von Rissen oder Löchern im Verpackungsmaterial möglich.

Hot-Tack, *Warmsiegelfestigkeit, <hot-tack>.* Neben der bei Normaltemperatur gemessenen → Siegelfestigkeit ist die Warmsiegelfestigkeit, die auch im Deutschen meist als Hot-Tack bezeichnet wird, eine wichtige Eigenschaft siegelfähiger Folien. Man versteht darunter die Festigkeit der Siegelnaht unmittelbar nach dem → Heißsiegeln, d.h. im noch warmen Zustand. Möglichst hohe Werte sind vor allem bei vertikal arbeitenden → Form-, Füll- und Schließverfahren wichtig, weil die Siegelnähte dabei sofort nach der Siegelung durch die Befüllung stark belastet werden. Ethylen-Copolymere, besonders → Ionomere haben gute Warmsiegelfestigkeit, wachsartige Produkte liegen bei weit niedrigeren Temperaturen. Zum Hot-Tack-Verhalten biaxial verstreckter Polypropylenfolien → BOPP.

Hottenroth-Zahl (°Ho), *<Hottenroth index>*, ein Maß für den Reifegrad der Viskose, die bei der → Cellophan-Herstellung eingesetzt wird. Die Viskose muß vor dem Spinnprozeß durch gezielten Abbau der Makromoleküle einen bestimmten chemischen und kolloidalen Zustand erreichen, um eine gute Qualität des → Cellophans sicherzustellen. Die Hottenroth-Zahl wird durch dreimaliges intensives Mischen von 20 g Viskose mit 10 ml destilliertem Wasser und anschließende „Titration" mit einer 10%igen Lösung von Ammonium-chlorid bestimmt. Die Viskose-Lösung verändert sich dabei zu einem halbfesten Gel, welches an einem senkrecht gehaltenen Rührstab mindestens 20 sek. haften bleiben soll. Die Hottenroth-Zahl entspricht der Anzahl der verbrauchten ml Ammoniumchlorid-Lösung. Sie erreicht beim Beginn des Reifeprozesses ihr Maximum.

HTV-Verfahren, Hochtemperatur-Verfahren, *<high temperature process>*, → Pyrolyse.

Hydroxybuttersäure, Ausgangsmaterial für *<hydroxy butyric acid>*, → Polyhydroxybuttersäure.

I

IAPRI, International Association of Packaging Research Institutes, eine 1971 gegründete Vereinigung von → Forschungsinstituten auf dem Gebiet der → Verpackungstechnologie. Ziel dieser Vereinigung ist die Förderung von beruflichen und persönlichen Beziehungen zwischen den Forschern und, so weit möglich, die Verhinderung von Doppelarbeiten in den Instituten. In Symposien, die alle zwei Jahre stattfinden, werden die Forschungsprogramme der Mitgliedsinstitute diskutiert.
Darüber hinaus hat IAPRI eine Reihe von internationalen Konferenzen über Verpackungstechnologie in unregelmäßigen Abständen veranstaltet. Kongresse fanden z.B. 1972 in London und 1989 in Hamburg, beide mit etwa 300 Teilnehmern, statt.

Identitätskarte, *<identity card, ID-card>*, → ID-Karte.

ID-Karte, *Identitäts-Karte*, *<identity card, ID-card>*, eine Ausweiskarte mit mehreren Folienschichten, meist aus → Polyvinylchlorid. Sie dienen der Identifikation des Karteninhabers. Entsprechende Karten gibt es als Kreditkarten, Schlüsselkarten, Fernsprechkarten usw. Durch Ausrüstung der ID-Karten mit integrierten Chips wird hohe Fälschungssicherheit erreicht. ID-Karten aus Kunststoff oder kunststofflaminiertem Werkstoffen sind nach DIN 9781, Büro- und Datentechnik, genormt.
Die weitaus meisten ID-Karten werden aus → Hart-PVC-Folien hergestellt. Diese Folien sind unempfindlich gegen Wasser, Öle und Fette und haben eine ausgezeichnete Chemikalienbeständigkeit. Sie sind schwer entflammbar. Beide Seiten der Folien werden mattiert, um eine optimale Verarbeitung zu ermöglichen. Einige ID-Karten, z.B. die Euroscheck-Karte, enthalten zwischen PVC-Folien ein mit PVC beschichtetes Sicherheitspapier. Dieses trägt besondere Merkmale wie Wasserzeichen und Guillochen-Druck (regelmäßige feine, wellenförmige Linien). Auch Polyester-Polyethylen-Verbundfolien werden zur Herstellung von ID-Karten verwendet.
Eine ID-Karte besteht aus mindestens drei Folien. Die Kernfolie wird bedruckt, wobei alle üblichen → Druckverfahren in Frage kommen. Für hohe Auflagen und anspruchsvolle Druckmotive wird vor allem der Offsetdruck angewendet. Die meist noch üblichen → Druckfarben auf Basis von Alkydharzen werden zunehmend durch wesentlich schneller trocknende, UV-härtende Farben ersetzt. Die Qualität des Drucks, insbesondere zur Erzeugung von Halbtönen, wird mit zunehmender Zahl von Rasterpunkten pro cm^2 hochwertiger. Für das Bedrucken von ID-Karten sind Rasterpunktzahlen von 60 bis 120 üblich. Beim Siebdruck wird für kleinere Auflagen mit schnell trockenden, Lösungsmittel enthaltenden Farben gedruckt. Der Druck wirkt plakativ. Der Farbauftrag liegt bei ca. 10 μm, beim Offsetdruck bei ca. 3 μm. Nach dem Bedrucken der Kern-

folie und ihrer Ausrüstung mit Sicherheitskodierungen oder Photoeinlagen erfolgt das Laminieren mit Abdeckfolien. Es wird bei Temperaturen von ca. 140 °C und Drucken von ca. 10 bar gearbeitet. Wichtig ist eine gute Haftung zwischen den Folien ohne Beeinträchtigung des Druckbildes. Das Verbinden der Folien erfolgt auf Laminierpressen.
ID-Karten mit → Polyesterfolien als Außenschicht und → Polyethylenfolien als Innenschicht werden kontinuierlich laminiert. Die Folienkombination durchläuft erhitzte Walzen, wobei das angeschmolzene PE die Polyesterschichten miteinander verbindet. Nach dem Ausstanzen der Karten werden Unterschriftsfelder, Hologramme, Codes, Magnetstreifen usw. aufgebracht.
Die Bedeutung der ID-Karten hat in letzter Zeit ständig zugenommen und wird sicherlich weiter steigen. Lit.

IFFA, eine internationale Fachmesse für die Hersteller und Anwender von → Wursthüllen und von Folien für die → Fleisch- und Fleischwarenverpackung. Die IFFA findet alle drei Jahre in Frankfurt statt, so 1992.
Kontaktadresse: Messe Frankfurt GmbH Postfach 97 01 26, 6000 Frankfurt 1. Weitere wichtige Ausstellungen sind → Interpack, → Papro und → K-Messe.

ILV, → Fraunhofer-Institut für Lebensmitteltechnologie und Verpackung.

Impulssiegeln, *<impulse sealing>*, → Heißsiegeln.

Induktionsspule, *<induction coil>*, → Kondensatorfolien.

induktive Dickenmessung, *<inductive thickness measurement>*, → Dikkenmessung.

Industrievereinigung für Lebensmitteltechnologie und Verpackung, eine Vereinigung von z.Zt. etwa 250 Firmen, die auf dem genannten Gebiet tätig sind. Vertreten sind Unternehmen der unterschiedlichsten Größe mit sehr verschiedenen Produktionsprogrammen. Sie umfassen das gesamte Gebiet der → Folientechnologie, soweit es um → Lebensmittelverpackung geht. Vertreten sind Hersteller von → Rohstoffen, → Additiven und anderen Hilfsstoffen, → Folien aller Art, → Verpackungsmaschinen und Hersteller von Lebensmitteln. Die Vereinigung nimmt die Interesse der Mitglieder wahr und fördert das → Fraunhofer-Institut für Lebensmitteltechnologie und Verpackung.

Infrarot-Messung, *<infrared measurement>*, → Dickenmessung.

In-line-Produktion, *<in-line production>*, die Fertigung mit mehreren, unmittelbar und kontinuierlich hintereinander angeordneten Verfahrensstufen. Bei der Off-line- oder Ex-line Produktion sind dagegen die einzelnen Stufen voneinander getrennt.
Beispiele aus der Folientechnologie sind die → Extrusion einer Folie mit direkt angeschlossener → Warmformung zur Herstellung von Formtei-

len für die Verpackung, die Extrusion mit direkt folgendem → Reckverfahren oder das → Bedrucken einer Folie mit unmittelbar folgender → Beutelherstellung.
In-line-Fertigungen setzen Massenproduktion voraus und verlangen größeren Automatisierungsaufwand. Sie werden häufig mit einer kompletten → Prozeßleittechnik ausgestattet. Ihre Wirtschaftlichkeit ist gegenüber Off-line-Verfahren wesentlich größer.

Inliner, *<inliner>*, PE-HD-Folie.

Innenbeutel, *<inliner>*, → Bag-in Box.

Innenbeutel für Spraybehälter, *<inliner for spraying cans>*, → Spraybehälter-Innenbeutel.

Innenmischer, *<internal mixer>*, → Kautschukmischungen.

Innenkühlung, *<internal cooling>*, → Blasfolienextrusion.

innere Weichmachung, *<polymerizable plasticizing>*, → Weichmacher.

Institut für Deutsche Industrienormen, → Normung.

Institut für Exportverpackung, ein Institut für die besonderen Probleme, die mit diesem Gebiet verbunden sind. Das Institut ist Mitglied der → IAPRI.

Institut für Lebensmitteltechnologie u. Verpackung, → Fraunhofer-Institut für Lebensmitteltechnologie und Verpackung.

International Association of Packaging Research Institutes, → IAPRI.

Internationale Messe Kunststoff und Kautschuk, → K-Messe.

International Organisation für Standardisation, *ISO*, → Normung.

Interpack, die weltweit bedeutenste Fachmesse für den größten Sektor der Folienanwendung, die → Verpackung. Die Interpack, Internationale Messe für Verpackungsmaschinen, Packmittel und Süßwarenmaschinen findet in Düsseldorf alle drei Jahre statt.
Die Interpack hat rund 2000 Aussteller, von denen mehr als die Hälfte aus dem Ausland, aus rund 30 verschiedenen Ländern kommen.
Kontaktadresse: NOWEA, Postfach 32 02 03, 4000 Düsseldorf.
Neben der Interpack sind → K-Messe, → Papro und → IFFA wichtige Ausstellung.

Ionomer, *<ionomer>*, ein polymerer Stoff, dessen Makromoleküle ionische Gruppierungen enthalten. Die ersten Produkte dieser Art wurden in den 60er Jahren in USA entwickelt. Es handelte sich um Copolymere aus Ethylen und Methacrylsäure. Abb. 1 zeigt die Struktur.
Die dargestellten Carbonsäuregruppen der Makromoleküle sind durch Metall-Anionen, wie Natrium- oder Zinkionen neutralisiert.

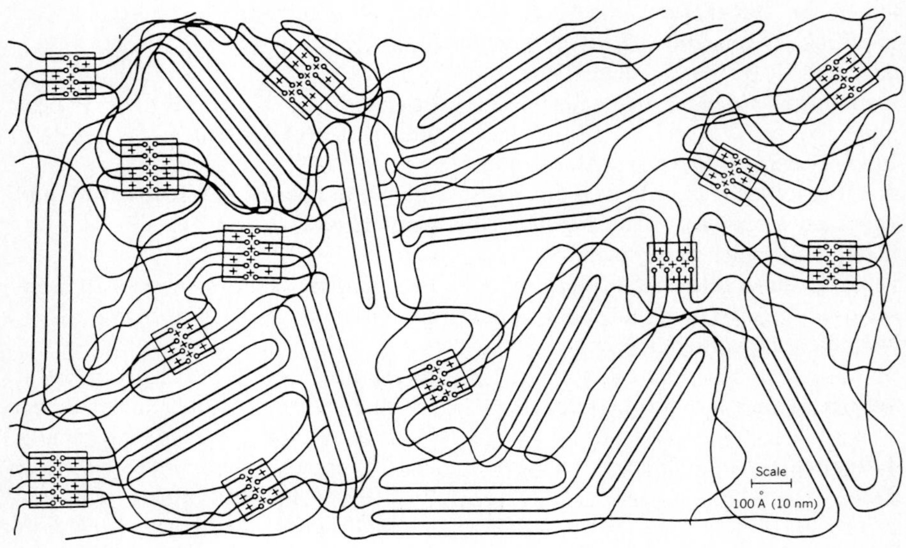

Ionomer. Abb. 1. Nach Bakker, The Wiley Encyclopedia of Packaging Technology, New York 1986.

Es gibt viele unterschiedlich aufgebaute Ionomere. Zur Copolymerisation werden auch Styrol, Propylen oder Ethylenvinylacetat verwendet. Als saure Komponente wird neben Methacrylsäure Acrylsäure verwendet. Die Neutralisation erfolgt meist unmittelbar im Anschluß an die Polymerisation kontinuierlich in → Extrudern. Neben Natrium sind andere Anionen wie Lithium, Strontium oder Zink bekannt geworden.
Die Morphologie von Ionomeren zeigt drei Elemente (Abb. 2):
die ionischen, salzartigen Inseln,
die kristallinen Bereiche der Polyethylenketten,
die amorphen Anteile der Kohlenwasserstoffketten.
In dieser Feinstruktur der Ionomeren sind ihre wesentliche Eigenschaften begründet.
Ionomere können nach allen, für die → Folienherstellung üblichen Verfahren verarbeitet werden. Die → Schmelzbereiche und → Viskositäten liegen allerdings höher als bei Polyethylen. Temperaturen von etwa 300 °C sollten nicht wesentlich überschritten werden.
Im Vergleich zu → Polyethylen zeigen Ionomere wesentlich verbesserte mechanische Eigenschaften, vor allem höhere → Reißfestigkeit und Zähigkeit. Sie werden deshalb bei der Herstellung von Verpackungsfolien überall dort eingesetzt, wo größere mechanische Belastungen zu erwarten sind, z.B. bei der Verpackung scharfkantiger Gegenstände. Auch die → optischen Ei-

$$-(-CH_2-CH_2)_n-\underset{\underset{O^{(-)}}{\overset{|}{C}=O}}{\overset{CH_3}{\overset{|}{C}}}-CH_2-(CH_2-CH_2)_m-\underset{\underset{O^{(-)}}{\overset{|}{C}=O}}{\overset{CH_3}{\overset{|}{C}}}-CH_2-$$

Ionomer. Abb. 2.

genschaften der Folien sind im Vergleich zu Polyethylen besser. Glanz und Transparenz erreichen bei höheren Verarbeitungstemperaturen bessere Werte. Folien aus Ionomeren zeigen günstigeres Verhalten beim → Heißsiegeln und bessere Haftung bei der Herstellung von → Verbundfolien. Sie dienen deshalb mit gutem Erfolg als → Siegelschichten, auch in Kombination mit → Aluminiumfolien.
Auf dem → Technischen Sektor können sie als → Elektroisolierfolien verwendet werden. Ihr geringer Abrieb macht sie als Bestandteil von → Bodenbelägen und zur Verwendung in der Schuhindustrie geeignet.
Hervorzuheben sind ihre sehr guten Adhäsionseigenschaften. Sie finden deshalb in → Klebefolien und → Haftfolien sowie in → Klebebändern Verwendung.

Irisblende, *<iris diaphragm>*, Vorrichtung zur Regulierung und Verteilung des Luftstroms bei der Außenkühlung der → Blasfolien-Extrusion. Mit Hilfe von Irisblenden wird die Form des Folienschlauchs beeinflußt. Dies trägt zur → Blasfolienherstellung-Optimierung bei und vermeidet Faltenbildung bei der → Flachlegung der Folien.

ISO, → Normung.

Isocyanat, *<isocyanate>*, eine Verbindung, die die Gruppe –N=C=O enthält. Diese kann die mit vielen anderen funktionellen Gruppen nach dem Schema der → Polyaddition reagieren. Die so entstehenden → Polyurethane spielen auch in der Folientechnologie eine bedeutende Rolle, z.B. als → Kaschierklebstoffe, → Polyurethan-Folien und → Polyurethan-Elastomere.

Isolationsfestigkeit, *<dielectric strength>*, → Durchschlagsfestigkeit.

Isolationswiderstand, *<volume resistivity>*, → Durchgangswiderstand, elektrischer.

Isolierfolie, *<insulation film>*, eine Folie zur Abschirmung gegen Wärme, Schall oder Elektrizität. Es sind Kunststoff-Folien oder Kombinationen von Folien mit anderen, verstärkend oder ergänzend wirkenden Werkstoffen. Das bedeutendste Anwendungsgebiet ist das der → Elektroisolierfolien. Gute Isolationseigenschaften gegen atmosphärische Einflüsse müssen → Baufolien und → Landwirtschaftsfolien aufweisen.
In erweiterten Sinne können auch Folien, die meist in Kombination mit textilen Materialien zur Wärme-, Kälte- oder Feuchtigkeits-Isolierung von Kleidung oder Schuhwerk dienen, als Isolierfolien bezeichnet werden. Wegen ihrer anwendungstechnischen Eigenschaften nehmen hier → Polyurethanfolien eine besondere Stellung ein.

Isolierstoff, *<insulation material>* → Elektroisolierfolie.

Isopack-Verfahren, <*isopack technique*>, → Frischfleisch-Verpackung.

Isotropie, <*isotropy*>, die Gleichmäßigkeit der physikalischen Eigenschaften und des Verhaltens in Längsrichtung und Querrichtung einer → Folienbahn. Das Gegenteil von Isotropie ist die → Anisotropie.

K

Kaffeeverpackung, *<coffee packaging>*. Das Verpacken von gemahlenem Kaffee wird in den verschiedenen Regionen der Erde sehr unterschiedlich gehandhabt. In Europa wurde in den 60er Jahren die → Vakuumverpackung in Beuteln aus → Verbundfolien entwickelt. Sie hat sich hier und auch in Canada seit langem weitgehend durchgesetzt. Die Vakuumbeutel werden als solche oder nach dem System → Bag-in-Box in den Handel gebracht. In den USA gagegen wird Kaffee noch sehr häufig in Metalldosen mit Kunststoff-Deckeln verpackt.

Die zur Herstellung der Beutel verwendeten Folien sind *Verbunde*, die in fast allen Fällen aus einer *Aluminiumfolie*, einer Außenschicht aus → Polyesterfolie oder → BOPP und einer → Siegelschicht bestehen.

Die Aluminiumschicht garantiert geringe → Durchlässigkeit für Wasserdampf, Gase und Aromen. Sie ist meist 10 bis 20 μm dick. Kombination mit → metallisierten Folien wurden entwickelt, um Aluminium einzusparen. Diese Verbunde sind aber in der Undurchlässigkeit wesentlich weniger zuverlässig und damit für anspruchsvollere Kaffeesorten nicht geeignet. Der Austausch der Aluminiumfolie durch → Sperrschichtfolien auf Kunststoffbasis wäre technisch möglich, scheint aber aus Kostengründen zur Zeit noch nicht praktikabel.

Polyesterfolien oder BOPP dient als äußere Schicht des Vakuumbeutels. Die Dicken liegen zwischen etwa 20 und 30 μ. Sehr häufig wird diese Folie im → Konterdruck dekoriert, bevor sie mit der Aluminiumfolie verbunden wird. Für besondere Qualitätsansprüche werden auch Vierschicht-Folien mit BOPP/Polyester-Schichten oder Dreischicht-Verbunde mit → orientierten Polyamidfolien eingesetzt. Durch die genannten Kunststoff-Schichten erhält der Vakuumbeutel seine guten mechanischen und auch optischen Eigenschaften.

Die Siegelschicht schließlich wird in der Regel durch eine → Polyethylen-Folie gebildet. Ihre Dicke liegt meist über 50 μm und kann mehr als 100 μm betragen. Zur Verbesserung der mechanischen Eigenschaften und der Siegelfestigkeit werden neuerdings verstärkt → Ionomere eingesetzt.

Beim Verpacken von gemahlenen Kaffee in Vakuumbeuteln ist eine Besonderheit des Füllguts zu beachten. Kaffee gibt nach dem Rösten langsam Kohlendioxid, CO_2, in Mengen von etwa 2,2 l/kg ab. Durch das Mahlen wird die CO_2-Abgabe stark beschleunigt. Während des Mahlvorgangs wird etwa die Hälfte der Gesamtmenge abgegeben. Die weitere Kohlendioxid-Abgabe hängt vom Mahlgrad ab. Je kleiner die Korngröße des gemahlenen Kaffees, umso schneller die CO_2-Entwicklung. Bei den in Europa üblichen Korngrößen von etwa 500 μm ist die Entgasung in ein bis zwei Stunden beendet und stellt kein Problem für den Verpackungsprozeß dar. Dagegen sind in USA gröbere Mahlung bis zu 1000 μm Korngröße üblich, was zu Schwierigkeiten führen kann. Lange Entgasungs-

zeiten sind unerwünscht. Zu kurze Zeiten führen zu weiterer Abgabe von CO_2 im fertigen Beutel. Dieser kann dadurch leicht seine Standfestigkeit verlieren und weich werden oder sich sogar Aufblähen. Zur Lösung dieses Problems wurden in USA Vakuumbeutel mit Ventilen konstruiert, die ein Entweichen von Gas aus der fertigen Packung gestatten, ein Eindringen von Luft jedoch verhindern. Das System kann das Weichwerden der Beutel allerdings nicht verhindern. Eine andere Methode ist das Einlegen eines kleinen Beutels mit einem Absorptionsmittel für Kohlendioxid. Es ist keine Entgasungszeit erforderlich, und der Vakuumbeutel behält seine Standfestigkeit.
Das Problem der CO_2-Entwicklung ist wohl der Hauptgrund, warum sich in USA der Vakuumbeutel aus Verbundfolien gegenüber der Metalldose trotz seiner wesentlich größeren Wirtschaftlichkeit noch nicht so durchgesetzt hat wie in Europa. Metalldosen halten natürlich einem Vakuum ebenso stand wie einer Druckentwicklung.

Kältebeständigkeit, *Kältefestigkeit,* <*cold resistance, anti-freezing property*>. Folien neigen bei tiefen Temperaturen zur Versprödung. Kältefestigkeit, Kältebruchtemperatur und Kältesprödigkeit werden nach den Prüfnormen DIN 53372, ISO/R 974, ASTM D 746 und D 1790 bestimmt.
Die Kältebeständigkeit liegt für → Polyethylen-Folien, → Hart-PVC-Folien, → Weich-PVC-Folien, → BOPP und → Polystyrol-Folien zwischen -30 und -50 °C. → Cellophan und → Celluloseacetat sind nur bis etwa -15 °C beständig. Extrem gute Kältefestigkeit weisen mit etwa -200 °C → Polyesterfolien, → Polycarbonatfolien und → Polytetrafluorethylen-Folien auf. Beim Einsatz von Verbundfolien mit PVDC-Sperrschichten ist zu beachten, daß dieser Kunststoff nur bis etwa 0 °C kältefest ist. Ausreichende Kältebeständigkeit ist für den Einsatz von Folien als Trägermaterial und für die Verpackung von Tiefkühlkost wichtig.

Kalander, <*calender*>, eine Maschine zum → Kalandrieren.

Kalandrieren, <*calendering*>, ein Verfahren zur → Folienherstellung, bei dem → thermoplastische Kunststoffe in Walzwerken, Kalandern, verformt werden. Die Abb. 1 zeigt das Prinzip einer Kalandrierstraße. Das pulverförmige Ausgangsprodukt wird in einem → Kneter oder → Extruder unter Einwirkung von Druck und Wärme kontinuierlich vorverdichtet. Es wird dann zum Kalander transportiert, wo es durch hohe Scherkräfte bei 180 bis 220 °C zu einer → Folienbahn ausgewalzt wird. Diese wird über Kühlwalzen abgekühlt, gegebenenfalls einem → Reckprozeß unterworfen und nach dem Randbeschnitt einer Aufwicklung zugeführt.
Abb. 2 zeigt die vielfältigen Möglichkeiten zur Gestaltung von Kalandern. Da diese Maschinen, die unter hoher Belastung arbeiten, sehr solide konstruiert werden müssen, ist das Verfahren im Vergleich zur → Extrusion sehr teuer. Es hat deshalb viel von seiner

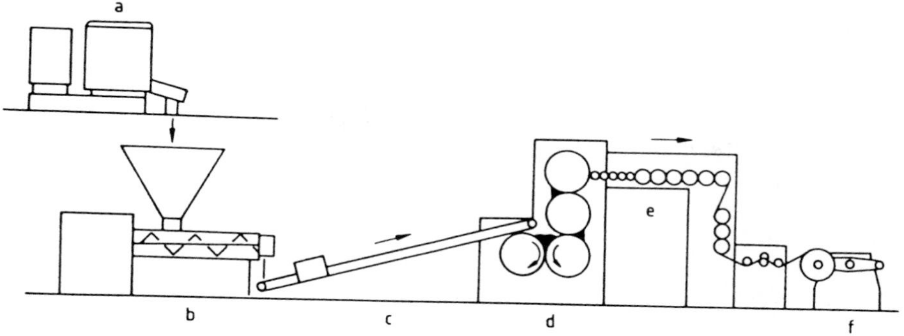

Kalandrieren. Abb. 1. Nach Ullmann A11, 89.

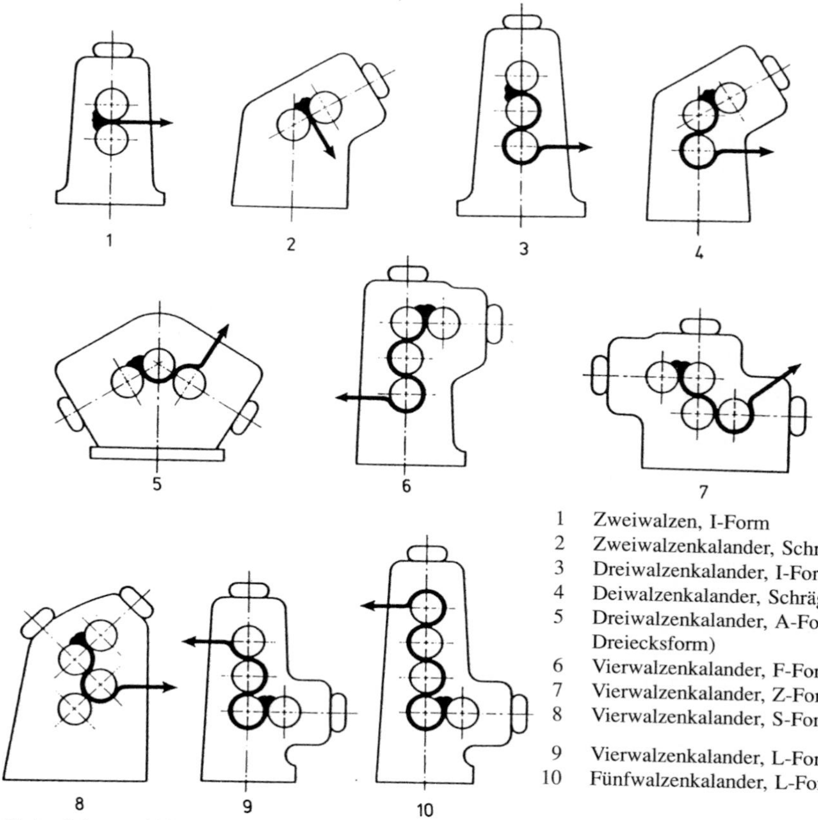

1 Zweiwalzen, I-Form
2 Zweiwalzenkalander, Schrägform
3 Dreiwalzenkalander, I-Form
4 Deiwalzenkalander, Schrägform
5 Dreiwalzenkalander, A-Form, Dreiecksform)
6 Vierwalzenkalander, F-Form
7 Vierwalzenkalander, Z-Form
8 Vierwalzenkalander, S-Form
9 Vierwalzenkalander, L-Form
10 Fünfwalzenkalander, L-Form

Kalandrieren. Abb. 2. Wittfoth, Kunststofftechnisches Wörterbuch, 3, 58, Hanser Verlag 1978.

früheren Bedeutung verloren und wird heute nur noch zur Verarbeitung von → Polyvinylchlorid angewendet.
Große Produktionseinheiten für → Hart-PVC-Folien haben → Walzen bis zu 700 mm Durchmesser und Breiten bis zu 2500 mm. Diese Maße können bei der Herstellung von → Weich-PVC-Folien noch etwas größer sein. Die Produktionsgeschwindigkeiten erreichen etwa 300 m/min., der Ausstoß liegt je nach Material und Foliendicke zwischen 500 und 2000 kg/h. Die Dicke der Folien liegt zwischen etwa 50 μm und 1 mm.
Das Kalandrieren wird sehr häufig zur Formgebung von → Elastomeren Kunststoffen, so bei der → Kautschuk-Formgebung und beim Gummieren von Geweben angewendet. Diese Prozesse sind jedoch Grenzfälle der → Folientechnologie. Lit.

Kaliber, <*caliper*>, bei → Wursthüllen der in der Praxis gebräuchliche Ausdruck für den *Durchmesser des Folienschlauchs*. Man unterscheidet dabei zwischen Nenn-, Füll- und Fertigkaliber.
1. *Nennkaliber* ist der Durchmesser der ungefüllten Wursthüllen. Es kann auch durch die Flachliegebreite der Wursthülle definiert werden. Es gilt Flachliegebreite = 1/2 · p · Kaliber (p = 3,14). → Die Kaliber werden von den meisten europäischen Herstellern in mm, in USA und Großbritannien durch Kennzahlen angegeben. Die Umrechnung zeigt die Tabelle. Die Kaliber liegen beim → Schäldarm zwischen 14 und 34 mm. Wursthüllen mit Kalibern zwischen etwa 30 und 50 mm bezeichnet man als kleinkalibrige Kunstdärme, solche zwischen 50 und 75 als mittelkalibrige Produkte. Großkalibrige Wursthüllen haben Durchmesser bis zu etwa 230 mm.
2. *Füllkaliber* ist der Durchmesser der gefüllten Wursthülle. Zwischen Nenn- und Füllkaliber bestehen stets mehr oder weniger große Unterschiede. Diese werden durch die Dehnbarkeit und die mechanische Festigkeit des Kunstdarms, durch die Konsistenz des Wurstbräts und den angewendeten Fülldruck bestimmt. → Cellulosedärme haben in der Regel eine höhere Dehnung als → Wursthüllen aus Thermoplasten.
3. *Fertigkaliber* ist der Durchmesser der fertiggestellten Würste. Bei Wursthüllen, die für Wasserdampf und Gase undurchlässig sind, gibt es zwischen Füll- und Fertigkaliber praktisch keine Unterschiede. Bei durchlässigen Wursthüllen bestehen Unterschiede zwischen Füll- und Fertigkaliber, die von Art und Herstellungsverfahren der Würste abhängen.
Kalibergleichmäßigkeit ist ein besonders wichtiges Qualitätsmerkmal der Wursthüllen, das verfahrensbedingt bei allen synthetisch hergestellten Produkten leichter zu erreichen ist als beim → Naturdarm. Sie ist für einen störungsfreien Ablauf der Wursthüllenverarbeitung und für die Fertigung von Würsten mit konstanten Abmessungen und Gewichten unerläßlich. Besonders wichtig ist eine hohe Kalibergenauigkeit, wenn Wurstwaren nach der Herstellung in Scheiben geschnitten und in Porti-

onspackungen eingefüllt werden. Diese Darbietungsform hat gerade in letzter Zeit erheblich an Bedeutung gewonnen, da sie vom Verbraucher sehr gut angenommen wird.

Kaliber. Angelsächsische Kaliberkennzeichen für Faserdärme, sowie deren entsprechende Kaliber in Millimeter

Angelsächsische Kaliberbezeichnung	Nennkaliber in Millimeter
1 SL	40
1 S	45
1	48
1 $\frac{1}{2}$	50
2 G	55
2	58
2 $\frac{1}{4}$	60
2 $\frac{1}{2}$	65
3 $\frac{1}{2}$	70
4	75
5	80
5 N	85
6 G, 6 M	90
6	95
6 $\frac{1}{2}$	100
7	105
7 $\frac{1}{2}$	108
8	110
8 $\frac{1}{2}$	115
9	120
9 $\frac{1}{2}$	130
9 $\frac{1}{2}$ K	135
10	140
11	150
11 K	155
12	160
14	180

Nach G. Effenberger, Wursthüllen/Kunstdärme, Wörrishofen 1990.

Kalibrierkorb, <*calibration basket*>, eine Vorrichtung zum mechanischen Abstützen der Folienblase bei der → Blasfolienextrusion. Den schematischen Aufbau und die Wirkungsweise eines Kalibrierkorbes zeigt die Abbildung.

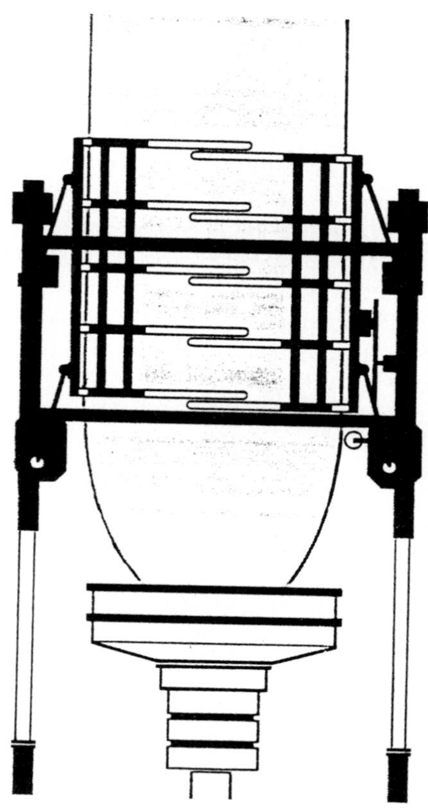

Kalibrierkorb. Alpina AG, Augsburg, Firmenschrift.

Die Konstruktion muß verwindungs- und schwingungsfrei sein. Die Führungsarme müssen statisch so ausgelegt sein, daß keine Vibrationen bei unruhiger Folienblase auftreten können. Auf den Umfangslinien sind leicht gängige Führungsröllchen angebracht, die wegen der geringen Adhäsionskräfte meist aus → Polytetrafluorethylen bestehen.
Bei modernen Kalibrierkörben sind Durchmesser und Höhen durch elektrische Fernbedienung verstellbar. Diese Veränderungen können mit anderen Parametern der Anlage so gekoppelt werden, daß eine weitgehende Automatisierung möglich ist.
Die Durchmesserbereiche liegen zwischen etwa 150 und 3200 mm. Sie sind bei kleinen Kalibrierkörben zwischen 100 und 500 mm, bei großen Aggregaten zwischen 1500 und 2500 mm verstellbar. Der Bereich der Höhenverstellung liegt zwischen 200 und 3000 mm. Die Liegebreiten der Folien betragen etwa 500 bis zu 3000 mm.

Kalibrierung, 1. → Schlauch-Kalibrierung; 2. Kalibrierung von Folienblasen, <*bubble sizing*>, die Kontrolle und Regelung des Durchmessers einer Folienblase bei der → Blasfolien-Extrusion. Man setzt dazu → Kalibrierkörbe ein, deren Konstruktion in den letzten Jahren immer weiter verfeinert wurde. Das Verfahren beruht auf dem mechanischen Kontakt mit der Folie, die in diesem Bereich druch den Übergang von der Schmelze in den festen Zustand besonders empfindlich ist. Ein berührungsfrei arbeitendes System vermeidet diesen Nachteil. Es gelingt mit dieser noch relativ neuen Entwicklung, den Durchmesser der Folienblase nahezu konstant zu halten. Die Abb. zeigt das Prinzip. Der Ultraschall-Fühler (1) steuert über einen Regler (2) und eine Drosselklappe (3) die Zuluft bzw. Abluft (4 und 5) des Innenkühl-Systems (6).

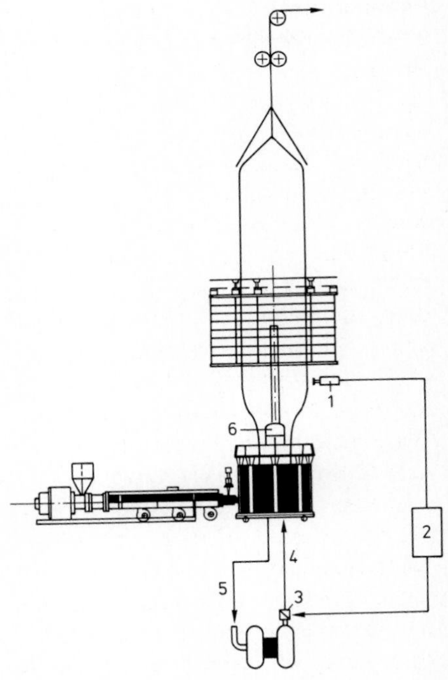

Kalibrierung. Windmöller u. Hölscher, Lengerich, Firmenschrift.

Kältebruchtemperatur, <*low temperature brittleness*>, → Weich-PVC.

Kaltsiegeln, <*cold seal, cold glue sealing, cohesive seal*>, die dauerhafte

Verbindung von Folienoberflächen ohne die Anwendung von Wärme. Das Verfahren erreicht bei weitem nicht die Bedeutung des → Heißsiegelns, ist aber für die Verpackung von hitzeempfindlichen Produkten besonders wichtig.
Kaltsiegelmassen bestanden zunächst aus Naturprodukten z.B. auf Basis von → Kollagen, aus Stärke, tierischem Leim oder Casein. Heute sind diese Produkte überwiegend durch synthetische Materialien ersetzt. Häufig bilden Emulsionen oder Dispersionen auf Basis Polyvinylacetat oder → Ethylen-Vinylacetet-Copolymeren die Grundlage von Kaltsiegelmassen. Acryl-Vinyl-Copolymere und → Polyurethane wurden in neuerer Zeit entwickelt. Als Stabilisatoren und Schutzkoloide für diese wäßrigen Systeme dienen Hydroxyethylcellulose oder Polyvinylalkohol. Meist werden noch Weichmacher oder weitere Additive zugesetzt, um die Gebrauchseigenschaften zu verbessern. Der Auftrag der Siegelmassen kann vollflächig mit den zum → Beschichten verwendeten Anlagen vorgenommen werden. Häufig werden jedoch Kaltsiegelmassen so aufgetragen, daß nur die in der Endpackung beabsichtigten Siegelnähte bzw. Siegelflächen bedeckt sind. Dies geschieht beim → Bedrucken der Folie in einem zusätzlichen Druckwerk mit entsprechend gefertigten Druckwalzen. Man spart mit dieser Methode nicht nur Material. Die verpackte Ware kommt außerdem nicht mit der Siegelmasse in Berührung und die Anwendung der Folie, vor allem ihre → Maschinengängigkeit ist wesentlich verbessert, da Kaltsiegelmassen sehr hohe → Reibungszahlen haben. Derart ausgerüstete Folien wurden in neuerer Zeit besonders zur Verpackung von Schokoladenriegeln entwickelt.

Kamelrücken, ein Trockenkanal als zusätzliche Ausrüstung von Druckmaschinen zum → Bedrucken von Folien.

Kammerverfahren, *<vakuum chamber process>*, ein Verfahren zur → Vakuumverpackung. Das Packgut wird in vorgefertigten Beuteln in evakuierbare Kammern eingelegt. Nach dem Schließen des Kammerdeckels wird evakuiert, der Beutel versiegelt und die Kammer wieder belüftet. Einige Systeme erlauben nach der Evakuierung auch eine → Schutzgas-Verpackung.
Das Kammerverfahren ist das älteste, aber noch heute sehr häufig angewendete Verfahren zur Vakuum-Verpakkung. Eine Weiterbildung stellt das Bandmaschinenverfahren dar. Das Füllgut wird hier auf Förderbändern den Vakuumkammern zugeführt, die meist paarweise im Wechsel betrieben werden. Das Kammerverfahren dient überwiegend zur → Fleisch- und Fleischwarenverpackung.

Kantenaufbau, *<edge built-up>*, → Schneiden.

Kantensteuerung, *<edge control>*. Die Kontrolle der Kante einer → Folienbahn kann durch Luftdüsen, deren Luftstrahl auf eine Fangdüse trifft, erfolgen. Moderne Steuerungen arbeiten mit optischen Mitteln. Hier wird ein Lichtstrahl gesendet, der von einem Reflexionskopf wieder empfangen wird. Mit Hilfe der Kantensteuerung wird z.B. Kantengleichheit beim → Wickeln von Folienrollen erreicht.

Kapillarrheometer, *<capillary rheometer>*, → Rheometer.

Karton, *<cardboard box>*, → Faltkarton.

Kaschieren, *Laminieren, <doubling, lamination>*, das dauerhafte vollflächige Zusammenfügen von mindestens zwei flächigen Materialien, die in der Regel als Bahn von der Rolle verarbeitet werden. Einer der wichtigsten Prozesse zur → Folienverarbeitung. Die erhaltenen Verbundwerkstoffe, z.B. → Verbundfolien oder → Doppelfolien, bestehen aus zwei oder mehreren Einzelschichten.

Das Verbinden der Bahnen kann nach verschiedenen Verfahren erfolgen:

1. Unter Verwendung von → Kaschier-Klebstoffen, die vor dem Verbinden der Folienbahnen auf eine der Bahnen aufgetragen werden. Wenn das Kaschieren unmittelbar nach dem Klebstoff-Auftrag erfolgt, spricht man vom → Naßkaschieren. Wenn der Klebstoff vor dem Kaschierprozeß getrocknet wird, vom → Trockenkaschieren. Eine ohne Lösungsmittel arbeitende Variante ist das Wachskaschieren mit → Schmelzklebstoffen.

2. Beim → Thermokaschieren oder Heißkaschieren werden zwei Bahnen ohne Klebstoff-Auftrag unter Druck und Hitze verbunden. Voraussetzung dafür ist die geeignete Ausrüstung einer der beiden Folienbahnen. Man bezeichnet deshalb diese Folienbahnen oft als Kaschierfolien. Das Verfahren z.B. dient zur Hochglanzkaschierung von → Papier und Pappe.

3. Beim → Flammkaschieren wird die Verbindung der beiden Materialien dadurch hergestellt, daß eine der Bahnen durch Beflammen oder seltener durch Infrarotheizung an der Oberfläche zum Schmelzen gebracht wird. Das Verfahren eignet sich nicht zur Verbindung Folie/Folie, Folie/Papier oder Folie/Karton. Es wird sehr häufig zum Verbinden von Schaumstoffen oder Textilien mit Folien angewendet, besonders mit Folien aus → Thermoplastischen Elastomeren, z.B. → Polyurethanfolien.

Zwischen den drei genannten Verfahren gibt es fließende Übergänge. Die Begriffe sind nicht eindeutig abgegrenzt. Eine dem Kaschieren verwandte Form der Verbindung von Folienbahnen ist das → Kleben. Eine Sonderform ist die → Vakuum-Formkaschierung. Beim → Extrusionskaschieren dient die Schmelze eines → thermoplastischen Kunststoff als Verbindungsmittel. Als Produkte für das Kaschieren kommen → Folien, textile Gewebe, → Non-Wovens, Vliese, → Schaumfolien, → Papier oder Karton in Frage.

Das Verbinden der Materialien erfolgt zwischen Kaschierwalzen, Kaschiertrommeln oder in Kaschierpressen, meist bei erhöhter Temperatur und erhöhtem Druck. Das Kaschieren wird auf Spezialmaschinen durchgeführt, bei denen heute weitgehende Automatisierung die Regel ist. Kaschiervorrichtun-

gen können aber auch Teile von umfassenderen Fertigungslinien sein, die in die Folienherstellung durch → Extrusion oder → Coextrusion, in ihre Endausstattung durch → Bedrucken oder in ihre Weiterverarbeitung zu Fertigprodukten wie → Beuteln oder → Tragetaschen integriert sind.
Vor dem Kaschieren ist häufig eine → Oberflächenbehandlung der eingesetzten Folien erforderlich.
Ein dem Kaschieren ähnlicher Vorgang ist die Anwendung von → Dekorfolien und → Prägefolien.
Wenn eine oder mehrere Schichten auf ein Trägermaterial in flüssiger oder pastenartiger Form aufgetragen werden, spricht man von → Beschichten oder von → Lackieren. Der erste Begriff wird überwiegend bei der Verarbeitung von Kunststoffolien, der zweite beim Einsatz von *Aluminiumfolien* gebraucht.
Das Aufbringen fester Produkte in fein verteilter Form auf Trägerbahnen nennt man → Beflocken.
Eine neue Methode zur Verbindung zweier Polyamidfolien nutzt die chemische Reaktion der Carbonamidgruppen mit Formaldehyd. Die Verbindung der Folien erfolgt durch Vernetzung mit Methylenbrücken. Sie ist so fest, daß bei mechanischer Beanspruchung keine Delaminierung, sondern Bruch der Folien außerhalb der Verbindungsschicht auftritt. Die Preßzeiten sind mit 30 Stunden sehr lang. Auch die Verwendung von Formaldehyd ist problematisch, so daß die bisher nur im Labormaßstab angewendete Methode wohl auf Spezialanwendungen beschränkt bleiben dürfte. Lit.

Kaschierfolien, *<laminating films>*, → Thermokaschieren.

Kaschierklebstoffe, *<lamination adhesives>*, Stoffe oder Stoffsysteme, die geeignet sind, Folienbahnen oder andere flächige Produkte dauerhaft miteinander zu verbinden.
Bedingt durch das Verfahren des → Kaschierens werden die Kaschierklebstoffe bevorzugt in flüssiger Form angewendet. Dazu werden Bindemittel entweder in geeigneten Lösungsmitteln gelöst oder in Wasser dispergiert. Ausnahme sind die → Schmelzklebstoffe oder Hotmelts, die in fester Form vorliegen und zum Verkleben aufgeschmolzen werden. Sie sind umweltfreundlich, da sie keine Lösungsmittel enthalten. Das gleiche gilt für die Dispersionsklebstoffe, die allerdings im wäßrigen System meist noch kleine Mengen von organischen Lösungsvermittlern enthalten. Neuere Entwicklungen bei Kaschierklebstoffen sind die High-Solid-Systeme, bei denen die Konzentration an Bindemitteln über 60% liegt. Gegenüber den üblichen Kaschierklebstoffen kann dadurch die Lösungsmittel-Emission auf etwa die Hälfte gesenkt werden. Die eleganteste Eliminierung des Lösungsmittelproblems wird jedoch mit den Polyadditionsklebstoffen erreicht.
Man unterscheidet bei den Kaschierklebstoffen zwei prinzipiell verschiedene Wirkungsmechanismen:
1. Physikalisch härtende Systeme. Die Bindekraft dieser Klebstoffe beruht auf physikalischen Prozessen, d.h. auf der Trocknung des Klebstoffs nach Ver-

dampfen des Lösungsmittels oder auf dem Erstarren eines aufgeschmolzenen Schmelzklebstoffs. Als Bindemittel werden Kautschuke, natürliche und synthetische Wachse, Polyacrylate, Polyvinylether, Vinylacetat-Copolymere, Casein oder Stärke eingesetzt. Die Anwendung von Dispersionen dominiert bei der Kaschierung von Folien mit saugfähigen Stoffen wie Papier, Pappe, Filzen oder Textilen, während für die Herstellung von Verbundfolien überwiegend lösungsmittelhaltige Systeme in Frage kommen. Die physikalisch bindenden Produkte bleiben naturgemäß immer empfindlich. So bleiben gelöste Bindemittel nach der Verarbeitung gegenüber ihren Lösungsmitteln unbeständig, und die Gebrauchstemperatur eines Verbundes mit Schmelzklebstoff liegt stets unterhalb der Verklebungstemperatur.

2. Chemisch härtende Systeme. Sie werden auch als Reaktionsklebstoffe bezeichnet, weil hier die Aushärtung mit einer chemischen Reaktion verbunden ist. Nach dem Typ dieser Reaktion unterscheidet man Polymerisations-, Polykondensations- und Polyadditions-Klebstoffe.

a. Polymerisationsklebstoffe sind meist Polyarylate, die monomere Methacrylsäure oder Acrylsäureester enthalten. Sie werden radikalisch oder ionisch polymerisiert.

b. Polykondensationsklebstoffe sind z.B. Phenol-Formaldehyd- oder Melamin-Formaldehyd-Harze. Ihr großer Nachteil liegt in der Abspaltung von Formaldehyd bei der Aushärtung, was zu Belastungen der Umwelt und des Arbeitsplatzes, möglicherweise auch des Verbrauchers führt. Formaldehyd enthaltene Klebstoffe sind für Verbundfolien, die zur Verpackung von Lebensmitteln dienen, nicht zugelassen.

c. Polyadditionsklebstoffe enthalten → Epoxyde oder → Isocyanate. Beide Stoffgruppen können mit anderen funktionellen Gruppen reagieren und dadurch unlösliche, vernetzte Polymere bilden.

Epoxydharze mit freien Epoxygruppen werden aus Epichlorhydrin und Polyalkoholen hergestellt. Die Aushärtung erfolgt in der Kälte mit Aminen, in der Wärme mit Carbonsäureanhydriden.

Die auf Basis von Isocyanaten aufgebauten Polyurethan-Klebstoffe sind die wichtigste Produktgruppe mit noch sehr vielen Entwicklungsmöglichkeiten. Sie werden meist als Zweikomponenten-Klebstoffe eingesetzt. Die Reaktionspartner werden erst kurz vor dem Kaschieren zusammengegeben, da sie nur eine beschränkte Zeit beständig sind.

Neuere Entwicklungen sind Polyurethan-Schmelzklebstoffe, wässrige Polyurethan-Dispersionen und Zweikomponentenklebstoffe mit verlängerter Standzeit. Interessant ist der Einsatz von Katalysatoren in Form von Mikrokapseln. Die Katalytische Wirkung tritt so erst bei der Anwendung ein. Polyurethan-Klebstoffe spalten während der Reaktion keine niedermolekularen flüchtigen Verbindungen ab und sind frei von Lösungsmitteln. Sie sind deshalb zum umweltfreundlichen Kaschieren von Folien ganz besonders gut geeignet. Lit.

Kaskadenextruder, *<cascade extruder>*, → Tandemextruder.

Katalysator, *<catalyst>*, → Polymerisation.

Kautschukformgebung, *<rubber forming>*. Nach Herstellung geeigneter → Kautschukmischungen können diese zu Fertigprodukten oder Halbzeug verarbeitet werden.
Die Formgebung durch → Kalandrieren wird meist zur Herstellung von Platten oder Folien, sowie zur Gummierung von Geweben oder anderen flächigen Bahnen angewendet. Die Kalander entsprechen weitgehend den zur Folienherstellung eingesetzten Maschinen. Wegen der vergleichsweise schwierigen Verarbeitung von Kautschuk sind die Kalander jedoch meist noch robuster. Zur Gummierung von Geweben werden die Kautschuk-Mischungen weich und klebrig eingestellt. Das Verfahren hat seine Parallele in der → Extrusionbeschichtung bei der Herstellung von Verbundfolien. Die Kautschuk-Formgebung kann auch auf Schnecken- oder Kolbenspritzmaschinen erfolgen. Die Kautschukmischung wird meist vorgewärmt und plastifiziert und dann in Streifen in die Spritzmaschine eingeführt.
Die im Kalander oder durch die Spritzmaschine hergestellten Produkte werden der → Vulkanisation zugeführt.
Ähnlich wie bei der Kunststoffverarbeitung kann auch die Herstellung von Kautschuk-Formteilen durch Preßverfahren oder Spritzgußverfahren erfolgen. Die Vulkanisation tritt im Verlauf des Fertigungsverfahrens ein. Halbzeug wird nach diesen Prozessen nicht gewonnen.

Kautschukmischungen, *<rubber mixing>*, der erste Verarbeitungsschritt zur Herstellung von Kautschuk- und *Gummiartikeln*. Naturkautschuk muß zunächst durch eine Vorbehandlung (Mastifikation) abgebaut werden, um seine Plastizität zu erhöhen. Dies geschieht durch starke Scherkräfte in Verbindung mit Oxidationsvorgängen, oft bei Gegenwart von Mastifikationshilfsmitteln. Synthesekautschuke besitzen meist die zur Verarbeitung erforderliche Plastizität und bedürfen deshalb keiner Vorbehandlung.
Der Zusatz von Additiven, wie Weichmachern, Füllstoffen, Rußen und Alterungsschutzmitteln erfolgt in Walzwerken oder in Innenmischern.
Im Walzwerk laufen zwei heiz- und kühlbare Walzen mit Friktion gegeneinander. Der Raum zwischen den Walzen, der Walzenspalt, läßt sich verstellen. Zunächst wird der Kautschuk so lange gewalzt, bis eine geschlossene, homogene Kautschukbahn entstanden ist. Das Walzfell wird dann mit den Zuschlägen versetzt. Durch Einschneiden wird die Mischung weiter homogenisiert und schließlich im Wasserbad abgekühlt.
Im Gegensatz zum Walzwerk ist der Mischvorgang im Innenmischer intensiver und damit kürzer. Es können größere Chargen verarbeitet werden, die Staubbelästigung ist geringer. Das Mischen erfolgt in einer geschlossenen Kammer, in der sich zwei Knet-

schaufeln gegeneinander bewegen. Der Knetvorgang findet im Spalt zwischen den Knetschaufeln und zwischen den Schaufeln und der Behälterwand statt. Der Stempel, mit dem die Mischkammer verschlossen ist, steht unter einem Druck von 5 bis 10 bar und verstärkt die Knetwirkung.
Zur Rationalisierung der Herstellung von Kautschukmischungen sind auch kontinuierlich arbeitende Mischwerke entwickelt worden.
Die fertigen Kautschukmischungen werden der → Kautschuk-Formgebung und danach der → Vulkanisation zugeführt.

Keimbildung, <*nucleation*>, → Nukleierung.

keimfreies Abpacken, <*sterilized packaging*>, → aseptische Verpackung.

keramische Folie, <*ceramic film*>, ein flexibles Vorprodukt für die Erzeugung dünner keramischer Schichten auf ebenen oder gewölbten Unterlagen. Die Produkte enthalten einen hohen Anteil von etwa 90% anorganischer Materialien, die mit Hilfe von anorganischen oder organischen Bindemitteln zu flexiblen Folien geformt werden. Diese werden in entsprechenden Formaten auf die zu keramisierende Fläche aufgelegt. Gegebenenfalls müssen Wärmeleitpasten als Zwischenschicht verwendet werden. Beim Erhitzen werden die flüchtigen und die organischen Bestandteile der Folien verdampft bzw. zerstört. Die anorganischen Anteile sintern zu einer festen Schicht zusammen, die das so behandelte Werkstück dauerhaft schützt. Voraussetzungen für einen erfolgreichen Einsatz anorganischer Produkte in keramischen Folien ist eine gleichmäßige Verteilung der → Korngröße und die Fähigkeit des Materials, beim → Sintern eine dichte, uniforme Oberfläche auszubilden. Einen Überblick über verfügbare Folien aus anorganischen Materialien und Beispiele für daraus gewonnene Erzeugnisse gibt die Tabelle.
Details über die Art der Bindemittel und der Produktionsverfahren gehören zum Firmen-Know-How und sind bisher nicht veröffentlicht.
Keramische Folien sind flexibel und lassen sich durch Schneiden oder Stanzen leicht in die gewünschte Form bringen. Ihre Dicken liegen zwischen etwa 100 und 500 μm. Durch Bedrucken mit Metallpasten lassen sich elektrisch leitfähige Produkte herstellen. Durch Anwendung mehrerer Folien können Mehrfachbeschichtungen erzeugt werden.
Der Temperaturbereich beim Sintern kann in weiten Grenzen schwanken. Es liegt für Glas bei etwa 600 °C und kann für Aluminiumoxid 1.600 °C betragen. Der Temperaturverlauf ist vor allem beim Prozeßbeginn sorgfältig zu steuern. Die Zerstörung des Bindemittels ist bei etwa 400 °C gegeben. Bis zum Erreichen dieses Wertes sollte der Temperaturanstieg bei etwa 10 bis 50 °C pro Stunde liegen.
Eine im Prinzip ähnliche Technik wird beim Einsatz von → Dekorfolien angewendet.

Keramische Folie.

MATERIALIEN	ERZEUGNISSE
Aluminiumoxid Aluminiumnitrid	Substrate für Dick- und Dünnschicht-technik, Chipträger und Mehrschicht-gehäuse für die Halbleitertechnik
Aluminiumtitanat	Formteile für Motor- und Maschinenbau
Siliziumcarbid Siliziumnitrid	Maschinenbau, Verschleißteile, Hochleistungswärmetauscher
Blei - Zirkonat - Titanat (PZT)	Piezoelektrische Bauelemente, Ultraschallwandler, Translatoren
Zirkonoxid	Apperate- und Motorenbau, Thermische Isolationsteile, Schneid-werkstoffe, Meß- und Sensortechnik
Zinkoxid	Spannungsabhängige Widerstände
Keramische Dielektrika	Ein- und Vielschichtkondensatoren
Erdalkalititanate	Temperaturabhängige Widerstände
Ferrite	Keramische hart- und weichmagnetische Bauteile
Glas und Glaskeramik	Einschmelzdurchführungen, Glaslote und ähnliches
Keramische Sonderwerkstoffe	Isolierteile aus Magnesium- und Aluminium-Silikaten, Katalysatorträger, Keramische Supraleiter
Quarzmehl	Filterplatten
Metallpulver	Sintermetalle, Kontaktscheiben

Kerafol GmbH, Eschenbach, Firmenschrift

Kerbschlagzähigkeit, *<impact strength>*, → Schlagzähigkeit.

kindersichere Packung, *<child resistent package, poison preventing packaging>*, eine Verpackung, bei der das Öffnen durch Kinder unter fünf Jahren nicht oder nur schwierig möglich ist.

Als Füllgüter sind vor allem Pharmaprodukte, Reinigungsmittel und Pestizide zu nennen. Während die Herstellung von kindersicheren Packungen in Form von Flaschen und Containern relativ einfach ist, bringen Packungen aus flexiblen Materialien und → Blister-Packungen größere Probleme. Die Folientechnologie hat viel dazu beigetragen,

durch geeignete Verschlüsse Packungen kindersicher zu machen.
Das Problem wurde in den USA außerordentlich sorgfältig untersucht. Die Ergebnisse führten 1970 zu Verordnungen und Regulierungen, an denen in erster Linie die → Food and Drug Administration beteiligt war, und die in den folgenden Jahren durch weitere Vorschriften ergänzt wurden. Nur drei Länder, Canada, die Bundesrepublik Deutschland und Großbritannien, sind bisher den sehr strengen US-Vorschriften gefolgt, allerdings mit Einschränkungen. Die bedeutenden Erfolge durch die Entwicklung kindersicherer Packungen sind in den USA statistisch sehr deutlich nachweisbar. Vergleicht man das Jahr des Inkrafttretens einer Verordnung (die ersten Vorschriften traten 1972 in Kraft) mit dem Jahre 1982, so haben die Fälle von Verschlucken problematischer Substanzen durch Kinder unter fünf Jahren in den meisten Fällen um mehr als 70% abgenommen. Die Zahlen liegen z.B. für Aspirin bei 78%, für Möbelpolituren bei 67%, für Lacklösungsmitteln bei 72% und für Malerfarben und zündfähige Produkte bei 74%. Zur Herstellung kindersicherer Verpackungen auf Basis von Folien gibt es mehrere Möglichkeiten.
1. Eine Umverpackung, die die leicht verletzliche Folie schützt,
2. der Einsatz von steiferen Verbundfolien, bei denen das Aufreißen schwieriger ist,
3. Der Einsatz einer zusätzlichen Sperre, die vor dem Öffnen der Packung mit einer nicht zu einfachen Handhabung entfernt werden muß. Dieses Verfahren wird vor allem bei → Blister-Verpackungen angewendet.
Mit dem Problem der kindersicheren Packungen ist die Entwicklung → verfälschungssicherer Packungen eng verwandt.

Klarsichtigkeit, *<clarity>*, → Transparenz.

Klebeband, *Klebstoffband, Selbstklebeband, <adhesive tape, pressure sensitive tape>*, ein flexibler, bandförmiger Träger, auf den eine Klebemasse aufgebracht ist. Der Aufbau von → Klebefolien beruht auf den gleichen Prinzipien.
Die Entwicklung von Klebebändern begann am Ende des 19. Jahrhunderts. Die ersten Produkte waren Pflaster für die Wundbehandlung. Als Trägermaterial wurden zunächst textile Gewebe, später Papiere, Schaumstoffe, Faservliese, Glasfasergewebe, Metallfolien und vor allem Kunststoff-Folien eingesetzt. Die Klebemasse ist permanent klebeaktiv und haftet beim Aufbringen schon bei geringem Druck. Hierin unterscheiden sich die (Selbst)-Klebebänder von den gummierten Artikeln, deren Klebemassen erst durch Einwirkung von Wasser oder Hitze aktiviert werden.
Für den jeweiligen Anwendungsfall ist die Auswahl einer geeigneten Trägerfolie entscheidend. Zur Zeit werden in der BRD zu etwa 70% → Hart-PVC-Folien, zu etwa 30% → BOPP eingesetzt. Der Trend dürfte eindeutig zum BOPP gehen. → Weich-PVC-Folien, → Polycarbonat-Folien und → Celluloseester-Folien besitzen als

Trägerfolien in Klebebändern sehr gute Elektroisolier-Eigenschaften. Metallfolien, meist aus Aluminium und → Polyimid-Folien führen zu Klebebändern, die hohen thermischen Belastungen wiederstehen. Heiß schrumpfbare Trägerfolien bestehen z.B. aus Polyvinylchlorid oder Polypropylen.

Zur Herstellung von Klebebändern mit besonders guten mechanischen Eigenschaften werden faserförmige Verstärkungsmaterialien eingesetzt. So wurden Glasfasern in eine Polypropylenschicht oder Polyamidfäden in die Klebeschicht eingebettet. Elastisch verformbare Klebebänder haben als Träger flexible geschäumte Materialien aus Kautschuk, Polyurethan, Polyethylen oder Polypropylen. Sie dienen vor allem als Dichtungsbänder zur Isolierung gegen Kälte, Wärme, Feuchtigkeit, Schall und Wind. Als strahlungsvernetzte Klebebänder mit besonderen Eigenschaften sind Bänder auf Basis PVC/Polybutadien und auf Basis von Polyethylen bekannt geworden. Erstere haben besonders hohe Beständigkeit gegen Säuren und Öle, letztere sind extrem dehnbar.

Die zur Herstellung von Klebebändern eingesetzten Kunststoff-Folien können transparent oder matt sein. Sie können eingefärbt, geprägt oder bedruckt werden. Als Klebemassen haben Mischungen von Natur- und Synthesekautschuk mit Harzen auch heute noch die größte Bedeutung. Die elastomere Komponente ist für die Kohäsion der Klebemasse, der Harzanteil für die Adhäsion von Bedeutung. Als Harze wurden zu Beginn der Entwicklung vor allem Kolophonium und seine Ester verwendet. Ihren ausgezeichneten Klebeeigenschaften steht als Nachteil ihre Oxydationsempfindlichkeit gegenüber. Diese konnte allerdings durch chemische Modifikation des Kolophoniums verringert werden. Polyterpene und Kohlenwasserstoffharze besitzen bessere Oxydationsbeständigkeit. Die Klebemassen enthalten zusätzlich noch 10 bis 20% Weichmacher und etwa die gleiche Menge Füllstoffe. Neuere Entwicklungen zielen auf → Schmelzklebstoffe, vor allem auf Basis von → thermoplastischen Elastomeren wie → Styrol-Butadien-Blockcopolymere. Diese Produkte verhalten sich bei höheren Temperaturen wie Thermoplaste, bei Normaltemperatur wie Elastomere.

Um die Haftung der Klebemasse auf der Trägerfolie zu verstärken, wird deren Oberfläche mit einem → Haftvermittler beschichtet. Verwendet werden Elastomere, vor allem Natur- und Synthesekautschuk. Zur Verbesserung der Oberflächenstruktur werden Füllstoffe wie Aluminiumoxid, Zinkoxid oder Kaolin in Mengen bis zu 80% zugesetzt. Diese auch als Vorstrich bezeichnete Zwischenschicht ist in der Regel 2 bis 5 μm dick.

Klebebänder werden auf Rollen gewickelt. Um ein einfaches Abwickeln zu gewährleisten, darf die Rückseite der Trägerfolie nicht zu fest an der Klebemasse haften. Man erreicht dies durch Aufbringen eines sog. Trennstrichs, auch als *Release-Schicht* bezeichnet. Wirksame Substanzen sind Carbamidharze und Silikone, besonders Polydimethylsiloxan, Polyurethanharze, Polyamid-copolymere und Lacke auf Basis von Celluloseethern oder -estern. Bei der Auswahl geeigneter Produkte ist gegebenenfalls darauf zu achten, daß sie gut bedruckbar sind.

Beim Abziehen von Klebebändern tritt häufig ein unangenehmes Geräusch, das sog. „Schreien" auf. Dieses Phänomen ist stark von der Art der eingesetzten Trägerfolie abhängig und nicht immer leicht durch Auswahl geeigneter Trennstriche zu beseitigen.

Klebebänder werden außerordentlich vielseitig im privaten, gewerblichen und industriellem Bereich eingesetzt. Sie dienen als Hilfsmittel im Baugewerbe, im Haushalt und für technische Anwendungen, wie Kennzeichnung von Rohrleitungen, Fixierung von Kabeln, zur Isolierung und Abdichtung. Ein Sondergebiet sind → Spleißbänder für die Papierindustrie.

Das größte Anwendungsgebiet für Klebebänder ist die Verpackungstechnik. Hier können auf sehr einfache Weise Packungen verschlossen, kombiniert, gesichert oder verstärkt werden. Informationen, Versandpapiere oder Etiketten können zusätzlich angebracht und geschützt werden. Bei anspruchsvolleren Anwendungen in Verpackungslinien können die Eigenschaften des Klebebands vor allem durch Wahl geeigneter Trägerfolien angepaßt werden. Der Einsatz von Klebebändern wird oft zur Schaffung von → verfälschungssicheren Packungen genutzt. Die Abbildungen zeigen Beispiele für den Einsatz von Klebebändern. Abb. 1 zeigt ein einfaches Klebeband mit Trägerfilm (1) und druckempfindlichem Kleber (2) für das Verschließen von Kartons und hoch belastbares Klebeband mit Trägerfolie (1) mit Verstärkungsfasern (2), die in die Klebemasse (3) eingebettet sind, für die Kombination oder die Sicherung von Paletten. Abb. 2 zeigt ein in der Wärme schrumpfbares Klebeband (1), das mit einem selbstklebenden *Aufreißstreifen* (2) verbunden ist. Die Kombination dient zum sicheren Verschluß von Gebinden und kann zum Öffnen sauber und einfach entfernt werden. Abb. 3 zeigt ein Klebeband mit einer Verbund-Trägerfolie aus einem heiß schrumpfbaren, mechanisch stabilen Polymeren (1) und einer weicheren Polyethylenschicht (2) mit druckempfindlicher Klebemasse (3). Die mechanisch stabile Folie wird beim Abziehen leicht abgetrennt (4). Die Polyethylenfolie (5) verbleibt auf dem Ge-

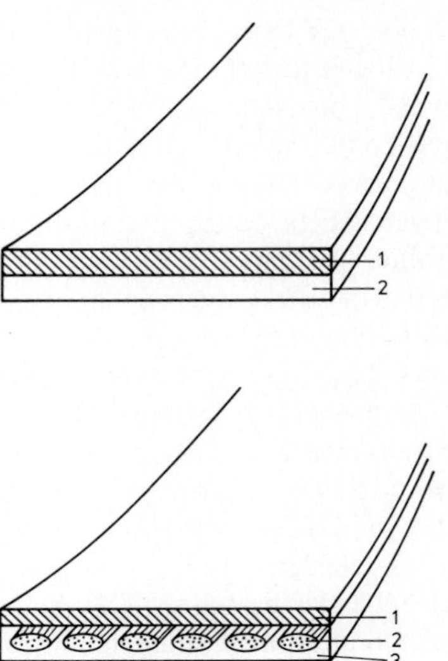

Klebeband. Abb. 1. Bakker, Wiley Encyclopedia of Packaging Technology, New York 1986.

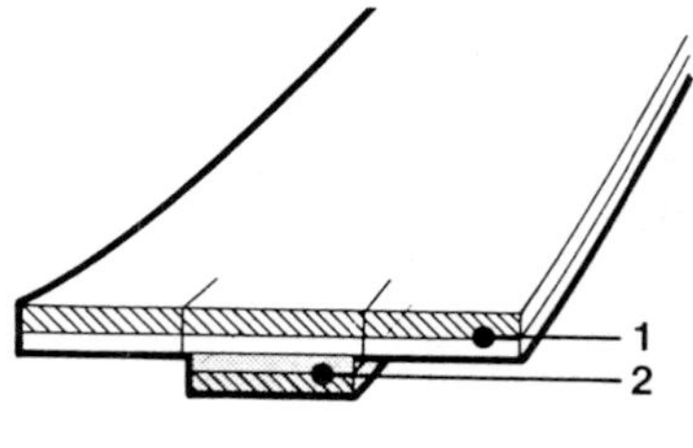

Klebeband. Abb. 2. Bakker.

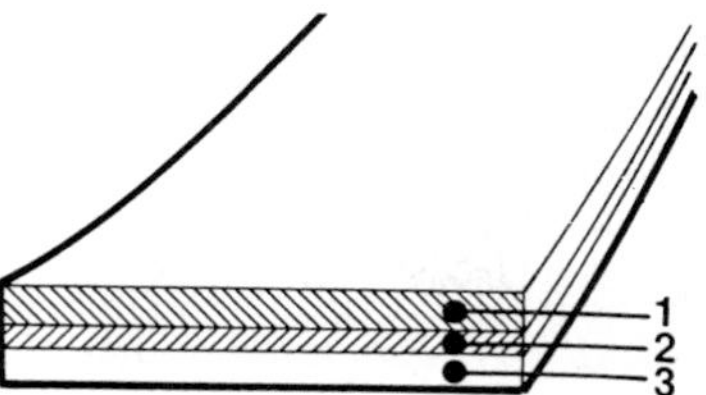

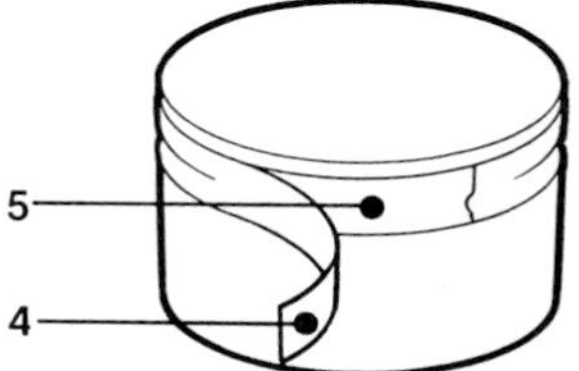

Klebeband. Abb. 3. Bakker.

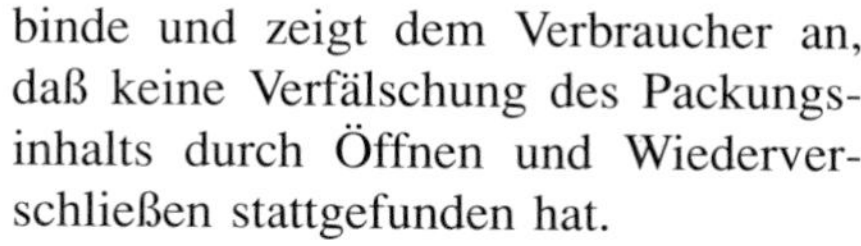

binde und zeigt dem Verbraucher an, daß keine Verfälschung des Packungsinhalts durch Öffnen und Wiederverschließen stattgefunden hat.

Zur rationellen Anwendung von Klebebändern wurde eine Reihe von → Klebebandverarbeitungsgeräten entwickelt.

Die wirtschaftliche Bedeutung der Klebebänder ist groß. Die Produkte wiesen in der Vergangenheit hohe Wachstumsraten auf. Auch für die nächste Zeit rechnet man mit jährlichen Steigerungen von 8 bis 10%.

Klebebänder mit einer beidseitigen Klebeschicht werden vor allem zum → Haftkleben verwendet. Lit.

Klebeband-Verarbeitungsgeräte, *<adhesive tape application devices>*. Bei der großen Bedeutung und vielfältigen Anwendung von → Klebeband in Haushalt, Gewerbe und Industrie wurden zur rationellen Handhabung der Bänder entsprechende Verarbeitungsgeräten entwickelt.

Die Reihe reicht vom simplen *Abroller* für die manuelle Handhabung über einfache und automatisierte *Bandspender*, Laminatoren zum Ausrüsten von größeren, ebenen Flächen mit → Klebefolien bis zum Stanzteilspender für Formteile aus Klebebändern und zum Planklebegerät.

Klebefolie, *<adhesive film>*, ein Zwischenprodukt zur Herstellung von → Klebebändern. Klebefolien werden auch zum Fügen von Werkstoffen eingesetzt.

Beidseitig mit Klebstoffen beschichtete Klebebänder oder Klebefolien werden zum → Haftkleben verwendet. Spezial-

produkte sind → Klischee-Klebefolien → Distanzfolien und → Spleißbänder. Zur Herstellung von Sicherheitsglas werden → Polyvinylacetale als Zwischenschicht verwendet.
Folien aus → Ionomeren oder → Ethylen-vinylalkohol-copolymeren eignen sich vor allem zur Verbindung von Aluminium, Stahl oder anderen Metallen. Die Folien werden zwischen die zu verbindenden Materialien gelegt und gemeinsam mit diesen gegebenenfalls unter Druck erhitzt. Die Verbindung der Werkstücke erfolgt durch Verschweißen mit der Folie; die Bezeichnung Klebefolie ist also in diesem Falle technisch nicht korrekt.
Eine Variante der Klebefolien sind → Haftfolien.

Kleben, *Verkleben*, *<bonding>*, das Verbinden von Folien miteinander oder mit anderen Materialien durch → Klebstoffe. Für das vollflächige Verbinden von Folienbahnen ist das → Kaschieren ist ein sehr wichtiges Verfahren. Kleben wird auch zum Verschließen von Folienpackungen, vor allem bei → Säcken und → Beuteln, genutzt, jedoch ist → Siegeln wesentlich häufiger. Ein spezielles Klebeverfahren ist das → Lösungsschweißen.
Klebvorgänge spielen eine bedeutende Rolle bei der Herstellung und Anwendung von → Klebeband und → Etiketten, beim → Beflocken, → Beschichten und → Hochglanzkaschieren. Lit.

Kleben von Aluminium-Folien, *<sticking of aluminum foil>*, die Kohäsion der einzelnen Lagen einer Folienrolle. Vom flächigen Kleben der Schichten hängt die gute Verarbeitbarkeit von → Aluminiumfolien ab.
Als Prüfmethode wird die Bestimmung der *Fall-Länge* angewendet. Die Abb. zeigt schematisch die Durchführung. Von einer horizontal gehaltenen, leicht von Hand drehbaren Folienrolle wird ein Teil der Folienbahn abgewickelt und hängt frei nach unten. Dieser Teil wird durch langsames Abrollen allmählich verlängert, bis sein Gewicht ein weiteres selbsständiges Abrollen bewirkt. Die Länge L ist ein Maß für die Klebneigung. Sie wird in m angegeben, bei Folien mit Dicken zwischen 6 μm und 50 μm soll sie 1,5 m bis 3 m betragen.

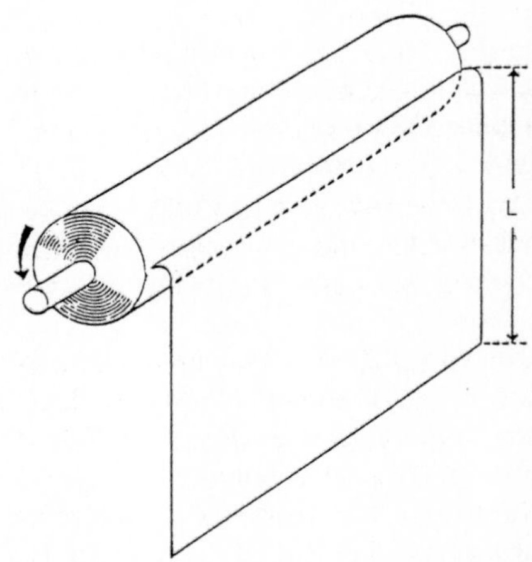

Kleben von Aluminiumfolien. Vortrag W. Geier, Alusingen, 8.10.1986.

Kleber, *<adhesive>*, umgangssprachliche, veraltete Bezeichnung für → Klebstoff.

Kleblöser, *<solvent>*, → Lösungsschweißen.

Klebstoff, *<adhesive>*, → Kleben.

Klebstoffbänder, *<adhesive tapes>*, → Klebebänder.

Klingenschnitt, *<rasor slitting>*, → Schneiden.

Klischeeklebfolie, *<plate, stereo adhesive film>*, eine Klebefolie zum Aufkleben von Klischees auf Walzen für das → Flexodruckverfahren. Die dazu verwendeten → Klebefolien oder → Klebebänder müssen besonders dimensionsstabil oder toleranzarm sein. Es werden Polyesterfolien mit Dicken von 10 bis 20 μm mit hart eingestellten Klebschichten auf Kautschukbasis verwendet. Andere Klischee-Klebefolien enthalten kompressible Träger, vor allem → Schaumfolien aus Polyethylen oder Polyurethan. Die Dicken solcher Folien oder Bänder liegen zwischen 0,06 und 1,6 mm.

K-Messe, *<K-fair>*, allgemein übliche Abkürzung für die Internationale Messe Kunststoff und Kautschuk, die alle 4 Jahre in Düsseldorf stattfindet.
Mehr als 2000 Aussteller aus über 40 Ländern stellen auf rund 175.000 m^2 aus. Es werden mehr als 200.000 Besucher gezählt.
Die K-Messe ist weltweit die bedeutendste Ausstellung auf diesem Gebiet und wie keine andere Veranstaltung für eine umfassende Information über alle Gebiete der → Folientechnologie hervorragend geeignet.
Kontaktanschrift: NOWEA, Postfach 320203, 4000 Düsseldorf.
Für die Verpackungstechnologie sind → Interpack, → Papro und → Iffa die bedeutensten Messen in der Bundesrepublik Deutschland.

Kneter, *<kneader>*, Maschine zum Vermischen vom meist zähflüssigen oder halbfesten Produkten. Kneter werden zur → Compoundierung von Kunststoffen, zur Herstellung von → Masterbatches und → Formmassen verwendet. Sie werden häufig in Kombination mit anderen Mischern, Mühlen oder → Extrudern eingesetzt.
Kneter können kontinuierlich oder diskontinuierlich betrieben werden. Sie besitzen eine Mischkammer bzw. einen Mischzylinder mit rotierenden und feststehenden Mischelementen. Es gibt eine Vielzahl verschiedener Konstruktionen, z.B. Schaufeln, die mit verschiedenen oder gleichen Geschwindigkeiten gegeneinander rotieren, Ko-Kneter mit einer beweglichen Schnecke und feststehenden Knetzähnen, Knetscheiben-Schnecken. Beim → Kalandrieren sind es rotierende Walzen, die den Knetvorgang bewirken.

Kochbeutel, *kochfeste Verpackung, <boil-in-bag, boil-in-pouch>*, aus kochfesten Folien hergestellter Beutel, dessen Füllgut in der Packung durch Kochen tischfertig zubereitet werden kann. Als kochbeständige Materialien werden Folien aus Polyethylen niedriger Dichte (PE-LD) und in neuerer Zeit aus linearem PE niedri-

ger Dichte (PE-LLD) eingesetzt. Anspruchsvollere Kochbeutel-Folien sind Verbunde, z.B. → Polyesterfolien oder → Polycarbonatfolien mit Polyethylen-Siegelschichten. Auch → PA/PE-Folien wurden zur Herstellung von Kochbeuteln eingesetzt.
An die → physiologische Unbedenklichkeit solcher Folien sind besonders hohe Anforderungen zu stellen.

kochfeste Verpackung, <*boil-in bag*>, → Kochbeutel.

Kochschinkenherstellung, <*ham packaging*>. Seit einigen Jahren wird ein neues Verfahren zur Herstellung von Kochschinken ausgeübt, für das spezielle Folien entwickelt wurden. Diese werden auf einer Tiefziehanlage zu Mulden verformt. Die vorbereitete Schinkenfleisch-Masse wird eingefüllt, die Packung evakuiert und mit einer Deckelfolie verschlossen. Die Packung wird dann in eine Kochschinkenform, d.h. in einen Metallbehälter mit Druckdeckel eingelegt und mit Dampf oder Wasser mehrere Stunden auf ca. 80 °C erhitzt. Nach dem Abkühlen auf etwa 30 °C wird im Kühlhaus weiter auf etwa 5 °C abgekühlt. Die Folie ist also Produktions-Hilfsmittel und Verpackung zugleich.
Das Verfahren weist eine Reihe von Vorteilen auf:
1. Kochen ohne Gewichtsverlust, dadurch kein Aussaften und keine Geleebildung in den Randzonen der Packung.
2. Verlängerte Haltbarkeit, da die Gefahr einer Kontaminierung zwischen Herstellungsprozeß und Verpackung entfällt.
3. Möglichkeit zur Verarbeitung auch kleinster Fleischstücke.
4. Guter Zusammenhalt der Masse, dadurch hohe Schnittfestigkeit.
5. Keine Reinigung der Kochformen.
6. Kostenreduzierung für Packmaterial im Vergleich zur Dosenkochung.
An die verwendeten Folien werden verfahrensbedingt sehr hohe Anforderungen gestellt. Neben mechanischer und thermischer Beständigkeit, sehr gutem → Schrumpfverhalten und gutem optischen Eigenschaften werden sehr gute Tiefziehfähigkeit und Undurchlässigkeit für Sauerstoff verlangt. Zweischichtige Verbunde aus ungerecktem Polyamid und einem PE/Ionomer-Blend mit Schichtdicken von 40/80, 60/120 und 70/150 haben sich in der Praxis bewährt.
Es werden Packungen von 5 bis 6 kg hergestellt. Der Inhalt wird für den Verkauf an den Endverbraucher aufgeschnitten, portioniert und wieder verpackt.
Eine andere Methode zur Schinkenherstellung ist die Verwendung von Schinkeneinziehdarm.

Kohlepapier, <*carbon paper*>, → Bürofolie.

Kolbenring, <*gauge band*>, → Dikkengleichmäßigkeit.

Kolene, → Reinigen von Werkzeugen.

Kollagen, *<collagen>*, ein hochmolekularer, langfaseriger Eiweißstoff, ein Skleroproteid, das vor allem in der Haut, in Sehnen, im Bindegewebe und in Knorpeln vorkommt. Die Molekülmassen von Kollagenen können bis zu 300 000 betragen.
Als wesentlicher Bestandteil der tierischen Haut ist Kollagen für die Lederherstellung von großer Bedeutung. Durch gezielten Abbau von Kollagen bei Gegenwart von Alkalien durch Hydrolyse wurden schon in frühgeschichtlicher Zeit Folien hergestellt, die in Form von Rollen als Schreibmaterial verwendet wurden. Heute wird die Fähigkeit von Kollagen zur Folienbildung bei der Herstellung von → Wursthüllen aus gehärtetem Eiweiß, den Hautfaserdärmen, genutzt. Bei der Hydrolyse muß vorsichtig verfahren werden, da sonst weitgehender Abbau des Kollagens zu Gelatine und Leim eintritt.
Folien auf Basis von Kollagen werden auch als temporärer Hautersatz in der Medizin verwendet.

Kollagendarm, *<collagen casing>*, → Wursthülle aus gehärtetem Eiweiß.

Kondensatorfolie, *<film for electrical capacitors>*, dient als Dielektrikum. Wichtigste Anwendungsgebiete sind die Herstellung von *Kondensatoren, Induktionsspulen* und *Wi-*

Kondensatorfolie. Tab. 1.

Eigenschaft	Einheit	PP	PETP	PC	PPS
Schmelzpunkt	°C	160-170	265	230	285
Glaspunkt	°C	-15	69	149	90
Dichte	g/cm^3	0,91	1,4	1,2	1,35
E-Modul MD	N/mm^2	2400	4500	2000	4000
TD		3800	4500	800	4000
Schrumpf MD	%	5(120 °)	2(150 °)	3(150 °)	2(200 °)
(15 Min.) TD		1	2	0	0
Wasseraufnahme	%	0,01	0,4	0,4	0,005
Dielektrizitätskonstante 1 kHz, 23 °	–	2,2	3,3	2,9	3,0
Verlustfaktor 1 kHz, 23 °	–	$0{,}2 \cdot 10^{-3}$	$5 \cdot 10^{-3}$	$1 \cdot 10^{-3}$	$0{,}6 \cdot 10^{-3}$
Durchschlagsfestigkeit	V/μm	590	530	300	360
Durchgangswiderstand	Ω dm	$5 \cdot 10^{18}$	$1 \cdot 10^{18}$	$1 \cdot 10^{17}$	$5 \cdot 10^{17}$

Quelle: Süddeutsches Kunststoffzentrum

derständen. Die früher fast ausschließlich verwendeten, mit Mineralöl getränkten Papiere werden immer mehr durch Folien verdrängt.

Es gibt zwei prinzipielle Methoden zum Einsatz von Folien im Bau von Kondensatoren:

1. Das gemeinsame Wickeln von Kunststoff- und → Metallfolien
2. Die Verwendung von Kunststoff-Folien nach → Metallisierung. Diese werden durch → Bedampfung geeigneter Trägerfolien mit Metallen hergestellt.

Als Trägerfolien dienen wegen ihrer hervorragenden → Elektrischen Eigenschaften vor allem → Polyesterfolien, → BOPP und → Polycarbonatfolien. Für höhere Temperaturbeanspruchungen werden Folien aus → Polyphenylensulfid empfohlen, ihr Einsatz in der Praxis ist jedoch noch gering. Tabelle 1 zeigt einen Eigenschaftsvergleich der vier verschiedenen Materialien.

Die Herstellungstechnik entspricht bei der Bedampfung mit *Aluminium* weitgehend der Metallisierung. Das Vakuum liegt bei etwa 10^{-4} mbar, Wickel- und Beschichtungskammer sind getrennt. Bei der Verwendung von Zink genügt ein Betriebsvakuum von 10^{-2} mbar. Zur Haftvermittlung für die Zinkschicht ist jedoch eine Vorbekeimung mit Silber erforderlich. Es wird meist ein Einkammersystem verwendet.

Eine Übersicht über mögliche Foliendicken und Produktionsbedingungen auf verschiedenen Fertigungsanlagen gibt Tabelle 2. Die Angaben beziehen sich bei der Al-Beschichtung auf Polyester-, bei der Zn-Beschichtung auf Polypropylenfolien.

Kondensatorfolie. Tab. 2.

		Al-Beschichtung									Zn-Beschichtung			
		Einseiten-Beschichtung						Zweiseiten-Beschichtung			Einseiten-Beschichtung		Zweiseiten-Beschichtung	
Foliendicke	μm	1,3-9	1,3-9	3-15	3-15	3-15	6-30	3-15	3-15	3-15	4-15	4-15	6-20	6-20
Breite der Folienbahn	mm	250-500	325-650	250-500	325-650	400-800	500-1000	250-500	325-650	400-800	250-500	325-650	250-500	325-650
max. Produktionsgeschw.	ms^{-1}	0,8-8	0,8-8	0,8-8	0,8-8	0,8-8	0,8-8	0,8-8	0,8-8	0,8-8	1-10	1-10	1-10	1-10
max. Rollendurchmesser	mm	420	420	420	420	420	600	420	420	420	500	500	5400	500

Leybold-Heraeus GmbH, Hanau, Firmenschrift

Kondensatorfolien aus Polycarbonat sind auch als Schrumpffolien verfügbar, die zur Herstellung von → Schrumpfspulen hervorragend geeignet sind. Die zur Herstellung von Kondensatoren eingesetzten Folien können natürlich auch auf anderen Gebieten als → Elektroisolierfolien verwendet werden. Als besonders temperaturbeständige Produkte wurden in den letzten Jahren → Hochleistungsfolien entwickelt.

Konfektionierungsformen von Wursthüllen, *<sausage casings fabrication>*. Synthetische Wursthüllen werden vom Hersteller in verschiedenen Formen zur Verwendung beim Verarbeiter angeboten.
Beispiele für einige wichtige Angebotsformen sind:
1. Bunde aus Meterware mit Längen von 20 bis 30 m,
2. Rollen mit Lauflängen, meist bis zu 500 m,
3. Wursthüllen-Abschnitte,
4. Einseitig verschlossene Abschnitte. Das Verschließen kann durch → Abbinden oder → Clippen oder auch durch eine Kombination beider Methoden erfolgen,
5. Ringförmig gebogene Wursthüllen, meist als Kranzdarm bezeichnet.
6. in Formen abgenähte Produkte, vor allem auf Basis von → Faserdarm, z.B. Kappen, Keulen oder Säckchen.
Eine für die Anwendung von Wursthüllen besonders häufige Konfektionierungsform, wird durch → Raffen hergestellt.

Konizität, *<draft, draw, tapering>*, Fehler einer → Folienrolle, der aus einer Veränderung der idealen zylindrischen Form (a) in eine konische Form (b) besteht. Sie wird durch Schwankungen in der → Dickengleichmäßigkeit der Folie verursacht, die sehr gering sein können, die sich aber durch die zahlreichen Lagen der Folienbahn der Wickelrolle addieren. Zur Vermeidung von Koniztität werden bei der → Blasfolien-Extrusion → Rotations- und Reversier-Systeme eingesetzt.
Konizität ist auch eine gefürchtete Erscheinung beim → Wickeln von Folien.

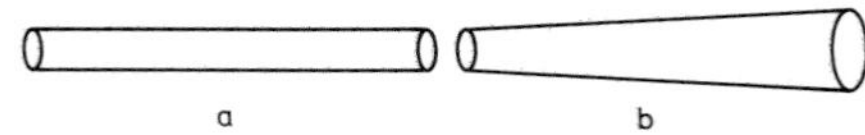

Konizität.

Konserve, *<preserve, conserve>*, → standfeste, sterilisierbare Packung.

Kontaktsiegeln, *<bar sealing>*, → Heißsiegeln.

Kontakttransparenz, *<contact transparency>*, die Durchsichtigkeit einer Verpackungsfolie bei engem Kontakt mit Teilen des Füllguts. An den Stellen, wo die Folien eng am Füllgut anliegt, ist dieses relativ gut sichtbar. → Transparenz.

Konterdruck, *<reverse printing>*, → Bedrucken von Folie.

kontrollierte Atmosphäre bei Packungen, *<controlled atmosphere packaging>*, → Schutzgasverpackung.

Konturenpackung, *<blister packaging>* → Blister-Verpackung.

Kopolymerisation, *<copolymerization>*, → Polymerisation.

Korngröße, *Teilchengröße*, *<grain size, granular size>*, die Größe der Einzelteilchen von Pulvern, z.B. von Pigmenten (→ Färbemittel) oder von Kunststoffen. Bei pulverförmigen Ausgangsmaterialien bei der Folienherstellung spielt die Korngröße für die Verarbeitungsbedingungen eine Rolle. Bei → Polyvinylchlorid hängen → Rieselfähigkeit, → Schüttdichte und die Aufnahme von → Weichmachern von der Korngröße und von der Korngrößenverteilung ab. Die Abb. zeigt die Korngrößenverteilung am Beispiel eines PVC-Suspensionspolymerisats. Die mittlere Korngröße beträgt bei diesem Produkt 125-140 μm.

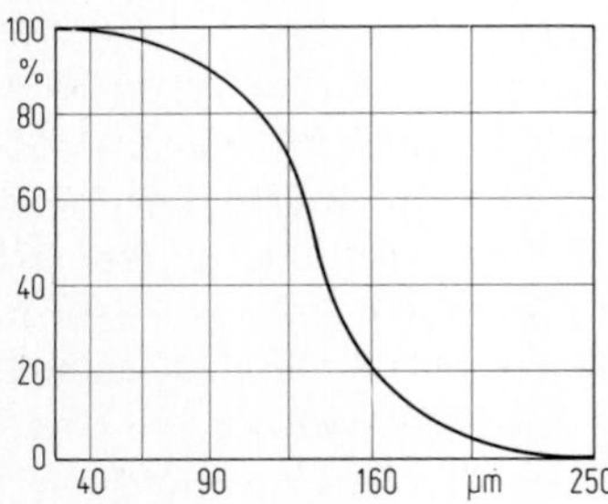

Korngröße. BASF, Ludwigshafen, Firmenschrift.

Korngrößenverteilung, *<grain size distribution>*, → Korngröße.

Kornschichten, *<grain layers>*, → Aluminiumbänder.

Korona-Behandlung, *<corona treatment>*, → Corona-Behandlung.

Korrosionsschutz durch Folien, *<corrosion protection by films>*. Schon durch Abdecken oder Einwickeln von Materialien, die korrosionsgefährdet sind, wird eine gewisse Schutzwirkung erzielt. Es gibt jedoch speziell für den Korrosionsschutz entwickelte → Verbundfolien, mit denen Metallteile, Maschinen und militärische Geräte so verpackt werden können, daß eine wasserfreie Atmosphäre in der Packung für längere Zeit gewährleistet ist.
Dazu wird die gesamte Verpackungseinheit nach Zusatz von Trockenmitteln wie Silikagel, evakuiert. Die → Wasserdampfdurchlässigkeit des Packmaterials liegt zwischen 0,1 und 0,5 g/m^2·d.
Um auch die erforderlichen mechanischen Eigenschaften dieser → Sperrschichtfolien zu gewährleisten, werden meist Verbunde von → Aluminiumfolien oder metallisierten Kunststoff-Folien mit Geweben hergestellt. Die Produkte haben eine → Siegelschicht, und werden durch → Heißsiegeln verschlossen. Die Verpackungsmaterialien können zusätzlich flammfest ausgerüstet werden. Sie werden in Rollen von etwa 1.000 bis 1.500 mm Breite und in Lauflängen von 50 und 100 m geliefert. Metallische Gußteile und Industriegüter können bis zu 12 Monaten sicher vor Korrosion geschützt werden, was für die meisten Fälle völlig ausreicht. Für militärisches Gerät wird mit

etwas größerem Aufwand ein Schutz bis zu vier Jahren erreicht.
→ Korrosionsschutz-Folien sind mit besonderen Zusätzen versehen.

Korrosionsschutzfolie, *VCI-Folie,* *<vapour phase inhibitor film, VCI-film>*, eine Folie zur Verpackung korrosionsgefährdeter Produkte. Sie enthält Chemikalien, die aus der Folie verdampfen, sich auf der metallischen Oberfläche der verpackten Güter niederschlagen und dort ihre Schutzwirkung entfalten. Die Wirkstoffe sind *v*olatile *c*orrosion *i*nhibitors, flüchtige Korrosionsinhibitoren. Dampfphasen-Korrosionsschutz wird auch durch direkten Zusatz solcher Wirkstoffe zur Packung erreicht. Die Anwesenheit der Substanzen im Packmaterial garantiert jedoch ihre Wirkung auf alle Teile der verpackten Oberfläche. In den meisten Fällen werden Korrosionsschutzpapiere, teilweise auch mit Thermoplasten wie Polyethylen und Polypropylen beschichtet, eingesetzt.
Die Entwicklung von VCI-Folien ist noch recht neu. Ein Zusatz der Wirkstoffe bei der Folienherstellung durch Extrusion ist möglich. Wegen der thermischen Instabilität der Substanzen sind die Verarbeitungs-Temperaturen auf maximal 200 bis 210 °C beschränkt. Da die Wirkung der Korrosionsschutzmittel durch Verdampfen aus der Folienoberfläche zustande kommt, werden sie weitaus häufiger durch Beschichten, Lackieren oder Bedrucken auf eine Seite der Folie gebracht. Diese bildet die Innenseite der Packung. → Polyethylen ist das am häufigsten verwendete Folienmaterial.
Folien haben vor den Korrosionsschutz-Papieren eine Reihe vor Vorteilen. Sie sind siegelfähig und wasserfest und haben weit bessere mechanische Eigenschaften. Ob sie das Verdampfen der Wirkstoffe nach außen tatsächlich verhindern, erscheint nach neuen Untersuchungen zumindest für einzelne Produkte zweifelhaft. Lit.

koschere Verpackung, *<kosher packaging>*. „Koscher" ist ein jüdisches Adjektiv. Koschere Lebensmittel müssen in Übereinstimmung mit den Gesetzen und Bestimmungen der jüdischen Religion hergestellt werden.
Auch das für diese Lebensmittel eingesetzte Verpackungsmaterial und der Verpackungsprozeß müssen koscher sein. So darf beispielsweise das bei der Herstellung von → Cellophan oder von → Wursthüllen aus regenerierter Cellulose verwendete → Glycerin nicht aus tierischen Quellen stammen, sondern muß nach einem synthetischen Verfahren hergstellt sein. → Aluminiumfolien müssen mit akzeptablen Walzölen hergestellt sein. Wachse, Fettsäurederivate, Amine und Alkohole aus Talk sind ebenso verboten wie tierische Leime.
Hersteller von Lebensmittel-Verpackungen oder von verpackten Lebensmitteln können eine Bestätigung der koscheren Eigenschaften ihrer Erzeugnisse erhalten. Die Erteilung eines solchen Approval kann wegen der Schwierigkeit und Vielgestaltigkeit des Problems nur von einem orthodoxen jüdischen Rabbi empfohlen, kontrolliert oder vergeben werden.

Herstellung und Verarbeitung von koscheren Produkten sind vor allem in den USA keinesfalls ein Randproblem. Dort sind heute mehr als 17000 verschiedene Produkte auf dem Markt, verglichen mit etwa 1000 im Jahre 1978. Jährlich kommen etwa 500 neue dazu. Die angesprochene Verbrauchergruppe zählt 4,5 Millionen Menschen. In dieser Zahl sind nur 1,5 Millionen Juden enthalten. Die anderen 3 Millionen werden von christlichen und islamischen Gruppen gebildet, deren Glaube den Speisegesetzen der jüdischen Religion folgt. Lit.

Kreditkarte, *<credit card>*, → ID-Karte.

Kristallit-Schmelzpunkt, *<crystallit melting point>*, → Kristallinität.

Kristallinität von Polymeren, *<cristal structure of polymers>*, ein für die Praxis besonders wichtiges Merkmal in der Morphologie von Kunststoffen. Die Kristallinität hat einen sehr großen Einfluß auf das → Fließverhalten von Thermoplastischen Kunststoffen und damit auf ihre Verarbeitbarkeit. Aber auch viele andere Eigenschaften der Polymeren werden ebenso wie die → Folieneigenschaften entscheidend von der Kristallinität bestimmt.

Teile der Ketten eines Makromoleküles können aus kristallinen Bereichen bestehen. Ihre Abmessungen liegen zwischen 0,1 μm und 1 mm, der Anteil an Kristalliten im Polymeren liegt, abhängig vor allem von der → chemischen Struktur der Polymeren, bei 5 bis zu 95%. zwischen den Kristalliten befinden sich amorphe Bereiche.

Die Ausbildung von Kristalliten wird durch linearen, gleichmäßigen und stereospezifischen Mokekülaufbau begünstigt. Bei vielen → thermoplastischen Kunststoffen steigt die Dichte mit der Kristallinität an. Wichtigstes Beispiel ist → Polyethylen. Hier zeigen Produkte mit niederer, mittlerer und höherer Dichte große Eigenschaftsunterschiede, was sich natürlich stark auf die aus diesen Polymeren hergestellten Folien auswirkt. Ähnliches gilt für → Polypropylen und → Polyethylenterephthalat. Die Kristallinität von → Polyamiden wird durch die Möglichkeit zur Ausbildung von Wasserstoffbrücken unterstützt. Eine enge Verteilung der → Mokekülmassen begünstigt die Ausbildung kristalliner Bereiche.

Polymere mit starken Verzweigungen, breiter Molekülmassenverteilung und sperrigen Substituenten sind weitgehend amorph. Dazu gehören verzweigte Polyethylene, → Polyvinylchlorid, → Polymethylmethacrylat, und → Polystyrol. Amorphe Thermoplaste besitzen keinen definierten Schmelzpunkt, man kann allenfalls von einem → Schmelzbereich sprechen. Besser definiert ist für solche Polymere der → Glasübergang.

Für die kristallinen Bereiche eines Thermoplasten ist der Schmelzbereich wesentlich enger, so daß man einen *Kristallitschmelzpunkt* deutlich erkennen kann. Die Bestimmung erfolgt nach dem → Torsionsschwingversuch (DIN 53 445). Der Kristallitaufbau kann mit der konventionellen Röntgen-Kristallographie bestimmt werden. Allerdings wird die Methode bei einem

kristallinen Anteil von weniger als 20% schwierig.
Die Kristallinität von Polymeren wird wesentlich auch von den Herstellungs- und Verarbeitungsverfahren bestimmt. Diese Tatsache muß ganz besonders bei der → Folienherstellung beachtet werden. Erwärmungs- und Abkühlungsprozesse können durch Änderung der Morphologie die Eigenschaften der erhaltenen Folien in beiden Richtungen wesentlich beeinflussen. So können durch rasches Abkühlen bstimmte Kristallstrukturen eingefroren werden. Bei einem anschließenden → Reckprozeß werden die Kristallite orientiert. Die mechanischen Festigkeiten solcher Folien werden dabei wesentlich erhöht, wenn durch anschließende Thermofixierung der morphologische Zustand stabilisiert wird. Richtig gesteuerte Kristallinität spielt besonders bei der Herstellung von → Polyesterfolien und → Polyamidfolien zur Erzielung optimaler Klarheit und → Transparenz eine wesentliche Rolle. Die Ausbildung von Kristalliten bei der Folienherstellung kann durch → Nukleierung erleichtert werden. Andere → Additive, z.B. → Weichmacher oder → Schlagzähigkeits-Verbesserer setzen die Bereitschaft zur Kristallitbildung herab.

Kronenkorken, *<crown cap, crown cork>*, ein dichter und hygienischer Verschluß von Flaschen durch die Kombination von Kork und *Aluminiumfolie.* Allein die Zahl der Abfüllungen in der Brauerei-Industrie liegt in der Bundesrepublik Deutschland jährlich bei über 12 Milliarden. Die beobachtete Stagnation des traditionellen aber wesentlich aufwendigeren Bügelverschlusses scheint allerdings wegen Änderung der Verbrauchergewohnheiten zu Ende zu gehen. Kunststoff - Aluminium - Kombinationen und Verbundfolien werden seltener verwendet.

Kühlwalze, *Chill-Roll, <chill roll, cooling cylinder>*, eine Walze zum Abkühlen der Schmelze von → thermoplastischen Kunststoffen zu einer Folienbahn. Kühlwalzen werden vor allem bei der → Flachfolien-Extrusion verwendet.
Die Temperatur der Kühlwalze beeinflußt die Kristallitgröße und damit die Eigenschaften der Folien. Beispiele dafür sind bei → Polypropylenfolien dargestellt. Die Art der Abkühlung hat einen großen Einfluß auf die Folienqualität. Bei modernen Anlagen kann die Kühlwalztemperatur durch ein im Walzenkörper integriertes Umwälzsystem für das Kühlmittel innerhalb von 2 K konstant gehalten werden.

Kugelfallprobe, *<falling ball test, falling dart test>*, Dart-Drop-Test.

Kunstdarm, *<synthetic sausage casing>*, → Wursthülle, synthetische.

Kunststoffblend, *<plastic blend>*, → Blend.

Kunststoff, *Chemiewerkstoff, Hochpolymer, <plastic material, plastic>*, ein Material aus polymeren organischen Verbindungen. Die Makromoleküle dieser Produkte bestimmen ihr technologisches und physikalisches Verhalten. Kunststoffe werden in großem Maßstabe zu Formkörpern, Fasern und Folien verarbeitet. Ein bedeutendes Spezialgebiet der Kunststofftechnik ist die → Folientechnologie.

Der für die Folienherstellung wichtigste natürliche Rohstoff ist die → Cellulose. Ihr Einsatz ist jedoch in den letzten Jahren ständig zurückgegangen. Die weitaus bedeutenderen Rohstoffe zur Folienherstellung sind synthetische Produkte. Die einzelnen Kunststoffe weisen in ihren Eigenschaften einen enorme Vielfalt auf, die durch Kombination verschiedener Produkte, durch Zusatz von → Additiven und durch den Einfluß der Herstellungs- und Verarbeitungsverfahren noch beträchtlich gesteigert wird.

Der Hauptteil der zur Herstellung von Folien eingesetzten Kunststoffe kommt aus der Klase der → thermoplastischen Kunststoffe.

→ Duroplastische Kunststoffe berühren die Folientechnologie nur auf Randgebieten. Z.B. werden bei der Herstellung von → Harzmatten Trennfolien eingesetzt. Elastomere Produkte werden nach ISO nicht zu den Kunststoffen gerechnet. Sie werden dennoch in diesem Buch als → elastomere Kunststoffe mitbehandelt, soweit sie für die Folientechnologie wichtig sind.

→ Thermoplastische Elastomere haben in den letzten Jahren zunehmende Bedeutung für die Folienherstellung gewonnen.

Die Eigenschaften von Kunststoffen werden insofern behandelt, als sie für die Verarbeitung zu Folien wichtig sind.

Viele Merkmale der Kunststoffe finden sich in diesem Buch unter → Folieneigenschaften.

Einige Grundbegriffe der Kunststoff-Technik sind Morphologie von Polymeren, → Fließverhalten von Thermoplasten, → Molekülmasse, → Glasübergang, → Differential-Thermoanalyse, → Viskositätszahl, → Schmelzflußindex, → Polymerisation, → Polykondensation, → Polyaddition.

Eine Tabelle mit den Abbkürzungen wichtiger Kunststoffe befindet sich im Anhang. Lit.

Kunststoff-Folie, <*film, plastic film*>, Folie aus → Kunststoff, meist aus → thermoplastischen Kunststoffen. Auch → Cellophan zählt zu den Kunststoff-Folien. Die zweite große Gruppe von → Folien sind die → Metallfolien.

Kunststoff-Folien haben sich seit den 50er Jahren stürmisch entwickelt. Sie haben auch in der Zukunft noch sehr gute Chancen. Einen für die USA geltenden Überblick gibt die Tabelle.

Tendenziell gilt diese Schätzung sicherlich auch für Europa. Es ist jedoch sehr zu bezweifeln, ob → Polyvinylchlorid tatsächlich die angenommenen Wachstumsraten erreichen wird. → Polyesterfolien und → BOPP könnten noch stärker wachsen als geschätzt. Interessant ist der für das Jahr 2.000 vermutete beachtliche Restmarkt für → Cellophan.

Eine → Ökobilanz über Umweltauswirkungen von Verpackungen aus Kunststoff und Glas ergab die eindeutige Überlegenheit der Kunststoff-Folien.

Kunststoff-Folie.

US-Kunststoff-Folienmarkt (in Million lb).

	1977	1987	1992	2000	jährliches Wachstum '87-'77	jährliches Wachstum '92-'87
Bruttosozialprodukt (1982 billion $)	2959	3808	4290	5480	2,6	2,4
lb per $1,000 BSP	1,67	2,17	2,26	2,21	–	–
Folienbedarf und Rohmaterial	4937	8248	9700	12100	5,3	3,3
Polyethylen	3830	6372	7457	9230	5,2	3,2
Polyvinylchlorid	231	435	525	670	6,5	3,8
Polyester	308	484	585	770	4,6	3,9
Polypropylen	203	494	625	845	9,3	4,8
Cellophan	158	103	90	65	-4,2	-2,7
Cellulose	69	65	66	70	-0,6	-0,3
Polyvinylidenchlorid	54	93	112	145	5,6	3,8
Polystyren	44	81	90	105	5,6	2,1
Andere Rohmaterialen	40	121	150	200	11,7	4,4

nach: Paper, Film u. Foil Converter, September 1988

Kunststoff-Formgeber, ein Lehrberuf für die Kunststoffverarbeitende Industrie, → Ausbildung.

Kunststoff-Formmasse, <*molding compound*>, → Formmasse.

kunststofffreie Verpackung, <*plastic-free packaging*>. Das Problem des bei Herstellung, Verarbeitung und Anwendung von Folien auftretenden Abfalls hat zu dem Vorschlag geführt, auf die Verwendung von Kunststoff zur Verpackung ganz zu verzichten. Eine Studie der Gesellschaft für Verpackungsmarkt-Forschung, Wiesbaden, die im Auftrag des Verbandes der Kunststoff erzeugenden Industrie, Frankfurt, durchgeführt wurde, hat jedoch ergeben, daß bei einem Verzicht auf Kunststoffe als Verpackungsmaterial nicht nur die Kosten, sondern auch die Umweltbelastungen höher wären. Beispielsweise würde die Verpackung um 212% teuerer, das Gewicht der Verpackung würde sich durch den Einsatz spezifisch schwererer Materialien vervierfachen. Das Müllvolumen würde um das 2 1/2-fache ansteigen. Die Bemühungen der Industrie, Verpackungen immer leichter und konstengünstiger herzustellen, würden zunichte gemacht, da es keinen gleichwertigen Ersatz für Kunststoffe als Verpackungsmaterial gibt. Der Mehrbedarf an Papier und Karton, an Glas und an Metallen, wäre beträchtlich.

Kunststoffkommission, <*plastics commission*>, eine Kurzbezeichnung

für zwei Institutionen, nämlich für
1. die zur Unterstützung des → Bundesgesundheitsamtes tätige Kommission, die sich mit den Auswirkungen von Kunststoffen auf Lebensmittel und Gesundheit befaßt;
2. die „Kommission über Materialien und Gegenstände aus Kunststoff, die dazu bestimmt sind, mit Lebensmitteln in Berührung zu kommen." Sie arbeitet für die Europäische Gemeinschaft und berät diese bei der → Gesetzgebung in der EG. Sie ist auch federführend bei der Bearbeitung der → Kunststoff-Richtlinie.

Kunststofflegierung, *<blend>*, → Blend.

Kunststoffrichtlinie, *<plastics directive, EEC>*, die für die → Folientechnologie wohl wichtigste Direktive in der → Gesetzgebung in der EG.
Die „Richtlinie der Kommission über Materialien und Gegenstände aus Kunststoff, die dazu bestimmt sind, mit Lebensmitteln in Berührung zu kommen." 82/711/EWG wurde lange intensiv und kontrovers diskutiert. Schwierigkeiten bereitete besonders die Einigung über die Behandlung der → Migration. Einige Länder schlugen die Einführung von Gesamtmigrations-Werten vor, was von anderen, z.B. auch von der Bundesrepublik Deutschland, abgelehnt wurde. Schließlich wurde die Einführung der Gesamtmigration gemeinsam mit Beschränkungen von spezifischen Migrationswerten beschlossen. Eine Einigung über die Klassifikation der Lebensmittel und über geeignete → Prüflebensmittel steht jedoch noch aus. So stellte die 1982 herausgebrachte Fassung der Direktive, die keine Gesamtmigrations-Werte mehr definiert, einen Kompromiß dar. Sie vermeidet konkrete Spezifikationen und kann daher eher als ein Grundsatzpapier gewertet werden. Inzwischen wurde die Richtlinie unter Federführung der Kunststoffkommission immer wieder beraten. An der Erstellung von → Positivlisten für monomere Substanzen und für Additive wird gearbeitet.

Kunststoffsack, *<plastic bag>*, → Sack.

Kunststoffschmelze, *<plastic melt>*, → Fließverhalten von Thermoplasten.

Kunststoffthermogramm, *<plastic thermogram>*, → Thermogravimetrie.

Kunststofftube, *<plastic tube>*, eine → Tube aus thermoplastischen Polymeren, die in den 50er Jahren entwickelt wurde. Kunststofftuben haben auf einigen Gebieten → Metalltuben abgelöst. Sie stehen ihrerseits im Wettbewerb mit → Laminattuben.
Das mit Abstand am häufigsten eingesetzte Rohmaterial ist PE-LD. PE-HD dient speziell zur Verpackung stark fetthaltiger Produkte. PP weist bessere Sperrschichteigenschaften für Riechstoffe auf. Beide Materialien sind jedoch steifer als PE-LD und haben sich beim Verbraucher nicht recht durchsetzen können.
Im Gegensatz zur Metalltube sind die Folien der Kunststofftube ela-

stisch. Dadurch tritt kein Verbeulen auf, die Tubenform und damit die Werbewirkung des Aufdrucks bleiben bis zum vollständigen Verbrauch des Inhalts erhalten. Andererseits bewirkt der Rückstelleffekt das Einsaugen von Luft, weshalb Kunststofftuben für sauerstoffempfindliche Füllgüter nicht geeignet sind. Kunststofftuben können nach zwei verschiedenen Verfahren hergestellt werden:
1. Die komplette Tube wird in einem Produktionsschritt im Blasverfahren erzeugt. Der Ausstoß ist dabei niedrig, die Dickengleichmäßigkeit unbefriedigend.
2. Es wird zunächst der Tubenmantel in Form eines endlosen Folienschlauches durch → Extrusion erzeugt. In einem zweiten Schritt wird der vorgefertigte Tubenkopf an den Schlauchabschnitt angefügt. Die Dicke des Folienschlauchs liegt zwischen 350 und 450 μm. Dickengleichmäßigkeit und Durchmesserkonstanz sind gut kontrollierbar, was für die weitere Verarbeitung und für das Bedrucken wichtig ist. Es können unterschiedliche Materialien oder Einfärbungen für Tubenkopf und Tubenmantel verwendet werden.
Um das Bedrucken der Kunststofftuben zu ermöglichen, müssen diese einer → Vorbehandlung unterworfen werden. Dies geschieht häufig schon bei der Herstellung des Folienschlauchs. Die Bedruckung kann vor oder nach Anfügen des Tubenkopfes erfolgen. Wie bei Metalltuben wird in den meisten Fällen das Trocken-Offset-Verfahren angewendet. Ein abschließend aufgetragener Klarlack erhöht die Haltbarkeit des Druckbildes und verbessert seine optische Qualität. Letzter Schritt bei der Fertigung von Kunststofftuben ist wie bei den Metalltuben das Aufbringen des Verschlusses. Neben den hauptsächlich verwendeten Schraubverschlüssen eignet sich gerade die Kunststofftube für spezielle Konstruktionen wie Dreh-, Kipphebel- und Klappdeckel-Verschlüsse. Nach der Befüllung werden Kunststofftuben durch Schweißen verschlossen. Polyethylentuben sind in genormten Abmessungen (DIN 5061, Teil 2) auf dem Markt. Die Durchmesser betragen 13,5 bis 50 mm, die Füllvolumina 4 bis 350 ml. Das Hauptanwendungsgebiet der Kunststofftube liegt bei der Verpackung von Kosmetika. Wegen der Durchlässigkeit des Polyethylens gibt es Einschränkungen für oxidierbare Produkte, z.B. Haarfärbemittel und für Produkte mit leicht flüchtigen Parfümölen.
Die Kunststofftube hat sich als eine wichtige Ergänzung zur Aluminiumtube erwiesen. Sie wird insbesondere zur Abfüllung von Produkten eingesetzt, die bisher nicht in Metalltuben angeboten werden konnten.

Kupferfolie, *<copper foil>*, eine Folie, die vor allem zur Herstellung → Gedruckter Schaltungen und für andere Anwendungen in der Elektro- und Elektronik-Industrie von Bedeutung ist. Folien aus Kupfer-Legierungen sind als unechtes → Blattgold oder → Blattsilber im Handel.

Kupferoxid-Ammoniak, *Cuoxam*, *<Tetrammino-copper-hydroxide>*, eines der wenigen Lösungsmittel für → Cellulose, chemisch Tetrammin-kupfer-II-hydroxid), $[Cu(NH_3)_4](OH)_2$. Die tief dunkelblaue Flüssigkeit diente früher der Herstellung von Fasern („Kupferseide") und Folien (→ Cellophan). Die hochviskose Lösung wird in warmen, schnell strömendem Wasser ausgefällt und in Waschbädern mit verdünnter Schwefelsäure entkupfert. Die Wiedergewinnung der Kupfersalze ist schwierig und teuer. Deshalb wird das Verfahren nur noch vereinzelt und in kleinen Produktionsanlagen in Osteuropa (RWG-Länder) ausgeübt. An seine Stelle ist zur Herstellung von Cellophan das Xanthogenat-Verfahren getreten.

Nach dem Cuoxam-Verfahren hergestellte Folien spielen auf dem Spezialgebiet der → Cellophanmembranen auch heute noch eine Rolle.

Kurzbezeichnungen für Kunststoffe, → Tabelle im Anhang des Buches.

K-Wert, *<K value, K factor>*, → Viskositätszahl.

L

Lackieren, *<coating, varnishing>*, die Vergütung von Folien durch Auftragen einer Kunststoff-Schicht. Bei Folien aus → thermoplastischen Kunststoffen spricht man meist von → Beschichten, während man beim → Cellophan und vor allem bei → Aluminiumfolien den Ausdruck Lackieren bevorzugt. Lackierung bedeuted im allgemeinen den Aufbau dünnerer, Beschichtung den Aufbau dickerer Schichten. Die beiden Begriffe sind jedoch nicht klar voneinander abgegrenzt. In diesem Stichwort wird nur die Veredlung von *Aluminiumfolie* und *Aluminiumband* behandelt.

→ Aluminium besitzt für viele Anwendungsflälle nicht ausreichende → Chemikalienbeständigkeit, weil die schützende Oxidschicht durch Säuren und Alkalien zerstört wird. Durch Lackieren werden nicht nur die Chemikalienfestigkeit, sondern auch die mechanischen Eigenschaften wesentlich verbessert. Als Lacke für Folien dienen im allgemeinen physikalisch trocknende Systeme, meist auf Basis von → Cellulosenitrat, synthetischen Harzen und → Polyvinylidenchlorid. Alubänder werden meist mit chemisch trocknenden Produkten lackiert.

Einbrennlackierungen bieten hervorragenden Schutz auch gegen agressive Füllgüter, wie Essigkonserven oder Senf. Sie sind aber auf Bänder mit Dicken von mehr als 30 μm beschränkt. Die Auftragsmengen an Lack richten sich nach der geforderten Schutzwirkung. Schichten von 0,5 bis etwa 3 g/m^2 ergeben noch keinen porenfreien Film und entsprechend geringe Chemikalienbeständigkeit. Sie sind aber eine gute Haftunterlage für das → Bedrucken und können Matt- oder Glanzeffekte ergeben. Mit eingefärbten Lacken können Aluminium-Folien lasierend gefärbt werden. Der Metallcharakter bleibt dabei erhalten, wodurch besondere dekorative Effekte erzielt werden.

Auftragsmengen von 5 bis zu 12 g/m^2 ergeben entsprechenden verbesserten Schutz. Meist werden die Rohstoffe für diese Lacke so gewählt, daß sie thermoplastisch und damit zum → Heißsiegeln geeignet sind.

Lagerbeständigkeit, *maximale Lagerzeit, <shelf life, storage life>*, der Zeitraum zwischen der Verpackung eines Produkts und dem Zeitpunkt, an dem das verpackte Gut noch brauchbar oder genießbar ist.

Die Folientechnologie hat insbesondere durch Entwicklung von → Sperrschichtfolien viel dazu beigetragen, die Lagerbeständigkeit von Industrie- und Verbraucherprodukten zu erhöhen. Dies gibt insbesondere für die → Lebensmittelverpackung. Die Lagerbeständigkeit muß für jedes Füllgut in Verbindung mit den Verpackungsbedingungen, dem Packmaterial und den Lagerbedingungen individuell ermittelt werden.

Es gibt einige Vorschläge zur Berechnung der Lagerbeständigkeit. Diese sind jedoch sehr theoretisch und dürften kaum geeignet sein, die richtigen Entscheidungen für den Einsatz eines bestimmten Packmittels in der Praxis zu treffen. Sie mögen allerdings für den Vergleich verschiedener Folien nützlich sein. Die → Gesetzgebung in der Bundesrepublik Deutschland schreibt vor, auf der Packung das Ende der Gebrauchsfähigkeit anzugeben.

Laminattube, *Mehrschichttube*, *<laminated tube>*, eine → Tube aus einer Aluminium-Polyolefin-Verbundfolie. Nach der → Metalltube und der → Kunststofftube ist die Laminattube die jüngste, Anfang der 70er Jahre in USA begonnene Entwicklung auf diesem Gebiet. Man geht zur Tubenherstellung von einer → Verbundfolie aus. Den schematischen Aufbau einer Laminattube zeigt die Abb.

Zur Herstellung des Tubenkopfs wird zunächst aus einem Laminatband ein Rundkörper (*Rondelle*) vorgeformt und ausgestanzt. Die Rondelle wird in eine Matrize eingebracht, in der der Tubenkopf im Spritzgußverfahren aus einem Polyolefin erzeugt und unmittelbar mit der Rondelle verschweißt wird. Der Tubenrumpf besteht aus einen Laminat, das meist den gleichen Aufbau wie der mit dem Tubenkopf verbundene Rundkörper aufweist. Das zur Herstellung des Tubenkörpers bestimmte Laminat wird meist als Endlosband zu einem Rohr verformt, überlappend nach dem Hochfrequenzverfahren (→ Heißsiegeln) längs verschweißt und dann mit dem Tubenkopf, ebenfalls durch Verschweißen, verbunden. Der Einsatz von rechteckigen Laminat-Formaten ist ebenfalls möglich.

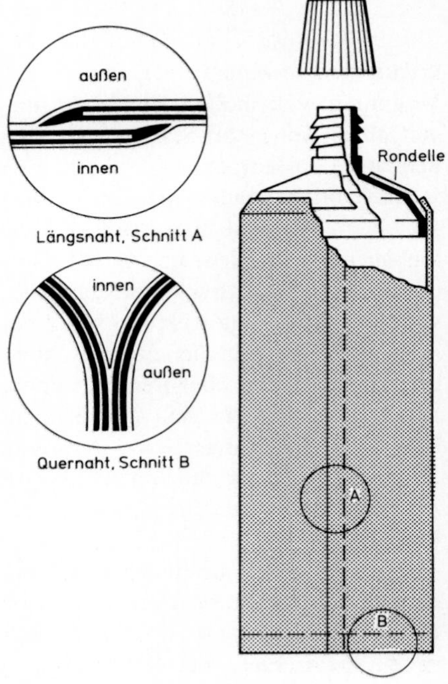

Laminattube. Alusingen, Singen, Firmenschrift.

Die Laminattube ist der Versuch, die guten anwendungstechnischen Eigenschaften der Metalltube und der Kunststofftube zu verbinden. Entscheidend für die Erreichung dieses Ziels ist der Aufbau des Laminats. Prinzipiell wird eine Aluminiumfolie zwischen zwei Polyethylenschichten eingebettet. Der Aufbau der Verbundfolie ist in der Praxis jedoch komplizierter.

So werden in Europa z.Zt. überwiegend 5-Schicht-Verbunde vom Typ PE-LD/Ionomer/Al/Ionomer/PE-LD eingesetzt. Die Gesamtdicke des Laminats liegt bei 300 bis 350 μm, die Dicke der Aluminiumfolie bei 30 bis 40 μm.

Die Polyethylenschichten können dabei transparent oder eingefärbt sein. Innen- und Außenschichten sind im allgemeinen in verschiedener Weise modifiziert. Die Innenschicht muß hohe Chemikalienfestigkeit aufweisen, die Außenschicht leicht bedruckbar sein. Die Tabelle zeigt den Aufbau einer in USA entwickelten, aus 10 verschiedenen Schichten bestehenden Folie unter Angabe der Funktion der einzelnen Schichten. Das Gesamtlaminat ist 330 μm dick. Die äußere Schicht wird dabei nach der Bedruckung des Tubenkörpers durch → Extrusions-Beschichtung aufgebracht. Ihre Aufteilung in zwei Schichten in der Tabelle ist eher formal. Ein dem PE zugesetztes Antistatikum wandert an die Oberfläche und bildet so eine weitere Schicht. Die äußere PE-Schicht schützt das Druckbild vor mechanischer Beschädigung und macht die Längsnaht fast unsichtbar. Das Verfahren zur Herstellung derartiger Laminattuben ist aufwendig und deshalb nur zur Verpackung besonders hochwertiger Produkte zu rechtfertigen.

Eine Schwachstelle der Laminattube sind die Schnittkanten. Insbesondere auf der Innenseite ist blankliegendes Aluminium ein Angriffspunkt für saure oder alkalische Bestandteile des Tubeninhalts. Dies kann der Beginn einer → Delamination sein. Beim Verschweißen der überlappenden Längsnaht ist deshalb darauf zu achten, daß Polyethylen an die Kanten gequetscht und so das frei liegende Aluminium abgedeckt wird.

Besondere Vorteile der Laminattube sind ihre sehr geringe Durchlässigkeit, die Einstellbarkeit der Elastizität durch Variation des Verbundaufbaus, keine Verbeulung des Tubenmantels und dadurch Erhalt der Tubenoptik bis zur vollständigen Entleerung, Möglichkeit zur Anwendung des → Tiefdruck-Verfahrens und des → Konterdrucks.

Die Laminattube hat sich auf dem Gebiet der Zahncremes in größerem Umfang durchgesetzt. Zu einer echten Alternative der Aluminiumtube hat sie sich dagegen bisher nicht entwickelt. Dies hat in erster Linie wirtschaftliche aber auch anwendungstechnische Gründe. Schließlich ist die Laminattube für ein Recycling (→ Rückführung) nicht gut geeignet.

Laminattube.

PE-LD + Antistatikum	Staubabweisend
PE-LD	Abdeckung der Druckfarbe
Druckfarbe	
PE, weiß eingefärbt	Verstärkung der Druckfarbe
Papier	Verstärkung des Verbunds
PE-LD	Haftvermittler
Ethylen-Vinylacetat-Copolymer	Haftvermittler
Aluminiumfolie	Sperrschicht
Ethylen-Vinylacetet-Copolymer	Haftvermittler
PE-LD	Siegelschicht

Neue Entwicklungen zielen auf einen Ersatz der Aluminiumschicht durch → Sperrschichtfolien. Man kommt damit zu einer ausschließlich aus Thermoplasten bestehenden Verbundfolie. Diese vor allem in Japan durchgeführten

Arbeiten könnten bei einer weiteren Verbilligung der Barriere-Kunststoffe durchaus an Bedeutung gewinnen. Lit.

Laminieren, *<lamination>*, → Kaschieren.

Längsausdehnungs von Kunststoffen, *<longitudinal extension>*, → Planlage.

Längsrichtung, *Maschinenrichtung*, *<machine direction, MD, longitudinal direction>*, die Richtung, in der eine → Folienbahn in einer Produktionsanlage während des Herstellungsverfahrens transportiert wird. Die Querrichtung liegt im Winkel von 90° zur Längsrichtung. Bei der → Folienherstellung und → Folienverarbeitung wird meist eine Folienbahn angestrebt, deren Eigenschaften in Längs- und Querrichtung gleich sind. Es ist nicht ganz einfach, dies zu erreichen, da die Zug- und Spannungsverhältnisse in den beiden Richtungen meist unterschiedlich sind. Dies führt im allgemeinen zu einer *Anisotropie* des Produkts. Durch geeignete Auslegung und sorgfältige Regelung der Produktionsanlagen und durch thermische oder mechanische Nachbehandlung der Folienbahn können Unregelmäßigkeiten vermieden oder ausgeglichen werden. Eine interessante Methode zur Vergleichmäßigung der Eigenschaften in der Folienbahn ist die Herstellung von → Doppelfolien. Bei allen → Reckverfahren werden die → Mechanischen Eigenschaften der Folien in Längs- und Querrichtung in verschiedener Weise verändert. Auch hier strebt man im allgemeinen Gleichmäßigkeit in beiden Richtungen an. Für spezielle Anwendungen werden jedoch auch Folien hergestellt, bei denen die Eigenschaften in Längs- und Querrichtung bewußt unterschiedlich eingestellt wurden. Dies kann durch unterschiedliche Reckverhältnisse beim → Reckverfahren oder durch Reckung in nur einer Richtung geschehen. In der Regel wird in Längsrichtung verstreckt, was verfahrenstechnisch einfacher ist. Beispiele sind → Orientierte Polyamid-Folien, → Schrumpfbänder und → Schrumpffolien.

Die → Folieneigenschaften werden häufig für beide Bahnrichtungen getrennt gemessen und angegeben.

Landwirtschaftsfolie, *<agricultural film>*, Folie zum Abdecken von landwirtschaftlichen Produkten, um diese vorrübergehend vor atmosphärischen Einwirkungen zu schützen. Diese Aufgabe kann mit recht einfachen Folientypen gelöst werden. So werden überwiegend → Polyethylen-Folien mit Dicken zwischen 30 und 300 μm eingesetzt. Bei der Auswahl der Rohstoffe spielen weniger Qualitätsgründe als vielmehr wirtschaftliche Überlegungen eine Rolle. Häufig ist die Verwendung von Sekunda-Ware oder von sog. Regenerat. Dieses wird durch → Rückführung von PE-Abfällen gewonnen. Die dabei eintretende Schädigung des Polymeren kann für die genannten Anwendungen in Kauf genommen werden.

Es gibt jedoch auch einige spezielle Folienanwendungen in der Landwirtschaft, bei denen höherwertige und der Verwendung besonders angepaßte Folien eingesetzt werden.

1. *Mulchen <mulching>*. An die Stelle der biologischen Mulchschicht aus z.B. abgemähtem Gras, Stallmist oder feuchtem Torf tritt eine schwarz pigmentierte Polyethylenfolie, meist aus PE-LD mit einer Dicke von über 50 μm. Die Folie wird in regelmäßigen Abständen eingeschnitten, um Raum für die Pflanzen-Setzlinge zu schaffen. Sie wird an den Rändern der abgedeckten Fläche durch Erde festgehalten. Die Folie erfüllt ähnliche Funktionen wie eine biologische Mulchschicht: Sie hält den Boden durch ihre isolierenden Eigenschaften warm und feucht. Unkrautwachstum wird verhindert. Das Verfahren wird z.B. für die Anpflanzung von Salat, Kohl und Erdbeeren angewendet. Nach beendeter Ernte kann die Mulch-Folie ein zweites Mal gebraucht werden, da sie wegen der Pigmentierung durch Einflüsse der Atmosphäre nur wenig abgebaut wird.

2. *Schutzhauben <chloches>* sind transparente Glocken- oder Zelt-artige Gebilde, die zum Schutz von Pflanzungen im Freiland eingesetzt werden. Früher bestanden diese Schutzhauben aus Glasplatten, die durch Drähte zusammengehalten wurden und die sehr unhandlich und zerbrechlich waren. Der Einsatz von PE-LD-Folien in Kombination mit geeigneten Drahtgestellen bringt wesentliche Vorteile. Durch Aufstellen mehrerer Schutzhauben in einer Reihe können Schutztunnel zusammengestellt werden. Die Schutzhauben können mehrfach eingesetzt werden, sofern die Folie durch → Additive gegen atmosphärische Einflüsse geschützt ist. Für die Anwendung größerer Anpflanzungen können *Schutztunnel* auch aus Bahnen von PE-Ld von etwa 50 μm Dicke in einer niedrigen, bogenartigen Konstruktionen mit Drähten hergestellt werden. Diese Tunnel werden intensiv für frühe Ernten von Salat und Erdbeeren gebraucht. Das Reifen wird wesentlich beschleunigt, zusätzlich werden die Früchte vor Vögeln geschützt. Nach beendeter Ernte wird die Folie, besonders bei ausgedehnten Anpflanzungen, zusammen mit dem Abfall verbrannt, um den Boden für die anschließende Pflanzung zu sterilisieren. Ein erneuter Gebrauch der Folie ist nicht möglich, weil diese durch Einwirkung der Atmosphäre in wenigen Wochen stark geschädigt ist.

3. *Gewächshäuser <green houses>*. Der Einsatz von transparenten Folien zur Abdeckung von Gewächshäusern ist sehr stark vom vorherrschenden Klima abhängig. Er hat gerade in den letzten Jahren in Ländern mit starker Sonneneinstrahlung, z.B. im Mittelmeerraum, in Teilen Südamerikas und vor allem in Fernost sehr stark zugenommen. Die ungenügende Wärmeisolierung der transparenten Folien, die bei geheizten Gewächshäusern zu unvertretbaren Energieverlusten führt, ist hier kein entscheidender Nachteil. Bei den meist vorhandenen sehr billigen Arbeitskräften ist außerdem eine Abdeckung der Gewächshäuser mit textilem Isoliermaterial bei Einbruch der Dämmerung möglich. Durch Anwendung von neu entwickelten → Lichtschutzmitteln, insbesondere von → HALS konnten die Licht- und Wetterbe-

ständigkeit der transparenten Folien wesentlich verbessert werden. Die Empfindlichkeit der Folien gegen Wind-Einwirkung und mechanische Beschädigung konnten durch Einsatz neuer Folien, vor allem auf Basis von linearem → Polyethylen niederer Dichte (→ PE-LD- und PE-LLD-Folien) stark herabgesetzt werden.

Neuere Entwicklungen zielen auf Folien mit guter Lichtdurchlässigkeit und damit guter Ausbeute an Sonnenenergie bei gleichzeitig geringerer Wärmeabstrahlung. Mit 88 bis 90% Lichtdurchlässigkeit erreichen Folien auf Basis PE-LLD den oberen möglichen Wert. Der Wärmeverlust durch Abstrahlung liegt bei diesen Folien bei 60 bis 80%. → Ethylen-Vinylacetat-Copolymere mit 14 bis 18% Vinylacetat liegen in der Lichtdurchlässigkeit gleich gut. Der Abstrahlungsverlust durch Wärme beträgt aber nur etwa 10 bis 20%. Tab. 1 Ein Nachteil dieses Materials ist seine Verstreckbarkeit, was bei Belastungen, z.B. durch Windkräfte, zu Deformationen führt. Außerdem haben derartige Folien eine etwas klebrige Oberfläche, die eine schnelle Verschmutzung begünstigt. Bei durch → Coextrusion hergestellten Verbundfolien werden beide Nachteile vermieden.

Eine wesentliche Verringerung der Wärmeabstrahlung von PE-Folien wird auch durch Zugabe anorganischer → Füllstoffe erreicht, die im Bereich des Infrarot gut absorbieren. Beispiele zeigt Tabelle 2.

Danach zeigen Kaoline, hydratisierte Aluminiumsilikate, die beste Wirkung. Weich-Kaoline sind gröber als Hart-Kaoline, bei denen mindestens 75% aller Teilchen eine Partikelgröße unter 2 μm haben soll. Die mechanischen Eigenschaften der Folie werden durch diese Füllstoffe nicht wesentlich verschlechtert. Allerdings geht die Lichtdurchlässigkeit etwas zurück. Trotzdem soll die erntesteigernde Wirkung derartiger Folien in Freilandversuchen signifikant sein.

Folien für Gewächshäuser sind 120 bis 250 μm dick. Sie können je nach Zusammensetzung, Ausrüstung und Beanspruchung zwei bis drei Jahre verwendet werden.

4. Abdeckfolien zur Ernteverfügung. Das Abdecken von Ernteflächen ist die einfachste Form des Gewächshauses. Ihre Wirksamkeit ist unbestritten, ihre wirtschaftliche Anwendung hängt sehr von den jeweiligen Verhältnissen ab. Die verwendeten Folien sind dünner als bei Gewächshäusern. Für ihre Wirksamkeit gilt jedoch sinngemäß das gleiche wie für Gewächshausfolien.

5. Mechanischer Schutz von Pflanzen. Neben dem Abdecken und Einschlagenvon Pflanzen und Gewächsen gibt es auch manche etwas exotische Anwendungen von Folien in der Landwirtschaft. Ein Beispiel ist die Umwicklung von Baumstämmen in Obstplantagen in Australien mit Folienbändern aus Polyvinylchlorid. Die Folie schützt den Stamm vor Nagetieren und vor den extremen Temperaturschwankungen. Auf diesen und ähnlichen Gebieten könnte die Entwicklung hochwertiger Spezialfolien trotz höherer Preise durchaus erfolgreich sein. Im Vergleich zu Verpackungsfolien und zu Folien für den

Landwirtschaftsfolie. Tab. 1.

	Lichtdurchlässigkeit/ Sonnenlicht-Ausbeute	Wärmeverlust durch Abstrahlung
Polyethylen	88-90%	60-80%
EVA-Copolymer, 14-18% VA	89-91%	10-20%

→ technischen Sektor scheint das Gebiet der Landwirtschaftsfolien von Forschung und Entwicklung etwas vernachlässigt. Lit.

Landwirtschaftsfolie. Tab. 2.

Füllstoff	Zurückgehaltene Energie
Weich-Kaolin, calciniert	70%
Hart-Kaolin, calciniert	57%
Attapulgite	45%
Glimmer	55%
Talkum	58%

„Langer-Hals", → Blasfolien-Herstellung, Optimierung.

Lasertechnik, <*laser technique*>, → Perforation; → Öffnungshilfen durch Laserspur.

Lauflänge, <*running roll length*>, die Länge einer → Folienbahn, die auf einer → Folienrolle aufgewickelt ist. Die Tendenz geht zu immer größeren Lauflängen, um die Zahl der Rollenwechsel bei den Produktionsprozessen möglichst klein zu halten.

LCD, <*liquid crystal display*>, → Polarisationsfolie.

LCP, <*liquid crystal polymer*>, → flüssigkristalline Kunststoffe.

LCP-Folie, <*liquid crystal polymer film, LCP film*>, eine Folie aus der in technischen Anwendungen noch relativ neuen Klasse der → flüssigkristallinen Kunststoffe. Durch → Extrusion hergestellte Folienbändchen zeigen extrem anisotrope Eigenschaften, was aus ihrer Struktur (Abb.) verständlich wird. Ihre mechanischen Eigenschaften erreichen oder übertreffen die von glasfaserverstärkten Produkten bei einer wesentlich geringeren Dichte von etwa 1,4 g/cm^3. Sie zeigen sehr geringe Wasseraufnahme, hohe Chemikalienbeständigkeit und extreme Flammwidrigkeit. Sie sind ausgezeichnet zur Verstärkung von thermoplastischen und duroplastischen Werkstoffen geeignet. Ein Verstrecken der Folien in Längsrichtung ist nicht möglich und auch nicht erforderlich, da die Makromoleküle bereits orientiert sind. Durch einen → Reckprozeß in Querrichtung werden Folien mit isotropen mechanischen Eigenschaften erhalten.
Die Folien können durch → Flachfolien- und durch → Blasfolienextrusion

LCP-Folie.

Dichte		1,378	g/cm^3	DIN 53479/8.1
Mech. Eigenschaften				
Zugfestigkeit	längs	350	N/mm^2	DIN 53455
	quer	40	N/mm^2	
Reißdehnung	längs	0,9	%	DIN 53455
	quer	23	%	
Zug-E-Modul	längs	50.200	N/mm^2	DIN 53457
	quer	1.000	N/mm^2	
Formbeständikeit unter Zugbelastung	längs	285	°C	VDE 0345 §25
	quer	220	°C	

Bayer AG, Leverkusen, vorläufiges Datenblatt

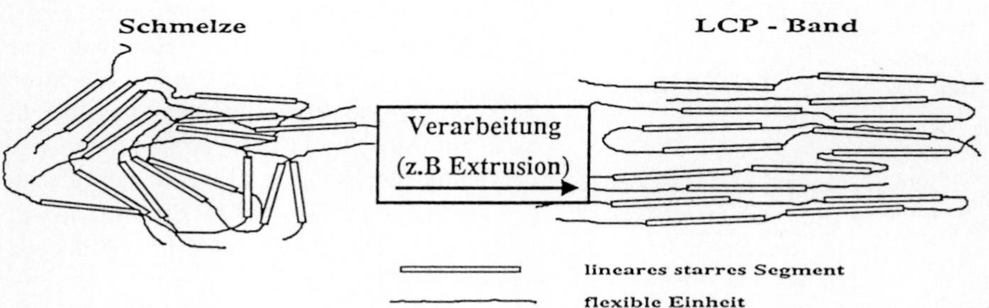

LCP-Folie. Bayer AG, Leverkusen, Firmenschrift.

gewonnen werden. Ihre Dicken liegen bei 100 bis 250 μm. Interessante Einsatzgebiete sind wegen der außergewöhnlichen mechanischen Eigenschaften der Folien zu erwarten. (Tabelle). Ihre Barriere-Eigenschaften gegen Sauerstoff entsprechen wohl denen von → Ethylenvinylalkohol-Copolymeren, jedoch sind die Angaben in der Literatur nicht einheitlich. Außerdem dürfte die gelbbraune Farbe und die schlechte Transparenz der Folie einem Einsatz als → Sperrschichtfolien auf dem Verpackungssektor entgegenstehen. LPC-Folien werden interessante Einsatzgebiete vor allem auf dem → Technischen Sektor finden. Auch die Verwendung von Blends von flüssigkristallinen Kunststoffen mit Thermoplasten dürfte zu Folien mit interessanten Eigenschaften führen.

LDPE- und LLDPE-Folie, → PE-LD- und PE-LLD-Folie.

Lebensmittelrecht, *<food regulations>*, → Gesetzgebung.

Lebensmittelverpackung, *<food packaging>*, der mit Abstand größte Sektor auf dem Gebiet der → Verpackung. Man schätzt, daß etwa die Hälfte aller verpackten Waren Lebensmittel sind, und daß davon wieder ein Viertel auf Fleischwaren entfällt. Spezielle → Folien oder → Verpackungsmaschinen wurden vor allem für die → Fleisch- und Fleischwaren-Verpackung, die → Backwarenverpackung, die → Kaffeeverpackung oder die → koschere Verpackung entwickelt. Wurst wird in → Wursthüllen verpackt.

Auf besondere Produkte zur Verpackung von Lebensmittel wird bei den einzelnen Folientypen hingewiesen.
Bei der Lebensmittelverpackung sind die Vorschriften der → Gesetzgebung in ganz besonderer Weise zu beachten.
Lit.

Lecksuche bei Packungen, *<leakages testing of packages>*. Leckstellen können bei Packungen aus Folien durch mangelnde Qualität der → Siegelfestigkeit oder durch Löcher in der Packungsfläche auftreten. Diese Löcher oder Poren können bereits in der verwendeten Folie vorhanden sein (→ Perforation, → Löcher in der Folienbahn) oder bei

Lecksuche bei Packungen.

Methode	Meßprinzip	Empfindlichkeit mbar · l/s	Ergebnis
Blasentest	Lufteinpressen in die Testpackung Beobachten von Blasen beim Eintauchen in ein Wasserbad Eintauchen der Testpackung in eine mit Wasser gefüllte Vakuum-Kammer. Beobachtung der Blasen beim Evakuieren	10–3 bis 10^{-4}	A L
Durchtritt von Flüssigkeit	Füllung der Packung mit gefärbter Flüssigkeit, Beobachtung des Druchtretens	bis 10^{-4}	A L
Durchtritt definierter Gase	Messung der in der Zeiteinheit durchtretende Gasmenge	bis 10^{-8}	A L
Heliumdetektor	Messung des durchtretenden Heliums mit Massenspektrometer	bis 10^{-11}	A L M

der Packungsherstellung, z.B. beim Anbringen des Datums-Kodierung durch Prägen, verursacht werden.
Für das Auffinden (A) und Lokalisieren (L) von Leckstellen sowie das Messen der durchtretenden Menge (M) bei fertigen Folien-Packungen sind folgende Methoden bekannt:
Die interessanteste Methode bietet der *Heliumdetektor*. Zur Vorbereitung der Prüfung wird die Packung an zwei gegenüber liegenden Stellen durchlöchert und durch eine Injektionsnadel mit Helium gespült. Nach Verschließen der Löcher mit Klebeband ist die Probe fertig zur Prüfung. Als Meßgerät dient ein Massenspektrometer, das durch Magnetblenden auf Helium eingestellt ist. Die Werte werden durch einen Rechner auf Luft-Äquivalente umgerechnet. Die Feststellung der integralen Durchlässigkeit kann in einer Meßkammer erfolgen. Die Lokalisierung der Leckstellen erfolgt dann durch „Schnüffeln". Sie gelingt meist sehr leicht, wenn man mit der Untersuchung an den bekannten kritischen Stellen beginnt. Der Sensor erfaßt allerdings nur einen sehr kleinen Bereich. Hinzu kommt eine Zeitverzögerung zwischen Messung und Ergebnisanzeige von mehreren Sekunden. Bei genauen Untersuchungen muß die Packung in ein Rasterfeld eingeteilt werden, welches systematisch abgesucht wird. Wegen der Empfindlichkeit der Methode sollte die Prüfung in einem anderen Raum durchgeführt werden als die Probenvorbereitung.
Die Heliummethode ist nicht zur In-Line Kontrolle der Fertigung geeignet. Sie dient vielmehr zur Optimierung der Produktionsbedingungen durch systematische Erfassung von Schwachstellen. Lit.

Legierung von Thermoplasten, <*blend*>, → Blend.

leitfähige Kunststoff-Folie, <*electro conductive film*>, → elektrisch leitfähige Kunststoff-Folie.

Leuchtfolie, <*phosphorescing film*>. → Nachleuchtfolie.

Lichtbeständigkeit von Folie, <*light stability of film*>, die mechanische oder farbliche Beständigkeit bei Lichteinwirkung. Sie ist besonders dann von Bedeutung, wenn die Produkte im Freien verwendet werden. Dies gilt z.B. für → Landwirtschaftsfolien. In diesen Fällen müssen → Lichtschutzmittel oder → UV-Absorber zugesetzt werden. Bei der Verwendung von → Färbemitteln, vor allem von Pigmenten, kann die Lichtbeständigkeit von Folien sehr stark herabgesetzt werden.

Lichtdurchlässigkeit, <*light transmission*>, die Transparenz von Folien für sichtbares Licht. Sie ist bei Folien für die meisten Anwendungen erwünscht. Gute → Transparenz, verbunden mit hohem → Glanz gehört zu den wichtigen → optischen Eigenschaften vor allem von Verpackungsfolien. Wenn das Füllgut jedoch vor Licht geschützt werden muß, wird *Lichtundurchlässigkeit* verlangt. Diese Forderung wird optimal von → Alumi-

niumfolien erfüllt. Aber auch durch → Metallisieren von Kunststoff-Folien wird Lichtschutz erreicht. Hier dient die Prüfung der Lichtdurchlässigkeit zur Beurteilung der Dicke und Gleichmäßigkeit der Metallschicht.
Auch durch → Pigmente wird die Lichtdurchlässigkeit verringert. Besondere Effekte können mit → Opaquem BOPP erzielt werden.

Lichtschutz, *<light protection>*, → Aluminiumverbunde; → Aluminium-Folien.

Lichtschutzmittel, *UV-Asorber*, *<UV absorber>*, Additive, welche die aus polymeren Werkstoffen hergestellten Artikel, z.B. Folien, vor der Einwirkung von Licht schützen. Der Anteil an ultravioletter Strahlung (UV-Licht) ist für die Verschlechterung der optischen und vor allem der mechanischen Eigenschaften verantwortlich. Der oxydative Abbau, dem alle Polymere mehr oder weniger stark unterliegen (→ Antioxydantien), wird durch UV-Strahlung stark beschleunigt (Photooxydation).
Für die Materialschädigung ist überwiegend die Strahlung zwischen 300 und 400 nm verantwortlich. Für einige besonders häufig verwendete Thermoplastische Kunststoffe wurden die Wellenlängenbereiche ermittelt, bei denen maximaler photochemischer Abbau eintritt. Sie liegen für Polyethylen bei 300 nm, Polypropylen bei 370 nm, Polystyrol bei 318 bis 340 nm, Polycarbonat bei 280 bis 305 mm und PVC bei 310 bis 370 nm.
Man unterscheidet die Lichtschutzmittel nach ihrem Wirkungsmechanismus:
1. *UV-Absorber* wandeln den UV-Anteil der Lichtstrahlung nach Absorption in unschädliche Wärmeenergie um. Da sie zum Schutz der Substrate eine gewisse Absorptionstiefe (Mindest-Schichtdicke) aufweisen müssen, sind sie für den Lichtschutz von Folien weniger geeignet. Als UV-Absorber werden Hydroxybenzophenone und Hydroxyphenylbenzotriazole verwendet.
2. *Hydroperoxyd-Zersetzer* beseitigen Spuren der aus den Polymerisations-Reaktionen im Polymeren noch vorhandenen Hydroperoxyde, die den photooxidativen Abbau beschleunigen. Wirksame Substanzen sind Metallkomplexe Schwefel enthaltender organischer Verbindungen.
3. *Quencher* löschen die Energie, die durch im Polymeren vorhandene Chromophore absorbiert wird, und die zur Beschleunigung des Abbaus beiträgt. Die angeregten Makromoleküle werden durch die Quencher in den Grundzustand zurückgeführt. Wirkstoffe sind z.B. Nickel-Komplexe von Sulfidgruppen enthaltenden Phenolen.
4. *Radikalfänger* machen freie Radikale, die beim Ablauf der Abbaureaktionen eine entscheidende Rolle spielen, unschädlich. Hier haben die vor noch relativ kurzer Zeit entwickelten → HALS, sterisch gehinderte Amine für die Lichtstabilisierung von Folien besondere Bedeutung erlangt.
Die Wirkung der unter 2. bis 4. genannten Produkte ist nicht an das Vorhandensein einer Mindest-Schichtdicke gebunden. Deshalb sind die nach die-

sen Mechanismen wirkenden Substanzen besonders zur Lichtstabilisierung von Folien wichtig. In der Praxis wirken natürlich alle vier genannten Mechanismen nebeneinander, weshalb häufig Kombinationen verschiedener Wirkstoffe angewendet werden. Diese müssen den einzelnen Polymeren und dem Anwendungsgebiet der Folien optimal angepaßt werden.

Die zur Prüfung von Lichtschutzmitteln angewendeten Labormethoden mit künstlichen Lichtquellen reduzieren die Prüfzeiten beträchtlich. Verläßliche Werte können jedoch nur durch Freiland-Bewitterung erhalten werden. Diese werden meist in Florida durchgeführt. Die Energieeinstrahlung wird in kcal/cm^2 oder in kiloLangley (kLy) angegeben. Es gilt

$$1 \text{ kLy} = 1 \text{ kcal/cm}^2.$$

Von besondere Bedeutung ist die Lichtstabilisation von Folien aus Polyethylen niederer Dichte. Diese Folien werden in sehr großen und noch immer steigenden Mengen als → Landwirtschaftsfolien zum Bau von Gewächshäusern eingesetzt. Tabelle 1 zeigt die Lichtbeständigkeit von 200 μm dicken Blasfolien bei Freibewitterung in Florida. Die Zahlen zeigen die eingestrahlte Energie in kJ·cm^{-2} bis zum Erreichen von 50% Rest-Reißdehnung. Man erkennt deutlich den wesentlichen Fortschritt durch die Entwicklung der sterisch gehinderten Amine.

Die Tabelle 2 macht die Steigerung der Lichtschutzwirkung deutlich, wenn ein sterisch gehindertes Amin (A) mit einem Dihydroxy-benzophenon im Verhältnis 1:1 (A+B) kombiniert wird.

Auch bei Folien aus linearen PE niedriger Dichte (PE-LLD) erwiesen sich sterisch gehinderte Amine als besonders wirksam. Produkte mit langen Kohlenwasserstoff-Ketten als Substituenten und vor allem polymere Substanzen mit gehinderten Amingruppen sind zur Lichtstabilisierung von PE wegen ihrer guten Verträglichkeit besonders geeignet (Verhinderung des → Ausblühens). Im Vergleich zu Polyethylen ist die Lichtempfindlichkeit von Polypropylen noch größer, so daß unter Umständen die Anwendung von Lichtschutzmitteln auch beim Einsatz in Innenräumen nötig ist. Abb. 1 zeigt die Wirkung verschiedener Produkte in → Folienbändchen von 30 μm Dicke im Xenotest. Auch hier zeigen gehinderte Amine eine überragende Wirkung. Abb. 2 zeigt die Wirkung eines Benzophenonderivats (2) und eines Benzotriazols (3) in → Weich-PVC-Folien von 500 μm Dicke im Xenotest. Kurve (1) ist der Kontrollversuch ohne Lichtschutzmittel.

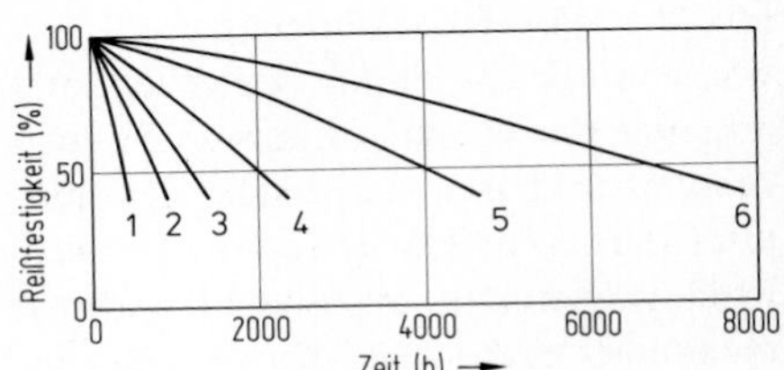

1: Ohne Lichtschutzmittel
2: Benzotriazol-Derival (0.5 %)
3: Nickel-Komplex (0.5 %)
4: Hydroxy-benzoesäure-Derivat (0.5 %)
5/6: Sterisch gehindertes Amin (0.25 bzw. 0.5 %)

Lichtschutzmittel. Abb. 1. Nach Gächter.

Lichtschutzmittel. Tab. 1.

Lichtschutzmittel-Konzentration	Kontrolle	Hydroxy-benzophenon	Nickel-Komplex	sterisch gehindertes Amin
ohne	150	–	–	–
0,15%	–	270	420	630
0,30%	–	500	670	1000
0,60%	–	670	1090	1570

nach Gächter, Taschenbuch der Kunststoff-Additive, Hanser Verlag 1990

Lichtschutzmittel. Tab. 2.

Lichtschutzmittel Konzentration	Kontrolle	A	A + B
ohne	180	–	–
• 0,15%	–	640	–
• 0,30%	–	880	1170
• 0,60%	–	1210	1510

nach Gächter

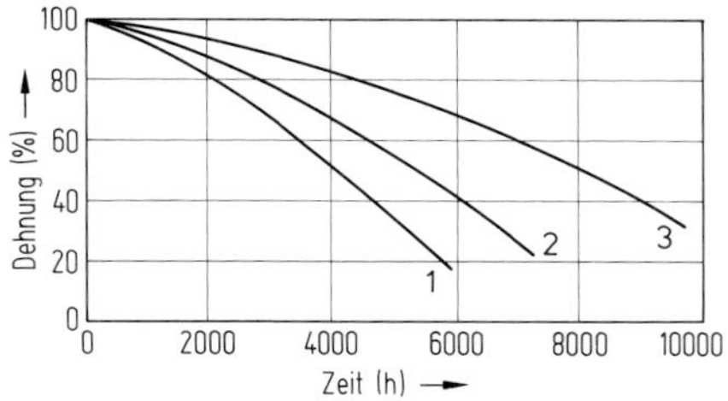

Lichtschutzmittel. Abb. 2. Nach Gächter.

Folien auf Basis von → Polyurethanen neigen unter Lichteinwirkung zum Vergilben und zu einem Verlust der Dehnungseigenschaften. Dabei sind Polyurethane aus aromatischen Isocyanaten stärker gefährdet als solche aus aliphatischen Isocyanaten. Beim Einsatz als Beschichtungsfolien müssen Lichtschutzmittel verwendet werden. Auch hier haben sich sterisch gehinderte Amine, auch in Kombination mit Benzotriazolen besonders bewährt.

Für die Erhöhung der Lichtbeständigkeit von → Polycarbonatfolien haben sich bisher nur UV-Absorber, insbesondere Benzotriazole, bewährt.

Lichtschutzmittel werden den Folien in Mengen zwischen 0,05 und 2% zugesetzt. Der obere Wert wird nur in Ausnahmefällen, z.B. bei der Lichtstabilisierung von → Landwirtschaftsfolien erreicht.

Pigmente wie → Ruß oder → Titandioxid können die Lichtstabilität von Folien sehr stark beeinflussen.

Eine Methode zur Beurteilung von Lichtschutzmitteln ist die Bestimmung der → CO-Zahl. Lit.

Lichtschutzschicht, *<UV protective layer>*, der Schutz lichtempfindlicher transparenter Platten vor der Einwirkung von UV-Strahlen. Lichtschutzschichten enthalten mit 10 bis 15% vergleichsweise sehr große Mengen von → Lichtschutzmitteln und werden in einem Arbeitsgang bei der Herstellung der transparenten Platten durch Coextrusion in einer Dicke von etwa 20 μm aufgebracht. Das Prinzip ist recht neu, schließt aber logisch an die seit langem bekannten Methoden zur Fertigung von → Sperrschichtfolien gegen Sauerstoff an. Es könnte einen großen Fortschritt bei der Herstellung von hoch lichtbeständigen → Landwirtschaftsfolien bringen.

Lichtundurchlässigkeit, *<light barrier, opacity>*, → Lichtdurchlässigkeit.

Liquid Crystal Display, *LCD, Flüssigkristall-Anzeige, <liquid crystal display>*, → Polarisationsfolie.

Liquid Crystals, → flüssigkristalline Kunststoffe.

Litter-Problem, *<litter problem>*. Für verstreut herumliegendes Abfallmaterial, wie Hausmüll, Papier und Folien hat sich auch im deutschen Sprachraum der engliche Begriff Litter eingebürgert. Litter bildet ein Entsorgungsproblem besonderer Art.
Weggeworfenes Packmaterial hat die → Verpackung, speziell die Verwendung von Folien, in ein schlechtes Licht gerückt.
Man hat zur Lösung des Litter-Problems den Einsatz → abbaubarer Kunststoffe zur Herstellung von Folien vorgeschlagen. Dieser Ansatz erweist sich jedoch bei näherer Betrachtung als problematisch. Unrealistisch ist auch die Idee einer völlig → kunststofffreien Verpackung.
Die Lösung des Litter-Problems kann nur durch Information der Öffentlichkeit über den richtigen Umgang mit Verpackungsabfall und durch diszipliniertes Verhalten jedes Einzelnen gelöst werden.

Lochsuchgerät, *<pin hole detector>*, → Löcher in der Folienbahn.

Löcher in der Folienbahn, *<leakages in the film web>*, ein schwerwiegender Qualitätsmangel bei Folien, wenn es auch Fälle von gewollter → Perforation gibt. *Lochsuchgräte* dienen zur Erkennung von Löchern bereits während der Folienherstellung.
Ein elektronisch-optisches Prinzip arbeitet mit einem Sende- und Empfangsgerät, das oberhalb der Folienbahn angebracht ist. Ein gebündelter Lichtstrahl wird in Querrichtung über die Bahn geführt. Beim Auftreten von Löchern tritt dieser durch die Folie und wird von einem unterhalb der Bahn befindlichen Reflektor zum Sende- und Empfangsgerät zurückgeworfen. Ein Rechner wandelt die Lichtimpulse in elektrische Signale um, die aufgezeichnet werden können. Auch eine Markierung der Fehlstellen sowie optische und akustische Information der Bedienungsmannschaft sind möglich.
Der Hauptnutzen solcher Geräte liegt neben der Qualitätskontrolle in der Möglichkeit zur Optimierung des Fertigungsverfahrens.
Nachteilig ist die beschränkte Erfassung der Fehlstellen. So werden Löcher mit Durchmesser <1 mm nicht erkannt.
Ein ganz anderes, wenn auch verwandetes Problem ist die → Lecksuche bei Packungen.

Lösungsmittel, *<solvent>*, → Druckfarbe.

Lösungsmittelbad, <*solvent vat*>, → Reinigen von Werkzeugen.

Lösungsmittelrückgewinnung, <*solvent revocery*>, → Druckfarbe.

Lösungsschweißen, *Quellschweißen, Lösungssiegeln, Quellsiegeln,* <*solution welding E, solvent welding A*>, ein Verfahren zum → Verbinden von Folien durch Siegelnähte oder Siegelflächen. Auf die Folien werden leicht flüchtige Lösungsmittel aufgebracht. Die Oberfläche der Folie wird dadurch angequollen und ist nach Anwendung von Druck und nach dem Verdunsten des Lösungsmittels fest mit sich selbst oder einem anderen Material verbunden. Das Verfahren steht technisch zwischen dem → Siegeln und dem → Kleben. Die angewendeten Lösungsmittel werden auch als Kleblöser bezeichnet.
Das Verfahren wird in der Folienverarbeitung relativ selten angewendet, zumal die meisten Folien nur schlecht und in nur wenigen Lösungsmitteln löslich sind. Sein Vorteil ist die homogene Verbindung ohne eine stoffverschiedene Zwischenschicht. Ein Beispiel ist das Lösungsschweißen von → Polycarbonat-Folien mit → Methylenchlorid.

Lösungssiegeln, <*solution welding*>, → Lösungsschweißen.

Lösungsviskosität, <*solution viscosity*>, → Viskositätszahl.

Logistik, <*logistics*>, die Lehre von Planung, Bereitstellung, Lagerung und Einsatz von Gütern, Hilfsmitteln und Maschinen. Wird bei den ständig steigenden Produktionsgeschwindigkeiten auch für die → Folientechnologie immer wichtiger.
Die an der Universität Dortmund bestehende Abteilung für Logistik (FLOG) befaßt sich vor allem mit den für die → Verpackungstechnik relevanten Logistik-Problemen. Das Institut ist Mitglied der IAPRI.

Losrolle, <*free roll, loose roll*>, → Tänzerwalze.

Lochscheibe, <*breaker plate*>, → Siebpakete.

Luftbürste, *Luftrakel, Luftmesser,* <*air-knife, air-brush, air-jet*>, Andrück- oder Abstreif-Einrichtung, die im Gegensatz zur mechanisch wirkenden → Rakel mit einem Luftstrom arbeitet.
Der bei der → Flachfolienextrusion aus der Düse austretende Schmelzfilm soll möglichst dicht auf der Oberfläche der Kühlwalze aufliegen. Dazu wird die gerade durch Abkühlung entstehende Folienbahn mit einem Luftstrom auf die Walze aufgedrückt (Abb.). Dadurch wird auch der Einzug von Luft zwischen Folie und Kühlwalzenoberfläche vermieden, der zu einer verzögerten Abkühlung und damit zu Trübungen der Folie führen würde.
Auch bei der → Beschichtung von Folien werden häufig Luftbürsten verwendet, um überschüssiges Beschichtungsmaterial von der Folienbahn abzustreifen.

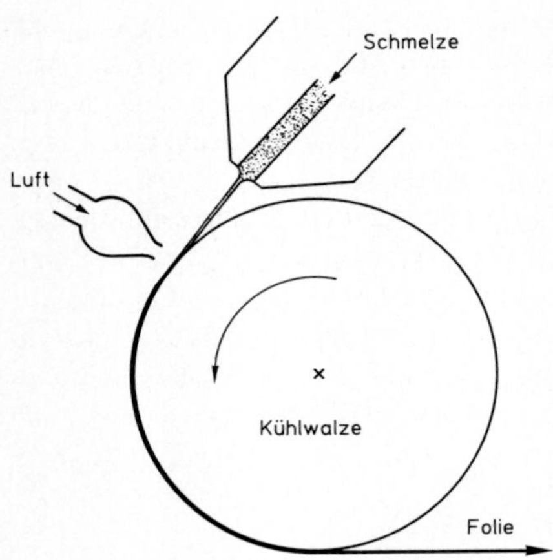

Luftbürste.

Luftmesser, *<air knife>*, → Luftbürste.

Luftpolsterfolie, *<air cushioning film>*, Folie, bei der eine glatte Folie und eine → Noppenfolie durch Kleben oder Kaschieren zusammengefaßt sind. Die in den Noppen eingeschlossene Luft bildet ein Polster, das zum Schutz empfindlicher Packgüter dienen kann. Im Gegensatz zu den für ähnliche Anwendungsgebiete verwendeten → Schaumfolien haben Luftpolsterfolien noch genügend Transparenz, um das Füllgut zu erkennen. Als Thermoplaste zur Herstellung der Folien dienen → Polyvinylchlorid oder → Polyethylen. Die Noppen werden durch → Warmformen erzeugt. Sie haben Durchmesser zwischen 10 und 30 mm und Höhen zwischen 4 und 12 mm.
Neben der meist üblichen Kombination von einer glatten mit einer Noppenfolie gibt es auch den Dreierverbund glatte Folie/ Noppenbahn/ glatte Folie. Die Gesamtdicke von Luftpolsterfolien liegt zwischen 75 und 200 μm. Neben farblos-transparenten sind auch eingefärbte Produkte erhältlich.

Luftrakel, *<air brush>*, → Luftbürste.

M

MAD-Test, auf **M**ulti-**A**xialer **D**ehnung beruhender Qualitäts-Test für Aluminium-Kunststoff-Verbunde.
Das MAD-Prüfgerät simuliert die bei der → *Aluminiumformverpackung* übliche Stempelverformung einer Verbundfolie und zeichnet dabei Kraft-Tiefungs-Kurven auf. Die erhaltenen Werte hängen sehr stark von den Reibungsverhältnissen zwischen Stempel und Aluminiumverbund ab, die ihrerseits von der Verformungs-Geschwindigkeit beeinflußt werden. Moderne Prüfgeräte ermöglichen deshalb die Durchführung des MAD-Test bei einer Standardgeschwindigkeit von 75 mm/min. und bei den in der Praxis auftretenden Geschwindigkeiten von 500 bis 2.000 mm/min. Die Vielzahl der erforderlichen Einzelmessungen wird in einem Kleincomputer ausgewertet. Man erhält Ergebnisse in Form einer Häufigkeitsverteilung der Einzelwerte mit Standardabweichung und Mittelwert. Dies ermöglicht die sichere Beurteilung von neu entwickelten Folien, bedingt aber einen beträchtlichen Aufwand bei der Meß- und Auswertungs-Station. Das Blockschaltbild einer solchen Anlage zeigt die Abb.

„Maggi-Geruch", → Corona-Behandlung.

Magnetbandfolie, <*film for magnetic tape*>, eine Trägerfolie, auf die eine magnetische Schicht aufgebracht wird. Magnetbandfolien dienen in Form von *Tonbändern, Videobändern* oder *Computerbändern* zur Aufzeichnung, Speicherung und Wiedergabe von Informationen. Entscheidender Vorteil ist die

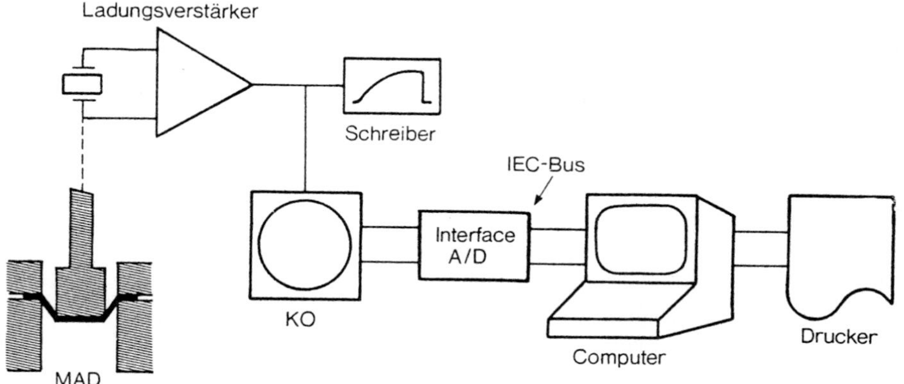

MAD-Test. Nach Gerber, Verpackungs-Rundschau *35*, 354 (1984)

schnelle Verfügbarkeit über die gespeicherte Information und die Wiederverwendbarkeit des Informationsträgers.
Die Magnetbandfolien bestehen aus einer unmagnetischen Trägerfolie, einer Magnetschicht und ggfs. einer nicht magnetischen Rückschicht zur Verbesserung des Gleit- und Wickelverhaltens.
Als Trägerfolien wurden zu Beginn der Entwicklung Folien auf Basis von → Celluloseacetat eingesetzt, später Produkte aus pigmentiertem → Polyvinylchlorid. Seit den 50er Jahren fanden → Polyesterfolien schnell steigende Verwendung als Trägerfolien. Heute stellt diese Folienklasse das mit Abstand am häufigsten eingesetzte Material für magnetische Aufzeichnungs-Techniken dar.
Grund dafür ist eine hervorragende Eigenschafts-Kombination. Besonders zu nennen sind sehr gute mechanische Eigenschaften, thermische und chemische Beständigkeit, hohe Dimensionsstabilität, Alterungsbeständigkeit, sehr gute Gleitreibungswerte, gute Oberflächenbeschaffenheit und hohe Abriebfestigkeit. Bei der Herstellung von Polyester-Magnetfolien werden die für → Polyesterfolien üblichen Verfahren angewendet. Es ist allerdings hier ganz besonders auf extreme Sauberkeit in jeder Hinsicht zu achten. Dies beginnt bei der sorgfältigen Auswahl des Rohstoffs → Polyethylenterephthalat und gilt für den gesamten Herstellungsprozess bis zur Konfektionierung (→ Reinraumtechnik). Die Güte der Folienoberfläche ist entscheidend für die Erzielung einer hervorragenden Gleichmäßigkeit der Magnetschicht. Schon kleinste Erhebungen auf der Folienoberfläche durch Anwesenheit von Schmutzpartikeln oder durch Verunreinigung des Rohstoffs oder auch Unregelmäßigkeiten der Walzenoberfläche verhindern eine gleichmäßige und lückenlose Beschichtung der Folie durch die Magnetschicht. Auch durch Abrieb bei der Konfektionierung und beim Gebrauch der Magnetbänder kann es zur Ablagerung von winzigen Verunreinigungen auf der Oberfläche kommen. Erhebungen ab etwa 0,15 μm können zu sog. Drop-outs führen, die sich bei Audio-Aufzeichnungen durch knackende Geräusche und bei Video-Aufnahmen durch Flimmerstreifen auf dem Bildschirm bemerkbar machen. In der Datenverarbeitung stören solche Drop-outs den gesamten Ablauf der Programme und können sogar zu schweren Fehlern führen.
Neben der Vermeidung von Verunreinigungen ist die Gesamtbeschaffenheit der Folienoberfläche von großer Bedeutung für die Qualität der Magnetschicht. Grundsätzlich geben besonders glatte Oberflächen auch besonders hochwertige Magnetbänder. Andererseits neigen zu glatte Folien zum Aneinanderkleben durch Adhäsion, zum → Verblocken, und sind dann nicht mehr zu handhaben. In der Praxis muß also ein Kompromiß zwischen Glätte und Rauheit gefunden werden. Den Magnetbandfolien werden deshalb kleinste Mengen sehr fein verteilter → Antiblockmittel zugesetzt, meist auf Basis von Siliciumdioxid oder Calciumcarbonat. Die → Rauheit wird

durch eine Reihe von Meßwerten beschrieben, z.B. den arithmetischen Mittelwert der Rauhtiefe. Dieser R_a-Wert liegt für Audiobänder bei 0,05-0,12 μm, für Computerbänder bei 0,02-0,06 μm und für Videobänder bei 0,015-0,03 μm. Wichtig ist eine möglichst gleichmäßige Oberflächenstruktur.

Der unerläßliche Zusatz von Antiblockmitteln ist in mehrfacher Hinsicht eine Drop-out-Quelle:

- Durch zu stark herausstehende Teilchen,
- durch erhöhte Abriebgefahr und
- durch → Delaminierung beim Reckprozeß durch Bildung von Vakuolen um die Additiv-Teilchen.

Spezielle Maßnahmen beim Herstellungsverfahren von Polyesterfolien für Magnetbänder führen zu sog. *„tensilised" Folien.* In der Regel werden die → Reckverfahren so durchgeführt, daß durch gleichmäßige Reckung in Längs- und Querrichtung isotrope Folien mit in beiden Richtungen gleichen („balanced") mechanischen Eigenschaften erhalten werden. Da bei den Magnetbandfolien jedoch gute mechanische Eigenschaften in der Längsrichtung besonders wichtig sind, steuert man den Reckprozeß so, daß die Längsreckung deutlicher ausgeprägt ist. Die so erreichte *Anisotropie* zeigt sich dann z.B. in einer in Längsrichtung verbesserten Zugfestigkeit, wie die Abb. 1. zeigt.

Zur → Beschichtung mit einer Dispersion von magnetischen Teilchen müssen sehr präzise Auftragsverfahren angewendet werden. Abb. 2 zeigt schematisch drei besonders wichtige Verfahren. Beim Messergießverfahren oder Rakelverfahren regelt unmittelbar nach Aufgabe der Dispersion eine → Rakel die Dicke der Magnetschicht. Die Präzision dieses Messers über die gesamte Breite der Folienbahn, die Laufgenauigkeit der → Walzen und die → Dickengleichmäßigkeit der Trägerfolien

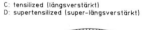

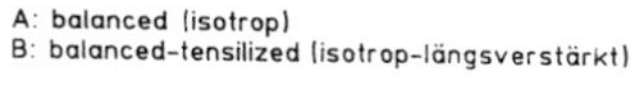

C: tensilized (längsverstärkt)
D: supertensilized (super-längsverstärkt)

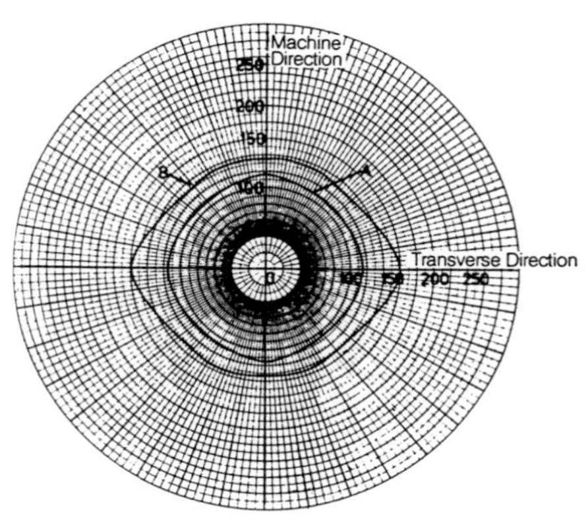

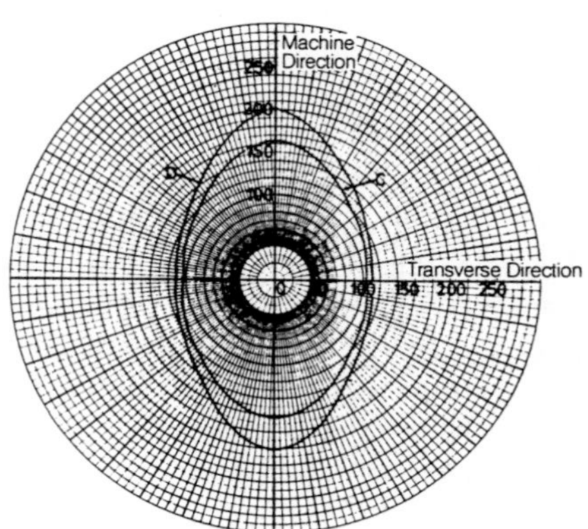

Magnetbandfolie. Abb. 1. Hoechst High Chem, Magazin 5/1988.

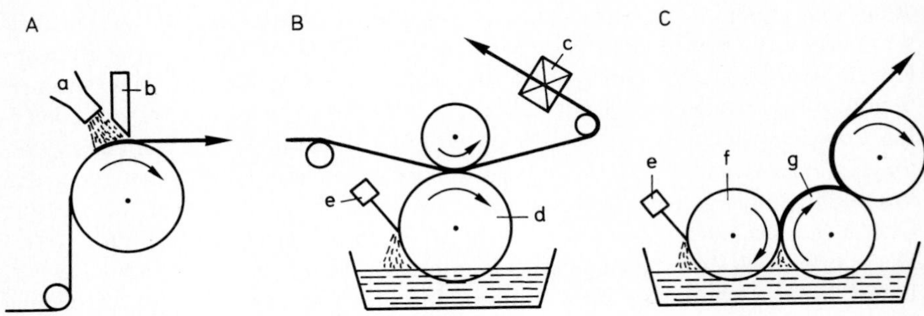

Magnetbandfolie. Abb. 2. Ullmann *16*, 265.

bestimmen die Qualität der Magnetschicht. Die Gravurbeschichtung arbeitet analog dem → Tiefdruckverfahren. Bei der Umkehrwalzen-Beschichtung wird die Magnetdispersion von einer Dosierwalze über eine Auftragswalze auf die Trägerfolie übertagen. Die noch feuchte Folie durchläuft dann ein Magnetfeld, durch das die Teilchen ausgerichtet werden. In Trockeneinrichtungen werden bei Temperaturen von 100 bis 140 °C die Lösungsmittel entfernt und die Dispersionen chemisch ausgehärtet.

Die Magnetbandfolien werden in 600 bis 800 m breiten Rollen an die Magnetbandhersteller geliefert. Die Dicke der Folien liegt für Audio- und Videobänder bei 6 bis 15 μm, für Computerbänder bei 23 und 36 μm und für flexible Magnetkarten und Magnetscheiben bei über 70 μm. Die Folienbahn wird zu Bändern aufgeschnitten, die aufgewickelt und in Kassetten eingespult werden.

Trends für die Weiterentwicklung bei Magnetbandfolien gehen zu immer dünneren Folien mit immer glatteren und gleichmäßigeren Oberflächen. So wird die Dicke der Folien für die neu entwickelten metallbedampften Magnetbänder nur noch etwa 4 μm betragen. Als neueres Ausgangsmaterial wurde → Polyethylennaphthalat eingesetzt. Die aus diesem Rohstoff gewonnenen Folien weisen höhere mechanische Festigkeit bei Dicken von nur 2 μm auf. Andere, in der Patentliteratur genannte Produkte sind Folien aus → Polyimiden, aromatischen → Polyamiden, → Polyphenylensulfiden und → Polyetherketonen.

Weiterhin wurde die Anwendung der → Coextrusion diskutiert. Ziel ist die Herstellung einer Zweischichtfolie mit einer völlig glatten und einer rauheren, Antiblockmittel enthaltenden Schicht. Vermutlich sind aber Folien dieser Art für die Herstellung der Massenprodukte zu teuer.

Die weitere Steigerung von Speicherkapazität und Speicherqualität von Magnetbändern kann nur durch intensive Zusammenarbeit der Hersteller von Trägerfolien, von Magnetbändern und von Aufzeichnungs- und Wiedergabegeräten erreicht werden.

Die wirtschaftliche Bedeutung von magnetischen Informationsträgern ist sehr

Magnetbandfolie. Polyesterfolien für Informationsträger - Weltmarkt (10^3 t/a)

Marktsegment	1981	1986 (geschätzt	1991 (geschätzt)
Reprographische Anwendung			
- Zeichenfolie	13,0	21,3	29
- Mikrofilm	14,0	30,9	54
- Photofilm, Montagefilm	14,8	15,3	18
Magnetband			
- Audio	23,4	31,9	128
- Video	12,8	31,4	
- Computer	15,5	28,9	39
Summe	93,5	159,7	268

groß und wird weiter stark ansteigen. Die Tabelle zeigt die Entwicklung der letzten 10 Jahre nach Anwendungsgebieten.

Maschinengängigkeit, <*machinability*>, das Verhalten einer Folie bei der Verarbeitung oder Anwendung. Unter den → Folieneigenschaften hat die → Reibungszahl als Maß für die Gleitfähigkeit zur Beurteilung der Maschinengängigkeit besonders große Bedeutung. Entscheidend ist jedoch die optimale Abstimmung von Folieneigenschaften, Maschinenausrüstung und Prozeßparametern. Auch die Einhaltung hoher Qualität beim → Wickeln und Schneiden ist eine wesentliche Vorraussetzung. Zusätzlich wird die Maschinengängigkeit durch die verwendeten Additive beeinflußt. Hier sind besonders die *Antiblockmittel* zu erwähnen, die i.allgem. zu einer erhöhten Gleitfähigkeit führen. Will man durch Additive speziell die Maschinengängigkeit verbessern, spricht man von *Gleitmitteln.*
Unter Maschinengängigkeit von Folien im erweiterten Sinne wird das gesamte anwendungstechnische Verhalten der Produkte verstanden. Eine besonders große Rolle spielt bei Verpackungsfolien das → Heißsiegeln.
Gute Maschinengängigkeit ist auch eine wichtige Forderung an die → Wursthülleneigenschaften.

Maschinenrichtung, <*machine direction*>, → Längsrichtung.

Massenkunststoff, <*bulk plastic, volume plastic*>, ein billiges Produkt, das in großen Mengen hergestellt und auf vielen Gebieten verwendet wird. Massenkunststoffe in der → Folientechnologie sind → thermoplastische Kunststoffe wie → Polyethylen, → Polypropylen und → Polyvinylchlorid. Die Verfahren zu ihrer Verarbeitung sind gründlich ausgearbeitet.

Makropack, → Messen.

Masterbatch, <*masterbatch*>, Konzentrat von → Additiven oder → Pigmenten in einem polymeren Material. Das Masterbatch wird bei der Verarbeitung dieses Materials zugegeben. Gegenüber dem direkten Zusatz eines Additivs oder Pigments hat die Verwendung eines Masterbatches einige Vorteile, z.B.leichtere, genauere und staubfreie Dosierung.
Masterbatches werden durch intensives, mechanisches Mischen, → Compoundieren oder durch Aufschmelzen des Polymeren mit dem Zusatzstoff und anschließendes → Granulieren hergestellt.
Man verlangt von Masterbatches gleichförmige Verteilung der Zusätze im Polymeren, dessen Eigenschaften durch die Einarbeitung der Additive oder Pigmente nicht negativ beeinflußt werden dürften.

Maßbeständigkeit, <*dimensional stability*>, → Dimensionsbeständigkeit.

Massedruck, <*die pressure*>, der Druck der thermoplastischen Schmelze im → Extruder. Er wird, meist gemeinsam mit der → Massetemperatur, zwischen Extruderausgang und → Formwerkzeug gemessen und zur Kontrolle der Produktion aufgezeichnet.
Die Messung erfolgt in der Regel durch elektrische Druckaufnehmer. Diese gegen Vibration oder Stoß sehr empfindlichen Geräte müssen mit großer Sorgfalt behandelt werden.

Massetemperatur, <*fused mass temperature*>, die Temperatur der in einem → Extruder erzeugten Kunststoffschmelze. Sie muß über dem → Schmelzbereich des Thermoplasten liegen, darf aber keine Werte erreichen, die in die Nähe des Zersetzungsbereichs des Materials führen. Bei temperaturempfindlichen Produkten, z.B. bei → Polyvinylchlorid müssen Additive wie → Weichmacher, → PVC-Stabilisatoren oder → PVC-Verarbeitungshilfsmittel zugesetzt werden.
Die Massetemperatur wird durch die Zylinderheizung, die Schneckengeometrie und die Drehzahl bestimmt. Sie wird bei der Extrusion meist zwischen Extruderausgang und → Formwerkzeug gemessen und zur Kontrolle der Produktion gemeinsam mit dem → Massedruck aufgezeichnet. Die Messung erfolgt durch Eisen-Konstantan-Thermoelemente.

maximale Gebrauchstemperatur, <*heat endurance*>, → Wärmebeständigkeit.

mechanische Eigenschaften, *physikalische Eigenschaften*, <*mechanical properties*>. Wichtige mechanische Eigenschaften sind → Zugfestigkeit, → Reißdehnung, → Elastizitätsmodul, → Weiterreißfestigkeit, → Streckspannung, → Zugspannung, → Schlagzähigkeit, → Biegefestigkeit, → Dehnfähigkeit und die zur Beurteilung des → Blockens wichtige → Reibungszahl. Alle Werte müssen zusammen mit anderen → Folieneigenschaften gesehen werden.

medizinische Verpackung, *<health care packaging, HCP>*, die Verpackung von Artikeln für das Gesundheitswesen, meist für Krankenhäuser oder Arztpraxen. In der Regel müssen die verpackten Gegenstände in steriler Form an den Endverbraucher geliefert werden. Man unterscheidet Produkte für einmaligen Gebrauch wie Baumwollbällchen, Spachtel, Binden- oder Einmal-Spritzen und Artikel, die wiederholt verwendet werden, wie Scheren, Scalpelle, medizinische Filter oder Geräte-Kombinationen, die bei bestimmten ärztlichen Verrichtungen gemeinsam benutzt werden. Nicht unter die medizinische Verpackung fallen Medikamente (→ Pharmaverpackung) und Verbraucherprodukte, wie Zahnbürsten, Pflaster oder Hygieneartikel, die normalerweise nicht sterilisiert sind. Die → Sterilisation bestimmt wesentlich die Auswahl des Packmaterials. Dieses muß ohne Schädigung sterilisierbar sein und danach eine ausreichende „biologische Barriere" gegen eine erneute Kontaminierung mit Keimen darstellen. Folien auf Basis verschiedener Kunststoffe werden wegen ihrer Vielseitigkeit besonders häufig eingesetzt. Ihre Auswahl hängt stark von der Anwendung der drei wichtigsten Sterilisations-Verfahren, → Dampf-, → chemische- und → Bestrahlungssterilisation ab. Zum Verhalten der für die medizinische Verpackung wichtigsten Folienarten gegen energiereiche Strahlen → Bestrahlung, Einfluß auf Verpackungsfolien. Sehr gut geeignet sind Folien aus biaxial verstrecktem → Polyethylenterephthalat mit Dicken von 12 bis 40 μm. Sie zeichnen sich durch hohe mechanische und thermische Stabilität und gute Optik aus. Für alle drei Sterilisations-Methoden sind sie in gleicher Weise geeignet. Ähnliches gilt für → BOPP mit der Einschränkung einer gewissen Strahlenempfindlichkeit. → Polystyrolfolien haben ungenügende mechanische oder optische Eigenschaften. → Polycarbonatfolien finden Verwendung, wenn hohe Temperaturbeständigkeit und gute Stoßfestigkeit gefordert werden. In Verbundfolien wird meist → Polyethylen als Siegelschicht verwendet. Das gleiche gilt für → Ethylen-Vinylacetat-Copolymere und für → Ionomere, wobei auf verringerte Temperaturbeständigkeit im Hinblick auf die Dampf-Sterilisation zu achten ist. Wenig geeignet für die medizinische Verpackung sind Folien aus → Polyvinylchlorid. Die Produkte neigen bei der Dampf- oder Bestrahlungs-Sterilisation zur Zersetzung unter Verfärbung. Bei der Sterilisation mit → Ethylenoxid wird dieses sehr stark absorbiert, so daß die Entgasung schwierig ist. Wie zur Lösung anderer anspruchsvoller Verpackungsprobleme werden auch in der medizinischen Verpackung meist → Verbundfolien eingesetzt, um die Eigenschaften verschiedener Materialien optimal zu kombinieren. Beispiele sind oPET/HV/PP für Dampfsterilisation oder oPET/HV/PE mit guten mechanischen Eigenschaften und guter Siegelfähigkeit. *Verbunde mit Aluminiumfolie*, z.B. oPET/HV/Al/HV/PE bieten zusätzlich Undurchlässigkeit für Wasserdampf.

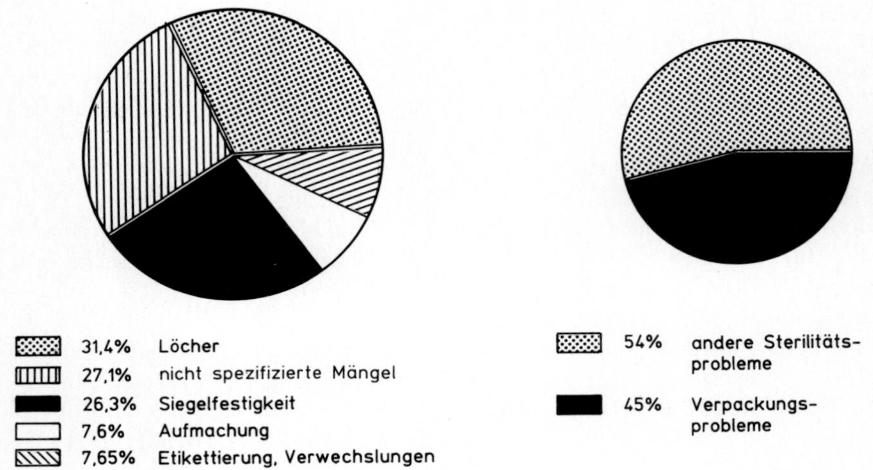

medizinische Verpackung.

Neben Folien werden auch Spezialpapiere und → Spinnvliese in großem Maßstabe verwendet. Letztere dienen vor allem zum Einschlagen sterilisierter Gegenstände, die mehrfach gebraucht werden. Ihre Weichheit und Anschmiegsamkeit, ihre weiße Färbung und ihre Wasser abweisenden Eigenschaften, verbunden mit ausreichend hoher Festigkeit waren wichtig für den Erfolg dieser Produkte. Ein Nachteil ist die Ungleichmäßigkeit der Dicke und der Dichte von Spinnvliesen. Dies kann für die Lagerung der in eingewickelten Gegenstände eine ungenügende Barriere gegen Kontaminierung durch eindringende Keime bedeuten.

Viele der üblichen Verpackungsarten, wie → Beutel, → Trays mit entsprechender → Deckelfolie oder → Blister- und → Skin-Verpackungen können auch für die medizinische Verpackung angewendet werden. Bei großen Stückzahlen werden auch → Form-, Füll- und Schließverfahren eingesetzt.

Die Bedeutung der → Qualitätskontrolle gerade für die medizinische Verpackung zeigt die Abb. Angegeben ist der Rücklauf medizinischer Artikel als %-Anteil der verschiedenen Ursachen. A bezieht sich auf Verpackungsprobleme von 1980 bis 1984, B auf Sterilisations-Probleme von 1983 bis 1989. Die Angaben stammen von der → Food and Drug Administration. Lit.

Mehrfach-Verpackung, <*double packaging*>, → Umverpackung.

Mehrfarbendruck, <*multi-colour printing*>, das → Bedrucken von Folien oder anderen Trägerbahnen mit mehreren Farben, um ein möglichst hochwertiges Druckbild zu erzeugen.

Beim Dreifarbendruck werden die Farben Gelb, Purpur (Magenta) und Blaugrün (Cyan) eingesetzt, beim Vierfarbendruck kommt Schwarz hinzu. Beim Bedrucken von Verpackungsfolien für Markenartikel ist häufig der Einsatz von individuellen Kundenfarben erforderlich.

Die meisten modernen Druckmaschinen haben mindestens sechs Druckwerke, um das Bedrucken mit fünf Farben zu ermöglichen. Das sechste Druckwerk kann für das Aufbringen einer weiteren Farbe, einer Lackierung oder einer Beschichtung zum → Kaltsiegeln dienen.

Der Mehrfarbendruck ist mit allen → Druckverfahren möglich. Bei den beiden wichtigsten Verfahren für das Bedrucken von Folien ist der → Tiefdruck in der Erzeugung von Halbtönen dem → Flexodruck überlegen.

Zur Erhöhung des Farbbrillanz wird häufig eine weiße Grundfarbe, die *Fondfarbe* eingesetzt. Dies ist bei der Verwendung von opaquen Folien, z.B. → opaquem BOPP nicht erforderlich.

Mehrschichtextrusion, *<multi-layer coextrusion>*, → Coextrusion.

Mehrschichtfolie, *<multi-layer film>*, → Verbundfolie.

Mehrschichttube, *<multi-layer tube>*, → Laminattube.

Melaminfolie, → Dekorfolie.

Membran, *<membrane, diaphragm>*, ein meist flächiges, dünnes, hautartiges Gebilde mit trennenden oder abgrenzenden Funktionen. Die Begriffe → Folie und Membran sind auf manchem Gebieten austauschbar.

1. *Membranen mit Trennwirkung* sind flächig, schlauch- oder faserförmig und haben bei sehr unterschiedlichen Strukturen eine gemeinsame Eigenschaft: Sie setzen dem Durchtritt verschiedener Stoffe unterschiedlichen Widerstand entgegen. Der Aufbau der Membranen kann symmetrisch oder asymmetrisch, homogen oder heterogen sein. Sie können aus anorganischen, höhermolekularen organischen Stoffen oder aus einer Kombination beider Materialien bestehen.

Die Membrantechnik stellt ein Grenzgebiet der → Folientechnologie dar. Die einfachste Form von Membranen sind poröse Platten oder Folien. Sehr lange bekannt und auch heute noch im praktischen Einsatz für die Dialyse sind die → Cellophan-Membranen. Herstellung und Eigenschaften dieser Produkte entsprechen weitgehend denen der strukturell sehr ähnlichen Folien.

Als weitere Polymere werden zur Herstellung von Membranen u.a. → Celluloseacetat, → Polyamide, → Polyethylenterephthalat, → Polyethersulfone und → Polyarylamide verwendet. Die Herstellung dieser Membranen erfolgt meist durch Ausfällen der Polymeren aus Lösungen. Membranen aus Polyethersulfonen sind besonders gut pH- und temperaturbeständig. Sie können mit Dampf sterilisiert werden. Sulfonierte Produkte sollen sich besonders gut zur Entsalzung von Meerwasser eignen.

In Analogie zu den → Verbundfolien

Membran.

Membranprozeß	Membrantyp	Trennmechanismus	Anwendung
Mikrofiltration	symmetr. Porenmembran	Siebeffekt	Abtrennen suspendierter Stoffe
Ultrafiltration	asymmetr. Porenmembran	wie oben	Konzentr./Fraktiomieren/Reinigen makromolek. Lösungen
Umkehrosmose (1)	asymmetr. Löslichkeitsmembran	Löslichkeit und Diffusion	Konzentr. von Stoffen niedr. Molmasse
Elektrodialyse	Ionenaustauscher-Membran	verschiedene Ladung der gelösten Komponenten	Entsalzen, Entsäuern v. Lös. mit neutr. Stoffen geringer Molmasse
Gastrennung	asymmetr. Permeationsmembran	selektive Diffusion	Trennung von Gasen und Dämpfen
Pervaporation	ähnlich (1)	wie (1)	Trennung von Lösemitteln u. azeotropen Gemischen
Membran-Destillation	symmetr. hydrophobe Membran	Dampfdruckunterschiede	Wasserentsalzung, Konzentrieren v. Lösungen

H. Strahtmann, Chemie-Technik 7, 60 (1987)

werden auch Verbundmembranen aus zwei oder mehr verschiedenen Materialien hergestellt. Häufig wird auch ein poröser Träger mit einer selektiven Schicht kombiniert.
Einen Überblick über technisch durchgeführte Membranprozesse, die verschiedenen Membrantypen und den Mechanismus der Trennwirkung gibt die Tabelle.
Schwerpunkte der Weiterentwicklung werden die *Trinkwassergewinnung* aus Meer- und Brackwasser und die Reinigung von Industrieabwässern sein. In der petrochemischen Industrie gewinnen Prozesse zur Gastrennung, vor allem zur Rückgewinnung von Wasserstoff größere Bedeutung. Auch in der Biotechnologie sind weitere neue Einsatzmöglichkeiten für Membranen zu erwarten. Der mit Membranen weltweit erzielte Umsatz wird auf etwa eine Milliarde US-$ geschätzt. Es entfallen auf die USA 35%, auf Europa 30%, auf Japan 10%.
2. Membranen für Pumpen und Ventile. Bei der Membranpumpe übernimmt die Membran die Funktion des Kol-

bens. Alle Arten von Flüssigkeiten, auch stark verschmutzte Produkte und Suspensionen können zuverlässig dosiert werden. Die Membranen werden meist aus → Poly-(tetrafluorethylen)-Folien hergestellt. Für Ventile stehen eine große Anzahl von meist → elastomeren Kunststoffen, wie Butyl- und Nitril-Kautschuk, Polychloropren oder Naturkautschuk zur Verfügung.
3. Membranen als Abschluß von Packungen. Gelegentlich werden dünne Folien oder Papiere zur Schaffung einer → verfälschungssicheren Packung bei Schraubdeckelgläsern auf den Rand des Glasbehälters aufgeklebt. Wenn der Deckel der Packung aufgeschraubt ist, muß die „Membran" entfernt werden, um den Inhalt der Packung zu nutzen. Auch Tubenverschlüsse durch dünne → Aluminiumfolien bezeichnet man meist als Membranen.
4. Membranen im Bauwesen. Flexible Folien oder halbstarre Platten, die als Begrenzung von Sandwich-Bauelementen dienen und selbst keine tragende Funktion haben.
Anorganische Membranfilter werden nach dem Eloxalverfahren hergestellt. Sie bestehen aus einer Aluminiumoxid-Schicht, die auf eine Aluminiumfläche aufgebracht wird. Die Schichtdicke beträgt 60 μm, die Porendichte etwa 3 Milliarden Poren pro cm^2, die mittlere Porenweite liegt zwischen 0,02 und 0,2 μm. Die noch relativ neuen Produkte haben eine wesentlich höhere Filtrationleistung. Sie wurden als die interessanteste Innovation seit der Entdeckung der Polymermembran bezeichnet. Lit.

Membranschalter, *<membrane switch>*, → Folienschalter.

Memory-Effekt, *Erinnerungsvermögen, <memory>*, die Tendenz von Formteilen aus Kunststoff, die während der Verarbeitung oder Herstellung einen bestimmten Zustand durchlaufen haben, später in diesen Zustand zurückzukehren. Wird z.B. eine Folie in einem → Reckverfahren in der Wärme verstreckt und abgekühlt, dann wird sie beim erneuten Erwärmen schrumpfen. Dies kann zur Herstellung von → Schrumpffolien erwünscht sein.
In vielen Fällen muß jedoch der Memory-Effekt vermieden werden, um Schwierigkeiten bei der Folienverarbeitung durch unkontrollierbare Veränderungen der Folienbahn zu verhindern. Dies geschieht z.B. bei der Herstellung von → BOPP und → Polyesterfolien, indem nach der Verstreckung eine Thermofixierung der orientierten Moleküle durchgeführt wird.

Messen, *Ausstellungen, <fairs, exhibitions>*. Die drei für die → Folientechnologie weltweit wichtigsten Messen finden in der Bundesrepublik Deutschland statt. Es sind die → K-Messe, die → Interpack, die → Papro und die → IFFA. Weitere für Hersteller und Anwender von Folien wichtige Ausstellung und → Messen werden im Ausland veranstaltet. Ort, Zyklus, nächster Termin und Kontaktadresse sind für einige bedeutende Veranstaltungen wie folgt:
PAKEX (Großbritannien), aller drei Jahre, 1993, Industrial and Trade Fairs Ltd. Radcliffe House, West Midlands,

391 2BG, UK,
MAKROPAK (Niederlande), alle drei Jahre, 1992, Royal Netherlands Industries Fair, P.O. Box 8500, NL-3503 RM, Utrecht,
Emballage (Frankreich), alle zwei Jahre, 1992 SEPIC, 17 rue D'Uzes F-75002 Paris.
IPACK-IMA (Italien), jährlich, Ipack-Ima, 62 Via C. Ravizza, I-20149, Milano,
SCANPACK (Schweden), alle drei Jahre, 1993, Svenska Messan, Box 5222, S-40224 Goteborg,
PACK EXPO (USA), alle zwei Jahre, 1992, PMMI, 1343 L Street NW, Washington, DC 30005,
NPC, National Plastics Exhibition (USA), alle drei Jahre, 1994, Leslie & Leslie, Inc., 175 W. 93rd Street, New York, NY 10025,
JAPAN PACK (Japan), alle zwei Jahre, 1993, JPMMA, 2 Nanoh Bldg. 20-1, Shimbashi 2-Chome Minato-Ku, Tokio 105.
Die Folientechnologie wird selbstverständlich auf vielen weitere Messen, Ausstellungen und Symposien berührt, die in den relevanten → Fachzeitschriften angekündigt werden.

Metallfolie, *Blattmetall*, <*foil*>, dünne Folienbahn aus Metall, im allgemeinen nicht dicker als 0,9 mm, die durch Walzen, Hämmern oder Ausschlagen von Metallbändern oder -platten erhalten wird.
Die für die Folientechnologie mit weitem Abstand bedeutendsten Produkte sind → Aluminiumfolie und dünne → Aluminiumbänder. Weiter seien → Blattgold, → Blattsilber und → Stanniol genannt. Durch → Metalisieren von Kunststoff-Folien werden Produkte mit sehr dünnen Metallschichten erhalten.

Metallisieren, *Metallisierung*, <*metallization*>, das Aufbringen von metallischen Schichten auf einen Trägerwerkstoff durch Platieren, Tauchen, Spritzen oder → Bedampfen im Vakuum. In der Folientechnologie die Belegung von Kunststoff-Folien oder Cellophan mit einer sehr dünnen Schicht von Metall, in der Regel Aluminium. Bei der Kombination von Metallfolien mit Kunststoff-Folien spricht man nicht von einer Metallisierung, sondern von der Herstellung von Verbundfolien.
Es werden zwei Verfahren, die Direkt-Metallisierung und die Transfer-Metallisierung angewendet:
1. Direktmetallisierung. Folienrollen werden in einer evakuierbaren Anlage umgewickelt und dabei mit Metall bedampft. Der Prozeß erfolgt halbkontinuierlich. Wickelkammer und Bedampfungskammer sind bei den meisten modernen Anlagen voneinander getrennt, wodurch höhere Produktionsgeschwindigkeiten und bessere Folienqualität erreicht werden. Es gibt Anlagen zur einseitigen und zur beidseitigen Metallisierung. Das Prinzip zeigt Abb. 1. Die Folienbahn wird von der Abwickelstation (1) durch Umlenk-, Zug- und Breitstreckwalzen über die Bedampfungswalze (2) Bedampfungsquelle (3) zur Aufwicklung (6) geführt. Für den Fall der beidseitigen Bedampfung wird er Vorgang wiederholt (4,5).

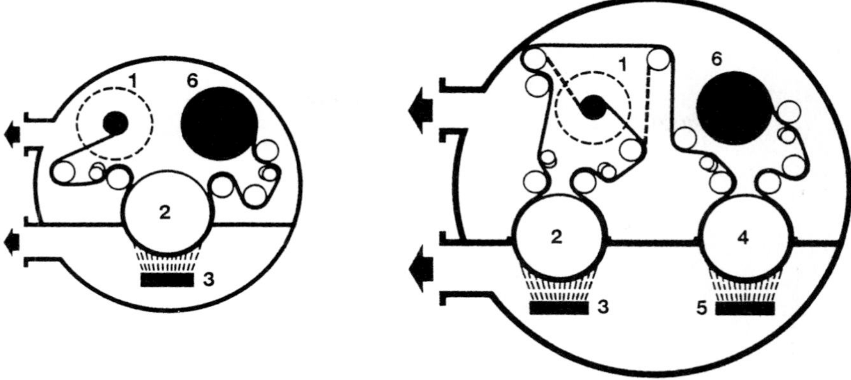

Metallisieren. Abb. 1. Leybold-Heraeus GmbH, Hanau, Firmenschrift.

Die Wickelsysteme sind heute voll synchronisiert und besitzen digitale Antriebssysteme mit Thyristor-gesteuerten Gleichstrommotoren. Die Beschichtungswalze kann beheizt bzw. bei empfindlichen Folien bis zu -25 °C gekühlt werden. Die Verdampfung des Metalls erfolgt in einem System von etwa 10 bis 24 Schiffchen aus halbleitendem Werkstoff. Diese werden direkt durch elektrischen Strom erhitzt. Das Metall wird als Draht von einer Rolle zugeführt, in den Schiffchen geschmolzen und dann als Dampf auf die Folie übertragen.

Das dazu erforderliche Hochvakuum von etwa 10^{-4} Millibar wird durch Diffusionspumpen erzeugt. Zur Erzielung kurzer Abpumpzeiten und damit hoher Wirtschaftlichkeit werden vollautomatisch gesteuerte Hochleistungssysteme eingesetzt. Die Abb. 2 zeigt ein Beispiel für den Verlauf des Vakuumaufbaus am Beginn eines Metallisierungszyclus. Die obere Kurve gilt für die Wickelkammer, die untere für die Beschichtungskammer. Schon nach etwa 3 Minuten kann die Verdampfung, nach 6 Minuten der Wickelvorgang beginnen. Die Kurven wurden bei der Metallisierung einer Polypropylenfolie von 6 μm Dicke ermittelt. Rollendurchmesser 420 mm, Länge der Folienbahn 22.300 m.

Unter den eingesetzten Metallen spielt Aluminium die mit Abstand bedeutendste Rolle. Es wird Reinst-Aluminium (Al 99,98 R) verwendet. Zur Herstellung von → Kondensatorfolien wird neben Aluminium auch Zink eingesetzt. Chrom, Nickel und Kupfer werden in Spezialfällen verwendet.

Die Menge des auf der Trägerfolie niedergeschlagenen Metalls wird im wesentlichen durch die Temperatur des Metalls und durch die Durchzugs-Geschwindigkeit der Folienbahn bestimmt. Je höher die Temperatur und je langsamer die Wickelgeschwindigkeit, umso größer wird die Bedampfungsdichte. Diese liegt zwischen 0,03 und 0,04 μm (300 bis 400 Å). Die Schichtdicke

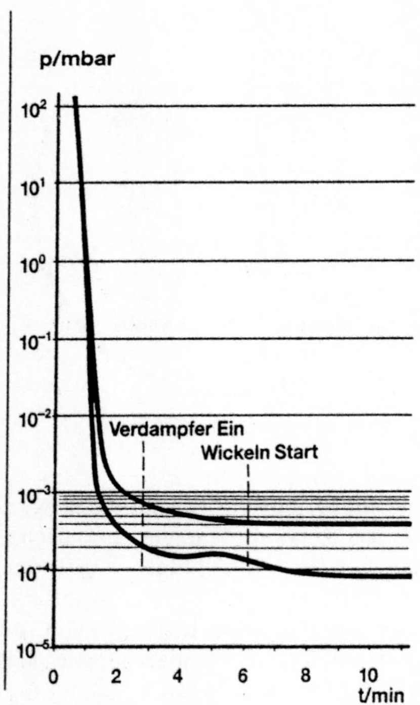

Metallisieren. Abb. 2. Leybold-Heraeus GmbH, Hanau, Firmenschrift.

kann durch Ablösen der Metallschicht mit Säure und anschließende Differenzwägung bestimmt werden. Die Gleichmäßigkeit der Aluminiumschicht wird durch Messung der Lichtdurchlässigkeit oder der elektrischen Leitfähigkeit geprüft.

Metallisierungsanlagen werden heute in einer großen Vielfalt angeboten. Die Breiten der Folienbahnen liegen zwischen etwa 300 und 2.400 mm, die Rollendurchmesser bei 1.000 mm und darüber. Die Produktionsgeschwindigkeiten betragen bei der Herstellung von Verpackungsfolien etwa 10 m/s, bei Kondensatorfolien sind sie meist niedriger. Der Stromverbrauch liegt abhängig von der Anlagengröße zwischen 60 und 300 kW, der Wasserverbrauch zwischen 10 und 25 m^3/h. Die Direktmetallisierung kann bei den meisten Folien angewendet werden. Das am häufigsten eingesetzte Material sind → Polyesterfolien, dicht gefolgt von → BOPP. Polyesterfolien sind besonders problemlos zu metallisieren. Beim BOPP ist eine → Oberflächenbehandlung erforderlich, die Metallisierung ist etwas kritischer. Mit der Entwicklung von Spezialtypen ist der Unterschied zwischen beiden Folientypen jedoch inzwischen minimal geworden. Als weitere Folien werden → Polycarbonat-, → Polyamid-, → Polyethylen- und → Hart-PVC-Folien, wenn auch in weit geringerem Umfange, metallisiert.

Zur Metallisierung werden überwiegend möglichst dünne Folien verwendet, um die Zahl der Rollenwechsel/Laufmeter klein zu halten. Die niedrigsten Werte liegen bei Polyesterfolien bei 9 μm und bei BOPP bei etwa 15 μm. Zur Herstellung von Kondensatorfolien werden wesentlich dünnere Folien eingesetzt. Sehr bedeutend ist auch heute noch die Metallisierung von Papier.

2. Transfermetallisierung oder Übertragungsmetallisierung. Dieses Verfahren ist besonders für Produkte wichtig, die flüchtige Bestandteile, vor allem Wasser enthalten und deshalb der Direkt-Metallisierung nicht unterworfen werden können. Beispiele sind Kartonagen, Papiere für Selbstklebe-Etiketten oder Tapetenpapiere. Aber auch für Folien

kann die Transfer-Metallisierung dann mit Erfolg eingesetzt werden, wenn man Produkte mit besonders hoher Reflexion und Flexibilität erzielen will. Das Verfahren verläuft nach dem auf Abb. 3 gezeigten Schema.

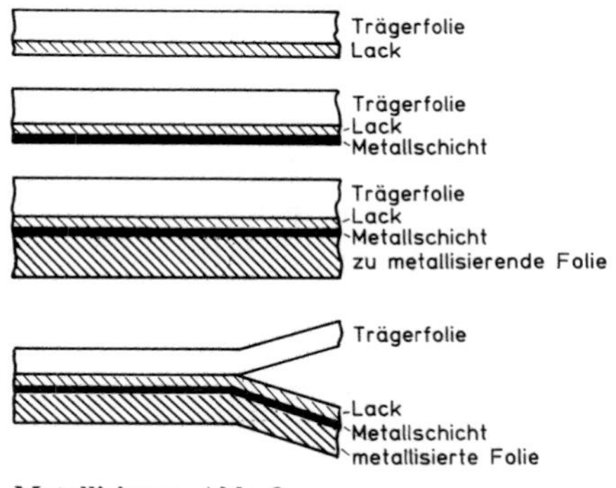

Metallisieren. Abb. 3.

Eine mit Lack beschichtete Trägerfolie wird auf der lackierten Seite metallisiert. Danach wird die zu metallisierende Folie mit der metallisierten Seite der Trägerfolie durch → Kaschieren verbunden. Im letzten Schritt wird die Trägerfolie abgezogen. Durch die Metallisierung werden die → Durchlässigkeit der genannten Folien gegen Wasserdampf und Sauerstoff wesentlich verringert (Tabelle). Die Lichtdurchlässigkeit geht von nahe 100% auf weniger als 1% zurück. Metallisierte Folien werden deshalb zur Verpackung von Produkten eingesetzt, bei denen die Erhaltung von Aroma und Frische mit Hilfe guter Sperrschicht-Eigenschaften der Verpackung besonders wichtig ist, z.B. für Snacks, Nüsse und Gebäck. Bei der → Kaffeeverpackung haben Aluminium-Verbundfolien ihre dominierende Position gegenüber metallisierten Folien vor allem wegen ihrer sehr geringen → Aromadurchlässigkeit bisher behaupten können.

Bei der Verpackung anderer Lebens- und Genußmittel, z.B. von Süßwaren, dient die Metallisierung mehr dekorativen Zwecken. Die metallisierten Folien lassen sich leicht bedrucken oder lackieren, wodurch zusätzliche optische Effekte erzielt werden können. Metal-

Metallisieren.

Material	O_2-Durchlässigkeit (ml/m^2·d·(1bar Druckdifferenz)		H_2O-Dampf-Durchlässigkeit (g/m^2·d (85% rel. Luftfeuchte)	
	ohne Metallisierung	mit Metallisierung	ohne Metallisierung	mit Metallisierung
BOPP	1900	150	7	0
PET	90	0,7	40	0,6
PA	80	1,5	140	3-9
Cellophan	8	2	5	2

World Packaging Directory 1987, S. 194

lisierte Folien sind auch hervorragend zur Herstellung „maßgeschneiderter" → Verbundfolien geeignet.
In der Substitution von → Aluminium-Folien liegt ein weiteres großes Marktpotential für metallisierte Folien. Der Verbrauch an Aluminium beträgt bei metallisierten Folien nur etwa 1/100 der für Alufolien benötigten Menge. Allerdings gibt es eine Reihe von Anwendungsgebieten, bei denen die Eigenschaften der metallisierten Folien nicht ausreichen.
Die → Demetallisierung wird nicht im größeren Maßstab angewendet.

Metallisierung, *<metallizing>*, → Metallisieren.

metallische Werkstoffe, *<metallic materials in packaging>*, stehen auf einigen Gebieten mit → Folien und → Glas als Verpackungsmaterial im Wettbewerb. In jünster Zeit wurden standfeste, sterilisierbare Packungen aus Verbundfolien als Substitutuionsprodukte für Konservendosen für spezielle Produkte vorgestellt. Die → Metallisierung von Kunststoff-Folien ist bei einigen Anwendungsgebieten eine Möglichkeit zum Ersatz reiner → Metallfolien durch eine wirtschaftlichere Problemlösung.
Der Vergleich verschiedener Packstoffe ist jedoch außerordentlich schwierig. Mit dem Versuch zur Aufstellung von → Ökobilanzen wird eine Versachlichung und Objektivierung der Diskussion möglich sein.

Metalltube, *Aluminiumtube*, *<metal tube>*, eine → Tube auf Basis von Metallfolie, heute in den meisten Fällen von → Aluminiumfolie. Die ersten Metalltuben bestanden aus Weichmetallen wie Zinn und Blei. Seit etwa 1930 hat sich die Aluminiumtube aus Kostengründen und wegen ihrer ausgezeichneten physiologischen Eigenschaften weitgehend durchgesetzt. Ausgangsmaterial ist Reinaluminium mit einem Al-Gehalt von mindestens 99,7%. Das Metall wird in Form von flachen Scheiben (Butzen oder Ronden) eingesetzt, die im Querschnitt trapezförmig oder flach sein können. Der Durchmesser der Scheiben ist etwas kleiner als der der fertigen Tube. Die Metallmasse wird so gewählt, daß die Tube vor der Füllung ca. 20 mm länger ist als im gefüllten Zustand. Metalltuben werden heute auf vollautomatisierten Fertigungsstraßen hergestellt. Am Anfang der Fertigung steht eine Vorbehandlung der Aluminiumscheiben mit Gleitmitteln wie Zinkstearat. Die Formgebung zur nahtlosen, aus einem Stück bestehenden Tube erfolgt durch Kalt-Fließpressen in einem kombiniertem Vorwärts-Rückwärts-Fließpressverfahren unter Drucken von 800 bis 1000 N/mm^2. Die so erhaltenen Rohtuben werden auf die richtige Länge geschnitten. Der Schraubengang wird in den Tubenhals eingeschnitten, der Tubenmund entgratet. Die Formgebung der Tube ist damit abgeschlossen. Das Aluminium ist in diesem Stadium der Fertigung sehr hart. Die Tuben werden in einem Durchlaufofen über die Rekristallisations-Temperatur des Aluminiums (etwa 600 °C) erhitzt. Die Aluminiumfolie wird dabei plastisch-weich, gleich-

zeitig werden Gleitmittel-Rückstände beseitigt. Es folgt eine Innenlackierung mit Epoxy- oder Acryllacken, um die Chemikalienresistenz des Aluminiums zu verbessern. Um den mechanischen Beanspruchungen der Tube beim Gebrauch gerecht zu werden, müssen die 6 bis 15 μm dicken Schutzlacke eine hohe Elastizität haben.
Zur Außendekoration werden die Aluminiumtuben lackiert und bedruckt. Die Außenlacke bestehen meist aus ungesättigten Polyesterharzen. Sie werden im Walzenverfahren aufgebracht, haben Dicken von 10 bis 20 μm und müssen mit Ausnahme der chemischen Beständigkeit dieselben hohen Anforderungen bestehen wie die Innenlacke. Zur Bedruckung wird meist das Offset-Verfahren verwendet. Der letzte Schritt bei der Produktion von Metalltuben ist das Aufschrauben des Tubenverschlusses. Die Tuben werden dann verpackt und sind fertig zur Befüllung.
Auf modernen Produktionsanlagen können heute bis zu 150 Tuben pro Minute hergestellt werden.
Aluminiumtuben werden in 14 genormten Durchmesserstufen von 11 bis 60 mm geliefert (DIN 5061, Teil 1). Die Füllvolumina liegen zwischen 2 und 500 ml. Eine Variation der zylindrischen Tubenform ist die Entwicklung der konischen Aluminiumtube seit Anfang der 70er Jahre. Zur Herstellung werden die zylindrischen Tubenmäntel in einem zusätzlichen Fertigungsschritt um 1 bis 2° konisch aufgeweitet. Die so erhaltenen Tuben werden ineinandergeschoben und in Stangen von ca. 700 mm verpackt. Besondere Vorteile der konischen Al-Tube gegenüber der zylindrischen Form sind eine Raumeinsparung bei Lagerung und Transport bis zu 75% bei hygienischer und staubgeschützter Handhabung. Diese Vorteile werden erst ab Durchmesser 19 mm deutlich.
Halsöffnungen und Tubenverschlüsse können dem Verwendungszweck in weiten Grenzen angepaßt werden. Sonderformen bestehen meist aus Kunststoffteilen, die separat montiert werden müssen. Genannt seien Verreiberköpfe für medizinische Salben oder Verteiler für Schuhcremes und Kleber.
Nach der Befüllung werden die Aluminiumtuben durch Falzverschlüsse (a: 2-fach, b: 4-fach) oder durch einen Sattelverschluß (c) verschlossen (Abb.). Nach dem Falzvorgang muß der Verschluß durch Pressen abgedichtet und stabilisiert werden. Zur absolut sicheren Abdichtung wird bei der Tubenherstellung am Mantelende ein etwa 10 mm breiter Siegellack-Streifen aufgebracht. Mit dem Pressen des Tubenfalzes muß dann noch eine Heißsiegelung verbunden werden.

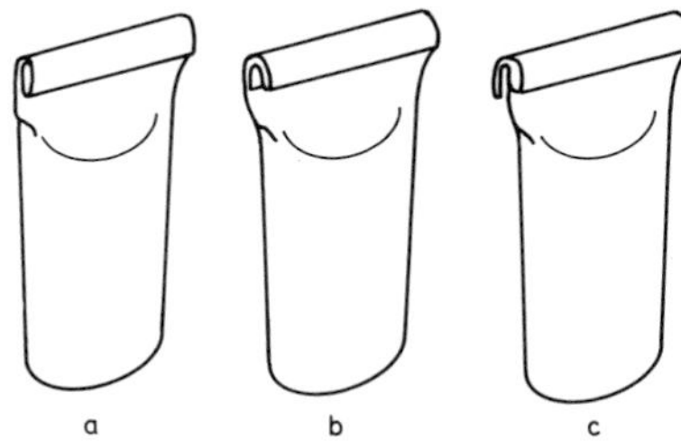

Metalltube.

In vielen Fällen wird die Tubenöffnung durch eine dünne Aluminiummembran verschlossen, die vor der ersten Entnahme des Tubeninhalts durchstoßen wird. Trotz der wichtigen Entwicklung von Kunststoff- und Laminattube hat die Aluminiumtube auf Grund der hervorragenden Eigenschaftskombination und der sehr rationellen Herstellung ihre dominierende Position behaupten können. Durch ihre Rückführbarkeit ist sie zudem ein umweltfreundliches Produkt.

Methanol, *<methanol>*, → Formaldehyd.

Methylenchlorid, *Dichlormethan*, *<methylene cloride>*, CH_2Cl_2, eine farblose, nicht brennbare Flüssigkeit, d = 1,325 g/ml, F = -96 °C, Kp = 40 °C. Gesundheitsschädlich, wirkt narkotisch. MAK-Wert 360 mg/m^3. Methylenchlorid wird als Lösemittel häufig industriell verwendet, z.B. bei der Herstellung von → Celluloseacetat und → Polycarbonat. Wegen seiner sehr hohen Flüchtigkeit ist beim Arbeiten mit Methylenchlorid besondere Sorgfalt erforderlich.

MFI, melt flow index, → Schmelzflußindex.

Migrat, *<migrate>*, → Migrationsprüfung.

Migration, *<migration>*, die Wanderung von meist sehr kleinen Stoffmengen zwischen verschiedenen Substraten oder Medien. In der Folientechnologie sind folgende Möglichkeiten der Migration von Bedeutung.
1. Migration von Stoffen, die zunächst gleichmäßig in einer Folie verteilt sind, an ihre Oberfläche. Diese Wanderung von Stoffen innerhalb einer Folie kann erwünscht sein. Dies ist z.B. bei solchen → Additiven der Fall, die nur an der Oberfläche der Folie ihre Wirkung ausüben können, so bei → Antistatika oder → Antiblockmitteln. Unerwünscht ist die Migration von Additiven an die Folienoberfläche (*Ausblühen*) wenn dadurch die Qualität der → optischen Eigenschaften verschlechtert wird. Additive für die Verarbeitung von PVC müssen aus diesem Grunde sorgfältig ausgewählt und z.B. im → Blooming-Test beurteilt werden.
2. Migration von Stoffen aus Verpackungsfolien in das Packgut. Diese Wanderung von Stoffen ist naturgemäß bei der Verpackung von Lebensmitteln ein besonders wichtiges Problem. Die → Gesetzgebung der Bundesrepublik Deutschland enthält ausführliche Rechtsvorschriften für Verpackungsmaterialien, die auf einer gemeinsamen Verantwortung von Herstellern, Anwendern und Behörden beruhen. Die → Migration von Folieninhaltsstoffen in Füllgüter ist sehr eingehend untersucht worden.
3. Die Migration von Stoffen durch eine Folie hindurch, die auf diese Weise von einem Medium in ein anderes gelangen. Auch diese Art der Stoffwanderung ist für die Verpackungstechnik, aber auch beim Einsatz von einigen Technischen Folien von großer Bedeutung. Sie wird unter dem Stichwort → Durchlässigkeit behandelt. Das → Durchschlagen stellt eine stets unerwünschte Wanderung von Stoffen dar. Lit.

Migration von Folieninhaltsstoffen, *<migration of substances in films>*, die Wanderung der Folieninhaltsstoffe in das Füllgut, vor allem bei der Verpackung von Lebensmitteln.

Die → Migration hängt stark von der Art des polymeren Rohstoffs und dessen Gehalt an Additiven, Restmonomeren und Oligomeren ab. Der erste Schritt besteht in der Migration der Folieninhaltsstoffe an die Oberfläche. Von dort können diese in die verpackten Produkte wandern. Die an niedermolekularen Inhaltsstoffen verarmte Folienoberfläche wird wieder mit Material aus dem Inneren der Folien aufgefüllt. Das Ausmaß der Migration wird sehr stark von der Natur des verpackten Produktes beeinflußt. Man kann im wesentlichen zwei Fälle unterscheiden:

1. Das Füllgut kommt nur mit seiner Oberfläche mit der Folie in Berührung. Hier sind keine weitgehenden Wechselwirkungen gegeben. Die Diffusionskonstanten niedermolekularer Stoffe in Polymeren sind im allgemeinen sehr klein. Die Menge der aus der Folie in das verpackte Gut übertretenden Produkte ist in einem solchen System außerordentlich gering. Dies gilt für die Verpackung von trockenen, stückigen oder rieselfähigen Produkten, z.B. von Nüssen, Snackartikeln, Backwaren, Süßigkeiten usw..

2. Füllgüter, bei denen eine intensive Wechselwirkung mit der Verpackungsfolie eintritt, durch die der polymere Rohstoff verändert wird. In diesem Fall sind die Mengen an übertretenden Folieninhaltsstoffen wesentlich höher. Beispiele für Systeme dieser Art sind vor allem Fette und Öle, die mit Folien aus → Polyethylen, → Polypropylen, → Polystyrol oder → Weich-PVC verpackt wurden. Fette und Öle können in die Folie eindringen und mit dieser eine Mischphase ausbilden, die sich im Laufe der Zeit immer weiter ausbreitet. Dies bewirkt eine Mobilisierung der niedermolekularen Inhaltsstoffe der Folie, die dann wegen der stark erhöhten Diffusionskonstanten sehr schnell in das Packgut übertreten können. Dies gilt, wenn auch in abgeschwächtem Maße, auch für nicht Fett und Öl enthaltende Flüssigkeiten.

Es sind verschiedentlich Methoden zur Berechnung von Migrationswerten vorgeschlagen worden, jedoch konnte ein allgemein anerkanntes Verfahren noch nicht entwickelt werden. Dies ist bei den zahlreichen verschiedenen Einflüssen auf die Migration von Inhaltsstoffen aus Folien auch verständlich. Diese Einflüsse leiten sich im wesentlichen aus drei Quellen ab, nämlich:

1. aus der Art und der Struktur der verwendeten Polymeren (chemische Struktur, → Dichte, → Glasübergang, Morphologie, → Molekülmasse)

2. aus vom Herstellungsverfahren resultierenden unterschiedlichen Eigenschaften und Dimensionen der Verpackungen (→ orientierung der Makromoleküle, Oberflächenrauhigkeit, Wanddicke),

3. aus Art und Menge der verwendeten niedermolekularen → Additive,

4. aus der Art des Füllgutes, (Gehalt an Wasser, Alkohol, Fetten und Ölen). Die praktische → Migrationsprüfung, abgestellt auf das jeweils vorliegende Ver-

packungsproblem, steht deshalb im Vordergrund.

Der Einfluß der Temperatur auf die Migration ist sehr groß. Die Abb. zeigt das Beispiel die Untersuchung eines Antioxydationsmittels und von Stearinsäureamid in PE-HD-Folien bzw. eines Antioxydationsmittels und von Stearinsäurebutylester in Polystyrolfolie. Die Prüfdauer betrug 10 Tage, als Prüflebensmittel wurde Prüffett HB 307 verwendet. Bei Temperaturen zwischen 50 und 60 °C steigt die Menge des Migrats exponentiell an.

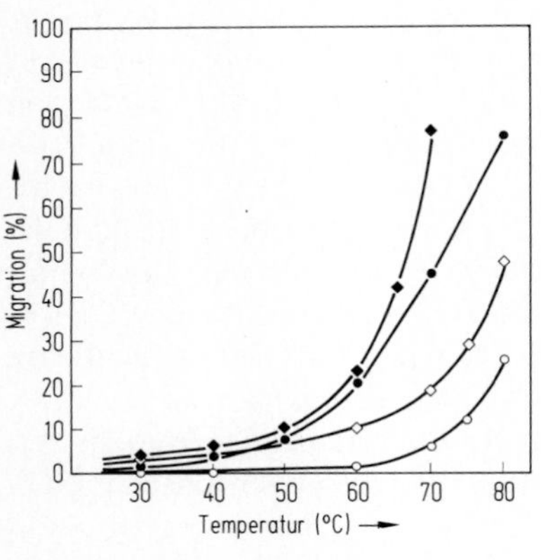

Migration von Folieninhaltsstoffen. Hauschild-Spingler, Migration bei Kunststoff-Verpackungen, Stuttgart 1988.

Migrationsprüfung, *<migration testing>*, die Feststellung der → Migration von Folieninhaltsstoffen mit festgelegten → Prüflebensmitteln.

Für die Prüfung von Folien wurden Migrationszellen entwickelt, die die Herstellung eines einseitigen Kontakts zwischen den Folien und den Prüfmedien ermöglichen. Die Zellen bestehen meist aus zwei metallischen Außenringen und einem Zwischenring. Die kreisrunden Prüflinge mit einem Durchmesser von etwa 70 mm werden auf beide Seiten des Zwischenringes aufgelegt und die Teile der Zelle miteinander verschraubt.

Die Prüfbedingungen, insbesondere die Temperatur sind sorgfältig konstant zu halten.

Man unterscheidet die Bestimmung des Gesamtmigrats und die Bestimmung spezifischer Migrate.

1. *Gesamtmigrat.* Dieses umfaßt sämtliche Bestandteile, die unter den Versuchsbedingungen von einer Folie in das Füllgut einwandern. Gesamtmigrate bestehen stets aus mehreren Stoffen, z.B. aus Restmonomeren, Oligomeren oder Additiven. Gesamtmigrate haben also für die toxikologische Bewertung von Folien als Packstoffe für Lebensmittel nur begrenzte Aussagekraft. Wenn allerdings der Wert für das Gesamtmigrat unter den Grenz- bzw. Richtwerten für die vorhandenen Folieninhaltsstoffe liegt, ist die Gesamtmigratbestimmung eine wesentlich einfachere Methode als die Bestimmung von spezifischen Migraten. Unter den zahlreichen Verfahren zur Gesamtmigratbestimmung hat die folgende Methode breite Anerkennung gefunden: Eine Packstoffprobe mit bekanntem Gewicht und bekannter Oberfläche wird unter den festgelegten Versuchsbedingungen im Prüflebensmittel gelagert.

Migrationsprüfung. Tab. 1.

Verwendungsbedingungen	Prüftemperatur	Prüfdauer
Kontakt bei Raumtemperatur bis zu mehreren Monaten einschließlich einer (vorausgegangenen) Heißabfüllung	40 °C	10 Tage (10 × 24 h)
Kurzzeitiger Kontakt bei Temperaturen bis zu 70 °C	70 °C	2 h
Kurzzeitiger Kontakt bei Temperaturen zwischen 70 °C und 100 °C	100 °C	1 h
Kontakt bei 121 °C (Sterilisation) und anschließende Lagerung bei Raumtemperatur	121 °C	30 min
Kontakt bei Kühlbedingungen bis zu mehreren Monaten	10 °C	10 Tage (10 × 24 h)

nach Hauschild-Spingler, Migration bei Kunststoffverpackungen
Wiss. Verlagsgesellschaft Stuttgart 1988.

Migrationsprüfung. Tab. 2.

Verwendungsbedingungen	Prüfbedingungen
1. Kontaktzeit: $t > 24$ h	
1.1 $T \leq 5$ °C	10 d bei 5 °C
1.2 5 °C $< T \leq$ 40 °C*)	10 d bei 40 °C
2. Kontaktzeit: 2 h $\leq t \leq$ 24 h	
2.1 $T \leq 5$ °C	24 h bei 5 °C
2.2 5 °C $< T \leq$ 40 °C	24 h bei 40 °C
2.3 $T >$ 40 °C	entsprechend der nationalen Regelung
3. Kontaktzeit: < 2h	
3.1 $T \leq 5$ °C	2 h bei 5 °C
3.2 5 °C $< T \leq$ 40 °C	2 h bei 40 °C
3.3 40 °C $< T \leq$ 70 °C	2 h bei 70 °C
3.4 70 °C $< T \leq$ 100 °C	1 h bei 100 °C
3.5 100 °C $< T \leq$ 121 °C	30 min bei 40 °C
3.6 $T >$ 121 °C	entsprechend der Nationalen Regelung

*) Zur Prüfung polymerer Packstoffe, die mit solchen Lebensmitteln in Kontakt stehen, die laut Beschriftung auf der Verpackung bzw. durch gesetzliche Auflagen ausschließlich bei Temperaturen unter 20 °C gelagert werden dürfen, sind auch die Bedingungen „10 d bei 20 °C“ gestattet.
Quelle: s. Tab. 1.

Sie wird anschließend von äußerlichen anhaftendem Fett befreit und erneut gewogen. Danach wird die in der Packstoffprobe verbliebene Fettmenge bestimmt. Das Gesamtmigrat GM ergibt sich nach der Gleichung

$$GM = Gewicht_{vor} - (Gewicht_{nach} - Gewicht_{Fett}).$$

Hauptfehlerquelle bei dieser Methode ist die Bestimmung der Fettmenge. Die meisten Verfahren ziehen nur eine Einzelkomponente des verwendeten Prüfgemisches zur Bestimmung heran. Dies setzt voraus, daß alle Einzelkomponenten des Prüffettes in gleicher Weise in den Kunststoff eindringen und mit den gebräuchlichen Extraktionsmitteln wieder quantitativ extrahiert werden können. Diese Voraussetzung sind jedoch für viele Kunststoff-Prüflebensmittel-Systeme nicht erfüllt.
Eine sichere Methode ist die Verwendung von radioaktiv markiertem Prüffett. Die Bestimmung der in der Folie verbliebenen Prüfmittelmenge erfolgt dann radiometrisch.
2. *Spezifische Migrate*. Die Prüfung von einzelnen, meist chemisch definierten Folieninhaltsstoffen setzt spezifisch angepaßte analytische Methoden voraus. Ein sehr brauchbares Verfahren ist auch hier die radioaktive Markierung der zu prüfenden Substanz. Diese Methode setzt eine gleichmäßige Verteilung der Radioindikatoren über die Gesamtfläche der zu prüfenden Folie voraus. Für die Prüfbedingungen gibt es Empfehlungen des Gesetzgebers oder entsprechender Behörden, die von Land zu Land unterschiedlich sind. Tabelle 1 gibt eine Übersicht über die vom → Bundesgesundheitsamt vorgegebenen Migrationsprüfung. Tabelle 2 zeigt die Bedingungen der Migrationsprüfung, wie sie von der → Gesetzgebung in der EG festgelegt worden sind.
In der → Gesetzgebung der USA wird die Bedeutung verschärfter Prüfungen z.Zt. neu bewertet. Es ist zu erwarten, daß die Prüftemperaturen den tatsächlich auftretenden Verarbeitungs- und Lagertemperaturen weitgehend angeglichen werden.

Mikroperforation, *<microperforation>*, → Perforation.

Mikrowellenfestigkeit, *<micro-ovenability>*, → dual-ovenability.

Mikrowellensterilisation, *<microwave sterilization>*, das Abtöten von Keimen durch Mikrowellen. Im Prinzip ist die sterilisierende Wirkung von Mikrowellen lange bekannt. Erst in jüngster Zeit gibt es Arbeiten über die Entwicklung eines Sterilisationsverfahrens für medizinische Artikel, die in Folien verpackt sind. Die Produkte werden in einem teilevakuierten Glasbehälter plaziert. Durch die Mikrowellen kommt es zu einer Erwärmung auf etwa 60 °C und gleichzeitig zu einer starken Ionisierung der Atmosphäre im Glasbehälter. Die Sterilisationszeiten liegen unter einer Minute.
Das Verfahren dürfte der → Dampf-Sterilisation und der → chemischen Sterilisation überlegen sein. Gegenüber

der → Bestrahlungs-Sterilisation hätte es den Vorteil einer sicheren Anwendung.
Das Verfahren soll sich auch für die Sterilisation von Lebensmitteln eignen. Die Diskussion um die Bestrahlung von Lebensmitteln erhält dadurch möglicherweise eine ganz andere Richtung.

Mikrowellentechnik, <*microwave technique*>, die Verwendung von Mikrowellen zur Erwärmung. Sie hat unsere Ernährungsgewohnheiten in jüngster Zeit wesentlich verändert. Auch die Verpackungs- und Folientechnologie wurden stark beeinflußt. Forschung und Entwicklung sind, ausgehend von den USA, auch in Europa in den letzten Jahren wesentlich verstärkt worden.
Einen guten Hinweis auf die künftige Entwicklung gibt ein Blick in die Vergangenheit. Tabelle 1 zeigt den Prozentsatz von Haushalten, die ein Mikrowellengerät besitzen.
Auf dem Foliengebiet wird ein beträchtliches Mengenwachstum vor allem bei Verpackungsmaterial aus → Polyesterfolien erwartet. Die Produkte müssen nicht nur hohe Wärmebeständigkeit, sondern auch gute Kältefestigkeit haben, da sehr viele typische Mikrowellen-Gerichte über die Tiefkühlkette gehen. So reicht die Temperaturfestigkeit von Menüschalen, die aus hochkristallinem → Polyethylenterephthalat (in USA auch als CPET, für cristalline) hergestellt werden, von -40 bis +240 °C. Die Tendenz geht zu Behältern mit immer dünneren Wandstärken. Wärhend vor wenigen Jahren noch etwa 100 μm üblich waren, findet man heute schon Werte von 60 oder sogar nur 40 μm. Als eine Alternative für PET wurden preisgünstigere Blends aus → Polyphenylenoxid und Polystyrol sowie mit anorganischen Material gefülltes Polypropylen für diese Anwendung vorgeschlagen. Zur Erzielung langer Lagerzeiten müssen häufig → Sperrschichtfolien eingesetzt werden. → Verbunde aus → BOPP, → Polyesterfolien, → Papier, → Polyamid-, → Polycarbonat und → PVDC-Folien werden ebenfalls bei der Entwicklung maßgeschneiderte Produkte Chancen haben, da die Verpackungstechnik auf immer höhere Qualität zielt.
Ein Beispiel für eine neuere Entwicklung ist ein Verbundwerkstoff, der aus einem Cellulosebehälter besteht, der durch → Vakuum-Formkaschierung mit einer dünnen Schicht aus einem thermoplastischen Kunststoff versehen wurde. Das Material besitzt → Dualovenability.
Auch → Aluminiumfolien können in Mikrowellengeräten eingesetzt werden. Eine mit Tiefkühlkost auf Aluminiumschalen durchgeführte Studie hatte folgende Ergebnisse:
1. Die Energiedichte überstieg nie die festgelegten Grenzwerte,
2. Leere und mit Wasser gefüllte Behälter ergaben keinerlei Feuererscheinungen,
3. Beim Erhitzen von gefrorenen oder flüssigen Nahrungsmitteln gab es im Vergleich zu Behältern aus anderen Materialien keine signifikanten Unterschiede in der Wärmeverteilung.

Mikrowellentechnik. Tab. 1.

	1984	1985	1986	1987
Großbritannien	15,0%	20,0%	26,0%	30,0%
Frankreich	2,0%	3,0%	5,5%	10,0%
Westdeutschland	2,0%	3,5%	6,0%	10,5%
Niederlande	5%	1,0%	2,0%	4,5%
Belgien	1,0%	2,0%	3,0%	5,0%

S. Sacharow Paper, Film & Foil Converter, Okt. 1988, 106-110

Mikrowellentechnik. Tab. 2.

	1987	1987	1992	1992	Veränderung
		%		%	
Aluminium	1,041	86%	998	43%	-5%
Polyester	121	10%	835	36%	700%
Verbundfolie	–	–	162	7%	–
Karton	48	4%	325	14%	700%
gesamt	1,210	100%	2,320	100%	200%

Quelle: s. Tab. 1

Mikrowellentechnik. Tab. 3.

	Migration 10 Tage 40 °C	(mg/dm^2) + Mikrowelle	Mikrowelle-Bedingungen Zeit (min)	Temperatur (°C)
PE-HD Tiefkühlkost-Beutel	0,3	1,5	5	70
PE-LD Folie	1,7	7,4	5	75
BOPP/BOPP-Laminat	0	1,0	2,5	120
PET Bratbeutel	0	0,4	10	180
Backpapier	3,3	17	8	180
PE-LD Folie	2,6	3,9	5	80
BOPP Coextrusions-Folie	4,5	15	5	130

Food packages in Microwave Ovens, World Conference on Packaging 1989, Handbuch, S. 671-674

Voraussetzung für diese Ergebnisse war „der Gebrauch der Produkte gemäß den spezifischen Instruktionen". Da dies in der Praxis sicher nicht immer gewährleistet werden kann, werden zumindest in der BRD Aluminium enthaltende Packungen erst nach Entfernung der metallischen Teile für den Gebrauch in der Mikrowelle empfohlen. Löcher in den Folien oder zu nahe aneinander-

gestellte Behälter können natürlich zur Funkenbildung führen und sind deshalb gefährlich. Eine Schätzung für die mengenmäßige Entwicklung verschiedener Materialien für Mikrowellenpackungen zeigt Tabelle 2.
Bei der Entwicklung von Packungen für Mikrowellengeräte ist eine Abstimmung zwischen den Herstellern des Packungsmaterials, den Produzenten der Fertiggerichte und den Spezialisten für die Verpackungsmaschinen in vielleicht noch größerem Maße als bei konventionellen Lebensmittelverpackungen erforderlich. Eine aus den USA kommende Neuentwicklung sind sog. „Empfänger" <*susceptors*> oder „Heizschichten" <*heating layers*>, die in die Packung integriert sind. Diese absorbieren die Mikrowellen und wandeln sie in Wärme um. Man erreicht so örtlich eine gezielte Bräunung der Nahrungsmittel oder man kann bestimmte Produkte wie Pizzas, Croissants oder Fischstäbchen in besonders knuspriger Form erhalten. Die Suszeptoren bestehen meist aus sehr dünnen Polyesterfolien, die durch → Metallisieren leitfähig gemacht sind. Die weitere Entwicklung dieses Verfahrens wird sehr optimistisch beurteilt.
Eine Studie zur Beeinflussung der → Migration nach Erhitzen in der Mikrowelle wurde mit verschiedenen Folien unter Anwendung von Lebensmittel-Simulantien durchgeführt. Bei allen untersuchten Produkten zeigte sich im Vergleich zum Basistest bei 40 °C und 10 Tagen keine Unterschied zu dem in der Mikrowelle belasteten Material, sofern mit wäßrigen Flüssigkeiten gearbeitet wurde. Beim Test mit Olivenöl waren die Migrationswerte teilweise höher (Tabelle 3).
Die → Mikrowellensterilisation ist möglicherweise eine interessante neue Anwendung der Mikrowellentechnik. Lit.

Milchsäuregärung, <*lactic acid fermentation*>, → Silagefolie.

Mischpolymerisation, <*copolymerization*>, → Polymerisation.

Mischwalze, <*roll mill*>, → Prüfwalzwerk.

Misch- und Scherelemente, <*mixing and shearing aggregates*>, dienen der Homogenisierung von Schmelzen → thermoplastischer Kunststoffe in Extrudern. Diese ist zur Erzielung guter → optischer Eigenschaften von Folien unbedingt erforderlich. Die Homogenisierung in Extrudern kann auch durch Verlängerung der Schnecke erreicht werden. Dies führt jedoch zu längeren Verweilzeiten und höheren → Massetemperaturen und damit zur Gefahr der Schädigung des Kunststoffs.
Mischelemente bewirken eine Vielzahl von Stromteilungen bei sehr geringer → Schergeschwindigkeit und hoher Verweilzeit. Sie enthalten Stifte, Bohrungen oder Schlitze, sollen aber keine oder nur geringe Scherwirkung haben. Beispiele für die Konstruktion von Mischteilen für Einschnecken-Extruder zeigt die Abb.
Am Schneckenende dienen sie der Homogenisierung von Viskosität und Temperatur. Scherelemente werden in der

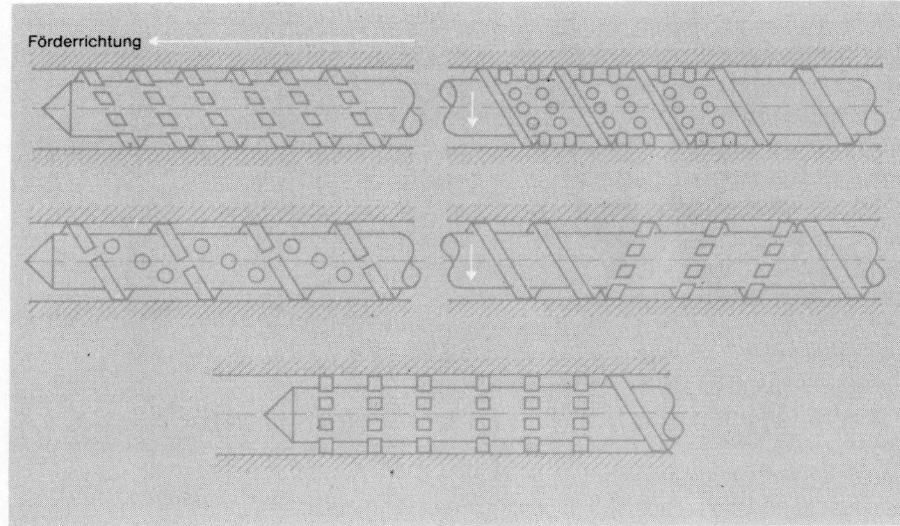

Misch- und Scherelemente. BASF, Firmenschrift.

Austragszone, bei Extrudern mit genuteten Zylindern auch nach etwa 2/3 der Schneckenlänge angeordnet. Einfache Scherelemente sind Stauringe oder Torpedos, die jedoch zu sehr großen Widerständen führen. Andere Scherteile haben definierte Ein- und Austrittkanäle und Scherspalte definierter Länge.

„Mitgehen“, → Schrumpfverhalten.

Molekülmasse, *Molmasse, relative Molekülmase, M, ältere Bezeichnung: Molgewicht, MG, <molecular weight>,* die Summe der relativen Massen derjenigen Atome, aus denen eine chemische Substanz aufgebaut ist. Die relative Atommasse ist eine Verhältniszahl, die angibt, wieviel größer die Masse eines bestimmten Atoms im Vergleich zur Masse eines Bezugsatoms ist.

Die Molekülmasse von polymeren Stoffen kann durch Bestimmung der Sedimentationsgeschwindigkeit in der Ultrazentrifuge oder durch Messung der Lösungsviskosität erfolgen. Man erhält dabei nur Werte für eine mittlere Molekülmasse, da die einzelnen Moleküle unterschiedliche Kettenlängen und damit unterschiedliche Massen aufweisen. Abhängig vom Meßverfahren erhält man das Gewichtsmittel M_w oder das Zahlenmittel M_n.

Mit verschiedenen, allerdings aufwendigen Methoden kann man Polymere fraktionieren, d.h. in Anteile mit mehr oder weniger langen Molekülketten aufteilen. Man erhält damit Einblick in die Molekularmassen-Verteilung. Bei einheitlich aufgebauten Polymeren ergibt sich der Polymerisationsgrad P durch die Gleichung

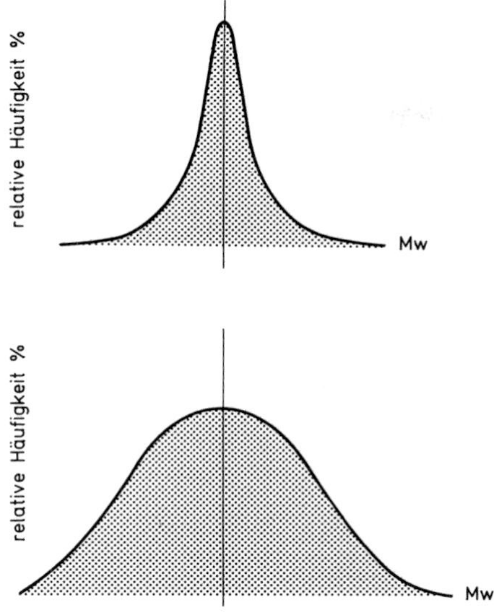

Molekülmasse.

P M Polymer : M Monomer
Bei → thermoplastischen Kunststoffen wirkt sich die Größe der Molekülmasse stark auf die Verarbeitungsbedingungen und die Eigenschaften der Fertigprodukte aus. Abhängig von der chemischen Struktur der Thermoplaste ist eine Mindestgröße der Molmasse von etwa 10^4 erforderlich, um überhaupt brauchbare Resultate zu erzielen. Mit steigender Molekülmasse wird die Verarbeitung im allgemeinen schwieriger, die mechanischen Eigenschaften werden besser.
Großen Einfluß auf das Verhalten von Thermoplasten hat auch die Molekülmassenverteilung. Die Abb. zeigt zwei Beispiele für eine breite bzw. eine enge Molekülmassenverteilung bei zwei → Polyethylentypen niedriger Dichte.
Eine breite Molekülmassen-Verteilung erleichtert bei manchen Polymeren die Verarbeitung, verschlechtert aber die Eigenschaften. Der Trend in der Kunststoff-Herstellung geht eindeutig in Richtung einer engen Molekülmassenverteilung, um Produkte mit maßgeschneiderten Eigenschaften für spezielle Anwendungsgebiete zu schaffen. Solche Produkte werden auch als CR-Produkte (CR = Controlled Rheology) bezeichnet.
In der technischen Praxis werden an Stelle der Molekülmassen einfacher zu ermittelnder Kennzahlen benützt, vor allem die → Viskositätszahl und der → Schmelzflußindex. Diese ermöglichen bei chemisch gleich aufgebauten Kunststoffen eine Beurteilung ihres Verhaltens bei der Verarbeitung. Auch Schädigungen des Materials können mit Hife dieser Kennzahlen leicht erkannt und in ihrem Ausmaß beurteilt werden.

Molekulargewicht, *<molecular weight>*, → Molekülmasse.

Molmasse, *<molecular weight>*, → Molekülmasse.

Monofolie, *<one-layer film>*, → Solofolie.

Mulchen, *<mulching>*, → Landwirtschaftsfolie.

Mulchfolie, *<mulching film>*, → Landwirtschaftsfolie.

Muldenfolie, *<blister film>*, gelegentlich angewendete Bezeichnung für die Unterfolie oder Bodenfolie der → Blister-Verpackung oder der → Skin-Verpackung. Die Bezeichnung weist auf die Mulden hin, die das Füllgut aufnehmen, bevor die Packung durch Aufsiegeln einer Deckfolie verschlossen wird.

Muldenverpackung, <*tray packaging*>, → Frischfleischverpackung.

Mülldeponie, <*waste deposit*>, → Deponie.

Myoglobin, <*myoglobin*>, → Frischfleischfolie.

N

Nachleuchtfolie, *Leuchtfolie*, <*phosphorescing film*>, Folie, die → Pigmente enthält, die Lichtenergie speichern und wieder abgeben können. Derartige Pigmente können auch in anderen Anwendungsformen, vor allem als Markierungsfarben oder in Form von Profilen, zur Kennzeichnung von Gefahrenbereichen oder zur Erhöhung der Sicherheit dienen, jedoch sind nachleuchtende Folien besonders einfach und vielseitig anwendbar. Die nachleuchtenden *Sicherheitsfolien* sind in DIN 67 510 genormt.
Ausgangsmaterial sind vor allem → Polyethylen niederer Dichte (PE-LD), → Polypropylen, → Acrylnitril-Butadienstyrol-Copolymere (ABS) und → Weich-PVC. Für diese Produkte sind → Masterbatches mit etwa 15 und etwa 30% Pigmentanteil auf dem Markt.
Als Pigmente oder Leuchtstoffe werden Wolframate oder Molybdate von Calcium, Zink oder Magnesium oder organische Farbstoffe vom Typ des Dihydroxybenzaldazins, des Eosins oder des Fluoresceins verwendet.
Die Herstellung der Folien durch Extrusion sollte so schonend wie möglich im Einschneckenextruder erfolgen. Insbesondere können hohe Scherkräfte, wie sie an sich für eine gute Durchmischung erwünscht sind, die Pigmente schädigen oder zerstören.
Die wichtigsten Farben sind gelb/grün, Sicherheits-Gelb und Sicherheits-Rot. Die Nachleuchtfunktion der Pigmente soll über mehrere Stunden wirksam bleiben. Sie soll durch Tages- oder Kunstlicht innerhalb weniger Sekunden reaktiviert werden, allerdings hängt die Schnelligkeit dieser Reaktivierung sehr wesentlich von der Lichtstärke ab.

Nähen, <*sewing, stitching*>, ein Verfahren, das zum → Verbinden von Folien und zum Verschließen von aus Folien hergestellten Packmitteln eingesetzt wird. Die Anwendung dieses Prozesses ist allerdings selten.
Folien können mit doppelter Faltung genäht werden, wenn sie eine Dicke von mindestens 40 μm haben. Der Abstand der Stiche sollte wegen der meist geringen → Weiterreißwiderstands der Folien relativ groß sein. Das Verschließen von → Säcken aus Folien durch Nähen erfordert Foliendicken von mindestens 150 μm und wird deshalb selten angewendet. Dagegen werden Papiersäcke, bei denen auch eine Lage aus einer Folie bestehen kann, häufig genäht.
Ein den Nähen vergleichbares Verfahren ist das *Heften mit Metallklammern* <*staple fastening*>, das zur Herstellung hochwertiger → Tragetaschen gelegentlich verwendet wird.
Das sog. Hochfrequenznähen beruht auf der Erzeugung einer Naht mit punktuellen Verschweißungen (→ Heißsiegeln).

Naßgießverfahren, <*wet film casting*>, → Gießverfahren.

Natriumhypochlorid, <*sodium hypochloride*>, NaOCl, Salz der Unterchlorigen Säure, nur in wäßriger Lösung beständig. Oxydationsmittel, das bei der → Cellophanherstellung zum Bleichen der Folie verwendet wird.

Die Herstellung erfolgt durch Einleitung von Chlor in verdünnte Natronlauge unter starker Kühlung.

2,6-Naphthalin-dicarbonsäure, *<2,6-Naphthalene dicarboxylic acid>*, wird zur Herstellung von Polyethylen-naphthenat und als Komponente zur Herstellung von thermoplastischen Polyesterharzen auf Basis → Polyethylenterephthalat vorgeschlagen. Aus derartigen Copolymeren hergestellte Folien besitzen z.T. wesentlich höhere Schmelzpunkte und verbesserte mechanische Eigenschaften. Eine nennenswerte praktische Verwendung haben diese Produkte aus wirtschaftlichen Gründen jedoch bisher nicht gefunden.

NAS-Folie, *<NAS-film>*, eine → Verbundfolie, die eine neu entwickelte Problemlösung für die → Aseptische Verpackung (Neutral Aseptic System) liefert. Die Folie wird zu Bechern oder Schalen tiefgezogen. Dabei löst sich die Außenschicht der Verbundfolie, die auf der geformten Innenseite des Behälters liegt, ab. Sie kann unmittelbar vor dem Füllen der Schale oder des Bechers auf der Verpackungsmaschine abgezogen werden und hinterläßt eine sterile Innenwand des Behälters, ohne daß zur → Sterilisation Wärme oder Chemikalien angewendet werden mußten.

Naturdarm, *Tierdarm, <natural casings>*, ein Nebenprodukt der Fleischgewinnung, das zur Herstellung von Wursthüllen Verwendung findet. Die Produktion von Naturdarm ist wegen der notwendigen Beachtung der Hygiene-Vorschriften nicht unproblematisch.
Auch die unterschiedlichen Formen und Durchmesser der Naturdärme erschweren ihre Anwendung als Wursthüllen.
Es kam deshalb schon früh zur Entwicklung von sythetischen → Wursthüllen. Dabei dienten die guten anwendungstechnischen Eigenschaften der Naturdärme als Vorbild.
Naturdärme bestehen überwiegend aus Bindegewebe-Eiweiß. Dieses Material verleiht dem Naturdarm eine Reihe von Eigenschaften, die für seine Verwendung als Wursthülle von besonderer Bedeutung sind. Ausgeprägt ist die Fähigkeit des Naturdarms zur Aufnahme von Wasser bei der Befüllung mit Wurstbrät. Bei der anschließenden Behandlung und Lagerung der Würste sind Gewichtsverluste durch Wasserabgabe unvermeidlich. Durch gleichzeitige Wasserabgabe des Naturdarms kommt es zu einer Schrumpfung der Wursthülle. Dadurch wird Faltenbildung der Wurstoberfläche vermieden, wodurch das gute Aussehen der Ware gesichert ist.
Ein weiterer Vorteil des Naturdarms ist seine chemische Verwandschaft zum Eiweiß des Wurstbräts. Die hohe Durchlässigkeit des Naturdarms ist bei der Herstellung von geräucherter Wurst von Bedeutung.
Die wichtigsten Eigenschaft des Naturdarms ist jedoch die durch seinen chemischen Aufbau gegebene Eßbarkeit. Dies wird besonders bei der Herstellung von Würstchen mit kleinem Durchmesser genutzt.

Nachteile der Naturdärme sind aufwendige Lagerung und Vorbehandlung, große Schwankungen beim → Kaliber und Anfälligkeit gegen Bakterien. So hat erst die Entwicklung der synthetischen → Wursthüllen eine rationelle Herstellung und Verarbeitung von Wurst und Wurstwaren ermöglicht.

Naßgießverfahren, *<film casting>*, → Gießverfahren.

Naßkaschieren, *<wet laminating>*. Dieses Verfahren zum → Kaschieren wird mit Hilfe von lösungsmittelhaltigen → Kaschierklebstoffen oder mit Bindemittel-Dispersionen durchgeführt. Der Klebstoff wird auf eines der Substrate aufgebracht, danach wird das zweite Substrat zugeführt. Beide Bahnen werden meist bei höherer Temperatur und unter Druck verbunden. Lösungsmittel oder Wasser werden im Trockenkanal unter Zuführung von Heißluft entfernt.
Der Auftrag der Kaschierklebstoffe erfolgt meist über Auftragswalzen, gelegentlich auch als Rakelauftrag oder im Sprühverfahren.
Die Naßkaschierung wird in geringerem Umfang angewendet als die → Trockenkaschierung.

Neck-in, *<neck-in>*, → Einschnürung.

Nennkaliber, *<nominal size>*, → Kaliber.

Netzverpackung, *<open-mesh packaging>*, ein Verpackungsmaterial, das sich wegen seiner Luftdurchlässigkeit, verbunden mit guten mechanischen Eigenschaften, zur Verpackung von Obst und Gemüse bewährt hat. Es wird als Gewebe oder Gewirke aus → Foliengarn auf Basis Polyethylen oder Polypropylen hergestellt. Die Herstellung ist auch in Form von Netzschläuchen möglich. Dabei werden Thermoplasten in einem speziellen Extrusionsverfahren zu einem endlosen Netzschlauch verformt, dessen Abmessungen, Maschenweite und Fadenstärke dem jeweiligen-Verwendungszweck angepaßt werden können. Die Netzschläuche können in einem großen Durchmesserbereich als Rollenware
hergestellt werden. Sie haben weder Schweißstellen noch Knoten und lassen sich gut auf automatisierten Verpackungslinien verarbeiten.

Niederdruck-Polyethylen, *<high density polyethlyen, PE-HD>*, → Polyethylen.

Niederdruck-PE-Folie, *<PE-LD film>*, → PE-LD- und PE-LLD-Folie.

Niederdruck-Plasma-Technologie, *Gas-Plasma-Technik*, *<gas-plasma techniques>*, eine Technologie zur Modifizierung von Kunststoff-Oberflächen. Das Verfahren ist zur → Oberflächenbehandlung von Folien bisher nicht erprobt worden.

Nitrocellulose, *<nitro cellulose>*, → Cellulosenitrat.

Non-Woven, *Vliese, Vliesstoffe*, *<non-wowen, non-wowen fabric>*, ungeweb-

tes Gewebe aus natürlichen oder synthetischen Fasern, die unregelmäßig oder orientiert zu einem flächigen Gebilde zusammengelegt und dann durch Harze, Klebstoffe, Hitze oder Druck mehr oder weniger fest miteinander verbunden werden.
Non-Wowens zeigen bei manchen Anwendungen, z.B. als Vepackungs- oder Abdeckmaterialien Ähnlichkeiten mit dem Einsatz von Folien. Wegen ihrer vergleichsweise schlechten mechanischen Eigenschaften, ihrer großen Porosität und ihrer unregelmäßigen Oberfläche kann man aber wohl nur die → Spinnvliese als eine echte Folienalternative betrachten, z.B. bei der → medizinischen Verpackung. Spinnvliese lassen sich auch mit Folien kombinieren. Dies gilt auch für Vliese, die nach dem → Schmelzblasverfahren gewonnen wurden.

Noppenfolie, *<stud-type sheet>*, eine Folie mit Noppen, die meist gleichmäßig über die Folienbahn verteilt sind und durch → Prägen oder → Warmformen erzeugt wurden. Noppenfolien dienen als rutschfeste Unterlagen und zur Verpackung. Die Noppen messen im Durchmesser und in der Höhe wenige mm. Zur Herstellung von → Luftpolsterfolien werden Folien mit größeren Noppen verwendet. Als thermoplastische Ausgangsmaterialien können → Polyvinylchlorid und → Polyethylen eingesetzt werden.

Normung, *Standardisierung*, *<standards, standardization>*, die exakte technische Beschreibung und Spezifikation für die Herstellung, Anwendung, Prüfung und Bezeichnung industriell gewonnener Produkte. Die Normung beruht auf den zusammengefaßten Ergebnissen von Wissenschaft, Technologie und Erfahrung. Sie strebt optimale, verbindliche Definitionen an und muß durch eine national oder international anerkannte Institution diskutiert und verabschiedet worden sein. Für die Bundesrepublik Deutschland ist diese Institution das *Institut für Deutsche Industrienormen, DIN*. Nach entsprechender Vorarbeit werden erstellte Normen von der Normenprüfstelle verabschiedet und unter dem DIN-Zeichen in Form von Normblättern veröffentlicht. Das DIN-Zeichen darf nur dann zur Kennzeichnung von Industrieprodukten verwendet werden, wenn diese in allen Punkten den gesetzten Normen entsprechen. Im Jahre 1946 wurde die *International Organization for Standardization*, ISO, gegründet. Sie hat inzwischen über 70 Staaten als Mitglieder und verfügt über mehr als 150 technische Auschüsse und Arbeitsgruppen.
1961 wurde das *Europäische Kommitee für Normung* (CEN) gegründet. Diese Organisation hat einen sehr großen Einfluß auf die → Gesetzgebung in der EG. Bestrebungen zur Normung sind in der Folientechnologie bisher besonders stark bei der Prüfung der → Folien-Eigenschaften wirksam geworden. Hier sind neben den DIN- und ISO-Vorschriften noch besonders die durch die American Society for Testing and Materials, *ASTM*, gesetzten Standards von Bedeutung.

NPC, *<National Plastics Exhibition>*, → Messen.

Nukleiermittel, *<nucleating agent>*, → Nukleierung; → Schaumfolien.

Nukleierung, *Keimbildung*, *<nucleation>*, Bildung von Kristallisationskeimen oder -kernen (Nuklei) als wichtige Voraussetzung zur Kristallisation von Polymeren. Zur Erhöhung der Kristallisationsneigung und der Beschleunigung der → Kristallisation setzt man manchen Polymeren Nukleierungsmittel zu. Diese Additive wurden zunächst empirisch gefunden und erst in jüngster Zeit etwas systematischer untersucht. Es gibt trotzdem noch sehr wenige Veröffentlichungen, da es sich oft um Know-How der Herstellerfirmen handelt.

Für die Wirkung von Nukleierungsmitteln gelten folgende allgemeine Regeln:

1. Das Produkt sollte in dem Polymeren nicht löslich sein, aber doch leicht von diesem benetzt werden.
2. Sein Schmelzpunkt sollte höher liegen als der des Polymeren.
3. Das Produkt sollte sich in der Polymerschmelze leicht homogen dispergieren lassen und zwar in einer sehr feinen Partikelgröße.

Nukleierungsmittel können in verschiedene Klassen eingeteilt werden:

1. Anorganische Produkte, z.B. Siliciumdioxid oder Kaolin.
2. Organische Produkte, z.B. Salze von höheren Monocarbonsäuren und von Polycarbonsäuren.
3. Copolymere, z.B. auf Basis Ethylenacrylsäureestern.

Die Nukleierungsmittel werden in Mengen bis zu 0.5% angewendet. Höhere Konzentrationen sind meist ohne zusätzliche Wirkung.

Der Einsatz von Nukleierungsmitteln ist besonders bei langsam kristallisierenden Thermoplasten von Bedeutung. Dies gilt z.B. für Polyethylenterephthalat, wo die Kristallisationsgeschwindigkeit niedrig ist und die Bildung von Kristallisationskernen langsam verläuft. In der Patentliteratur wird eine große Anzahl sehr verschiedener Stoffe genannt. In der Praxis werden vor allem anorganische Produkte, wie Metalloxide, Metallsalze, Titandioxid, oder Siliciumdioxid eingesetzt. Die Abbildung zeigt die Auswirkung einiger Nukleierungsmittel auf die Kristallinität von Polyethylen-Terephthalat bei 100 °C in Abhängigkeit von der Zeit. Auch bei der Herstellung von Folien aus Polypropylen können Nukleierungsmittel die Kristallinität erhöhen

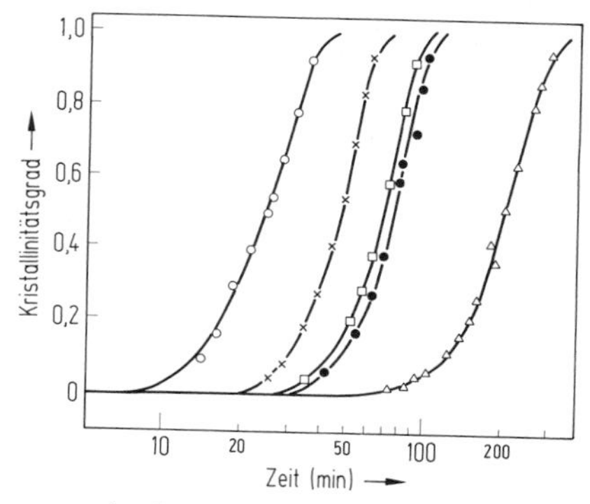

Nukleierung. Nach Gächter, Taschenbuch der Kunststoff-Additive, Hanser Verlag 1990.

Nukleierung. Optische Eigenschaften von Polypropylen-Folien

Folientyp	Blasfolie			Flachfolie		
Folienmaterial	nicht nukleiertes Polypropylen	nukleiertes Polypropylen		nicht nukleiertes Polypropylen	nukleiertes Polypropylen	orientiertes Polypropylen
Masse-	220 °C	220 °C	260 °C	280 °C	280 °C	
Trübung [%]	36	20	17	4	1	
Glanz	19	28	40	71	65	90
Transparenz*	39	29	10	1	2	2

* Gemessen mit einem EEL-Transparenzmeßgerät.
Man beachte, daß niedrigere Transparenzwerte bessere optische Eigenschaften bedeuten.
Quelle: s. Abb..

und damit die mechanischen und optischen Eigenschaften deutlich verbessern. Die Tabelle zeigt den Unterschied einiger optischer Eigenschaften von Polypropylenfolien, die mit und ohne Nukleierungsmittel hergestellt wurden. Die Bedeutung der Nukleierung ist bei biaxial verstreckten Polypropylen-Folien (BOPP) besonders deutlich.

Nukleierungsmittel werden in Form von trockenen feinen Pulvern vor, während oder nach der Polykondensation oder Polymerisation zugegeben. Eine andere, für die Verteilung der Nukleierungsmittel jedoch nicht so gut geeignete Methode ist das Aufbringen der Produkte auf das Granulat in geeigneten Mischern. Auch die bei der Herstellung von → Schaumfolien verwendeten Porenbildner werden als Nukleiermittel bezeichnet.

Nullpunktkontrolle, *<zero adjustment control>* → Dickenmessung.

Nutenextruder, *<extruder with grooved feed zone>*, → Extruder.

O

Oberflächenbehandlung von Folien, *<film surface modification>*, wird vor allem bei unpolaren Materialien, wie → Polyethylenfolien, → BOPP oder → Polyesterfolien durchgeführt. Ziel ist die Erhöhung der Polarität der Oberfläche, wodurch Benetzbarkeit und chemische Affinität wesentlich verbessert werden. Dies ist Voraussetzung für einen optimalen Verlauf vieler Prozesse der Folienverarbeitung, wie → Beschichten, → Kaschieren oder → Bedrucken. Bei unpolaren Folien sind derartige Fertigungsverfahren nur nach einer Oberflächenbehandlung möglich.

Die derzeit wichtigsten Verfahren zur Oberflächenbehandlung von Folien sind die → Corona-Behandlung und die → Flammbehandlung. Zur → chemischen Behandlung von Folienoberflächen, *<chemical film surface treatment>*, dienen Verfahren zur Behandlung von Kunststoffen, durch die die Polarität der Oberfläche erhöht wird, wie sie bei Formkörpern bekannt sind. Benetzbarkeit und chemische Affinität werden wesentlich verbessert.

Oxydative Verfahren in wäßriger Phase, z.B. mit verdünnter Chromschwefelsäure, Permanganat oder Peroxid-Lösungen, sind für die Behandlung von Kunststoffbehältern vorgeschlagen worden, haben in die Praxis aber wegen physiologischer und sicherheitstechnischer Bedenken keinen Eingang gefunden.

Gasphasenverfahren haben naturgemäß eine wesentlich größere Chance für eine technische Anwendung. In den USA wurde eine Methode zur Behandlung von PE-Containern mit Schwefeltrioxid in einer inerten Gasatmosphäre entwickelt. Es tritt Substitution durch Sulfonsäuregruppen ein, die anschließend mit Ammoniak neutralisiert werden. Wesentlicher Effekt ist die Verbesserung der Undurchlässigkeit für Benzin, die auf 1% des ursprünglichen Wertes zurückgehen soll. Der Prozeß wird zur Behandlung von Treibstofftanks genutzt. Für Lebensmittel und Pharmazeutika sind die Behälter bisher nicht zugelassen.

Über den Einsatz von Ozon zur Behandlung von Kunststoffen ist sehr wenig bekannt. Die → Corona-Behandlung wird in der Literatur häufig inkorrekt als Ozonbehandlung bezeichnet, weil dieses Gas als Folgeprodukt der elektrischen Entladung auftritt.

Die bei Kunststoffbehältern bereits angewendete → Fluorierung wurde in letzter Zeit auch zur Modifizierung von Folienoberflächen nutzbar gemacht.

Die Veränderung von Folienoberflächen durch Beschichten, Kaschieren, Bedrucken → Prägen oder → Bedampfen fällt nicht unter den Begriff der Oberflächenbehandlung von Folien.

Oberflächenspannung, *<surface tension>*, → Corona-Behandlung.

Oberflächenwiderstand, *<surface resistance>*, eine zur Charakterisierung der → elektrischen Eigenschaften von Folien dienenden Größe. Im Unterschied zum → Durchgangswiderstand, der die Stromleitung im Inneren einer Elektroisolierfolie betrifft, bezieht

sich der Oberflächenwiderstand auf einen dünnen, leitenden Belag, in der Regel eine Feuchtigkeitsschicht, auf der Oberfläche des Isolierstoffs. Prüfnorm DIN 53482, VDE 0303/Teil 3, Einheit Ω, Ohm.
Der Oberflächenwiderstand ist bei der Verwendung von → Elektroisolierfolien und → Kondensatorfolien wichtig.

Ofenfestigkeit, <*ovenability*>, → Dual-Ovenability.

Off-line-Produktion, <*off-line production*>, Gegenteil von → In-line-Produktion.

Öffnungshilfen, <*opening aids*>, gezielt in Packungen eingebaute Schwachstellen oder vorgeformte Angriffsmöglichkeiten, die das leichte Entfernen oder Öffnen der Verpackung ermöglichen. Die am häufigsten angewendete Öffnungshilfe ist der → Aufreißstreifen. Öffnungshilfen dürfen die Schutz-Funktion der Verpackung nicht beeinträchtigen. Öffnungshilfen in Form von Schwachstellen sind → Zackenschnitt, Aufreißkerbe und → Aufreißperforation.
Einfaches Beispiel für Aufreißhilfen durch vorgeformte Angriffsmöglichkeiten sind → Deckelfolien mit einer über den Siegelbereich hinausstehende Lasche. Eine Easy-peel-Ausrüstung der Deckelfolie erleichtert das Abziehen des Deckels wesentlich. Häufig werden auch Teile der Siegelfläche ausgespart, um einen Ansatz zum leichteren Öffnen vorzugeben. Die Abb. zeigt eine technisch elegante und einfache Lösung zur Öffnung von Blisterverpackungen mit Papier als Oberseite. Die Folie für den Unterteil der Packung wird wie üblich zu einer Mulde geformt, deren Ausmaße auf das Füllgut abgestimmt sind. Zusätzlich wird an der Schmalseite der Einzelpackung eine nur 0,5 bis 1 mm tiefe kleinere Mulde erzeugt. Diese wird so gestaltet, daß im flachen Teil der Bodenmulde noch genügend Siegelfläche erhalten bleibt. Nach Befüllen wird mit Papier als Oberseite versiegelt. Jede ausgestanzte Einzelpackung besitzt an einer ihrer Schmalseite eine am Rande unversiegelte Kante. Diese ist leicht zu erkennen. Das Papier kann an dieser Stelle eingerissen und die Packung damit geöffnet werden.
Öffnungshilfen mit Laserspur, <*opening devices by laser technology*>, sind eine noch sehr neue, auf der → Interpack 1990 vorgestellte Entwicklung, mit der Öffnungshilfen durch Anwendung der Laser-Technologie eingebaut werden. Wird ein Laserstrahl auf eine Verpackungsfolie gerichtet, so wird diese durch die Strahlung geschädigt. Es entsteht eine Laserspur, deren Form, Tiefe und Breite fast beliebig einstellbar sind. Die Pakkung läßt sich entlang dieser Laserspur problemlos öffnen.
Die Wellenlänge des Laserstrahls muß dem Verpackungsmaterial angepaßt werden. Da Folien aus verschiedenen Polymeren unterschiedlicher Transparenz haben, werden sie in Abhängigkeit von der Wellenlänge mehr oder weniger stark angegriffen. Beispielsweise wird bei einer Verbundfolie aus Poly-

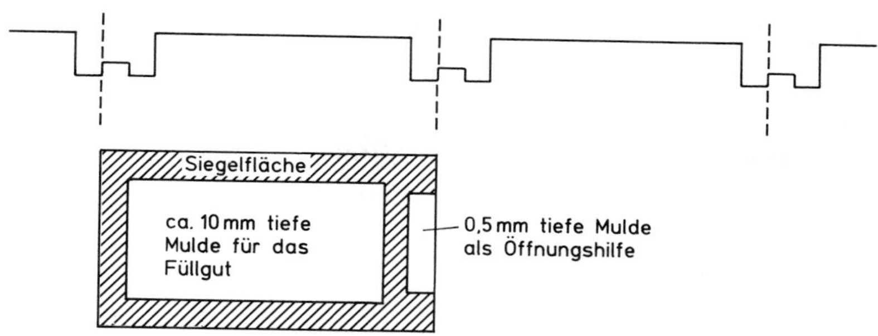

Öffnungshilfen.

ester / Polyethylen / Aluminium / Polyethylen bei einer Wellenlänge des Laserstrahls von 10,6 μm nur die Polyesterschicht angegriffen und mit einer Laserspur versehen. Die Schutzwirkung der Verpackung bleibt also weitgehend erhalten.

Weitere Materialien, die sich für eine Laserbehandlung zum Einbau von Öffnungshilfen besonders eignen, sind mit Kunststoff beschichtete → Aluminiumfolie und Kunststoffverbunde mit → Papier und Pappe.

Das Einbringen der Laserspur in das Verpackungsmaterial kann vor der Befüllung erfolgen. In der Regel ist jedoch die Laserbehandlung In-line mit dem Verpackungvorgang das rationellere Verfahren. Lit.

Ökobilanzen, *<environmental profile analyses>*, sollen durch Erfassung möglichst vieler ökologisch relevanter Daten die vergleichende Beurteilung von Packstoffen erleichtern und die oft rein emotional geführte Diskussion über Arten und Möglichkeiten der → Verpackung versachlichen. Dabei muß die Untersuchung die ganze Breite des „Lebenscyclus" des Packstoffs von der Produktion der Rohstoffe bis zur Entsorgung der gebrauchten Packung umfassen.

Ökobilanzen wurden in den USA in den 70er Jahren durchgeführt. Beispiele sind vergleichende Untersuchungen von Kunststoff-Verpackungen mit anderen Materialien oder die Beurteilung verschiedener Behälter für Getränke. Ökobilanzen wurden in der BRD erst in den letzten Jahren verstärkt diskutiert. Drei Beispiele seien genannt.

1. Das → Umweltbundesamt hat die Umweltauswirkungen von → Tragetaschen aus Papier und → Polyethylenfolie vergleichend untersucht und 1988 veröffentlicht. Zur Überraschung auch vieler Experten ergab sich für die Polyethylen-Tragetaschen die bessere Beurteilung.

2. Sehr eingehende ökologische Bilanzbetrachtungen wurden zur Herstellung von → Aluminium von der Eidgenössischen Materialprüfung- und Forschungsanstalt (Schweiz) angestellt. Die Veröffentlichung aktualisierter Daten erfolgte 1989. Die Abb. zeigt das Stoffflußschema zur Herstellung von →

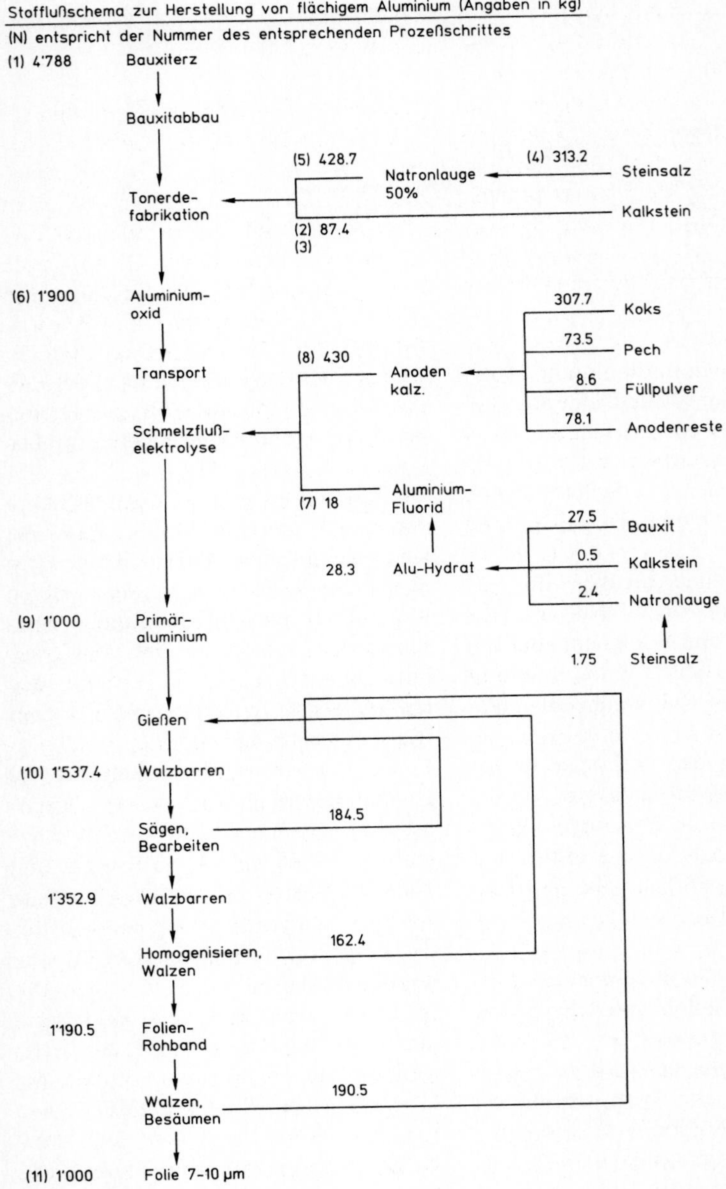
Stofflußschema zur Herstellung von flächigem Aluminium (Angaben in kg)
(N) entspricht der Nummer des entsprechenden Prozeßschrittes
(1) 4'788
Bauxiterz
Bauxitabbau
Tonerde-
fabrikation
(5) 428.7
Natronlauge
50%
(4) 313.2
Steinsalz
Kalkstein
(2) 87.4
(3)
(6) 1'900
Aluminium-
oxid
307.7
Koks
73.5
Pech
Transport
(8) 430
Anoden
kalz.
8.6
Füllpulver
78.1
Anodenreste
Schmelzfluß-
elektrolyse
Aluminium-
Fluorid
(7) 18
27.5
Bauxit
0.5
Kalkstein
28.3
Alu-Hydrat
2.4
Natronlauge
(9) 1'000
Primär-
aluminium
1.75
Steinsalz
Gießen
(10) 1'537.4
Walzbarren
Sägen,
Bearbeiten
184.5
1'352.9
Walzbarren
Homogenisieren,
Walzen
162.4
1'190.5
Folien-
Rohband
Walzen,
Besäumen
190.5
(11) 1'000
Folie 7-10 μm

Ökobilanzen.

Aluminiumfolien. Zahlenangaben in kg. Schwieriger als die Stoffbilanz ist gerade bei diesem, für die Beurteilung von Packungen sehr wichtigem Material die Energiebilanz. Wenn der elektrische Strom für die Schmelzflußelektrolyse aus fossilen Brennstoffen erzeugt wird, beträgt der Gesamt-Wirkungsgrad η=0,33. Bei Durchführung der Stromerzeugung gemäß dem Durchschnitt der westlichen Welt, steigt η auf 0,54. Wenn zur Stromerzeugung ausschließlich Wasserkraft eingesetzt wird, was bei der Aluminium-Herstellung tatsächlich in großem Maße der Fall ist, wird ein Wirkungsgrad η=0,9 erreicht.

3. Eine Studie der Technischen Universität Berlin vergleicht die Umweltauswirkungen von Verpackungen aus Kunststoff-Folien und → Glas. Als Rohstoffe für die Folien wurden → Hart-PVC, → Polystyrol und → Polypropylen in die Untersuchungen einbezogen. Die Differenzierung zwischen diesen drei Materialien war sehr gering. Für die Einweg-Glaspackung errechnete sich gegenüber der Kunststoff-Packung ein dreifacher Energiebedarf, eine dreifache Luftbelastung und eine fünf bis sechsfache Wasserbelastung. Hauptursache für dieses Ergebnis ist das Gewichtsverhältnis der Kunststoff-Packungen gegenüber den Glaspackungen von etwa 1:16.

Industrie, Verbraucherorganisationen und Forschungsinstitute sollten sich durchaus stärker mit Ökobilanzen befassen, um so zur Objektivierung von Diskussionen beizutragen. Lit.

Olefinics, *<olefinics>*, → olefinische Elastomere.

olefinische Elastomere, *thermoplastische Olefin-Elastomere*, *<olefinic thermoplastic elastomers, OTE, olefinics>*, gehören zu den→ thermoplastischen Elastomeren und sind Blends aus Ethylen-Propylen-Kautschuk (EPM) oder aus Ethylen-Propylen-Terpolymeren (EPDM) mit Polypropylen. EPM und EPDM bilden in diesen Produkten die weiche, Polypropylen die harte, vernetzende Phase. Die Bezeichnung „Olefinics" beginnt sich auch im deutschen Sprachgebiet einzubürgern.

Die Herstellung dieser Produkte erfolgt durch mechanische Vermischung der Komponenten im Innenmischer oder durch Verarbeitung in Mischextrudern. Einige Produkte werden während dieses Vorgangs durch Zusatz von Peroxiden anvernetzt. Man erreicht dadurch bessere mechanische Eigenschaften, vor allem höhere Wärmebeständigkeit. Die Vernetzung darf nicht zu weit gehen, da die Produkte dann nicht mehr thermoplastisch sind.

Olefinics sind sehr leicht nach den üblichen Verfahren zu Folien zu verarbeiten. Gegenüber elastischen Folien auf Kautschukbasis einerseits und thermoplastischen Folien aus z.B. Polyvinylchlorid andererseits weisen sie eine Reihe von Vorteilen auf. Sie haben eine geringe Dichte, gute Kälte- und Wärmebeständigkeit und hohe Chemikalienfestigkeit.

Anwendungsgebiete liegen hauptsächlich im Automobilsektor. Wegen ihrer guten elektrischen Eigenschaften finden

Folien aus Olefinics auch als Isolierstoffe Verwendung. Sie werden auch als technische Gummiartikel eingesetzt. Die Olefin-Elastomere mit thermoplastischen Eigenschaften weisen z.Zt. mit etwa 20% sehr hohe Wachstumsraten auf.

One-Packs, <*one packs*>, → Additive.

OPA-Folien, → Orientierte Polyamid-Folien.

Opaques BOPP, <*opaque BOPP-films*>, biaxial orientierte Polypropylenfolien, → BOPP, die im → Reckverfahren hergestellt werden. Das weiß-opake, seidenglänzende Aussehen erhalten die Folien durch Zusatz geringer Mengen anorganischer Stoffe. Beispielsweise werden fein disperse Calciumcarbonate in Mengen von 3 bis 8% angewendet, die vor der → Extrusion sehr gleichmäßig im Polypropylen verteilt werden. Bei der Orientierung des Polypropylenfilms löst sich das Polymere von jedem einzelnen der anorganischen Partikel und es entstehen winzige, mit Luft gefüllte geschlossene Zellen. Der Brechungsindex von Luft liegt niedriger als der von Polypropylen, wodurch die gewünschte Opazität, verbunden mit einer perlmuttartigen, seidenglänzenden Oberfläche hervorgerufen wird. Der Effekt kann durch Zusatz von kleinen Mengen eines Weißpigments, z.B. von → Titandioxid verstärkt werden.
Gegenüber BOPP-Folien sind die → Mechanischen Eigenschaften des opaken Materials verschlechtert, aber für alle Anwendungsgebiete ausreichend. → chemische Beständigkeit, → Temperaturbeständigkeit und → Siegeltemperatur sind praktisch unverändert. Die Dichte ist gegenüber transparenten BOPP-Folien deutlich geringer. Sie beträgt 0,55 bis 0,7 g/cm^3 gegenüber ca. 0,9 g/cm^3 bei transparentem BOPP. Dadurch wird das Flächengewicht erniedrigt und die → Flächenausbeute erhöht. Die opaquen Folien sind in Dicken von 25 bis 80 μm verfügbar.
Opakes BOPP ist eine noch relativ neue Entwicklung. Die Produkte werden besonders zur Verpackung von Süßwaren, Snackartikeln, Backwaren und Trockenfrüchten, Papierwaren und Kosmetikartikeln eingesetzt. Sie lassen sich gut bedrucken. Bei Verwendung lasierender Farben lassen sich metallic-Effekte erzielen. Die bei transparenten Folien beim → Bedrucken häufig eingesetzte weiße Fondfarbe (→ Mehrfarbendruck) kann bei opaken Folien eingespart werden.
Opakes BOPP kann auch zur Herstellung von → Verbundfolien eingesetzt werden.

OPP, → BOPP.

OPS-Folie, → orientierte Polystyrolfolie.

Optische Aufheller, <*brightening agents, optical brighteners, fluorescent bleaches*>, Additive, die eine Gelbfärbung der Thermoplasten durch Absorption von ultraviolettem Licht und dessen Umwandlung in sichtbares, blauvio-

lettes Licht kompensieren.
Viele Thermoplaste adsorbieren Licht im blauen Spektralbereich. Dieser sog. *Blaudefekt* wird vom Auge als gelbliche Verfärbung wahrgenommen. Durch Zusatz von Optischen Aufhellern wird dieser Effekt ausgeglichen. Die Grundfarbe von Kunststoffartikeln, z.B. von Folien, wird verbessert. Bei weiß pigmentierten Produkten wird der Weißgrad, bei farbig oder schwarz pigmentierten Folien die Brillanz erhöht.
Beispiele für optische Aufheller sind Triazin-phenylcumarine, Benzotriazol-phenyl-cumarine oder Benzoxazole. Die Optischen Aufheller werden den Thermoplasten vor der Verarbeitung in Mengen von ca. 0,01 bis 0,05, selten von 0,1% zugesetzt.
Anwendungsbeispiele sind hochwertige Beschichtungsfolien auf Basis Polyethylen, Polypropylen oder Polyurethan oder Folien aus Hart- und Weich-PVC.

optische Eigenschaften, *<optical properties>*, bestimmen das äußere Erscheinungsbild, den „Appeal" oder das „Image" einer Folie. Zu den optischen Eigenschaften gehören → Glanz, → Transparenz und → Trübung sowie der → Brechungsindex. Optische Eigenschaften sind besonders beim Einsatz von transparenten Folien für die → Verpackung, bei der → Hochglanzkaschierung und bei → Frontfolien wichtig, da sie den Gebrauchswert dieser Folien entscheidend bestimmen.
Gute optische Eigenschaften sind in erster Linie materialbedingt. Sehr wichtig ist jedoch auch die Technologie des Herstellungsverfahrens, z.B. die Beschaffenheit der → Walzen, der Abkühlungsvorgang nach der Extrusion und das einwandfreie → Wickeln und Schneiden. Der Zusatz von → Additiven verschlechtert im allgemeinen die optischen Eigenschaften. Ein Sonderfall sind → Streulichtfolien. Zur Erzielung besonderer optischer Effekte können Folien auch mit Hilfe von → Färbemitteln eingefärbt werden. → Opake BOPP-Folien werden für spezielle Verpackungen eingesetzt. Die → Metallisierung oder das → Prägen von Folien sind weitere Möglichkeiten zur Erzielung besondere optischer Eigenschaften.

orientierte PA-Folien, → Orientierte Polyamid-Folien.

orientierte Polyamid-Folien, *orientierte PA-Folien, OPA-Folien, oPA-Folien, <oriented Nylon film, ON, oriented Polyamide film>*, Folien, die aus → Polyamiden hergestellt und, in der Regel während des Fabrikationsverfahrens, durch einen → Reckprozess vergütet wurden. Man unterscheidet biaxial gereckte Folien, auch als PAB oder (in Analogie zu → BOPP) als BOPA bezeichnet werden. Der Reckprozeß wird meist simultan durchgeführt. Die Reckung kann aber auch in zwei Schritten, d.h. zunächst in → Längsrichtung und dann in Querrichtung durchgeführt werden.
In neuerer Zeit haben orientierte PA-Folien, die nach der → Flachfolienextrusion nur in Maschinenrichtung verstreckt wurden, an Bedeutung gewonnen. Die verbesserten mechani-

Orientierte Polyamid-Folien.

		nicht gereckt	längs gereckt	biaxial gereckt
Dichte		1,13	1,14	1,15
Zugfestigkeit MPa	L	83	345	220
	Q	70	70	220
Dehnung %	L	400	60	90
	Q	500	450	90
Elastizitätsmodul MPa	L	690	2070	1720
	Q	790	690	1720
Sauerstoff-Durchlässigkeit $cm^3 \cdot \mu m/m^2 \cdot$ ol · kPa		10,1	9,3	4,7
Wasserdampf-Durchlässigkeit g · $mm/m^2 \cdot$ d		7,1	7,1	6,7

nach Bakker, The Wiley Encyclopedia of Packaging Technology, New York 1986.

schen Eigenschaften in Längsrichtung sind besonders für die Verarbeitung zu Verbundfolien wichtig. Man bezeichnet diese orientierten PA-Folien auch als PAL-Folien (Polyamid mit Längsreckung). Die Tabelle zeigt den Vergleich einiger Eigenschaften von nicht gereckten, längsgereckten und biaxial gereckten Folien aus Polyamid-6. Die Dicke der Folien beträgt 25,4 μm (1 mil).

Orientierte PA-Folien werden als Solofolien nur für Spezialzwecke eingezetzt. Ein Beispiel ist der Einsatz von monoaxial orientierter PA-Folie als Träger- und Abdeckbahn für → Harzmatten.

Bedeutender ist der Einsatz von orientierten PA-Folien zur Herstellung von Verbundfolien, insbesondere von → PA/PE-Folien. Die orientierten PA-Folien können vor ihrer Weiterverarbeitung bedruckt, metallisiert oder mit Barriere-Schichten zur Herstellung von → Sperrschichtfolien versehen werden.

orientierte Polypropylenfolien, → BOPP.

orientierte Polypropylenplatten, *Polypropylen-Platten*, *<oriented polypropylene sheet>*, werden durch Übereinanderschichten und anschließendes Verpressen von siegelfähigem BOPP hergestellt. Die nach dem üblichen Verfahren durch Extrusion gewonnenen PP-Platten weisen keine Orientierung der Makromoleküle auf. Dagegen sind die aus einzelnen, biaxial verstreckten PP-Folien aufgebauten Produkte naturgemäß hoch orientiert und dementsprechend vergütet.

Jüngste Entwicklungen im Markt haben gezeigt, daß tiefziehfähige Folien auf dieser Basis sehr interessante Substitutionsprodukte für → PVC-Folien werden könnten. Die Dicken solcher Folien liegen über 50 und bis zu 1000 μm. Die Untergrenze von 50 μm kann natürlich rationeller durch direkte Herstellung von → BOPP erhalten werden. Auf der → K-Messe 1989 wurde ein Verfahren vorgestellt, nach dem Orientierte Polypropylen-Platten auch direkt durch einen Walz-Preß-Reckprozeß kontinuierlich hergestellt werden können. Neben einer Verbesserung der mechanischen Eigenschaften sind die neuen Produkte durch Pressen so leicht verformbar, daß sie auch als *Thermoplastbleche* bezeichnet wurden. Lit.

orientierte Polystyrolfolie, *<orientated polystyrene film>*, eine Folie auf Basis von orientiertem Polystyrol, die in den USA und in Japan beachtliche wirtschaftliche Anfangserfolge erzielen konnte, aber in Europa noch wenig bekannt ist.

Zur Herstellung von Folien und Platten wird Polystyrol durch → Flachfolien-Extrusion verarbeitet. Der entstandene sehr steife Film wird in einem → Reckprozeß vergütet. Es wird zunächst in Längs-, dann in Querrichtung verstreckt. Das Reckverhältnis beträgt etwa 1:2. Die Dicke der so erhaltenen Folien liegt zwischen 40 und 600 μm. Ihre Dichte beträgt 1,05 g/cm^3. Durch Warmformen erhält man Schalen, Becher und Trays. Allerdings bedarf es dazu einer Variation der zur Herstellung entsprechender Formkörper aus → Hart-PVC-Folien angewendeten Tiefziehtechnik.

OPS-Folien weisen überlegene Stabilität und Steifigkeit auf, haben hohen Glanz und sehr gute Transparenz, sind physiologisch unbedenklich und allen Verfahren der → Folienverarbeitung zugänglich. Die Tabelle zeigt einige Eigenschaften der OPS-Folien. OPS-Folien sind heißsiegelfähig. Sie könnten → Aluminiumfolien auf manchen Gebieten ersetzen, z.B. als → Deckelfolien. Der Stanzabfall kann ohne besondere Probleme der → Wiederverwendung zugeführt werden.

Die OPS-folie wird zur Verpackung von Backwaren, Schokolade und Fertiggerichten eingesetzt. Wegen ihrer hohen → Wasserdampf-Durchlässigkeit beschlagen die Folien nicht an der Innenseite, wenn Güter mit hohem Wassergehalt verpackt werden. Sie eignet sich deshalb sehr gut zur Verpackung von Salat und Obst. OPS-Folien können auch zur Herstellung von → Blister-Verpackungen, wasserfesten → Etiketten, als → Bürofolien oder → Fensterfolien eingesetzt werden. OPS-Folien werden seit kurzem auch in Europa hergestellt. Man schätzt den künftigen Bedarf auf etwa 60.000 t in 1992 und auf 120.000 t in 1993. Diese optimistischen Annahmen dürften sich wohl nur dann realisieren, wenn die OPS-Folie nennenswerte Anteile der → Hart-PVC-Folien und eventuell der Aluminiumfolien substituieren kann. Lit.

Orientiertes PP, → BOPP.

Orientierung, *<orientation>*, die Ausrichtung von ungeordneten Polymer-Molekülen in bestimmte Richtungen, die meist durch das Orientierungsverfahren vorgegeben sind. Voraussetzung für die Orientierung ist zumindest teilweise vorhandene → Kristallinität.

Bei der → Folienherstellung findet in

Orientierte Polystyrolfolie.

Eigenschaft	Norm	Einheit	
Spez. Gewicht	DIN 53479	g/cm^3	1.05
Zugfestigkeit	DIN 53455	N/mm^2	70-80
Bruchdehnung	DIN 53455	%	5
E-Modul	DIN 53455	N/mm^2	3500
Schlagzähigkeit bei 23 °C	DIN 53453	N/(mm^2	16-25
Kugelhärte H 358/30	DIN 53456	N/mm^2	150
Vicat B Erweichungstemperatur VST/850	DIN 53460	°C	101
Wasseraufnahme	DIN 53459	%	0,1
*Gasdurchlässigkeit			
O_2	ASTM 134-63	cm^3/m^2 24h.atm	1250
N_2	ASTM 1434-63	cm^3/m^2 24h.atm	200
CO_2	ASTM 1434-63	cm^3/m^2. 24h.atm	8000
Wasserdampf	DIN 53122	g/m^2.24h	14
*Lichtdurchlässigkeit			90%

*Werte für 100μ Folie bei 20 °C + 43% relativer Luftfeuchtigkeit.
Kleppsch & Co GmbH, Wien, Firmenschrift.

vielen Fällen eine verfahrensbedingte Orientierung statt. Gezielt wird die Orientierung bei den → Reckverfahren zur Erreichung verbesserter Folien-Eigenschaften eingesetzt. Dies gilt vor allem für die Herstellung von → Polyesterfolien und → BOPP.
Die Orientierung der Makromoleküle spielt für das → Schrumpfverhalten von Folien eine Rolle.
Die Folieneigenschaften werden fast immer in Orientierungsrichtung verbessert. Ausnahmen bilden die durch → elastomere Kunststoffe modifizierten Thermoplasten und gewisse Copolymerisate wie → Styrol-Butadien-Blockcopolymere.

Ornamin-Folie, → Dekorfolie.

Oxifluorierung, <*oxifluorination*>, → Fluorierung.

Ozonbehandlung, 1. Inkorrekte Bezeichnung für → Corona-Behandlung.

P

PACKEX, → Messen.

Packmittel, *Verpackungsmittel, Packstoff,* *<packaging material>*, Materialien, die sich zum → Verpacken eignen. Es werden vor allem → Papier und Pappe, → Metall, → Glas, → Kunststoffe und Holz verwendet. Die prozentualen wertmäßigen Anteile dieser Stoffe an der Packmittel-Produktion Westeuropas für 1985 und 1990 (geschätzt) zeigt die Abb. Man erkennt, daß ein Anstieg ausschließlich für Kunststoffe vorhergesagt wird, und daß dieser mit fast 50% beträchtlich ist. Beim Kunststoff als Verpackungsmittel haben → Folien einen sehr bedeutenden Anteil. Sie werden in erster Linie von der → Folienrolle, aber auch als → Beutel oder → Säcke eingesetzt. Neben den Kunststoff-Folien stellen die → Aluminium-Folien sehr wichtige Packmittel dar.

Verpackungsmittelproduktion Westeuropa

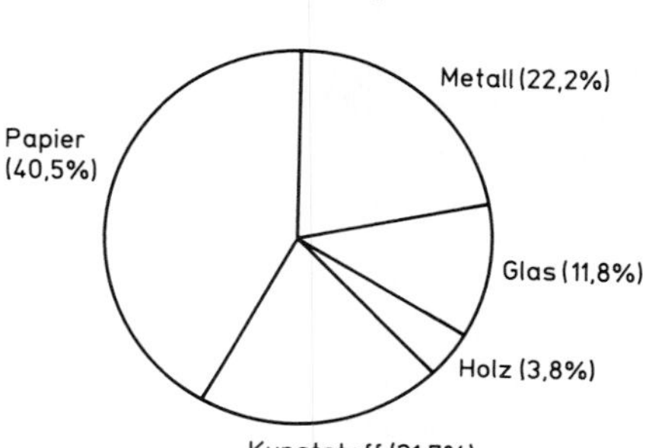

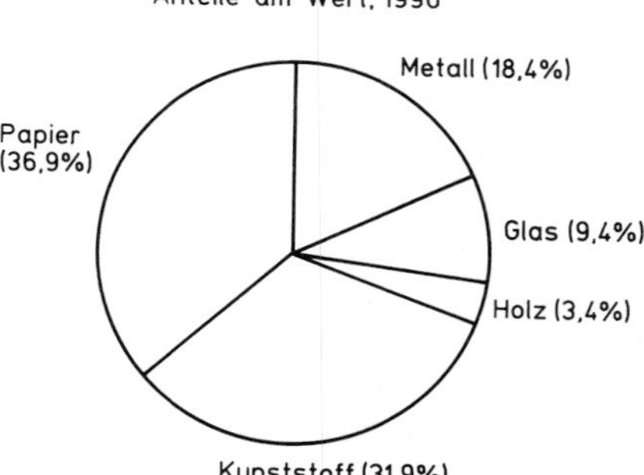

Packmittel. Quelle: Euromonitor Publications Ltd., London, Studie „European Packaging Industry, Trends & Forecasts 1980-1990.

Packpro, → Papro.

Packstoffe, *<packaging material>*, → Packmittel.

Pacpro, → Papro.

Paletten-Verpackung, *<palettizing>*, die Zusammenfassung mehrerer Packstücke oder Packgüter zu einer Einheit, die als *Ladeeinheit* (*Versandeinheit*) bezeichnet wird. Die Packstücke werden auf Paletten gestapelt und gemeinsam mit diesen zu Einheiten verbunden. Die Palettenverpackung verhindert die Verschiebung der Einzelstücke beim Transport, bietet Schutz gegen Umwelteinflüsse und ermöglicht eine rationelle Handhabung der verpackten Güter.

Die Verpackung von Paletten erfolgte früher durch → Umreifen mit Stahlbändern, später auch mit Bändern aus Kunststoffen wie Polyamid, Polyethylen oder Polyethylenterephthalat. Das Umreifungsverfahren hat in den letzten 20 Jahren sehr schnell an Bedeutung zu Gunsten der Verpackung mit → Schrumpffolien und → Stretch-Folien verloren. Diese Verfahren wurden Anfang der 70er Jahre bzw. Anfang der 80er Jahre eingeführt.

1. Schrumpffolien. Die Ladungs-Grundflächen haben infolge der Standardisierung der Paletten weitgehend gleiche Abmessungen, während die Höhen der Versandeinheiten meist erheblich variieren. Deshalb werden von der Folienrolle Schrumpfschläuche entsprechend der Höhe der Versandeinheiten zugeschnitten und oben verschweißt. Die Dicke der eingesetzten Schrumpffolien richtet sich nach dem Gewicht der Paletten-Einheiten und der geforderten Ladefestigkeit der Packstücke. Für Paletten-Einheiten bis zu 1 t Gewicht werden Folien mit Dicken von 100 bis 150 μm eingesetzt. Für extreme Fälle sind Folien mit Dicken von über 200 μm verfügbar. Die Länge der Schrumpfhauben muß so bemessen sein, daß ein Einziehen unter den Palettenboden, d.h. eine Unterschrumpfung der Palette gewährleistet ist. Mit PE-Schrumpffolien werden Schrumpfwerte bis zu 80% erreicht. Neben der Verarbeitung der Folien von der Rolle werden in Sonderfällen auch vorgefertigte Schrumpfhauben verarbeitet.

Das Schrumpfen erfolgt thermisch in → Schrumpftunneln oder durch eine um die Paletteneinheit umlaufende → Schrumpfsäule. Im Prinzip werden die Verfahren der → Schrumpf-Folien-Verpackung eingesetzt.

2. Stretchfolien werden seit Beginn der 80er Jahre verwendet. Ursprünglich wurden → Weich-PVC-Folien eingesetzt. Die Folienreckung lag bei etwa 20%. Die Transportsicherheit war bei diesen Folien geringer als bei der Verwendung von Schrumpf-Folien. Erst mit der Entwicklung der → PE-LD- und PE-LLD-Folien wurde eine Qualität geschaffen, die das Stretch-Verfahren dem Schrumpf-Verfahren gleichwertig machte. Die Werte für Zugfestigkeit, Steifheit, Durchstoßfestigkeit und Schlagzähigkeit wurden wesentlich verbessert. Die Dehnung liegt zwischen 300 und 400%. Dies bedeutet wesentlich verbesserte Verpackungsqualität mit zusätzlicher Einsparung von Material- und Energie. Es werden im Prinzip die für die → Stretchfolien-Verpackung entwickelten Maschinen eingesetzt.

PA/PE-Folie, *Polyamid/Polyethylen-Folie, <nylon multilayer, nylon-polyethylene structures>*, eine Verbundfolie, bei der mindestens eine Schicht aus → Polyamid und mindestens eine Schicht aus → Polyethylen besteht. In den meisten Fällen ist der Aufbau von PA/PE-Folien jedoch komplizierter.

So werden neben Polyethylen auch → Ionomere, → Ethylen-Vinylacetat-Copolymere und Barrierekunststoffe zum Aufbau von → Sperrschichtfolien verwendet, so daß Verbundfolien mit sieben und mehr Schichten entstehen. Die Abb. 1 zeigt einige Beispiele.

A: asymmetrische Drei-Schicht-Folie,
B: symmetrische Fünf-Schicht-Folie,
C: asymmetrische Fünf-Schicht-Folie,
D: symmetrische Sieben-Schicht-Folie.

Die Kombination von Polyamid und Polyethylen in einer Verbundfolie hat

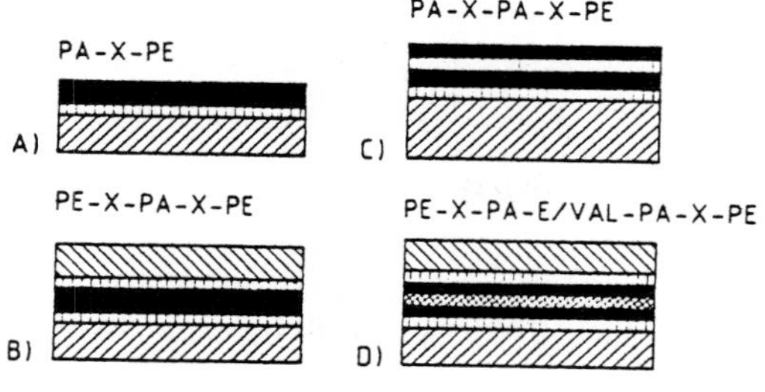

PA/PE-Folie. Abb. 1. Schulte und Mitarb., Kunststoffe **79**, 818-822 (1989).

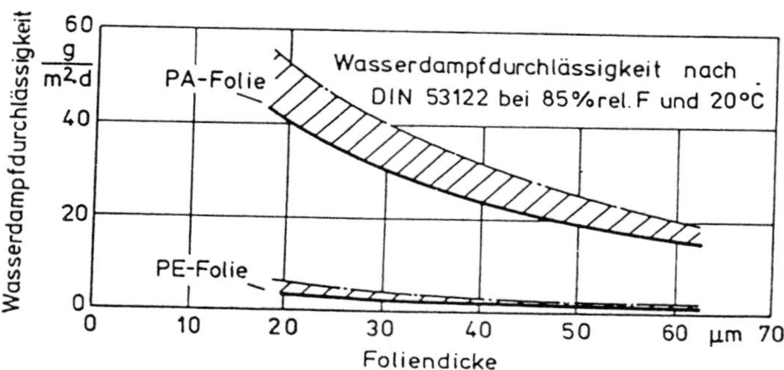

PA/PE-Folie. Abb. 2. Bayer AG, Leverkusen, Firmenschrift.

sich in erster Linie auf dem Verpackungssektor bewährt. PA trägt dabei seine hervorragenden mechanischen Eigenschaften, wie gute → Reißfestigkeit und → Durchstoßfestigkeit, verbunden mit guter Verarbeitungseigenschaften vor allem beim → Warmformen, sowie niedrige → Durchlässigkeit für Gase, Fette und Aromen bei. PE ist auf Grund seines im Vergleich zu Polyamid wesentlich günstigeren Preises unentbehrlich, um die erforderliche Dicke der Folie zu gewährleisten, bringt aber darüber hinaus ebenfalls Vorteile für die Verarbeitung und die Eigenschaften der Verbundfolie ein, z.B. seine geringe → Wasserdampfdurchlässigkeit (Abb. 2).

Der Verbund des Polyamids und des Polyethylens kann durch → Kaschieren der vorgefertigten Einzelfolien, durch → Extrusionsbeschichtung oder durch → Coextrusion erfolgen. Das zuletzt genannte Verfahren wird mit Abstand am häufigsten angewendet und ermöglicht eine fast unbegrenzte Vielfalt von Kombinationen. Es gelingt so, eine optimale Anpassung der PA/PE-folien an den jeweiligen Verwendungszweck.

Das bei weitem am häufigsten eingesetzte Polyamid ist PA 6. Es wird meist nach dem → Flachfolienverfahren verarbeitet. Dabei ist eine gute Abstimmung der → Schmelzviskosität der verwendeten Thermoplaste für

eine gleichmäßige Schichtdickenverteilung sehr wichtig. Die Abb. 3 zeigt schematisch den Einfluß der Viskosität:
a. Gute Schichtdickenverteilung durch abgestimmte Viskosität,
b. Die Viskosität des Materials der Kernschicht ist höher als bei der Außenschicht, dadurch schlechte Schichtdickenverteilung.
c. Die Viskosität des Materials der Kernschicht ist niedriger als bei der Außenschicht, dadurch ebenfalls schlechte Schichtdickenverteilung.

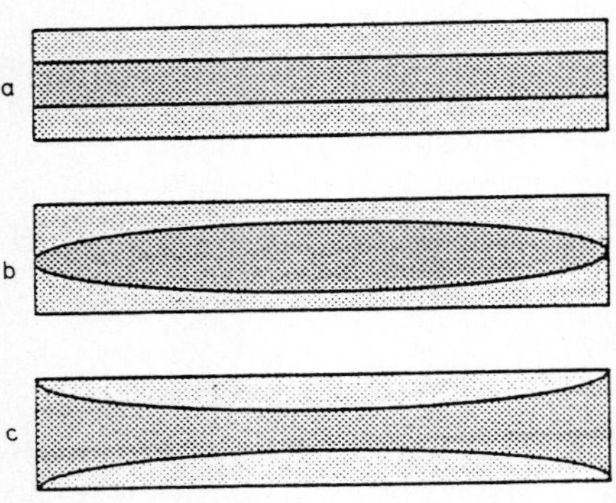

PA/PE-Folie. Abb. 3. Quelle wie Abb. 1.

Für die Coextrusion nach dem Blasfolien-Verfahren werden meist Copolyamide verwendet.
Die → physiologische Unbedenklichkeit beider Rohstoffe ist für den breiten Einsatz von PA/PE-Verbunden zur → Lebensmittel-Verpackung unbedingte Voraussetzung.
→ Fleisch- und Wurstwaren, Käse, Fisch, Gemüse, Fertiggerichte, → Backwaren und Feinkostartikel können auf allen gängigen Maschinen verpackt werden. Auch zur Verpackung anderer Produkte wie Kosmetika, Reinigungsmittel oder medizinischer und pharmazeutischer Artikel sind PA/PE-Folien geeignet.
Sie sind ja nach Aufbau siegelfähig und tiefziehbar, können bedruckt oder metallisiert werden.
Die wirtschaftliche Bedeutung der PA/PE-Folien ist beachtlich. Der Verbrauch von Polyamid 6 für diesen Sektor liegt in Europa bei etwa 35.000 t, weltweit bei etwa 85.000 t jährlich. Lit.

Papier, <*paper*>, ein flächiger, blattartiger, überwiegend aus Pflanzenfasern und Füllstoffen bestehender Werkstoff, der zum Beschreiben, Bedrucken und Verpacken sowie zum Einsatz auf dem technischen Sektor dient. Ähnliche Verwendung findet Pappe <*cardboard*>. Papier hat Flächengewichte zwischen 10 und 200 g/m^2, Pappe über 200 g/m^2.
Papier und Pappe stehen auf einigen Anwendungsgebieten im Wettbewerb mit Folien. Allerdings sind auf fast allen Einsatzgebieten Papier und Pappe aus rein wirtschaftlichen Gründen den Folien weit überlegen. In vielen Fällen können jedoch die anwendungstechnischen Eigenschaften der Folien so günstig sein, daß ihr Einsatz gerechtfertigt ist.
Beispiele für einen Wettbewerb zwischen Folien und Papier oder Pappe sind → Elektroisolierfolien, → Bürofolien und vor allem Folien für die → Verpackung. Es gibt aber auch viele Möglichkeiten der Kombination von Papier und Pappe mit Folien, z.B. bei der Herstellung von → Blister-

Verpackungen, von → ID-Karten oder bei der Anwendung von → Prägefolien. Spezialprodukte, die mit der Folientechnologie eine besonders starke Wechselwirkung haben, sind die → Fettbeständigen Papiere.

Auch Austauschstoffe für Papier und Pappe auf Folienbasis wurden vorgeschlagen. So kann eine bis zu mehreren mm dicke Folie aus → Polypropylen mit einem hohen Füllstoffanteil (bis zu 40%) von anorganischen Material, z.B. Talkum, wie Karton auf vorhandenen Kartonagemaschinen verarbeitet werden. Das Produkt ist verschweißbar, warmformbar und besitzt eine wesentlich verbesserte Wasser- und Chemikalienbeständigkeit. Aus Polyolefinen wurde eine → Wellpappe auf Kunststoffbasis entwickelt.

Dünne Blasfolien aus PE-HD mit hohen → Molekülmassen besitzen einen papierähnlichen, knisternden Griff und werden z.B. zur Herstellung von → Tragetaschen eingesetzt. Wasserbeständigkeit und mechanische Eigenschaften solcher Produkte sind wesentlich größer als bei der Verwendung von Papier.

Verbundwerkstoffe aus Papier und Pappe mit Kunststoffen stellen ein weiteres Berührungsfeld mit Folien dar. Kunststoff-beschichtete Papiere dienen zur Herstellung von → Etiketten, → Säcken, → Faltkartons und → Papierverbunddosen, als Materialien für die → medizinische Verpackung oder als → Trägerfolien. Die Tabelle zeigt einige Eigenschaften von beschichteten Papieren.

Wellpappe, die mit → Polyethylenterephthalat beschichtet wurde, soll hauptsächlich in der Lebensmittel-Verpackung verwendet werden. Das Ma-

Papier.

Eigenschaften	Polyäthylen (LDPE)	Polyvinylidenchlorid (PVDC)	Kaltsiegelbeschichtungen (Latexmischungen usw.)	Verbund: Papier/Alu/LDPE
Wasserdampfdichtigkeit	hoch	sehr hoch	niedrig	extrem hoch
Gasdichtigkeit	niedrig	sehr hoch	niedrig	extrem hoch
Aromadichtigkeit	niedrig	hoch	niedrig	extrem hoch
Öl- und Fettdichtigkeit	niedrig – mäßig	sehr hoch	niedrig – mäßig	extrem hoch
Chemikalienbeständigkeit	sehr gut	sehr gut	mäßig	gut
Flexibilität	sehr gut	gut – befriedigend	gut	gut
Siegelbarkeit	sehr gut	gut	gut	sehr gut

nach R. Hess, Verpackung von Lebensmitteln, S. 76, Berlin 1980

terial ist aromadicht, undurchlässig für Wasserdampf und sehr gut bedruckbar. Die Wärme und Kältefestigkeit soll so gut sein, daß sich der neue Packstoff für Tiefkühlkost eignet, die mittels → Mikrowellentechnik in der Packung erwärmt werden kann.
Im Rahmen der Umweltdiskussion werden sehr häufig Papier und Karton als „natürliche", umweltfreundliche Produkte aus nachwachsenden Rohstoffen den Folien mit ihrer „chemischen" Herkunft gegenübergestellt. Diese Betrachtungsweise, die leider auch von einigen Unternehmen der Papierbranche übernommen wurde, verkennt oder verschweigt völlig die Probleme der Papierherstellung. Auch die Frage der Rohstoffe kann nicht einfach mit den Worten "nachwachsend" und "synthetisch" entschieden werden.
Man versucht heute, bei der Beurteilung der Umweltfreundlichkeit von Produkten oder Verfahren → Ökobilanzen aufzustellen, die das gesamte Umfeld des Problems erfassen.
Ein Beispiel ist die Untersuchung des Bundesumweltamtes über → Tragetaschen aus Papier und Folien, die eindeutig zugunsten der Folie ausfiel.

Papierbehälter, <*paper can*>, → Papierverbunddose.

Papierdose, <*paper can*>, → Papierverbunddose.

Papierverbunddose, *Papierbehälter, Papierdose*, <*composite can*>, eine Dose aus einer standfesten Pappkonstruktion, die innen und/oder außen mit einer Kunststoffschicht, einer Kunststoff- oder Aluminiumfolie oder mit einer Kombination aus beiden Materialien versehen ist. Deckel und Boden können aus unterschiedlichen Stoffen bestehen. Die meisten Behälter haben eine runde Form. Der Durchmesser liegt zwischen 5 und 15 cm, die Höhe zwischen 5 und 30 cm. Für die Herstellung gibt es prinzipiell zwei Verfahren:
1. *Diskontinuierliche Herstellung*. Das vorgefertigte Verbundmaterial aus Innenschicht, Papier und Außenschicht wird zu einer Röhre geformt und auf entsprechende Länge geschnitten. Das Verfahren eignet sich nur für kleine Losgrößen.
2. *Kontinuierliches Spiralwickelverfahren*. Dieses wird wesentlich häufiger angewendet. Die Abbildung zeigt das Prinzip.
Für den erfolgreichen Schutz des Inhalts sind bei Papierverbunddosen die als Innenschicht verwendeten Folien von besonderer Bedeutung. Es werden vor allem → Polyethylenfolien verschiedener Typen, nichtorientierte → Polypropylenfolien und → BOPP, → Ionomere und → Polyesterfolien eingesetzt. Diese Kunststoffe-Folien werden häufig mit Aluminiumfolien kombiniert. So werden gute mechanische Eigenschaften, vor allem aber auch eine möglichst geringe → Wasserdampfdurchlässigkeit erreicht.
Neue Entwicklung sind Dosen mit Verbunden aus Polypropylen/Aluminium-Folien für die Verpackung von pulverförmigen oder granulierten Lebensmitteln, z.B. von Milchpulver. Hier muß die Verpackung unter Stickstoff erfol-

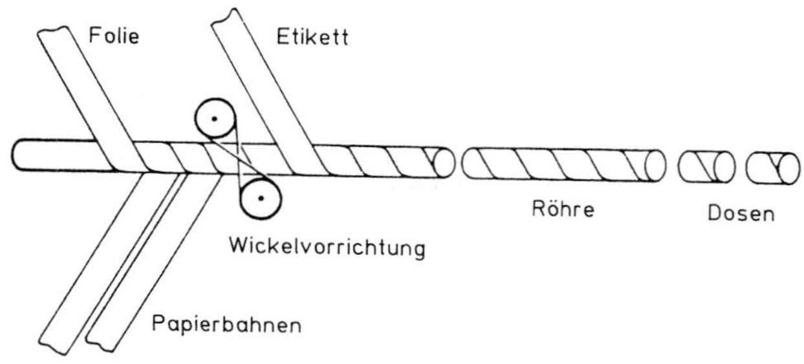

Papierverbunddose. Nach Bakker, The Wiley Encyclopedia of Packaging Technology, New York 1986.

gen. Auch für Snackartikel wird diese Verpackungsform bereits in größerem Maße angewendet. Papierverbunddosen werden dem Verpacker in den meisten Fällen als vorgefertigte Produkte angeliefert, jedoch ist auch die direkte Herstellung dieser Packungen von der Rolle in einem kontinuierlichen Form-, Siegel- und Füllprozeß möglich. Der Aufbau derartiger Produkte ist weitgehend mit den vorgefertigten Dosen identisch. Die Verbindung der Papierfolienbahn zu einem zyklischen Körper kann durch überlappendes Siegeln oder durch eine Stoßverbindung hergestellt werden. Diese wird durch ein Aluminium-Kunststoff-Folienband durch Induktionssiegeln hergestellt.
Papierverbunddosen stehen technisch zwischen Metalldosen und → standfesten Packungen aus Kunststoff. Eine gezielte Folienentwicklung könnte diesem Packmittel wahrscheinlich noch größere Anwendungsgebiete erschließen.

Pappe, *<cardboard>*, → Papier.

Papro, Internationale Fachmesse für Packmittelproduktion, Papiertechnik, Folientechnik. Sie wurde zur Entlastung der → Interpack erstmals im Mai 1988 in Düsseldorf unter dem Namen *Pacpro* veranstaltet. Die nächste Ausstellung fand 1991 ebenfalls in Düsseldorf statt.
Veranstalter: NOWEA; Postfach 23 02 03, 4000 Düsseldorf.

PC-Folie, *<PE-film>*, → Polycarbonat-Folie.

Peel-Folie, *<peel film>*, → Deckelfolie.

PE-Folie, *<PE-film>*, → Polyethylen-Folie.

PE-HD-Folie, *Hochdruck-Polyethylen-Folie*, *<HDPE-film, high-density-polyethylene film>*, eine Folie der Gruppe der → Polyethylenfolien. Sie werden aus → Polyethylen hoher Dichte meist durch → Blasfolienextrusion hergestellt.
Die Extruder haben Durchmesser zwischen 35 und 120 mm. Die Durchsätze betragen etwa 60 bis 200 kg/h. Die Düsendurchmesser liegen zwischen 100

und 350 mm, die Spaltweiten bei 1,0 bis 1,2 mm. Die Verarbeitungstemperaturen am Extruder sollen 190 bis 210 °C betragen, was einer Massetemperatur von ca. 200 °C am Extruderaustritt entspricht. Niedrige Temperaturen und opimale Gestaltung der → Formwerkzeuge sind Voraussetzung zur Herstellung von Folien ohne Fließmarkierungen und mit guter → Dickengleichmäßigkeit. Durch das Aufblasen des Folienschlauchs tritt eine → Orientierung ein. Damit diese in Längs- und Querrichtung gleichmäßig ist, soll das Aufblasverhältnis mindestens 1:4 betragen. Die Halslänge soll unabhängig vom Düsendurchmesser nicht unter 1.000 mm liegen (→ Blasfolienherstellung-Optimierung).

PE-HD-Folien haben gute mechanische Eigenschaften, sind beständig gegen Chemikalien und physiologisch indifferent. Ihre Durchlässigkeit für Sauerstoff ist sehr hoch und liegt für Folien von 40 μm Dicke je nach → Kristallinität etwa zwischen 5.000 und 3.000 $cm^3/m^2 \cdot$ d. Je höher die Dichte, umso geringer die Sauerstoff-Durchlässigkeit. Die gilt ebenso für die Wasserdampfdurchlässigkeit, die bei Foliendicken von 40 μm bei 23 °C und 85% relativer Feuchte zwischen 2,5 und 1,5 $g/m^2 \cdot d$ beträgt. Diese Werte sind für Packgüter, die für längere Zeit vor dem Austrocknen oder von der Einwirkung von Feuchtigkeit geschützt werden müssen, zu hoch. Die → optischen Eigenschaften, wie Glanz und Transparenz der Folien sind relativ schlecht, was allerdings für manche Anwendungen ohne Bedeutung ist oder sogar von Vorteil sein kann. PE-HD-Folien sind sehr gut zum → Heißsiegeln geeignet. Das → Bedrucken ist nur nach einer → Oberflächenbehandlung möglich.

Wegen ihrer hohen Steifigkeit zeigen Folien aus PE-HD papierähnliche Eigenschaften, z.B. einen knisternden Griff. Sie werden deshalb sehr häufig zu → Tragetaschen und → Beuteln verarbeitet. Dünnwandige Folien von etwa 20 μm dienen zur Herstellung von Flachbeuteln, diese z.B. als *Inliner* oder *Einstellsäcke* für Abfallbehälter verwendet. Sie verhindern bei nur geringer mechanischer Belastung das Durchtreten von Feuchtigkeit.

In der Lebensmittel-Verpackung haben PE-HD-Folien auf vielen Gebieten → Papier verdrängt. Beispiele sind die Verpackung von Backwaren und Snacks, oft im → Bag-in-Box-System. Für diese Zwecke ist die Opazität der Folie ein Vorteil. Sehr dünne, geprägte Folien aus PE-HD dienen zur Substitution von Seidenpapier.

PE-HD-Folien waren die ersten Folien auf Basis von Polyethylen (etwa um 1950). Ihr verstärkter Einsatz begann jedoch erst ab etwa 1970. Heute stehen sie unter steigendem Substitutionsdruck durch → PE-LD- und PE-LLD-Folien. Auf ihren angestammten Gebieten werden sie jedoch sicherlich, nicht zuletzt wegen ihrer hohen Wirtschaftlichkeit, ihre Position halten.

PE-LD- und PE-LLD-Folie, *Polyethylen-Folie niedriger Dichte, Niederdruck-PE-Folie, LDPE- und LLDPE-Folie, <LDPE- and LLDPE-film>*, eine Folie der Gruppe der Polyethylenfolien.

Diese Folien werden aus → Polyethylen niedriger Dichte (PE-LD) und linearem Polyethylen niedriger Dichte (PE-LLD) gewonnen.

Ihre Herstellung erfolgt in den meisten Fällen nach dem → Blasfolienverfahren. Die Zylinderdurchmesser der → Extruder liegen bei 60 bis 220 mm, der Durchsatz für PE-LE beträgt je nach Extruder-Konstruktion etwa 150 bis 1.500 kg/h. Die Bedingungen der Blasfolienextrusion sind wegen der großen Bedeutung des Verfahrens für die Herstellung von PE-Folien sehr eingehend untersucht worden. Die enge Zusammenarbeit zwischen den Herstellern der Polymeren, den Maschinenbauern und den Folienherstellern hat zu erheblichen Verbesserungen (→ Blasfolienherstellung, Optimierung) geführt. Die Verfahrensbedingungen sind naturgemäß bei den verschiedenen Anwendungsgebieten für die Folien unterschiedlich. Die folgenden Beispiele können nur Richtwerte geben:

1. Folien zur Herstellung von → Säcken und → Landwirtschaftsfolien liegen im Dickenbereich von 150 bis 250 μm. Der Durchmesser der → Formwerkzeuge liegt bei etwa 220 mm, die Spaltweite bei 0,8 mm. Die dann erreichbaren Durchsätze betragen 200 bis 350 kg/h. Die → Massetemperatur hängt vom → Schmelzindex ab und liegt beim konventionellen Verfahren zwischen 220 und 260 °C, bei optimierter Fahrweise bei 180 bis 220 °C. Um die erforderlichen mechanischen Festigkeiten zu erzielen, werden hochmolekulare Polymere mit niedrigem Schmelzindex eingesetzt. Besondere Probleme liegen in der Festigkeit der Falzkanten. Diese kann bei auf 30% des Wertes der Folienfestigkeit absinken, wenn die Temperatur der Folien in den Abquetschwalzen oder der Abquetschdruck zu hoch sind. Das Problem kann durch eine Erhöhung des Aufblasverhältnisses gelöst werden. Dazu wird der Düsendurchmesser auf etwa 160 mm verringert und der Düsenspalt auf 2-3 mm vergrößert.

2. → Schrumpffolien sollen in Längs- und Querrichtung möglichst ausgeglichene Schrumpfwerte von ca. 40% aufweisen. Die Dicke der Folien liegt zwischen 50 und 180 μm, für Feinschrumpffolien zur Verpackung von Papierwaren bei 20 bis 50 μm. Dünnere Folien zeigen in Längsrichtung Schrumpfwerte von etwa 60%, in Querrichtung von etwa 35%. Die Werkzeugdurchmesser liegen meist bei 300 bis 350 mm, die Spaltweiten bei 0,8 bis 1,0 mm. Es werden Durchsätze von 250 bis 350 kg/h erreicht.

3. Folien für → Tragetaschen aus PE-LD sind zwischen 30 und 65 μm dick. Bei Verwendung von PE-LLD können die Dicken geringer sein.

4. Verpackungsbeutel. Diese im Selbstbedienungsgeschäft zunehmend angebotenen Produkte haben Dicken von etwa 10 μm und darunter. Sie sind trotzdem ausreichend strapazierfähig. Die aus hochmolekularem PE-LD hergestellten Folien werden im → Blasfolienverfahren sehr stark verstreckt. Sie sind durchscheinend-matt und haben einen papierähnlichen, knisternden Griff. Sie sind bedruckbar, jedoch werden wegen schlechter Planlage und Faltenbildung keine hohen Druckqualitäten erreicht.

Beim Einsatz von PE-LLD an Stelle von PE-LD sinkt bei gleichen Arbeitsbedingungen der Ausstoß meist um etwa 30%. Der Schneckenabrieb wird stärker, Abkühl- und Wicklerprobleme werden größer.

Trotzdem hat sich PE-LLD gerade bei der Folienherstellung in den letzten Jahren immer stärker gegen PE-LD durchgesetzt. Der Einsatz des vergleichsweise höher kristallinen Rohstoffs mit der Dichte zwischen 0,915 und 0,935 g/cm^2, ergibt Folien mit erhöhter Zugfestigkeit. Die bessere Ausziehfähigkeit erlaubt die Herstellung wesentlich dünnere Folien (bis zu etwa 5 μm). Die Tabelle 1 zeigt einige Eigenschaften von PE-LD und PE-LLD im Vergleich.

Das PE-LLD hat weniger → Stippen und bringt deshalb durch eine geringere Zahl von Abrissen eine größere Betriebssicherheit. Transparenz und Schrumpfeignung sind etwas schlechter. Hauptgründe für die schwierigere Extrusion von PE-LLD sind die höhere Viskosität des Materials bei den gegebenen Schergeschwindigkeiten und die geringere Schmelzefestigkeit, die leichter zu → Schmelzebruch führen kann. Man begegnet dem letzteren Problem durch Vergrößerung des Düsenspalts am Blasfolienwerkzeug. Gezielte kleinere Veränderungen in der Extruderkonstruktion, der Lerneffekt beim Einsatz des neuen Materials und die Modifikation des Polymeren haben in den letzten Jahren zu einer stetigen Abnahme der Extrusionsprobleme des PE-LLD geführt. Außerdem werden sehr häufig Mischungen von PE-LD und PE-LLD eingesetzt, die einfacher zu verarbeiten sind und mit denen man trotzdem Folien mit besseren Eigenschaften erhält. Bereits ein Zusatz von etwa 40% an PE-LLD wirkt sich positiv aus. Die Abbildung zeigt die Entwicklung des US-Marktes für PE-LD und PE-LLD vom Ende der 70er Jahre, geschätzt bis 1990. Der Pentrationsgrad von PE-LLD wird danach für die USA auf ca. 45% in 1990 geschätzt. Die entsprechenden Zahlen lauten für

PE-LD- und PE-LLD-Folie. Tab. 1.

Material Foliendicke	μm	LLD 50	LD 50	LLD 150	LD 180
Schmelzindex	g/10 min	0,9	1,0	0,9	0,27
Dichte	g/cm^3	0,919	0,921	0,919	0,922
Reißfestigkeit längs	N/cm^2	325	200	331	223
quer	N/cm^2	275	140	347	197
Reißdehnung längs	%	780	270	1360	510
quer	%	860	420	1480	760
Zerreißfestigkeit längs	g	330	240	716	528
quer	g	680	290	1282	952

Quelle: CdF Chimie, Resin, Paris.

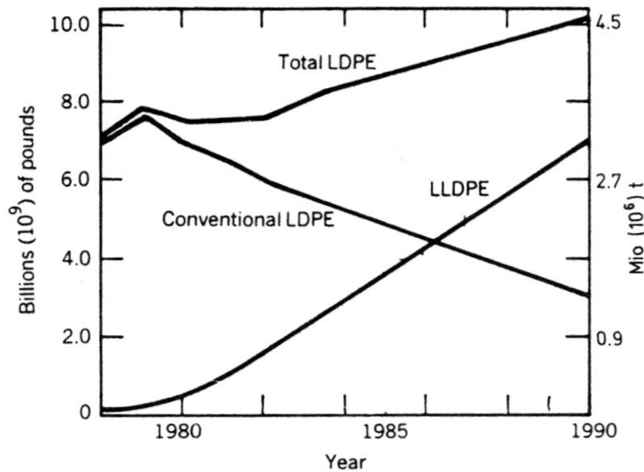

PE-LD- und PE-LLD-Folie. Bakker, The Wiley Encyclopedia of Packaging Technology, New York 1988.

Westeuropa 24% und für Japan 35%. Dies liegt z.T. an den unterschiedlichen Markt-Charakteristiken, z.T. an der Tatsache, daß zumindest in der Vergangenheit, der Preis für PE-LLD außerhalb der USA um 15-20% höher als der Preis für PE-LD war. Die Tabelle 2 gibt einige Zahlen für die Kapazität für PE-LLD in 1986/87. Beide Tabellen können nur einen Anhaltspunkt für die Marktsituation geben, da neben den üblichen Vorbehalten gegen solche Angaben hier noch Abgrenzungsprobleme zwischen PE-LD und PE-LLD hinzukommen. Die Vielfalt der Polyethylene ist inzwischen sehr groß geworden. Zuordnungen zu bestimmten Produktklassen werden dadurch schwieriger. Die Vielseitigkeit der verschiedenen Niederdruckprozesse ist groß, so daß Umstellungen von einem auf den andern PE-Typ leichter geworden sind. Exakte Angaben für Kapazitäten werden entsprechend schwieriger.

70 bis 80% des produzierten PE-LLD wird zur Herstellung von Folien verwendet. Einen Überblick über die erwartete Entwicklung und die Verteilung auf die wichtigsten Anwendungsgebiete gibt die Tabelle 3.

Beim Einsatz der PE-LD- und PE-LLD-Folien zur Herstellung von Säcken und vor allem beim Einsatz als → Landwirtschaftsfolien ist die Licht-Beständigkeit von besonderer Bedeutung. Die Tabelle 4 zeigt den Vergleich von drei verschiedenen Folientypen. Die Lichtbeständigkeit ist innerhalb der Fehlergrenzen gleich.

Häufig werden zur Erzielung optimaler Eigenschaften, Mischungen von PE-LD und PE-LLD zur Folienherstellung eingesetzt. Im Gegensatz zu manchen Angaben in der Literatur zeigt die Tabelle 5, daß die Lichtbeständigkeit vom Mischungsverhältnis unabhängig ist. Einen Einfluß hat nur die Art der Unterlage. Schädigungs-Kriterium war bei beiden Untersuchungen der Abfall der Dehnfähigkeit auf 50%.

PE-LD- und PE-LLD-Folie. Tab. 2. Kapazitäten für PE-LLD

Region	t/	%
Westeuropa	610.000	14
USA	1.550.000	37
Kanada	700.000	17
Japan	370.000	9
Naher Osten	610.000	14
übrige	380.000	9
Welt	4.220.000	100

PE-LD- und PE-LLD-Folie. Tab. 3. LLD-PE-Folien, Einsatz in

Anwendungsgebiet	1986	1990
Säcke	130.000	300.000
Stretchfolien	90.000	260.000
Schrumpffolien	50.000	85.000
Tragetaschen	30.000	75.000
Verpackung v. Lebensmitteln	25.000	100.000
Landwirtschaftsfolien	15.000	65.000
Sonstige Gebiete	80.000	255.000
Gesamtmenge	420.000	1.140.000

PE-LD- und PE-LLD-Folie. Tab. 4.

PE-Typ (Verfahren, Comonomere)	ohne Lichtstabilisator		mit Lichtstabilisator	
	150 μ	200 μ	150 μ	200 μ
PE-LD	55	60	215	260
PE-LLD (Gasphase, Buten)	55	50	225	260
PE-LLD (Lösung, Octen)	55	60	190	250

Ciba-Geigy AG, Basel, Firmenschrift

In diesen und anderen Anwendungsgebieten überschneiden sich die PE-LD- und PL-LLD-Folien mit → PE-HD-Folien.

Ein geringer Anteil der Polyethylenfolien wird nach dem Verfahren der → Flachfolien-Extrusion hergestellt. Die so erhaltenen Produkte weisen eine geringere Festigkeit auf, da sich nicht verstreckt sind. Insbesondere Folien aus PE-LD haben andererseits bessere optische Eigenschaften wie Glanz und

PE-LD- und PE-LLD-Folie. Tab. 5.

Polymer-Mischung	Aluminium	Plexiglas	ohne Unterlage
100% L-LDPE	110	145	125
75% L-LDPE	105	140	130
50% L-LDPE	80	110	145
25% L-LDPE	110	110	125
0% L-LDPE	95	125	120

Ciba-Geigy AG, Basel, Firmenschrift

Transparenz. Dies gilt vor allem bei niedrigen Temperaturen der Kühlwalze. Die Neigung zum Blocken der Folien nimmt allerdings dann zu. Durch die schnelle Abkühlung des Schmelzefilms werden Folien mit kleineren Kristalliten erhalten, die gegenüber Schlauchfolien einen weicheren Griff besitzen. Durch eine Prägung kann diese Eigenschaft noch verstärkt werden. Dies geschieht üblicherweise in einem Arbeitsgang, indem die erste Kühlwalze mit einer strukturierten Oberfläche versehen wird.

Solche Folien eignen sich z.B. zur Herstellung von Bettauflagen, Windeln oder Einschlagmaterial für medizinische Artikel. In Dicken von 30 bis 100 μm finden Flachfolien aus PE-LD Verwendung als → Kaschierfolien, mit geringeren Dicken auch als → Haftfolien.

PEN, → Polyethylennaphthenat.

Penetrationsgrad, *<degree of penetration>*, → Cellopp-Markt.

Perforation, *<perforation>*, das Auftreten von → *Löchern in der Folienbahn.* Die Perforation ist in der Regel ein nicht akzeptabler Qualitätsmangel. Es gibt jedoch auch Fälle, bei denen Folien für spezielle Anwendungen perforiert werden.

1. *Ungewollte Perforation* kann bei Herstellung, Verarbeitung und Anwendung von Folien auftreten. Ursachen sind Mängel im Rohmaterial, schlechte Produktionsanlagen oder fehlerhafte Bedienung. Für alle Anwendungsgebiete, wo geringe → Durchlässigkeit der Folie verlangt wird, ist eine Perforation unakzeptabel. Die Gefahr der Perforation wird durch die Herstellung von → Doppelfolien und → Verbundfolien ganz wesentlich verringert.

Zum Verschließen von Folienverpackungen ist → Siegeln das am häufigsten angewendete Verfahren. Die Porenfreiheit der Siegelnaht ist für die Undurchlässigkeit der Packung besonders wichtig. Zur Feststellung von Perforation dient die → Lecksuche bei Packungen.

2. *Gewollte Perforation.* Verpackte Lebensmittel, wie Gemüse, Obst oder frische Backwaren geben bei ihrer meist kurzfristigen Lagerung Wasserdampf

ab. Bei → Polyethylenfolien und → BOPP kondensiert dieser auf der Innenseite der Packung und beeinträchtigt dadurch das Aussehen der Ware. Durch Perforation der Folie wird dies verhindert. Die mechanische Eigenschaften der Folien werden durch die Perforation verschlechtert. Insofern ist hier unlackiertes → Cellophan wegen seiner Wasserdampfdurchlässigkeit den Folien auf Basis von Polyolefinen überlegen. Dies zeigt sich besonders deutlich beim → Schäldarm auf Basis von regenerierter Cellulose.

Bei einigen Anwendungen wird eine Undurchlässigkeit der Folien für Wasser bei gleichzeitiger Durchlässigkeit für Wasserdampf gefordert. → Polyurethanfolien und → Polyether/Ester-Elastomere haben diese Eigenschaften, ohne daß sie perforiert werden müssen. Bei einer Perforation anderer Folien müssen die Poren sehr klein sein oder eine spezielle Struktur haben. So wurde

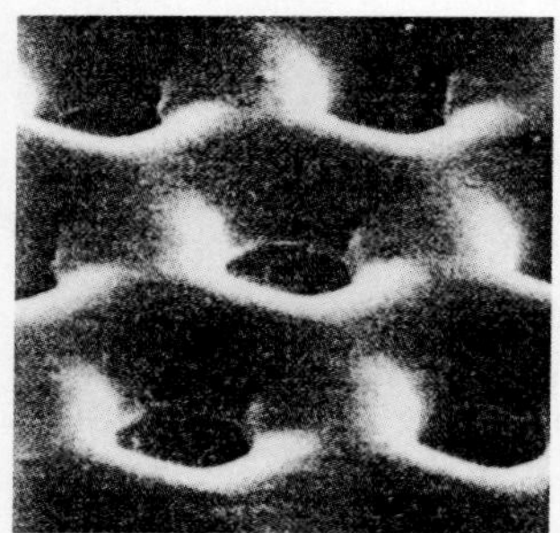

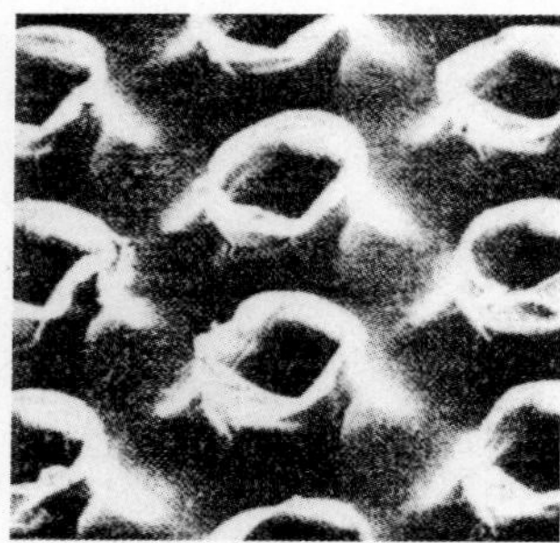

Bild 1. Oberflächenstruktur einer perforierten Kunststoff-Folie, 80fach vergrößert
links: glatte Seite, rechts: rauhe Seite

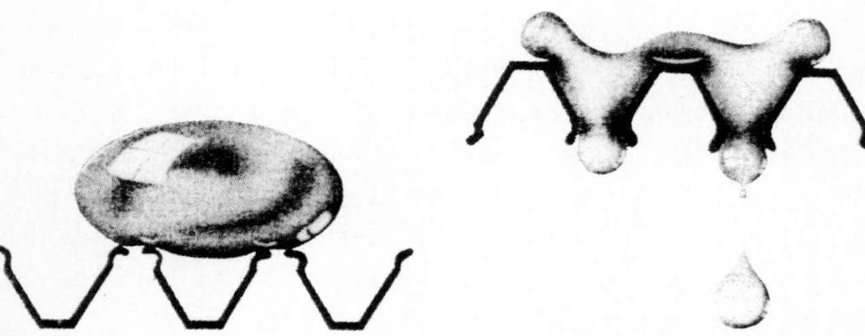

Bild 2. Trichterförmige Lochstruktur mit spezifischen Kapillareigenschaften
links: Diffusionssperre, rechts: freier Durchfluß

Perforation.

kürzlich eine neue Fertigungstechnik entwickelt, mit der eine trichterförmige Lochstruktur erzielt werden kann.
Die Abbildung zeigt die Oberfläche derartiger Folien und die Wirkungsweise der Perforation. Das Verfahren soll für Folien von 15 bis 150 μm Dicke anwendbar sein. Die Porendichte liegt bei 600/cm^2, die kleinsten erreichbaren Durchmessers der Löcher betragen z.Zt. 60 μm. Die Folie hat sich zur Herstellung von Kochbeuteln, Filtern, Ventilsäcken und als → Landwirtschaftsfolie bewährt.
Eine Mikroperforation von Folien kann mit Hilfe von Laserstrahlen erreicht werden. Die Poren haben Durchmesser von weniger als 2 μm und sind mit bloßem Auge kaum sichtbar. Auf einen mm^2 kommen im Durchschnitt 5 Mikroporen, durch die die mechanische Festigkeit der Folie nicht beeinträchtigt wird. Folien mit Mikroporen ermöglichen z.B. das Räuchern von Fleischwaren im verpackten Zustand. Diese können dann direkt oder mit einer zusätzlichen Verpackung in den Markt gebracht werden.

Pergamentersatz, *<vellum paper surrogate>*, → fettbeständiges Papier.

Pergamentpapier, *<vellum paper>*, → fettbeständiges Papier.

Pergamin, *Pergaminpapier, Pergamyn, <glassine>*, → fettbeständiges Papier.

Permeabilität, *<permeability>*, → Durchlässigkeit.

PET-Folie, *<PET-film>*, Polyester-Folie.

Pfropfcopolymer, *<graft copolymer>*, → Polymerisation.

Pharmaverpackung, *<pharmaceutical packaging>*, das → Verpacken von Pharmaka für den Endverbraucher und zur Verwendung in Krankenhäusern. Während noch vor kurzer Zeit überwiegend Glasbehälter eingesetzt wurden, hat heute, zumindest in Europa, die → Blisterverpackung diesen Verpackungsmarkt fast vollständig erobert. Auch die → tropensichere Blisterverpackung und die → Aluminium-Formverpackung sind häufig eingesetzte Systeme. Das Verpackung in → Tuben fällt zu großen Teilen ebenfalls in den Bereichen Pharmaverpackung. Ein verwandtes Gebiet ist die → medizinische Verpackung.
Bei der Pharmaverpackung ist in besonderer Weise die → Gesetzgebung zu beachten. Auch die Bemühung um → verfälschungssichere Packungen gingen von der Pharmaverpackung aus. Lit.

Phosphorsäureester, *Phosphat, <phosphate>*, ein Ester der Orthophosphorsäure. Phosphorsäureester haben die allgemeine Formel

$$O{=}P(O\text{-}R)_3.$$

Die Ester mit höheren Alkoholen und mit Phenolderivaten dienen als → Weichmacher. Das wichtigste Produkt ist *Trikresylphosphat*, TCF, Phosphorsäure-tritolylester.

Zur Herstellung wird ein Isomerengemisch von Kresolen verwendet. TCF ist eine farb- und geruchslose, ölige Flüssigkeit. d = 1,175 g/cm^3, Fp = -28 °C, Kp = 435 °C. Das o-Trikresylphosphat ist giftig.
Trikresylphosphat wird vor allem zur Herstellung von schwer entflammbaren → Weich-PVC-Folien eingesetzt. Auch bei mechanisch besonders hoch beanspruchten technischen Folien aus Weich-PVC, z.B. für die Herstellung von Förderbändern, hat sich dieser Weichmacher besonders bewährt.
Zur Weichmachung von → Celluloseacetat-Folien als → Photofolien wurde TCF früher verwendet. Diese sog. Sicherheitsfilme sind heute durch → Polyesterfolien ersetzt.
Weitere wichtige Phosphorsäureester sind das Trioctylphosphat, TOF, R=CH_3-CH_2-CH_2-CH_2-CH(C_2H_5)-CH_2- und das Tri-(chlorethyl)-phosphat, R=CH_2Cl-CH_2-.

Photofolie, *<base film for photographic applications>*. Eine Trägerfolie für photographische Schichten. Folien und Photopapiere haben heute die früher verwendeten Glasplatten weitgehend verdrängt. An ihre Eigenschaften werden sehr hohe Anforderungen gestellt. Sie müssen photographisch neutral sein, dürfen also die Eigenschaften der verschiedenen photochemischen Schichten nicht beeinflussen. Ihre → mechanischen Eigenschaften, wie Steifigkeit, Elastizität, Festigkeit und Dimensionsstabilität sind ebenso wichtig wie gute → Planlage, → Dickengleichmäßigkeit und Qualität der Folien-Oberfläche. Antistatisches Verhalten und Haftfestigkeit der photographischen Schichten werden meist durch Aufbringen spezieller Hilfsschichten auf die Photofolie erreicht.
Als Material für Trägerfolien wurde zunächst → Cellulosenitrat verwendet. Wegen der leichten Entflammbarkeit dieses Produkts wurden „Sicherheitsfilme" auf Basis → Celluloseacetat entwickelt. Heute wird Cellulosetriacetat noch in geringen Mengen für Kleinbild- und Kinofilme verwendet. Die Maßhaltigkeit dieser Trägerfolien genügt jedoch den modernen Anforderungen an die Reprotechnik nicht. Cellulose-butyrate, deren Wasserempfindlichkeit geringer ist, haben heute ebenfalls keine Bedeutung mehr.
Als Photofolie hat sich seit den 60er Jahren → Polyesterfolie weitgehend und weltweit durchgesetzt. Das Material hat eine niedrige Wasseraufnahme, hohe Stabilität gegen Lösungsmittel und Temperatur, gute mechanische Eigenschaften und sehr gute Maßhaltigkeit. Polyesterfolien sind deshalb auch für hohe Anforderungen bei Reprofilmen geeignet. In ihrer Steifigkeit sind sie auch zur Herstellung von Röntgenfilmen den Folien aus Celluloseacetat überlegen. Ihre hohe mechanische Festigkeit erlaubt generell den Einsatz von Folien mit geringerer Schichtdicke. Wegen ihrer geringen Wasseraufnahme wurden Photofolien auf Basis von → Polystyrol und → Polycarbonat intensiv untersucht. Ein großer Nachteil der → Polystyrolfolien liegt in ihrer hohen Knickempfindlichkeit, die sehr leicht zu → Weißbruch führt. → Polycarbonat-

folien bringen wegen ihres relativ geringen Elastizitätsmoduls einen zu geringen Widerstand gegen die Zugkräfte der photographischen Schichten mit, so daß dadurch die Maßhaltigkeit negativ beeinflußt wird. So haben Photofolien auf Basis Polystyrol und Polycarbonat nur geringe praktische Bedeutung.
Die Herstellung der Celluloseacetat-Folien erfolgt auf die übliche Weise nach dem → Gießverfahren aus → Methylenchlorid. Als Weichmacher können → Phosphorsäureester zugesetzt werden, die die mechanischen Eigenschaften nur unwesentlich verschlechtern, die Brennbarkeit und die Wasseraufnahme jedoch herabsetzen. Eine leicht graue Einfärbung verbessert die Lichtsicherheit und den Lichthofschutz. Die Foliendicken liegen für Rollfilme um 9 μm, für Kleinbild-, Schmal- und Kinofilme zwischen 13 und 15 μm.
Polyesterfolien werden als Photofolien nach den für diese Produkte üblichen Verfahren durch → Flachfilmextrusion mit einem anschließenden → Reckverfahren hergestellt. Die Foliendicken liegen zwischen 8 und 20 μm.
Wegen der Empfindlichkeit der photographischen Schichten ist bei der Produktion von Photofolien ganz besondere Sorgfalt für die Sauberkeit der Anlagen nötig. In dieser Hinsicht gibt es sehr viele Parallelen mit der Herstellung von → Magnetbandfolien.
Die Herstellung von photographischen Filmen verlangt von der Trägerfolie einige Eigenschaften, die nur durch das Aufbringen von Hilfsschichten zu erzielen sind. Besonders wichtig ist die Ausrüstung der Photofolien mit → Haftschichten, die meist schon beim Herstellungsprozeß erfolgt. Durch Anwendung von → Antistatika und → Gleitmitteln werden die Gebrauchseigenschaften der Photofolien bzw. der photographischen Filme weiter verbessert. Auf das Einbringen von Lichthofschutz-Schichten sei hier nur hingewiesen.
In der Röntgenphotographie konnten die Eigenschaften der Filme durch den Einsatz von → Verstärkerfolien wesentlich gesteigert werden.

Photooxytation, *<photooxidation>*, → UV-Absorber.

Photopapier, *<photographic paper>*. Neben Folien ist Papier heute der am häufigsten verwendete Träger für lichtempfindliche Schichten. Seit ca. 1970 sind Kombinationen von → Photofolien und mit → Polyethylen beschichteten Papieren im Einsatz. Die Polyethylenschicht schützt das Papier gegen zu starkes Eindringen von Flüssigkeiten aus den photographischen Bädern. Die Zeit zum Wässern und damit die Verarbeitungszeit beim Entwickeln, Fixieren und Trocknen wird erheblich verringert. Das Aufbringen der Polyethylenschicht erfolgt durch → Extrusionsbeschichtung. Die Schichten sind klar und farblos oder durch Zusatz von → Titandioxid weiß bzw. durch Zusatz von → Ruß schwarz eingefärbt. Es werden ca, 40 g PE/m^2 Papier aufgebracht.

Phthalat, *Phthalsäureester*, *<phthalate, phthalic acid ester>*, ein Ester der Phthalsäure mit Alkoholen.

Phthalate sind eine bedeutende Gruppe von → Weichmachern, vor allem für → Weich-PVC-Folien. Wichtigstes Produkt ist *Dioctylphthalat*, DOP. Die chemische korrekte Bezeichnung ist Di-(2-ethylhexyl)phthalat.

DOP ist eine farb- und geruchslose Flüssigkeit, d = 0,986 g/cm^3, Kp = 216 °C bei 7 mbar. Über 60% der produzierten Menge dürfte zur Herstellung von Weich-PVC eingesetzt werden. Die akute Toxizität von DOP ist sehr gering, jedoch werden neuerdings Bedenken wegen Umweltgefährdung durch diesen Weichmacher geltend gemacht. DOP wird zwar in Gewässern relativ schnell abgebaut, reichert sich jedoch in Sedimenten und Böden an. Es besteht Verdacht von Carcigonität bei Tieren. Für die Weichmachung von PVC und für die Verwendung solcher Folien für die Lebensmittelverpackung gibt es deshalb in vielen Ländern gesetzliche Beschränkungen.

Dibutylphthalat, DBP und Di-isobutylphthalat, DIBP werden auch als Weichmacher für → Celluloseester-Folien verwendet.

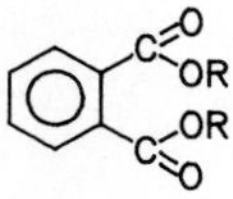

$C_6H_4(COOR)_2$

DOP $R = CH_3{-}CH(C_2H_5){-}CH_2{-}CH_2{-}CH_2{-}CH_2{-}$

DBP $R = CH_3{-}CH_2{-}CH_2{-}CH_2{-}$

DIBP $R = CH_3{-}CH(CH_3){-}CH_2{-}$

physikalische Eigenschaften, *<physical properties>*, → mechanische Eigenschaften.

physiologische Unbedenklichkeit, *<harmlessness to health>*, eine für Folien, die zur → Lebensmittelverpackung eingesetzt werden, unerläßliche Voraussetzung. Die zur → Folienherstellung und → Folienverarbeitung verwendeten → Rohstoffe und → Additive werden insbesondere daraufhin beobachtet, ob irgendwelche Bestandteile durch → Migration und Packmittel in das verpackte Gut gelangen können. Dabei wurden selbstverständlich Stoffe wie → Polyvinylchlorid und → Polyacrylnitril wegen der cancerogen Restmonomeren Vinylchlorid und Acrylnitril sehr kritisch betrachtet.

Zur physiologischen Unbedenklichkeit gibt es noch manche offene Frage, über deren Beantwortung auch die Fachleute nicht immer einer Meinung sind, z.B.:

1. Gibt es überhaupt einen Grenzwert, unterhalb dessen eine schädliche Wirkung auf den Menschen mit Sicherheit auszuschließen ist? Die meisten Wissenschaftler bejahen diese Frage.

2. Sollen Grenzwerte nach medizinischen Befunden festgelegt werden oder sich an der Nachweisgrenze der genauesten verfügbaren Analysenmethode richten?

3. Sollen Substanzen, die kritisch sind, im Packstoff, also z.B. in der Folie gemessen werden, oder im verpackten Gut?

4. Wie sollen die Prüfbedingungen (zeitliche Abstände, Temperatur, son-

stige Lagerungsbedingungen) festgelegt werden?

Trotz dieser offenen Fragen können wir sicher sein, daß die im Markt befindlichen Verpackungsfolien für Lebensmittel gründlich untersucht sind und ohne Bedenken eingesetzt werden können. Es ist selbstverständlich, daß diese Aussage die Hersteller von Folien für die Lebensmittelverpackung nicht von einer ständigen Aufmerksamkeit in Fragen der physiologischen Unbedenklichkeit entbindet. Dazu ist er auch durch die einschlägige → Gesetzgebung verpflichtet.

Pigmente, *<pigments>*, → Färbemittel.

Planlage, *<planar webb>*, die Eigenschaft einer → Folienbahn, planar, d.h. in einer Ebene zu liegen. Gute Planlage führt zur Herstellung von gut aufgewickelten → Folienrollen, die problemlos zu verarbeiten sind. Beim Auftreten von Bahnfehlern wird dagegen die Handhabung der Folie schwieriger. Störende Fehler in der Folienbahn sind:

1. *Bahnverlauf.* Die beiden parallelen Kanten einer Folienbahn sollten völlig geradlinig verlaufen. Wenn die Bahn abweichend von dieser Idealform in einer Kurve verläuft, wie das in der Abbildung schematisch und überzeichnet dargestellt ist, kann dies zu Problemen führen. Die Beurteilung des Bahnverlaufs erfolgt durch Auslegen von mindestens 10 m einer Folienbahn, visuelle Beurteilung und Vermessung. Eine Abweichung von etwa 100 mm auf 10 m Folienbahn ist für manche Verarbeitungsverfahren schon nicht mehr tolerierbar. Der Bahnverlauf wird durch Fehler in der Fertigungsanlage verursacht, z.B. durch unregelmäßige Bahnspannung, ungleichmäßige Abkühlung oder Erwärmung der Folienbahn oder schlechte Verteilung der Polymerschmelze im Düsenspalt.

2. *Rollneigung.* Die Krümmung einer Folienbahn in Querrichtung. Sie kann verschiedene Ursachen haben, z.B. ungenügende Dickengleichmäßigkeit (→ Dickenmessung) oder eingefrorene Spannungen der Makromoleküle, die zum → Memory-Effekt führen. Rollneigung tritt sehr häufig bei der → Coextrusion auf, insbesondere, wenn Thermoplaste mit sehr unterschiedlichen Längenausdehnungs-Koeffizienten oder wenn Kunststoffe mit Metallfolien kombiniert werden. Die Tabelle zeigt die großen Unterschiede zwischen einzelnen Kunststoffen und vor allem zwischen Kunststoffen und Aluminium. Die Rollneigung kann durch einen symmetrischen Aufbau der Mehrschichtfolie vermieden werden.

Weitere Ursachen für eine Rollneigung können schlechte Schichtdickenverteilung, unterschiedliche → Schmelzviskositäten der Rohstoffe z.B. bei der Herstellung von → PA/PE-Folien oder falsche Einstellung der Spannung der Folienbahn sein.

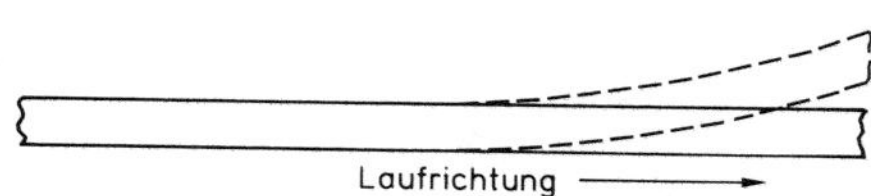

Planlage.

Planlage. Thermische Längenausdehnungskoeffizienten für Polymere und Al

Material	thermische Längen-ausdehnungskoeffizient $1/K \cdot 10^{-5}$
Polyethylen (PE-HD)	200
Polyethylen (PE-LD)	150
Polypropylen (PP)	110-170
Polyamid (PA)	70-100
Polyvinylchlorid (PVC)	70- 80
Styrolpolymerisate (SP)	70- 80
Polyphenyloxid (PPO)	60- 70
Polyethylenterephthalat (PETP)	60
Aluminium (Al)	24

BASF, Ludwigshafen, Firmenschrift

Plastifizierung, *<plastication, fluxing>*. Bei der → Folienherstellung aus Kunststoffen müssen diese häufig weicher, flexibler und schmiegsamer gemacht werden, um ihre Verarbeitbarkeit zu verbessern. Dies kann durch Einwirkung von Wärme und mechanischen Kräften, z.B. im → Kneter oder → Extruder geschehen. Häufig werden den Polymeren auch → Additive, wie → Weichmacher, → Verarbeitungshilfsmittel oder → Gleitmittel zugesetzt. Dies gilt in besonderem Maße für → Polyvinylchlorid.
Die Plastifizierbarkeit hängt stark vom verwendeten polymeren Material, seiner → Korngröße und der Porigkeit der Teilchen ab. Sie kann im Prüfkneter beurteilt werden.

Plate-out-Test, *<plate out test>*, ein Test zur Prüfung einer Kunststoffmischung auf das Ausblühen niedermolekularer Substanzen während der Verarbeitung.
Der Test wird vorzugsweise bei der Verarbeitung von Weich-PVC angewendet. Das zu prüfende Produkt wird mit 1% eines Rotpigments auf einem Prüfwalzwerk 20 min bei 180 °C und 20 U/min ohne Friktion gemischt. Während dieser Zeit ergeben die ausblühenden Substanzen einen rot eingefärbten Belag. Dieser wird mit einem weiß pigmentierten Testfell in 10 min bei 160 °C und 12 U/min von den Walzen abgenommen. Die Rotfärbung des Testfells erlaubt Rückschlüsse auf den Grad des Ausblühens.

Platzkaliber, *<burst caliper>*. Die Ermittlung des Platzkalibers und des Platzdruckes stellt eine sehr praxisnahe Prüfung der mechanischen Festigkeit von → Wursthüllen dar. Der zu prüfende Kunstdarm wird entsprechend der späteren Verarbeitung, z.B. durch Wässern, vorbereitet. Danach werden die Wursthüllen in einer Prüfapparatur mit Druckluft oder Wasser gefüllt. Dabei werden Innendruck und → Kaliber bis zum Platzvorgang aufgezeichnet. Das Kaliber wird dabei meist in mm, der Platzdruck in cm Wassersäule angegeben. Die Methode ergibt für jeden Wursthüllentyp und für die verschiedenen Kaliber unterschiedliche Werte. Aus den erhaltenen Zahlen kann auch das Füllkaliber ermittelt werden, wenn der Brätdruck für die Füllung der Wursthülle bekannt ist. Die Abbildung zeigt die Druckdehnungskurven zur Ermittlung von Platzkaliber und Platzdruck bei PVDC-lackiertem Faserdärmen.

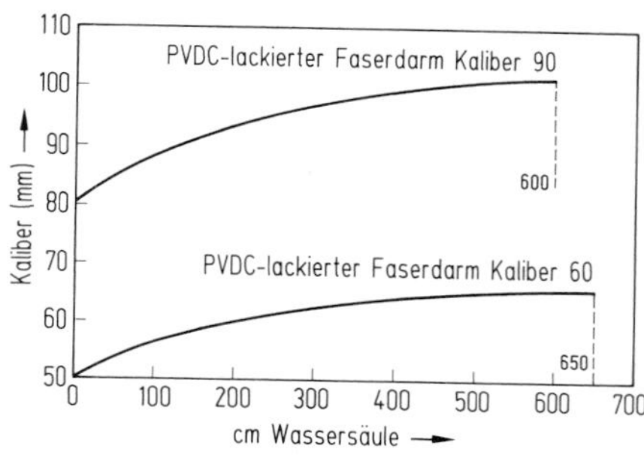

Platzkaliber. Nach Effenberger, Wursthüllen/ Kunstdärme, Wörishofen 1990.

Polarisationsfolie, *Pol-Folie, <light polarizing film>*, eine transparente Folie, die durchtretendes Licht in polarisiertes Licht umwandelt. Man verwendet meist Folien aus → Polyvinylalkohol (PVA), die nach einem → Gießverfahren aus der Lösung hergestellt wurden. In diese Folie werden Stoffe eingelagert, die die Eigenschaft des *Dichroismus* besitzen. Diese Stoffe bewirken, daß von den beiden Ebenen des polarisierten Lichtes die eine stärker absorbiert wird als die andere. Die Folie wird monoaxial im Verhältnis von etwa 1:3 bis 1:6 verstreckt, wodurch eine → Orientierung der Polymerketten und eine Ausrichtung der Chromophore erfolgt.

Polarisationsfolien sollen bei neutraler, grauer Färbung ein hohes Polarisationsvermögen aufweisen. Dieses ist stark von der → Transparenz abhängig, die wiederum durch den → Reckprozeß der PVA-Folie wesentlich bestimmt wird. Die Abbildung zeigt am Beispiel einer typischen, um 400% verstreckten Folie, daß mindestens eine Transparenz von 45% vorhanden sein muß, um eine Effizienz von etwa 95% zu erreichen.

Die Forderung nach Stabilität der Polarisationsfolie gegen Wärme und Feuchtigkeit wird von Polyvinylalkohol-Folien wegen ihrer Wasserlöslichkeit nicht erfüllt. Die Folie muß durch beständigere Schichten geschützt werden. Bewährt haben sich Produkte auf Basis von → Celluloseesterfolien, vor allem aus Celluloseacetobutyrat und Cellulosetriacetat. Die verstreckte und thermofixierte PVA-Folie wird direkt durch Kaschieren mit einer Celluloseesterfolie verbunden. Dieser Verbund wird durch ein Jod-Bad geführt. Das Jod diffundiert in die PVA-Schicht, seine Moleküle ordnen sich an der orientierten Kette des Makromoleküls. Nach Waschen und Trocknen wird eine zweite Celluloseesterfolie aufkaschiert oder ein Schutzlack aufgebracht. Die polarisierende Schicht liegt in der Dicke bei 20 bis 40 μm, die Dicke der Schutzschichten beträgt bis zu 150 μm. Die meisten kommerziell erhältlichen Pol-

Folien werden zwischen 0 und 60 °C eingesetzt. Außerhalb dieser Temperaturgrenzen verlieren sie leicht ihre Fähigkeit, das Licht in zwei unterschiedliche Richtungen zu reflektieren. Der negative Effekt höhere Temperaturen wir durch steigende Luftfeuchtigkeit verstärkt. Das Nachlassen der Wirksamkeit kann auch durch Verluste an Jod durch Diffusion, Verdampfung oder chemische Reaktionen bedingt sein. Die Verwendung von Klebstoffen mit restlichen Doppelbindungen ist unbedingt zu vermeiden. Bei der Anwendung in Displays sind die Polarisationsfolien meist mit Glas verbunden. Beim Gebrauch können sich an den Verbindungsstellen Blasen bilden, die sehr wahrscheinlich auf → Delaminieren der Folie zurückzuführen sind. Die Verbundhaftung zwischen einer verstreckten, dünnen PVA-Schicht und einer wesentlich dickeren, unverstreckten Celluloseester-Schicht ist wegen der Spannung in der Polyvinylalkohol-Folie nicht sehr groß. Symmetrische Verbunde mit beidseitiger Schutzschicht zeigen bessere Eigenschaften.

Jod war einer der ersten dichroiden Stoffe für Polarisationsfolien. Es hat auch heute noch nichts von seiner Bedeutung verloren. In der Patentliteratur werden organische Farbstoffe, z.B. Azo- und Anthrachinonfarbstoffe vorgeschlagen, ohne daß sich bisher eine Produktgruppe auch praktisch bewährt hätte. Auch Versuche zum Ersatz des Polyvinylalkohols durch andere Materialien blieben bisher ohne kommerziellen Erfolg.

Polarisationsfolien werden u.a. für photographische und optische Zwecke eingesetzt, wenn ein bestimmter Anteil des einfallenden Lichts ausgeschieden oder gedämpft werden soll. Beispiele sind Sonnenbrillen, Leselampen oder Scheinwerfer. Sie sind Hilfsmittel zur Erzeugung Stereoskopischer Bilder. Ihr größtes Anwendungsgebiet sind jedoch Anzeigen mit → flüssigkristallinen Kunststoffen, den Flüssigkristalldisplays *<liquid crystal display, LCD>*. Der Effekt wurde schon 1940 entdeckt, die Produkte waren jedoch früher auf sehr kleine Formate, z.B. in Taschenrechnern oder Armbanduhren, beschränkt. Heute finden derartige LCDs auch bei Computern und Fernsehgeräten sowie auf Schalttafeln Verwendung. Lit.

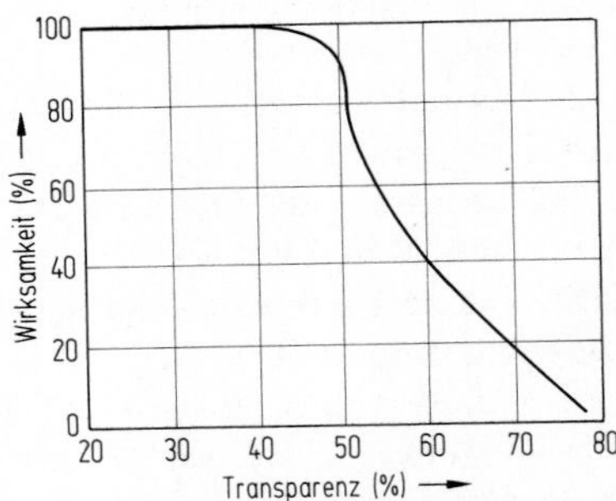

Polarisationsfolie. S.F. Baum, Polarizers for Liquid Christal Displays, Optical Engineering **18**, 291-294 (1977).

Pol-Folie, → Polarisationsfolie.

Polyacrylnitril, *PAN*, *<Polyacrylonitrile>*, ein Polymerisationsprodukt des Acrylnitrils: $H_2C{=}CH{-}C{\equiv}N$. Polyacrylnitrile sind amorphe, transparente

Stoffe, die zur Herstellung von Sperrschichtfolien für Sauerstoff verwendet werden können. Homopolymeres Acrylnitril kann jedoch nur unter Schwierigkeiten durch Extrusion zu Folien verarbeitet werden.
Acrylnitril ist Bestandteil einer Reihe wichtiger Copolymerisate. Beispiele sind → Acrylnitril-Butadien-Copolymere und Styrol-Acrylnitril-Copolymere.

Polyaddition, *<polyaddition, addition polymerisation>*, neben → Polymerisation und → Polykondensation das dritte wichtige Verfahren zur Herstellung von Kunststoffen. Wie bei der Polymerisation und im Gegensatz zur Polykondensation treten kleinere Moleküle zu Makromolekülen zusammen, ohne daß niedermolekulare Reaktionsprodukte abgespalten werden.
Bei der Herstellung von → Polyurethanen findet die Polyaddition zwischen den reaktiven Gruppen von zwei oder mehr verschiedenen Komponenten statt. Die Polyaddition von Caprolactam, häufig auch als Polymerisation bezeichnet, führt zu → Polyamiden.

Polyäthylen, *<polyethylene>*, → Polyethylen.

Polyamid, *PA*, *<Polyamide, Nylon>*, thermoplastisches Polymer, dessen Merkmal Carbonsäureamidgruppen, -CONH, in der Hauptkette ist. Polyamide sind wichtige Rohstoffe zur Herstellung von → Polyamidfolien und → PA/PE-Folien.
Polyamide können durch Polykondensation von Aminocarbonsäuren, durch Polymerisation von Lactamen oder durch Polykondensation von Diaminen mit Dicarbonsäuren hergestellt werden. Polyamide auf Basis von Lactamen werden durch die Strukturformel 1 beschrieben. Polyamid 6 (PA 6) wird durch Polymerisation von Caprolactam hergestellt. R ist in diesem Falle = $-(CH_2)_5-$; die Zahl 6 weist auf die sechs Kohlenstoffatome (einschließlich des C-Atoms der Carbonsäureamid-Gruppe) hin. Polyamide aus Diaminen und Dicarbonsäuren werden durch die Strukturformel 2 beschrieben. Zur Herstellung von Polyamid 66 (PA 66) geht man von Hexamethylendiamin und Adipinsäure aus, R' ist dann = $-(CH_2)_6-$ und R" = $-(CH_2)_4-$. Auch bei Polyamid 66 weisen die beiden Ziffern auf die Zahl der Kohlenstoffatome in den beiden Einheiten der Polymerketten hin.

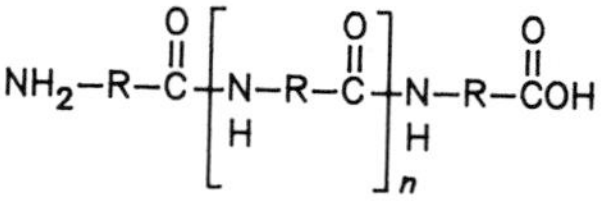

$$NH_2-R-\overset{O}{\overset{\|}{C}}\left[-\underset{H}{N}-R-\overset{O}{\overset{\|}{C}}-\right]_n\underset{H}{N}-R-\overset{O}{\overset{\|}{C}}OH$$

Polyamid. Formel 1.

$$NH_2-R'-\underset{H}{N}\left[-\overset{O}{\overset{\|}{C}}-R''-\overset{O}{\overset{\|}{C}}\underset{H}{N}-R'-\underset{H}{N}-\right]_n\overset{O}{\overset{\|}{C}}-R''-\overset{O}{\overset{\|}{C}}OH$$

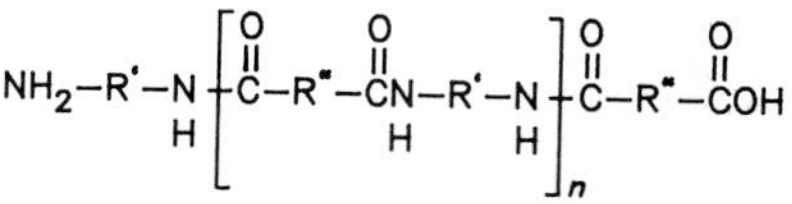

Polyamid. Formel 2.

Polyamid 6 und 66 sind die hauptsächlich zur Herstellung von Polyamid-Folien verwendeten Rohstoffe.
Zur Herstellung von → PA/PE-Folien

wird meist Polyamid 6 eingesetzt. Durch Zusatz von Hilfsmitteln zur → Nukleierung können verschiedene Eigenschaften der Folien verbessert werden.

Die Abb. 1 zeigt die Trübung, Abb. 2 die Durchlässigkeit für Sauerstoff, gemessen an 25 μm dicken Folien aus PA 6 in Abhängigkeit von der Temperatur der → Kühlwalze. Die Kurven A zeigen das nukleierte, die Kurven B das nicht nukleierte Polyamid.

Durch die Möglichkeit der Kombination verschiedener Monomere ist eine große Vielfalt von Copolyamiden herstellbar. Sie bestehen meist aus über 80% PA 6 mit PA 66, PA 11 und PA 12.

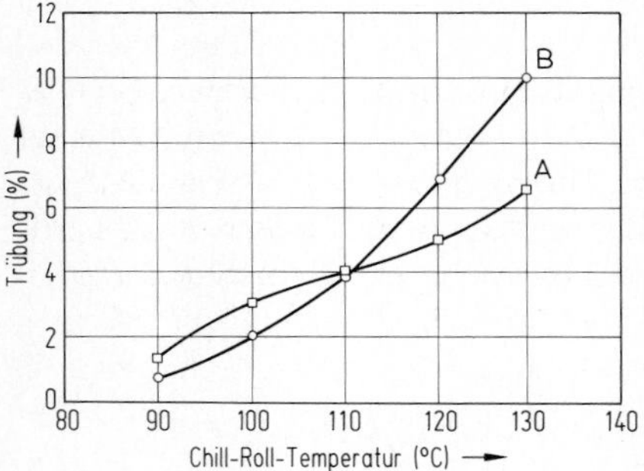

Polyamid. Abb. 1. Schulte, Kunststoffe **79**, 818 (1989).

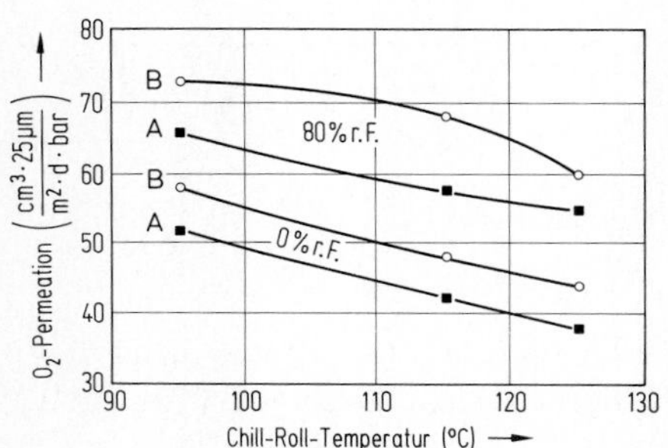

Polyamid. Abb. 2. Quelle wie Abb. 1.

Polyamide sind kristallin. Ihre → Molekülmassen liegen zwischen 20000 und 60000. Die Erweichungstemperaturen betragen für PA 6 ca. 215-220 °C, für PA 66 ca. 255-260 °C. Die Folienherstellung aus Polyamiden erfolgt in der Regel durch → Extrusion. Die Tabelle gibt ein Temperaturprofil für die Extrusion wieder.

Polyamide sind hygroskopisch und müssen deshalb vor der Extrusion getrocknet werden. Ihr Wassergehalt muß unter 0,1 Gewichtsprozent liegen. Zur Folienherstellung sind extreme Reinheitsanforderungen an die verwendeten Polyamide zu stellen.

Niedermolekulare Polyamide können auch als Bestandteile für → Klebstoffe oder → Druckfarben dienen.

Polyamid. Typische Temperatur-Profile für die Extrusion von Polyamiden, °C

	PA-6	PA-6,6
Einspeise-Zone	230-250	260-290
Übergangs-Zone	225-260	260-285
Dosier-Zone	220-275	260-285
Extruder-Kopf	225-270	260-285
Werkzeug	215-270	255-295
Schmelzbereich	225-270	260-300

nach Bakker, The Wiley Encyclopedia of Packaging Technology, New York 1986.

Polyamid-Därme, *<polyamide sausage casings>*, → Polyamid-Wursthüllen.

Polyamidfolie, *PA-Folie, seltener Nylon-Folie, <nylon film, polyamide film, PA film>*, Folie, die aus → Polyamiden hergestellt wurde. Zur Herstellung werden die → Flachfolienextrusion oder die → Blasfolienextrusion angewendet. Temperaturprofile für die Extrusion → Polyamid.

Die Foliendicke liegt normalerweise zwischen 20 und 50 μm. Die mechanischen Eigenschaften der PA-Folien und ihre Chemikalienbeständigkeit sind gut. Sie haben eine niedrige → Durchlässigkeit für Gase. Diese hängt jedoch stark von der Luftfeuchtigkeit ab, da Polyamide Wasser aufnehmen. Hervorzuheben ist ihre sehr gute → Warmformung. Eine Zusammenstellung wichtiger Eigenschaften von PA-Folien mit der Dicke 25,4 μm (1 mil) zeigt die Tabelle. Die → Durchlässigkeit für Sauerstoff liegt bei 23 °C und 0% rel. Luftfeuchtigkeit zwischen 8 und 14 $cm^3 \cdot \mu m/m^2 \cdot d \cdot kPa$. Bei höherer Luftfeuchtigkeit steigen die Werte bei Polyamid-6,6 auf etwa das 4-fache an. Dieser Anstieg ist bei den anderen Polyamidfolien wesentlich geringer. Die → Wasserdampfdurchlässigkeit beträgt bei 38 °C und 90% rel. Luftfeuchtigkeit 2 bis 10 $g \cdot mm/m^2 \cdot d$. Der Einsatz von Polyamidfolien als Solofolien ist begrenzt. Wesentlich größere Bedeutung haben Polyamide in → Verbundfolien, vor allem in → PA/PE-Folien. Eine besondere Stellung auf dem Gebiet der Polyamidfolien nehmen die durch einen Reckprozeß vergüteten Folien ein, → orientierte Polyamidfolien.

Polyamid-Polyethylen-Folien, → PA/PE-Folien.

Polyamid-Wursthülle, *Polyamid-Darm, <polyamide sausage casings>*, hat unter den → Wursthüllen aus Thermoplasten neben den → PVDC-Wursthüllen die größte Bedeutung erlangt. Beide Produktgruppen dürften einen Marktanteil von jeweils etwa 10 bis 15% haben. Als → Polyamide werden vor allem PA 6, PA 6,6, PA 9,11

Polyamidfolie.

	PA-6	PA-6,6	PA-6/6,6	PA-6/12
Schmelzpunkt (°C)	218-220	266	198-202	197-200
Dichte	1,13	1,14	1,11	1,10
Trübung (%)	1,5-4,5	1,5	2,0	
Zugfestigkeit (MPa)	62	110	32	220
Dehnung %	400-500	300	400	500
Reißfestigkeit (N/mm)	190	230	200	
Weiterreißfestigkeit (N/mm)	13	13	27	
Wasserabsorption 24 h,%	9	8	9	3
Heißsiegeltemp. (°C)	210-216	254-260	191-196	182-191

Quelle wie Tabelle auf S. 318.

und 12 verwendet. Aber auch → Blends aus Polyamiden mit → Polyethylenterephthalat, → Ionomeren und → Ethylenvinylacetat-Copolymeren sind als Rohstoffe zur Herstellung von Polyamid-Wursthüllen bekannt geworden. Es existieren im Markt auch Mehrschicht-Schäuche, die durch → Coextrusion hergestellt wurden, sowie lackierte Produkte.
Die große Variationsbreite beim Rohstoffeinsatz erlaubt eine entsprechende Vielfalt bei der Einstellung der anwendungstechnischen Eigenschaften.
Polyamid-Wursthüllen haben sehr geringe Durchlässigkeit für Gase und Dämpfe. Gewichtsverluste bei der Lagerung, Qualitätsminderungen durch Sauerstoffeinwirkung und Aromaverluste werden dadurch sehr stark eingeschränkt. Ob beim Heißräuchern eine gewisse Rauch-Aromatisierung eintritt, ist umstritten und hängt auch vom verwendeten Polyamid ab. An sich ist nach dem Garen der Wurstware ein Räuchern nicht erforderlich.
Die Polyamid-Wursthüllen werden in → Kalibern zwischen etwa 40 und 200 mm angeboten. Die Produkte werden in Naturfarbe oder auch eingefärbt geliefert. Sehr häufig sind die Farben schwarz, weiß, braun, rot, gold und silber. Als → Konfektionierungsformen stehen Bunde und Rollen, offene und einseitig verschlossene Abschnitte sowie durch → Raffen konfektionierte Ware zur Verfügung. Auch Wursthüllen in Kranzform werden angeboten.

Polyarylamid, *<polyarylamide>*, thermoplastisches Produkt aus m-Xylylen-diamin und Adipinsäure.

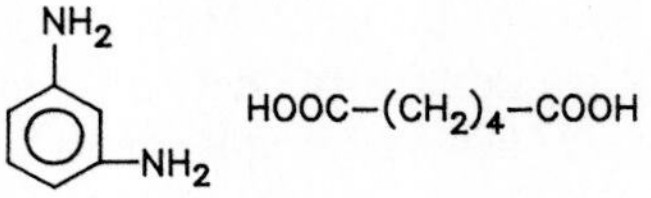

$HOOC-(CH_2)_4-COOH$

Dieses teilkristalline aromatische Polyamid wurde zur Herstellung von → Sperrschicht-Folien entwickelt. Es soll die → Durchlässigkeit von Folien für Sauerstoff und andere Gase, sowie für Aromastoffe entscheidend verringern.

Poly-benzimidazole, *<polybenzimidazole>*. Ihre Verarbeitung zu Folien kann nur in speziellen Verfahren, z.B. durch → Sintern erfolgen, so daß ihr Einsatz immer auf Spezialgebiete beschränkt bleiben wird.

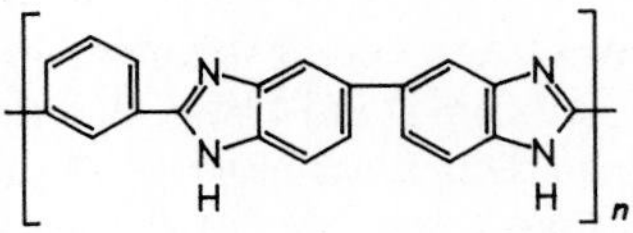

Polybutene, *Polybutylene*, *<Polybutene>*. Polybutene haben bisher zur Herstellung von → Solofolien keine größere Bedeutung erlangt. Sie dienen jedoch wegen ihrer speziellen Eigenschaften als Zusätze bei der Herstellung von Folien aus anderen Polymeren. Von den möglichen isomeren Monomeren sind das Buten-(1) oder Ethylethylen (a) und das Isobuten (b) wichtige Ausgangsprodukte zur Herstellung der entsprechenden Polymeren, während das Buten-(2) (c) durch isomerisierende Polymerisation in Poly-(1-buten) übergeht.

$$CH_2{=}CH{-}CH_2{-}CH_2 \qquad (a)$$

$$CH_2{=}C(CH_3)_2 \qquad (b)$$

$$CH_3{-}CH{=}CH{-}CH_3 \qquad (c)$$

Alle drei Butene finden sich in den sog. C_4-Schnitten der Erdölcrackung. Isobuten wird durch Extraktion mit Schwefelsäure abgetrennt. Es ist in dieser Form wegen ungenügender Reinheit allerdings nur zu Herstellung von niedermolekularen Poly-isobutenen geeignet. Ein reines Produkt wird durch Wasserabspaltung aus Isobutanol gewonnen. Die Polymerisation erfolgt mit Friedel-Crafts-Katalysatoren (Bortrifluorid, Aluminiumchlorid) bei sehr tiefen Temperaturen. Niedermolekulare Poly-isobutene werden in → Klebstoffen, als klebrige → Weichmacher und als Walzöle bei der Herstellung von *Aluminiumfolien* verwendet. Durch → Coextrusion mit Polyethylen entstehen → Haftfolien mit interessanten Eigenschaften. Hochmolekulare Poly-isobutene verhalten sich Kautschukartig. Sie können zu → Poly-isobuten-Folien verarbeitet werden.

Polycarbonat, *PC*, *<Polycarbonate>*, thermoplastisches Material mit der Formel 1.

Ausgangsprodukt ist 2,2-Bis-(4-hydroxyphenyl)-propan (Bisphenol), das durch Reaktion von Phenol und Aceton leicht zugänglich ist (Formel 2).

$$\left[-O-C_6H_4-C(CH_3)_2-C_6H_4-O-C(=O)-O-\right]_n$$

Polycarbonat. Formel 1.

$$2\,C_6H_6 + O{=}C(CH_3)_2 \rightarrow C_6H_5-C(CH_3)_2-C_6H_5 + H_2O$$

Polycarbonat. Formel 2.

Bisphenol wird nach dem Umesterungsverfahren mit Diphenylcarbonat unter Abspaltung von Phenol bei Temperaturen um 300 °C zu Polycarbonat umgesetzt. Die Schmelze wird durch → Granulieren aufgearbeitet.

Ein anderes Verfahren geht vom Natriumsalz des Biphenols aus, das in wäßriger Phase bei Gegenwart von indifferenten Lösungsmitteln, vor allem von Methylenchlorid, mit Phosgen unter Bildung von Natriumchlorid zu Polycarbonat reagiert. Die Polycarbonatlösung wird abgetrennt und gewaschen. Das Polymere kann durch Ausfällen oder durch Eindampfen in speziellen Schnecken gewonnen werden.

Polycarbonate auf Basis Bisphenol können durch Zusatz anderer Phenole modifiziert werden. So werden durch Verwendung dreiwertiger Phenole verzweigte Produkte, durch Einsatz chlorierter oder bromierter Bisphenole schwer entflammbare Typen erhalten. Durch die Verwendung von Tetramethyl-bisphenol werden die Wärmestandfestigkeit und die Beständigkeit gegen siedendes Wasser erhöht.

Für die Herstellung von Folien sind Polycarbonat-ABS-Legierungen von besonderer Bedeutung.

Polycarbonate können nach allen üblichen Verfahren zu → Polycarbonat-Folien verarbeitet werden. Die Temperaturen liegen bei 275 bis 350 °C. Die Granulate müssen vor der Verarbeitung intensiv bei etwa 100 bis 110 °C getrocknet werden, um Abbau durch Hydrolyse zu vermeiden. PC-Folien von sehr geringer Dicke werden nach dem → Gießverfahren aus Lösungen hergestellt. Lit.

Polybutylenterephthalat, *PBTP, PBT, <polybutylene-terephthalate>*, zur Gruppe der → Polyester zählender → thermoplastischer Kunststoff, Dichte = 1,3 bis 1,5 g/cm^3, → Schmelzbereich ca. 223 °C, → Glasübergang bei ca. 250 °C.

Das Produkt wird durch Umesterung von Dimethyl-terephthalat mit 1,4-Butandiol mit Titansäureestern als Katalysatoren gewonnen. Die zur Herstellung des wesentlich bedeutenderen → Polyethylenterephthalats (PEPT) eingesetzten Katalysatoren sind hier unbrauchbar, da sie zur Furanbildung durch Cyclisierung von Butandiol führen.

Polybutylenterephthalat ist teurer als PETP. Seine Alkalibeständigkeit ist größer, die Quellneigung geringer.

PBTP ergibt bei der Coextrusion mit PETP Folien mit niedrigerer → Siegeltemperatur. Bei Zusatz von 10 bis 30% zu PETP werden durch Blasextrusion → Schrumpffolien erhalten. Die Extrusion eines Polymerblends aus PBTP und → Polycarbonat führt zu Spezialfolien für → Folienschalter.

Polycarbonatfolie, *PC-Folie, <Polycarbonates film>*, Folie aus → Polycarbonat, die durch → Extrusion oder nach dem → Gießverfahren hergestellt wird. Die Extrusion kann nach dem Verfahren der → Blasfolien- oder der → Flachfolienextrusion erfolgen. Die Temperaturen liegen bei etwa 280 bis 350 °C. Wegen der Empfindlichkeit der Polycarbonate gegen Wasser bei höheren Temperaturen müssen die Granulate vor der Extrusion mehrere Stunden bei etwa 110 °C getrocknet werden. Extrudierte PC-Folien sind in Dicken von etwa 30 bis etwa 500 μm verfügbar. Die Folien können ein- oder beidseitig mattiert, poliert, geprägt oder lackiert sein. Auch die Coextrusion mit anderen Thermoplasten ist möglich. Zur Herstellung von Folien im Gießverfahren wird das Polycarbonat in → Methylenchlorid gelöst. Es werden Folien mit Dicken von wenigen μm gewonnen, die häufig noch in einem → Reckverfahren orientiert werden. Dies geschieht in der Regel durch Längsreckung. Festigkeit und Wärmestandfestigkeit werden dabei noch weiter verbessert. Der Vergütungseffekt ist jedoch nicht so ausgeprägt wie bei → Polyesterfolien und bei → BOPP, da das Ausgangsniveau der Eigenschaften von ungereckten PC-Folien schon sehr hoch ist. Man erhält durch die Verstreckung Folien mit weiter bis auf etwa 2 μm verringerter Dicke, die in einem einzigen Verfahrensschritt nicht erzielt werden könnte. Diese Produkte sind in → Längsrichtung thermoschrumpfbar.

Polycarbonatfolien zeigen eine sehr interessante Kombination von hervorragenden Eigenschaften. Sie besitzen nahezu die Lichtdurchlässigkeit von Glas, haben hohe Klarheit und schönen Glanz. Ihre → mechanischen und → elektrischen Eigenschaften sind sehr gut und verändern sich in einem weiten Temperaturbereich zwischen -70 und +120 °C nicht oder nur geringfügig. Die Abbildung 1 zeigt die Temperaturabhängigkeit der elektrischen Durchschlagfestigkeit einer 60 μm dicken, amorphen Polycarbonatfolie, die besonders gut zur Isolation in Zeilen-Transformatoren geeignet ist.

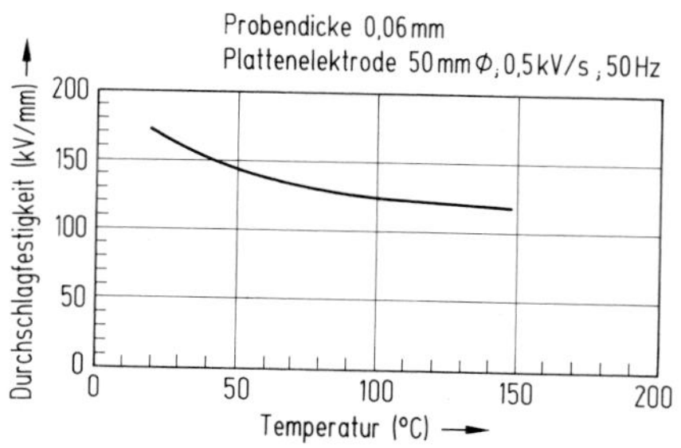

Polycarbonatfolie. Abb. 1. Bayer AG, Leverkusen, Firmenschrift.

Die Wärmestandfestigkeit von isotropen gegossenen und extrudierten Polycarbonatfolien (A) und in Längsrichtung verstreckten kristallinen PC-Folien (B) zeigt Abb. 2.

PC-Folien sind physiologisch unbedenklich, geruchs- und geschmacksneutral. Sie zeichnen sich auch dadurch aus, daß sie die Geschmacksqualität auch sehr empfindlicher Nahrungsmittel nicht beeinträchtigen. Sie werden durch Farbstoffe, die in manchen Füllgütern, wie Tee, Kaffee, Tomatensaucen, Lippenstiften oder Tinten vorhanden sind, nicht angegriffen. Grund dafür ist ihre sehr geringe Wasseraufnahme. Bei der Verpackung von Lebensmitteln werden PC-Folien trotzdem bisher kaum eingesetzt. Nachteilig für diesen Anwendungsbereich ist ihre Wasserdampfdurchlässigkeit, die mit ca. 3 g · mm/m^2· d (bei 38 °C und 90% rel. Feuchte) höher ist als die von → Hart-PVC-Folien, lackiertem → Cellophan und von → BOPP. Auch die → Gasdurchlässigkeit, z.B. für Sauerstoff ist sehr hoch.

So werden sie zur → medizinischen Verpackung spezieller Produkte herangezogen, wenn hohe Temperatur- und Dimensionsstabilität verlangt werden. Zur Verpackung heiß abgefüllter Produkte, zur Herstellung von Packungen, die bei ca. 140 °C der → Sterilisation unterworfen werden, zur Herstellung von → Kochbeuteln und als Basis für Folien oder Schalen mit → Dual-Ovenability sind Polycarbonate hervorragend geeignet. Mit PE-LD beschichtete PC-Folien ergeben sehr widerstandsfähige → Skin-Verpackungen und → Blisterverpackungen.

Die wichtigsten Anwendungen haben Polycarbonatfolien jedoch nicht auf dem Gebiet der Verpackung sondern auf dem → technischen Sektor gefun-

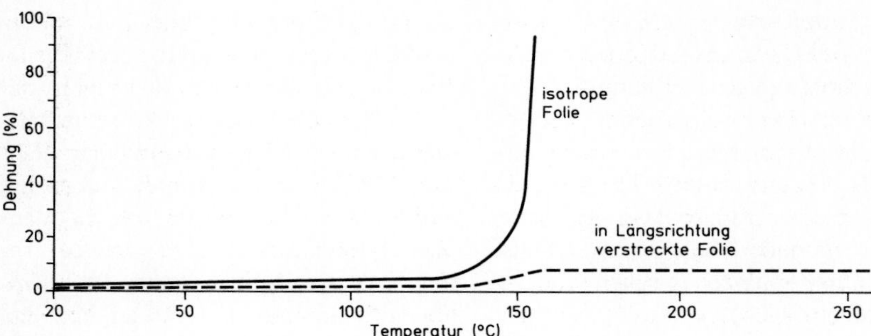

Polycarbonatfolie. Abb. 2. Quelle wie Abb. 1.

den. Sie werden u.a. als → Elektroisolierfolien und → Kondensatorfolien, zur Herstelluung von → Folienschaltern und → Schrumpfspulen, als → Streulicht-Folien, als → Abdeckfolien und als → Bürofolien verwendet.

Durch → Coextrusion von Polycarbonaten mit anderen Thermoplasten ist die Herstellung von Polycarbonat-Verbundfolien mit sehr interessanten, maßgeschneiderten Eigenschaften möglich.

Die wirtschaftliche Bedeutung der PC-Folien liegt nicht in den produzierten Mengen, sondern in den interessanten Einsatzgebieten in hochwertigen technischen Anwendungen.

Polychlortrifluorethylen-Folie, *<Polychlorotrifluoroethylen film>*, das zu den → Fluorpolymeren zählende Poly-chlor-trifluorethylen kann durch → Extrusion zu Folien verarbeitet werden.

Die Folien sind in Dicken von 10 bis etwa 250 μm verfügbar. Ihre extrem niedrige → Wasserdampfdurchlässigkeit zeigt die Abb.

Die Folien haben außerdem ausgezeichnete Chemikalienbeständigkeit und sind unempfindlich bei der → Sterilisation. Sie werden deshalb u.a. in der → medizinischen Verpackung und zur Verpackung empfindlicher Pharmaprodukte verwendet.

Polychlortrifluorethylen-Folie.

Wasserdampfdurchlässigkeit $g \cdot mm/m^2 \cdot d$	
Poly-(chlor-trifluor-ethylen)	0,01-0,016
Poly-(vinylidenchlorid)	0,78
PE-LD	0,4-0,6
PE-HD	0,12-0,28
Polyamid 6	0,75-7,9
Fluoriertes Ethylen-Propylen	0,16-0,20
Poly(vinyl-fluorid)	0,79-1,3
PETP	0,4-1,2

Bakker, The Wiley Encyclopedia of Packaging Technology, New York 1986

Polyester, *<polyester>*, höhermolekulare Verbindung, die durch Polykondensation von mehrwertigen Alkoholen mit mehrbasischen Carbonsäuren oder aus Hydroxycarbonsäuren unter Abspaltung von Wasser gewonnen wird. Das charakteristische Merkmal dieser Produkte ist die Carbonsäureester-Gruppe in einem mehr oder weniger langen Kettenmolekül. Polymere mit Carbonsäureestergruppen, die als Substituenten einer Kohlenwasserstoffkette (→ Polyvinylacetat) oder einem anderen Makromolekül angehören (→ Celluloseacetat), werden nicht als Polyester bezeichnet. Niedermolekulare Polyester werden als → Weichmacher und als Komponenten zur Herstellung von → Polyurethanen verwendet. Große Bedeutung zur Herstellung von Folien haben hochmolekulare Polyester, insbesondere → Polyethylenterephthalat, → Polybutylenterephthalat und die Polyester der Kohlensäure, → Polycarbonat. → Polyhydroxy-buttersäure wurde zur Herstellung von biologisch abbaubaren Folien vorgeschlagen.

Polyester-Darm, *<polyester sausage casing>*, → Polyesterwursthüllen.

Polyesterfolie, *Polyethylenterephthalat-Folie, PET-Folie, <Polyester film>*, wird aus → Polyethylenterephthalat hergestellt. Die vereinfachte Bezeichnung Polyesterfolie hat sich eingebürgert, obwohl sie nicht ganz korrekt ist. So werden z.B. auch Folien unter Einsatz von Polybutylenterephthalat und → Polyethylenisophthalat hergestellt. → 2,6-Naphthalindicarbonsäure wurde für die Herstellung technischer Folien vorgeschlagen.
Die Polyesterfolien werden in den meisten Fällen durch → Flachfolienextrusion hergestellt. In der Regel führt ein unmittelbar angeschlossenes → Reckverfahren zu orientierten Polyesterfolien. Die Kurzbezeichnung oPET oder BOPET sind im Gegensatz zu den entsprechenden Folien aus Polypropylen (→ BOPP) nicht gebräuchlich. Die Herstellung von Polyesterfolien durch → Blasfolienextrusion ist sehr selten.
Die Herstellungsverfahren für orientierte Polyesterfolien sind in den letzten 20 Jahren ständig verbessert und rationalisiert worden. Die Breite der Folienbahn liegt bei modernen Anlagen bei etwa 8 m, der Durchsatz kann je nach Folientyp bis zu 2 t/h betragen. Die Foliendicken liegen zwischen 2 und 350 μm. Die extrudierte Folienbahn wird schnell abgekühlt (→ Quenchen), um einen möglichst feinkristallinen Zustand des Polymeren zu erreichen. Nach erneutem Erwärmen auf etwa 90 °erfolgt zunächst die Verstreckung in Maschinenrichtung im Reckverhältnis 1:3-4, danach wird die Folie in Querrichtung in etwa dem gleichen Reckverhältnis verstreckt. Abb. 1 zeigt Morphologie und → Chemische Struktur von Polyesterfolien. Nach der Verstreckung in Längsrichtung hat die PET-Folie eine Kristallinität von 10 bis 20%, nach Verstreckung in Querrichtung steigt diese auf 25 bis 40% an. In diesem Zustand ist die Folie nicht dimensionsstabil. Sie schrumpft beim Erwärmen, ihre mechanischen Eigenschaften sind unbefriedigend. Erst in einer anschließenden Nacherhitzung auf 180 bis 200 °C tritt eine weitere Kristallisation und eine Fixierung des morphologischen Zustands ein. Die Kristallinität liegt nach diesem, wenigen Se-

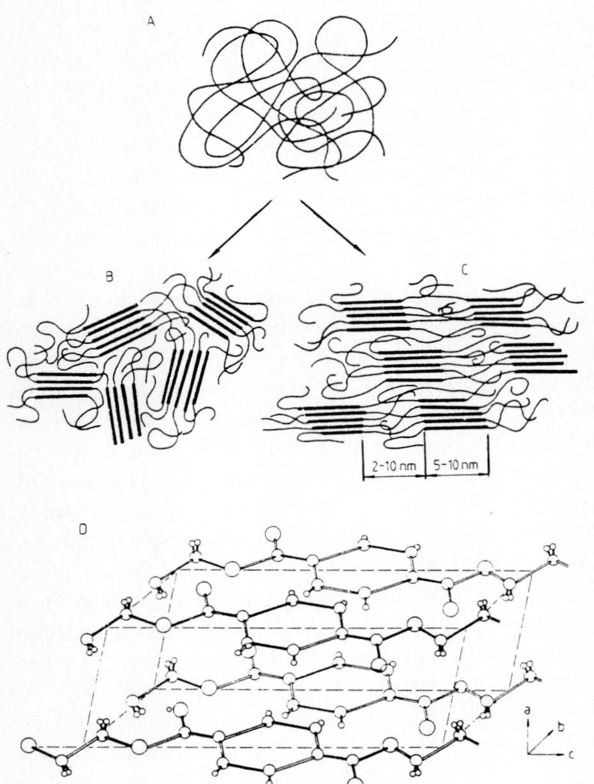

Struktur	Dichte [g/cm³]	Glastemperatur [°C]	Schmelztemperatur [°C]	E-Modul [N/mm²]
A	1,33	70 bis 75	-	1600
B	1,38 bis 1,42	75 bis 80	258	1600
C	1,38 bis 1,42	75 bis 80	258	15000
D	1,50	-	310	140000

Bild 2. Morphologie und Struktur von PETP
A: amorph, *B:* teilkristallin, amorphe Phase geknäult (isotrop), *C:* teilkristallin, Kristallite einachsig orientiert, amorphe Phase „gespannt", *D:* trikline Kristall-Einheitszelle mit d_a = 0,448 nm, d_b = 0,588 nm, d_c = 1,075 nm (die Molekülketten sind im triklinen Kristall in der c-Achse vollständig gestreckt, der Verbund benachbarter Ketten erfolgt in der a-Achse durch die π-Elektronen der Benzolkerne, in der b-Achse durch Dipolwechselwirkung an den Estergruppen)

Polyesterfolie. Abb. 1. W. Seifried, Kunststoffe **75**, 773 (1985).

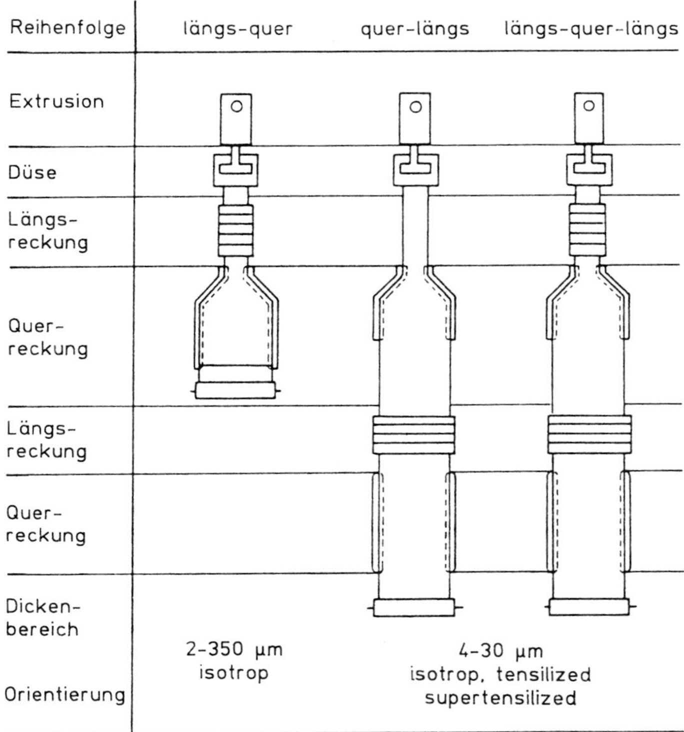

Polyesterfolie. Abb. 2. Encyclopedia of Polymer, Science and Engeneering, Vol 12, New York 1988.

kunden dauernden Prozeß bei ca. 50%. Bei der Durchführung des Reckprozesses in der Reihenfolge längs/quer werden isotrope Folien erhalten. Das bedeutet ein im wesentlich gleichmäßiges Eigenschaftsprofil in beiden Richtungen. Bei der Streckfolge quer/längs oder längs/quer/längs entstehen Folien, deren mechanische Werte in der Maschinenrichtung optimiert sind. Dies ist für Anwendungen mit starker Beanspruchung der Folie in Längsrichtung wichtig, z.B. für → Magnetbandfolien und → Klebebänder. Die schematische Prozessführung zeigt Abb. 2.

Die Zug-Dehnungs-Diagramme von Polyesterfolien, die in verschiedenen Richtungen orientiert sind, zeigt Abb. 3.

Polyesterfolien besitzen ausgezeichnete mechanische Eigenschaften. Sie sind reiß- stoß- und abriebfest, zäh und dimensionsstabil. Ihre elektrischen Eigenschaften, z.B. die → Durchschlagfestigkeit, sind hervorragend. Die optischen Eigenschaften sind befriedigend. Kälte-

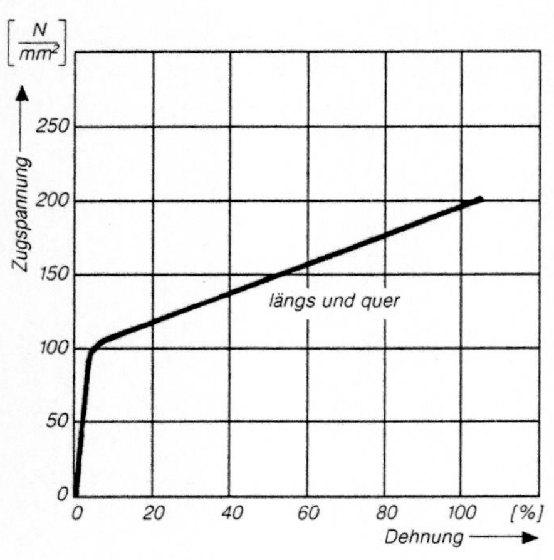

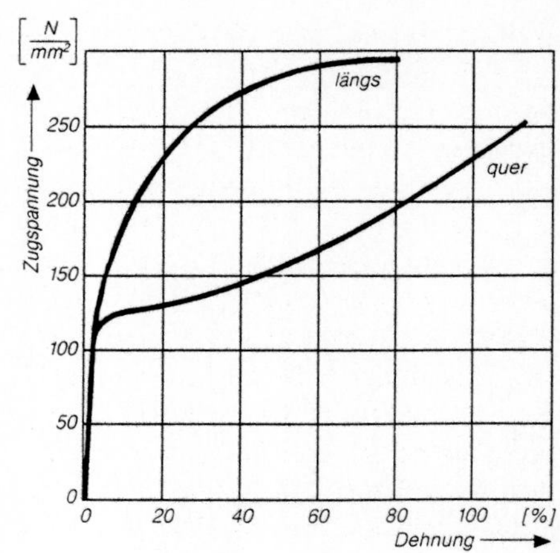

Polyesterfolie. Abb. 3. Höchst AG, Firmenschrift

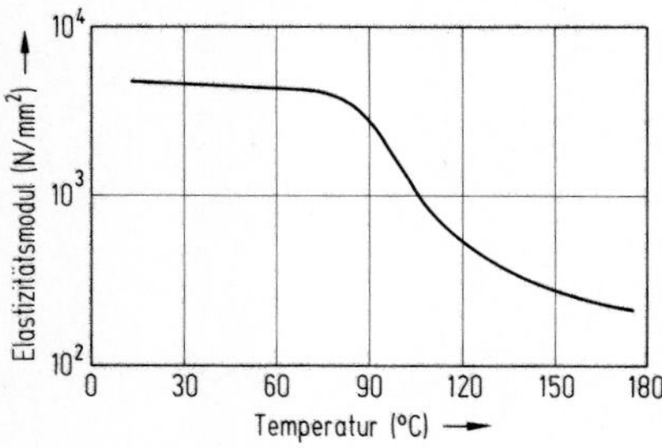

Polyesterfolie. Abb. 4. Höchst AG, Firmenschrift

und Wärmefestigkeit sind sehr gut, so daß die Folien zwischen etwa -70 °C und etwa 150 °C bei längerem Gebrauch verwendet werden können. Abb. 4 gibt die Temperaturabhängigkeit des Elastizitätsmoduls einer biaxial orientierten, isotropen Polyesterfolie, Dicke 190 μm, wieder. Wegen ihrer guten Temperaturbeständigkeit werden Polyesterfolien auch in steigendem Maße für die → Mikrowellen-Technik genutzt.

Die → Durchlässigkeit von PETP-Folien für Wasserdampf, Sauerstoff und Aromastoffe ist niedrig, reicht aber für den Einsatz als → Sperrschichtfolie nicht aus. Polyesterfolien besitzen → physiologische Unbedenklichkeit, sind geruchs- und geschmacksfrei und enthalten keine → Weichmacher. Gegen die meisten organischen Chemikalien, wie Lösungsmittel, Fette und Öle sind sie beständig.

Polyesterfolien haben also ein hervorragendes Eigenschaftsprofil, das durch Abwandlung des Ausgangsmaterials Polyethylenterephthalat und des Herstellungsverfahrens dem jeweiligen Anwendungszweck noch optimal angepaßt werden kann.

Die Einsatzgebiete von Polyesterfolien sind so vielseitig wie bei keinem anderen Folienmaterial. In der Reihenfolge ihre mengemäßigen Bedeutung seien die folgenden Anwendungen genannt:

1. Photographie. Es werden biaxial verstreckte, isotrope → Photofolien in

Dicken von ca. 100 bis 180 μm verwendet. Die PET-Folie hat sich auf diesem Gebiet weltweit gegen ihre Vorgängerprodukte auf Basis → Cellulosenitrat und → Celluloseacetat durchgesetzt.

2. Magnetische Aufzeichnung. Auch als → Magnetbandfolie wird heute überwiegend Polyesterfolie verwendet. Die Dicken der Folie liegen zwischen 5 μm und ca. 30 μm, bei Magnetscheiben und -karten bis über 120 μm. Folientypen, die in Längsrichtung optimierte Eigenschaften aufweisen, werden bevorzugt eingesetzt. Die Tendenz geht zu immer dünneren Folien.

3. Reprographie. Dieses Gebiet schließt Mikrofilme, Folien für technische Zeichnungen und Vervielfältigungen ein. Hier ist die gute → Dimensionsstabilität des Materials wichtig.

4. Verpackung. Polyesterfolien werden hier meist in Form von Verbundfolien eingesetzt. Wegen ihrer guten mechanischen Eigenschaften und ihrer hohen Temperaturbeständigkeit bilden sie häufig den Hauptanteil der Verbunde. Wichtige Einsatzgebiete sind → Kochbeutel, Menüschalen mit → Dual-Ovenability, Backfolien im Haushalt oder Folien für die → Medizinische Verpackung. Polyesterfolien sind ausgezeichnet für das → Bedrucken und → Metallisieren geeignet. Sie stehen jedoch auf diesem Gebiet im Wettbewerb mit einer großen Anzahl von anderen Folien, vor allem mit → BOPP, → Hart-PVC und → Weich-PVC-Folien, und → PA/PE-Folien.

5. Elektrotechnik. Als → Elektroisolierfolien und → Kondensatorfolien werden Produkte mit sehr geringer Dicke eingesetzt. PET-Folien dienen auch zur Herstellung von → gedruckten Schaltungen.

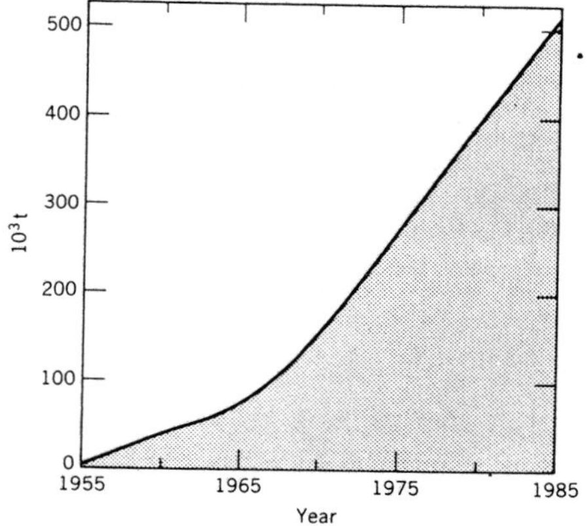

Polyesterfolie. Abb. 5. Höchst AG, Firmenschrift

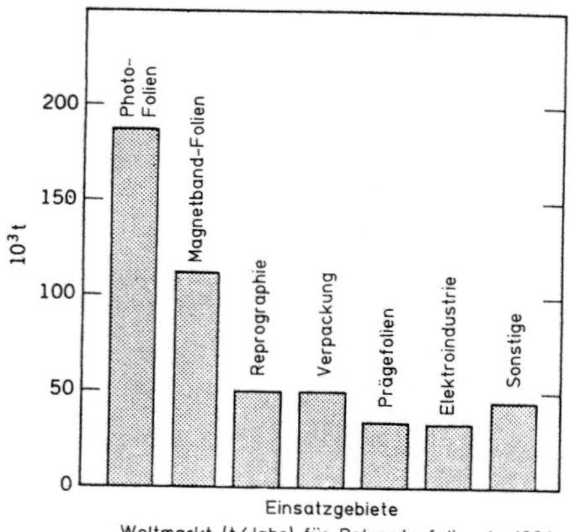

Polyesterfolie. Abb. 6. Höchst AG, Firmenschrift

6. Dekorfolien. Hier werden metallisierte Polyesterfolien und bedruckte → Prägefolien eingesetzt.
Weitere Anwendungen finden Polyesterfolien u.a. bei → Klebebändern, → Etiketten, → Bürofolien, → Trennfolien, → Membranen, Dichtungen und zur → Umreifung. Ihre Verwendung erfolgt in vielen Fällen in Kombination mit anderen Folien oder in lackierter oder metallisierter Form. Polyester-Folien sind das einzige Material, das in den USA von der Library of Congress zur Aufbewahrung von wertvollen Dokumenten zugelassen wurde.
Die wirtschaftliche Bedeutung der Polyesterfolien und ihre sehr schnelle Entwicklung innerhalb kurzer Zeit zeigt der weltweite Verbrauch in den letzten 30 Jahren (Abb. 5), die Verteilung auf die genannten Haupteinsatzgebiete zeigt Abb. 6.
Man erwartet für die nächste Zeit Wachstumsraten von etwa 8% jährlich. Diese könnten bei einer breiteren Substitution anderer Folientypen, insbesondere von PVC-Folien, noch höher ausfallen. Lit.

Polyester-Wursthüllen, *Polyester-Därme*, *<polyester sausage casing>*, haben unter den → Wursthüllen aus Thermoplasten bisher keine größere Bedeutung gewonnen.

Polyether/ester-Elastomere, *Copolyester/Ether-Elastomere*, *<polyether-ester-elastomeric plastics>*, gehören zu den → thermoplastischen Elastomeren. Chemisch stellen sie Blockpolymere aus teilkristallinem Polybutylenterephthalat, welches die harte Phase bildet, mit weichen Segmenten aus Polyetherdiolen oder mit langkettigen aliphatischen Dicarbonsäureestern dar.
Die Variationsmöglichkeiten in dieser Produktgruppe sind sehr groß. Sie zeigen in einem weiten Temperaturbereich zwischen -40 und ca. 100 °C ermüdungs- und hysteresefreie Gummielastizität. Ihre Beständigkeit gegen Benzin, Treib- und Schmierstoffe ist sehr gut.
Die Produkte können nach den üblichen Verfahren zu Folien und Schläuchen verarbeitet werden. Die Temperaturen betragen um 250 °C. Die Anwendungsgebiete liegen im Automobilsektor, der Kaschierung von Textilien, der Herstellung von Dichtungen und Spezialschuhen.

Polyether-ether-keton, *PEEK*, *<Polyetherether ketone>*, ein sehr hoch temperaturbeständiges Material. Der Schmelzbereich liegt bei ca. 300 °C und damit wohl am höchsten unter allen → thermoplastischen Kunststoffen. Die Produkte dienen u.a. zur Herstellung von → Hochleistungsfolien.

Polyetherimid, *PEI*, *<Polyetherimide>*, ein thermoplastisches Polymer, das neben Ether-Gruppen, -O-, Carbonsäureimid-Gruppen enthält:

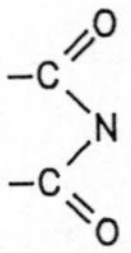

```
     O
    //
 –C
    \
     N
    /
 –C
    \\
     O
```

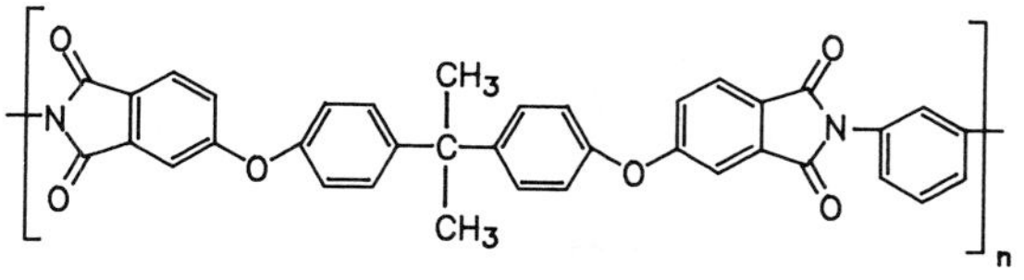

Die Formel zeigt eine typische Struktur. Folien aus Polyetherimiden können durch → Extrusion bei Temperaturen über 300 °C in Dicken von ca. 70 bis 500 μm gewonnen werden. Die Folien haben sehr gute elektrische Eigenschaften; sie dienen als → Elektroisolierfolien in Spezialanwendungen. Polyetherimid-Folien gehören zu den → Hochleistungsfolien. Ihre thermische Stabilität im Langzeitgebrauch liegt bei ca. 170 °C. Sie ist damit wesentlich höher als die von → Polyethylenterephthalat, erreicht jedoch nicht die Werte von → Polyimiden.

Polyetherketon, *PEK*, *<polyetherketone>*, läßt sich durch Extrusion bei Temperaturen zwischen ca. 350 °C und 420 °C zu Folien verarbeiten.
Die Produkte haben sehr gute Chemikalienbeständigkeit, verbunden mit hoher Wärmebeständigkeit bis ca. 240 °C. Es sind nicht orientierte Folien verschiedener Kristallinität in Dicken zwischen 75 und 250 μm verfügbar.
Die zu den → Hochleistungsfolien zählenden Produkte finden in der Luft- und Raumfahrt-Industrie Verwendung.

Polyethersulfon, *PES*, *<Polyethersulfone>*, enthält Sulfongruppen, -SO_2-, und Ethergruppen, -O-. Die Bezeichnung als → Polysulfone, die eine eigene Stoffklasse bilden, ist deshalb nicht ganz korrekt. Die als Werkstoffe genutzten Polyethersulfone sind sämtlich aromatische Verbindungen. Aliphatische Produkte sind wegen zu geringer Beständigkeit gegen Licht und Wärme nicht geeignet.
Polyethersulfone können z.B. durch → Polykondensation aus Sulfonsäurechloriden von Diarylethern (1) oder von Diaryläthern mit Benzol-disulfonsäurechloriden (2) gewonnen werden (Abb. 1).
Auch die Polykondensation von Diarylsulfonen mit Cl- und NaO-Gruppen (3) oder die Reaktion von Dichlorarylsulfonen mit Alkalisalzen von Bisphenolen (Abb. 2) (4) führt zu Polyethersulfonen. Technisch werden alle vier Wege beschritten. Polyethersulfone sind thermoplastische, amorphe Produkte, die durch Extrusion oder über die Lösung zu Folien verarbeitet werden können. Die Temperaturen für den → Glasübergang liegen zwischen 190 und 290 °C. Ihre Langzeit-Temperaturbeständigkeit ist sehr hoch. Man rechnet sie deshalb zu den → Hochleistungsfolien. Sie haben gute mechanische und elektrische Eigenschaften.
Anwendungen für Folien liegen vor allem auf dem Elektrosektor. Sulfonierte Folien aus Polyethersulfonen eignen

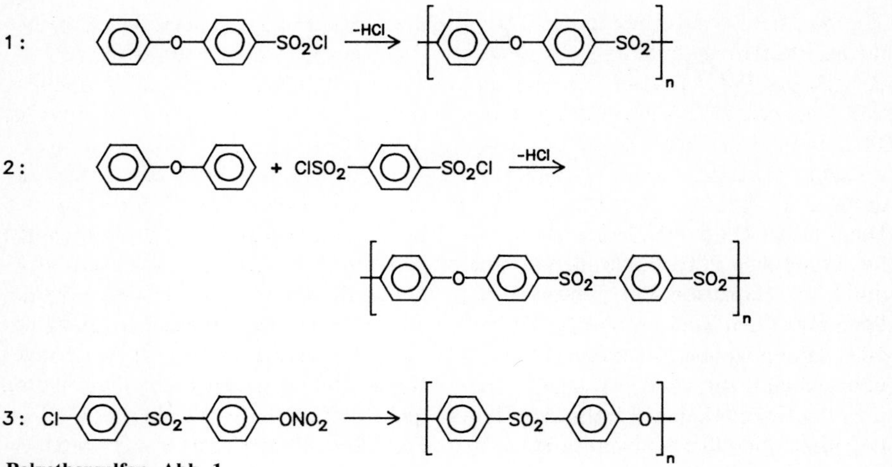

Polyethersulfon. Abb. 1.

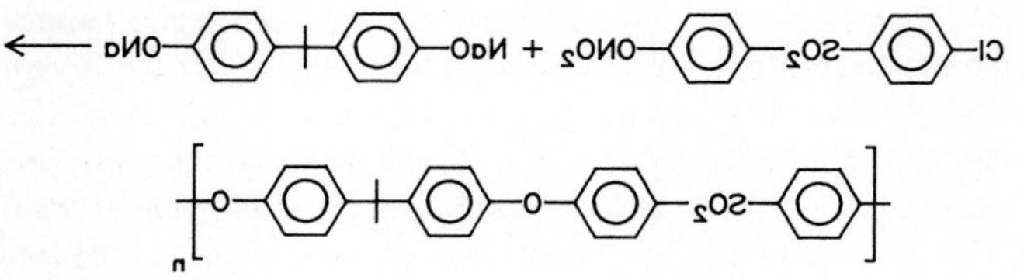

Polyethersulfon. Abb. 2.

sich als → Membranen zur Entsalzung von Meerwasser.

Polyethylen, *PE, Polyäthylen, PÄ (veraltet), <polyethylene, polyethene>*, → thermoplastischer Kunststoff, der durch → Polymerisation aus Ethylen, CH_2=CH_2, gewonnen wird. PE ist ein wichtiges Ausgangsmaterial zur Herstellung von → Polyethylen-Folien, und hat in den letzten 20 Jahren steigende Bedeutung erlangt. Man unterscheidet im wesentlichen drei Typen von Polyethylenen, die nach unterschiedlichen Verfahren hergestellt werden und die jeweils spezifische Eigenschaften besitzen. Für die Bezeichnungen, insbesondere für die Abkürzungen, haben sich die englischen Ausdrücke eingebürgert. 1. Polyethylen niedriger Dichte, Hochdruck-PE, Low density polyethylene, PE-LD (nicht mehr LDPE), high pressure low density Polyethylene, HP-LDPE. PE-LD wird durch Polymerisation von Ethylen bei sehr hohem Druck (140 bis 3500 bar) und bei Temperaturen von 200 bis 300 °C in Röhrenreaktoren oder in Autoklaven hergestellt. Peroxide oder Sauerstoff dienen als Initiatoren. Die Eigenschaften von PE-LD sind durch kurze, 2 bis 6 Kohlenstoffatome enthaltende Verzweigungen der Polymerkette gekennzeichnet. Daneben sind kleine Mengen von Molekülen mit langkettigen Verzweigungen vorhanden. Diese Struktur bedingt eine geringe Kristallinität. Die Dichte liegt bei ca. 0,92 g/cm^3.

2. Polyethylen höherer Dichte, Niederdruck-PE, high density Polyethylene, PE-HD, (nicht mehr HDPE). In den 50er Jahren gelang die Polymerisation von Ethylen bei Normalbedingungen oder zumindest bei nur leicht erhöhten Drucken und Temperaturen mit Hilfe von metallorganischen Verbindungen oder Chromoxid-Katalysatoren. Zunächst wurde die Polymerisation in Lösung durchgeführt. Neuere Verfahren arbeiten mit aliphatischen Kohlenwasserstoffen als Medium. Das Polymerisat fällt in Form von festen Teilchen an, wird durch Filtration abgetrennt, gewaschen und getrocknet. Das erhaltene Pulver wird nach Zusatz von Stabilisatoren granuliert (→ Granulierung). Auch das Gasphasenverfahren wird zur Herstellung von PE-HD angewendet. Im Gegensatz zum PE-LD ist die Polymerkette des PE-HD weitgehend frei von Verzweigungen. Dies bedingt eine dichtere Packung der Makromoleküle und damit eine wesentlich höhere Kristallinität. Die Dichte beträgt ca. 0,96 g/cm^3. Unter → Polybuten werden die mechanischen Eigenschaften dieses Materials mit Niederdruck-PE und Polypropylen verglichen.

3. Lineares Polyethylen mit niedriger Dichte, Linear Low-PE, PE-LLD, (nicht mehr LLDPE). PE-LLD wird in Lösung oder in Gasphase hergestellt. In seinen Eigenschaften gleicht es wegen des linearen Aufbaus seiner Makromoleküle dem PE-HD, besitzt aber die niedrige Dichte des PE-LD.

Der Aufbau der Makromoleküle der drei verschiedenen PE-Typen kann nach Abb. 1 dargestellt werden. Durch die Struktur der Polymerketten werden → Kristallinität und → Dichte bestimmt, die in einer fast linearen Abhängigkeit zueinander stehen (Abb. 2).

Neben den drei genannten Haupttypen gibt es heute eine fast unübersehbare Vielfalt von Polyethylenen. Diese ergibt sich aus Variationen der Herstellungsverfahren und der benutzten Katalysatoren. Die Vielfalt der homopolymeren Polyethylene wird durch den Einsatz von Comonomeren noch wesentlich erhöht. Schon seit längerer Zeit wurden dazu polare Stoffe, wie Vinylacetat, Acrylate und Acrylsäure eingesetzt. Diese stören den Aufbau der Polymerketten und setzen die Kristallinität herab. Parallel dazu geht eine Erniedrigung des → Schmelzbereichs und des → Schmelzindex. Die große Bandbreite bei Polyethylenen, die speziell für die Folien-Herstellung entwickelt wurden, zeigt Abb. 3 für PE-Homopolymere und Abb. 4 für Copolymere mit verschiedenem Comonomeren-Gestalt. Selbstverständlich sind auch die → optischen und → mechanischen Eigenschaften der Folien vom polymeren Ausgangsmaterial abhängig.

In neuerer Zeit wurden auch Olefine, wie Butene, Hexene und Octene als Comonomere eingesetzt. Die so erhaltenen C_4-, C_6- und C_8-PE-LLD-Produkte

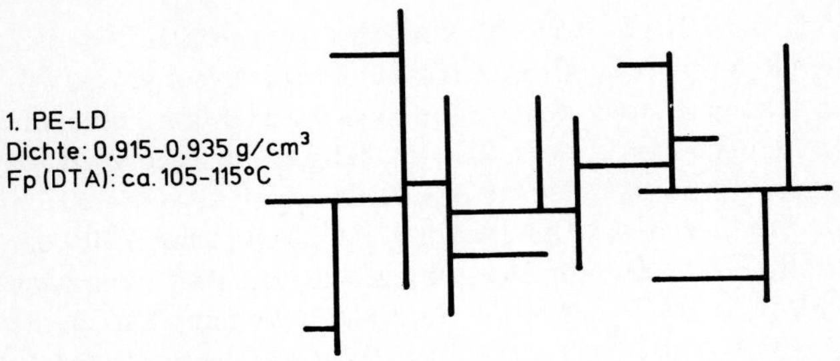

2. PE-HD
Dichte: 0,94–0,97 g/cm³
Fp (DTA): ca. 128–136°C

Polyethylen. Abb. 1. nach BASF, Ludwigshafen, Firmenschrift Lupolen.

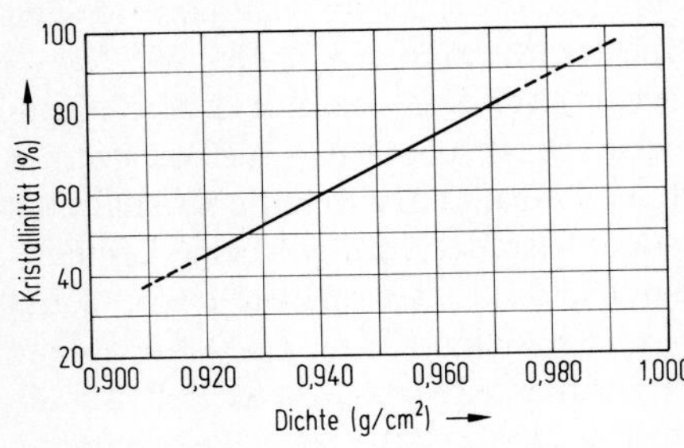

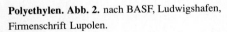

Polyethylen. Abb. 2. nach BASF, Ludwigshafen, Firmenschrift Lupolen.

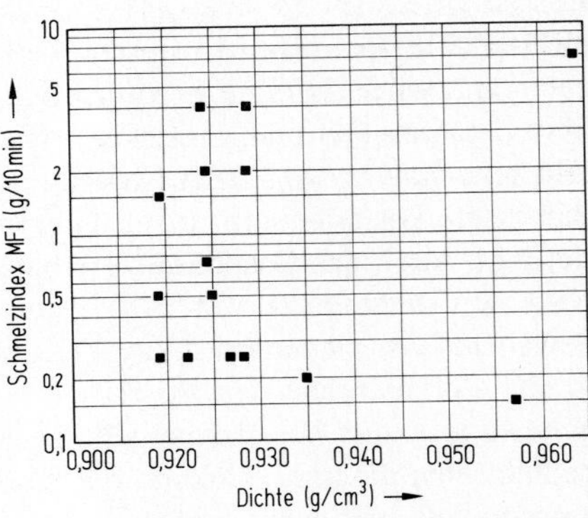

Polyethylen. Abb. 3. nach BASF, Ludwigshafen, Firmenschrift Lupolen.

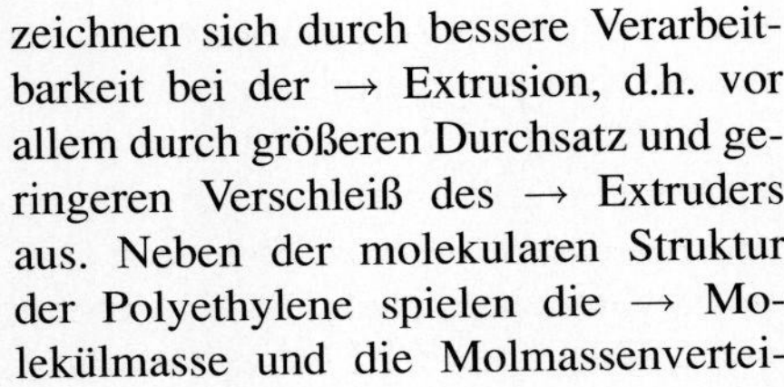

zeichnen sich durch bessere Verarbeitbarkeit bei der → Extrusion, d.h. vor allem durch größeren Durchsatz und geringeren Verschleiß des → Extruders aus. Neben der molekularen Struktur der Polyethylene spielen die → Molekülmasse und die Molmassenverteilung eine wichtige Rolle für die Eigenschaften der Produkte. Polyethylene werden als Granulat meist in Naturfarbe geliefert. Auch eingefärbte Produkte sowie Polymere mit speziellen

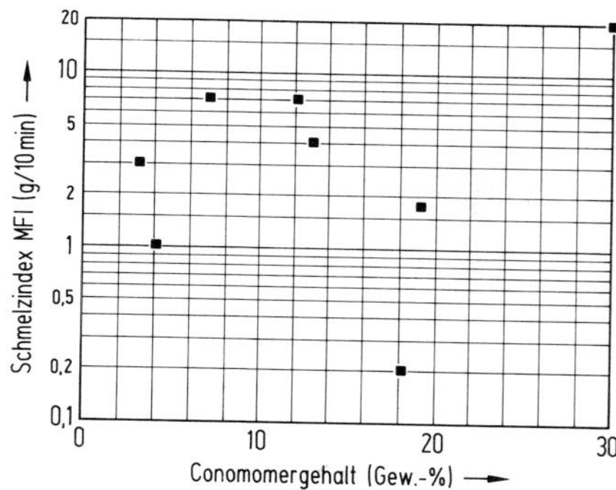

Polyethylen. Abb. 4. nach BASF, Ludwigshafen, Firmenschrift Lupolen.

→ Additiven zur Verbesserung von Gleitfähigkeit, Antiblockverhalten und Witterungsbeständigkeit sind verfügbar. Von den drei Polyethylen-Grundtypen hat in letzter Zeit insbesondere das PE-LLD für die Herstellung von Folien sehr stark an Bedeutung gewonnen. Einzelheiten → PE-HD-Folien und → PE-LD- und PE-LLD-Folien. Im letztgenannten Stichwort finden sich auch Angaben über die Penetration des PE-LLD in den PE-LD-Markt.
Über → chloriertes Polyethylen siehe dort.

Polyethylendarm, *<polyethylene-sausage-casing>*, → Polyethylen-Wursthülle.

Polyethylenfolie, *PE-Folien*, *<polyethylene film>*, wird durch → Extrusion aus → Polyethylen hergestellt. Dabei zeigen die drei Basis-Typen des Polyethylens, PE-HD, PE-LD und PE-LLD unterschiedliches Verhalten bei der Verarbeitung. Sie führen zu Folien mit unterschiedlichen Eigenschaften und dementsprechend unterschiedlichen Anwendungsgebieten. Zwischen den Folientypen gibt es Übergänge und Überschneidungen. Trotzdem werden die Polyethylen-Folien in den zwei Gruppen → PE-HD-Folien und → PE-LD und LLD-Folien behandelt.
Neben der Produktion von Solofolien wird Polyethylen in großem Maße bei der Herstellung von Verbundwerkstoffen, wie kunststoffbeschichtetem → Papier, Textilien und → Verbundfolien eingesetzt. Besonders wichtige Gruppen bilden → PA/PE-Folien, → Aluminium-Verbunde und → Sperrschichtfolien.
Die Einsatzgebiete für Polyethylen-Folien liegen überwiegend auf technisch relativ unkomplizierten Sektoren. Beispiele sind → Baufolien, → Landwirtschaftsfolien, Folien zur Herstellung von → Säcken, → Tragetaschen und → Beuteln. Hier sind preisgünstige Rohmaterialien und äußerst rationelle Fertigung die entscheidenden Faktoren. Die Herstellung von → Schrumpf- und → Stretch-Folien oder von Folien zum → Kaschieren ist technisch sensibler.
Die Herstellung der Polyethylenfolien erfolgt in den meisten Fällen nach der → Blasfolienextrusion. Wegen seiner großen wirtschaftlichen Bedeutung ist dieser Prozeß von Thermoplastenherstellern, Maschinenbauern und Folienproduzenten gemeinsam sehr gründlich bearbeitet worden.
Polyethylen wird in vielen Fällen und in zunehmendem Maße in Form spezieller Copolymerisate, oder unter Zu-

satz von anderen → thermoplastischen Kunststoffen oder von → thermoplastischen Elastomeren zur Folienherstellung eingesetzt. Man erreicht dadurch eine Optimierung des Produktionsprozesses und der Folieneigenschaften. Es gibt auch abbaubare Polyethylen-Folien (→ abbaubare Kunststoffe).
Über Polyethylen Folien niedriger Dichte → PE-LD und PE-LLD-Folie.

Polyethylenisophthalat, *<polyethylene isophthalate>*, hat im Gegensatz zum → Polyethylen-terephthalat keine große Bedeutung in der Folientechnologie gewonnen. Es wird in Form von Copolymeren zur Herstellung von Polyestern mit niedrigerem Erweichungspunkt eingesetzt. Diese werden mit PET koextrudiert und ergeben Außenschichten mit tieferen → Siegeltemperaturen.

Polyethylennaphthenat, *PEN*, *<polyethylennaphthenate>*, Polyester aus 2,6-Naphthalindicarbonsäure, der im Vergleich zu PET wesentlich höhere Temperaturbeständigkeit und bessere mechanische Eigenschaften hat. die praktische Anwendung steckt wegen des im Vergleich zu PET wesentlich höheren Preises noch in den Anfängen. → Magnetbandfolien für Videokassetten werden im Versuchmaßstab hergestellt.

Polyethylenterephthalat, *PET, Polyester*, *<polyethyleneterephthalate>*, wurde 1941 zunächst für die Herstellung synthetischer Fasern entwickelt. Anfang der 60er Jahre wurde das zweite große Anwendungsgebiet, die Gewinnung von → Polyesterfolien erschlossen. Die Struktur des PETP beschreibt Abb. 1.
Rohstoffe zur Herstellung von PET sind die Petrochemikalien p-Xylol (p-Dimethylbenzol) und Ethylen, aus denen Terephthalsäuredimethylester und Ethylenglykol hergestellt werden.
Zur Gewinnung von Terephthalsäure wird p-Xylol mit Luft oxydiert (Abb. 2). Die Reinigung des sehr schwer löslichen Produkts erfolgt durch Extraktion, die Herstellung des Dimethylesters durch Umsatz mit Methanol.

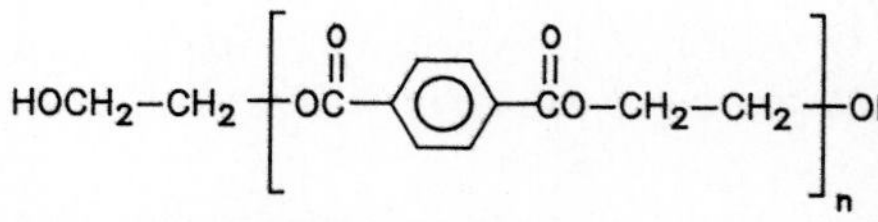

$$HOCH_2{-}CH_2\left[{-}O\overset{\displaystyle O}{\overset{\|}{C}}{-}C_6H_4{-}\overset{\displaystyle O}{\overset{\|}{C}}O{-}CH_2{-}CH_2{-}\right]_n{-}OH$$

Polyethylenterephthalat. Abb. 1.

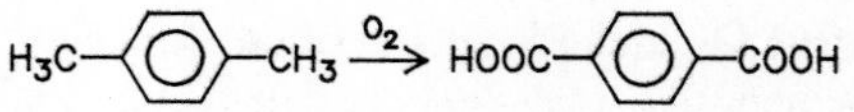

$$H_3C{-}C_6H_4{-}CH_3 \xrightarrow{O_2} HOOC{-}C_6H_4{-}COOH$$

Polyethylenterephthalat. Abb. 2.

Eine zweiter Weg ist die Oxydation von zunächst einer Methylgruppe des p-Xylols zur Carbonsäuregruppe, Veresterung mit Methanol zum p-Methylbenzoesäure-ester, Oxydation der zweiten Methylgruppe und erneute Veresterung zum Terephthalsäure-dimethylester. Dieser kann durch Destillation gereinigt werden (Abb. 3).
Freiheit von Verunreinigungen, insbesondere von isomeren Benzoldicarbonsäuren ist eine wichtige Vorausset-

$$H_3C-C_6H_4-CH_3 \xrightarrow{O_2} H_3C-C_6H_4-COOH$$

$$H_3C-C_6H_4-C(=O)OCH_3 \xrightarrow{O_2} HOOC-C_6H_4-C(=O)OCH_3 \xrightarrow{CH_3OH}$$

$$H_3CO(O=)C-C_6H_4-C(=O)OCH_3$$

Polyethylenterephthalat. Abb. 3.

zung zur Herstellung des Polyethylenterephthalats.

Das zweite Ausgangsmaterial zur Herstellung von PET ist Ethylenglykol. Es wird aus Ethylen gewonnen (Abb. 4).

$$H_2C{=}CH_2 \xrightarrow{O_2,\ H_2O} HO-CH_2-CH_2-OH$$

Polyethylenterephthalat. Abb. 4.

Die Herstellung des PET kann aus Terephthalsäure und Diethylenglykol durch eine Veresterungs-Reaktion unter Abspaltung von Wasser erfolgen. Das wesentlich häufiger angewendete Verfahren ist jedoch die Umesterung von Terephthalsäure-dimethylester mit Ethylenglykol unter Abspaltung von Methanol. Beide Prozesse können diskontinuierlich oder kontinuierlich in der Schmelze durchgeführt werden. Die Schmelze-Temperaturen liegen bei 260 bis 270 °C. Das kontinuierliche Verfahren liefert einheitlichere Polymere und wird in den meisten Produktionsanlagen angewendet. Katalysatoren für die Umesterung sind Lithium-, Calcium-, Zink- und Mangansalze. Die → Polykondensation wird durch Antimon- und Titanverbindungen beschleunigt.

Das erhaltene PET wird in Form von Strängen extrudiert, die in einem Wasserbad schnell abgekühlt und zum Granulat geschnitzelt werden. Beim → Granulieren kann der Ausstoß bis zu 6 t/h betragen. PET ist ein teilkristalliner, thermoplastischer Kunststoff mit mittleren → Molekülmassen zwischen 30.000 und 40.000. Seine Bedeutung für die Produktion von Fasern und Folien hat in den letzten zehn Jahren ständig zugenommen.

→ Polyesterfolien können aus PET durch → Extrusion gewonnen werden. Kleine Anteile von etwa 0,2 bis 0,5% Wasser im Polymeren müssen vorher entfernt werden, um hydrolytischen Abbau zu vermeiden. Das getrocknete Granulat mit weniger als 0,01% Wasser wird unter inerter Atmosphäre dem Extruder zugeführt.

Winzige mechanische Verunreinigungen wirken sich naturgemäß bei der Folienherstellung stärker negativ aus als bei der Produktion von dickwandigeren Formkörpern. Besonders hohe Reinheits-Anforderungen sind bei der Produktion von sehr dünnen Folien, die

als → Photofolien oder → Magnetbandfolien eingesetzt werden, gegeben. Die Molmasse des PET wird so hoch eingestellt, daß optimale mechanische Eigenschaften der Folie erreicht werden, aber niedrig genug, um gute Verarbeitung zu gewährleisten.
Polyethylenterephthalat wurde in jüngerer Zeit chemisch modifiziert, um vor allem die → Kristallinität des Polymeren zu beeinflussen. Man unterscheidet im wesentlichen zwei Wege:
1. Bei der Glykolmodifikation werden neben Ethylenglykol geringe Mengen anderer Diole eingesetzt. Die erhaltenen Produkte bleiben weitgehend amorph. Die Verarbeitung ist erleichtert und kann in einem weiten Temperaturbereich durchgeführt werden, ohne daß die Gefahr des → Schmelzebruchs eintritt. Die Produkte werden als PET-G bezeichnet.
2. Bei der Modifikation durch eine zweite Dicarbonsäure werden Copolyester erhalten, die sich vor allem durch hohen Glanz und gute Transparenz auszeichnen. Sie weisen hohe → Kristallinität auf, der Kristallit-Schmelzpunkt liegt bei über 280 °C. Aus Folien aus diesen Produkten können durch → Warmformen Behälter, Schalen oder Trays hergestellt werden, die die Eigenschaften der → Dual-Ovenability haben.

Polyethylenterephthalatfolie, → Polyesterfolie.

Polyethylen-Tetrafluorethylen-Folie, *ETFE-Folien*, *<polyethylene-tetrafluoroethylene film>*, wird aus einem Copymerisat aus Ethylen und Tetrafluorethylen, mit einem Gehalt an etwa 25% Ethylen gewonnen. Das Material läßt sich wesentlich leichter als andere → Fluorpolymere verarbeiten. Die erhaltenen Folien haben allerdings eine um etwa 100 K geringere maximale Gebrauchstemperatur. Ihr Eigenschaftsbild ist trotzdem für viele Einsatzgebiete interessant.
Neben sehr guten mechanischen Eigenschaften haben die Produkte hervorragende Witterungsbeständigkeit. Die → Bewitterung ergab in 10 Jahren keinerlei Qualitätsminderung. Die Folien haben hohe Transparenz mit einer Lichtdurchlässigkeit von mehr als 95% und zeigen eine Wärmerückhaltung durch Absorption von IR-Strahlung. Diese Eigenschaftskombination ist für transparente Überdachungen, z.B. bei Gewächshäusern ideal, jedoch ist der Preis dieser Produkte im Vergleich zu anderen → Landwirtschaftsfolien wesentlich höher. Möglicherweise ist eine Kompensation durch die längere Gebrauchsdauer gegeben.
Die Dicken der Folien liegen zwischen 20 μm und 300 μm. Die verfügbaren Breiten betragen über 1500 mm.

Polyethylen-Wursthülle, *Polyethylen-Darm*, *<polyethylen-sausage-casing>*, hat unter den → Wursthüllen aus Thermoplasten bisher keine größere Bedeutung gewonnen.

Polyhydroxybuttersäure, *<poly-hydroxy-butyroacid>*, ist ein thermoplastisches Material, das auf den üblichen Wegen zu Formkörpern oder Folien verarbeitet werden kann. Folien aus Polyhydroxybuttersäure sollen gute mechanische Eigenschaften besitzen. Sie sind unter normalen Bedingungen beständig, werden aber im Boden schnell und vollständig zu Kohlendioxid abgebaut. Man hat Folien aus Polyhydroxybuttersäure deshalb als Verpackungsmaterial vorgeschlagen, bei dem keine Probleme der → Entsorgung auftreten. Im praktischen Einsatz sind derartige Produkte bisher noch nicht. Hydroxybuttersäure wird aus Rohrzucker in einem bakteriellen Prozess hergestellt.

Polyimidfolie, *PI*, *<Polyimide film>*, hat von allen bekannten Folien die bisher höchste thermische Stabilität. Ausgangsmaterial für ihre Herstellung sind vor allem Pyromellitsäure (I) und 4,4'-Diamino-diphenylether (Abb. 1).
Beide Produkte werden in geeigneten Lösungsmitteln, wie Dimethylformamid oder Dimethylacetamid gelöst und zu Polycarbonsäureamiden vorkondensiert (Abb. 2).
Die so erhaltenen, noch löslichen Produkte werden in einem dem → Gießverfahren ähnlichen Prozeß weiter auf etwa 300 °C erhitzt. Sie gehen dabei unter Verdampfen des Lösungsmittels und unter Abspaltung von Wasser in unlösliche und unschmelzbare Folien über (→ Sintern) (Abb. 3).
Die Dicke der verfügbaren Folien liegt zwischen etwa 7 und 150 μm. Die Polyimidfolien gehören zu den → Hochleistungsfolien, wo einige wichtige Eigenschaften dieser Produkte dargestellt sind.
Die Polyimidfolien haben ausgezeichnete thermische Stabilität. Ihre Dauer-Temperaturbeständigkeit beträgt ca. 240 °C, kurzfristig können sie bis auf 400 °C erwärmt werden. Wegen ihrer günstigen → elektrischen Eigenschaften werden sie als → Isolierfolien, z.B. in der Luft- und Raumfahrt-Industrie, zur Herstellung elektronischer Geräte und → gedruckter Schaltungen eingesetzt.
Ein interessantes Anwendungsbeispiel für Polyimidfolien ist ein mit → Fluorpolymeren beschichtetes Material, das zur Isolierung von Motorwicklungen eingesetzt wird. Mit dieser Verbundfolie werden ein verbesserter Wirkungsgrad, wesentlich höhere Leistung und eine erhebliche Gewichtseinsparung erzielt. Die Fluorpolymerschicht ermöglicht das → Heißsiegeln der Folie. Das Produkt wurde zum Beispiel für die Stator-Primärwicklung des französischen Hochleistungszuges TGV Atlantique

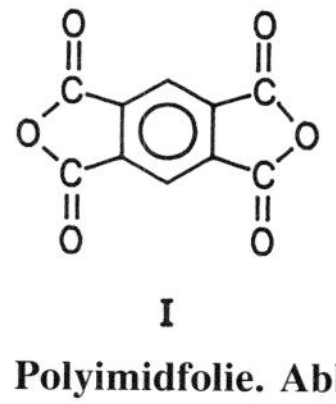

I 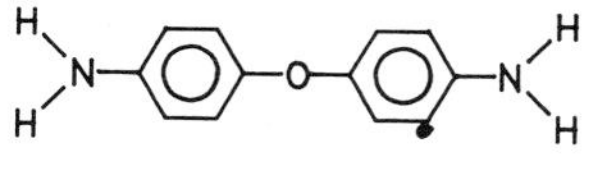 II

Polyimidfolie. Abb. 1.

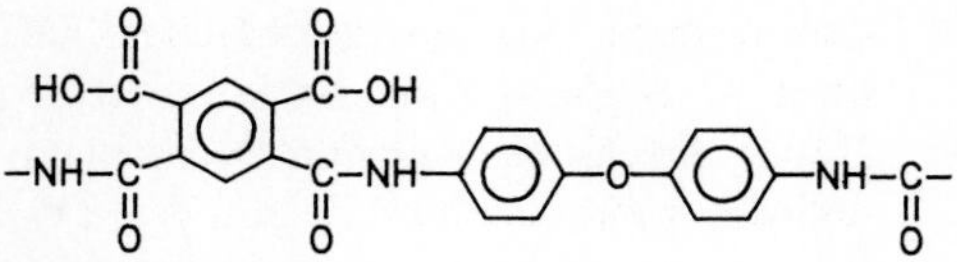

Polyimidfolie. Abb. 2.

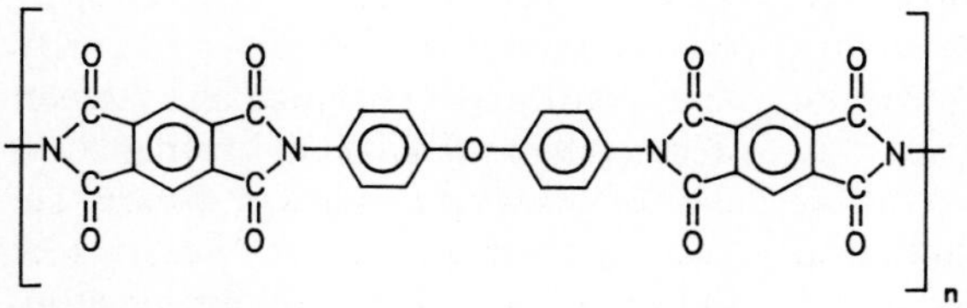

Polyimidfolie. Abb. 3.

(Geschwindigkeits-Weltrekord 1990 mit 510 km/h) eingesetzt. Eine interessante Spezialanwendung sind → Atemschutzhauben.
Die weltweite Kapazität dürfte 1990 bei etwa 2.000 t/a liegen. Die Steigerungsraten werden auf ca. 10% geschätzt.

Polyisobuten-Folie, *PIB, Polybutylen-Folie, <polybutene-film>*. Von den verschiedenen isomeren → Polybutenen haben nur Folien aus Polyisobuten eine gewisse Bedeutung erlangt. Sie haben eine Reihe hervorragender Eigenschaften, wie geringe → Wasserdampf-Durchlässigkeit, niedrige → Dielektrizitätszahl, geringen → Verlustfaktor und gute Alterungs- und → Chemikalienbeständigkeit. So sind Polyisobutenfolien bei Raumtemperatur und teilweise auch bei Temperaturen um 50-70 °C gegen viele verdünnte und konzentrierte Säuren, Laugen und wäßrige Oxidationsmittel beständig.
Hochmolekulare Polyisobutene sind kautschukartig und deshalb ohne plastifizierende Hilfsmittel nicht zu verarbeiten. Als Verfahren benutzt man das → Kalandrieren. → Weichmacher und → Füllstoffe werden von Polyisobuten sehr leicht aufgenommen. Die Verarbeitungstemperturen liegen bei 150 bis 200 °C.
Halbleitende Folien werden durch Zusatz von Graphit gewonnen. Die Chemikalienbeständigkeit kann durch Einarbeitung von → Ruß noch wesentlich gesteigert werden. Derartige Produkte werden zur *Auskleidung* von Chemikalienbehältern genutzt.

Polyisobutylenfolie, → Polyisobutenfolie.

Polykondensation, *<condensation polymerization, polycondensation>*, eine chemische Reaktion zur Herstellung von Polymeren, bei der im Gegensatz zu den beiden anderen Verfahren, der → Polymerisation und der → Polyaddi-

tion, Wasser oder andere kleinere Moleküle abgespalten werden.
Die verwendeten Monomeren sind gesättigte Verbindungen. Sie enthalten funktionelle Gruppen, vor allem Carboxyl-, Hydroxy- und Amino-Gruppen.
Die Polykondensation wird bei höherer Temperatur, meist bei Gegenwart von Katalysatoren, in der Schmelze durchgeführt. Die Reaktionsprodukte Wasser, Methanol oder andere leicht flüchtige Substanzen werden über die Dampfphase entfernt, bis das Polykondensat die gewünschte → Molekülmasse erreicht hat. Das Endprodukt wird meist direkt durch → Granulieren aufgearbeitet.
Die wichtigsten so erhaltenen thermoplastischen Kunststoffe sind → Polyethylenterephthalat, → Polyamide und → Polycarbonate. In neuerer Zeit wurden Polymere mit ausgeprägtem aromatischen Charakter, wie → Polyphenylenoxide und → Polyphenylsulfide gewonnen, die zur Herstellung von Folien mit besonderen technischen Eigenschaften, insbesondere guter Temperaturbeständigkeit dienen. Auch → Polyimidfolien sind interessante neue, nach dem Verfahren der Polykondensation hergestellte Produkte.

Polymer, *<polymer>*, eine durch → Polymerisation gewonnene Substanz. Der Aufbau der Polymeren, die chemische Struktur, wird zunächst durch die Art der Bausteine der Makromoleküle bestimmt. Diese können auf verschiedene Weise zu Polymeren zusammentreten. Die drei Grundreaktionen sind die → Polymerisation, die → Polykondensation und die → Polyaddition. Es entstehen dabei lineare oder verzweigte Ketten. Der Einfluß von Verzweigungen auf die Eigenschaften zeigt sich z.B. beim → Polyethylen.
Die Bedeutung der räumlichen Anordnung der Molekülketten, die Taktizität, wird beim → Polypropylen besonders deutlich.
Die Feinstruktur von Kunststoffen, vor allem ihre → Kristallinität, wird durch die Morphologie der Polymeren beschrieben. Während die chemische Struktur von Polymeren ihre Zusammensetzung aus einzelnen Molekülen beschreibt, untersucht die Morphologie die Feinstruktur von Kunststoffen. Diese hat insbesondere bei → thermoplastischen Kunststoffen einen sehr großen Einfluß die eigenschaften der Polymeren und damit auf die → Folieneigenschaften.
Die Morphologie beschreibt Form und Anordnung der Makromoleküle. Eine wichtige Rolle spielt dabei die → Kristallinität. Die Morphologie der Makromoleküle beeinflußt oder bestimmt aber auch zahlreiche weitere Daten, so den → Glasübergang, das → Fließverhalten von Thermoplasten, die → Viskosität und den → Schmelzbereich.

Polymerisation, *<polymerization>*, das neben der Polykonsastion und der → Polyaddition am häufigsten angewendete Verfahren zur Herstellung von → thermoplastischen Kunststoffen. Dabei werden chemische Verbindungen mit Kohlenstoff-Kohlenstoff-Doppelbindungen mit Hilfe von Katalysatoren zu langkettigen Makromolekülen verbunden. Bei der Polymerisation werden im Gegensatz zur Polykondensation keine niedermolekulare Reaktionsprodukte gebildet:

$$n \; R_1R_2C{=}CR_3R_4 \rightarrow -\left(R_1R_2C{=}CR_3R_4\right)_n-$$

Diese sehr vereinfachte Gleichung ist das Bild für einen Prozeß von enormer Vielfalt. Durch Variation der Reste R_1 bis R_4 entstehen die verschiedenen Hauptklassen von Kunststoffen (Tabelle).

Diese und noch einige andere → Thermoplasten werden im Einzelnen in diesem Buch behandelt.

Eine weitere Variationsmöglichkeit liegt im Polymerisationsverfahren. Dieses kann z.B. in der Gasphase, in Lösung, Emulsion oder Suspension und in Substanz (in Masse) durchgeführt werden. Die Reaktionsprodukte können durchaus unterschiedliche Eigenschaften aufweisen, so z.B. beim → Polyvinylchlorid.

Sehr groß ist der Einfluß des verwendeten *Katalysators*. Am Anfang der Entwicklung wurden überwiegend radikalische Katalysatoren, vor allem organische Peroxide eingesetzt. Später gewann die ionische Polymerisation an Bedeutung. Bei der kationischen Polymerisation dienen starke, anorganische Komplexsäuren, bei der anionischen Polymerisation Alkalimetalle oder Metallalkyle als Katalysatoren. Die koordinative Polymerisation ermöglicht die gezielte stereospezifische Anordnung von Makromolekülen. Dieses Verfahren hat vor allem bei der Gewinnung von → Polyethylen und → Polypropylen in den 60er Jahren zu sehr bedeutenden Veränderungen in der Herstellung und in den Eigenschaften dieser Thermoplasten geführt. Damit wurden auch ganz neue Entwicklungen in der Folientechnologie möglich, vor allem bei → PE-LD- und PE-LLD-Folien und bei → BOPP. Diese Entwicklung ist noch nicht abgeschlossen.

Wenn die Polymerisation mit nur einem Monomeren erfolgt, erhält man Homo-

Polymerisation.

R_1	R_2	R_3	R_4	
H	H	H	H	Polyethylen
H	H	H	CH_3	Polypropylen
H	H	H	C_2H_5	Polybuten
H	H	CH_3	CH_3	Polyisobuten
H	H	H	CH_2-$CH(CH_3)_2$	Poly-4-methyl-1-pentan
H	H	H	C_6H_5	Polystyrol
H	H	H	Cl	Polyvinylchlorid
H	H	Cl	Cl	Polyvinylidenchlorid
H	H	F	F	Polyvinylidenfluorid
Cl	F	F	F	Polychlortrifluorethylen
F	F	F	F	Polytetrafluorethylen
H	H	H	OH	Polyvinylalkohol
H	H	H	CH_3-COO-	Polyvinylacetat
H	H	CH_3	CH_3-COO-	Poly-methylmethacrylat
H	H	H	CN	Polyacrylnitril

polymere (1) (Abb.). Eine sehr wichtige Möglichkeit zur Modifikation dieser Produkte ist die Misch- oder *Copolymerisation*, bei der verschiedenartige Monomere gemeinsam polymerisiert werden. Wird das Makromolekül aus zwei Monomeren aufgebaut, so können diese in gezielter Verteilung als → *Block-Copolymere* (2), als alternierende Copolymere (3) oder aber in zufälliger Verteilung als *Random-Copolymere* (4) gewonnen werden. *Pfropf-Copolymere* schließlich entstehen durch Anfügen von Seitenketten, die meist chemisch anders als die Hauptkette aufgebaut sind (5).
Durch Copolymerisation können die Eigenschaften der Endprodukte ebenfalls in weiten Grenzen beeinflußt werden. Auch diese Entwicklungen sind in vollem Fluß und werden sich auch in Zukunft auf die Folientechnologie auswirken.

Polymerisationsgrad, *<degree of polymerisation>*, → Molekülmasse.

Polymerweichmacher, *<polymer plasticizer>*, niedermolekulare → Polyester, meist aus Adipin-, Sebazin- oder Phthalsäure mit Diolen wie 1,3-Butandiol, 1,2-Propandiol oder 1,6-Hexandiol. Die Produkte werden als → Weichmacher verwendet. Niedrigviskose Typen werden häufig mit monomeren Weichmachern kombiniert. Für → PVC, das durch → Extrusion oder durch → Kalandrieren zu → Weich-PVC-Folien verarbeitet wird, können hochviskose Produkte eingesetzt werden. Sie dienen besonders zur Herstellung ölbeständiger Folien.

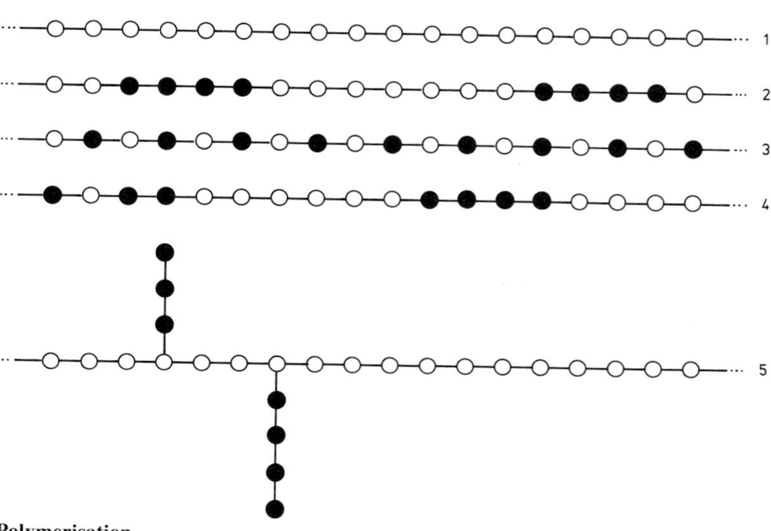

Polymerisation.

Polymethylmethacrylat, *PMMA*, *<poly-methyl metacrylat, PMMA>*, → thermoplastischer Kunststoff aus Methacrylsäure-methylester (Abb.), der durch radikalische Polymerisation gewonnen wird. Diese wird meist in Substanz durchgeführt, wobei auf die sichere Abführung der Reaktionswärme zu achten ist. Zur Herstellung von → Formmassen wird meist in einem Reaktionskessel vorpolymerisiert. Da die Reaktion zu einem Gleichgewicht führt, muß das restliche Monomere aus dem Polymerisat entfernt und in den Prozeß zurückgeführt werden. Auch die Suspensionspolymerisation wird technisch durchgeführt. Hierbei wird Methylmethacrylat unter Zusatz von grenzflächenaktiven Substanzen und Polymerisations-Initiatoren in Wasser dispergiert. Bei Temperaturen von 60 bis 90 °C setzt die Reaktion ein. Das Polymere wird in Form von Perlen erhalten, die leicht durch Waschen und Trocknen aufzuarbeiten sind.
Herausragende Eigenschaften des PMMA sind hohe Klarheit und → Transparenz, verbunden mit ausgezeichneter Witterungsbeständigkeit. Die Hauptanwendungen liegen deshalb in der Herstellung von Halbzeug wie Platten und Tafeln, die für Verglasungen verwendet werden. Die Herstellung von Folien kann durch → Flachfolien-Extrusion oder durch → Blasfolien-Extrusion erfolgen. Die Foliendicken liegen zwischen ca. 50 und 500 μm. Die Produkte zeigen hohe UV-, Wärme- und Witterungsbeständigkeit. Ihre mechanischen Eigenschaften sind jedoch nicht sehr gut, so daß sie als Solofolien keine größere Bedeutung erlangt haben. Sie werden als Schutzschichten für Metall- und Kunststoff-Teile verwendet und stehen dabei im Wettbewerb mit Folien aus → Fluorpolymeren.
Methacrylsäureester werden auch zur Herstellung von Copolymeren eingesetzt. Nach Verseifung der Estergruppen oder durch Verwendung von Methacrylsäure als Polymerisationskomponente werden → Ionomere erhalten.

$CH_2{=}C(CH_3){-}C({=}O){-}OCH_3$

Polymethylmethacrylat.

Poly-(4-methyl-1-pentan), *PMP*, *<Poly(4-methyl-1-pentane)>*, gehört zur Gruppe der → Polyolefine und wird durch → Polymerisation von 4-Methylpenten-(1) (Abb.) erhalten. Das Produkt kann durch Extrusion zu Folien verarbeitet werden. Sie haben mit 0,83 g/cm^3 die niedrigste → Dichte aller bisher bekannten Folien und damit eine entsprechend niedriges → Flächengewicht. Der → Schmelzbereich liegt mit ca. 240 °C wesentlich höher als bei → Polypropylenfolien mit ca. 165 °C. PMP-Folien haben bisher als Solo- oder Verbundfolien keine Bedeutung erlangt. Sie werden hauptsächlich als Verbundmaterial mit → Papier und Pappe in Form von Schalen oder Trays für ofenfertige Gerichte verwendet.

$CH_2{=}CH{-}CH_2{-}CH(CH_3){-}CH_3$

Poly-(4-methyl-1-pentan).

Polyolefin, *<polyolefin>*, ein → thermoplastischer Kunststoff, der aus ungesättigten Kohlenwasserstoffen, den Alkenen oder Olefinen, hergestellt wird. Polyolefine sind wichtige Rohstoffe zur → Folienherstellung. Die wirtschaftlich bedeutendsten Produkte sind → Polyethylen, → Polypropylen und → Polystyrol.
Hinter dem Sammelbegriff Polyolefine verbirgt sich eine enorme Vielfalt von Produkten. Die Abgrenzung zu anderen Polymeren ist of schwierig. Man rechnet viele Copolymere zu den Polyolefinen, z.B. → Ionomere, sofern der Olefinanteil überwiegt. Die Ausgangsprodukte für alle hier behandelten Polymerisate sind beim Stichwort → Polymerisation zusammengestellt. Lit.

Polyphenylenether, *<polyphenyle-ether>*, → Polyphenylenoxid.

Polyphenylenoxid, *PPO, Polyphenylenether, PPE*, *<poly-phenylenoxide>*, aromatischer Polyether, der meist an den Phenylgruppen substituiert ist. Wichtigstes Produkt dieser Stoffklasse ist das aus 2,6-Dimethylphenol durch Oxydation mit Hilfe von Katalysatoren hergestellte Polymere (Abb.).
Das Produkt hat die Dichte 1,06 g/cm^3 und → Molekülmassen zwischen 2500 bis 35000. Die mechanischen und elektrischen Eigenschaften sind gut, die thermische Beständigkeit liegt bei 190 bis 200 °C. Das Polymere kann zu Folien extrudiert werden, jedoch sind bisher in der Praxis keine speziellen Verwendungen bekannt geworden.
Haupteinsatzgebiet sind Polymerblends mit Polystyrol oder Polyamiden. Mischungen mit Polystyrol sind in jedem Verhältnis möglich. Geschäumte Produkte wurden als Alternative zu hochkristallinem Polyethylenterephthalat zur Herstellung von Behältern und Schalen empfohlen, die für die → Mikrowellentechnik geeignet sind. Die Temperaturbeständigkeit des Polystyrols wird verbessert. Die Werte von PET werden jedoch nicht erreicht.

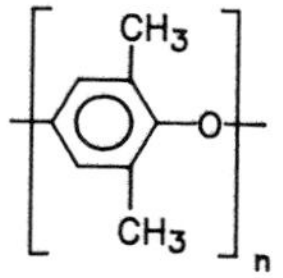

Polyphenylenoxid.

Polyphenylensulfid, *PPS*, *<Poly-(Phenyl Sulfide>*, wird durch → Polykondensation aus p-Dichlorbenzol und Natriumdisulfid hergestellt:

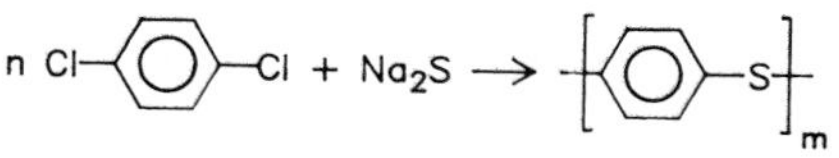

$$n\ Cl-C_6H_4-Cl + Na_2S \rightarrow [-C_6H_4-S-]_m$$

Das thermoplastische Material wurde Anfang der 70er Jahre in den Markt gebracht, steht aber erst seit 1985 in einer zur Herstellung von Folien geeigneten Qualität zur Verfügung.
Das Polymere ist teilkristallin und wird bei etwa 300 °C extrudiert. Es kann in einem → Reckprozeß biaxial orientiert werden. Die mechanischen Eigenschaften der Folien werden dabei wesentlich verbessert. Die Dicke der verfügbaren Folien liegt zwischen 2 und 125 μm. Die Folien sind bei Dicken über 20 bis

30 μm sehr steif und verhalten sich wie dünne Bleche. So geben sie beim Biegen knisternde Geräusche und beim Anschlagen einen metallischen Klang.
PPS-Folien haben hervorragende elektrische Eigenschaften verbunden mit hoher Temperatur-Beständigkeit und dürften sich deshalb als → Elektroisolierfolien, → Kondensatorfolien oder auch als → Magnetbandfolien eignen. Die Entwicklung befindet sich jedoch noch ganz in den Angängen.

Polypropen, → Polypropylen.

Polypropylen, *PP, Polypropen, <polypropylene>*, entsteht durch → Polymerisation von Propylen (Abb. 1). Die angegebene Bauformel reicht jedoch für eine genaue Beschreibung der Struktur der Polymeren nicht aus.

$$n\ CH_2{=}\underset{\displaystyle CH_3}{\underset{|}{CH}} \longrightarrow -\!\!(CH_2-\underset{\displaystyle CH_3}{\underset{|}{CH}})\!\!-_n$$

Polypropylen. Abb. 1.

Beim isotaktischen Polypropylen sind alle oder nahezu alle Methylgruppen oberhalb oder unterhalb der Kettenebene angeordnet (Abb. 2), während bei ataktischen Polypropylenen die Methylgruppen räumlich zufällig in der Polymerkette verteilt sind (Abb. 3). Bei der syndiotaktischen Form des Polypropylens liegen die aufeinander folgenden Methylgruppen abwechselnd oberhalb und unterhalb der Molekülketten.
Isotaktisches Polypropylen hat eine hohe Kristallinität, einen Schmelzbereich von 170 °C und eine Dichte von 0,9 g/cm^3. Es ist das bevorzugte Material zur Herstellung von → Polypropylenfolien und → BOPP.
Entscheidend für die Entwicklung des Produkts war die Entdeckung neuer Katalysatoren. Es waren zunächst Systeme von Titantrichlorid und aluminiumorganischen Verbindungen. Neuere Kombinationen von Magnesium-Titan-Komplexen mit Aluminium-Alkylen brachten wesentlich verbesserte Aktivitäten. Der isotaktische Anteil dieser Polypropylene liegt bei über 90%.
Die Polymerisation kann in Suspension oder in der Gasphase durchgeführt werden. Da die Reaktion stark exotherm ist, müssen große Wärmemengen abgeführt werden. Als Suspensionsmittel dienen aliphatische Kohlenwasserstoffe, vor allem Heptan, in neueren Verfahren flüssiges Propylen. Die Temperaturen liegen bei 50 bis 80 °C, die Drucke bei 20 bis 50 bar. Da Aktivität und Stereospezifität der Katalysatoren durch geringe Mengen von Verunreinigungen sehr negativ beeinflußt werden, müssen alle eingesetzten Stoffe sehr rein sein. Nach der Polymerisation werden die Suspensionsmittel abgetrennt und das Polypropylen getrocknet. Die Polymerisation in der Gasphase erfolgt in vertikalen Reaktoren bei 70 bis 90 °C. Die Reaktionswärme wird durch Verdampfung des Propylen abgeführt.
Das als Pulver anfallenden Polypropylen wird durch → Granulieren in eine leicht zu handhabende Form gebracht.
Die Eigenschaften des PP hängen vom Gehalt an isotaktischen Produkt, der wiederum die → Kristallinität be-

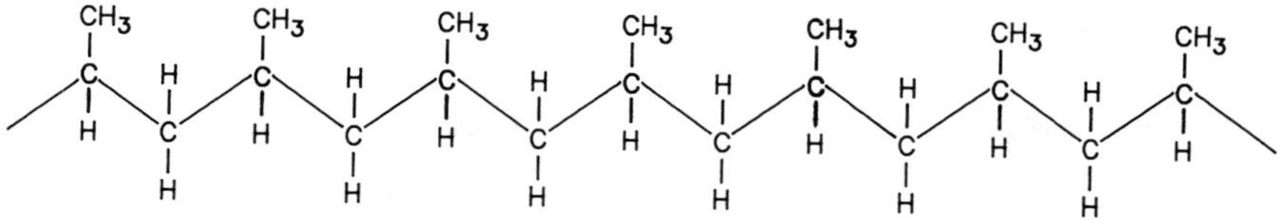

Polypropylen. Abb. 2.

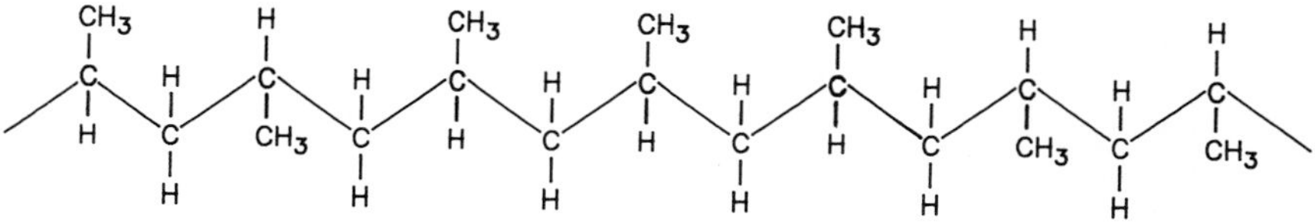

Polypropylen. Abb. 3.

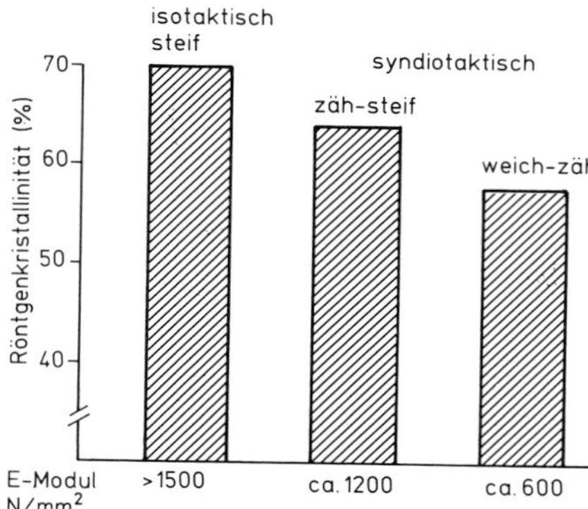

Polypropylen. Abb. 4. Nach BASF, Ludwigshafen, Firmenschrift.

stimmt, ab. Die Abb. 4. zeigt den Zusammenhang zwischen der Kristallinität und dem Elastizitätsmodul. Auch die → Molekülmasse und deren Verteilung beeinflussen die Eigenschaften der Polymeren.

Die Temperatur für den → Glasübergang liegt bei -10 bis -15 °C, so daß die PP-Homopolymerisate nicht bei Temperaturen unter 0 °C eingesetzt werden können. Es wurden deshalb Copolymerisate, vor allem mit Ethylen, entwickelt. Block-Copolymerisate besitzen hohe Schlagzähigkeit auch bei Temperaturen unter 0 °C. Es stehen Produkte mit unterschiedlichem → Fließverhalten zur Verfügung. Random-Copolymere haben geringere Kristallinität und deshalb einen breiteren → Schmelzbereich und verbesserte → Transparenz. Für die Folienherstellung werden auch PP-Konzentrate, z.B. mit → Antistatika, → Gleitmitteln oder → Antiblockmitteln angeboten.

Die mechanischen Eigenschaften von PP, PE-HD und → Polybuten sind dort zusammengestellt.

Polypropylendarm, *<polypropylene sausage casing>*, → Polypropylen-Wursthülle.

Polypropylenfolie, *PP-Folie*, *<polypropylene film>*, wird aus → Polypropylen gewonnen. Es werden ungereckte, monoaxial gereckte und biaxial gereckte Polypropylenfolien hergestellt.

1. Ungereckte PP-Folien werden meist nach dem Verfahren der → Flachfolienextrusion hergestellt. Man bezeichnet die ungereckten PP-Folien deshalb häufig auch als Polypropylen-Flachfilm. Diese Folien besitzen gegenüber Blasfolien deutlich bessere → Optische Eigenschaften.

Gegenüber vergleichbaren PE-Folien, die meist billiger sind, besitzen sie höhere Transparenz, bessere Steifigkeit und Abriebfestigkeit sowie hohe Widerstandsfähigkeit gegen Öle und Fette und gegen Wärme.

Es werden meist Polypropylen-Typen eingesetzt, deren → Schmelzflußindex über 0,8 g/10 min liegt. → Die Massetemperaturen betragen 230 bis 260 °C. Niedrigere Massetemperaturen können die optischen Eigenschaften verschlechtern, höhere das Material schädigen. Durch die Temperatur der → Kühlwalzen werden die → Kristallinität und damit die Folieneigenschaften beeinflußt, wie die Abb. 1 am Beispiel von zwei Polypropylentypen zeigt. Produkt A hat einen größeren, Produkt B einen geringeren Schmelzflußindex. Die 50 μm dicken Folien wurden unter Standard-Bedingungen hergestellt.

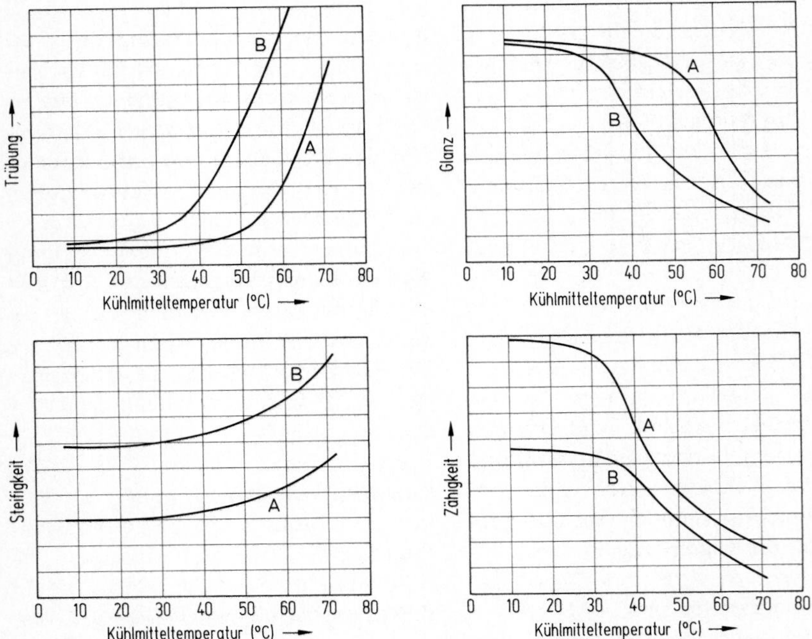

Polypropylenfolie. Abb. 1. BASF, Ludwigshafen, Firmenschrift.

Anwendungsbeispiele für PP-Folien sind die Verpackung von Lebensmitteln, z.B. von hochwertigem Gemüsen, von Kleingebäck, vor allem von einzelnen Käsescheiben (in Europa: „Scheibletten"), die Verpackung von Textilien und medizinischen Artikeln. Die wirtschaftliche Bedeutung dieser Folien geht jedoch auf Kosten von modifizierten PE-Folien und PE/PP-Verbundfolien zurück. Die als Verpackungsfolien eingesetzten unverstreckten PP-Folien haben Dicken zwischen 25 und 40 μm.
Folien größerer Dicke (40-500 μm) sind Bestandteil von Verbundfolien, die z.B. zu → standfesten Packungen verarbeitet werden können.
Für derartige Anwendungen ist die Durchstoßfestigkeit von ungereckten PP-Folien besonders wichtig.
Die Abb. 2 zeigt die Abhängigkeit dieser Größe von der Struktur des eingesetzten Polypropylentyps.
Dünnere PE/PP-Verbundfolien werden im allgemeinen nicht durch Kombination der Einzelfolien, sondern durch → Coextrusion der beiden → Thermoplasten hergestellt.
2. Monoaxial verstreckte PP-Folien werden direkt nach der Herstellung durch → Extrusion einem → Reckverfahren in Maschinenrichtung unterworfen. Ihre mechanischen Eigenschaften werden dadurch in der Längsrichtung wesentlich verbessert. Sie werden zur Textilkaschierung, zur Kabelummantelung und zur Herstellung von → Klebebändern eingesetzt. Ihre Bedeutung ist relativ gering.
3. Biaxial verstreckte PP-Folien stellen mit nahezu 90% den bedeutendsten Anteil an der Produktion von Polypropylen-Folien dar. Sie werden international meist als → BOPP (*B*iaxial *O*rientiertes *P*oly*p*ropylen) bezeichnet und unter diesem Stichwort behandelt.

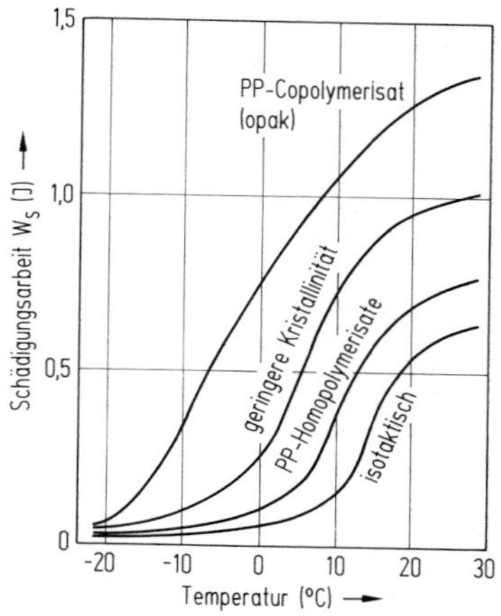

Polypropylenfolie. Abb. 2. Quelle: wie Abb. 1.

Polypropylenplatte, *<polypropylene sheet>*, → Orientierte Polypropylenplatte.

Polypropylen-Wursthülle, *Polypropylendarm*, *<polypropylen-sausage-casing>*, hat unter den → Wursthüllen aus Thermoplasten bisher keine größere Bedeutung gefunden.

Polypyrrolfolie, *<polypyrrole film>*, → elektrisch leitfähige Folie.

Polystyrol, *PS, Polyvinylbenzol*, *<Polystyrene, PS>*, wird durch Polymerisation von Styrol hergestellt und durch folgende Strukturformel beschrieben:

$$\left[-CH-CH_2- \right]_n$$

Die Reaktion wird bei erhöhter Temperatur (120-180 °C) in der Masse (in Substanz), in Suspension oder (technisch selten) in Emulsion durchgeführt. Radikalbildner wie organische Peroxyde oder Hydroperoxyde wirken als Katalysatoren. Die Massepolymerisation erfolgt in der Regel kontinuierlich, indem das Monomere durch eine Reihe von Reaktoren gepumpt wird. Nach beendeter Polymerisation werden die Reste des Monomeren unter reduziertem Druck und erhöhter Temperatur entfernt, danach erfolgt das → Granulieren. Die Suspensionspolymerisation erfolgt in Wasser, welchem Schutzkolloide zugesetzt werden. Die Temperatur beträgt 50-60 °C. Nach Abtrennung durch Filtration wird das Polystyrol gewaschen und getrocknet. Das Polystyrol fällt in Form von Perlen an und kann granuliert werden. Polystyrol-Homopolymerisate (Standard-Polystyrol, PS) sind → thermoplastische Kunststoffe, die sich nach den üblichen Verfahren, z.B. durch → Extrusion leicht zu → Polystyrolfolien verarbeiten lassen.

Neben Standard-Polystyrol haben Copolymerisate und Polymermischungen auf Basis Polystyrol große und noch steigende Bedeutung. An erster Stelle steht *schlagfestes PS*, auch HIPS (= high impact polystyrene), das durch Modifikation von PS mit → elastomeren Kunststoffen wie Polybutadien oder Ethylen-Propylen-Terpolymeren gewonnen wird. Die Produkte sind thermoplastisch verarbeitbar, schlagzäh, opak und wesentlich flexibler als Standard-PS. Auch schlagzähe PS-Typen werden in großem Maßstab zu → Polystyrolfolien verarbeitet. Weitere Varianten von Styrol-Polymeren sind z.B. → Styrol-Butadien-Block-Copolymere, → Acrylnitril-Butadien-Styrol-Copolymere, → Styrol-Acrylnitril-Copolymere. Diese Produkte weisen einige sehr interessante Eigenschaften auf, spielen aber zur Folienherstellung eine untergeordnete Rolle.

Zur Herstellung von → *geschäumten Polystyrol*, EPS (= expanded polystyrene) setzt man als Treibmittel vor Einleitung der Suspensionspolymerisation 6-8% einer niedrig siedenden Petroleum-Fraktion, z.B. n-Pentan/Isopentan zu. Die Polymerisationstemperatur wird unter 50 °C gehalten, um ein vorzeitiges Verdampfen der zugesetzten Kohlenwasserstoffe zu vermeiden. Nach Abtrennung und Waschen des Polymerisats wird dieses erneut in Wasser suspendiert und auf etwa 90 °C erhitzt. Dabei verdampft der niedrig siedende Kohlenwasserstoff und schäumt das Polystyrol auf. Das Volumen der Polymerpartikel vergrößert sich um etwa 300%. Das Aufschäumen wird bei der Verarbeitung durch → Warmformung vervollständigt. Verschäumbare PS-Typen können auch durch nachträgliche Einarbeitung von Treibmitteln in vorgefertigte Styrol-Polymerisate erhalten werden. Dies geschieht durch Erhitzen der Polystyrolperlen oder -granulate in Wasser und Zusatz von Treibmitteln bei höherer Temperatur. Die verschäumbaren Polystyroltypen können zur Herstellung von → Schaumfolien dienen. Bei der Verarbeitung von Polystyrol zu Folien durch → Extrusion werden die Produkte in Form von zylinderförmigen Granulaten (Durchmesser etwa 2,3 mm, Länge etwa 2,5 mm) eingesetzt. Die → Schüttdichte beträgt etwa 0,57 g/cm^3. Die Produkte haben in der Regel einen niedrigen → Schmelzindex. Eine Abmischung von Standard-Polystyrol mit schlagfesten Typen vor der Verarbeitung führt häufig zu optimaler Einstellung von → Zähigkeit und Steifigkeit. Die → Massetemperatur am Düsenaustritt liegt meist zwischen 180 und 220 °C.

Eine relativ neue Entwicklung sind *Polystyrolblends* mit Polyethylen. Folien aus diesem Material vereinigen gute mechanische Eigenschaften mit hohem Glanz bei guter Verarbeitbarkeit. Verbundfolien mit Polyethylen und/oder Polystyrol können durch Coextrusion ohne Haftvermittler hergestellt werden.

Polystyrolfolie, *PS-Folie*, *<polystyrene film>*, wird aus → Polystyrol durch → Flachfolien- oder → Blasfolienextrusion erhaltem. Das früher gelegentlich angewendete → Gießverfahren wird kaum noch ausgeübt. Die mechanischen Eigenschaften von Polystyrolfolien können durch einen → Reckprozess deutlich verbessert werden (→ OPS-Folien).

Als Rohmaterial kommen Standard-PS (Homopolymerisat), schlagfestes Polystyrol sowie → Styrol-Butadien-Block-Copoylmerisate (SB-Copolymere) und → Styrol-Acrylnitril-Copolymere (SAN) in Frage. Durch Abmischungen verschiedener Produkte können die Eigenschaften dem Verwendungszweck optimal angepaßt werden. Schäumbares → Polystyrol dient zur Herstellung von → Schaumfolien.

PS-Folien sind bei Verwendung von Standard-PS glasklar, spröde und sehr steif. Ihre → elektrischen Eigenschaften sind sehr gut. Bei schlagfesten PS-Folien ist die → Schlagzähigkeit wesentlich verbessert, was aber auf Kosten der → Transparenz geht. Die meisten Folien auf dieser Basis sind opak.

Neuere Entwicklungen von Styrol-Butadien-Blockcopolymeren vereinen in ihrem Eigenschaftsbild gute Schlagzähigkeit und Tiefziehfähigkeit mit hervorragenden → optischen Eigenschaften. Sie sind glasklar und haben hohen Glanz. Sie sind sehr gut zu verarbeiten, leicht bedruckbar, schweißbar und lackierbar. Folien aus SB-Copolymeren werden als hochwertiges Verpackungsmaterial vor allem für fetthaltige Lebensmittel eingesetzt.

Die → Durchlässigkeit für Wasserdampf und Gase (Tabelle) ist bei Polystyrolfolien relativ hoch. Bei der Verpackung empfindlicher Lebensmittel kann es deshalb zu Aromaverlusten kommen, was sich in nicht akzeptablen Geschmacksveränderungen äußert. Auch die Möglichkeit des Eindringens von Gasen oder Dämpfen in die Packung kann zu Beeinträchtigungen bei Geschmack und Geruch des Packgutes führen. Neu entwickelte Polystyrol-Polyethylen-Blends bieten hier wesentliche Verbesserungen (Abb. 1). Un-

Polystyrolfolie. Richtwerte für die Wasserdampf- und Gasdurchlässigkeit von Polystyrol bei 23 °C (gemessen an Folien von ca. 100 μm Dicke)

Polystyrol	Wasser-dampf[1) g · m^{-2} · d^{-1}	Sauer-stoff[2)]	Stick-stoff[2)]	Kohlen-dioxid[2)]
		$cm^3 \cdot m^{-2} \cdot bar^{-1} \cdot 10^{-2}$		
Standard-Polystyrol 168 N	12	10	2,5	52
schlagfestes Polystyrol 476 L	13	16	4	100

1) DIN 53 122; Feuchtigkeitsgefälle 85% zu 0% rel. Luftfeuchtigkeit
2) DIN 53 380
BASF, Ludwigshafen, Firmenschrift

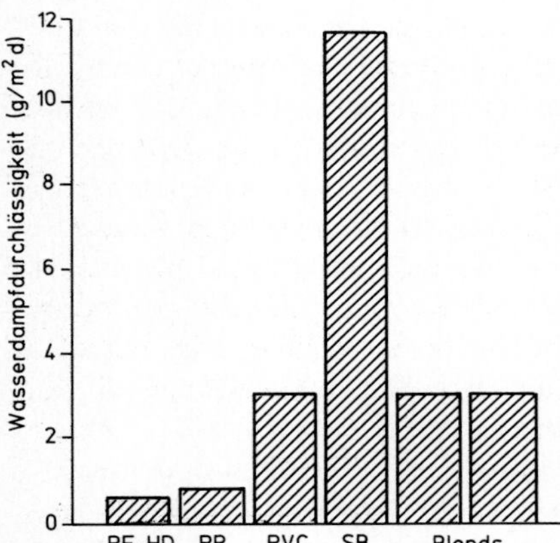

Polystyrolfolie. Abb. 1. BASF.

ter Einsatz von geeigneten Kunststoffen können auch → Sperrschichtfolien mit verringerter Durchlässigkeit für Gase und Dämpfe hergestellt werden. Die → Warmformbarkeit von PS-Folien und PS-Platten ist ausgezeichnet. Ein großes Einsatzgebiet ist deshalb die Herstellung von Bechern und Schalen für Molkereiprodukte in der Kühlkette. Weitere Anwendungsgebiete sind → Blister- und → Skin-Packungen.

Bei der Verpackung von medizinischen Artikeln spielen PS-Folien trotz ihrer hohen Wirtschaftlichkeit keine große Rolle. Die günstigen mechanischen Eigenschaften von Standard-PS und die verschlechterten optischen Eigenschaften von schlagfestem PS machen sie nur für die Verpackung von sehr leichten Artikeln, wie Wattebällchen u.ä. geeignet.

Dies gilt nicht für Styrol-Butadien-Blockcopolymere, deren Einsatz allerdings teuer ist. Man mischt aus diesem Grunde insbesondere bei der Herstellung von Verpackungsfolien oft die Styrol-Butadien-Copolymeren (SB-Copolymeren) mit Standard-Polystyrol (PS) ab. Die Einbußen an Transparenz und Zähigkeit, die damit zwangsläufig verbunden sind, können durch geschickte Gestaltung der Rezepturen gering gehalten werden. Wie die Abb. 2 zeigt, nimmt die Transparenz von Folien, die durch → Flachfilmextrusion hergestellt wurden, bei Zusatz von PS zu SB-Copolymeren bis zum Mi-

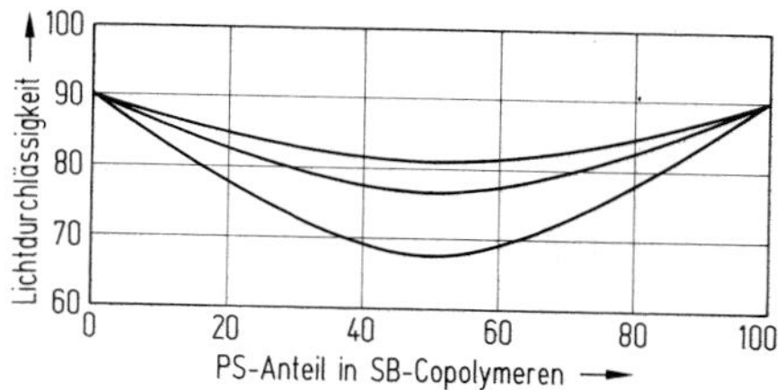

Polystyrol-Folie. Abb. 2. BASF.

schungsverhältnis 1:1 ab und steigt danach wieder an. Man wählt deshalb Mischungen, die beispielsweise PS und SB-Copolymere im Verhältnis 70:30 oder 30:70 enthalten. Im ersten Fall wird die Zähigkeit von PS verbessert, allerdings auf Kosten der Transparenz. Im zweiten Fall wird aus Kostengründen ebenfalls eine Verschlechterung der Transparenz in Kauf genommen, diese hält sich jedoch in Grenzen und stört bei sehr dünnen Folien kaum. Bei Zusätzen von PS mit relativ niedriger Molmasse sind die negativen Auswirkungen auf die Transparenz geringer, der Einfluß auf die Herabsetzung der Zähigkeit größer. Sehr wichtig für die Erzielung eines optimalen Eigenschaftsbildes ist die Homogenität der Polymermischungen.

Polysulfon, *PSU*, *<polysulfone>*, exakt Polyarylsulfon, enthält die Sulfongruppe, $-SO_2-$, gebunden an aromatische Reste. Das erste Polysulfon wurde 1965 aus 4,4'-Dichlordiphenylsulfon (a) und Bisphenol A (b) hergestellt (Abb.).

Das Polymer ist amorph, hat einen → Glasübergang bei 190 °C und kann durch → Extrusion oder nach dem → Gießverfahren zu Folien verarbeitet werden. Die PSU-Folien sind hoch transparent, haben gute Wärme- und Dimensionsstabilität und können warm verformt werden.Ihre elektrische Eigenschaften sind denen von → Polyester- oder → Polycarbonat-Folien ähnlich. Mit Ausnahme von Chlorkohlenwasserstoffen, Aromaten und Ketonen sind sie stabil gegen Chemikalien. Man rechnet sie zu den → Hochleistungsfolien. Anwendungsmöglichkeiten liegen in der Elektroindustrie und in der Verpackung. Allerdings stagniert die Markt-Entwicklung, da wirtschaftlich günstigere Alternativen vorhanden sind.

Poly-(tetrafluorethylen)-Folie, *<Polytetrafluoroethylen film>*, Polytetra-(fluorethylen), PTFE, kann nicht wie alle anderen → Fluorpolymere durch Extrusionsverfahren zu Folien verarbeitet werden. Die Verformung des unschmelzbaren und praktisch unlöslichen

(a) (b)

Polysulfon.

Materials gelingt jedoch durch → Sinterverfahren.
Dies ist nicht nur ein relativ teurer Prozeß. Er führt auch zu Folien, die stets etwa porös sind. Die PTFE-Folien weisen trotzdem eine extrem hohe Widerstandsfähigkeit gegen Chemikalien aller Art auf. Sie sind thermostabil bis etwa 250 °C.
Extrudierbare Fluorpolymere werden durch Copolymerisation von Tetrafluorethylen mit 15 bis 25% Hexafluorpropylen oder mit ca. 5% Perfluorvinylether gewonnen. Auch Polyethylen-Polytetrafluorethylen-Folien können durch Extrusion hergestellt werden. Derartige Folien besitzen die sehr guten chemischen Eigenschaften der Homopolymeren, sind aber nicht porös. Ihre mechanischen und vor allem ihre optischen Eigenschaften sind denen der Homopolymeren sogar noch überlegen.
Folien aus Tetrafluorpolyethylen und seinen Copolymeren sind in Dicken von 10 bis etwa 1.000 μm verfügbar. Sie werden vor allem als → Elektroisolierfolien, Trennfolien, Auskleidung für Behälter, → gedruckte Schaltungen oder Förderbänder genutzt. Schrumpfschäuche mit Durchmessern bis zu 300 mm dienen als Walzenbezüge.

Polyurethane, *<polyurethanes>*, werden durch Reaktion von Di- oder Polyisocynaten mit Hydroxylgruppen enthaltenden Verbindungen gewonnen (Formeln und Gleichungen Seite 355).
Der Prozess wird auch als Isocyanat-Polyadditionsverfahren bezeichnet.
Als Diisocyanate werden überwiegend aromatische Verbindungen, wie Toluylen-diisocyanat (I A und I B) oder Diphenylmethan-4,4'-diisocyanat (II) aber auch aliphatische Verbindungen, vor allem Hexamethylen-diisocyanat (III) eingesetzt. Ihre Herstellung erfolgt durch die Umsetzung von Diaminen mit Phosgen. Als Di- und Polyole haben Polyether niederer zwei- und dreiwertiger Alkohole, die durch Umsetzung dieser Stoffe mit Ethylen- oder Propylenoxid gewonnen werden, die größte Bedeutung. Aber auch Polyester mit freien Hydroxylgruppen werden verwendet.
Je nach Art der Ausgangsprodukte werden lineare, verzweigte oder mehr oder weniger weitmaschig vernetzte Polyurethane erhalten.
Isocyanate können mit vielen anderen Verbindungen, die reaktive Wasserstoffatome enthalten, reagieren. So bilden sie mit Wasser unbeständige Carbaminsäuren, die in Amine und Kohlendioxid zerfallen. Diese Reaktion bildet die Grundlage der Herstellung von Schaumstoffen (→ Schaumfolien). Amine reagieren ebenfalls mit Isocyanaten und zwar unter Bildung von Harnstoffen. Weitere Verbindungen, die aktive Wasserstoffatome haben, sind Carbonsäuren, Harnstoffe und Urethane.
Die Vielfalt der Polyurethan- oder Isocyanat-Chemie ist so gewaltig, daß eine große Zahl von Polymeren für die verschiedensten Anwendungsgebiete synthetisiert werden konnte. Beispiele sind Formmassen für Kunststoffteile, Schaumstoffe, Lacke, Fasern, Klebstoffe, Dichtungsmassen, Auskleidungen und Kautschuke.
In der Folientechnologie haben li-

$$n\,O{=}C{=}N{-}R_1{-}N{=}C{=}O \; + \; n\,HO{-}R_2{-}OH \longrightarrow \left[\!\!\rightarrow C(=O){-}NH{-}R_1{-}NH{-}C(=O){-}O{-}R_2{-}O\right]_n$$

I A: 1,4-Diisocyanatobenzol (NCO / NCO)

I B: 1,3-Diisocyanatobenzol (NCO / NCO)

$$OCN{-}C_6H_4{-}CH_2{-}C_6H_4{-}NCO$$

II

$$OCN{-}(CH_2)_6{-}NCN$$

III

neare, thermoplastische Polyurethane keine Bedeutung erlangt, obwohl man wegen der chemischen Verwandschaft der Urethangruppe mit der Carbonsäureamidgruppe interessante, den → Polyamidfolien ähnliche Eigenschaften erwarten könnte:

$$-O-\underset{\underset{O}{\|}}{C}-NH- \qquad -O-\underset{\underset{O}{\|}}{C}-NH-$$

Dagegen finden thermoplastische → Polyurethan-Elastomere in steigendem Maße zur Herstellung von → Polyurethanfolien Verwendung. Polyurethane als Zweikomponenten-Reaktionsharze sind als → Kaschierklebstoffe zur Herstellung von → Verbundfolien von steigender Bedeutung. Lit.

Polyurethan-Elastomere, *thermoplastische Polyurethan-Elastomere*, <*polyurethane rubber*> gehören verarbeitungstechnisch zu den → thermoplastischen Elastomeren, chemisch zur Gruppe der → Polyurethane. Sie sind weitgehend linear aufgebaut.

Zunächst wird ein Überschuß eines Diisocanats (I) mit einem Diol (II) zu einem Präpolymeren mit Isocyanat-Endgruppen (III) umgesetzt (Abb.).

Bei den Diolen unterscheidet man Polyesterdiole, die durch Polykondensation von Dicarbonsäuren mit Diolen

$$\underset{I}{OCN{-}R_1{-}NCO} \; + \; \underset{II}{HO{-}R_2{-}OH} \longrightarrow$$

$$\underset{III}{OCN{-}R_1{-}NH{-}\underset{\underset{O}{\|}}{C}{-}O{-}R_2{-}O{-}\underset{\underset{O}{\|}}{C}{-}NH{-}R_1{-}NCO}$$

$$R_1 = -C_6H_4{-}CH_2{-}C_6H_4-$$

R_2 = Polyester oder Polyether
Mn = 1000-300

Polyurethan-Elastomere.

erhalten werden und Polyetherdiole, die z.B. durch Reaktion von Diolen mit Propylenoxid entstehen.
Die Präpolymeren werden mit kurzkettigen Diolen oder Diaminen, z.B. mit Ethylenglykol, Propylenglykol, 1,4-Butandiol oder Ethylendiamin umgesetzt. Die dabei entstehenden Urethan- bzw. Harnstoff-Bindungen bewirken eine beträchtliche Kettenverlängerung.
Die Produkte besitzen eine Block-Struktur, in der die Polyester- bzw. Polyethergruppierungen als weiche Segmente mit geringer Polarität und die Urethan- bzw. Harnstoffgruppen als harte Segmente mit hoher Polarität nebeneinander vorhanden sind. Die harten Segmente wirken wie Vernetzungsstellen, die dem Material kautschukelastische Eigenschaften verleihen. Bei höherer Temperatur lösen sich die Vernetzungen, so daß die Produkte thermoplastisch verarbeitet werden können. Es gibt also eine gewisse Ähnlichkeit zu den → Ionomeren. Polyurethane müssen vor der Verarbeitung zu Folien getrocknet werden, da sie bei der Lagerung Wasser aufnehmen können.

Polyurethanfolie, *PUR-Folien,* *<polyurethane film>*, wird aus → Polyurethanen hergestellt, das zur Stoffklasse der → thermoplastischen Elastomeren gehören. Die Herstellung erfolgt nach den Verfahren der → Flachfolien- und der → Blasfolienextrusion. Vor der Verarbeitung zu Folien müssen die Polyurethane getrocknet werden, da sie bei der Lagerung Wasser aufnehmen.
Die Anwendung des Blasfolienverfahrens ist bei Polyurethanen schwierig. Das Material ist bei den für die thermoplastischen Verarbeitung nötigen Temperaturen sehr weich. Man hat deshalb ein Verfahren zur → Coextrusion von Polyurethanen mit Polyethylen entwickelt. Die Polyethylenfolie dient als Stützfolie oder Trägerfolie für die Polyurethan-Folie. Die Haftung zwischen beiden Folienbahnen ist sehr gering, so daß die PE-Folie kurz vor oder während der Verarbeitung der PUR-Folie leicht abgezogen werden kann. Das elegantere und wirtschaftlichere Verfahren ist jedoch die Herstellung von Polyurethan-Folien ohne Stützfilm, was bei Verwendung geeigneter Rohstoffe und Rezepturen auch durchaus möglich ist.
Folien aus Polyurethanen zeichnen sich durch sehr gute → mechanische Eigenschaften, wie hohe Zug- und Weiterreißfestigkeit, Durchstoßfestigkeit und durch gute Chemikalienbeständigkeit aus. Sie lassen sich gut durch → Warmformen verarbeiten. Eine Gegenüberstellung der Eigenschaften von Polyurethanfolien und einigen anwendungstechnisch vergleichbaren Produkten zeigt die Tabelle.
Eine interessante Eigenschaft der PUR-Folien ist ihre → Wasserdampfdurchlässigkeit bei gleichzeitiger Undurchlässigkeit für Wasser.
Beispiele für die Nutzung dieser Eigenschaften sind die → Kaschierung von Textilien für Sport- und Freizeitkleidung, Austattung von Automobilsitzen, → Dachunterspannbahnen, Ausrüstung von Skischuhen sowie Bändchen zur Einarbeitung in Windelhöschen. Im Gegensatz zu den in derartigen An-

Polyurethanfolie.

		Einheit	Polyurethan	PVC	PE-LD	Naturkautschuk NR	Nitrilkautschuk NBR
Dichte		g/m^3	1,14-1,23	1,24-1,3	0,92-0,93	0,93	1,00
Reißfestigkeit		N/mm^2	40-60	16-35	16-32	22-28	6-25
Reißdehnung		%	380-580	250-350	200-900	500-600	400-450
Härte Shore A		-	85-96	40-90	90-95	30-95	40-95
Temperatur-Anwendungsbereich		°C	-40 bis +100	-20 bis +50	-60 bis +80	-60 bis +60	-20 bis +110
	Abrieb	-	hervorragend	schlecht	mäßig	schlecht	schlecht
Beständigkeit gegen	Mineralöle und Fette	-	hervorragend	mäßig	mäßig	schlecht	hervorragend
	organische Lösemittel	-	gut	gering	gering	schlecht	gut
	Wasser	-	gut	gut	gut	gut	mäßig
	Witterungseinflüsse und energiereiche Strahlung	-	gut	gering	gut	mäßig	gut

Wolff Walsrode AG, Walsrode, Firmenschrift

wendungsgebieten häufig eingesetzten → Elastomerfolien, sind die PUR-Folien „atmungsaktiv". Ein weiteres Anwendungsgebiet für PUR-Folien ist die chemikalienfeste Auskleidung von Behältern und Rohren.

Polyvinyl-acetal, <*polyvinyl-acetal*>, Umsetzungsprodukt von → Polyvinylalkohol mit Aldehyden. Neben cyclischen Acetalgruppen (Formel)

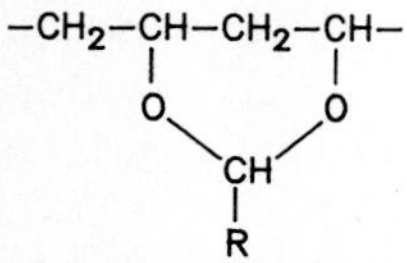

```
–CH2–CH–CH2–CH–
     |      |
     O      O
      \    /
        CH
        |
        R
```

enthalten die Polyvinyl-acetale stets noch Hydroxyl- und Acetat-Gruppen. Wichtigster Vertreter der Polyvinylacetale ist das *Polyvinyl-butyral*, PVB, R = $-C_3H_7$.

Die Verfahren zu seiner Herstellung werden nicht in einer Stufe, ausgehend vom Polyvinylacetat durchgeführt, sondern gehen stets von isoliertem und gereinigten Polyvinylalkohol, PVA, aus:

1. PVA wird in Wasser gelöst. Nach dem Zusatz von Butyraldehyd und Säure erfolgt zunächst ein starker Viskositäts-Anstieg. Das entstandene PVB fällt aus; die Reaktion wird in heterogener Phase beendet. Die Korngröße des Polymeren wird durch Zusatz von Dispergiermitteln und durch die Temperaturführung geregelt. Das Produkt wird abgetrennt, gewaschen und getrocknet.
2. PVA wird in Ethanol suspendiert. Es geht während der Reaktion mit dem Butyraldehyd allmählich in Lösung; am Ende der Reaktion liegt eine homogene Phase vor. Das Reaktionsprodukt wird mit Wasser ausgefällt, abgetrennt und getrocknet. Nachteil des Verfahrens ist der Anfall von Ethanol und Diethylbutyral als Nebenprodukte, die aus der wäßrigen Phase wiedergewonnen werden müssen.

Die → Molekülmassen des Polyvinylbutyrals liegen zwischen 30 000 und 100 000. Die Erweichungstemperatur hängt von der Art und der Verteilung der verschiedenen funktionellen Gruppen ab und liegt bei ca. 100 bis 135 °C. Die Produkte können zu Folien extrudiert werden.

Folien aus PVB zeichnen sich durch hohe Festigkeit, sehr gute Dehnbarkeit und hervorragende Haftung auf Glasoberflächen aus. Diese Eigenschafts-Kombination hat sie bis heute für die Herstellung von *Verbund-Sicherheitsglas* konkurrenzlos gemacht. PVB-Folien in Dicken zwischen 35 und 800 μm werden bei 60 °C getrocknet und zwischen die gereinigten Tafel- oder Spiegelglasscheiben gelegt. Durch Erhitzen auf ca. 200 °C wird der Verbund hergestellt. Die in Formate aufgeschnittenen Verbundglasscheiben werden bei 120 °C und 10 bis 20 bar verpreßt. Die Ränder werden danach geschliffen. Bei Verbunden von mindestens drei Scheiben mit einer Gesamtdicke von mehr als 20 mm spricht man von Panzerglas. Als Weichmacher für die PVB-Folien hat sich → Triethylenglykol-di-(2-ethylbutyrat) besonders bewährt.

Aus Polyvinylformal, PVFM, R = H, werden → Klebefolien für Metallverbindungen hergestellt. PVFM wird aus Polyvinylalkohol durch Umsatz mit →

Formaldehyd hergestellt oder in einer Stufe durch Verseifung von Polyvinylacetat und direkt anschließende Reaktion mit Formaldehyd gewonnen.

Polyvinylacetat, *PVAC (nach DIN), PVA <polyvinyl-acetate>*, thermoplastischer Kunststoff aus Vinylacetat,

$$CH_2{=}C(H){-}O{-}\underset{\displaystyle \| \atop \displaystyle O}{C}{-}CH_3$$

der meist in Suspensions- oder Emulsions-Polymerisation mit Hilfe von peroxidischen Katalysatoren hergestellt wird. Niedermolekulare Polyvinylacetate werden in Klebstoffen und Beschichtungsmassen verwendet. Der Einsatz höhermolekularer Produkte zur Herstellung von Folien ist wenig bedeutend. Vinylacetat ist jedoch ein wichtiges Monomeres für → Ethylen-Vinylacetat-Copolymere und für die Gewinnung von → Polyvinylalkohol, die in der Folientechnologie von Bedeutung sind.

Polyvinylalkohol, *PVA, <poly-(vinyl alcohol), PVA>*, wird aus Polyvinylacetat durch Verseifung oder durch Umesterung mit Methylalkohol hergestellt:

$$\left[CH_2{-}\underset{\displaystyle O{-}\overset{}{C}(=O){-}CH_3}{CH}\right]_n \xrightarrow[\substack{+CH_3OH \\ -CH_3{-}COOH_3}]{\substack{+H_2O \\ -CH_3COOH}} \left[CH_2{-}\underset{\displaystyle OH}{CH}\right]_n$$

Polyvinylalkohol.

Das bevorzugte Verfahren, die Umesterung oder Alkoholyse, wird durch Natriummethylat katalysiert. Sie kann kontinuierlich oder diskontinuierlich durchgeführt werden. Meist wird in Methanol polymerisiertes Vinylacetat ohne Isolierung des Polymeren direkt eingesetzt.

Die Eigenschaften des PVA werden durch den Restgehalt an Acetylgruppen und durch den Polymerisationsgrad bestimmt. Eine quantitative Hydrolyse der Acetylgruppen ist in der Praxis nicht zu erreichen. Auch die sogenannten vollverseiften Produkte haben einen Rest-Acetylgehalt von 0,5 bis 2 Mol-Prozent (Esterzahl 8 bis 20). Der Schmelzpunkt dieser Produkte liegt bei 228 °C, ihre Glastemperatur T_G bei 85 °C. Teilverseifte PVA-Typen enthalten 10 bis 12 Mol-Prozent Acetylgruppen (Esterzahl ca. 140). Die Polymerisationsgrade liegen zwischen ca. 500 und 2500, was Molmassen von ca. 20 000 bis 110 000 entspricht.

Polyvinylalkohole sind teilkristalline Polymere. Sie sind in Wasser löslich. Vollverseifte Produkte lösen sich mit ausreichender Geschwindigkeit nur in heißem Wasser. Die erhaltenen Lösungen sind in der Kälte und in der Wärme stabil. Teilverseifte Produkte sind in kaltem Wasser leichter löslich als in heißem.

Beide PVA-Typen werden auch zur Herstellung von Folien eingesetzt. Die wasserlöslichen Produkte können im → Gießverfahren oder nach Anpasten mit Wasser unter Zusatz von Polyolen als → Weichmacher durch → Extrusion verarbeitet werden. Die Foliendicken liegen zwischen ca. 20 μm bis ca. 80 μm. Die Folien zeigen hohe → Transparenz und hohen → Glanz. Die → mechanischen Eigenschaften können durch einen → Reckprozess wesentlich verbessert werden. Durch eine Beschichtung mit hydrophoben Polymeren, z.B. mit → Polyvinylidenchlorid, werden PVA-Folien wasserfest und undurchlässig für Wasserdampf. Sie eignen sich wegen ihrer äußerst geringen Durchlässigkeit für Sauerstoff zur Herstellung von → Sperrschichtfolien. Unbeschichtete PVA-Folien werden auch als → Solofolien eingesetzt, z.B. für die Herstellung von wasserlöslichen Beuteln. Ein wichtiges Spezialgebiet für Polyvinylalkohol ist die Herstellung von → Polarisationsfolien.

Polyvinylalkohol-Ethylen-Copolymerisat, *<vinylalcohol-ethylene-copolymer>*, → Ethylen-Vinylalkohol-Copolymerisat.

Polyvinylbenzol, *<poly-vinyl-benzene>*, → Polystyrol.

Polyvinylbutyral, *<poly-vinyl-butyrale>*, → Polyvinylacetal.

Polyvinylchlorid, *PVC*, *<poly(vinylchloride)>*, wird durch → Polymerisation von *Vinylchlorid*, CH_2 = CHCl gewonnen. Die Herstellung von Vinylchlorid aus Acetylen und HCl wurde 1912 zum Patent angemeldet, die technische Entwicklung begann um 1930 etwa gleichzeitig in Europa und den USA. Zum Massenkunststoff wurde PVC jedoch erst in den 50er Jahren.

Die radikalische → Polymerisation von Vinylchlorid wird z.B. durch Peroxyde ausgelöst. Die Reaktion ist exotherm, sie wird in der Regel bei 30 bis 80 °C durchgeführt. Polyvinylchlorid wird durch folgende Struktur beschrieben:

$$\left(CH_2{-}CHCl \right)_n$$

Die Polymerisation erfolgt in Lösung, Suspension (S-PVC) oder in Emulsion (E-PVC), seltener in Masse (in Substanz).

Die Polymerisation von PVC in Masse wird in Autoklaven durchgeführt. Das entstandene PVC ist in Vinylchlorid unlöslich und fällt aus. Diese erste Stufe der Reaktion führt zu einem Umsatz von etwa 10 bis 20%. Die weitere Polymerisation erfolgt an den PVC-Partikeln und führt bis zu einem Endumsatz von 80 bis 90%. Das erhaltene Pulver wird entgast und aufgearbeitet. Die Korngröße liegt bei etwa 150 μm.

Die Suspensionspolymerisation ist das hauptsächlich angewendete Verfahren zur PVC-Herstellung. In der BRD werden etwa 60%, in der USA etwa 80% nach diesem Verfahren gewonnen. In der Regel wird diskontinuierlich gearbeitet. Die Polymerisationszeiten betragen bis zu 15 Stunden, es wird ein Umsatz von etwa 90% erreicht. Nach dem Ausgasen wird die PVC-Suspension in Zentrifugen entwässert und getrocknet. Die Korngrößen des Materials liegen zwischen 60 und 250 μm. Die Emulsionspolymerisation verläuft im Prinzip analog. Die Wahl der Emulgatoren, die nach beendeter Reaktion aus dem Produkt entfernt werden müssen, ist entscheidend für die Aufnahmefähigkeit des PVC-Pulvers für → Weichmacher und damit für das Verarbeitungsverhalten.

Die Verarbeitungsmöglichkeiten sind für die verschiedenen PVC-Typen recht unterschiedlich. So ist die Herstellung von → Hart-PVC-Folien durch Extrusion aus E-PVC einfacher als aus S-PVC. Für die Herstellung von → Weich-PVC-Folien gilt das Gegenteil. Das → Kalandrieren von PVC ist das am universellsten einsetzbare Verfahren zur Folienherstellung. Hierfür sind alle PVC-Typen praktisch gleich gut geeignet.

Die → Molekülmassen liegen beim PVC zwischen 120 000 und 200 000. Sie werden häufig durch die → Viskositätszahl (K-Wert) beschrieben. Die → Korngröße ist abhängig von dem angewendeten Polymerisationsverfahren und von den Verfahrensparametern. Sie wirkt sich naturgemäß stark auf die → Schüttdichte aus. Diese ist besonders für die Folienherstellung nach dem → Blasfolienverfahren wichtig, weil sie den Ausstoß des → Extruders maßgeblich mitbestimmt. Bei einer Dichte des Polyvinylchlorids von ca. 1,40 g/cm^3 liegen die Schüttdichten bei nur 0,450 - 0,550 g/cm^3.

PVC neigt bei höheren Temperaturen, wie sie für die → Extrusion erforderlich sind, zur Zersetzung unter Abspaltung von Chlorwasserstoff. Seine Verarbeitung ist deshalb nur bei Anwesenheit von → Additiven möglich. Andererseits nimmt PVC wie kein anderer Thermoplast hohe Anteile der verschiedensten monomeren und polymeren Stoffe auf. Dies führte zur Entwicklung einer sehr großen Anzahl von Produkten, die heute zur Modifikation von PVC zur Verfügung stehen. Durch Einsatz von → Weichmachern, → PVC-Stabilisatoren, → Gleitmitteln und speziellen → PVC-Verarbeitungs-Hilfsmitteln war auf diese Weise die Entwicklung einer fast unübersehbaren Vielfalt von Rezepturen möglich, die maßgeschneiderte Lösungen für den jeweiligen Anwendungszweck des PVC bieten. Sehr häufig werden durch → Compoundierung zur Folienherstellung unmittelbar einsetzbare → Formmassen hergestellt.

Man muß bei Eigenschaften, Anwendungen und Verarbeitung von Polyvinylchlorid grundsätzlich zwischen → Hart-PVC und → Weich-PVC unterscheiden.

Der spröde, brüchige Werkstoff PVC wird durch Einarbeitung von Weichmachern oder durch Copolymerisation mit geeigneten Monomeren in ein weiches, flexibles, wesentlich leichter zu verarbeitendes Produkt umgewandelt.

Einen Vergleich der Eigenschaften von Hart- und Weich-PVC zeigt die Tabelle.

Polyvinylchlorid kann durch Copolymerisation mit anderen Monomeren oder durch Abmischung mit anderen Polymeren modifiziert werden. Besonders wichtig ist Modifizierung des PVC zu schlagzähen Typen. Dazu werden → elastomere Kunststoffe wie Acrylatkautschuke, ABS-Kautschuke

Polyvinylchlorid.

Eigenschaft		PVC-hart	PVC-weich
Dichte	(g/cm^3)	1,38-1,40	1,16-1,20
Glastemperatur	(°C)	80-85	-30 bis -35
Zugfestigkeit	(N/mm^2)	50-70	10-25
Reißdehnung	(%)	10-50	170-400
Elastizitätsmodul	(N/mm^2)	3000-3500	-
Schlagzähigkeit	(kJ/m^2)	o.B.	o.B.
Kerbschlagzähigkeit	(kJ/m^2)	2-50	o.B.
Vicat-Temperatur	(°C)	75-85	40
Spez. Durchgangswiderstand	($\Omega\cdot$ cm)	$>10^{15}$	$>10^{11}$

Winnacker *6*, S. 399

oder chlorierte Polyethylene entweder bei der Polymerisation dem PVC zugesetzt oder in das fertige PVC eingearbeitet.

Da Polyvinylchlorid nicht nur in Form von Folien, sondern auch in Form von Schalen, Bechern, Containern oder Flaschen ausgedehnte Verwendung zur Verpackung von Lebensmitteln findet, ist eine besonders kritische Einstellung im Hinblick auf eine gesicherte → physiologische Unbedenklichkeit verständlich.

Mitte der 70er Jahre wurde der Restgehalt von monomerem Vinylchlorid wegen der Gefahr einer → Migration dieses cancerogenen Stoffes von der Verpackung in das verpackte Gut auf Werte von 1 ppm festgelegt. In ausführlichen Untersuchungen konnte gezeigt werden, daß die Werte für die Migration bei diesem neuen, sehr niedrigen Restwert unterhalb der Nachweisgrenze liegen.

Ein weiterer Punkt der kritischen Diskussion zum Einsatz von PVC ist sein sehr hoher Gehalt (56,8%) an chemisch gebundenem Chlor. Dies muß bei der → Entsorgung des Materials durch → Verbrennung technisch berücksichtigt werden.

PVC ist ein außerordentlich vielseitiger Werkstoff, der seine ausgezeichneten Eigenschaften auf zahlreichen Einsatzgebieten seit Jahrzehnten unter Beweis gestellt hat. Die Diskussion um die Umweltverträglichkeit von PVC wird zweifellos häufig unsachlich geführt. Dies entbindet nicht von der Pflicht, nach vernünftigen Konzepten zur Entsorgung aber gleichzeitig auch nach Substitutionsprodukten zu suchen. Solche Produkte zu finden, wird bei Folien leichter sein als in der allgemeinen Kunststofftechnologie. Lit.

Poly-(vinylfluorid)-Folie, *<poly vinyl fluoride film>*. Das zu den → Fluorpolymeren zählende Poly-(vinylfluorid) kann, auch in Form von Copolymeren, durch Extrusion zu Folien verarbeitet werden. Diese sind transparent oder pigmentiert in Dicken von etwa 12 bis 100 μm verfügbar. Ihre mechanischen Eigenschaften und ihre chemische Beständigkeit sind ausgezeichnet. Auf Grund ihrer Anti-Haft-Eigenschaften werden sie u.a. als → Trennfolien beim Pressen von Kunststoffteilen verwendet. Sie werden weiter zum → Kaschieren von hochwertigen Oberflächen, die dauerhaft vor Witterung geschützt werden sollen, verwendet. Beispiele sind Luft- und Raumfahrt-Geräte oder Sonnenkollektoren.

Polyvinylidenchlorid, *PVDC*, <*polyvinylidenechloride*>, Ausgangsprodukt für die Herstellung von PVDC ist Vinylidenchlorid, 1,1-Dichlorethen

$H_2C{=}CCl_2$

Der Schmelzbereich der Homopolymeren liegt um 200 °C, die Zersetzungstemperatur nur etwa 10 K darüber. Deshalb sind Homopolymere des Vinyliden-chlorids für die Extrusion nicht brauchbar. Trotzdem hat sich auch für die verwendeten Copolymeren der Ausdruck Poly-vinylidenchlorid eingebürgert. Technisch verwendete Copolymere enthalten mindestens 50%, in der Regel 70 bis 90% VDC. Als Comonomere werden hauptsächlich Vinylchlorid (a), Methylarylat (b) und Methylmethacrylat (c) verwendet. Diese setzen den Schmelzbereich auf 140 °C bis 180 °C herab, so daß die Comonomeren thermoplastisch verarbeitet werden können. Die Produkte werden in Suspensions-Polymerisation hergestellt und kommen als Pulver mit Korngrößen

a: $H_2C{=}CHCl$

b: $H_2C{=}CH{-}C({=}O){-}OCH_3$

c: $H_2C{=}C(CH_3){-}C({=}O){-}OCH_3$

zwischen 0,2 und 0,3 mm in den Handel. Auch Granulate sind neuerdings verfügbar. Die Polymeren sind hochkristallin, das spezifische Gewicht liegt zwischen 1,65 und 1,75 g/cm^3. Die Molekülmassen liegen über 100 000. Die aus extrudierbaren Copolymeren hergestellten → PVDC-Folien sind ausgezeichnete → Sperrschicht-Folien.

Neben den PVDC-Extrusionsharzen haben *PVDC-Lösungen* und *-Dispersionen* große Bedeutung für die → Beschichtung von Folien erlangt. Geeignete Comonomere zur Herstellung löslicher PVDC-Typen sind Acrylnitril (a) oder Methacrylnitril (b), Methylacrylat oder Mischungen dieser Monomeren. Als Lösungsmittel werden Tetrahydrofuran (THF) oder Methylethylketon mit Toluol eingesetzt. Die Lösungen werden hauptsächlich zur → Beschichtung (Lackierung) von → Cellophan eingesetzt, um dieses wasserfest und zum → Heißsiegeln geeignet zu machen.

a: $H_2C{=}CH{-}CN$

b: $H_2C{=}C(CH_3){-}CN$

PVDC-Dispersionen enthalten als Comonomere Methylacrylat und Methylmethacrylat. Sie werden zur Beschichtung von → Papier und Folien verwendet. Der Anteil der Folienbeschichtung steigt gegenüber der Papierbeschichtung an und wird für die nächsten fünf bis zehn Jahre auf 60 bis 70% geschätzt. Durch Beschichten mit PVDC-Dispersionen wird die Sauerstoffdurchlässigkeit von Folien gemessen in $cm^3/m^2 \cdot d$ beträchtlich herabgesetzt (Tabelle).

Polyvinylidenchlorid.

		unbeschichtet mit 6-8 g/m^2 PVDC	beschichtet
BOPP,	20 μm	2000	7
PET,	12 μm	100	5
PE,	25 μm	3000-5000	8
PS,	61 μm	3000	7

K. Götz, Verpackungsrundschau 1989, S. 649-654

Es werden zwar nicht die für einige → Sperrschichtfolien für Sauerstoff geltenden Werte erreicht, jedoch sind die Eigenschaften derartiger Folien für viele Zwecke ausreichend. Auch die → Durchlässigkeit für andere Gase und die → Aroma-Durchlässigkeit werden verringert.

Nicht siegelfähige Folien sind nach einer PVDC-Beschichtung zum → Heißsiegeln geeignet. Dies gilt besonders für → BOPP. Häufig werden Folien erst nach dem → Bedrucken beschichtet. Dadurch wird neben der Sauerstoffsperre ein Schutz des Druckbildes erreicht und ein direkter Kontakt des Füllguts mit der bedruckten Seite der Folie vermieden. Auch → Polyesterfolien können mit PVDC beschichtet werden und dann zum Aufbau interessanter → Verbundfolien dienen. Die PVDC-Beschichtung von → Polyamidfolien ist in den USA wesentlich mehr verbreitet als in Europa.

Solofolien aus → Polyethylen sind wegen ihrer Temperaturempfindlichkeit nicht für eine Beschichtung mit Dispersionen geeignet. Man geht deshalb von Verbunden aus PE und Cellophan aus. Auch Kombinationen von Polyethylen mit → Papier können durch eine PVDC-Beschichtung in ihren Eigenschaften wesentlich verbessert werden.

Mit PVDC beschichtete → Hart-PVC-Folien werden in großem Maßstabe zur Herstellung von → Blisterverpackungen eingesetzt. Da etwa 30 bis 90 g $PVDC/m^2$ erforderlich sind, muß mehrmals, in der Regel vier- bis achtmal, beschichtet werden.

Die Produktion von PVDC liegt weltweit bei etwa 100.000 t, in der Bundesrepublik Deutschland bei etwa 20.000 t, die etwa zur Hälfte als Extrusionsharze, zur Hälfte in Lösungen und Dispersionen verwendet werden. Die Wachstums-Tendenz dürfte eher negativ sein, da die Produktion von Cellophan weltweit zurückgeht (→ Cellopp-Markt). Außerdem ist → Polyvinylalkohol (EVOH) ein sehr interessantes, konkurrierendes Material zur Herstellung von → Sperrschichtfolien.

Zusätzliche Probleme könnten für Materialien aus Polyvinylidenchlorid dadurch entstehen, daß für monomeres Vinylidenchlorid eine krebserregende

Wirkung nicht auszuschließen ist. Einen entsprechenden Bericht hat das Beratergremium für umweltrelevante Altstoffe der Gesellschaft Deutscher Chemiker vor kurzem veröffentlicht. Lit.

Poly-(vinylidenfluorid)-Folie, *<poly-(vinylidene fluoride)-film>*. Das zu den → Fluorpolymeren zählende Poly-(vinylidenfluorid), (PVDF), kann, wenn auch unter Schwierigkeiten, extrudiert werden. Es wird mit Hilfe von Lösungsmitteln auch nach dem → Gießverfahren zu Folien verarbeitet. Folien aus PVDF haben sehr gute elektrotechnische, vor allem piezo-elektrische Eigenschaften. Auch die Chemikalienfestigkeit ist hervorragend. Wegen ihres sehr hohen Preises werden die Produkte nur in kleinen Mengen für Spezialanwendungen eingesetzt. Monoaxial verstreckte Polyvinylidenfluorid-Folien sind Bestandteil von → Membranen, die als Umwandler oder Überträger von elektrischen in mechanische Impulse dienen.

Porenbildner, *<pore-forming agent>*, → Schaumfolie.

Porosität, *<porosity>*, die bei sehr dünnen Aluminiumfolien auftretenden Durchbrüche in der Folienbahn, die durch den Herstellungsprozeß (Walzen) unvermeidlich sind. Die auftretenden winzigen Löcher werden deshalb auch als *Walzporen* bezeichnet.
Walzporen werden beim Auffallen von Licht sichtbar. Ihre Größe beträgt durchschnittlich 0,00025 bis 0,00030 mm^2, was einem Durchmesser von 0,018 bis 0,02 mm entspricht. Die Porosität wird während des Wickelns der Folie laufend statistisch durch Auszählen kontrolliert. Zusätzlich werden Stichproben geprüft. Beispiel für die von der Foliendicke abhängigen Toleranzen:

Porosität. Unter Porosität werden ein oder mehrere punktförmige Foliendurchbrüche verstanden.
Hierbei wird jeweils die maximale Porenzahl/dm^2 an der Stelle der größten Häufigkeit erfaßt.
Prüfhäufigkeit: Laufende Kontrolle während des Aufwickelns.
Statisch durch Auszählen über einer beleuchteten Unterlage.
Stichprobenprüfung während der Fertigung bei mindestens je 1000 kg.
Durchschnittliche maximale Porenzahl/dm^2 der Gesamtfertigung, bezogen auf die Stelle mit der größten Anhäufung.

Dicke (μm)	Poren/ dm^2	Dicke μm	Poren/ dm^2
7	1,2	11	0,3
7,5	1,0	12	0,3
8	0,8	13	0,2
9	0,6	15	0,2
10	0,4	18	0,1
		20	0,1

Ausgeschieden werden:
a) Folien mit mehr als 34 Poren/dm^2 für die Dicken 7; 7,5 und 8 μm.
Folien mit mehr als 6 Poren/dm^2 für die Dicken 9 bis 20 μm.
b) Foliendurchbrüche (Walzlöcher), die sich regelmäßig in gleichen Abständen von der Schnittkante in Walzrichtung wiederholen und die Ausdehnung
$>$ 0,8 mm ⊘ für die Dicken $\leq$ 8 μm $>$ 0,4 mm ⊘ für die Dicken $>$ 8 μm besitzen.
Vortrag W. Geier, Alusingen, 8.10.1986

Erst bei einer Foliendicke von mehr als 20 μm wird praktisch Porenfreiheit erreicht.
Eine möglichst geringe Porosität von Alu-Folien ist besonders für die → Aluminium-Formpackung und die → Tropensichere Blisterverpackung erforderlich.
Die Porosität von Aluminiumfolien hat bei Kunststoff-Folien ihre Parallele im Problem der → Löcher in der Folienbahn. In beiden Fälle ist eine einfache, wenn auch nicht billige Lösung die Herstellung von → Doppelfolien.

Portionssilage, *<silage in sacks>*, → Silagefolien

Positivliste, *<positive list>*, eine Aufzählung von Stoffen, die für ein bestimmtes Einsatzgebiet verwendet werden dürfen. Für die Herstellung und Anwendung von Kunststoff-Folien für die → Lebensmittel-Verpackung werden z.B. drei Gruppen von Substanzen unterschieden:
1. Ausgangsmaterialien, z.B. Monomere, Comonomere,
2. Fabrikationshilfsmittel, wie Katalysatoren, Polymerisationsregler, Stabilisatoren, Emulgatoren,
3. Verarbeitungshilfsmittel und Veredelungsstoffe, z.B. → Additive wie Antioxydantien, Antistatika, Stabilisatoren, Weichmacher.
Weiterhin werden Grenzwerte, z.B. für Restgehalte von Monomeren (Vinylchlorid in → Polyvinylchlorid, Acrylnitril in → Polyacrylnitril), Stabilisatoren in Polyolefinen oder für Schwermetallspuren festgelegt.
Die Überwachung der Positivlisten obliegt dem → Bundesgesundheitsamt, das auch über die Neuaufnahme von Stoffen entscheidet. Dazu sind spezielle Fragebögen auszufüllen. Verlangt werden vor allem Angaben über die Toxikologie, über Zweck und Art des Einsatzes, über die chemische Zusammensetzung und Wechselwirkung mit anderen Produkten. Sehr wichtig sind Informationen über die → Migration.
Positivlisten können Bestandteil der → Gesetzgebung sein.

Prägefolie, *Dekorfolie*, *<decorating film, hot-stamp film>*, eine Verbundfolie, mit der unter Anwendung von Druck und Hitze auf einem Substrat eine Dekoration aufgebracht werden kann.
Prägefolien bestehen aus einer Trägerfolie (1), einer Trennschicht (2), einer Schutzschicht (3), der Dekorschicht (4) und der Verbindungsschicht (5) (Abb. 1).

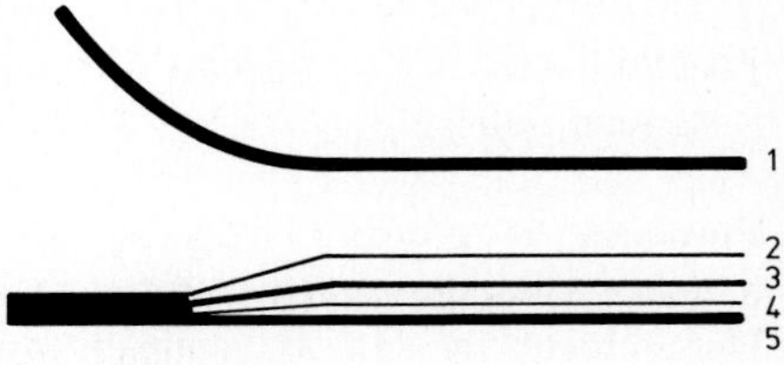

Prägefolie. Abb. 1.

Als Material für die Trägerfolie wird überwiegend biaxial orientierte → Polyesterfolie in Dicken von 10 bis 25 μm verwendet. → BOPP wird ebenfalls eingesetzt, → Cellophan hat an Bedeutung verloren.

Die Trennschicht besteht aus Wachsen oder Harzen, die oft Silikonöle enthalten. Sie bestimmt die Festigkeit des Verbunds zwischen der Trägerfolie und den Dekorschichten. Die Einstellung der Haftung kann in weiten Grenzen von sehr fest bis relativ lose schwanken und muß dem Verwendungszweck angepaßt werden. Für kleinere Dekorteile wird ein fester Verbund gewählt, der beim Prägen durch die Kanten des Werkzeugs sauber und scharf getrennt wird. Bei losem Verbund, der bei größeren Dekorteilen und bei der kontinuierlichen Folienprägung mit der Walze gewählt wird, erhält man Dekore mit nicht so scharfen Begrenzungen. Die Schichten 3, 4 und 5 bilden die Prägung.

Die Schutzschicht ist für die Beständigkeit und Haltbarkeit des Dekors von Bedeutung. Sie muß chemikalien- und abriebfest sein. In der Regel wird die Schutzschicht durch Lackierung mit Polyurethan-Formulierungen erzeugt.

Die Möglichkeiten zur Gestaltung der Dekorschicht sind nahezu unbegrenzt. Diese wird meist durch Bedrucken der Verbindungsschicht aufgebracht. Sie kann ein- oder mehrfarbig, glänzend oder matt sein. *Holzimitationen* sind häufig angewendete Dekore. Auch die Metallisierung der Verbindungsschicht führt zu Prägefolien mit interessanten Effekten, die durch Einfärbung der Schutzschicht noch variiert werden können.

Die Verbindungsschicht wird oft nicht ganz korrekt als Klebeschicht bezeichnet. Sie muß dem jeweiligen Substrat angepaßt werden, was in der Praxis nur durch Versuche möglich ist. Über Materialien für die Verbindungsschicht ist sehr wenig bekannt. Copolymere des Ethylens mit höheren Olefinen, Ionomere und Polyurethane können verwendet werden (Abb. 2).

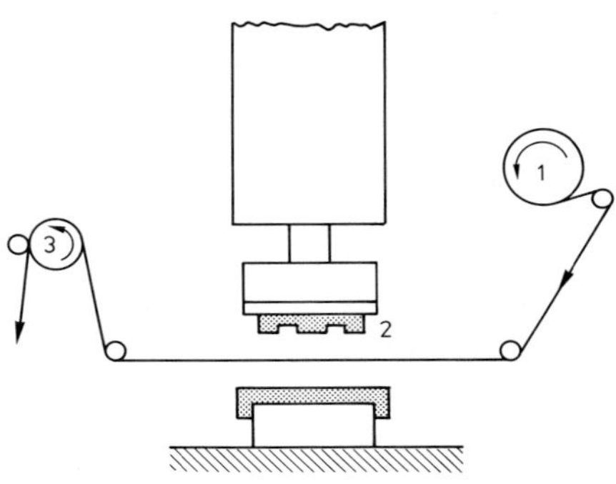

Prägefolie. Abb. 2.

Zur Anwendung wird die Prägefolie von der Vorratsrolle (1) durch ein Prägewerkzeug geführt. Der Prägestempel (2) preßt die Folien in der Hitze auf das Substrat und stanzt das Dekor aus. Die verbrauchte Folie wird einer Aufwicklung (3) zugeführt. Mit der Prägung können bildliche Darstellungen, Schriften oder Ornamente auf das Dekor übertragen werden. Wenn die Dekorschicht der Prägefolie bereits die gewünschte Darstellung enthält, ist der Prägestempel ohne Gravur. Für die Anwendung des Verfahrens auf nicht ebene Gebilde muß der Prägestempel der Kontur des Substrats angepaßt werden. Das Prägeverfahren kann für großflächige Teile kontinuierlich gestaltet werden. An die Stelle des Prägestempels tritt dann eine Prägewalze.

Die Art der Substrate ist natürlich entscheidend für die Anwendung von Prägefolien. Thermoplastische Substrat-Oberflächen ermöglichen einen hervorragenden Verbund mit der Prägefolie. Duroplaste, Metalle, Glas, Holz oder Keramik müssen mit einer thermoplastischen Beschichtung versehen werden.
Die Anwendung von Prägefolien entwickelt sich insbesondere für die Dekoration von Verpackungsmaterial sehr schnell. Der Prozeß verläuft ohne die Anwendung von Lösungsmitteln. Die "bedruckten" Teile sind ohne Nachbehandlung einsetzbar und die Vielfalt der dekorativen Möglichkeiten ist nahezu unerschöpflich. Mit den Prägefolien verwandt sind Produkte, die zum Dekorieren von Formmassen beim Preßvorgang verwendet werden. Sie werden als → Dekorfolien beschrieben.

Prägen, <*embossing* bei erhabenen, *swaging* (am. *swedging*) bei vertieften Prägungen>, eine Form des → Dekorierens von Folien, die bei Produkten aus → Thermoplastischen Kunststoffen meist direkt im Anschluß an den Herstellungsprozeß an der noch warmen Folienbahn durchgeführt wird. Durch Prägewalzen werden besonders hoher → Glanz oder genarbte Oberflächen erzeugt, die der Dekoration oder einer verbesserten technischen Verarbeitung oder Anwendung dienen. Größere Bedeutung als bei Kunststoff-Folien hat das Prägen für *Aluminiumfolien* und Aluminiumbänder. Als Prägewalzen dienen gravierte Stahlwalzen, als Gegendruckwalzen bei Folien Hartpapier-, bei Bändern Stahlwalzen. Neben Schrift und Zeichnungen werden sehr häufig neutrale Musterungen, wie Leinen, Ledernarbung, Hammerschlag oder Damast eingeprägt. Texte werden häufig auf Damastgrund geprägt. Sie erscheinen dann als glatte Oberflächen. Das Prägen dient häufig auch zur Verbesserung der → Maschinengängigkeit, weil dadurch die Aluminiumfolie geschmeidiger wird. Bei sehr dünnen Folien kann auch eine unerwünschte Versprödung oder eine Perforation eintreten. Die Auswahl der Prägung muß deshalb mit Vorsicht erfolgen.

Prepreg, <*pregpreg*>, → Harzmatte.

Preserve, <*preserve*>, → Standfeste, sterilisierbare Packung.

Preßverfahren, <*molding process*>, → Trennfolie.

Primer, <*primer*>, → Haftvermittler.

1,2-Propylenglykol, *propandiol-1,2, Propylenglykol* <*Propyleneglycol*>, $CH_2(OH)\text{-}CH(OH)\text{-}CH_3$, eine farb- und geruchlose hygroskopische Flüssigkeit von süßlichem Geschmack. Wird als Weichmacher und Feuchthaltemittel bei der → Cellophanherstellung eingesetzt. Herstellung aus Propylenoxyd und Wasser.

Primärfilm, <*primary film*>, → Dickfilm.

Proteinhaut, <*protein skin*>, → Schäldarm

Prozeßleittechnik, *<process control>*, die Kontrolle aller für den Ablauf eines technischen Verfahrens relevanten Prozeßparameter, ihre Steuerung, Regelung, Aufzeichnung und gegenseitige Verknüpfung. Die Prozeßleittechnik hat sich in den letzten Jahren auch für die Verfahren zur → Folienherstellung sehr stark entwickelt. Sie wäre ohne den Einsatz von Rechnern nicht durchführbar. Diese ermöglichen auch eine Programmierung der Prozesse. Die Tabelle auf S. 370 zeigt am Beispiel der → Blasfolienextrusion die zur stufenweisen *Automatisierung* möglichen Schritte. Bei Stufe 8 ist die Prozeßleittechnik voll ausgebildet. Die Automatisierung einzelner Verfahrensschritte oder Anlagenteile hat die Vervollkommnung der Prozeßleittechnik ermöglicht. Beispiele sind die noch relativ neuen Entwicklungen von → Automatikdüsen oder die → Kalibrierung von Folienschläuchen.

Prüffolie, *<test film>*, → PVC-Stabilisator.

Prüflebensmittel, *Test-Lebensmittel*, *<test foods>*. Stoffe, mit denen die → Migration von Folieninhaltsstoffen in das Füllgut simuliert werden kann. Man unterscheidet

1. Simulation von wäßrigen, nicht fettenden Lebensmitteln. Hier gibt es keine besonderen Probleme. Die vorgeschlagenen Prüflebensmittel sind international anerkannt. Für Lebensmittel mit pH-Werten größer als 5 wird destilliertes Wasser, für solche mit pH-Werten kleiner als 5 3%ige wäßrige Essigsäure und für Alkohol enthaltende Produkte 8, 15 und 50-Vol%iger wäßriger Ethylalkohol verwendet.

2. Simulation für Fett- oder Öl enthaltende Lebensmittel. Hier werden in der Literatur auch heute noch weit auseinander gehende Ansichten vertreten. Einfache organische Flüssigkeiten, wie Ethylalkohol, n-Heptan oder Paraffinöl weichen in ihrer Struktur so stark von den Triglyceriden der Lebensmittelfette ab, daß sie als Prüflebensmittel nicht geeignet sind. Pflanzliche Fette sind zwar strukturell den Lebensmitteln ähnlich, führen jedoch wegen ihrer natürlichen Begleitstoffe zu Problemen. Anfang der 70er Jahre wurde deshalb ein synthetisches Gemisch, Prüffett HB 307 entwickelt. Gegenüber Naturprodukten hat dieses Synthesefett einige Vorteile. Seine chemische Zusammensetzung bleibt stets konstant, es enthält keine störenden Verunreinigungen und es besitzt weit besssere optische Durchlässigkeit. Wegen der ausschließlichen Verwendung gesättigter Fettsäuren ist das Produkt beständig und gut lagerfähig. Als Prüflebensmittel für fetthaltige Produkte werden weiterhin natürliche Öle, wie Olivenöl oder Sonnenblumenöl, sowie höhere aliphatische Kohlenwasserstoffe verwendet.
Als Prüflebensmittel für feste, rieselfähige, fette Nahrungsmittel wurde mit Prüffett präpariertes Kieselgur vorgeschlagen.

Prüfwalzwerk, *Walzenmischer*, *Mischwalze*, *Walzenmühle*, *<roll mill, roller mill, rolling mill, plastics mill>*, eine Vorrichtung aus zwei Walzen, die heizbar und kühlbar sind, und deren Ab-

Prozeßleittechnik.

Funktionen	Varianten 1	2	3	4	5	6	7	8
Temperaturregelung von Schnecke und Blaskopf	•				•		•	•
Motorische Verstellung Abzugsgeschwindigkeit, Schneckendrehzahl etc.	•				•		•	•
Dickenprofilmessung und Darstellung auf Monitor			•	•	•		•	•
Regelung des Laufmetergewichts durch die Schneckendrehzahl			•	•	•		•	•
Regelung des Laufmetergewichts durch die Abzugsgeschwindigkeit		•						
Regelung der Folienbreite durch den Kalibrierkorb				•	•		•	•
Messung des Granulatdurchsatzes		•	•	•	•		•	•
Störmeldesystem mit Abschaltung						•		
Externe Arbeitsvorbereitung							•	•
Vollautomatische Produktionsregelung							•	•
Reproduzierbarkeit von Wiederholaufträgen							•	•
Voreinstellung des Aufwickelverfahrens								•
Voreinstellung des Bahnzugs								•
Voreinstellung der Laufmeter pro Rolle								•
Voreinstellung der Rollenanzahl pro Auftrag inkl. Rollenwechsel								•
Steuerung des Nutzenschnittes								•
Wiegen der Rollen mit Ausgabe des Rollenzettels								•
Nonstop-Rollenwechsel mit Wickelwellenmagazin								•

Windmöller u. Hölscher, Lengerich, Firmenschrift

stand, Drehgeschwindigkeit und Friktion verändert werden können. Das Gerät ist recht einfach, die Aussagen, die es ermöglicht, sind sehr subjektiv, die Reproduzierbarkeit ist problematisch. Trotzdem ist das Prüfwalzwerk auch heute noch zur Herstellung von Prüfkörpern und Prüffolien aus PVC-Mischungen unentbehrlich. Aber auch → Plastifizierung und → Thermostabilität von PVC-Formulierungen lassen sich mit dem Prüfwalzwerk mit ausreichender Genauigkeit abschätzen. Dazu wird die pulverförmige Ausgangsmischung unter konstanten Bedingungen so lange gewalzt, bis ein einheitliches Fell entstanden ist (Plastifizierungszeit). Durch weitere Beanspruchung des Materials kann man aus der zunehmenden Verfärbung die Stabilität der Mischung erkennen.

PS-Folie, → Polystyrolfolie.

PSU, → Polysulfon

PTEE, → Poly-(tetrafluorethylen)-Folie

Pudern, <*powder*>, → Antiblockmittel

PUR-Folie, → Polyurethanfolie.

Putzwalze, <*drum cleaning roll, drum cleaner*>, gummierte Walze, die bei der → Flachfolienextrusion die Folienbahn gegen die → Kühlwalze drückt. Geringe Mengen von flüchtigen Bestandteilen, die aus der Schmelze auf die Kühlwalze gelangt sind, werden so von der Folie mitgenommen. Die Bildung eines Belags auf der Kühlwalze wird dadurch vermieden.

PVC-Formmasse, <*moulding compound*>, → Weich-PVC.

PVC-Stabilisator, <*PVC-Stabilizer*>, ein Additiv, das die bei der thermoplastischen Verarbeitung von Polyvinylchlorid (PVC) leicht eintretende Abspaltung von Chlorwasserstoff und die damit verbundene Schädigung des Polymeren verhindert.
Für die Herstellung von → Hart-PVC-Folien durch → Kalandrieren oder durch → Extrusion werden vor allem schwefelhaltige Butyl- und Octyl-Zinnverbindungen, Barium/Cadmium- und Calcium/Zink-Systeme, für → Weich-PVC-Folien daneben auch schwefelfreie Butylzinkverbindungen empfohlen. Häufig werden metallfreie Costabilisatoren, wie organische Phosphite, Epoxyde oder Polyole zugesetzt. Die gleichzeitige Verwendung von → Antioxydantien kann die Wirkung der PVC-Stabilisatoren verbessern.
Zur Prüfung der *Thermostabilität von PVC* werden in einem Mischwalzwerk Prüffolien hergestellt, bei denen die Richtrezeptur konstant gehalten wird und nur die eingesetzten Stabilisatoren in Art und Konzentration verändert werden. Die Prüffolien werden dann in Form von Abschnitten bei konstanter Temperatur, z.B. bei 180 °C getempert. In regelmäßigen Abständen, z.B. alle 15 min. wird die Farbveränderung der Folien beurteilt. Dies kann subjektiv oder mit Hilfe eines Spektralphotometers ge-

schehen. Dieser seit langem bekannte statische Wärmetest ist durch eine Reihe von Varianten ergänzt worden. So wurden spezielle Öfen entwickelt, bei denen die Prüffolien nach erfolgter Hitzebelastung kontinuierlich ausgetragen werden und eine mit der zeitlichen Belastung ansteigende Verfärbung zeigen.
Bei den dynamischen Hitzetests wird die thermische Belastung durch die Beanspruchung des Materials durch Scherkräfte ergänzt. Dazu wird die zu prüfende PVC-Mischung auf einem Mischwalzwerk einer Dauerbelastung ausgesetzt. In regelmäßigen Zeitabständen werden Proben genommen und beurteilt. Der Test kann auch durch mehrmals wiederholte Extrusion des Materials und Beurteilung nach jedem einzelnen Verarbeitungsvorgang erfolgen.
Die Bestimmung der Chlorwasserstoff-Abspaltung dient mehr wissenschaftlichen als praktischen Zwecken, da kein eindeutiger Zusammenhang zwischen HCl-Abspaltung und Farbveränderung besteht.
Die Beeinflussung des Verarbeitungs-Verhaltens von PVC durch Stabilisatoren wird im Laboratorium durch Beobachtung der → Rheologie der PVC-Schmelze bei der Verarbeitungstemperatur beurteilt. Als Meßgeräte werden Drehmoment-Rheometer oder Meßextruder eingesetzt.

PVC-Verarbeitungshilfsmittel, *<PVC-processing-agent>*, ein Additiv zur Verarbeitung von → PVC. Typische Hilfsmittel sind → Weichmacher, → PVC-Stabilisatoren oder → Gleitmittel. Als spezielle Verarbeitungs-Hilfsmittel wurden zunächst in den USA hochpolymere, thermoplastische Stoffe auf Basis Methylmethacrylat entwickelt. Diese verkürzen die → Plastifizierung und verbessern die mechanischen Eigenschaften.
Für die Herstellung von Folien ist die Verbesserung beim Oberflächenglanz und in der Gleichmäßigkeit der Oberfläche besonders wichtig. Dies gilt für die Verarbeitung durch → Extrusion oder durch → Kalandrieren. Lit.

PVDC, → Polyvinylidenchlorid.

PVDC-Folie, *Polyvinylidenchlorid-Folie*, *<PVDC film>*, Folie auf der Basis von → Polyvinylidenchlorid, exakt von Copolymeren des Vinylidenchlorids. In den meisten Fällen werden → Verbundfolien mit Polyolefinen, verwendet.
Die Verarbeitung von PVDC kann nach den üblichen Verfahren der → Extrusion und → Coextrusion erfolgen. Wenn nur PVDC eingesetzt wird, muß die Masse vor der Formgebung auf Temperaturen unterhalb des Schmelzbereichs abgekühlt werden, da mit geschmolzenem PVDC kein stabiler Massestrom aufzubauen ist. Dies gilt nicht bei der Verarbeitung zu Mehrschichtfolien, wo die mitverwendeten Thermoplaste die Stabilität des Schmelzestroms gewährleisten. Die Temperatur während der Extrusion sollte 200 °C nicht übersteigen, um Zersetzung unter Abspaltung von Chlorwasserstoff zu vermeiden. Trotz dieser Vorsichtsmaßnahme müssen die ther-

misch beanspruchten Anlagenteile aus korrosionsfesten Legierungen bestehen. Schwermetall-Spuren katalysieren die Zersetzung.

PVDC-Solofolien werden als Haushaltsfolien, in Form von Beuteln für die Verpackung besonders empfindlicher Lebensmittel und zur Auskleidung von Fässern verwendet. Ihre herausragende Eigenschaft ist die sehr geringe → Durchlässigkeit für Gase. Die Werte liegen für Sauerstoff und Kohlendioxid bei 23 °C ca. 0,2 bzw. 0,04 $m^3 \cdot \mu m/m^2 \cdot d \cdot kPa$, für Wasserdampf bei 23 °C bzw. 38 °C bei ca. 0,01 bis 0,03 bzw. 0,05 bis 0,15 $g \cdot \mu m/m^2$.

Verbundfolien aus PVDC mit Polyethylen oder Polypropylen werden als → Sperrschichtfolien zur Verpackung von Fleischwaren, Käse und anderen empfindlichen Lebensmitteln eingesetzt. In der Regel werden sie als → Schrumpf-Folien hergestellt und enthalten 80 bis 90% Polyolefin und 10 bis 20% PVDC als innere Schicht.

Folien aus PVDC stehen im Wettbewerb mit Produkten auf Basis → Polyvinylalkohol (EVOH), die ebenfalls sehr gute Sperrschicht-Eigenschaften haben.

PVDC-Darm, *<PVDC-sausage-casing>*, → PVDC-Wursthülle.

PVDC-Dispersion, *<PVDC dispersion>*, → Polyvinylidenchlorid.

PVDC-Lösung, *<PVDC solution>*, → Polyvinylidenchlorid.

PVDC-Wursthülle, *PVDC-Darm*, *<PVDC-sausage-casing>*, die wichtigste → Wursthülle aus Thermoplasten neben den → Polyamid-Wursthüllen. Beide Produktgruppen dürften einen Marktanteil von je etwa 10 bis 15% haben. Rohstoffe für PVDC-Wursthüllen sind → Polyvinylidenchlorid und seine Copolymeren. Die Extrusion erfolgt nach dem Prinzip der → Blasfolienextrusion. Durch → Coextrusion können Mehrschichtprodukte hergestellt werden.

PVC-Wursthüllen zeichnen sich durch eine interessante Kombination von Eigenschaften aus. Sie sind praktisch undurchlässig für Gase und Dämpfe und schützen dadurch den Inhalt vor Wasser- und Aromaverlusten und vor Sauerstoffeinwirkung aus der Atmosphäre. Ihr → Schrumpfverhalten ist ausgezeichnet, so daß sich die Form der Wursthülle ihrem Inhalt bei der Verarbeitung selbsttätig anpaßt. Dies verleiht den Würsten ein pralles, faltenfreies Aussehen auch bei längeren Lagerzeiten.

Die Oberfläche der PVDC-Wursthüllen kann matt oder glänzend sein. Die meist leicht gelbliche Naturfarbe kann durch Einfärbung verändert werden. Häufige Farbeinstellungen sind schwarz, weiß, silber, gold, orange und rot.

PVDC-Wursthüllen werden in → Kalibern von etwa 25 bis 120 mm geliefert. → Konfektionsformen sind Bunde mit etwa 20 m, Rollen bis etwa 500 m, einseitig verschlossene Abschnitte und durch → Raffen hergestellte Produkte.

Die Temperatur-Beständigkeit von PVDC-Wursthüllen beträgt maximal

PVDC-Wursthülle.

Prüfung	Methode	Ergebnis		Einheit
Dichte	DIN 53479	1,66		g/cm^3
Flächengewicht	intern	bis Kal. 55 ab Kal. 60	66,4 83,0	g/m^2
Dicke	DIN 53370	bis Kal. 55 ab Kal. 60	0,040 0,050	mm
Reißfestigkeit	DIN 53455	längs quer	95 115	N/mm^2
Reißdehnung	DIN 53455	längs quer	95 60	%
freie Flächenschrumpfung bei 100 °C	intern	längs quer	26 24	%
Durchlässigkeiten:				
Sauerstoff (23 °C/75% r.F.)	DIN 53380	50		$\frac{cm^3}{m^2 \cdot d \cdot bar}$
Stickstoff (23 °C/75% r.F.)	DIN 53380	9,5		$\frac{cm^3}{m^2 \cdot d \cdot bar}$
Kohlendioxid (23 °C/75% r.F.)	DIN 53380	320		$\frac{cm^3}{m^2 \cdot d \cdot bar}$
Wasserdampf (23 °C/85% r.F.)	DIN 53122	1,9		$\frac{g}{m^2 \cdot d}$

Wolff Walsrode AG, Walsrode, Firmenschrift

105 °C, so daß alle üblichen Garverfahren angewendet werden können.

PVDC-Schläuche dienen nicht nur zur Herstellung von Wurstwaren, sondern auch zur Verpackung von anderen Lebensmitteln wie Käse, Butter oder Fetten, gelegentlich auch von pastösen industrieellen Produkten. Diese Anwendungen sind unter dem Stichwort → Wurst-ähnliche Verpackungen zusammengefaßt.

Einen Überblick über die für PVDC-Wursthüllen üblichen Qualitätsmerkmale gibt die Tabelle.

Pyrolyse, <*pyrolysis*>, die thermische Zersetzung chemischer Verbindungen unter Ausschluß von Sauerstoff. Das Verfahren wurde zur → Entsorgung von Kunststoffabfällen in den letzten Jahren intensiv untersucht. Die → Verbrennung von Folien-Abfällen ist zwar eine einigermaßen akzeptable Lösung, weil immerhin die thermische Energie der Produkte zurückgewonnen wird. Sie führt jedoch zur Vernichtung von wertvollen Rohstoffen und zu großen Abluftmengen.

Die Pyrolyse bewirkt unter Luftabschluß bei 400 - 800 °C eine Depolymerisation der Kunststoff-Moleküle. Es entstehen niedermolekulare organische Verbindungen, die verhältnismäßig leicht aufgearbeitet und dann wieder als chemische Rohstoffe oder als Lösungsmittel eingesetzt werden können. Es wurden verschiedene Pyrolyse-Verfahren entwickelt und im halbtechnischen und technischen Maßstabe durchgeführt. Schwerpunkt der Arbeiten waren allerdings nicht Folien, sondern die in wesentlich größeren Mengen anfallenden Kunststoff-Abfälle sowie gebrauchte Autoreifen. Für die Pyrolyse von Folien gibt es Vorversuche, die jedoch bisher zu keinem wirtschaftlichen Erfolg geführt haben.

Dennoch lassen die bisherigen Erfahrungen mit der Pyrolyse optimistische Erwartungen zu. Die Tabelle gibt eine Übersicht über Pyrolyseverfahren, die größtenteils bereits im halbtechnischen oder technischen Maßstab realisiert wurden.

Auch zum → Reinigen von Werkzeugen hat die Pyrolyse vor anderen Verfahren entscheidende Vorteile.

Eine der Pyrolyse vergleichbare Entwicklung stellt das HTV-Verfahren (Hoch-Temperatur-Verfahren) dar, das besonders zur Entsorgung von sehr uneinheitlichen Kunststoff-Abfällen geeignet sein soll. Der Prozeß wird kontinuierlich bei Temperaturen von etwa 1600 °C durchgeführt und liefert ein sauberes Heizgas und ein chemisch indifferentes Schlackengranulat, dessen Einsatz als Baustoff möglich sein soll. Das Verfahren arbeitet mit einem Unterschuß von Sauerstoff und steht damit zwischen der Verbrennung und der Pyrolyse. Es soll umweltfreundlicher und wirtschaftlicher als diese beiden Verfahren sein. Die hohen Temperaturen garantieren die Zerstörung chlorhaltiger Kohlenwasserstoffe ohne das Auftreten von Dioxinen. Lit.

Pyrolysekurve, *<pyrolyses diagram>*, → Thermogravimetrie.

Pyrolyse.

Kurzbezeichnung	Verfahren	Einsatzmaterialien, Produkte	Entwicklungsstand
DBA-Verfahren (BKMI)	Drehtrommel, indirekt beheizt, 450-500 °C	Hausmüll, Energie	6 t/h-Anlage in Burgau/Günzburg
Ebara	zwei Wirbelschichten, eine oxidierend	organische Materialien, Energie	4 t/h in Yokohama/ Japan
Energas	Drehtrommel, indirekt beheizt, 650-750 °C	organische Materialien, Kohle, Energie	150 kg/h-Anlage in Gladbeck
Hamburger Verfahren	Wirbelschicht, indirekt beheizt, 600-900 °C	Kunststoffe, Gummi, organische Rückstände, Pyrolyseöle	20-60 kg/h in der Universität Hamburg; ABB-Anlage 0,5 t/h in Ebenhausen/Ingolstadt
Krupp Polysius Verfahren	Drehtrommel, indirekt beheizt, 500-550 °C	Hausmüll, Leichtfraktion, Energie	1,8 t/h-Anlage in Planung, Pilotanlage vorhanden
KWU-Verfahren	Drehtrommel, indirekt beheizt, 450-500 °C	Hausmüll, Energie Goldshöhe	3 t/h-Anlage in
Noell, Dr. Otto-Verfahren	Drehtrommel, indirekt beheizt, 650-700 °C	Sonderabfälle, Pyrolyseöle	6 t/h-Anlage in Salzgitter
Occidental Petroleum, Garret-Verfahren	Fließbett, indirekt beheizt, 450-510 °C	Hausmüll, Energie	7,5 t/h-Anlage in San Diego/USA
PKA-Verfahren	Drehtrommel, indirekt beheizt, 550-600 °C	Hausmüll, Energie	1 t/h-Anlage in Aalen-Unterkochen
Tsukishama Kikai	zwei Wirbelschichten, eine oxidierend	Hausmüll, Energie	3 x 6,25 t/h-Anlage in Funabashi/Japan
Veba-Öl	Autoklav, Hydrierung	Kunststoffe, organische Abfälle, Öle	Pilotanlage in Wesseling

W. Kaminsky u. H.J. Sinn, Nachr. aus Chemie u. Technik **38**, 333 (1900)

Q

Qualitätskontrolle, <*quality control, testing*>. Wesentliche Aufgabe der Qualitätskontrolle ist nicht das Auffinden, sondern das Vermeiden von Fehlern bei der → Folienherstellung, → Folienverarbeitung und → Folienanwendung. Die in den letzten Jahren stark forcierte Automatisierung und Steuerung bis hin zur → Prozeßleittechnik hat sehr viel zur Qualitätssicherung beigetragen.
Selbstverständlich beginnt Qualitätskontrolle bereits bei den verwendeten → Rohstoffen und → Additiven.
Zur In-line-Kontrolle während der Produktion wird vor allem die → Dickengleichmäßigkeit gemessen. Andere Geräte kontrollieren das Auftreten von → Löchern in der Folienbahn.
Die Untersuchung fertiger Folien auf die Einhaltung der vorgegebenen Toleranzen der → Folieneigenschaften erfolgt durch zahlreiche, dem jeweiligen Fall entsprechende Prüfmethoden.
Nach der → Folienanwendung muß auch die Qualität der erhaltenen Produkte kontrolliert werden. Beim Einsatz von Folien als Packstoffe ist die → Dichtheit von Packungen besonders wichtig, die durch → Lecksuche bei Packungen getestet werden kann.
Spezielle Methoden der Qualitätskontrolle wurden für Packungen mit kritischem Inhalt entwickelt. Ein Beispiel ist die → Blisterverpackung. Unter dem Stichwort → Medizinische Verpackung findet sich eine Statistik über Qualitätsprobleme.
Qualitätskontrolle ist eine wichtige Voraussetzung zur Erfüllung von Forderungen aus der → Gesetzgebung und zur Verwirklichung der → Good Manufacturing Practises.

Quellschweißen, <*solution welding (engl.), solvent welding (am.)*>, → Lösungsschweißen.

Quellsiegeln, <*solution welding (engl.), solvent welding (am.)*>, → Lösungsschweißen.

Quenchen, *Abschrecken*, <*quenching, shock cooling*>, das sehr schnelle Abkühlen von Thermoplasten, die damit aus der Schmelze in den festen Zustand übergehen.
1. Zum → Granulieren werden → Thermoplastische Kunststoffe in einem → Extruder aufgeschmolzen und durch ein → Formwerkzeug kontinuierlich zu einem oder mehreren Strängen verformt. Diese werden im halbsfesten Zustand meist in einem Wasserbad abgekühlt und danach zu einem Granulat geschnitten.
2. Zur Herstellung von Folien nach dem Verfahren der → Flachfolien- oder → Blasfolien-Extrusion werden die sich verfestigenden Folienbahnen bzw. Folienschläuche abgekühlt. Dies geschieht durch große → Kühlwalzen, durch Luft oder durch Einbringen der Folienbahn in ein Wasserbad. Die schnelle Abkühlung ist von großer Bedeutung für die Qualität des Endprodukts, insbesondere bei der Herstellung von → BOPP und von → Polyesterfolien. Wenn die Abkühlungsgeschwindigkeit zu gering oder die Kühltemperatur zu

hoch ist, werden teilkristalline, spröde Folienbahnen erhalten, die für das anschließende → Reckverfahren ungeeignet sind. Auch andere Eigenschaften von Folien, vor allem die → optischen Eigenschaften, hängen von einer wirksamen Kühlung ab. Dies gilt z.B. für die Herstellung von → Polypropylenfolien nach dem Blasverfahren. Die Abb. 1 zeigt den Einfluß der Kühlwassertemperatur auf die → Trübung von PP-Folien, die Abb. 2 den Einfluß der Foliendicke.

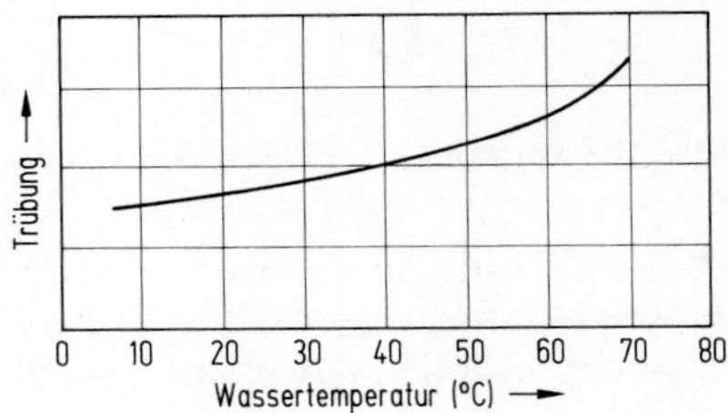

Quenchen. Abb. 1. BASF, Ludwigshafen, Firmenschrift.

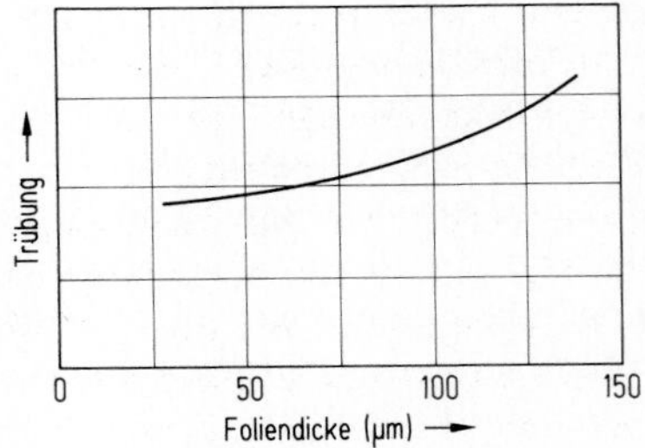

Quenchen. Abb. 2. Quelle wie Abb. 1.

Quencher, → Lichtschutzmittel.

Querrichtung, *<crosswise direction, transverse direction>*, die Richtung im Winkel von 90° zur → Längsrichtung einer Folienbahn.

R

Radikalfänger, → Lichtschutzmittel.

Raffen, *<shirring>*, eine → Konfektionierungsform für → Wursthüllen, bei der schlauchförmiger Kunstdarm in eine zusammengeschobene Form gebracht wird. Die so erhaltene *Raffraupe* ermöglicht die teilkontinuierliche Befüllung der Wursthülle mit Brät über eine größere Länge. Die Abmessungen der Raffraupen variieren sehr stark, jedoch haben sich bestimmte Standardgrößen herausgebildet. So werden Schäldärme mit Raupenlängen um 20 m, → Wursthüllen aus Thermoplasten mit kleinem → Kaliber in Längen bis zu 50 m hergestellt. Wursthüllen mit mittleren und größeren Kalibern werden zu 10 m- und 20 m-Raupen gerafft. Die Länge der fertigen Raffraupen liegt zwischen 30 und 80 cm.
Als Maß für das Raffen gilt das erhaltene Kompressionsverhältnis. Es wird als Faktor aus der Länge des nicht gerafften zu der Länge des gerafften Darmes angegeben. Es werden Kompressionsverhältnisse zwischen 1:40 bis zu 1:70 erzielt.
Das Raffen erfolgt in einem breiten Kaliberbereich, der bei Schäldarm bei Kaliber 14 liegt und bei synthetischen Wursthüllen bis zum Kaliber 105 reicht. Wursthüllen mit größerem Kaliber werden bevorzugt abgebunden und nicht gerafft.
Zur Durchführung des Raffens wurden Spezialmaschinen entwickelt. Die Wursthülle wird von der Rolle abgezogen, mit Luft gefüllt und auf ein Rohr gezogen. Der Außendurchmesser dieses Rohres bestimmt den Innendurchmesser der Raffraupe. Raffwerkzeuge legen den Darm in Falten und transportieren ihn auf dem Raffrohr weiter. Diese Werkzeuge können Räder oder umlaufende Bänder sein. Der Raffvorgang stellt für die Wursthüllen eine sehr hohe Belastung dar.
Die erhaltenen Raffraupen haben sehr unterschiedliche Stabilität. → Cellulosedärme können feucht gerafft werden. Wenn den Raffraupen danach die Feuchtigkeit teilweise entzogen wird, erhält man standfeste, formstabile Produkte. Bei der Raffung von → Wursthüllen aus Thermoplasten ist die Herstellung solcher selbsttragender Raupen nicht möglich. Hier werden die Wursthüllen auf Hülsen gerafft und damit stabilisiert. Auch Kunststoffnetze und Folienschläuche können zur Fixierung dieser Raffraupen dienen.

Raffraupe, *<strand>*, → Raffen.

Rakel, *Rakelmesser*, *<doctor (e), knife (am), blade, doctor blade, doctor knife>*, Abstreif- und Andrück-Einrichtung, mit der z.B. die Dicke der → Beschichtung einer Folienbahn kontrolliert wird. Überschüssiges Beschichtungsmaterial wird abgestreift. Die Wirkung einer Rakel hängt von ihrer Form und Anordnung, von der Spannung der Folienbahn, vom Anstellwinkel und vom Beschichtungsmaterial ab. Rakeln können direkt an einer → Walze oder zwischen zwei Walzen an der Folienbahn wirken. Im letzteren Fall spricht man von einer Luftrakel. Dieser Ausdruck wird zuweilen auch auf Rakeln angewendet, die nicht durch feste Maschinenteile sondern durch einen Luftstrom wirken (→ Luftbürste).

Rakelmesser, <*doctor knife*>, → Rakel.

Ram-Extrusion, <*ram extrusion*>, → Sinterverfahren.

Randbeschnitt, <*edge trimm*>, → Rückführung.

Random-Copolymer, <*random copolymer*>, → Polymerisation.

Randstreifen, <*edge trimm*>, → Rückführung.

Rapportgenauigkeit, <*repeat accuracy*>, der Rapport ist der Abstand der Druckbilder auf einer Papier- oder Folienbahn in Längsrichtung. Die exakte Einhaltung dieses Abstands beim → Bedrucken bezeichnet man als Rapportgenauigkeit (Abb.). Man teilt die Folien in verschiedene *Rapportklassen* ein. Bei der Rapportklasse I darf das vorgegebene Toleranzfeld seine Lage nicht ändern, bei der Rapportklasse II ist eine Verschiebung in bestimmtem Ausmaß erlaubt. Um gute Rapportgenauigkeit zu erreichen, dürfen sich die Eigenschaften der Folie beim Bedrucken möglichst nicht verändern. Vor allem muß ihre → Dimensionsstabilität sehr gut sein. Diese Forderung ist in der Praxis stets nur eingeschränkt zu verwirklichen.
Der Erfolg des → BOPP gegen → Cellophan ist auch darauf zurückzuführen, daß Zellglas in der Wärme stets um einige %Punkte schrumpft. Bei allen Kunststoff-Folien ist die Rapportgenauigkeit stark davon abhängig, daß alle durch den Herstellungsprozeß bedingten Veränderungen in der Morphologie der Folie abgeschlossen sind, so daß kein → Memory-Effekt auftreten kann.

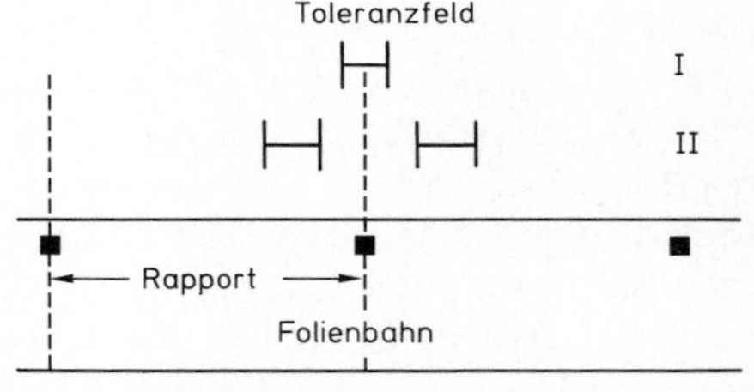

Rapportgenauigkeit.

Rapportklasse, → Rapportgenauigkeit.

Rauheit, *Rauhigkeit*, <*surface roughness*>, die Abweichung von der regelmäßigen, glatten Struktur einer Oberfläche. Für die meisten Prozesse der Folientechnologie wird die → Reibungszahl als Verarbeitungskriterium angegeben, während die Rauheit nicht zur Qualitäts-Beurteilung der → Folienbahn gehört. Wichtigste Ausnahmen sind → Magnetbandfolien und → Photofolien, bei denen die Rauheitsmeßgrößen der Trägerfolie eine sehr bedeutende Rolle für die Qualität des Endprodukts spielen. Bei den meisten Geräten zur Rauheitsmessung ein Meßtaster mit konstanter Geschwindigkeit über die Oberfläche geführt. Moderne Geräte erfassen das Profil P mit sehr großer Genauigkeit. Es wird zunächst ungefiltert aufgezeichnet. Nach Filterung mit einem Wellenfilter wird das *Rauheitsprofil* R, mit Hilfe eines Rauheitsfilters das *Welligkeitsprofil* W erhalten:

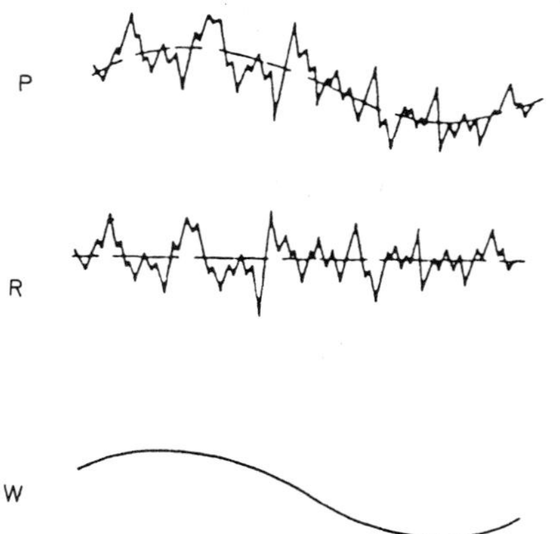

Rauheit. Agfa-Gevaert AG, München.

Bei der Herstellung von Magnetfolien wird der Begriff Mittenrauwert R_a häufig verwendet. Es ist der arithmetische Mittelwert aller Abstände des Rauheitsprofils R von dessen Mittellinie. Weitere Definitionen sind in DIN 4768 enthalten.

Zur Ermittlung der Rauheit stehen auch Geräte zur Verfügung, mit denen dreidimensionale Diagramme geschrieben werden können. Auch die Anwendung elektronisch-optischer Verfahren ermöglicht einen kritischen Vergleich von Folienoberflächen.

Rauheitsprofil, <*surface roughness*>, → Rauheit.

Rauhigkeit, <*surface roughness*>, → Rauheit.

Reaktionsklebstoffe, <*reaction adhesives*>, → Kaschierklebstoffe.

Reckmodul, <*modulus of stretch*>, → Dehnfähigkeit.

Reckrahmen, *Reckwerk*, <*draw stand am.; godet unit e.*>, eine Technikumseinrichtung zur Prüfung des Verhaltens von Folien bei der → Orientierung. Untersuchungen am Reckrahmen geben wertvolle Hinweise auf die Folienherstellung mit Hilfe von → Reckverfahren.

Reckverfahren, *Verstreckung, Tenterprozeß, selten Stenterprozeß*, <*orientation, stretching process*>, ein Verfahren zur Vergütung, d.h., Verbesserung der Eigenschaften von Folien aus Thermoplasten, seltener bei der Herstellung von Aluminiumbändern. Der Reckprozeß wird in der Regel direkt nach der → Extrusion durchgeführt. Er bewirkt eine → Orientierung der Polymerketten in Reckrichtung, was schematisch wie folgt dargestellt werden kann (Abb. 1).

Die durch das Recken geordneten Polymerketten müssen zur Erhaltung dieses

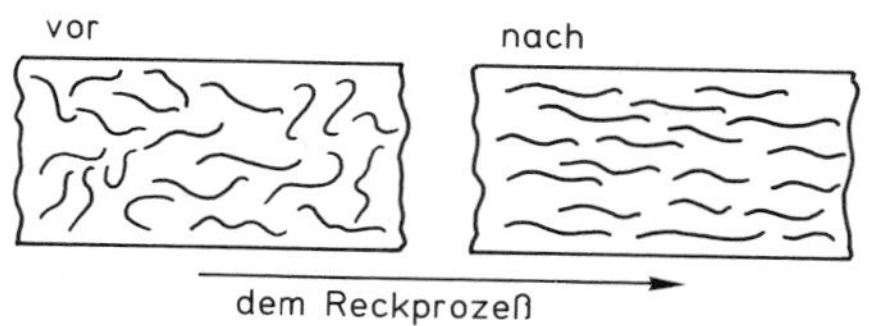

Reckverfahren. Abb. 1.

Zustandes thermofixiert, das heißt mit Wärme behandelt werden. Die Reckung kann in → Längsrichtung der → Folienbahn oder in Querrichtung erfolgen. Die Dicke der Folie nimmt dabei parallel zum *Reckverhältnis* ab. Wird z.B. eine Folie von 1 mm Dicke im Verhältnis 1:40 gereckt, dann hat das Endprodukt eine Dicke von 1/40, d.h. von 25 μm. Die Reckverhältnisse in Längs- und Querrichtung sind zu multiplizieren, um das Gesamt-Reckverhältnis zu erhalten. Bei einer Längsreckung von 1:5 und einer Querreckung von 1:10 beträgt das Reckverhältnis für diese Folie 1:50.

Im allgemeinen werden die Reckverhältnisse so gewählt, daß in Längs- und Querrichtung im gleichen Verhältnis gereckt wird, so daß auch die mechanischen Eigenschaften in beiden Richtungen in etwa gleichmäßig eingestellt sind. Bei der Herstellung von → Magnetband-Folien führt man bewußt Längs- und Querreckung in unterschiedlichem Maße durch. Auch zur Herstellung von → Schrumpfbändern werden unterschiedliche Reckverhältnisse angewendet.

Einen schematischen Überblick über Grenzen der Reckverhältnisse bei technisch durchgeführten Verfahren gibt für einige wichtige Kunststoffe die Abb. 2.

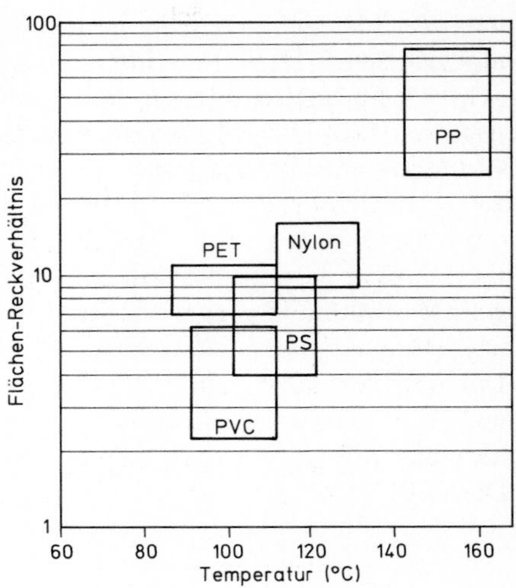

Reckverfahren. Abb. 2. Packaging Japan, Jul. 88, 65.

Simultanreckung tritt verfahrensbedingt bei der → Blasfolienextrusion ein. Das Reckverhältnis ergibt sich aus dem Verhältnis des Düsendurchmessers zum Durchmesser der Blase. Es liegt bei der Herstellung von → Polyethylenfolien zwischen 1:2 und 1:3. Blasverfahren werden auch zur Herstellung von gereckten → Polyamidfolien angewendet. Zur Herstellung von biaxial gereckten Polypropylenfolien (→ BOPP) wurde der sog. Double-Bubble-Prozeß entwickelt. Die nach dem Blasverfahren erzeugte Folie wird nach der Flachlegung erneut mit Luft zu einer zweiten, größeren Blase aufgeweitet (Abb. 3).

Bei der → Flachfolienextrusion wird der Reckvorgang meist als *Stufenreckung*, in der Regel zunächst in Längs- und anschließend in Querrichtung durchgeführt. Simultan-Reckung ist möglich, wird jedoch wegen der technischen Begrenzung von Reckverhältnis und Bahnbreite großtechnisch nicht angewendet.

Beim Stufen-Reckverfahren (Abb. 4, Seitenansicht und Aufsicht) gelangt das thermoplastische Ausgangsmaterial vom Vorratsbehälter a über den Extruder b durch die Schlitzdüse auf eine größere Kühlwalze c. Die Längsreckung erfolgt in mehreren Spalten zwischen temperierten Walzenpaaren mit positiven Geschwindigkeits-Gradienten (d). Die Walzenoberflächen bestehen aus hochpoliertem verchromten Stahl oder aus Keramik. Die Temperaturen müssen dem jeweiligen Material angepaßt sein und liegen zwischen 80 °C und 160 °C.

Das Reckverhältnis kann zwischen 1:3 und 1:10 variieren. Nach einer Vorheizzone erfolgt die Querreckung (f). Die Folie wird dazu von umlaufenden, an einer Kette angeordneten Greifelementen (Kluppen) erfaßt und durch den Querrecktunnel geführt. Die Temperaturen liegen um 100 °C, die Querreckverhältnisse liegen ebenfalls zwischen 1:3 und 1:10. Das Gesamt-Reckverhältnis überschreitet jedoch in der Praxis kaum den Wert von etwa 1:50. Die Folie durchläuft dann die Thermofixierung g, wo die Orientierung der Polymerketten durch Kristallisation festgelegt wird und dann eine Abkühlzone h. Es folgen Dickenmessung i und Aufwicklung j. Die Abb. 5 zeigt ein für den Stufen-Reckprozeß typisches Temperaturprofil. Nach dem Stufen-Reckverfahren werden → BOPP und → Polyesterfolien in großem Maßstabe hergestellt. In neuerer Zeit sind Polystyrol-Folien (→ OPS-Folie) hinzugekommen. Moderne Reckanlagen arbeiten mit Bahnbreiten bis zu 8 m, mit Durchsätzen von bis zu 3 t/h und mit Geschwindigkeiten um 300 m/min. → orientierte PA-Folien sind vor allem für die Herstellung von → Verbundfolien von Bedeutung. Auch Folien, die nach → Gießverfahren gewonnen werden, z.B.

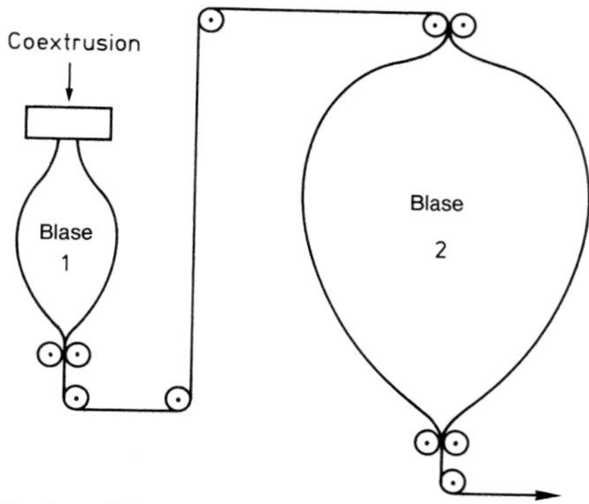

Reckverfahren. Abb. 3.

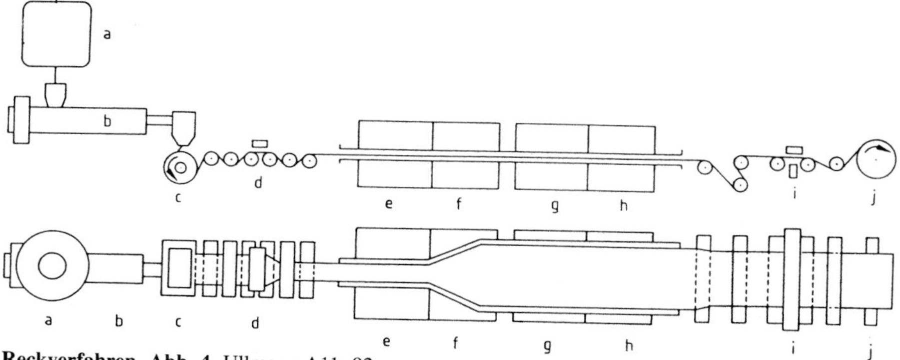

Reckverfahren. Abb. 4. Ullmann A11, 92.

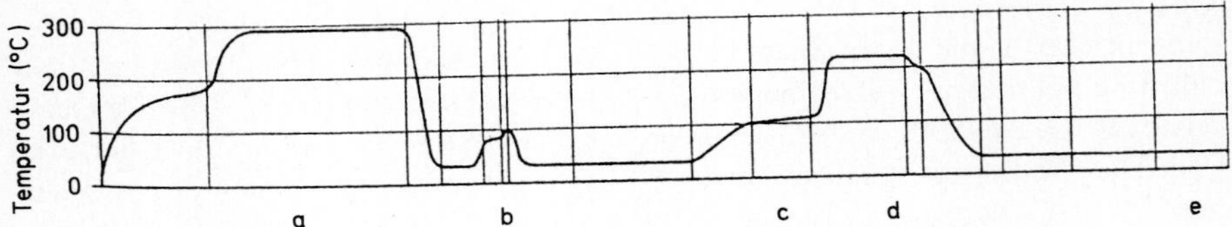

Reckverfahren. Abb. 5. a Extruder, b Längsreckteil, c Querreckteil, d Thermofixierung, e Aufwicklung.

→ Polycarbonatfolien können durch Reckprozesse vergütet werden.
Reckprozesse in Längsrichtung (Maschinenrichtung) finden verfahrensbedingt infolge der bei vielen Prozessen zur Folienherstellung und -Verarbeitung auftretenden Zugspannungen statt. Hier gilt es, die Reckung konstant zu halten, um auch über längere Zeit eine gleichmäßige Produktion zu sichern. In manchen Verfahren gelingt es, die Reckung für eine Verbesserung der Folienqualität zu nutzen.

Reckverhältnis, *<draw ratio>*, → Reckverfahren.

Recycling, *<recycling>*, → Rückführung.

Regranulierung, *<regranulation>*, → Rückführung.

Reibungsindex, *<frictional index>*, → Reibungszahl.

Reibungswert, *<frictional index>*, → Reibungszahl.

Reifegrad, *<maturing level>*, → Cellophan.

Reibungszahl, *Reibungsindex, Reibungswert, <frictional index, friction coefficient>*, das Verhältnis der Reibungskraft zur Belastung. Prüfnorm: DIN 53375, ASTM D 1894.
Eine Größe, mit der die Gleitfähigkeit beschrieben wird. Gleitfähigkeit ist nach ISO die Leichtigkeit, mit der zwei in Kontakt befindliche Oberflächen gegeneinander gleiten.
Man unterscheidet die Reibungszahl Folie gegen Folie und Folie gegen Metall. Bei unsymmetrisch aufgebauten Folien haben die beiden verschiedenen Seiten in den meisten Fällen auch unterschiedliche Reibungszahlen. Es werden dann zwei Werte - Reibungszahl Folie gegen Folie A/A und A/B und Folie gegen Metall A und B angegeben.
Das Reibungsverhalten hat sehr große Bedeutung für die Handhabung von Folien. Es bestimmt die → Maschinengängigkeit, die bei schnell laufenden Verpackungsmaschinen ein entscheidendes Qualitätsmerkmal ist. Die Tabelle zeigt die Reibungszahlen von Folien, die für die besonders anspruchsvolle → Zigarettenverpackung bestimmt sind.
Eine → Oberflächenbehandlung der Folie vergrößert die Reibungszahl. Beim

Reibungszahl.

Folientyp		BOPP		Cellophan Nitrolack	Cellophan PVDC-beschichtet	
Dicke μm		21	25	22	22	24
Reibungszahl	Folie/Folie	0,35	0,35	0,25	0,25	0,25
	Folie/Metall	0,20	0,20	0,20	0,20	0,20

Quelle: Wolff Walsrode AG, Walsrode

→ Cellophan werden die Reibungszahlen durch eine Lackierung von Werten Folie gegen Folie 1,0 und Folie gegen Metall 0,4 auf 0,25 bzw. 0,20 erniedrigt.
Die Reibungszahl kann durch Zusatz von → Gleitmitteln verkleinert und durch → Antiblockmittel erhöht werden. Die richtige Einstellung von Reibung und Gleitfähigkeit ist in vielen Fällen ein Kompromiß zwischen unterschiedlichen Anforderungen an die Folie. Dies gilt besonders für technisch besonders anspruchsvolle Verpackungssysteme und für hoch empfindliche Folien, wie → Magnetbandfolien. Hier wird neben der Reibungszahl auch die → Rauheit der Folienoberfläche beachtet. Auch beim → Wickeln und Schneiden bestimmt das Reibungsverhalten entscheidend den Verfahrensablauf.

Reinigen von Werkzeugen, *Werkzeug-Reinigung*, *<mould and die cleaning>*, ist in der Kunststoff-Verarbeitung zur Sicherung der Produktqualität in regelmäßigen Abständen erforderlich. Gerade die Herstellung von dünnen Folien verlangt hier besondere Sorgfalt, da auch kleinste Schmutzpartikel zu erheblichen Störungen in der Fertigung führen.
Neben den wohl überall gebräuchlichen Reinigungsmethoden für → Formwerkzeuge von Hand durch Abschmelzen in der Wärme oder durch mechanisches Entfernen stehen einige gezielt arbeitende Reinigungsverfahren zur Verfügung.
1. *Aluminiumoxid-Wirbelbett.* Ein Ausbrennofen ist mit feinteiligem Aluminiumoxid beschickt. Von unten durch eine Diffusionsplatte eingeblasene heiße Luft hält das Aluminiumoxid bei Temperaturen von etwa 500 °C ständig in heftiger Bewegung. Der anhaftende Kunststoff wird verbrannt. Verglichen mit dem einfachen Ausbrennofen ergibt sich ein zusätzlicher Schmirgeleffekt, wodurch auch Verbrennungsrückstände von der Werkzeugoberfläche entfernt werden. Das Verfahren ist zur Reinigung von Bohrungen oder Spalten nicht gut geeignet. Die Schmirgelwirkung kann zur Beschädigung von Werkzeugkanten führen. Nachteilig sind weiterhin erhebliche Abgasprobleme, die allerdings durch eine Nachverbrennung mit entsprechenden Filtern gelöst werden können. Pro kg Kunststoff wird etwa 1 kg Aluminiumoxid verbraucht. Der Ersatz des Aluminiumoxids durch bil-

ligeren gereinigten Quarzsand scheint möglich.

2. *Salzschmelzen*. Es werden stark oxidierende anorganische Salze, vor allem Natriumnitrit verwendet. Durch gezielte Abmischung mit anderen Salzen wurde die Wirksamkeit der Schmelzen durch höhere Temperaturen verbessert. Die Reinigungszeiten wurden wesentlich verkürzt. Während sie bei Natriumnitrit noch bei mehreren Stunden liegen, erreicht man mit den als *Kolene* bezeichneten Mischungen Reinigungszeiten zwischen 30 und 60 Minuten. Das Verfahren ist für die Werkzeuge schonend. Die Salzschmelzen können auch in Hohlräume und feine Spalten leicht eindringen. Die Handhabung der heißen, oxidierenden Schmelzen muß mit großer Vorsicht geschehen. Durch die Oxydation der Kunststoffreste entstehen auch bei diesem Verfahren Abgasprobleme. Der Salzverbrauch liegt bei ca. 2 kg Salz pro kg Kunststoff.

3. *Lösungsmittelbäder*. Diese müssen auf die Art des zu entfernenden Kunststoffs eingestellt sein. So sind beispielsweise Polyethylenterephthalat und Polyamid in Ethylenglykol und Diethylenglykol, Polyethylen und Polypropylen in heißem Dekalin löslich. Das Verfahren setzt eine Rückgewinnung der Lösungsmittel voraus. Es wird vor allem bei der Produktion von Polyesterfasen angewendet. Bei der Reinigung mit Triethylenglykol (TEG) werden die zu reinigenden Teile in Körben in einen Kessel eingehängt. Das dort bei Normaldruck bei 285 °C siedende TEG wird in einem Kondensator abgekühlt und fließt in den Kessel zurück. Es werden auch geringfügige Kunststoffreste im Inneren von Hohlkörpern sauber entfernt, allerdings werden Erhitzungszeiten von mehreren Stunden benötigt. Sehr dünne Folien unte 10 μm Dicke, wie sie z.B. für die Herstellung von → Magnetbandfolien oder → Photofolien benötigt werden, brauchen zu ihrer Herstellung extrem gereinigte Werkzeuge und Maschinenteile. Hier ist eine erfolgreiche Anwendung des *TEG-Verfahrens* nur möglich, wenn in mehreren, hintereinander geschalteten Reinigungsstufen gearbeitet wird. Die Aufarbeitung der Lösungsmittel ist aufwendig. Einsparungen von Lösungsmitteln werden dadurch erzielt, daß der anhaftende Kunststoff von den Werkzeugen vorher möglichst weitgehend abgeschmolzen wird. Dies kann bei Polyethylenterephthalat auch durch hydrolytischen Abbau geschehen. Die Hydrolyse wird bei Temperaturen zwischen 350 und 400 °C mit Wasserdampf unter Druck durchgeführt.

4. *Vakuumpyrolyse*. Die zu reinigenden Werkzeuge werden in einen Ofen eingebracht, der auf 50 bis 100 mbar evakuiert und um etwa 50 ° über die Schmelztemperatur des Kunststoffs erhitzt wird. Etwa 90% des Kunststoffs schmelzen ab und werden in einer Wanne aufgefangen. Danach wird die Temperatur auf 400 bis 500 °C erhöht, wobei die Pyrolyse einsetzt. Durch Zusatz von Luft werden am Prozeßende restliche Polymerrückstände verbrannt. Die Dauer der Reinigung liegt bei 4 bis 5 Stunden. Auch Werkstücke mit Spalten und kleineren Bohrungen können gut gereinigt werden. Es sind Öfen

aus hitzebeständigem Kohlenstoff-Stahl und aus Edelstahl zur Beseitigung von halogenhaltigen Materialien wie PVC verfügbar. Die Nutzdurchmesser liegen zwischen etwa 400 und 1000 mm.
Alle genannten Verfahren müssen durch eine Nachreinigung ergänzt werden. Je nach der chemischen Natur der Kunststoffverunreinigungen werden verdünnte Salpetersäure oder verdünnte Alkalien verwendet. Es folgen eine Neutralisation und Auskochen mit Wasser. Besonders empfindliche Werkzeuge werden zum Schluß mit Ultraschall in Wasser behandelt, dem Netzmittel zugesetzt wurden. Es folgt eine nochmalige Spülung und Trocknung mit gereinigter Luft.
Ein Vergleich der verschiedenen Reinigungsverfahren ist sehr schwierig, da die Anforderungen an die Sauberkeit der Werkzeuge und die technischen Möglichkeiten der Kunststoff verarbeitenden Betriebe sehr unterschiedlich sind. Eine besonders gute Reinigung wird mit der Vakuumpyrolyse, die auch aus Gründen des Umweltschutzes an der Spitze der genannten Verfahren steht, erreicht. Lit.

Release-Schicht, *<release coating>*, → Klebebänder

Reinraumtechnik, *<high purity manufacturing technique>*, eine spezielle Technik für Produktionsräume, in denen Trägerfolien für die Informationsspeicherung aber auch andere, sehr dünne Folien hergestellt, konfektioniert oder verarbeitet werden. Beispiele sind vor allem → Magnetbandfolien und → Photofolien. Entsprechend den Grenzwerten für Partikelmengen in den Größen 0,5 μm und 5 μm werden die Reinräume in verschiedene Klassen eingeteilt. Zur Belüftung derartiger Räume wird eine turbulenzarme Verdrängungslüftung mit mittleren
Luftgeschwindigkeiten von ca. 0,4 m/s empfohlen. Besondere Anforderungen werden an die Filter gestellt. Selbstverständlich müssen alle Roh- und Hilfsstoffe besonders rein sein. Auf eventuellen Abrieb in der Fertigungsanlage ist zu achten. Beim Einbringen aller Materialien, z.B. von Folienrollen, in die Produktionsräume sind Schleusen vorzusehen.
Neben allen technischen Vorbedingungen ist eine gute Schulung der Beschäftigten unerläßlich. Der Mensch stellt in solchen Fabrikationsanlagen die bedeutendste Quelle für Partikelemissionen dar. Selbst bei sorgfältigster Vorbereitung werden beim normalen Gehen etwa $7{,}5 \cdot 10^6$ Partikel abgegeben. Anlagen mit → Prozeßleittechnik und mit einem Minimum von Bedienungspersonal sind heute Stand der Technik. Die Beschäftigten müssen spezielle Kleidung aus Synthesefasern, Kopfbedeckung, Atemschutz und besondere Schuhe und Handschuhe tragen.

Reißdehnung, *Bruchdehnung*, *<percentage elongation at break, elongation at rupture>*, Einheit: %. Prüfnorm DIN 53455, VDE 0345. Das Ergebnis des Dehnungsversuchs hängt u.a. von der Prüfgeschwindigkeit ab. Meist wird mit 100pro% min gearbeitet. Die

Reißdehnung ist in Längs- und Querrichtung der Folienbahn in der Regel unterschiedlich.

Reißfestigkeit, *<tensile strength at break, ultimate strength>*, gehört zu den wichtigen → Mechanischen Eigenschaften von Folien. Prüfmethode DIN 53455, Einheit N/mm^2. Die Reißfestigkeit ist in der Regel in → Längs- und Querrichtung verschieden, insbesondere dann, wenn die Folie einem → Reckprozeß unterworfen wurde.

Rest-Lösemittelgehalt, *<residual solvent quantity>*. Bei vielen Verfahren der → Folienverarbeitung werden Lösungsmittel enthaltende Produkte verwendet.
So werden beim → Kaschieren oder → Bedrucken von Folien lösungsmittelhaltige → Kaschierklebstoffe bzw. → Druckfarben eingesetzt. Die Lösungsmittel werden zwar durch Trocknen weitgehend entfernt, es verbleibt jedoch in vielen Fällen ein geringer Restgehalt in der Folie. Dieser kann, vor allem bei Verwendung der Folie zur Verpackung von Lebens- und Genußmitteln, außerordentlich stören. Es können Geruchsprobleme auftreten und das Lösungsmittel kann durch → Migration in das Packgut gelangen. Zur Bestimmung des Rest-Lösemittelgehalts wird eine Folienprobe mit definierter Fläche in einer Kammer aufgeheizt. Bei definierten Temperaturen werden Proben entnommen, die gaschromatographisch untersucht werden. Die Toleranzgrenzen hängen von der Verwendung der Folie ab.
Die Tendenz geht bei allen Verfahren der Folienverarbeitung in Richtung lösungsmittelfreie Systeme.

Rheologie, *<rheology>*, die Wissenschaft über das Fließ- und Deformationsverhalten von Stoffen. Für die Folientechnologie sind das → Fließverhalten von Thermoplasten und die → Viskosität von Polymeren wichtige Parameter zur Beurteilung des Verarbeitungsverhaltens von Kunststoffen. Einfache → Rheometer dienen zur Beurteilung von Additiven in Kunststoffen. Die Messung der Beziehung zwischen → Schmelzviskosität und Schergeschwindigkeit erlaubt z.B. Rückschlüsse auf die Auslegung von → Extrudern. Lit.

Rheometer, *<extens(i)ometer, plastometer, rheometer>*, Gerät zur Prüfung des → Fließverhaltens von → thermoplastischen Kunststoffen.
Beim *Hochdruck-Kapillar-Rheometer* wird eine plastifizierte Masse durch Präzisionsdüsen mit definierter Länge und Durchmesser gedrückt und der Ausstoß pro Zeiteinheit bestimmt. Man kann bei konstantem Druck und Temperatur die Auswirkung von → Additiven, vor allem von Gleitmitteln beurteilen oder den Einfluß von Temperatur und/oder Druck auf das Fließverhalten untersuchen. Trotz des einfachen Prinzips des Kapillar-Rheometers ist die Reproduzierbarkeit der Versuche schwierig. So können ungenügend gereinigte Metalloberflächen des Geräts, ungleichmäßige Plastifizierung oder Schwankungen im Wassergehalt der Po-

lymermischung zu starken Verfälschungen der Ergebnisse führen.
Drehmomentrheometer werden überwiegend zur Beurteilung des Verarbeitungsverhaltens von PVC-Mischungen benutzt. Sie besitzen eine geschlossene Knetkammer, in der die Polymermischung auf verschiedene Temperaturen erhitzt wird. Abhängig von der Umdrehungsgeschwindigkeit und von der Temperatur wird eine Drehmomentkurve aufgenommen, die Rückschlüsse auf den Verlauf der → Plastifizierung und die sich einstellende → Schmelzviskosität erlaubt. Die Methode ist recht subjektiv und verlangt viel Erfahrung durch Untersuchung ähnlicher, im Verarbeitungsverhalten bekannter Rezepturen.
Die Prüfung im Rheometer wird häufig durch eine Beobachtung der Formmasse im → Prüfwalzwerk ergänzt. → Extrusiometer dienen ebenfalls der Beurteilung der Verarbeitbarkeit.

Rieselfähigkeit, *<free flowing property>*, die Fähigkeit eines Kunststoffgranulats oder Kunststoffpulvers zum freien, ungestörten Fluß bei der mechanischen oder pneumatischen Förderung und beim → Dosieren. Gute Rieselfähigkeit ist Voraussetzung für eine reibungslose Verarbeitung von Polymeren zu Folien. Dies gilt insbesondere für → thermoplastische Kunststoffe, die in Pulverform eingesetzt werden, z.B. für → Weich-PVC.
Die Rieselfähigkeit von → Polyvinylchlorid wird vor allem durch die → Korngröße und die Korngrößenverteilung bestimmt.

Röntgenfilmverstärker, *<X-ray film reinforce>*, → Verstärkerfolie.

Rohstoffe zur Folienherstellung, *<raw materials for film and foil manufacturing>*, die wichtigsten Materialien zur Produktion von → Folien sind → Kunststoffe und → Aluminium. → Cellulose wird zur Herstellung von → Cellophan und → Cellulosedärmen eingesetzt.
Neben diesen Rohstoffen wird zur Folienherstellung eine große Zahl von → Additiven und anderen Hilfsstoffen benötigt, die auch der Modifizierung von → Folieneigenschaften dienen. → Kaschierklebstoffe werden zur Herstellung von → Verbundfolien und → Druckfarben zum → Bedrucken von Folien gebraucht.

Rollenbreite, *<width of a roll>*, die Breite der → Folienbahn (s.a. → Folienrolle).

Rollendurchmesser, *<diameter of a roll>*, → Folienrolle.

Rollenwechsel, *<roll transfer, reel changing>*. Die Verarbeitung von Folien erfolgt üblicherweise von einer → Folienrolle. Die Folienbahn wird abgezogen und durchläuft einen Verarbeitungsprozeß, wie → Wickeln und Schneiden, → Beschichten, → Kaschieren oder → Bedrucken. Nach Abwicklung einer Folienrolle muß diese durch eine neue Rolle ersetzt werden. Dies kann ohne Zeit- und Qualitätsverluste nur bei wenigen Prozessen, beispielsweise beim Schneiden, durch Anhal-

ten der Maschine und Rollenwechsel bei Maschinen-Stillstand geschehen. In den meisten Fällen wird ein fliegender, oder *automatischer Rollenwechsel* durchgeführt, um den Prozeß nicht zu unterbrechen.
Dabei wird die neue Folienrolle an ihrem Anfang mit einer Klebeschicht versehen, mechanisch in die richtige Position zur ablaufenden Rolle gebracht und auf die Geschwindigkeit dieser ablaufenden Rolle beschleunigt. Die Bahn der neuen Rolle wird durch einen Bürstenarm auf die ablaufende Folienbahn aufgedrückt, die gleichzeitig mit einem Schlagmesser abgetrennt wird. Bei modernen Maschinen ist der fliegende Rollenwechsel voll automatisiert. Der Rollenwechsel findet bei voller Maschinengeschwindigkeit oder jedenfalls bei nur geringfügig darunter liegenden Geschwindigkeiten statt.

Rollneigung, *<curling>*, → Planlage.

Rondelle, *<round blank>*, → Laminattube.

Rotations- und Reversiersystem, *<reversing and rotating system>*, rundlaufender oder in wechselnder Richtung drehender Anlagenteil, der bei der → Blasfolienextrusion zur Verbesserung der → Dickengleichmäßigkeit der → Folienbahn eingesetzt wird.
Unregelmäßigkeiten in der Foliendicke sind bei der → Extrusion von → thermoplastischen Kunststoffen nie gänzlich zu vermeiden. Sie beeinträchtigen bei Einhaltung der erforderlichen Toleranzen die Folienqualität nicht. Sie addieren sich jedoch beim Aufwickeln der Folienbahn auf der Folienrolle, werden dadurch sichtbar und führen zu Schwierigkeiten bei der späteren Verarbeitung. Bei örtlichen Überschreitungen der Dickentoleranzen kommt es zum Aufbau eines ringförmigen, schmalen Stegs, auch Kolbenring genannt. Beim Unterschreiten der Dickentoleranz entstehen weiche Stellen oder Einbrüche als Deformation von Folienrollen. Zu ihrer Vermeidung werden die Dicken-Unregelmäßigkeiten durch die Rotations- und Reversiersysteme gleichmäßig über die Breite der Folienbahn verteilt. Bei der Blasfolien-Extrusion werden einzelne Anlagenteile stationär, andere beweglich konstruiert. Eine Zusammenstellung in der Praxis bewährter Kombinationen mit ihren Vor- und Nachteilen zeigt die Tabelle auf S. 391.
Die Einführung von → Automatikdüsen hat auch die konstruktiven Merkmale der Reversiersysteme verändert. Es ist oft nicht mehr erforderlich, die Systeme um 360 °C reversieren zu lassen, da die → Dickengleichmäßigkeit wesentlich verbessert wurde.

Rotationsdruck, *<rotogravure>*, → Druckverfahren.

Rückführextruder, *<recycling extruder>*, → Rückführung.

Rückführung, *Rückgewinnung*, *Wiedergewinnung*, *recycling*, *<recycling>*, der erneute Einsatz von → thermoplastischen Kunststoffen, die bei Produktions- und Verarbeitungsprozes-

Rotations- und Reversiersysteme.

Anlagentyp	rotierende Kombination aus Flachlegung, Abzug und Wickler	Extruder und Werkzeug auf rotierender Plattform	reversierende Flachlegung und Abzug mit Wendestangensystem	rotierender Blaskopf und Kühlring
Vorteile	verteilt alle Fehler	verteilt Fehler von Extruder, Umlenkung, Blaskopf, Kühlring	- verteilt alle Fehler - hochwertige Wickel herstellbar	verteilt Fehler von Blaskopf und Kühlring
Nachteile	- Folie gleitet in der Flachlegung - Rollenwechsel schwierig - unterschiedliches Arbeitsniveau von Extruder u. Wickler	- Umgebungseinflüsse nicht eliminierbar - Lagerung - Drehdurchführungen - Schleifringe - Platzbedarf	-komplizierte Handhabung - schwierige Führung bei sehr dünnen Folien	- Fehler von Extruder und Umgebung nicht verteilbar - Dichtprobleme - Lagerung
Einsatzgebiet	kleine PE-HD-	kleinere PE-HD-Anlagen Anlagen	beschränkt durch Folienbreite	PE-LD-Verarbeitung
Rotations- (Reversier-) geschwindigkeit	2-10 min/Umdrehung	2-6 min/Umdrehung	3-5 min/360 °-Winkel	5-20 min/Umdrehung

Schultheis u. Brandstetter, Alpine, Augsburg, Fortschritte bei der Folienproduktion, Tagung, Darmstadt 17/18.11.1988.

sen von Folien als verfahrensbedingter Abfall oder als nicht einsetzbare Minderqualitäten anfallen. Auch bei der Anwendung von Folien zur → Verpackung oder auf dem → technischen Sektor fallen zwangsläufig Abfälle an. Schließlich bleiben Folien beim Endverbraucher, vor allem in Form von verbrauchten Packstoffen als Aball (Litter) übrig. Stets ist die Rückführung wirtschaftlich und umweltpolitisch der beste Weg zur → Entsorgung der Abfälle. Dieses Ziel ist jedoch nicht immer leicht zu verwirklichen. Die Schwierigkeiten steigen vor allem mit dem Grad der Uneinheitlichkeit und der Verschmutzung des rückzuführenden Materials sprunghaft an. Daneben spielen die Art des Polymeren und die Höhe des Qualitätsanspruchs an die Produkte aus dem Regenerat eine wichtige Rolle.

1. Rückführung bei → Folienherstellung und → Folienverarbeitung. Hauptsächliche Abfallquelle ist hier der sog. Randbeschnitt oder Randstreifen (edge trimm). Die Entfernung der Randzonen der → Folienbahn ist bei den meisten Produktionsprozessen notwendig, weil die Eigenschaften hier aus verfahrenstechnischen Gründen von den geforderten Werten abweichen. Man versucht natürlich, den Randbeschnitt möglichst klein zu halten. In vielen Fällen der → Extrusion ist die direkte Rückführung in den Produktionsextruder möglich. Wenn diese einfachste Art der Rückführung zu Störungen in der Produktion führt, werden spezielle, kleine Rückführextruder eingesetzt. Dabei gibt es häufig Probleme durch das schlecht beherrschbare Einzugsverhalten des Randstreifens. Eine andere Variante der Rückführung ist das Schnitzeln des Randstreifens, meist gemeinsam mit anderen Produktionsabfällen. In einzelnen Fällen können die Schnitzel, ggbf. nach vorheriger Verdichtung, in den Produktionsextruder rückgeführt werden. Dies ist ohne Störung der Produktion jedoch nur bis zu einem Anteil von wenigen Prozent an Schnitzeln, bezogen auf das eingesetzte Granulat möglich. Eine elegante Methode ist die → Granulierung der Schnitzel in einer gesonderten Anlage und Rückführung des Granulats. Dieses Verfahren ist jedoch nur bei Großanlagen wirtschaftlich. Es setzt außerdem eine hohe thermische Stabilität des Polymeren voraus. Dementsprechend wird es vor allem bei der Produktion von → Polyethylen- und → Polypropylen-Folien eingesetzt. Schwieriger ist die Rückführung bei der Herstellung von → Polyamid- oder → Polycarbonat-Folien. Diese Polymeren neigen bei thermischer Beanspruchung stärker zum Abbau und zur Bildung von Verunreinigungen, was zu Qualitätseinbußen der Folien, wie Verlust der guten → mechanischen Eigenschaften und Auftreten von → Stippen führt. Die Rückführung des Randbeschnitts wird schwieriger, wenn zur Folienherstellung nicht ein einziger Rohstoff verwendet wird, sondern wenn mehrere Polymere zum Einsatz kommen. Dies gilt für die Produktion aller → Verbundfolien. Man kann die Entstehung von Abfall durch Randbeschnitt hier dadurch steuern, daß man die Bahnbreite der teureren Folie 20-40 mm kleiner wählt als die

der billigeren Folie (Abb. 1). Die Abfallmenge des teureren Produkts, z.B. der Polyamid-Folie, wird dadurch minimiert. Außerdem läßt sich in der Regel die billigere Folie, z.B. Polyethylen, trotz geringfügiger Verunreinigung mit Polyamid, wieder zurückführen. Die Ansprüche an die Qualität von Folien, die mit einem hohen Anteil von Regenerat hergestellt wurden, müssen naturgemäß zurückgeschraubt werden. Dies ist aber gerade bei Folien aus billigeren Polymeren, insbesondere aus Polyethylen, durchaus akzeptabel, wenn die Einsatzgebiete der Folien ihren Eigenschaften entsprechend ausgewählt werden.

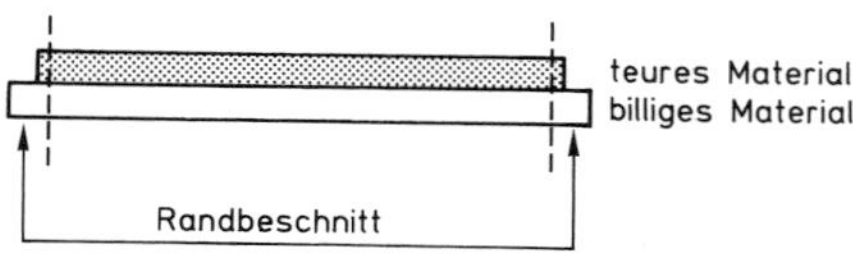

Rückführung. Abb. 1.

In jüngster Zeit wurde ein Rückführungsverfahren vorgeschlagen, welches nicht über die Schmelze führt. Vielmehr wird das Material nach entsprechender Zerkleinerung und Reinigung in der Nähe des → Glasübergangs in einem Verdichtungsapparat kompaktiert. Nach eventuellem Zusatz von Additiven wird ein Granulat mit hoher Schüttdichte und geringem Feinanteil gewonnen.

Die Rückführung von Folien aus Verarbeitungsprozessen mit höherer Veredelung, z.B. nach dem → Bedrucken, ist wegen der Uneinheitlichkeit dieser Produkte nicht möglich. Zahlreiche Versuche zur Verwertung von Folienabfällen zur Herstellung anderer Bedarfsgegenstände, z.B. von Bauelementen, Zäunen oder Möbelteilen haben bisher nicht zu wirtschaftlichen Erfolgen geführt. Diese Bemühungen wurden jedoch in jüngster Zeit verstärkt. Zur Erzielung eines Durchbruchs muß für die aus Kunststoff- und Folienabfällen gewonnenen Produkte ein Markt entwickelt werden.

2. Rückführung bei der → Folienanwendung. Diese ist nur selten, z.B. beim Ausstanzen von flächigen Gebilden oder beim Zuschnitt von Teilen aus einheitlich aufgebauten Folien möglich. Die Rückführung ist fast immer dann ausgeschlossen, wenn die Abfälle zu uneinheitlich sind. Erschwerend kommt hinzu, daß die Folienabfälle z.B. bei der Verpackung von Lebensmitteln durch das Füllgut verunreinigt sind. In solchen Fällen hilft nur die Entsorgung durch → Verbrennung.

3. Rückführung von Litter. Diese Aufgabe ist sehr schwer lösbar, da die Abfälle nicht nur sehr uneinheitlich, sondern auch noch stark verschmutzt und oftmals fein verteilt sind (Hausmüll). Es gibt trotzdem gerade in letzter Zeit verstärkte Bemühungen, das Problem zu lösen. Ein auf der → K-Messe 1989 vorgestelltes Verfahren arbeitet nach dem auf Abbildung 2 gezeigten Schema. Die Kapazität einer Standardanlage liegt bei ca. 1000 kg/h Regranulat, wenn die Foliendicke 70 bis 80 μm beträgt. Pro kg Regranulat werden 0,8 kWh an elektrischer Energie, = 35 kWh an thermischer Energie in Form von Heißwasser sowie 8 m^3 Frischwasser/h verbraucht.

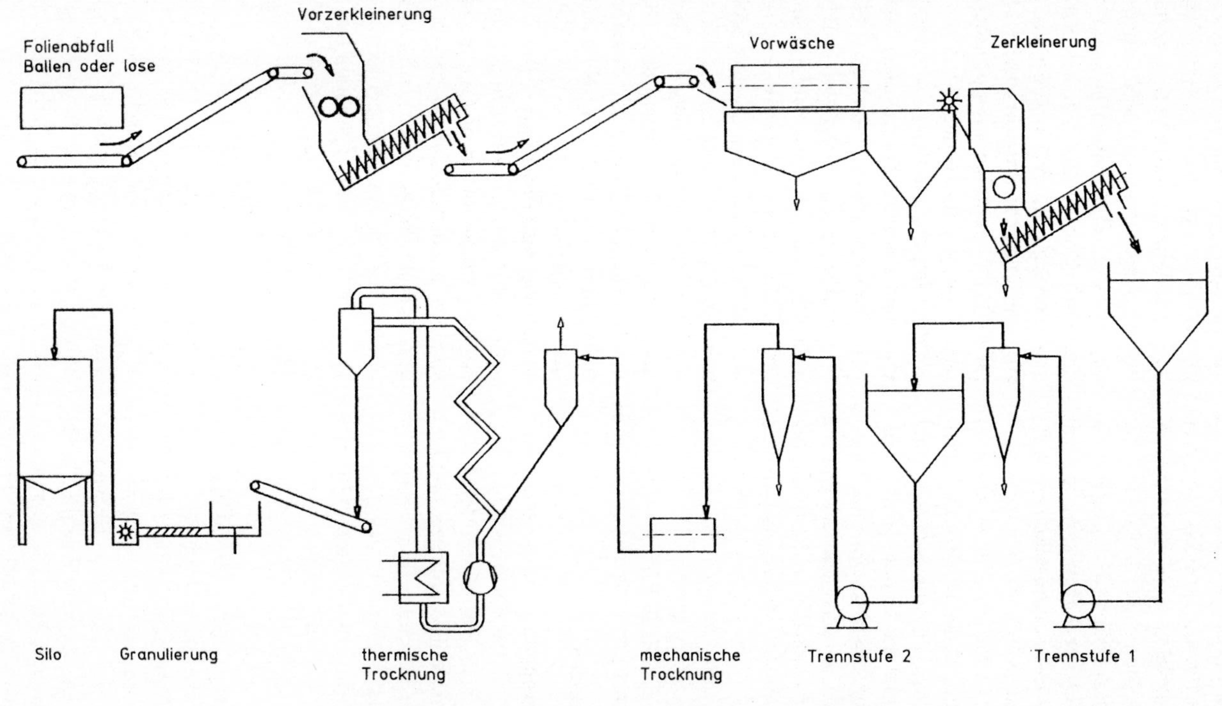

Rückführung. Abb. 2. Maschinenfabrik Andritz, Graz, Österreich.

Obwohl diese und andere Anlagen auch für die Gewinnung von Folien aus Hausmüll empfohlen werden, bestehen wirtschaftliche Chancen für eine Rückführung z.Zt. wohl nur dort, wo größere Mengen gebrauchter Folien mit einheitlicher Zusammensetzung anfallen. Dies gilt z.B. für → Säcke, → Landwirtschafts-Folien und → Tragetaschen, die alle auf der Basis von Polyolefinen hergestellt werden. Es gibt bereits in Skandinavien eine solche Anlage zur Aufarbeitung von 5000 jato verschmutzter Folienabfälle. Man rechnet mit Aufarbeitungskosten von 30 bis 40 DM %kg für die Gewinnung trockener, sauberer Folienschnitzel und weiteren Kosten von 15 bis 20 DM %kg für die Regranulierung. Lit.

Rückgewinnung, *<recycling>*, → Rückführung.

Rückstellvermögen, *<shrinking behaviour>*, → Schrumpfverhalten.

Rundmesserschnitt, *<rotary blade>*, → Schneiden.

Ruß, *Farbruß*, *<carbon black, channel black, gas black>*, wichtigstes Schwarzpigment, das durch unvollständige Verbrennung von Kohlenwasserstoffen, vor allem von Erdgas, gewonnen wird. Ruß besteht aus fein verteiltem Kohlenstoff, der je nach Herstellungsverfahren an der Oberfläche kleinste Mengen organischer Verbindungen mit Carboxyl-, Lacton-, Hydroxyl- oder Phenolgruppen enthält. Diese beeinflussen wichtige anwendungstechnische Eigenschaften, wie Benetzbarkeit, Dispergiervermögen und Farbton.

Ruß ist unlöslich in allen organischen Substanzen, besitzt sehr gute Chemikalien-Resistenz, hohe Farbtiefe und Farbstärke.

Im Vergleich zu den meisten anderen Pigmenten sind Ruße feinteiliger, wodurch ihre Dispergierung im Substrat schwieriger ist. Aus diesem Grunde werden oft Rußpräparationen oder → Masterbatches eingesetzt.

Ruß dient zur Einfärbung von → Polyethylenfolien und Polypropylenfolien. Die Lichtstabilität der Folien wird durch den Zusatz von Ruß wesent-

Ruß.

Lichtstabilisator	unpigmentiert	Ruß		
		0.125%	0.625%	2.5%
ohne	500	750	1500	8500
0,3% HALS monomer	13000	9500	8000	16000
0,3% HALS polymer	3500	6000	10000	22000
0,3% HALS polymer	4750	5750	6000	15000

Ciba-Geigy AG, Basel, Firmenschrift

lich verbessert. Es wird oft die Meinung vertreten, daß damit die maximale Witterungsbeständigkeit erreicht ist. Diese kann jedoch durch Zusatz von → Lichtschutzmitteln noch weiter gesteigert werden. Die Tabelle zeigt den Einfluß von → HALS bei verschiedenen Ruß-Konzentrationen. Die Messungen erfolgten an 50 μm dicken vorstabilisierten → Polypropylenfolien im Weatherometer. Schädigungskriterium war der Abfall der Reißfestigkeit auf 50%. Durch Einarbeitung von Ruß wird eine *antistatische Wirkung* erzielt. Ruß wird auch zur Tönung von → Photopapieren und zur Herstellung von → elektrisch leitfähigen Kunststoff-Folien verwendet.

S

Sack, *Schwergutsack, <heavy-duty-bag, sack>*. Obwohl Folien bei der Herstellung von Säcken in steigendem Maße verwendet werden, besteht der überwiegende Teil, in den USA über 90%, der Säcke noch aus Papier. Es gibt Produkte aus nur einer Papierbahn und Mehrlagensäcke, die aus zwei bis sechs Papierbahnen gefertigt werden. Die Grenze zwischen Säcken und → Beuteln ist fließend und nicht definiert. Bei einem Füllgewicht von etwa 10 kg oder mehr, wird man von Säcken und nicht mehr von Beuteln sprechen. Folien werden zur Herstellung von Säcken in zweierlei Weise eingesetzt:

1. Folie als eine von mehreren Schichten in einem überwiegend aus Papierlagen aufgebauten Sack. Es wird fast ausschließlich → Polyethylenfolie verwendet, die entweder zwischen zwei Papierlagen oder als innere Schicht des Sacks eingesetzt wird.
2. Säcke, die ausschließlich aus Folie bestehen. Diese Produkte werden überwiegend für trockene und frei fließende Materialien wie Düngemittel, Zement oder Kunststoffgranulate eingesetzt. Kunststoff-Säcke sind teurer als Papiersäcke. Ihre Vorteile liegen in erster Linie in ihrer Undurchlässigkeit für Wasserdampf und Feuchtigkeit. Diese Eigenschaft erlaubt Lagerung im Freien und Befüllen mit feuchtigkeitsempfindlichen oder sogar hygroskopischen Produkten.

Kunststoffsäcke werden aus Folien erzeugt, die nach den Verfahren der → Blasfolien- oder der → Flachfolienextrusion hergestellt werden. In der Regel werden → Solofolien und zwar überwiegend → PE-LD- und PE-LLD-Folien eingesetzt. Die Einführung des zuletzt genannten Materials hat bedeutende Einsparungen durch Verringerung der Foliendicke möglich gemacht. Während früher Folien mit mindestens 100 μm Dicke eingesetzt werden mußten, sind heute Produkte mit etwa 70 μm üblich. → Verbundfolien für die Herstellung von Kunststoffsäcken können aus Schichten von PE-LD und PE-HD aufgebaut sein. Die Anwendung dieser Kombination hat allein wirtschaftliche Gründe. → PVC-Folien haben an Bedeutung für die Herstellung von Säcken verloren.

Für die Verpackung hochwertiger Produkte werden auch → Sperrschichtfolien eingesetzt. So kann z.B. Polyamidgranulat so wirksam gegen die Einwirkung von Wasserdampf geschützt werden, daß seine Verarbeitung durch Extrusion ohne Vortrocknung möglich ist. Säcke aus Polyethylenfolien werden meist für eine Füllmenge von 25 kg gefertigt, jedoch sind auch schon Säcke bis zu etwa 50 kg Füllgut im Handel. Für → Großsäcke ("Big Bags") gibt es ein gesondertes Herstellungsverfahren. Kunststoffsäcke werden ebenso wie die Papiersäcke meist vorgefertigt. Wie bei Beuteln wird jedoch auch hier gelegentlich das → Form-, Füll- und Schließverfahren angewendet. Die vorgefertigten Säcke sind in der Regel bedruckt. Häufig wird eingefärbte Folie verwendet, um die Kennzeichnung oder das Bedrucken zu vereinfachen.

Bei vorgefertigten Säcken erfolgt das

Verschließen meist durch → Siegeln. Verschließen durch → Nähen ist bei Kunststoffsäcken selten, da in diesem Falle sehr steife Folien mit Dicken um 150 μm erforderlich sind.
Eine neue, interessante Variante zum Verschließen von Säcken aller Art ist der → Folienstreifenverschluß.

Sackverfahren, für isostatisches Verdichten, *<flexible bag method for isostatic compaction>*, → Sinterverfahren.

Salzschmelze, *<salt melt>*, → Reinigen von Werkzeugen.

Sauerstoffabsorber, *<oxygen absorber>*. Zur Verpackung von Luft-empfindlichen Lebensmitteln müssen Packstoffe mit möglichst geringer → Durchlässigkeit für Sauerstoff verwendet werden. Um die Wirksamkeit solcher → Sperrschichtfolien noch zu verstärken, wurde → Vakuumverpackung und Beigabe von Sauerstoffabsorbern vorgeschlagen. Damit soll es gelingen, den Sauerstoffgehalt in der Packung auf weniger als 0,01% zu erniedrigen. Die Bindung des Sauerstoffs erfolgt auf chemischem Wege durch aktive, sehr fein verteilte Eisenoxide.

Sauerstoffdurchlässigkeit, *<oxygen permeability>*, → Gasdurchlässigkeit.

Scanpack, → Messen.

Schäldarm, *<peel casing>*, Wursthülle auf Basis regenerierter Cellulose, die zur Formung von Brühwürsten dienen und die nach dem Herstellungsprozeß dieser Würste wieder abgeschält werden. Schädärme sind also ein Produktionshilfsmittel. Die in den Schäldärmen geformten Brühwürstchen kommen ohne Wursthaut zum Verbrauch.
Das Prinzip der Herstellung von Schäldärmen entspricht weitgehend der → Cellophanherstellung. Technisch anspruchsvoll ist die exakte Einhaltung der → Kaliber. Die Durchmesser der Schäldärme betragen etwa 14 bis 32 mm. Die Abstufungen der Durchmesser liegen bei etwa 1 mm. Die Trockendicke der Wursthüllen liegt bei ca. 30 μm. Die optimale Einstellung des → Schälverhaltens ist wichtiger Teil der Herstellung des Produkts.
Die Schäldarm-Typen werden in Rollen oder in geraffter Form angeboten. Das → Raffen ist gerade beim Schäldarm ein schwieriger Prozeß, der jedoch heute technisch gut beherrscht wird und stark durchrationalisiert ist.
Zur Anwendung wird das pastöse Wurstbrät in den Schäldarm eingefüllt und portioniert. Dies geschieht durch Abdrehen oder → Abbinden. Danach wird durch Hitzebehandlung, Heißräucherung oder durch Brühen das Wurstbrät koaguliert. Unter der Wursthülle bildet sich dabei eine *Eigenhaut* aus. Die Qualität dieser auch als *Proteinhaut* bezeichneten Wurstoberfläche ist von der Oberflächenbeschaffenheit des Schäldarms, von der Art der Hitzebehandlung, vor allem aber von der Qualität des Wurstbräts, in erster Linie vom Eiweißgehalt, abhängig.
Nach Abschluß der Hitzebehandlung erfolgt der maschinell durchgeführte Schälvorgang. Die geschälten Würst-

chen werden in Gläsern, Dosen oder auch durch → Vakuumverpackung in geeigneten Folien haltbar gemacht und sind damit zum Endverbrauch fertiggestellt.
Die zunächst in den USA entwickelte Schäldarmtechnologie wird heute weltweit angewendet. Ihre Vorteile sind hohe Produktionsgeschwindigkeiten und sehr guter Hygienestandard.
Es ist häufig versucht worden, Schäldärme aus → BOPP herzustellen. Wesentliche Vorteile wären eine wirtschaftlichere Herstellung sowie verbesserte mechanische Eigenschaften. Die geringe Wasserdampf- und Rauchdurchlässigkeit der Polypropylenfolien stellen jedoch ein entscheidendes Hindernis dar. Eine → Perforation ist prinzipiell möglich. Auch der Zusatz von nicht verträglichen Polymeren wie Polystyrol oder Polyvinylalkohol wurde beschrieben. Eine kommerzielle Verwendung solcher Produkte ist jedoch bisher nicht bekannt geworden.

Schaltfolie, *<membrane switch>*, → Folienschalter.

Schälverhalten, *<peeling behaviour>*, eine wichtige Eigenschaft von → Wursthüllen. Sie bestimmt die Abtrennung der Hülle vom Inhalt, die möglichst einfach und sauber erfolgen soll. Beim → Schäldarm geschieht dies unmittelbar nach der Herstellung, bei allen anderen Wurstwaren mit nicht eßbaren Hüllen vor dem Verzehr oder vor dem Aufschneiden und dem Wiederverpacken in kleinere Portionen.
Durch spezielle Beschichtungen oder Imprägnierungen der Innenseite kann die Bräthaftung bei Wursthüllen optimal dem jeweiligen Verwendungszweck angepaßt werden. Leicht abziehbare Wursthüllen werden z.B. zur Herstellung von Blutwurst verwendet, da diese Wurstbräte starkes Haftvermögen haben. Bei Wurstsorten mit längeren Lager- oder Abhängezeiten werden Hüllen mit starker Haftung eingesetzt. Man verhindert damit, daß sich die Hülle von der Brätoberfläche löst und die Ware durch Faltenbildung unansehnlich wird.
Es ist heute kaum mehr möglich, am Schälverhalten festzustellen, ob ein → Naturdarm oder eine synthetische Wursthülle verwendet wurde.

Schaumfolie, *<foamed film, expanded film>*, eine Folie mit einer geschlossenen Zellstruktur, wodurch ihre Dichte wesentlich herabgesetzt wird. Schaumfolien werden nach dem Prinzip der → Blasfolienextrusion hergestellt. Rohstoffe sind im wesentlichen → Polystyrol, neuerdings auch → Polyethylen und → Polyvinylchlorid.
Zum Aufschäumen können zwei Methoden dienen:
1. Chemisch wirkende → Treibmittel wie Azodicarbonamid spalten bei höherer Temperatur Stickstoff ab. Zur Erzielung einer gleichmäßigen Zellstruktur ist die zusätzliche Anwendung von *Porenbildnern*, Nukleierungsmitteln, erforderlich. Verwendet wird z.B. ein stöchiometrische Mischung von Zitronensäure und Natriumhydrogencarbonat. Das aus dieser Mischung bei höherer Temperatur entstehende Ge-

misch von Wasser und Kohlendioxid bildet die Keime für die Ausbildung der Schaumstruktur. Treibmittel und Porenbildner werden auf das Kunststoffgranulat in Mengen von 3 bis 10% bzw. ca. 1% aufgebracht. Der Zusatz von Paraffinöl verhindert eine Entmischung. Das Granulat kann auf üblichen Extrudern zu feinporigen Schaumfolien verarbeitet werden.

2. Physikalisch wirkende Treibmittel werden weitaus häufiger eingesetzt. Im wesentlichen werden *Fluorchlorkohlenwasserstoffe* und Pentan verwendet. Die Abb. 1 zeigt einen Einschneckenextruder. Die Schneckenlänge beträgt 40 D. Die → Massetemperatur liegt bei ca. 200 bis 220 °C, der → Massedruck beträgt 120 bis 160 bar. Die Plastifizierung des Polystyrols muß vor Zugabe des Treibmittels abgeschlossen sein. Dieses wird mit Hilfe einer Kolbenpumpe aus einem unter Druck stehenden Vorratsbehälter in die Schmelze eingeführt. Die Austrittstemperatur der Schmelze liegt bei etwa 140 °C. Bei der in Abb. 2 dargestellten Tandemanlage wird ein kleiner Aufschmelzextruder mit einem größeren Kühlextruder kombiniert. Die Kühlung der Schmelze ist zur Vermeidung eines zu schnellen Blasenwachstums erforderlich.

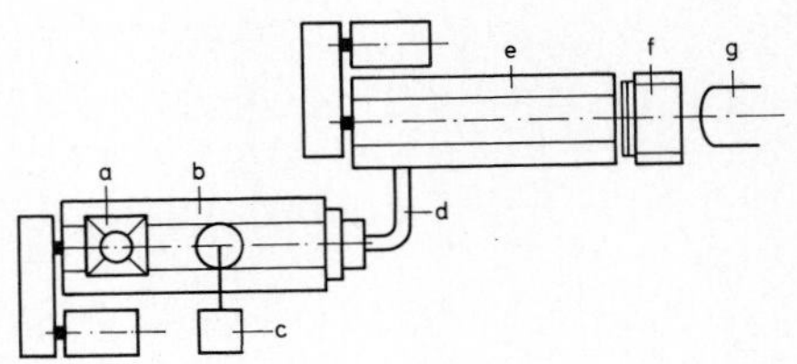

Schaumfolie. Abb. 2. Quelle: wie Abb. 1.

Die Extrusion durch die Ringdüse erfolgt bei der Herstellung von Schaumfolien immer horizontal. Die Folie wird beim Aufblasen in Quer- und Längsrichtung verstreckt, abgezogen, flachgelegt und beidseitig längs aufgeschnitten. Die Dichte der Polystyrol-Schaumfolien kann durch die Menge des Treibmittels reguliert werden.

Die Abbildung 3 zeigt die Wirkung von zwei verschiedenen Fluorchlorkohlenwasserstoffen (Kurven A und B) und von Pentan (Kurve C).

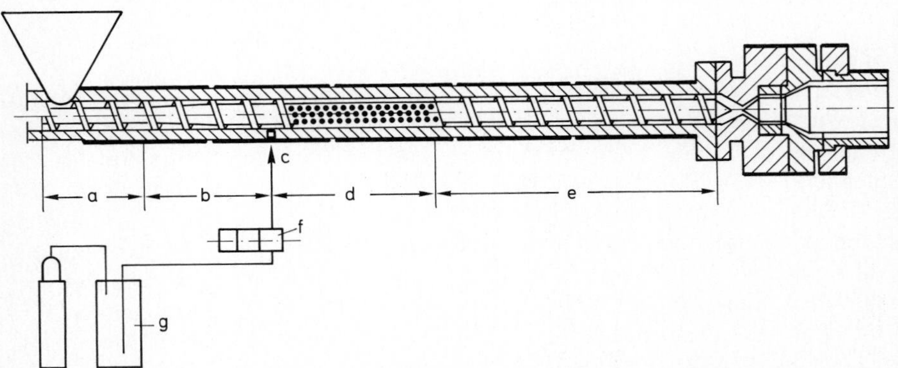

Schaumfolie. Abb. 1. Predöhl, Technologie extrudierter Kunststoffolien, Düsseldorf 1979.

Polyethylen kann nach ähnlichen Verfahren zu Schaumfolien verarbeitet werden. Eine Variante erzeugt in einem mehrstufigen Prozeß eine geschäumte und vernetzte Folie. Polyethylen-Schaumfolie ist weicher und geschmeidiger als geschäumtes Polystyrol.

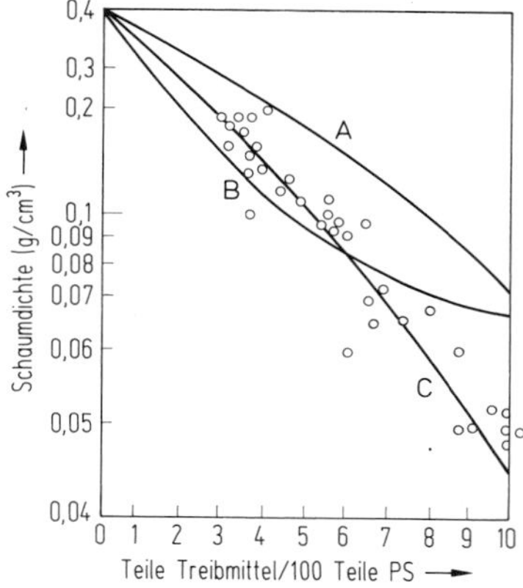

Schaumfolie. Abb. 3. Bakker, The Wileys Encyclopedia of Packaging Technology, New York 1986.

Schaumfolien werden in der Verpackungstechnik als Polstermaterial zum Schutz zerbrechlicher oder empfindlicher Güter verwendet. Schaumfolien haben auch sehr gute thermische Isolationseigenschaften und finden entsprechend Anwendung in der Bauindustrie. 2-5 mm dicke Polystyrol-Schaumfolien werden in großem Maße zur Herstellung von Schalen, Trays und Behältern durch → Warmformen eingesetzt. Wegen der guten Wärmeisolierung der Folien sind doppelseitig angeordnete, leistungsfähige Heizelemente erforderlich. Die so erhaltenen Produkte werden als Behälter für Fertiggerichte oder in der Verpackungstechnik, z.B. zur Obst- und Eierverpackung eingesetzt. Dünne PS-Schaumfolien können über Prägewalzen mit Schmuckmotiven versehen und zur dekorativen Verpackung oder zur Herstellung von → Etiketten dienen.

Schaumstoffe werden in großen Mengen auch in Form von Platten oder Blöcken erzeugt. Insbesonders Produkte aus → Polyurethanen sind mit einer fast beliebigen Vielfalt von anwendungstechnischen Eigenschaften herstellbar. Die geschäumten Blöcke werden insbesondere bei Weichschaum in 1 bis 15 mm dicke Bahnen geschnitten. Diese werden jedoch meist nicht mehr als Schaumfolien sondern als Schaumstoffe bezeichnet. Die Grenzen zur Folientechnologie werden hier fließend. Die nach einem völlig anderen Prinzip hergestellten → Luftpolsterfolien werden zum Teil in den gleichen Anwendungsgebieten eingesetzt wie die Schaumfolien. Vielfältige Verwendung finden auch Verbunde aus Schaumstoffbahnen mit Kunststoff-Folien und/oder Textilien.

schäumbares Polystyrol, *<expandable polystyrene>*, → Polystyrol.

Schaltung, gedruckte, *<printed circuit>*, → gedruckte Schaltung.

Schergeschwindigkeit, *<shear rate>*, das Geschwindigkeitsgefälle beim Fließen eines Stoffes in einem Querschnitt senkrecht zur Fließrichtung. Sie wird allgemein mit dem Buchstaben D, in der Kunststofftechnologie auch mit γ,

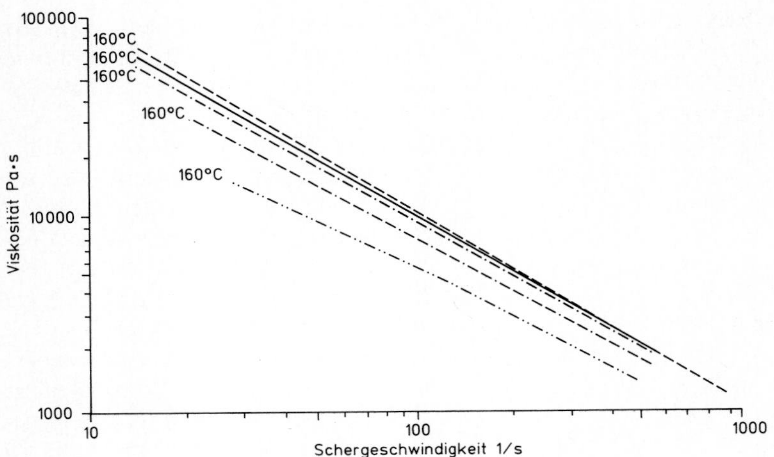

Schergeschwindigkeit. Wacker Chemie, München, Firmenschrift.

bezeichnet. Einheit s^{-1}.
Mit der Schubspannung τ und der dynamischen → Viskosität η ist die Schergeschwindigkeit durch die Gleichung

$$\tau = \eta \cdot D$$

verbunden.
Die dynamische Viskosität, auch Scherviskosität oder Zähigkeit η ist bei laminarer Strömung eine Konstante. Bei den Schmelzen von → thermoplastischen Kunststoffen ist die Viskosität von der Schergeschwindigkeit abhängig. Die Abbildung zeigt diese Abhängigkeit am Beispiel verschiedener Typen von → Polyvinylchlorid.
Der Zusammenhang von Schergeschwindigkeit, Viskosität, → Scherspannung und Temperatur ist z.B. für die optimale Verfahrensdurchführung bei der → Coextrusion von Bedeutung.

Scherspannung, *<shear, shear stress>*, Spannung oder Spannungskomponente, die tangential zur Fließrichtung → thermoplastischer Kunststoffe auftritt. Einheit MPa. Die Scherspannung ist von der → Schergeschwindigkeit und der → Viskosität abhängig. Diese Zusammenhänge spielen bei der → Extrusion und der → Coextrusion eine wichtige Rolle. Ihre Kenntnis ist zur Erzielung optimaler Ergebnisse bei der Folienherstellung vor allem bei komplizierteren Verbundfolien wichtig. Die Verhältnisse am Beispiel eines modifizierten → Polyethylenterephthalats zeigen die Abbildungen 1 und 2 auf den nächsten Seiten.

Schichtmantelkabel, *<laminated sheath cable>*. Kabel mit extrudiertem Außenmantel aus → Polyethylen oder → Polyvinylchlorid erfordern eine Wasserdampfsperre für die Kabelseele, um das Absinken des Isolationswiderstandes in der Aderisola-

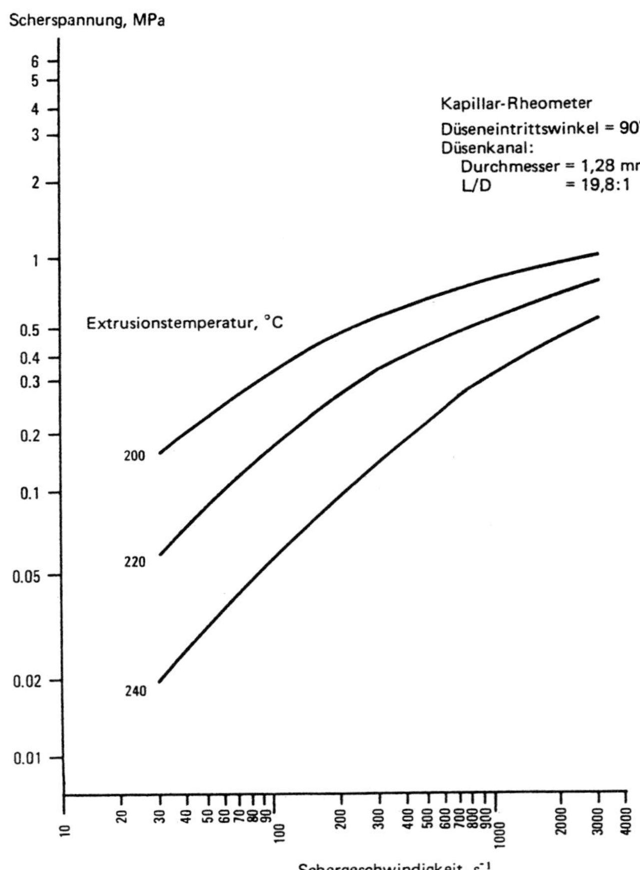

Scherspannung. Abb. 1. Eastman Chemical International AG Zug, Schweiz

tion zu verhindern. Dazu dienen *Aluminiumbänder*, die meist beidseitig mit Haft- oder → Siegelschichten versehen sind. Diese sind dem Werkstoff des Außenmantels angepaßt und bestehen z.B. aus → Ethylen-Vinylacetat-Copolymeren oder niedermolekularen Ethylen-Copolymeren.

Die Dicke der weich eingestellten Alubänder liegt zwischen etwa 70 und 300 μm. Sie werden von der Rolle verarbeitet, rohrförmig mit Überlappung um die Kabelseele gelegt und durch → Heißsiegeln oder Kleben mit → Schmelzklebstoffen verbunden.

schlagfestes Polystyrol, *schlagfestes PS*, *HIPS*, *<[high] impact polystyrene>*, → Polystyrol.

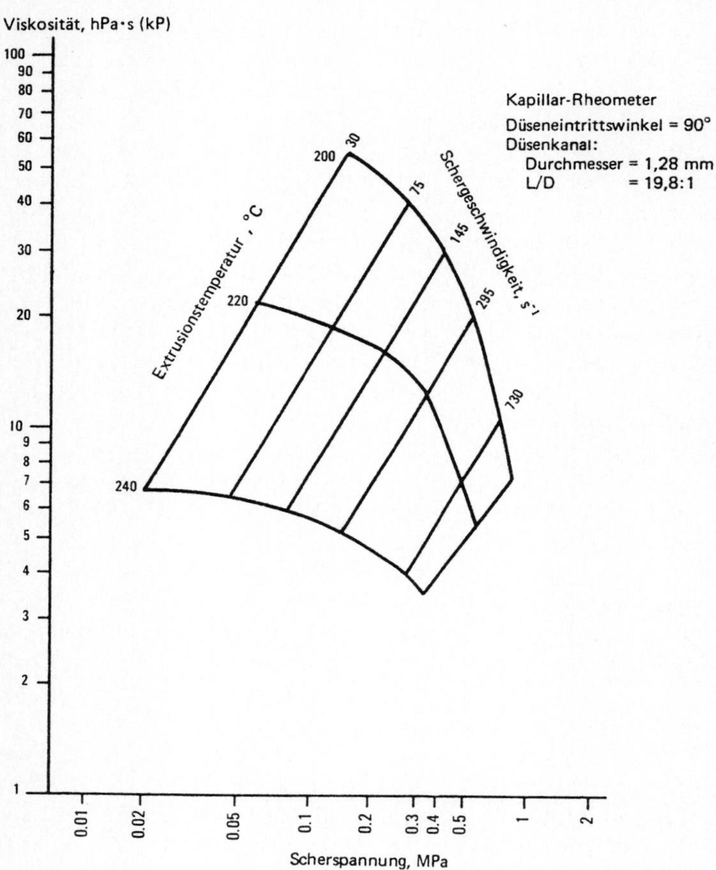

Scherspannung. Abb. 2. Eastman Chemical International AG Zug, Schweiz

Schlagversuch, <*impact strength test*>, → Schlagzähigkeit.

Schlagzähigkeit, <*impact strength, impact resistance*>, die Widerstandsfähigkeit eines Kunststoff-Formteils, z.B. einer Folie, gegen eine örtlich begrenzte, schlagartig auftretende mechanische Belastung. Die Verformungsgeschwindigkeit ist beim *Schlagversuch* sehr hoch und bedeutet deshalb eine wesentlich höhere Beanspruchung der Probekörper als beim → Zugversuch oder bei der Beurteilung der → Zeitstandfestigkeit. Die exakte Messung der Schlagzähigkeit ist schwierig, da die Aussagefähigkeit der Prüfmethode von sehr vielen Faktoren abhängt. Die

Prüfung muß sich demnach dem Material und seiner Anwendung anpassen.
Der Schlagbiegeversuch wird in einem Pendelschlagwerk mit aufgelegtem oder eingespanntem Prüfkörper, der mit einer Kerbe versehen sein kann, durchgeführt (Kerbschlagzähigkeit). Meßmethode nach DIN 53453, 53448, Einheit kJ/m^2 oder mJ/mm^2. Die Schlagzähigkeit ist von der Temperatur abhängig. Je tiefer die Temperatur, um so geringer die Schlagzähigkeit, d.h. um so größer die Bruchneigung.
Variationen des Schlagbiegeversuches sind die Prüfung der Lochschlagzähigkeit nach DIN 53753 und der Fallbolzenversuch nach DIN 53443, bei dem ein zentraler Stoß auf eine ebene Fläche erfolgt.
Zur Verbesserung der Schlagzähigkeit von Polymeren werden → Schlagzähigkeitsverbesserer angewendet.

Schlagzähigkeitsverbesserer, *<impact modifier>*, Produkte, welche die bei einigen Thermoplasten insbesondere bei tiefen Temperaturen unzureichende → Schlagzähigkeit verbessern. Für die Modifizierung spröder, brüchiger Kunststoffe werden seit längerer Zeit → Weichmacher eingesetzt. Mit Hilfe dieser Substanzen wird z.B. → Polyvinylchlorid zu → Weich-PVC umgearbeitet. Eine andere Möglichkeit zur Verbesserung der Schlagzähigkeit ist die Mischpolymerisation verschiedener Monomerer, z.B. die Herstellung von → Ethylen-Vinylacetat-Copolymeren oder die Mischung von verschiedenen Polymerisaten. Der Zusatz von hochpolymeren Modifizierungsmitteln ermöglicht die Herstellung von Kunststoffen mit maßgeschneiderten Eigenschaften. Bei den meisten derartigen Mehrstoffsystemen handelt es sich nicht um echte Mischungen, sondern um Gemenge mit getrennten Phasenbereichen. Die Eigenschaften dieser Systeme werden in hohem Maße von ihrer Morphologie bestimmt. In der harten Phase eines → thermoplastischen Kunststoffs sind die Teilchen des eingearbeiteten → elastomeren Kunststoffs in Form von kugel- oder wabenförmigen Partikeln verteilt.
Schlagzähigkeitsverbesserer sind für PVC von besonderer Bedeutung. Geeignete Produkte sind Elastomere, wie Methymethacrylat-Butadien-Styrol-, Acrylnitril-Butadien-Styrol-Copolymere oder → chloriertes Polyethylen. Auch bei der Pfropfpolymerisation von Vinylchlorid auf Ethylen-vinylacetat-Copolymere oder Acrylsäureester sowie bei der Mischpolymerisation von Vinylchlorid mit Butadien erhält man Produkte mit besonders guter Schlagfestigkeit. Folien aus schlagzähem PVC werden als → Trägerfolien und zur Herstellung von → Blister- und → Skinpackungen eingesetzt.
Beim → Polypropylen gelingt eine Erhöhung der Schlagzähigkeit durch Einarbeiten von Kautschuken. Derartige Produkte können zur Herstellung von kältefesten Folien und Schläuchen verwendet werden.

Schlauchfolienextrusion, *<blown-film-extrusion>*, → Blasfolienextrusion.

Schlauchkalibrierung, *<tube sizing>*, Einstellung und Kontrolle des Durchmessers. Bei der → Blasfolien-Extrusion werden → Kalibrierkörbe eingesetzt. Zusätzlich kann eine → Kalibrierung der Folienblase durchgeführt werden. Die Toleranzen der Durchmesser-Schwankungen sollen möglichst gering sein.
Auch bei der Herstellung von → Wursthüllen ist ein möglichst konstantes → Kaliber ein wichtiges Qualitätsmerkmal.

Schmelzbereich, *Schmelztemperatur, Schmelzpunkt, <melting temperatur, melting point>*, die Temperatur, bei der ein Stoff vom festen in den flüssigen Zustand übergeht. Bei hochmolekularen Materialien, wie sie zur Herstellung von Folien eingesetzt werden, ist der Begriff Schmelzpunkt nicht korrekt. Man spricht besser vom Schmelzbereich oder der Schmelztemperatur. Prüfnormen: DIN 53181, 53736, ASTM D 2117. Bei Polymeren mit hoher → *Kristallinität* ist der *Kristallit-Schmelzpunkt* eine eindeutig bestimmbare Größe.
Entscheidend für den Schmelzbereich ist die Chemische Struktur der Polymeren und der bei der → Polymerisation erhaltene Aufbau der Makromoleküle. Bei amorphen Polymeren ist der → Glasübergang für die Verarbeitungsbedingungen von Bedeutung. Die → Differential-Thermoanalyse wird häufig zur Bestimmung des Schmelzverhaltens von Polymeren herangezogen.
Bei den für die Folienherstellung wichtigsten Kunststoffen liegen die Schmelzbereiche für → Polyethylen bei 110 bis 130 °C, für → Polypropylen um 165 °C, für → Polyethylenterephthalat und → Polycarbonat etwa um 260 °C. Folien mit extrem hohen Schmelzbereichen werden aus → Polysulfonen (370 °C), → Polyimiden (406 °C), → Polyetherketonen (334 °C), → Polytetrafluorethylen (330 °C) und Polyphenylensulfid (285 °C) gewonnen. Diese Produkte werden zur Herstellung sogenannter → Hochleistungsfolien verwendet. → Polyamide und → Polyvinylchlorid schmelzen bei über 200 °C bzw. 160 °C unter beginnender Zersetzung. Eine Besonderheit stellt das → Cellophan dar; es schmilzt nicht. Dies ist der Grund für seine besonders gute → Maschinengängigkeit und für seine sichere Verarbeitung beim → Heißsiegeln.
Der Schmelzbereich eines Polymeren gibt wichtige Hinweise auf seine Verarbeitbarkeit zu Folien und die zu erwartenden → thermischen Eigenschaften der Produkte.

Schmelzblasverfahren, *<melt blowing technology>*. Ein geschmolzener Thermoplast wird aus einer Extruderdüse mit hoher Geschwindigkeit auf ein Transportband oder ein Sieb geblasen. Es bildet sich ein feines, nicht transparentes Vlies aus mikrofeinen Fasern. Die Produkte haben eine hohe Saugfähigkeit und können als Filtermaterial oder im Hygienebereich eingesetzt werden. Ihre mechanische Festigkeit ist gering. Durch Kombination mit → Spinnvliesen und/oder Folien werden anwendungstechnisch interessante

Produkte erhalten.
Als Thermoplasten werden vor allem → Polyethylen und → Polypropylen verwendet.

Schmelzbruch, *Schmelzebruch, elastische Turbulenz, <melt fracture>*, tritt dann auf, wenn die Schmelze von Thermoplasten bei der Verarbeitung eine sehr geringe Stabilität ("Festigkeit") aufweist. Der Schmelzbruch führt zu Unregelmäßigkeiten in der Folienoberfläche, was bis zum Aufreißen führen kann. Instabilität der Polymer-Schmelze und damit Gefahr von Schmelzbruch tritt besonders bei zu hohen Verarbeitungstemperaturen und -geschwindigkeiten auf. Hart-PVC neigt im Gegensatz zu vielen anderen Thermoplasten bereits bei geringen Verarbeitungsgeschwindigkeiten zum Schmelzbruch. Der Zusatz von hochmolekularen → PVC-Verarbeitungshilfsmitteln verbessert die Stabilität der Schmelze und erlaubt höhere Durchsätze.
Bei der Herstellung von → PE-LD- und PE-LLD-Folien bereitete die im Vergleich zum PE-LD größere Schmelzbruch-Neigung des PE-LLD zunächst einige Schwierigkeiten. Diese konnten durch konstruktive Änderungen, insbesondere am → Extruder und durch eine Vergrößerung des Düsenspalts am → Formwerkzeug, überwunden werden.

Schmelzebruch, *<melt fracture>*, → Schmelzbruch

Schmelzeviskosität, *<melt viscosity>*, die → Viskosität einer Schmelze, insbesondere von → Thermoplastischen Kunststoffen. Sie wird bei den üblichen Verarbeitungstemperaturen in Abhängigkeit von der Schergeschwindigkeit gemessen. Die Abbildung zeigt am Beispiel von Polyamid 6 das Verhalten

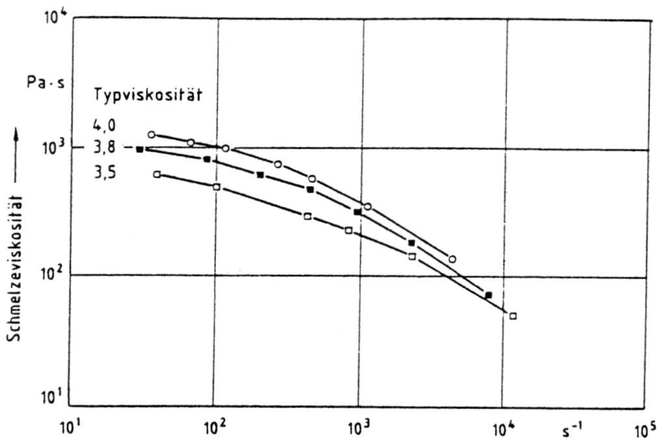

Schmelzeviskosität. H. Schulte u. Mitarb., Kunststoffe **79**, 818-822/1989

von drei Produkten mit verschiedenen Lösungsviskositäten (gemessen in m-Kresol, PA-Konzentration 1%, 25 °C). Temperatur 270 °C, L/D = 30.
Solche Viskositätskurven sind zur Extruderauslegung und bei der Rohstoffauswahl für die Coextrusion wichtig. Bei der Herstellung von → PA/PE-Folien sind nicht zu stark voneinander abweichende Schmelzeviskositäten zur Erzielung gleichmäßiger Schichtdicken wichtig.
Zur weiteren Beurteilung des → Fließverhaltens von Thermoplasten dient die Bestimmung des → Schmelzflußindex.

Schmelzflußindex, *Schmelzindex, MFI, <melt flow index, melt index>*, eine Kenngröße zur Kennzeichnung des → Fließverhaltens von Thermoplasten. Zur Prüfung nach DIN 53735 dient das in der Abbildung dargestellte Gerät. Die polymere Substanz wird in den Zylinder eingefüllt und nach dem Aufschmelzen durch einen mit genormten Gewichten belasteten Stempel durch eine Kapillare von 8 mm Länge und 2,095 mm Durchmesser gepreßt. Die in 10 Minuten austretende Masse in Gramm ist der Schmelzindex,
MFI c/b = A Meßwert in g/10 min,
wobei c die Prüftemperatur in °C und b das Prüfgewicht in kp ist.
Die Bestimmung des Schmelzflußindex spielt bei der Qualitätskontrolle von Thermoplasten und zur Prüfung von Abbau- oder Vernetzungserscheinungen eine große Rolle. Nachteilig ist, daß die Messung nur bei einer einzigen Beanspruchung und bei sehr kleinen Schergeschwindigkeiten durchgeführt wird. Die Aussagekraft der Methode ist deshalb begrenzt, aber für viele Fälle der Praxis ausreichend, vor allem bei der Verarbeitung von → Polyolefinen.
Ein anderes, aussagefähigeres Verfahren ist die Messung der → Schmelzeviskosität in Abhängigkeit von der Schergeschwindigkeit.

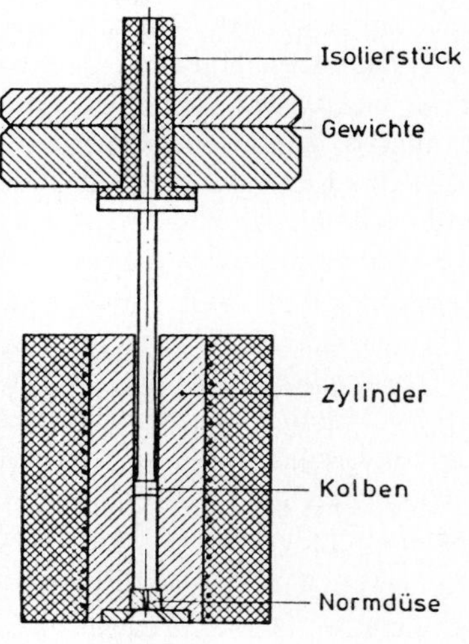

Schmelzflußindex.

Schmelzindex, *<melt index>*, → Schmelzflußindex.

Schmelzklebstoff, *Hotmelt, <hotmelt>*, ein festes Klebemittel. Basis sind niedermolekulare → Kunststoffe, die gemeinsam mit Wachsen und/oder Harzen in geschmolzenem Zustand angewendet werden und die nach dem Abkühlen eine feste Verbindung der behandelten Materialien ergeben. Der Hauptvorteil der Schmelz-

klebstoffe liegt in der Abwesenheit von Lösungsmitteln und in dem sehr schnellen Aufbau einer stabilen Bindung (→ Hot-Tack). In der Literatur ist eine sehr große Anzahl von Thermoplasten als Basismaterial für Schmelzklebstoffe vorgeschlagen worden.
Das mit Abstand am häufigsten benutzte Material sind jedoch → Ethylen-Vinylacetat-Copolymere (EVA). Diese Produkte besitzen über einen weiten Temperaturbereich sehr gute Stabilität der Schmelze und ausgezeichnete Adhäsionsfähigkeit. Sie sind mit sehr vielen Additiven gut verträglich. Meist werden Wachse und niedermolekulare, klebrige Harze zugesetzt, um Viskosität und Haftkraft zu erhöhen. Beispiele für solche Produkte sind Paraffine, hydrierte Cyclopentadienharze, Kolophonium und seine Ester mit mehrwertigen Alkoholen, Terpene oder Phenolderivate. Meist werden Stabilisatoren und → Antioxydantien mitverwendet, da während der thermischen Beanspruchung der Schmelzklebstoffe die Gefahr von oxydativem Abbau besteht.
Weitere Basis-Produkte zur Herstellung von Schmelzklebstoffen sind amorphe Polypropylene und niedermolekulare Polyethylene, die in Kombination mit Polyterpenen angewendet werden.
In neuerer Zeit gewinnen → thermoplastische Elastomere und → Ionomere steigende Bedeutung.
→ Polyamide und → Polyester werden für spezielle Verklebungsprobleme, die höhere Hitzebeständigkeit und besonders gute Chemikalienfestigkeit, erfordern, eingesetzt.

Schmelzpunkt, <*melting point*>, → Schmelzbereich.

Schmelztemperatur, <*melting temperature*>, → Schmelzbereich.

"Schnecke", <*screw*>, betriebsüblicher Ausdruck für → Extruder.

Schneckenpresse, <*extruder*>, → Extruder.

Schneckenstrangpresse, <*extruder*>, → Extruder.

Schneiden, <*slitting*>. Folien werden immer gemeinsam mit dem → Wickeln geschnitten. Schneiden und Wickeln werden deshalb häufig als einheitliches Begriffspaar gebraucht. Es gibt zwei Arten des Schneidens, den Klingenschnitt und den Rundmesserschnitt.
1. *Klingenschnitt* wird mit Rasierklingen durchgeführt. Das Schneiden kann so erfolgen, daß die Folie über die Klinge geführt wird. Man spricht dann vom Schneiden in "offener Luft" <*in the open air*> oder "im Spiegel". Eine andere Möglichkeit ist der Hart-auf-Hart-Schnitt <*score cut*>. Hier wird die Folie über eine Walze mit gehärteter Oberfläche geführt und die Klinge angedrückt. Das Verfahren führt infolge des Quetscheffekts zum *Kantenaufbau*, d.h. zu Schnittkanten, die eine größere Dicke aufweisen als die Folie. Es ist nur zum Schneiden technisch anspruchsloser Folien und für Faservliese geeignet.
2. *Rundmesserschnitt*. Dieses Verfahren entspricht dem Schneiden mit einer Schere. Es liefert sehr gute Schnitt-

qualitäten, ist allerdings teurer in Investition und Unterhaltung und erfordert längere Rüstzeiten. Produkte, an die höchste Ansprüche gestellt werden, wie → Magnetbandfolien können nur mit Rundmesserschnitt verarbeitet werden. Man unterscheidet den Tangentialschnitt (A), bei dem die Folienbahn tangential zwischen Ober- und Untermesser geführt wird und den umschlungenen Schnitt (B), wo die Folienbahn einen größeren Teil des Messerumfangs berührt (Abb.).

Wie beim Wickeln hängt auch die Auswahl des richtigen Schneidverfahrens sehr stark von der jeweiligen Aufgabe ab.

Aus der Sicht des *Arbeitsschutzes* sind Schneid- und Wickelbetriebe gefährlich. Beim Hantieren mit Rasierklingen sind naturgemäß besondere Aufmerksamkeit und Sorgfalt erforderlich, um Schnittverletzungen zu vermeiden.

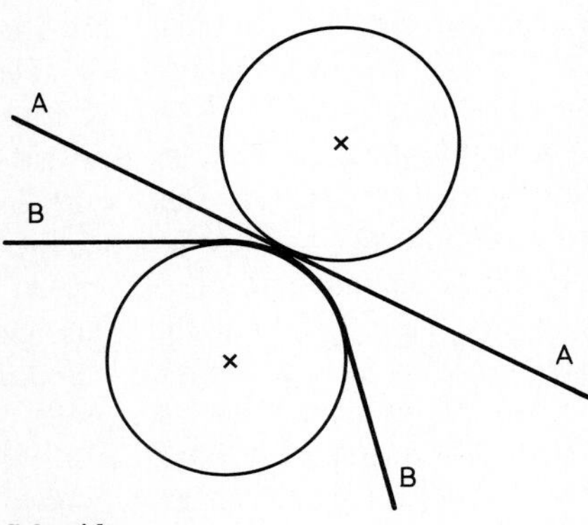

Schneiden.

Schreibband, *Farbband*, <*typewriter tape*>, ein Gewebe- oder Folienband, das als Träger für Färbemassen dient und in Schreibgeräten, wie Schreibmaschinen, Rechenautomaten oder Fernschreibern eingesetzt wird.

Schreibbänder mit Trägerfolien aus → thermoplastischen Kunststoffen haben in letzter Zeit zunehmende Bedeutung erlangt. Die Trägerfolie kann aus → Polyethylen, → Polypropylen, → Polyethylenterephthalat und → Polycarbonat bestehen.

Die Trägerfolien werden in Breiten zwischen 500 und 2000 mm und Lauflängen bis zu 10000 m mit den Färbemassen beschichtet. Das → Beschichten erfolgt in der Regel mit Umkehrwalzen-Beschichtern. Nach dem Trocknen werden die Folien zu Bändern aufgeschnitten und konfektioniert. Die früher verwendeten Spulen sind heute in vielen Anwendungsgebieten durch Kassetten ersetzt. Folienbänder sind dafür besser geeignet als Gewebebänder.

Die Färbemassen bestehen aus Wachsmischungen und/oder Kunstharzen mit hochwertigen Farbrußen oder andersfarbigen Pigmenten. Sie werden heute meist als Lösungen bzw. Dispersionen aufgebracht. Die Tendenz geht zu lösungsmittelfreien Produkten. Schreibbänder, die eine korrigierbare Schrift liefern, sind stets auf Folien aufgebaut. Die Haftung zwischen Färbemasse und Folie wird bewußt niedrig eingestellt. Die Haftung der Farbmasse auf der Schreibuntelage ist groß genug, um ein wischfestes Schriftbild zu erzeugen, jedoch wiederum so gering, daß die Farbmasse durch Anschlagen eines Korrekturbandes leicht wieder entfernt werden

kann. Korrekturbänder, auch als Lift-off-Bänder bezeichnet, bestehen aus einer → Klebefolie.
Folienbänder mit mehrmaliger Nutzung haben auf einer Trägerfolie eine schwammartige Kunststoffschicht. Verwendung finden Copolymerisate aus Vinylchlorid/Vinylacetat oder Polyacrylate. Die Farbpasten enthalten die in Öl angeriebenen Pigmente, in den meisten Fällen Ruß, sowie Lösungsmittel und eine Kunstharzkomponente.

Schrumpfband, <*shrink band*>, ein schmales Band, das in seiner Herstellung und seinem Verhalten im Prinzip der → Schrumpffolie entspricht. Schrumpfbänder bestehen meist aus → Hart-PVC-Folien mit Breiten von 3 bis etwa 20 cm und Dicken von ca. 30 bis 60 μm. Die Folien sind in der Regel in → Längsrichtung verstreckt. Die Dicken liegen zwischen 40 und 80 μm. Die Folien können glasklar, matt oder eingefärbt hergestellt werden.
Schrumpfbänder dienen zum Aufbringen von *Schrumpfetiketten* auf zylindrische Behälter. Dazu werden sie durch → Kleben oder → Siegeln zu einem Schlauch geformt, dessen Umfang ein wenig über dem Umfang des zu etikettierenden Produkts liegt. Der Schlauch wird über die Packung gestülpt und durch Wärme geschrumpft. Die angewendeten Temperaturen liegen bei etwa 140 bis 160 °C, die Verweilzeiten bei wenigen Sekunden. Auch Packungen, die leicht von der zylindrischen Form abweichen, können auf diese Weise etikettiert werden. Meist sind die Schrumpfetiketten von der Innenseite bedruckt. Durch die über das Reckverfahren erreichte *Anisotropie* tritt der Schrumpf nur in Querrichtung ein, so daß das Druckbild nicht verzerrt wird. Die Abbildung 1 zeigt das Schrumpfverhalten einer Hart-PVC-Folie.
Schrumpfetiketten sind eine wirtschaftliche Methode zur Kennzeichnung und Aufmachung von Packungen. Sie verleihen der Packung zusätzlich Stabilität und Bruchsicherheit.
Eine weitere Anwendung von Schrumpfbändern ist die Sicherung von Flaschen- und Dosenverschlüssen. Zur Erleichterung des Öffnens können die Bänder perforiert oder mit Abreißlaschen versehen sein, wie dies in Abb. 2 schematisch dargestellt ist. Schrumpfbänder machen die Unversehrtheit des Verschlusses sichtbar und dienen so der → Verfälschungssicheren

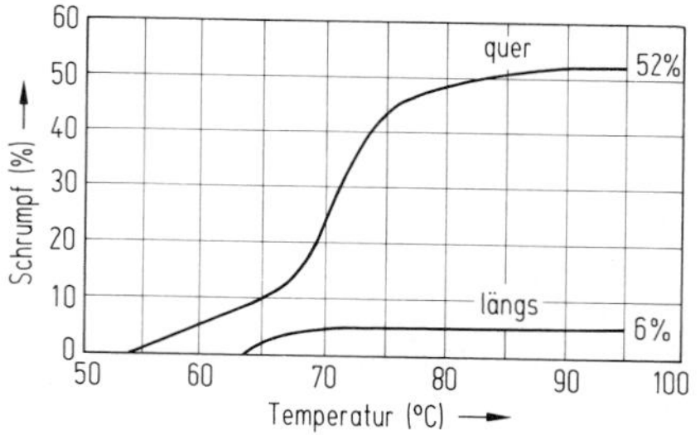

Schrumpfband. Abb. 1. Höchst AG, Firmenschrift.

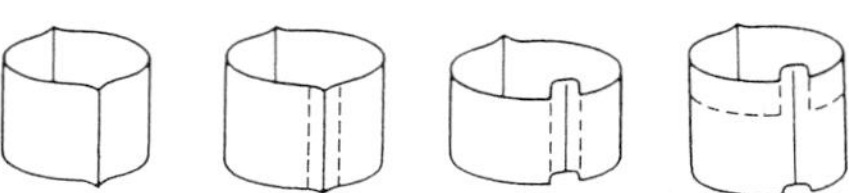

Schrumpfband. Abb. 2.

Verpackung. Schrumpfbänder dienen auch zur Herstellung von Flaschenkapseln.

Schrumpfbeutel, *<shrink bag>*, → Frischfleischreifung.

Schrumpfetiketten, *<shrink label>*, → Schrumpfband.

Schrumpffolie, *<shrink film>*, eine Folie, die sich in der Wärme zusammenzieht. Schrumpffolien werden aus → thermoplastischen Kunststoffen nach den Verfahren der → Flachfolienextrusion oder der → Blasfolienextrusion hergestellt. Die Folie wird dabei verstreckt (→ Orientierung, → Reckverfahren) und abgekühlt. Dabei wird die Feinstruktur eingefroren (→ Kristallinität). Bei erneuter Erwärmung wird durch den → Memory-Effekt der ursprüngliche Zustand wiederhergestellt.
Die Entwicklung begann in den USA mit Folien aus → Polyvinylidenchlorid, die für die Geflügelverpackung eingesetzt wurden. Heute steht eine große Auswahl verschiedener Produkte zur Verfügung.
Zur Herstellung von Schrumpffolien werden hauptsächlich → Polyethylen, vor allem Blends aus PE-HD und PE-LD, → Polypropylen, Polyolefin-Copolymere, → Polyethylenterephthalat und → Polyvinylchlorid eingesetzt.
Durch Strahlenbehandlung von Polyethylenfolien erreicht man eine leichte Vernetzung des Polymeren. Die Folie kann dann bei höheren Temperaturen als das unbestrahlte Material verstreckt werden, was zu stärkerer Dehnung und damit zu besseren Schrumpfeigenschaften führt.
Bei der Verstreckung der Folien sind der → Schmelzbereich und der → Glasübergang der verwendeten Thermoplasten von Bedeutung. Die anschließende Abkühlung muß schnell erfolgen. Ein erneutes Erwärmen, wie es bei der Herstellung von → BOPP oder → Polyesterfolien nach der Verstreckung vorgenommen wird, bewirkt eine Thermofixierung und führt zu dimensionsstabilen, d.h. nicht schrumpfenden Folien. Die Orientierung kann in → Längsrichtung oder biaxial durchgeführt werden. Bei biaxial orientierten Folien ist der Unterschied zwischen Längs- und Querschrumpf gering und liegt im allgemeinen unte 10%. Nur längs orientierte Produkte weisen für die beiden Schrumpfrichtungen Unterschiede von mehr als 30% auf.
Wichtige Kenndaten für Schrumpffolien sind in der Tabelle zusammengestellt. Neben Schrumpftemperatur, Schrumpf und Schrumpfspannung ist die Haltekraft, die sich nach dem Abkühlen einstellt und den Packungsinhalt festlegt eine weitere wichtige Größe. Die Messung aller vier Parameter kann in einem eigens für die Beurteilung von Schrumpffolien entwickelten Retraktometer erfolgen.
PE-Folien schrumpfen in einem niedrigen, allerdings engen Temperaturbereich, besitzen mittlere Schrumpfkraft, relativ schlechte optische Eigenschaften und liegen besonders niedrig im Preis.
PP-Folien sind im mechanischen Verhalten besser und haben gute optische Eigenschaften. Ihre Schrumpfkraft

Schrumpffolie.

Folien-typ	Zugfe-stigkeit MPa	Verstrek-kung %	Reißfe-stigkeit mN/m	maximaler Schrumpf %	Schrumpf-Spannung MPa	Schrumpf-Temp. °C
PE-LD	62	120	3.1	80	1.7-2.8	65-120
PE-LD Strahlen-vernetzt	55-90	115	1.9-3.9	80	28	75-120
PP	179	50-100	1.9	80	4.1	120-165
PET	207	130	3.9-23.2	55	4.8-10.3	75-150
PVC	62-97	140	sehr unter-schiedlich	60	1-2.1	65-150

Nach Bakker, The Wiley Encyclopedia of Packaging Technology, New York 1986

ist sehr hoch, was bei der Schrumpfverpackung von zerbrechlichen Gütern Probleme geben kann.
PVC-Folien haben ausgezeichnete optische Eigenschaften und die niedrigste Schrumpftemperatur bei einem weiten Temperaturbereich. Ihre Steifheit ist durch Weichmacher einstellbar. Ihre Nachteile sind schlechte mechanische Werte, niedrige Dauerbeständigkeit durch Weichmacherverlust und die Entwicklung toxischer und korrosiver Dämpfe beim Siegeln.
Auch Verbundfolien sind als Schrumpffolien herstellbar. Die Vielfalt der Kombinationsmöglichkeiten erlaubt maßgeschneiderte Eigenschaftsprofile. Zur Verpackung von Lebensmitteln, Haushaltswaren und Verbrauchsgütern werden häufig Schrumpffolien eingesetzt. Ein sehr großes Anwendungsgebiet ist die → Palettenverpackung, bei der sie mit → Stretchfolien im Wettbewerb stehen. Für die → Schrumpffolienverpackung wurden Spezialmaschinen entwickelt. Das → Schrumpfverhalten von Folien wird nicht nur bei Schrumpffolien genutzt. Es gibt schrumpfbare Stretchfolien, → Klebebänder und → Haftfolien. Eine Sonderform der Schrumpffolien sind die → Schrumpfbänder, die u.a. zur Herstellung von Etiketten und Flaschenkapseln dienen.

Schrumpffolienverpackung, <*shrink-film-packaging*>, das Verpacken von Gütern aller Art mit Hilfe von → Schrumpffolien. Ein sehr bedeutendes Gebiet ist die → Palettenverpackung, wo Schrumpffolien im Wettbewerb mit → Stretchfolien stehen.
Für die Schrumpffolienverpackung wurde eine Reihe von Spezialmaschinen entwickelt. In einem ersten Schritt wird das Füllgut mit der Schrumpffolie umhüllt. Danach wird durch Zuführung von Wärme die Folie geschrumpft und eng an das Füllgut angelegt. Die Maschinen bestehen also immer aus einem Verpackungsteil und einem → Schrumpftunnel.

Für die Herstellung der Packung gibt es folgende Verfahren:
1. L-Typ-Siegelung. Das einfachste und sehr häufig angewandte Verfahren. Eine symmetrisch gefaltete Schrumpffolienbahn, deren Ende durch den vorausgegangenen Maschinentakt bereits versiegelt ist, wird von der offenen Seite her befüllt. Füllgut und Folie werden so positioniert, daß die L-förmigen Siegelbacken die noch fehlende Längsnaht und die nächste Quernaht erzeugen (Abb.). Die Packung ist somit an allen Seiten verschlossen und wird an der neu gebildeten Quernaht abgetrennt. Der Verpackungstakt ist abgeschlossen und wird wiederholt. Die fertigen Packungen werden dem Schrumpftunnel zugeführt. Alle zum → Heißsiegeln üblichen Verfahren können verwendet werden. Meist werden Schweißraupen erzeugt. Dazu werden sehr schmale Siegelbalken eingesetzt. Die beiden Folienlagen werden an der Siegellinie aufgeschmolzen und verbunden. Es tritt ein Rückschrumpf ein, der die → Siegelfestigkeit erhöht und das überschüssige Folienmaterial oberhalb der Siegelnaht abtrennt.
Die Vielfalt der angebotenen Maschinen ist sehr groß. Von Hand betriebene Geräte erreichen Produktionszahlen von 5 bis 10, automatisierte Modelle etwa 30 Einheiten/min. Eine Anpassung dieser Verpackungsmaschinen ist relativ leicht und schnell möglich, so daß sie auch bei kleineren Serien rationell eingesetzt werden können.
2. Schlauch- oder Sleeve-Verpackung. Zwei Bahnen von Schrumpffolien werden von einer oberen und einer unteren Rolle horizontal abgezogen und an beiden Seiten verschweißt. Das Füllgut wird in den so erzeugten Schlauch eingeführt. Durch Quersiegelung entsteht die fertige Packung. In den meisten Fällen werden die Packungen gleichzeitig getrennt (Trennnahtschweißen, → Heißsiegeln).
3. Als Vorstufe zur Herstellung von Schrumpfpackungen können → Form-, Füll- und Verschließmaschinen dienen. Bei Verwendung von Schrumpffolien können die so gewonnenen Produkte anschließend dem Schrumpfprozeß zugeführt werden.

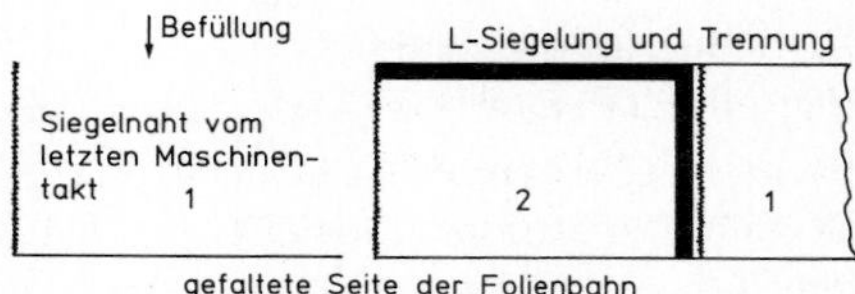

Schrumpffolienverpackung.

Schrumpfgerät, <*shrink frame, shrinking device*>, eine Einrichtung zur Endfertigung bei der → Schrumpffolienverpackung, insbesondere bei der → Palettenverpackung. Schrumpfgeräte ermöglichen das gezielte Erhitzen der Folienoberfläche.
So wird z.B. ein Heißluftstrom erzeugt, der durch eine Düse austritt und in einem schmalen Bereich über die gesamte Höhe der Palette senkrecht auf die Oberfläche der Schrumpffolien auftrifft. Mit Hilfe einer beweglichen *Schrumpfsäule* wird die Heizzone um die Palette herumgeführt, so daß diese vollständig eingeschrumpft wird. An Stelle von Heißluft tritt oft die di-

rekte Heizung durch entsprechend angeordnete Gasflammen.
Eine andere Möglichkeit ist die Anordnung der Heißluftzuführung in einem rechteckigen *Schrumpfrahmen*, der größer als die Grundfläche der Palette ist. Dieser Rahmen wird an Halterungen von oben nach unten geführt. Die Hitze trifft in diesem Falle tangential auf die Schrumpffolie auf.
Um eine Gefährdung der Sicherheit durch offene Gasflammen zu vermeiden, wurden auch Schrumpfgeräte mit elektrischer Beheizung konstruiert. Die von mehreren, über den Rahmenumfang angebrachten Heizregistern erzeugten Temperaturen können in einem weiten Bereich geregelt werden.
Die einfachste Form von Schrumpfgeräten sind Handgeräte, mit denen Packungen manuell geschrumpft werden.
Für die kontinuierliche Herstellung von Schrumpfverpackungen wurde eine große Vielfalt von → Schrumpftunneln entwickelt.

Schrumpfrahmen, *<shrink frame>*, Schrumpfgerät.

Schrumpfsäule, *<shrink pillar, shrink pile>*, Schrumpfgerät.

Schrumpfspule, *<shrink coil>*, eine elektrische Spule, die unter Verwendung von isolierenden Schrumpffolien hergestellt wird. Nach dem Wickeln wird die Spule einer thermischen Behandlung ausgesetzt, bei der die Folien bis zu 50% schrumpfen können. Man erhält auf diese Weise sehr stabile Spulen. Die verwendeten Folien müssen sehr gute → elektrische Eigenschaften aufweisen. Besonders für die Produktion von Farbfernsehgeräten haben sich Schrumpfspulen aus längs verstreckten → Polycarbonat-Folien aus amorphem Material durchgesetzt.

Schrumpftunnel, *<shrink tunnel>*, eine Anlage zur Endfertigung in der → Schrumpffolienverpackung. Wichtigstes Teil eines Schrumpftunnels ist eine Kammer, in der die Packung für kurze Zeit so hoch erhitzt wird, daß sich die → Schrumpffolie eng an das Füllgut anlegt. Die Packungen werden in der Regel auf einem Förderband kontinuierlich durch den Schrumpftunnel geführt. Die Verweilzeiten können auf wenige Sekunden eingestellt werden, so daß die Wärme nur auf die Folie und nicht auf das Füllgut einwirken kann. Die in den meisten Fällen angewendete Heißluft wird umgewälzt. Größe, Form und Wärmekapazität richten sich nach der Art der Verpackungsaufgabe und der Art der verwendeten Schrumpffolie.
Schrumpftunnel finden ausgedehnte Verwendung bei der → Palettenverpackung. Hier liegen die Schrumpfzeiten wesentlich höher und können 2 bis 3 Minuten betragen. Moderne Geräte sind weitgehend automatisiert. Sie verfügen über erschütterungsfreie, autonome Transportsysteme aus Bändern auf Basis von → Fluorpolymeren oder Tragstäben. Sie sind mit geräuscharmen Heißluftgebläsen, guter Wärmeisolierung und elektrischer Temperatur- und Geschwindigkeitsregelung ausge-

stattet. Eine Alternative zum Schrumpftunnel sind → Schrumpfgeräte wie Schrumpfsäule oder Schrumpfrahmen.

Schrumpfverhalten, *<shrinking behaviour>*, die Gestaltänderung von Folie bei Temperaturänderung. Im Prinzip neigen fast alle Folien bei Temperaturänderungen zum Schrumpfen. Dies liegt an den besonderen physikalisch-chemischen Eigenschaften der → Kunststoffe, ihrer → Struktur und ihrer Morphologie.
1. Unerwünschtes Schrumpfverhalten. Schmelzen von → thermoplastischen Kunststoffen schrumpfen beim Abkühlen, sie zeigen eine → Einschnürung. Bei Prozessen der → Folienverarbeitung, ganz besonders beim → Bedrucken, kann auch geringfügiges Schrumpfen das Druckbild bis zur Unbrauchbarkeit verändern. Die gute Dimensionsstabilität von → BOPP war einer der Gründe, warum dieses Material das → Cellophan so schnell verdrängt hat. Cellophan kann unter dem Einfluß von Wärme und Feuchtigkeit um 3 bis 5% schrumpfen.
2. Erwünschtes Schrumpfverhalten. Bei der Herstellung und Anwendung von → Schrumpffolien und → Schrumpfbändern wird die Schrumpfneigung beim Herstellungsprozeß der Folie mitgegeben und durch den → Memory-Effekt bei der Anwendung genutzt.
Wursthüllen schrumpfen nach der Befüllung mit Brät bei einer Verminderung des Füllvolumens durch Wasserabgabe mit. Diese Eigenschaft wird in der Praxis auch als *"Mitgehen"* bezeichnet. → Cellulosedärme werden vor ihrem Einsatz gewässert und nehmen dabei unter Quellung und Aufweitung Wasser auf. Die Eingabe des Bräts unter Fülldruck bewirkt eine zusätzliche Aufweitung der Wursthülle. Wenn sich später das Volumen des Bräts wieder verringert, schrumpft der Cellulosedarm mit. Diese Eigenschaft wird als hydrophile Schrumpfung bezeichnet.
→ Wursthüllen aus Thermoplasten sind dagegen weitgehend wasserdampfdicht und nehmen praktisch kein Wasser auf. Durch geeignete Gestaltung des Herstellungsverfahrens kann man diesen Wursthüllen thermische Schrumpfbarkeit verleihen. Dazu wird der extrudierte Thermoplastenschlauch im thermoelastischen Bereich stark aufgeweitet, so daß es zu einer → Orientierung in eine oder in beide Richtungen kommt. Man erhält monoaxial oder biaxial gereckte Wursthüllen. Durch Abkühlung wird der so erhaltene Zustand fixiert. Nach Fertigstellung der Wurstware kommt es durch eine Wärmebehandlung zu einem Schrumpfen der Wursthülle. In der Folientechnologie wird das gleiche Prinzip zur Herstellung von → Schrumpffolien angewendet.
Das Schrumpfvermögen oder *Rückstellvermögen* von Wursthüllen kann Werte bis zu 50% erreichen. Produkte mit gutem Schrumpfverhalten sind vor allem → PVDC-Wursthüllen.

Schüttdichte, *Schüttgewicht (veraltet), <bulk density, apparent density of moulding powders>*, die Dichte von → Formmassen oder Kunststoffpulvern, gemessen als Verhältnis von Gewicht zu Volumen, Einheit g/cm^3. Eine besonders für die Verarbeitung von → Polyvinylchlorid wichtige Größe. Die Schüttdichte ist von der → Korngröße der Kunststoffteilchen und von der äußeren und inneren Struktur der PVC-Körner abhängig. Die Schüttdichte stellt stets einen Kompromiß zwischen einander widersprechenden Forderungen dar: Eine hohe Schüttdichte mit kompakten, runden Körnern begünstigt die → Rieselfähigkeit des PVC-Pulvers. Dagegen ist für die Geschwindigkeit der Aufnahme von → Weichmachern und anderen → Additiven eine möglichst unregelmäßige Oberfläche und eine hohe Porosität der Körner erforderlich.

Schutzgasverpackung, <*controlled-atmosphere packaging, CAP, modified atmosphere packaging, MAP*>, die Verpackung von leicht verderblichen Gütern, vor allem von Lebensmitteln, unter Austausch der Luft durch indifferente Schutzgase in der Packung. Das Verfahren wird seit Anfang der 70er Jahre vor allem in Europa und Japan intensiv untersucht und vielfältig angewendet. Wie die → Vakuumverpackung bewirkt auch die Schutzgasverpackung eine erhöhte → Lagerbeständigkeit der verpackten Ware. Durch gezielten Einsatz bestimmter Gasgemische können jedoch Effekte erzielt werden, die bei der einfachen Evakuierung der Packung nicht eintreten.
Voraussetzung für die Wirkung von Schutzgasen ist in der Regel die weitgehende Entfernung der Luft. Dies gilt vor allem für Produkte, die oxydationsempfindlich sind, also für die → Fleischwarenverpackung oder die → Backwarenverpackung. Bei der Schutzgasverpackung von Fleisch und Fleischwaren, insbesondere bei Schweine- und Kalbfleisch, sowie bei Geflügel, Innereien und Wurstwaren haben sich Gemische von Stickstoff und Kohlendioxid im Verhältnis von etwa 1:1 besonders bewährt. Bei der Verpackung frischer Lebensmittel wird durch Kohlendioxid die aerobe Atmung umgekehrt und so der Atmungsgrad der Produkte herabgesetzt. Für die Verpackung von Gemüse, z.B. von Salat, sollen Mischungen von je ca. 5% Sauerstoff und Kohlendioxid und 90% Stickstoff besonders geeignet sein. Verpackungsmaterial sind in diesem Falle Beutel aus Vinylacetat-Ethylen-Copolymeren.
Die Schutzgasverpackung wird vor allem in Europa in größerem Maßstabe bei Backwaren angewendet, da hier der Einsatz von chemischen Konservierungsmitteln, wie Sorbinsäure oder Benzoaten durch die Gesetzgebung begrenzt und vom Verbraucher abgelehnt wird. Das am häufigsten verwendete Schutzgas ist Kohlendioxid. Anwendungsbeispiele für die Schutzgasverpackung zeigt die Tabelle.
Die Verpackungsformen und die dafür eingesetzten → Verbundfolien entsprechen weitgehend den zur → Vakuum-Verpackung angewendeten Methoden und Materialien. Im allgemeinen wird die Packung vor dem Verschließen zunächst evakuiert und dann mit dem Schutzgas beaufschlagt. Lit.

Schutzhaube, <*cloche*>, → Landwirtschaftsfolie.

Schutzgasverpackung.

Produkt	N_2 (%)	CO_2 (%)	O_2 (%)	N_2/CO_2 (%)
Brot und Backwaren				
- Brot, vorgebackenes Weißbrot, Toastbrot		200		20/80
- Waffeln, Kekse	100	100		
- Pfannkuchen				20/80
- Blätterteig		100		
- Pizza				70/30
Fleisch und Fleischerzeugnisse				
- Frischfleisch		30	70	
		20	80	
	10	20	70	
- gepökeltes Fleisch				70/30
- Dauerwurst	100			80/20
- Wurstbrötchen				70/30
- Leberpastete				80/20
- Brühwurst-aufschnitt				80/20
				60/40
- gefriergetrocknetes Fleisch	100			
Milcherzeugnisse				
- Vollmilchpulver	100			
- Quark				80/20
- Sahne	100			
- Käse	100	100		30/70
- Joghurt		100		30/70
- Schmelzkäse-scheibletten				40/60
Obst und Gemüse				
- Salat, Dill, Petersilie	50		50	
- Rohkartoffeln	100			
- Kartoffelprodukte	100			
- Sauerkraut		100		

Schutzgasverpackung. Fortsetzung

Produkt	N_2 (%)	CO_2 (%)	O_2 (%)	N_2/CO_2 (%)
Fische und Fischerzeugnisse				
- Scholle	30	40	30	
- Kabeljau	70	10	20	
- Fettfisch				40/60
- Räucherfisch	85	15		
Süßwaren				
- Schokolade	100			
- Marzipan	100	100		
Fertiggerichte				
- sterilisiert	100			
- pasteurisiert	100			80/20
				70/30

Wolff Walsrode AG, Walsrode, Firmenschrift

Schutztunnel, *<protective tunnel>*, → Landwirtschaftsfolie.

Schwefelkohlenstoff, → Carbon disulfid.

Schweißen, thermisches, *<heat sealing>*, → Heißsiegeln.

Schwergutsack, *<heavy duty sack>*, → Sack.

Scrap-Schicht, *<scrap layer>*, eine häufig aus Kostengründen bei der Herstellung von → Verbundfolien durch → Coextrusion zum Folienaufbau mitverwendete Schicht. Scrap-Schichten bestehen aus billigen Rohmaterialien, wie sie beispielsweise bei der → Rückführung von Abfällen der Folienproduktion erhalten werden. Auch Sekundaware von thermoplastischen Kunststoffen wird für diesen Zweck eingesetzt.
Die Scrap-Schichten dürfen die anwendungstechnischen Eigenschaften der Folien nicht oder nur unwesentlich verschlechtern. Sie werden vor allem bei solchen Verbundfolien eingesetzt, die für ihre Verwendung eine bestimmte Mindestdicke aufweisen müssen.

Selbstklebeband, *<adhesive tape>*, → Klebeband.

Selbstklebefolie, *<adhesive film>*, → Klebefolie.

selbstklebender Aufreißstreifen, *<adhesive tear tape>*, → Aufreißstreifen.

selektive Dickenmessung, *<partial thickness control>*, → Dickenmessung.

Shore-Härte, *<shore hardness>*. Es wird der Widerstand gegen das Eindringen eines Kegelstumpfs bei Härte A und B bzw. eines Kegels bei Härte D durch Zusammendrücken einer Feder gemessen. Die Shore-Härte kann bei → Folienrollen zur Beurteilung der Härte beim → Wickeln herangezogen werden. Es ist dabei jedoch Vorsicht geboten, da es sich um eine Eindruck-Härteprüfung handelt, durch die die Folie geschädigt werden kann.
Normung DIN 53505, ISO/R 868, ASTM D 676.

Sicherheitsfolie, *<safety film>*, → Nachleuchtfolie.

Sicherheitsglas, *<compound glass>*, → Polyvinylacetale

Sichtfeldfolie, *<windowing film>*, → Sichtfensterfolie.

Sichtfensterfolie, *Fensterfolie, Sichtfeldfolie <display film, windowing film>*, eine transparente Folie, mit der bei Verpackungsbeuteln oder Kartonagen Sichtfelder verschlossen werden, durch die ein Einblick auf die verpackte Ware ermöglicht wird. Die Folien werden von der Rückseite eingeklebt. Das Aufbringen des Klebstoffs und das Einpassen der Folienabschnitte wird auf speziellen Maschinen durchgeführt. Die Verarbeitung der Folie erfolgt von der Rolle. Man erhält Sicht- oder Schaupackungen mit guter Werbewirksamkeit.
Auch zur Herstellung von Briefumschlägen und Büromaterial werden Sichtfensterfolien verarbeitet.
Sichtfensterfolien können aus → Celluloseacetat, → Hart-PVC, → Polyethylenterephthalat, → BOPP und → Polycarbonat hergestellt werden. Die Foliendicken liegen zwischen 12 μm und ca. 25 μm.

Sichtpackung, *<display package, window package>*, eine Verpackungsform, die den Inhalt sichtbar macht.
Vor 70 Jahren war → Cellophan, das "durchsichtige Papier", eine Sensation, was wir heute kaum mehr verstehen können. Aber auch in unserer Zeit sind die → optischen Eigenschaften einer Folie für die Anwendung bei der → Verpackung sehr wichtig.
Die meisten Packungen auf Basis von Folien sind Sichtpackungen. Wenn andere Packmaterialien, wie → Papier oder Pappe zum Einsatz kommen, werden häufig → Sichtfeldfolien verwendet. → Aluminiumfolien werden häufig gerade deshalb gewählt, weil sie das Füllgut vor Licht schützen.

Siebdruck, *<screen printing>*, ein Durchdruckverfahren, bei dem die Druckfarbe durch eine Schablone gepreßt wird, die aus synthetischem Webmaterial, oder einem Stahlsieb besteht. Das Druckmuster wird durch Ausdehnung, Anordnung und Größe der Poren des Siebdruckwerkzeugs bestimmt. Die Menge der aufgetragenen Druckfarbe auf das Substrat ist beim Siebdruck wesentlich größer als beim → Flexodruck oder beim Tiefdruck. Für lange Folienbahnen ist dieses → Druckverfahren wenig geeignet. Es findet hauptsächlich zum Bedrucken von gewölbten oder unregelmäßigen Oberflächen Verwendung, z.B. bei → Tuben oder bei Folien für den → Technischen Sektor. Der Prozeß ist universell anwendbar, die Ausrüstung ist billig und für kleine Serien geeignet. Die Druckgeschwindigkeiten sind relativ gering.

Siebpaket, *Filterpaket, <wire mesh, screen pack, filter pack>*, eine Kombination von Sieben aus Maschendraht, die als Filter für Kunststoffschmelzen dient.
Siebpakete bestehen meist aus einem oder mehreren feinen Sieben mit 800 bis 1400 Maschen/cm^2, die auf beiden Seiten durch je ein gröberes Sieb mit etwa 400 bis 600 Maschen/cm^2 und eine Lochscheibe abgestützt sind. Neben der Filtrationswirkung für Verunreinigungen aus dem Kunststoffgranulat bewirkt das Siebpaket einen zusätzlichen Druckaufbau, der den Homogenisierprozeß im Extruder unterstützt. Die Siebe bestehen aus Edelstahl. Kupfer oder Messing sind nicht geeignet, da sie bei Polyolefinen Vernetzungsreaktionen katalysieren. Siebpakete werden meist zwischen Extruderausgang und → Formwerkzeug eingebaut. Sie müssen wegen der sehr hohen Anforderungen an die Reinheit der Schmelze in relativ kurzen Abständen gewechselt werden. Dies kann mit geeigneten Konstruktionen automatisch während der Produktion geschehen.

Siegelanspringtemperatur, *<sealing temperature>*, → Siegeltemperatur.

Siegelbacken, *<sealing bar>*, → Heißsiegeln.

Siegelbereich, *<sealing range>*, → Siegeltemperatur.

Siegelfestigkeit, *Siegelnahtfestigkeit, <seal strength>*, ein Maß für die Stabilität einer Siegelnaht in einer Folienpackung. Wie die → Siegeltemperatur wird auch die Siegelfestigkeit häufig nach Werknormen bestimmt. Sie wird durch die Krafteinwirkung auf die Siegelnaht, in N/cm oder in N/15 mm Streifenbreite angegeben. In den USA sind die Vorbereitung der Proben und die Prüfapparaturen unte ASTM F 88-68 genormt.
Die Siegelfestigkeit ist von sehr vielen Einflüssen abhängig. Sie wird u.a. vom Siegeldruck, von der Siegelzeit, von der Werkzeuglänge und besonders stark von der → Siegeltemperatur beeinflußt. Die Abb. 1 zeigt diese Abhängigkeit am Beispiel einer transparenten → BOPP-Folie und einer → opaquen BOPP-Folie. Die Abb. 2 zeigt Untersuchungsergebnisse an zwei Verbundfolien am Laborsiegelgerät. Der Siegeldruck betrug dabei 5 bar, die Siegelzeit 1 sec. Die angegebenen Zahlen sind Mittelwerte aus je fünf Einzelmessungen.
Höhere Siegeltemperaturen führen in der Regel zu höheren Siegelfestigkeiten. Die Grenzen nach oben sind jedoch durch das Bemühen um eine schonende Behandlung der Folie und damit des Füllguts und letzten Endes durch den

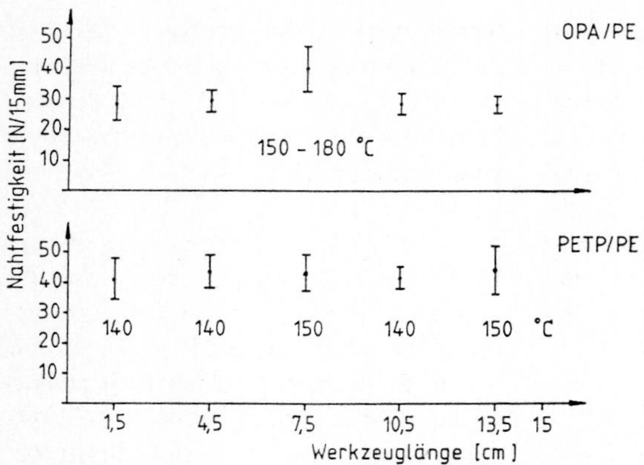

Siegelfestigkeit. Abb. 1. Fraunhofer-Institut für Lebensmitteltechnologie und Verpackung, Tätigkeitsbericht 1988, S. 204

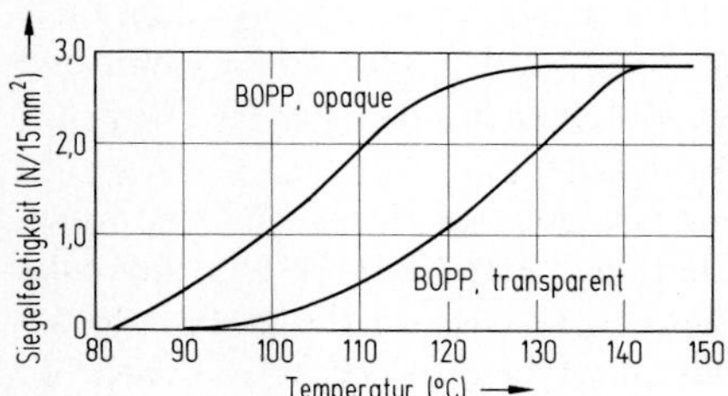

Siegelfestigkeit. Abb. 2. Hoest AG, Firmenschrift.

→ Schmelzbereich der Folien gegeben. Gute Siegelfestigkeiten allein garantieren noch nicht einwandfreies Verhalten der Siegelung in der Praxis. Dazu ist die lückenlose Siegelintegrität der Packung wichtigste Voraussetzung. Nur dann kann ein Austritt des Füllguts durch feine Kanülen in den Siegelflächen ausgeschlossen werden. Umgekehrt wird nur bei lückenloser Versiegelung der Eintritt von Sauerstoff oder anderer unerwünschter Gase und Dämpfe aus der Atmosphäre in die Packung verhindert. Eine einfache, automatische, zerstörungsfreie Kontrolle der fertigen Packung auf Dichtheit ist trotz vieler Bemühungen bisher nicht verfügbar. Mit einem gewissen Erfolg wurde mit einem Indikatorgas gearbeitet, das in sehr geringer Menge kurz vor dem Verschließen in die Packung eingegeben wird. Die fertige Packung wird dann durch einen Tunnel mit leichtem Vakuum geführt, wo hochempfindliche Detektoren Spuren des Indikatorgases anzeigen. Kohlenmonoxid, Xenon und Fluorkohlenwasserstoffe sind als Indikatorgase vorgeschlagen worden. Stichproben der Siegelflächen mit Hilfe des Mikroskops sind unbedingt notwendig. Nur wenn die "Luftschicht" zwischen den beiden gesiegelten Folienbahnen an keiner Stelle mehr sichtbar ist, kann mit einer einwandfreien Siegelung gerechnet werden. Das Auftreten von kleinen Runzeln in der Siegelschicht weist auf Überhitzung beim Siegelvorgang oder auf schlechte → Planlage hin und bedeutet mit hoher Wahrscheinlichkeit das Vorhandensein nicht mehr zu vernachlässigender Lecks (→ Lecksuche bei Packungen). Besonders wichtig sind verläßliche Siegelnähte in der → Medizinischen Verpackung. Beispiele für die Lösung extremer Anforderungen sind die → Blisterverpackung und die → Tropensichere Blisterverpackung.

Die sorgfältige Inspektion der Siegelnaht muß durch weitere empirische Tests ergänzt werden, die dem Zweck der Verpackung angemessen sind. Zum Beispiel sollten Fallversuche mit der gefüllten Packung durchgeführt werden, wenn hartes Handling vorauszusehen ist. Bei zu erwartender Temperaturbeanspruchung sollten die Testzeiten doppelt so lang sein, und beim Verpacken korrosiver Produkte sollten die Prüfungen möglichst alle zu erwartenden Belastungen der gefüllten Packung vorwegnehmen.

Mangelnde Siegelfestigkeit und fehlende *Siegelintegrität* werden oft zu Unrecht der Qualität der verwendeten Folie oder Unzulänglichkeiten der Verpackungsmaschine angelastet. Ursache für Siegelfehler ist oft mangelhafte Reinheit der zu siegelnden Folienflächen. Die häufigste Verunreinigung der Folienoberfläche wird durch das Füllgut, insbesondere durch flüssige und pastöse Produkte verursacht. Aber auch feste Füllgüter können Staub oder Fettablagerungen verursachen, die die Siegelfestigkeit stark beeinträchtigen. Zudem kann die Siegelfestigkeit auch durch das → Ausblühen von Additiven verringert werden.

Neben der bei Normaltemperatur gemessenen Siegelfestigkeit ist die Warmsiegelfestigkeit, die auch im Deutschen meist als → Hot-Tack bezeichnet wird, eine wichtige Größe für die Siegelfestigkeit. Lit.

Siegeln, *<sealing>*, das Verbinden von Folienoberflächen durch "Siegelnähte" oder "Siegelflächen", meist durch Einwirkung höherer Temperaturen. Der Begriff "Schweißen", das Verbinden von zwei Oberflächen einer thermoplastischen Folie durch Schmelzen der Oberfläche, Durchdringung und anschließende Wiederverfestigung des Materials, wird in de Folientechnologie kaum verwendet. Dagegen wird das Wort "Siegeln" nach wie vor gebraucht, obwohl sein Ersatz durch den Ausdruck Schweißen oder Verschweißen empfohlen wird. Der Begriff Siegeln gilt streng genommen für eine nicht schweißfähige Folie, z.B. → Aluminiumfolie oder → Cellophan, die durch Aufbringen einer thermoplastischen → Siegelschicht schweißbar gemacht wurde.

Wir gebrauchen hier den Ausdruck "Siegeln", soweit er in der Praxis der Folien- und Verpackungstechnologie angewendet wird. Im Englisch/Amerikanischen wird das Wort "sealing" in noch weiterem Umfang gebraucht als im Deutschen.

Das Siegeln von Folien wird in vielen Verfahren der → Folienverarbeitung angewandt. Es dient vor allem zur Herstellung und zum Verschließen von → Beuteln und → Säcken, zur Aufbringung von Deckelfolien auf Becher oder Schalen, bei der Verpackung von

Gütern nach dem → Form-, Füll- und Schließverfahren, bei der Herstellung von → Blisterverpackung und → Tuben.

Unter den Siegelverfahren hat das → Heißsiegeln die mit Abstand größte Bedeutung. Das → Kaltsiegeln ist heute noch auf spezielle Anwendungen beschränkt, gewinnt aber an Bedeutung.

Das Lösungssiegeln oder → Lösungsschweißen steht technisch zwischen den Prozessen Siegeln und → Kleben.

Das Verbinden von Folien durch → Extrusionsbeschichtung wird ebenso wie das → Kaschieren unter eigenen Stichworten behandelt.

Siegelschicht, *Heißsiegelschicht,* *<sealing layer, sealant>*. Die Oberflächen von Verpackungsmaterialien, z.B. von Folien, werden bei ihrer Verarbeitung sehr häufig durch Anwendung von Wärme verschweißt (→ Siegeln). Auf diese Weise können z.B. → Beutel hergestellt und verschlossen oder Becher und Schalen mit → Deckelfolien versehen werden. Folien aus → thermoplastischen Kunststoffen sind für solche Anwendungen meist direkt einsetzbar. Materialien, die nicht schmelzen, müssen dagegen mit schweißfähigen Siegelschichten versehen werden. Beispiele für solche Produkte sind → Papier, → Cellophan und → Aluminiumfolien.

Für die Herstellung von Folien mit Siegelschichten unterscheidet man zwischen der → Beschichtung oder Lackierung nicht siegelfähiger Materialien und der Herstellung von → Verbundfolien mit ein oder auch zwei Siegelschichten. Als Produktionsverfahren dienen vor allem die → Kaschierung, die → Extrusionsbeschichtung und die → Coextrusion.

Zur Beschichtung von Papier werden vorzugsweise Wachse, die in geschmolzener Form aufgetragen werden, eingesetzt. Folienlacke werden in gelöster Form oder als → Dispersionen angewendet. Eine relativ neue Entwicklung sind die → Schmelzkleber oder Hotmelts.

Als Material für Siegelschichten in Verbundfolien dient in erster Linie → Polyethylen-LD. Die Variationsbreite der eingesetzten Produkte ist sehr groß. So steigt mit höherer Dichte die → Siegeltemperatur, eine enge Verteilung der → Molekülmassen bewirkt einen engeren Siegelbereich. Zur Erzielung von niedrigen Siegeltemperaturen werden gerade in neuerer Zeit verstärkt Copolymere des Ethylens mit höheren Olefinen, Vinylacetat oder Methylmethacrylat eingesetzt. Die Zusammensetzung der Siegelschichten bestimmt auch in hohem Maße die → Siegelfestigkeit.

Siegelnahtfestigkeit, *<seal strength>*, → Siegelfestigkeit.

Siegeltemperatur, *Siegelbereich,* *<sealing temperature, sealing range>*, die Temperatur, bei der die Oberfläche einer Folie aus → thermoplastischen Kunststoffen erweicht, so daß sie mit sich selbst oder mit einer anderen Folie eine nach dem Abkühlen feste Verbindung eingehen kann. Die Siegeltemperatur ist eine für das → Heißsiegeln sehr wichtige Eigenschaft. Ihre ge-

naue Bestimmung ist jedoch schwierig. Viele Folienhersteller haben eigene Prüfmethoden entwickelt; eine verbindliche Normung steht noch aus.
Die Siegeltemperatur wird meist in einem weiten Bereich angegeben. Dieser liegt z.B. für → Zellglas zwischen 90 °C und 180 °C, bei → BOPP zwischen 120 und 140 °C und ist stark von Geschwindigkeit und Taktzahl der Verpackungsmaschine abhängig. Gelegentlich wird auch die *Siegelanspringtemperatur*, die niedrigste Temperatur des Siegelbereichs, angegeben. Niedrige Werte zeigen Wachse, wesentlich höhere die verschiedenen → Siegelschichten aus Polyethylenen. Dennoch ist auch die Siegelanspringtemperatur nicht exakt definiert, schwierig zu bestimmen und für die Praxis nicht besonders aussagefähig. Man ist bemüht, → Siegelschichten mit immer niedrigeren Siegeltemperaturen zu entwickeln, um das Heißsiegeln möglichst schonend durchführen zu können.
Der obere Wert des Siegelbereichs gibt die Temperatur an, bei der noch keine Schädigung der Siegelnaht durch Zersetzung oder durch Schmelzen des Folienmaterials eintritt.
Bei Verbundfolien wird der für die Siegelschicht geltende Siegelbereich stark durch die Wärmeleitfähigkeit der anderen Schichten beeinflußt. Die meisten Kunststoff-Folien sind schlechte Wärmeleiter. Da beim → Heißsiegeln die Wärme nur von einer Seite an die Siegelschicht herangeführt wird, ist der Mehrverbrauch an Energie trotzdem zu vernachlässigen. Aluminium dagegen leitet Wärme hervorragend. Diese wird jedoch dadurch von der Siegelstelle aus sehr schnell über die Oberfläche verteilt, weshalb mehr Energie zugeführt werden muß.
Die beim Heißsiegeln angewendete Siegeltemperatur ist für die → Siegelfestigkeit wichtig. Zu hohe oder zu niedrige Temperaturen können zu erheblichen Qualitätseinbußen führen.

Silagefolie, *<silage-film>*, eine Folie zum Abdecken von Grünfutter in *Fahrsilos* oder zur Herstellung von → Säcken für die *Portionssilage*.
Zur Silage-Herstellung in Fahrsilos wird gehäckseltes und angetrocknetes Grünfutter durch Überfahren mit dem Traktor zu einem kompakten Haufen verdichtet. Nach drei bis vier Tagen wird die Silage mit Folie abgedeckt. Die so eingeleitete *Milchsäuregärung* verläuft nur bei Sauerstoffausschluß, bei Temperaturen von weniger als 35 °C und bei Ausschluß von Licht optimal. Innerhalb von etwa 6 Wochen bildet sich ein aromatisches, säuerlich riechendes Futter. Silage-Folien sind PE-LD-Folien mit Dicken zwischen 90 und 200 μm. Die Folienbreiten liegen nach dem Aufschlagen der gefaltet aufgewickelten Folien zwischen 4 und 6 m. Auch aus mehreren Einzelbahnen zusammengeschweißte Folien mit Breiten bis zu 14 m werden angeboten.
Mit → Ruß schwarz eingefärbte Folien bieten guten Lichtabschluß und damit schnelles Absterben der Pflanzen, sowie kostengünstige UV-Stabilisierung. Nachteilig ist ihr hohes Wärmespeichervermögen, welches die optimale Vergärung gefährdet und zu starker

Kondensatbildung an der Unterseite der Folie führt. Mit → Titandioxid weiß eingefärbte Folien gewährleisten günstigere Temperaturverhältnisse. Andererseits ist der Lichtausschluß schlechter und die UV-Stabilisierung teurer. Trotzdem gilt die weiße Silagefolie als Kompromiß, wenn einschichtige Folien verwendet werden.

Eine wesentlich bessere Lösung ist jedoch mit mehrschichtigen → Verbundfolien zu erreichen, da hier eine maßgeschneiderte Eigenschaftskombination erzielt werden kann. Die Tabelle zeigt den Vergleich einer Einschichtfolie mit einer coextrudierten Mehrschichtfolie. Beide Folien besitzen vergleichbare Reißfestigkeiten. Die Einsparung an Rohstoff und an Additiven bei der Mehrschichtfolie ist beträchtlich. Weitere Vorteile sind die gute Wärmereflexion der weißen Außenschicht, die geringe Lichtdurchlässigkeit der schwarzen Innenschicht und die sichere Sauerstoffsperre durch das Fehlen von Mikroporen.

Neben der Silage in Fahrsilos hat die Portionssilage in Säcken in den letzten Jahren stark an Bedeutung gewonnen. Sie bietet den Vorteil einer gleichbleibend frischen Futterqualität, da der Silagesack erst kurz vor Gebrauch geöffnet wird. Der Futtermittelabfall ist durch den schnellen Verbrauch der Portionen und durch den Wegfall von Wettereinwirkungen wesentlich geringer. Die bedarfsgerechte Lagermöglichkeit vermeidet Transportverluste. Gegenüber der bisher zur Herstellung von Silagesäcken fast ausschließlich verwendeten PE-LD-Folie mit Foliendicken zwischen 90 und 120 μm und Breiten zwischen 1,6 und 2,7 m bietet auch hier der Einsatz einer coextrudierten Mehrschichtfolie aus PE-LLD Vorteile. Die Materialeinsparung ohne Verschlechterung der mechanischen Eigenschaften ist auch hier bedeutend. Die Foliendicken betragen 70 bis 80 μm und ermöglichen die Anwendung der besonders günstigen *Sternnahtverschweißung*. Durch diese hochbelastbare Schweißnaht erhält der Silagesack eine ideale Bodenform (Abb.).

Die Portionssilage dominiert in Skandinavien, Großbritannien und Irland. Sie

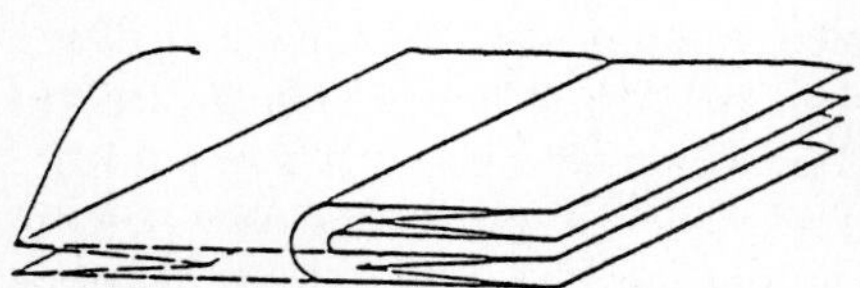

Silagefolie. Nach Michallik, Kunststoffe **77**, 702 (1987).

wird in Frankreich und Norddeutschland häufig, in Süddeutschland dagegen noch kaum angewendet. Lit.

Silagefolie.

	Einschichtfolie 150 μm	g/10 m^2
	94% PE-LD	1296
	3% UV-Masterbatch	42
	3% TiO_2-Masterbatch	42
		1380
	Dreischichtfolie 100 μm	g/10 m^2
A	95% PE-LLD	177
	5% UV-Masterbatch	9
B	94% PE-LLD	262
	4% TiO_2-Masterbatch	11
	2% UV-Masterbatch	6
C	96% PE-LD	442
	4% Ruß-Masterbatch	18
		925

Nach Michallik, Kunststoffe **77**, 702 (1987)

Silage-Sack, <*silage bag*>, → Silage-Folie.

Silberfolie, <*silver foil*>, → Blattsilber.

Silicium-Monoxid-Bedampfung, <*silicium monoxide deposition*>, die Erzeugung einer sehr dünnen Schicht von Siliciumoxid auf einer Folienoberfläche. Siliciummonoxid, SiO, tritt in verschiedenen Modifikationen auf. Es wird durch Reduktion von Siliciumdioxid, SiO_2, mit Kohlenstoff bei Temperaturen über 1500 °C hergestellt und ist als braun-schwarzes Pulver im Handel. Der Schmelzpunkt liegt über 1700 °C, der Siedepunkt bei 1880 °C. Das Produkt ist außerordentlich leicht oxidierbar. Es liegt deshalb auch nicht als reines SiO, sondern als SiO_x vor, wobei x = 1,4 bis 1,6 ist.
Die Anlagen zur Bedampfung von Folien mit Siliciumoxid entsprechen weitgehend dem beim → Metallisieren verwendeten Maschinen. Zum Bedampfen mit Siliciumoxid im Hochvakuum reichen allerdings thermische Methoden nicht aus. Die Verdampfung wird hier durch Beschuß mit Elektronenstrahlen erreicht. Es sind hohe Produktionsgeschwindigkeiten von etwa 10 m/Min möglich. Die Breite einer für die Produktion in Japan bestimmten Anlage liegt bei über 2 m.
Durch die auf der Folie erzeugte Schicht von Siliciumoxid wird die Transparenz der Folien kaum verändert. Es tritt allerdings eine leichte Gelbfärbung ein. Die Dicke der Siliciumoxid-Schicht liegt bei etwa 0,08 μm.
Die mit SiO bedampften Folien weisen sehr gute Sperrschichteigenschaften gegen Wasserdampf und Sauerstoff auf. Ihre Verwendung als → Sperrschichtfolien zur Lebensmittelverpackung ist allerdings in der Praxis noch nicht erprobt.

Silicone, <*silicone*>, polymere, siliziumorganische Verbindungen, die durch Wahl der organischen Reste, des Molekülaufbaus und des Polymerisationsgrads in großer Vielfalt hergestellt werden können. In der Folientechnologie dienen Silicone als → Additive und als Beschichtungsmittel bei der

Herstellung von → Trennfolien und → Klebebändern. Die Siliconschichten können als Emulsionen, als lösungsmittelhaltige oder lösungsmittelfreie Systeme angewendet werden. Ihre Aushärtung erfolgt durch Additions- oder Kondensations-Reaktionen, gegebenenfalls unter Beschleunigung durch UV-Bestrahlung. Die Vernetzungszeiten sind abhängig vom System und der Temperatur und betragen etwa 1 bis 3 Sekunden.

Simultanreckung, *<simultaneous stretching>*, → Reckverfahren.

Sinterextrusion, *<sinter extrusion>*, → Sinterverfahren.

Sinterverfahren, *<sintering>*, werden zur Folienherstellung nur in speziellen Fällen angewendet, vor allem zur Herstellung von → Poly(tetrafluorethylen)-Folien. Unter den → Fluorpolymeren ist Polytetrafluorethylen (PTFE) weder schmelzbar noch in gebräuchlichen Lösungsmitteln löslich. Deshalb wird PTFE in Form von möglichst feinem Pulver zunächst verdichtet und dann unter Hitze und Druck gesintert.
Beim *Drucksintern* wird das Pulver, gegebenenfalls nach einer Vorprägung, mechanisch zu Preßlingen geformt, die anschließend unter Hitze gehärtet werden. Eine neuere Variante dieses Verfahrens ist das isostatische Pressen oder *Sackverfahren.* PTFE-Pulver wird in einem flexiblen Beutel durch eine diesen umgebende Flüssigkeit in einer Kammer unter allseitig gleichen Druck gesetzt. Man erhält einen einheitlich verdichteten, lunkerfreien Vorformling, der durch Erwärmen gesintert wird. Im Gegensatz zu diesem Flüssigkeits-Sackverfahren wird der Druck beim Trocken-Sackverfahren durch Preßluft erzeugt.
Ein weiteres Verfahren ist die *Sinterextrusion* oder *Ram-Extrusion.* PTFE-Pulver wird chargenweise in ein Extrusionsrohr gegeben und durch einen Druckstempel in die erhitzte Zone dieses Rohres gepreßt. Sobald der Preßvorgang beendet ist, erfolgt eine neue Befüllung und erneutes Pressen.
Aus den auf diese Weise gewonnenen Blöcken werden mechanisch Folien abgeschält. Schläuche werden durch Extrusion einer Paste aus PTFE-Pulver und einer gut benetzenden Flüssigkeit wie Benzin zunächst verdichtet. Der Vorformling wird mit einem Kolben durch eine geeignete Düse gepreßt, getrocknet und dann gesintert.
Die Sintertechnologie wird auch bei der Herstellung von → Polyimidfolien angewendet. Hierbei werden zunächst Vorkondensate aus Lösungen erzeugt, die dann durch Sintern weiter zu Folien umgesetzt werden.

Skin-Packmaschine, *<skin-packaging machinery>*, eine Anlage zur Herstellung von → Skin-Verpackungen. Die Skin-Packmaschinen sind den → Blister-Packmaschinen ähnlich. Deshalb können manche Anlagen für beide Verpackungsarten eingesetzt bzw. relativ leicht von dem einen auf das andere Verfahren umgerüstet werden.
Skin-Packmaschinen werden, vor allem

bei Verpackung größerer und sperriger Teile, in vielen Fällen manuell oder halbautomatisch betrieben. Die als Bodenteil dienende Pappe wird abschnittsweise der Maschine zugeführt. Das Packgut wird auf dieser Unterlage positioniert und auf eine Heizplatte in einem Vakuumsystem gebracht. Ein entsprechender Folienabschnitt, meist halbautomatisch von der Rolle geschnitten, wird in einem über dem Bodenteil angeordneten Rahmen erwärmt. Sobald die Folie einen weichen, thermoformbaren Zustand erreicht hat, wird der Rahmen abgesenkt. Durch Anwendung von Vakuum wird die Folie eng an das Füllgut angelegt und gleichzeitig am Rand mit der Pappunterlage verschweißt. Der Folienrahmen wird geöffnet, nimmt den nächsten Folienabschnitt auf und geht in seine Ausgangsposition zurück. Mit der Anordnung des Packguts auf einer neuen Pappunterlage beginnt der nächste Takt des Verpackungsvorgangs. Die fertigen Packungen werden gegebenenfalls einem Stanzwerkzeug zugeführt. Für die Verpackung größerer technischer Füllgüter werden PE-Folien mit Dicken von 150 bis zu 400 μm, schnell wirkende Heizelemente und leistungsfähige Vakuumpumpen eingesetzt. Größe und Form der Heizplatte kann in weiten Grenzen, z.B. zwischen 40 · 40 cm und 80 · 250 cm schwanken. Die Taktzeiten liegen je nach Verpackungsproblem bei 2 bis 10 Stück/min. Die Entwicklung vollautomatischer Skin-Packungsmaschinen befindet sich noch in einem relativ jungen Stadium.

Skin-Verpackung, *Hautverpackung*, *<skin-packaging>*. Im Gegensatz zur verwandten → Blister-Verpackung wird das Füllgut nicht in einen durch Thermoverformung erzeugten Hohlraum (Blister, Blase) eingelegt und dann durch eine Trägerfolie, Papier oder Pappe verschlossen. Das Füllgut selbst bildet vielmehr hier die Form, und wird im Vakuum-Positiv-Verfahren hautartig von einer thermogeformten Folie umschlossen. Die Abbildung stellt die beiden Verfahren schematisch gegenüber.
Als Unterlage für das Packgut wird eine luftdurchlässige dünne Pappe oder dickeres Papier verwendet, welches von der Rolle oder in Abschnitten zugeführt wird. Die meist transparente Skin-Folie wird von einer Rolle abgezogen, dicht über das Packgut geführt und erwärmt. Unter Vakuum wird die Folie hauteng an Füllgut und Unterlage angelegt. Die dadurch entstehenden Spannungen drücken das Packgut fest auf die Unterlage. Abhängig von der Verformungsfläche und von Art und Größe des Packgutes entstehen Einzelpackungen oder mehrere zusammenhängende Packungen, die mechanisch voneinander getrennt werden. Die Pappunterlage ist in der Regel mit Heißsiegel-Schichten versehen, um einen sicheren Verbund mit der Skin-Folie zu gewährleisten.

Als Skin-Folien sind insbesondere Produkte auf Basis von Polyethylen-LD, → Hart-PVC und → Ionomeren in Gebrauch. PE-Folien sind besonders preiswert, brauchen jedoch mehr Wärme und können wegen ihrer großen Schrumpfkraft beim Abkühlen Falten in der

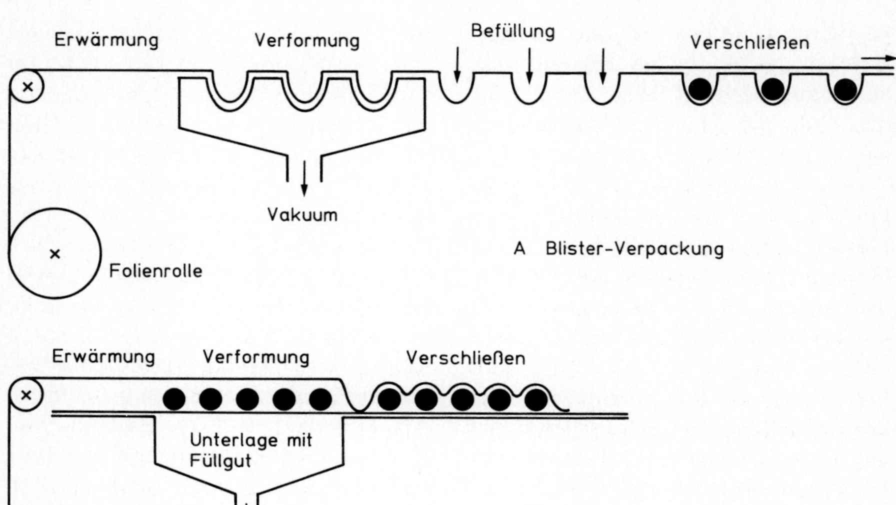

Skin-Verpackung.

Papier-Unterlage erzeugen. → Hart PVC-Folien besitzen hervorragende Klarheit und Transparenz. Ihr Siegelverhalten gegen die Papp-Unterlage ist sehr gut. Ionomere sind eine neuere Entwicklung, die jedoch schnell steigende Verwendung als Skin-Folie findet. Das Material ist sehr klar, rasch zu erhitzen und haftet hervorragend auf Pappe oder Papier. Seine außergewöhnlich guten mechanischen Eigenschaften erlauben die Verpackung schwierigerer Güter von größeren Dimensionen und ausgeprägteren Kanten und Ecken. Auch mit PE-LD beschichtete → Polycarbonatfolien wurden für schwierigere Skin-Verpackungen empfohlen.

Skinfolien sind etwa 30 bis 80 μm dick. Ionomere bieten bei geringerer Dicke gleich gut Festigkeiten wie PE- und PVC-Folien.

Skin-Packungen werden hauptsächlich zur Verpackung von Kleinteilen wie Nägeln, Schrauben, Beschlägen, Elektroartikeln, Haushaltswaren, Spielzeug usw. verwendet. Auch Sammel- und Sortimentspackungen sowie größere Einzelteile werden oft Skin-verpackt.

Für die rationelle Skin-Verpackung wurden spezielle → Skin-Packmaschinen entwickelt.

Slipmittel, *<slip agent>*, → Antiblockmittel.

Snack-Verpackung, *<snack-packaging>*, → Backwarenverpackung.

Solofolie, *Monofolie*, *<film, foil>*, aus nur einer Schicht eines einheitlichen Materials bestehende Folie. Hauptgruppen sind → Kunststoff-Folien *<film>* und → Metallfolien *<foil>*.
Solofolien können als solche beim Endverbraucher eingesetzt werden, z.B. als → Baufolien, → Landwirtschaftsfolien oder → Trägerfolien. Sehr häufig werden sie jedoch als Komponenten für die Herstellung der mehrschichtig aufgebauten → Verbundfolien verwendet.
In vielen Fällen werden Solofolien lackiert oder beschichtet. Wenn die Dicke der Kernfolie im Verhältnis zur Dicke der Außenschichten groß ist, werden solche Folien nicht als Verbundfolien bezeichnet. Die Nomenklatur ist dabei aber nicht einheitlich.
Herstellungsverfahren für Solofolien sind z.B. das → Kalandrieren, die → Flachfolien- und die → Blasfolienextrusion sowie das → Gießverfahren.

Spacer-Folie, *<spacing film>*, → Distanzfolie.

Spalten, *<split>*, → Spleißen

Spannungsrißbildung, *<stress cracking>*, → Spannungsrißkorrosion.

Spannungsrißkorrosion, *Spannungsrißbildung*, *<crazing, environmental stress cracking, ESC, stress cracking>*, die Bildung von Rissen in Kunststoff-Formteilen, z.B. in Kunststoff-Folien, unter geringfügigen mechanischen Belastungen, die teilweise weit unterhalb der zulässigen Kurzzeitbelastung liegen. Auslöser für die Bildung von Spannungsrissen ist die gleichzeitig mit der mechanischen Belastung auftretende Beanspruchung des Materials durch chemische Einflüsse.
Die Untersuchung der Spannungsrißkorrosion ist für Folien vor allem beim Einsatz im → technischen Sektor wichtig. Sicherheit können nur Versuche unter praxisnahen Bedingungen geben. Viele Faktoren spielen dabei eine Rolle, so die Art der einwirkenden Chemikalien, die Temperatur, der pH-Wert und die → Oberflächenspannung. So sind manche an sich sehr chemikalienbeständige Polymere durch wäßrige Detergentien gefährdet.

Sperrschichtfolie, *<barrier film>*, in den meisten Fällen eine → Verbundfolie, bei der die → Durchlässigkeit für bestimmte Stoffe, wie Wasserdampf, Sauerstoff, Kohlendioxid oder Aromastoffe, stark herabgesetzt ist. In den meisten Anwendungsfällen liegt der Schwerpunkt bei → Sperrschichtfolien gegen Sauerstoff, weil die Haltbarkeit von Lebensmitteln durch eine gute Sauerstoffsperre wesentlich verbessert werden kann.
Von vergleichbarer Bedeutung sind Sperrschichten gegen Wasserdampf. Die meisten Folien bringen von Haus aus eine geringe → Wasserdampfdurchlässigkeit mit. In Spezialfällen ist die gezielte Kombination von Durchlässigkeit gegen einen Stoff, verbunden mit Undurchlässigkeit gegen eine andere Substanz erwünscht. Ein Beispiel sind

→ Sperrschichtfolien für Kohlendioxid mit Durchlässigkeit für andere Gase und Folien, die undurchlässig für Wasser, aber durchlässig für Wasserdampf sind, z.B. → Polyurethanfolien.

Sperrschichtfolien für Kohlendioxid, sind Verbundfolien, bei denen eine Schicht Kohlendioxid aufnehmen kann. Diese Schicht besteht aus PE-LD, dem bei der Blasfolienextrusion anorganische Stoffe zugesetzt wurden, die Kohlendioxid absorbieren.
Die Folie kann zum Beispiel zur Herstellung von Beuteln für die Verpackung von Lebensmitteln dienen, die infolge von Gärungsprozessen Kohlendioxid abgeben, welches zum Aufblähen der Beutel führen würde. Die Wirksamkeit der Kohlendioxid-Sperre soll bis zu drei Monate anhalten, selbst wenn das Produkt der Luft ausgesetzt ist.

Sperrschichtfolien für Sauerstoff, verlängern die Haltbarkeit von Lebensmitteln durch Vermeidung von Sauerstoffzutritt wesentlich. Sie werden unter Einsatz von *Barrierekunststoffen* hergestellt. Die → Metallisierung von Kunststoff-Folien oder die Kombination von Kunststoff- mit Aluminium-Folien führt ebenfalls zu Produkten mit hervorragenden Sperrschichteigenschaften, jedoch werden diese üblicherweise nicht als Sperrschichtfolien bezeichnet. Die Tabelle 1 zeigt die Sauerstoffdurchlässigkeit verschiedener, zur Folienherstellung vielfach eingesetzter Kunststoffe in $cm^3 \cdot \mu m/m^2 \cdot d \cdot atm$.
Gemessen wurden 20 μm dicke Folien bei zwei verschieden hohen relativen Luftfeuchtigkeiten. → Polyacrylnitril findet trotz guter Sperrschichteigenschaften für Sauerstoff keine Anwendung, weil es für die Verpackung von Lebensmitteln in der Bundesrepublik Deutschland nicht zugelassen ist. Als Barriere-Kunststoffe werden heute überwiegend EVOH, → Ethylen-Vinylalkohol-Copolymere und PVDC, → Polyvinyliden-chlorid verwendet. Die Tabelle 2 bringt eine Gegenüberstellung der Eigenschaften beider Produkte.

Sperrschichtfolien für Sauerstoff. Tab. 1.

Kunststoff	20 °C 65% rel. Feuchte	20 °C 80% rel. Feuchte
EVOH (PE 32 mol%)	0,5	1,2
EVOH (PE 44 mol%)	1,0	2,3
PVDC (Extrusions-harz)	4	4
PVDC (Dispersions-harz)	10	10
PAN	8	10
PET	50	50
PA-6	35	50
PVC	240	240
PE-HD	2500	2500
PP	3000	3000
PE-LD	10 000	10 000
EVA	18 000	18 000

Kyoichiro, Packaging Japan, July 1988

Während PVDC schon seit vielen Jahrzehnten in der Folientechnologie weite Anwendung findet, wurde EVOH erstmals 1972 produziert.
Neuerdings wurden → Polyarylamide als Barriere-Kunststoffe vorgeschlagen.

Sperrschichtfolien für Sauerstoff. Tab. 2.

	EVOH	PVDC
Verarbeitbarkeit	leicht	schwieriger
Abfallrückgewinnung	ja	nein
Thermische Stabilität	gut	mäßig
Chemikalien-Resistenz	gut	gut
UV-Stabilität	gut	mäßig
Beeinträchtigung durch H_2O	ja	nein
FDA-Zulassung	ja	ja

Sperrschicht-Folien können auf allen zur Folienherstellung üblichen Anlagen produziert werden, das am häufigsten angewendete Verfahren ist jedoch die → Coextrusion. Beispiele für den Aufbau einiger Sperrschicht-Folien zeigt die Abbildung 1. Als Verbundmaterialien werden Polyethylen, Polypropylen, Polyethylen-terephthalat, Polyamide und Polycarbonate eingesetzt. In den meisten Fällen müssen zur Sicherstellung eines guten Verbundes → Haftvermittler verwendet werden. Die meisten Sperrschicht-Folien werden für die → Lebensmittelverpackung eingesetzt. Sie werden häufig als → Schrumpf-Folien hergestellt, damit sie nach dem Verpackungsvorgang eng am Füllgut anliegen. Andere Anwendungen sind die → Bag-in-Box- und die → Kochbeutelverpackung. Tiefziehfähige Sperrschichtverbunde mit Polystyrol und Polypropylen werden als keimfreie Verpackungen für Molkereiprodukte und zur Verpackung heiß abgefüllter, sterilisierter Fertiggerichte verwendet.

EVOH-Verbunde mit Polypropylen sind in jüngster Zeit für die Herstellung → standfester sterilisierbarer Packungen entwickelt worden. Das Füllgut wird in der Packung bei Temperaturen über 120 °C sterilisiert und ist dadurch ohne Kühlung lange haltbar. Dabei zeigen die Barrierekunststoffe EVOH und PVDC unterschiedliches Verhalten. Im Gegensatz zu PVDC nimmt EVOH Wasser auf. Schon bei geringen Mengen führt dies zu einer Verschlechterung der Sperrschicht-Eigenschaften gegen Sauerstoff. Die Abb. 2 verdeutlicht das unterschiedliche Verhalten der beiden Barrierekunststoffe. Die O_2-Durchlässigkeit steigt beim EVOH bei erhöhter Luftfeuchte stark an, während die Sperrschicht-Eigenschaften bei PVDC erhalten bleiben. Man kann diesen Nachteil des EVOH durch einen geschickten Aufbau der Sperrschichtverbunde ausgleichen. Eine Sperrschichtfolie der Zusammensetzung

PP/HV/EVOH/HV/PP, Gesamtdicke PP $= 600\ \mu$m

(Abb. 3) zeigt bei symmetrischem Aufbau den folgenden Sauerstoff-Durchtritt in Abhängigkeit von der Lagerzeit:
Unter gleichen Bedingungen - Sterilisation bei 120 °C 30 min, Lagerung bei 20 °C, relative Feuchte außen 65%, innen 100% - wurden für einen unsymmetrischen Verbund mit einer Verteilung der PP-Schicht Innen/Außen = 2/8 die Werte nach Abb. 4 erhalten.
Beim asymmetrischen Verbund wird die Sperrschicht gegen das nasse Füllgut

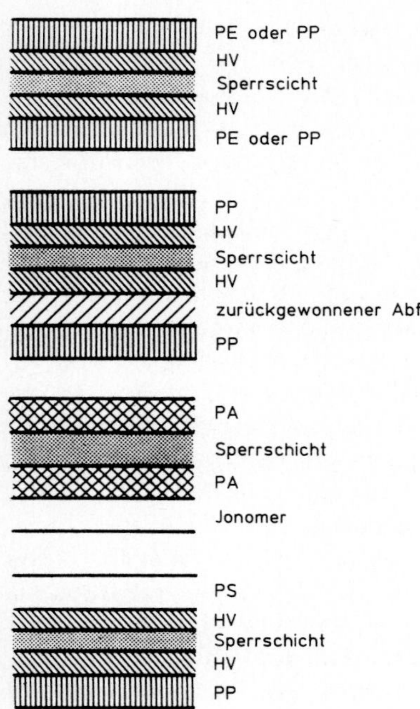

Sperrschichtfolien für Sauerstoff. Abb. 1.

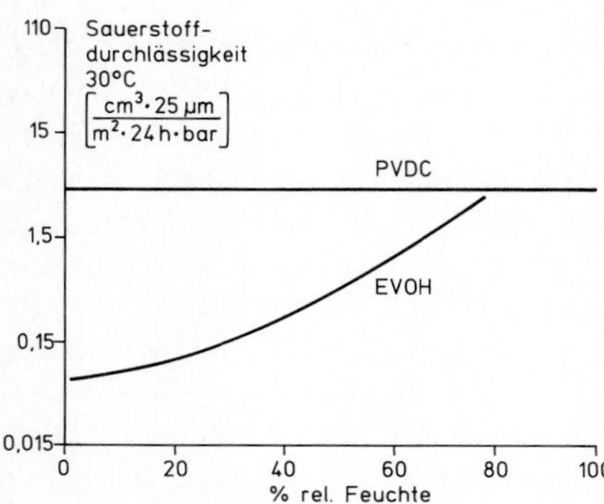

Sperrschichtfolien für Sauerstoff. Abb. 2. Nach neue verpackung 1/88, S. 53.

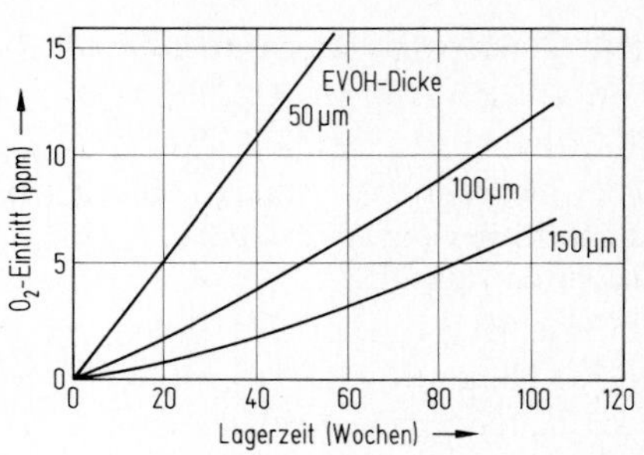

Sperrschichtfolien für Sauerstoff. Abb. 3. Nach K. Ikari, July 1988, Packaging Japan.

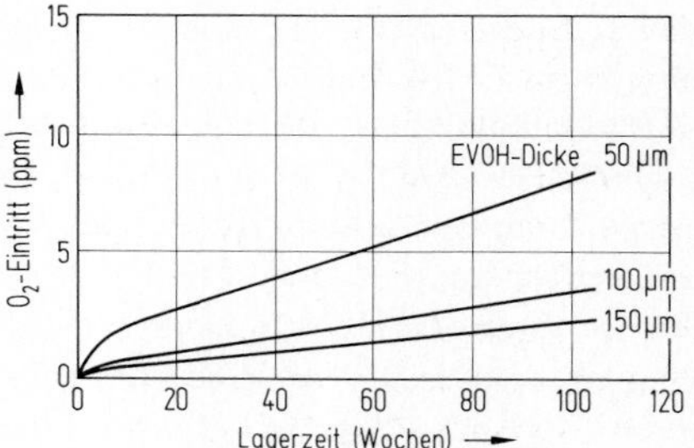

Sperrschichtfolien für Sauerstoff. Abb. 4. Quelle wie Abb. 3.

besser abgeschirmt. Zudem kann die Sperrschicht das unvermeidlich aufgenommene Wasser nach der Sterilisation leichter durch die außen dünnere PP-Schicht wieder abgeben. So wird die Feuchtigkeitsaufnahme durch EVOH und die dadurch bedingte Verschlechterung der Sperrschicht-Eigenschaften wahrscheinlich überschätzt, zumal die Durchlässigkeit für andere wichtige Stoffe nicht beeinträchtigt wird. Es gibt in der Literatur Ankündigungen von neuen EVOH-Typen, deren Sauerstoffsperre um den Faktor 3-5 verbessert sein soll. Dies könnte durch Erhöhung der Kristallinität erreicht wer-

den, die ein sehr wesentlicher Faktor ist (untersucht wurde ein EVOH mit einem PE-Gehalt von 32 mol%) (Tabelle 3).
Eine neuere Anwendung für Sperrschichtfolien ist die Herstellung flexibler → Tuben.
Bei einem Vergleich der beiden wichtigsten Kunststoffe zur Herstellung von Sperrschichtfolien scheint unter Berücksichtigung des gesamten Eigenschaftsbildes EVOH die besseren Zukunftsaussichten zu haben. Wenn in einer Barrierefolie jedoch eine sehr dünne Sperrschicht für die Anwendung ausreicht, dann ist PVDC durch die Möglichkeit der Beschichtung der Trägerfolie mit einer Lösung oder Dispersion des Barrierekunststoffs im Vorteil. Probleme für PVDC könnten sich daraus ergeben, daß neuere Untersuchungen eine krebserregende Wirkung von monomerem Vinylidenchlorid nicht ausschließen.
Über Sperrschichtfolien für Wasserdampf → Wasserdampfdurchlässigkeit.
Lit.

Sperrschichtfolien für Sauerstoff. Tab. 3.

Kristallinität %	Dichte g/cm^3	O_2-Durchlässigkeit $cm^3 \cdot 20\ \mu/m^2 \cdot d \cdot atm$ trocken	feucht
27	1.174	0.16	52
36	1.178	0.15	41
53	1.185	0.13	21
58	1.187	0.13	14
63	1.189	0.12	5
70	1.192	0.12	3

spezifisches Migrat, *<specific migrate>*, → Migrationsprüfung.

Spinnverfahren, *<spinning>*, → Gießverfahren.

Spinnvlies, *<spinbonded, spunbonded fabric>*, ein Vlies aus Endlosfasern, die direkt nach dem Spinnprozeß aus der Schmelze zu einem flächigen Gebilde aus ungeordneten Schlingen geformt sind. Dieses wird dann durch Verschweißen oder Verkleben verfestigt. Als Thermoplasten werden u.a. Polyethylen, Polypropylen, Polyethylenterephthalat und Polyamide eingesetzt. Spinnvliese besitzen hohe Festigkeit und Zähigkeit sowie gute Reiß- und Stoßfestigkeit.
Auf einigen Einsatzgebieten stehen Spinnvliese im Wettbewerb mit Folien. Ihre größere Weichheit und bessere Anpassungsfähigkeit an unregelmäßige Oberflächen macht sie bei manchen Verpackungsanwendungen den Folien überlegen. Beispiele sind die Verpackung empfindlicher Instrumente, komplizierter technischer Artikel oder zerbrechlicher Gegenstände. Spinnvliese werden in größeren Mengen in der → medizinischen Verpackung eingesetzt. Auch als Abdeck- und Schutzschichten werden sie in manchen Fällen den meist wesentlich kostengünstigeren Folien vorgezogen. Eine neuere Entwicklung stellt das → Schmelzblasverfahren dar. Die damit gewonnenen Vliese haben interessante Eigenschaften, besitzen jedoch nur geringe Festigkeit. Durch Kombination einer Spinnvliesanlage mit dem Schmelzblas-Prozess können neue Produkte gewonnen werden. Auch die Verbindung von ein oder zwei Vlies-Schichten mit Folien

eröffnet weitere Anwendungen, z.B. im Hygienesektor, zur Wärmeisolierung in Kleidung und Schuhen und bei der Lebensmittelverpackung.

Spiraltest, *<spiral flow test>*, eine Prüfung des → Fließverhaltens von → thermoplastischen Kunststoffen. Die Polymerschmelze wird durch einen längeren, spiralförmigen Kanal eines Spritzgußwerkzeugs gedrückt. Die Länge des erhaltenen Spritzgußteils wird in Abhängigkeit von Druck, Temperatur und Zeit beurteilt. Der Prüf- und Materialaufwand ist relativ hoch. Wenn man auch mit dem Spiraltest den Bedingungen der Praxis sehr nahe kommt, wird er von manchen Autoren als überholt angesehen, da → Extrusiometer und → Rheometer bei viel geringerem Aufwand ebenfalls vernünftige Aussagen über das Fließverhalten von Thermoplasten erlauben.

Spiralverpackung, → Stretchfolienverpackung.

Spleißband, *<splicing tape>*, ein spezielles → Klebeband zum Zusammenfügen von Papierbahnen. Spleißbänder bestehen aus einem Papiervlies mit einer Klebeschicht, die mit einer Polypropylenfolie abgedeckt ist. Diese wird vor dem Klebeprozeß abgezogen. Die Klebmasse besteht meist aus Acrylaten. Sie muß sich bei der Aufarbeitung von Altpapier rückstandsfrei auflösen, andererseits aber beträchtlichen Kräften und höheren Temperaturen, die bei der Trocknung kurzfristig bis zu 200 °C betragen können, widerstehen.
Die Spleißbänder werden in Rollen eingesetzt, die einzeln in Folien eingeschweißt sind. Ihre Lagerfähigkeit ist wegen ihrer Hygroskopizität beschränkt.

Spleißen, *Spalten*, *<split>*,
1. Ein in der Folientechnologie meist negativer Effekt bei Solofolien und vor allem bei Verbundfolien, der zum Aufspalten und damit zur Zerstörung der Folie führt.
2. Die bewußt durchgeführte Spaltung von Folien oder → Folienbändchen zu → Foliengarn.
Das Wort Spleißen wird auch im Sinne von Zusammenfügen gebraucht, → Spleißbänder in der Papieraufarbeitung.
Auch im Deutschen wird das englische Wort *flying splice* für fliegenden oder automatischen → Rollenwechsel gebraucht.

Spleißfaser, *<fibrillated fibre>*, → Foliengarn.

Spraybehälter-Innenbeutel, *Zweikammer-Druckpackung*, *<bag for pressurized containers>*, ein Beutel aus Folie, der als Konstruktionselement von Spraydosen dient. Solche Beutel sind der Innenform der Dose angepaßt und mit dem stand- und druckfesten Metallbehälter, dem Pumpzerstäuber oder Dispenser zu einem integrierten Produkt verbunden. Bei einigen Systemen nimmt der Folienbeutel das Füllgut auf, das dann durch einen zwischen Doseninnenwand und Beutel erzeugten Druck ausgestoßen wird. Bei anderen

Systemen befindet sich das Füllgut in der Dose. Der zunächst leere Innenbeutel wird als flexibler Druckbehälter genutzt, der nach Entleerung der Dose, gefüllt mit dem eingesetzten Treibgas, eng an der Wand des Behälters anliegt.
Die verwendeten Folien bestehen meist aus hochwertigen Mehrschicht-Verbunden. Die Forderungen an chemische Widerstandsfähigkeit, meist auch an geringe → Durchlässigkeit für Gase und Dämpfe, sowie an mechanische Beständigkeit sind hoch. Ein Doppelbeutel-System besteht aus einem Innenbeutel aus → Polyesterfolie, der im ungefüllten Zustand eng von einem zweiten Beutel aus einer hochelastischen Folie aus Synthesekautschuk umschlossen ist. Das Füllgut wird unter Druck in den Innenbeutel gepreßt, der dabei den Außenbeutel aufweitet. Die elastische Kraft des Außenbeutels preßt das Füllgut aus dem Innenbeutel, der eine Sperrfunktion hat und den Kautschukbeutel vor der Einwirkung des Füllgutes schützt. Das System kommt ohne Treibgas aus.
Es gibt auch eine Entwicklung, die das Verfahren der → Coextrusion abwandelt. Man arbeitet ohne → Haftvermittler, wodurch bei geschickter Wahl der Dicke der Einzelschichten ein doppelwandiger Hohlkörper mit einem flexiblen Innenbeutel entsteht. Dieser wird unter Druck befüllt. Beim Gebrauch wirkt durch eine Öffnung im Außenbehälter der atmosphärische Druck auf den Innenbeutel, bis dieser vollständig entleert ist.
Die meisten der hauptsächlich in USA entwickelten Systeme haben sich bisher aus wirtschaftlichen und/oder technischen Gründen am Markt nicht durchsetzen können.

Spulenspinnen, *<bobbin spinning>*, das Aufwickeln von → Folienbändchen, → Foliengarn oder → Aufreißstreifen auf Spulen. Aus der Vielzahl von Spulenformen, die in der Textiltechnik entwickelt wurden, sind in der Folientechnologie überwiegend Scheibenspulen mit Parallelwicklung in Gebrauch. Einwandfreie Spulenqualität ist wesentliche Voraussetzung für die Verarbeitung der oben genannten Produkte. Moderne *Spulmaschinen*, auch *Spulschränke* genannt, haben 30 und mehr Spulköpfe, von denen jeder einen eigenen Antrieb besitzt. Die Bändchenspannung ist einstellbar und wird über eine → Tänzerwalze über eine elektronische Regelung konstant gehalten.
Die Hülsendurchmesser können zwischen 20 bis 40 mm, der Außendurchmesser der Spulen bei etwa 150 bis 200 mm liegen. Die Spulgeschwindigkeit beträgt etwa 250 m/min.

Spulmaschine, *<bobbin machine>*, → Spulspinnen.

Spulschrank, → Spulspinnen.

Stahlfolie, *<steel foil>*, Folie aus Stahl, über die zwar immer wieder in Kurznotizen berichtet wird, die aber z. Zt. noch nicht in der Praxis anzutreffen ist. In Japan soll die Herstellung kunststoffbeschichteter Stahlfolien mit Dicken von etwa 75 μm bereits im halbtechnischen Maßstab möglich sein.

standfeste Packung, *<rigid package>*, eine Packung, die sich ohne wesentliche Deformation für Lagerung, Transport und Verkauf stapeln läßt. Zunächst wurden vor allem → metallische Werkstoffe und → Glas als Packmaterial eingesetzt. Später kamen → Papier und Pappe hinzu. Eine wesentliche Bereicherung trat mit der Entwicklung der → Massenkunststoffe ein, die in der Regel durch Spritzguß zu standfesten Behältern aller Art verarbeitet werden.
Zur Verarbeitung von Folien zu standfesten Packungen, wie Trays, Menüschalen oder Bechern → Warmformen. Eine relativ neue Entwicklung sind Folien zur Herstellung von → standfesten, sterisierbaren Packungen.

standfeste sterilisierbare Packung, *<sterilizable rigid package>*, eine Packung, die von der → Folienrolle durch → Warmformen hergestellt wird. Sie kann dann → In-line mit Lebensmitteln gefüllt und anschließend heiß sterilisiert werden.
Die zur Herstellung dieser Packungen in den letzten Jahren neu entwickelten → Verbundfolien zielen auf den Ersatz von → Glas und besonders von → metallischen Werkstoffen als Packmaterialien. Zwar wurde mit hochwertigen Verbundfolien schon seit längerem, z.B. bei der → Fleischverpackung, eine wesentliche Verbesserung der Haltbarkeitsdauer erreicht. Diese Packungen besitzen jedoch weder die Dimensionsstabilität noch die Stapelfähigkeit von Metallbehältern.
Der Einsatz von Folien auf diesem Gebiet bedeutet eine enorme Rationalisierung, insbesondere, wenn Herstellung und Befüllung der Packung in-line durchgeführt werden. Der aufwendige Transport von leeren Metallbehältern an die Verpackungsstraße entfällt, der Materialaufwand ist wesentlich geringer, die Verpackung leichter und ihre → Entsorgung einfacher.
Geeignete Verbunde bestehen im wesentlichen aus einer mindestens 500 μm und maximal bis zu 2500 μm dicken → Polypropylenfolie und einer → Sperrschichtfolie auf Basis → Polyvinylalkohol oder → Polyvinylidenchlorid. Als besonders vorteilhaft hat sich der zusätzliche Einsatz einer Schicht aus → Polyamid erwiesen. Bei geeigneter Materialkombination werden transparente Packungen erhalten.
Die Packungen können mit entsprechenden → Deckelfolien durch → Heißsiegeln verschlossen werden. Sie werden dann bei Temperaturen von ca. 130 °C sterilisiert.
Durch ihre gute Dichte gegen Sauerstoff werden ohne Kühlung Lagerzeiten von mehreren Monaten bis zu einem Jahr erzielt. Diese Packungen erreichen damit zwar nicht die Haltbarkeit einer Konserve, die mit über zwei Jahren definiert ist, können aber durchaus als *Halbkonserven* oder *Präserven* bezeichnet werden.

Stanniol, *<tin foil>*, Folie in Dicken von 20 bis 90 μm, die durch Walzen von Zinn hergestellt wird.
Zinn, chemisches Zeichen Sn, ist ein silberweißes glänzendes Schwermetall, d = 7,29 g/cm^3 welches sehr weich ist.

Stanniol wurde früher zur Herstellung von → Tuben, Schmuckstreifen (Lametta) und zur Verpackung von Lebensmitteln verwendet. Heute dienen für diese Anwendungsgebiete in den allermeisten Fällen → Aluminiumfolien, die gelegentlich fälschlich als Stanniol bezeichnet werden.
Die heute noch für spezielle Einsatzgebiete, z.B. für Flaschenkapseln, verwendeten Folien bestehen meist aus einer dickeren inneren Schicht aus Blei mit zwei sehr dünnen Außenschichten aus Zinn. Bei Verletzung dieser Zinnschichten ist eine Korrosion der Kernfolie möglich. Reine Zinnfolien sind jedoch aus Preisgründen nicht konkurrenzfähig.

Stapelpackung, *<stacking pack>*, → Fleischwarenverpackung.

Stärke zur Folienherstellung, *<starch for film production>*. Obwohl die Bestrebungen zum Einsatz von → abbaubaren Kunststoffen von der überwiegenden Anzahl der Fachleute sehr skeptisch betrachtet werden, wird auf diesem Gebiet von vielen Forschergruppen gearbeitet.
Schon vor längerer Zeit wurde die Einarbeitung von Stärke in Kunststoff-Folien, z.B. aus → Polyethylen, vorgeschlagen. Ein Stärkezusatz von etwa 30% soll den Abbauprozeß wesentlich beschleunigen. Über die anwendungstechnischen Eigenschaften derartiger Folien ist nichts bekannt. Neuere Arbeiten berichten über Kunststoff-Folien mit einem Zusatz von 5 bis 7% Stärke und 10 bis 20% Polystyrol. Der Abbau soll innerhalb von 6 bis 24 Monaten erfolgen. In der ersten Stufe wird die Stärke durch Mikroorganismen zerstört. Dadurch zerfällt die Folie mechanisch. Die Bruchstücke werden weiter abgebaut. Diese Angaben sind wenig geeignet, den Einsatz derartiger Folien zu empfehlen.
Über den direkten Einsatz von Stärke zur Herstellung von Folien gibt es gerade in jüngster Zeit eine ganze Reihe von Veröffentlichungen. Eine europäische Entwicklung beschreibt eine Stärke mit hohem Amyloseanteil, die aus einer besonders gezüchteten Erbsenart mit dem extrem hohen Stärkeanteil von 60 bis 90% gewonnen werden kann. Nach Beimischung einer geringen Menge von Fremdstoffen, über deren Natur nichts näheres bekannt ist, soll ein Produkt erhalten werden, das nach allen üblichen Verfahren zu Folien verarbeitet werden kann. Das Material soll transparent und flexibel sein und bei Gegenwart von Wasser mit Hilfe von Mikroorganismen schnell biologisch abgebaut werden. Als Abbauprodukte sollen ausschließlich Kohlendioxid und Wasser auftreten. "Der Werkstoff kann für alle Einwegpackungen eingesetzt werden, die nach dem Kauf des Artikels mehr oder weniger sofort in den Hausmüll gelangen." Bis zur Entwicklung anwendungsreifer Produkte, die dann auch preislich mit herkömmlichen Kunststoffverpackungen vergleichbar sein sollen, rechnet man mit ein bis zwei Jahren.
Eine weitere Entwicklung von Folien auf Basis von natürlichen Stärke-Produkten (Biomasse, "multi-sugars")

wird aus Japan berichtet. Nähere Angaben zur Herstellung dieser Folien werden mit Rücksicht auf eine schwebende Patentanmeldung nicht gemacht. Die Folien sollen im Boden jedoch nach im voraus festgelegten Zeiträumen zerfallen. Die Angaben über die mechanischen Eigenschaften der Folien sind vage.
In heißem Wasser lösliche Verpackungsmaterialien aus "Seegras und Pflanzensamen" werden ebenfalls aus Japan für Instant-Nahrungsmittel propagiert.
Eine Studie vom Dezember 1988 untersucht allgemein das Thema Kunststoffe und nachwachsende Rohstoffe. Lit.

statischer Schirm, *elektrostatische Abschirmung*, *<static shield>*, Niederfrequenzkabel, d.h. Verteilungskabel und -leitungen benötigen gemäß Vorschriften der Deutschen Bundespost eine Ableitungsmöglichkeit von elektrostatischen Feldern. Der Effekt wird durch spiralförmiges Umspinnen der Kabelseele mit einem dünnen → Aluminiumband erreicht. Auch Längsumhüllung mit genügender Überlappung ist möglich.
Die Dicken der weich eingestellten Alubänder liegen etwa zwischen 40 und 200 μm. Dünnere Schichten sind nur in Form von → Aluminium-Verbunden mit Folien aus Thermoplastischen Kunststoffen möglich. Geeignete Kombinationen sind 10 bis 15 μm dicke → Aluminiumfolien mit → Polyester- oder → Weich-PVC-Folien, die 12 bis 30 μm dick sind.

Staubalken, *<restrictor bar, dam restriction>*, → Flachfolienextrusion.

Stempelverformung, *<ram moulding>*, → Aluminium-Formverpackung.

Stenter-Prozeß, *<stenter process>*, → Reckverfahren.

Sterilisation, *<sterilization>*, ein Prozeß, um Materialien keimfrei zu machen und damit ihre Haltbarkeit zu verlängern oder ihre aseptische Verwendung zu ermöglichen.
In der Folientechnologie ist für die → medizinische Verpackung die Sterilisation unerläßlich. Sie kann als → Dampfsterilisation, → chemische Sterilisation oder → Bestrahlungssterilisation durchgeführt werden.
In jüngster Zeit gab es Veröffentlichungen über die erfolgreiche Entwicklung eines Verfahrens zur → Mikrowellensterilisation.
Beim Einsatz von Folien als Packmittel ist die richtige Auswahl des Folienmaterials von großer Bedeutung (→ Bestrahlung, Einfluß auf Verpackungsfolien).
Bei Lebensmitteln wird die Sterilisation von fertigen Packungen im Gegensatz zur medizinischen Verpackung noch wenig angewendet. Gegen chemische- und Bestrahlungs-Sterilisation bestehen physiologische Bedenken, und der Dampfsterilisation halten die üblichen Verpackungsfolien normalerweise nicht stand. In letzter Zeit sind jedoch Spezialfolien entwickelt worden, die unter den Bedingungen der Dampf-Sterilisation ihre guten Eigenschaften

nicht verlieren (→ standfeste, sterilisierbare Packungen).
Als Alternative zur Sterilisation der fertig verpackten Lebensmittel gewinnt die → Aseptische Verpackung in letzter Zeit zunehmende Bedeutung.
Die → Bodensterilisation verlangt die Anwendung spezieller Folien.

sterisch gehinderte Amine, → HALS.

Sternnahtverschweißung, → Silagefolie.

Steuermarken, *<register marks>*, → Rapportgenauigkeit.

Stippen, *Gelteilchen, Fischaugen, Verunreinigungen, <hard spots, gel, specks, impurities>*, isolierte Teilchen in einer → Folienbahn, die die → Folieneigenschaften, vor allem die → optischen Eigenschaften sehr stark negativ beeinflussen. Durch Stippen wird auch die Gefahr von Abrissen der Folienbahn wesentlich erhöht. Das Auftreten von Stippen kann eine Reihe von Ursachen haben.
1. Fremdverunreinigungen. Staub- oder Schmutzteilchen, die aus der Umgebung in die Rohstoffe oder während des Herstellungsprozesses in die Folie gelangt sind.
2. Vernetzte oder besonders hochmolekulare Anteile im eingesetzten Polymeren, die beim Fertigungsprozeß nicht vollständig schmelzen.
3. Durch zu hohe Temperaturbeanspruchung geschädigtes Ausgangsmaterial. Eine solche Schädigung kann im Extruder durch falsche Prozeßführung oder durch eine nicht geeignete Rezeptur verursacht sein. Häufig ist auch die Bildung vernetzter Anteile bei der → Rückführung von Thermoplasten oder bei Wiederverwendung von regranulierten Rohstoffen.
4. Verschmutzungen am Düsenspalt, z.B. durch Abbauprodukte oder ausgeschiedene → Additive.
5. Bei Folien, die Füllstoffe enthalten, z.B. bei → opaquen BOPP-Folien kann es durch schlechte Verteilung der anorganischen Füllstoffe zur Stippenbildung kommen. Das gleiche gilt bei Einfärbung durch → Pigmente, was bei der Folienherstellung allerdings selten vorkommt.
Die Vermeidung von Stippen gelingt durch sorgfältiges Arbeiten, das bereits bei der Herstellung der Rohmaterialien, vor allem der → thermoplastischen Kunststoffe beginnen muß. Die einzelnen Polymeren haben unterschiedliche Neigung zur Stippenbildung. Thermisch empfindliche Produkte sind naturgemäß besonders anfällig. Dies gilt z.B. für → Polyvinylchlorid, wo es bei der Herstellung der → Formmassen durch Produktionsfehler, wie falsches Einmischen der Additive, nicht ausreichend homogene Verteilung der Rohstoffe oder Eindringen von Feuchtigkeit bei der späteren Verarbeitung zum Auftreten von Stippen kommen kann. → Polyamide sind ebenfalls nicht ganz problemlos zu Folien zu verarbeiten. Bei der Herstellung von → PE-LLD und PE-LD-Folien wurde PE-LLD nicht zuletzt deshalb bevorzugt, weil es eine geringere Neigung zu Stippenbildung hat.

Strahlensterilisation, *<radiation sterilization>*, → Bestrahlungssterilisation.

Strahlenvernetzung, *<radiation crosslinking>*. Durch Einwirkung energiereicher Strahlung werden Makromoleküle mehr oder weniger stark vernetzt. Die Vernetzung bewirkt im allgemeinen eine Veränderung der Eigenschaften in Richtung größerer Beständigkeit gegen Chemikalien, höherer mechanischer Festigkeit und höherer Elastizität. Die mechanischen Eigenschaften können jedoch bei zu starker Bestrahlung auch wesentlich verschlechtert werden, was bis zur Zerstörung des Materials gehen kann. Deshalb sind die negativen Auswirkungen von energiereicher Strahlung auf Folien bisher wesentlich mehr beachtet worden als die positiven.
Die Strahlenvernetzung von Folien wird nur in wenigen Fällen kommerziell genutzt, z.B. bei der Herstellung von → Klebebändern mit besonders vorteilhaften Eigenschaften oder bei der Vernetzung von → Polyethylenfolien zu hochfesten papierähnlichen Materialien.
Die → Sterilisation von Füllgütern wird häufig durch → Bestrahlungs-Sterilisation der Packung vorgenommen. Der Einfluß der Strahlen auf das Verpackungsmaterial wurde deshalb besonders in den USA eingehend untersucht. (→ Bestrahlung, Einfluß auf das Verpackungsmaterial.)

Strangpressen, *<extrusion>*, → Extrusion.

Streckformen, *<stretch forming>*, → Warmformen.

Streckspannung, *<yield point, tensile stress at yield>*, eine Materialeigenschaft, die bei Folien in Längs- und Querrichtung gemessen wird. Prüfnorm DIN 53455, Einheit N/mm^2. Die Werte werden immer mit der zugehörigen → Dehnung angegeben.

Streifenpackung, *<strip pack>*, eine anspruchslose Verpackung von kleinen, flachen Teilchen, die einzeln oder in geringer Anzahl zum Verbrauch gelangen und die vor allem gegen Verschmutzung oder Berührung geschützt werden sollen. Das Packgut wird dabei zwischen zwei Streifen von Packmaterial gelegt, die an den Rändern durch → Kleben, oder → Heißsiegeln miteinander verbunden werden.
Als Packmaterialien wird für unempfindliche Füllgüter wie Süßstofftabletten meist Papier verwendet. Folien, vor allem Aluminiumfolien erbringen einen wesentlich verbesserten Schutz vor Luftfeuchtigkeit, sind aber erheblich teurer. Eine anwendungstechnisch anspruchsvollere Form der Streifenverpackung ist die → Blisterverpackung.

Stretchfolie, *Dehnfolie*, *<stretch film>*, elastische, ausziehbare, dünne Folien aus thermoplastischen Polymeren. Die Folie dient in gedehnter Form zum Verpacken uneinheitlich geformter Güter, vor allem für die → Palettenverpackung.
Ausgangsmaterialien zur Herstellung von Stretchfolien sind vor allem lineares → Polyethylen niedriger Dichte, PE-LLD, und → Ethylen-Vinylacetat-Copolymere, EVA, mit Vinylacetat-

Gehalten von etwa 3 bis 15%.
Die früher in größerem Maßstab verwendeten → Weich-PVC-Folien werden heute kaum noch eingesetzt. Sie besitzen zwar gute Dehnfähigkeit, verlieren aber beim Gebrauch schnell einen Teil ihrer Elastizität. Während bei den Folien aus Polyolefinen nach 16 h noch ca. 65% der Spannkraft erhalten sind, liegt dieser Wert bei PVC bei nur 30%.
Wichtige Eigenschaften für Stretch-Folien sind hohe Dehnbarkeit bei möglichst geringer → Einschnürung, gute Reißfestigkeit und Durchstoßfestigkeit, hohe Elastizität und Spannkraft, geringe Ermüdungstendenz und gute Haftung zwischen den Folienoberflächen.
Zur Erhöhung der Adhäsion der Stretch-Folie können Additive zugesetzt werden, die an die Oberfläche wandern und dieser eine gewisse Klebrigkeit und verbessertes Haftvermögen verleihen. Beispiele sind Fettsäureester des glycerins, niedermolekulares → Polyisobuten oder Acrylate. Auch eine Beschichtung der Oberfläche wurde vorgeschlagen, z.B. mit Polyvinylbutyral oder Polyacrylsäure-Derivaten. Als besonders hochwertige Stretch-Folien haben sich heute durch → Coextrusion hergestellte zwei- oder mehrschichtige Folien durchgesetzt. Dabei wird häufig PE-LLD mit einer sehr dünnen Schicht aus Polyethylen-Copolymeren kombiniert, die die Hafteigenschaften wesentlich verbessert. Dies ist vor allem bei der Anwendung der Folien in extremer Kälte wichtig. Gut ausgerüstete Stretch-Folien sind ohne Verlust wichtiger Eigenschaften zwischen etwa -30 °C und + 40 °C einsetzbar.
Eine Stretchfolie mit guten Adhäsionseigenschaften auf einer Bahnseite wird durch Coextrusion von Polyethylen mit Polyisobuten gewonnen; Einzelheiten → Haftfolie.
Additive zur Erhöhung des Gebrauchswertes der Folien sind → Lichtschutzmittel oder → Antioxydantien.
Die Eigenschaften der Stretchfolien hängen nicht nur von den verwendeten Thermoplasten und Hilfsstoffen, sondern auch vom Herstellungsverfahren ab. Produkte, die durch → Flachfolien-Extrusion hergestellt werden, werden auf hoch polierten Walzen schnell abgekühlt, während die Kühlung bei der → Blasfolienextrusion langsamer verläuft. Dickengleichmäßigkeit, Klarheit und Haftvermögen sind in der Regel beim Flachfilm besser. Dieser hat weiterhin gegenüber der Blasfolie eine größere mechanische Festigkeit in → Längsrichtung, da bei der Flachfolien-Extrusion stets eine verfahrensbedingte Reckung in dieser Richtung eintritt (→ Reckverfahren).
Für die Prüfung von Stretch-Folien gibt es standardisierte Methoden. Diese sind für die Qualitätskontrolle während der Herstellung unentbehrlich, aber für die Anwendung meist wenig aussagefähig. Praxisversuche sind in jedem Falle erforderlich, da die Anforderungen an die Folien sehr stark von den zu verpackenden Gütern und von den eingesetzten Verpackungsmaschinen abhängen.
Stretchfolien stehen bei der Palettenverpackung im Wettbewerb mit → Schrumpffolien. Für die → Stretchfolienverpackung wurden spezielle Maschinen entwickelt.

Stretchfolienverpackung, *<stretch film packaging>*, die Verpackung von oft ungleichmäßig geformten Gütern mit Hilfe von → Stretchfolien. Diese haben eine besonders große Bedeutung bei der → Palettenverpackung, wo sie mit → Schrumpf-Folien im Wettbewerb stehen.
Maschinen für die Stretchfolien-Verpackung arbeiten nach zwei verschiedenen Prinzipien:
1. Die konventionelle Methode. Die Verstreckungskraft wird durch das Packgut erzeugt, welches auf einem Drehteller rotiert. Die Folienrolle wird beim Abwickeln gebremst, so daß sich eine Zugspannung zwischen Packgut und Folienrolle aufbaut. Die Verstreckung der Folie erfolgt zwischen der Rolle und dem Packgut. Die Größe der Zugspannung ist bei dieser Methode dadurch begrenzt, daß das Packgut durch die einwirkenden Kräfte nicht verschoben werden darf. Aus diesem Grund kann stets nur ein Teil der vorhandenen Dehnfähigkeit genutzt werden. Unter Produktionsbedingungen beträgt die Ausnutzung des Streck-Potentials nur 20 bis 60%. Dies bedeutet einen hohen Folienverbrauch, der das Verfahren verteuert.
2. Verpacken mit *Vorstreckung*. Diese 1979 entwickelte Methode trennt den Streckvorgang von der Belastung des Packguts. Die von der Rolle abgewickelte Folie passiert ein angetriebenes Walzenpaar. Die Eingangsrolle rotiert langsamer als die Ausgangsrolle, so daß die Folie in Längsrichtung verstreckt wird. Das Maß der Verstreckung ist einstellbar und bleibt während des Verpackungsvorgangs konstant. Die Folie kann auf etwa 250% gedehnt werden, wodurch gegenüber dem konventionellen Verfahren 20 bis 30% Materialkosten eingespart werden. Der Prozeß ist außerdem leichter kontrollierbar, und die Verpackung wird gleichmäßiger.
In der Art der Packungsumhüllung unterscheidet man zwischen *Spiralverpackung* und der Verpackung mit einer einzigen Folienbahn. Bei der Spiralverpackung ist die Breite der Folienbahn wesentlich geringer als die Höhe der Packung. Sie liegt zwischen etwa 50 und 80 cm. Die Folienrolle wird nach oben bewegt und führt so die Folienbahn spiralförmig um die Packung. Bei der Rückführung der Rolle erfolgt die Umwicklung des Packgutes von oben nach unten. Die Zahl der Folienschichten und ihre Verteilung sind variabel und werden durch die Art des Packguts und die Schwerpunkte der Belastung bestimmt. Die Spiralverpackung ist für Packungen mit sehr unterschiedlichen Dimensionen geeignet. Dagegen verlangt die Stretchfolien-Verpackung mit einer einzigen Folienbahn konstante Abmessungen der Packeinheiten. Die Breite der Folienbahn ist dann gleich der Höhe des Packguts. Die Methode ist auf mittlere Größen der Einheiten, etwa auf 100 bis 130 cm, begrenzt. Die Produktionsgeschwindigkeit kann bis zu 100 Packstücken/h betragen. Sie liegt bei der Spiralverpackung mit 20 bis 80 Einheiten/h deutlich niedriger.

Streulichtfolie, *<light-diffusing film>*, mit Glasfasern oder Streupigmenten gefüllte → Polycarbonatfolie, die als

→ Frontfolie für beleuchtete oder durchstrahlte Informationsträger eingesetzt wird. Beispiele sind Signalanzeigen in Kraftfahrzeugen, Frontblenden und Skalen für elektrotechnische Geräte oder Streulichtscheiben in Bildwänden.

Die Dicken der Folien liegen bei Glasfaser-Füllung zwischen 420 und 500 μm, bei Einsatz von Streupigmenten ist die Herstellung dünnerer Folien mit Dicken zwischen 200 bis 500 μm möglich.

Bei rauchfarbener, durchscheinender Einfärbung wirken die Streulichtfolien in der Aufsicht schwarz. Auf der Vorderseite gedruckte Zeichen sind im Auflicht also permanent sichtbar, der auf der Rückseite befindliche Druck nur bei Durchleuchtung von hinten. Es können also zwei Informationsebenen genutzt werden. Die Prüfung der Lichtstreuung erfolgt durch Messung der Winkelverteilung der Streustrahlung (Abb.).

Der Halbwertswinkel γ_o entspricht dem Lichtausfallwinkel γ, bei dem die Leuchtdichte auf die Hälfte des senkrecht durchtretenden Lichtes (γ = O) abgefallen ist (DIN 58161).

Streulichtfolien können durch Stanzen, → Prägen, → Warmformen und durch → Haftkleben verarbeitet werden.

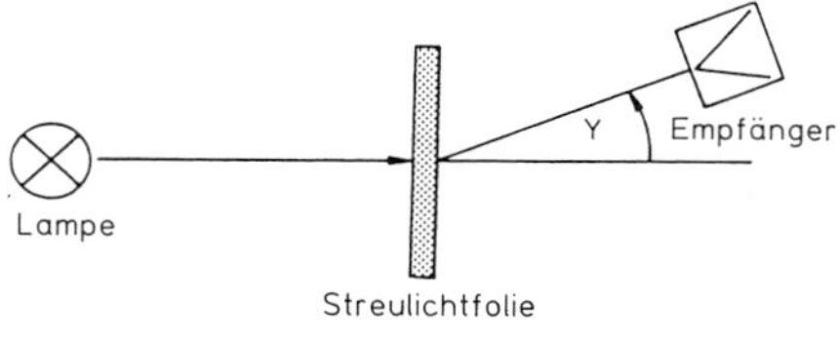

Streulichtfolie. Bayer AG, Leverkusen, Firmenschrift.

Strichcode, *<bar code>*, ein System von schwarzen oder dunkel gefärbten Strichen oder Balken auf hellem Untergrund von verschiedener oder gleicher Breite mit verschiedenen oder gleichen Abständen voneinander. Zweck ist die Kodierung von Informationen in einer Form, die leicht und schnell maschinenlesbar ist.

Die im Strichcode verarbeiteten Daten können optisch-elektronisch im Stillstand mit Lesestiften abgelesen werden. Auch aus einer bestimmten Entfernung können Leser-Scanner und Kameras die Daten bei Bewegung oder im Stillstand erfassen. Dies ermöglicht die automatische Steuerung von Transport- und Lagersystemen, die Erstellung von Dokumentationen im Versand- und Lagerwesen und eine ständige Inventur durch permanent zur Verfügung stehende Informationen.

Es wurden verschiedene Strichcodes, zunächst in den USA, später auch in Europa entwickelt. Für die Verpackung von Lebensmitteln wurde die Anwendung des Anfang der 70er Jahre in USA vorgeschlagenen Universal Product Code (UPC) als *EAN-Code*, Europäische Artikel-Numerierung, 1976 auch in Europa anerkannt. Einführungstermin war der 1.1.1980.

Die Abbildung zeigt den UPC-Code und den UPC/EAN-Code. Zusätzliche Prüfziffern, die zusammen mit dem Code gelesen werden, ermöglichen eine Kontrolle im Decoder. Der Code wird nicht übertragen, wenn die Prüfziffern im Code und im Decoder nicht miteinander übereinstimmen.

Für medizinische Anwendungen hat

UPC/EAN

Strichcode.

sich das Codabar-System weitgehend durchgesetzt.

Bei Beginn seiner Anwendung hat der EAN-Code insbesondere beim → Bedrucken von Folien Probleme gebracht. Die Druckqualität ist entscheidend für den Erfolg des Systems. Schlechte Drucke von Strich-Codes sind schwer zu lesen und geben entsprechend schlechte Resultate. Vor allem ist ausreichender Kontrast der Striche erforderlich, was durch sehr helle Untergründe und dunkle Striche wesentlich unterstützt wird. Fortschritte im Know How und in der Verfahrenstechnik des Bedruckens von Folien haben inzwischen zur Lösung des Problems geführt.

Das Plazieren des Strichcodes auf einer Folienpackung ist nicht ganz einfach, da der Code oft als störender Fremdkörper für die werbewirksame Gestaltung des Druckbildes empfunden wird. Die beschleunigte Durchsetzung des Strichcodes steht jedoch außer Frage, da er zahlreiche Vorteile für den Verbraucher und für den Verkäufer entsprechend ausgerüsteter Verpackungen bedeutet. Lit.

Stützfolie, *<support film>*, → Trägerfolie.

Stufenreckprozess, *<two stage stretching>*, → Reckverfahren.

Styrol-Acrylnitril-Copolymer, *SAN*, *<styrene-acrylonitril, SAN>*, thermoplastisches Copolymerisat mit einem Styrolanteil von etwa 70%. Die gute Verarbeitbarkeit des → Polystyrols durch → Extrusion ist bei verbesserter chemischer Beständigkeit erhalten. Da die → Durchlässigkeit für Gase infolge des verhältnismäßig geringen Anteils an Polyacrylnitril nicht herabgesetzt ist, spielen Folien aus SAN in der Lebensmittelverpackung praktisch keine Rolle. Die Anwendung beschränkt sich auf technische Sondergebiete.

Styrol-Butadien-Blockcopolymer, *SB-Blockcopolymer*, *<Styrene-Butadiene Copolymer, SB>*, → thermoplastischer Kunststoff, der durch Block-Copolymerisation von Styrol und Butadien in Lösung durch mehrfache, schrittweise Zugabe der Monomeren unter Verwendung von Katalysatoren hergestellt wird. Diese Materialien weisen eine hervorragende Transparenz verbunden mit sehr guten mechanischen Werten, vor allem mit hoher → Schlagzähigkeit auf. Die Eigenschaften der Polymeren hängen von der → Molekülmasse und der Molmassenverteilung, vom Verhältnis Styrol/Butadien und von der Art der Blockstruktur ab. Es sind deshalb vielfältige Variationsmöglichkeiten gegeben.

Styrol-Butadien-Copolymerisate lassen sich durch → Extrusion leicht zu Folien verarbeiten. Ihr Fließverhalten ist gut. Höheren Verarbeitungstemperaturen sind jedoch dort Grenzen gesetzt, wo der Vernetzungsbereich des kautschukartigen Polybutadienanteils erreicht wird. Die Abbildung zeigt die Änderung des Extrusionsdrucks in Abhängigkeit von der → Massetemperatur bei schlagfestem Polystyrol und Standardpolystyrol (1 und 2) und bei zwei Styrol-Butadien-Polymerisaten (3 und 4). Die Schmelzetemperaturen am Düsenaustritt sollten bei etwa 180 °C bis 215 °C liegen. Wegen der Gefahr einer thermischen Schädigung müssen längere Stillstandszeiten des Extruders bei höherer Temperatur vermieden werden. Bei der Extrusion von Styrol-Butadien-Copolymerisaten können schon geringe Mengen von Feuchtigkeit stören. Eine Vortrocknung ist deshalb erforderlich.

Wie bei fast allen Verfahren zur → Folienherstellung tritt auch beim Einsatz von SB-Polymerisaten → Orientierung ein. Im Gegensatz zu der meist gültigen Regel, daß die mechanischen Eigenschaften der Folien in Orientierungsrichtung verbessert werden, gilt hier das Gegenteil: Die mechanischen Eigenschaften sind quer zur Orientierungsrichtung verbessert. Dies liegt an der Verstreckung der kautschukartigen Butadien-Anteile, die in der Längsrichtung Dehnreserve verlieren und dadurch eine geringere Reißdehnung verursachen.

Folien aus SB-Copolymeren werden vor allem in der Verpackungsindustrie verwendet. Beispiele sind → Deckelfolien, → Tuben, → Blister- und → Skin-Packungen sowie → Schrumpffolien.

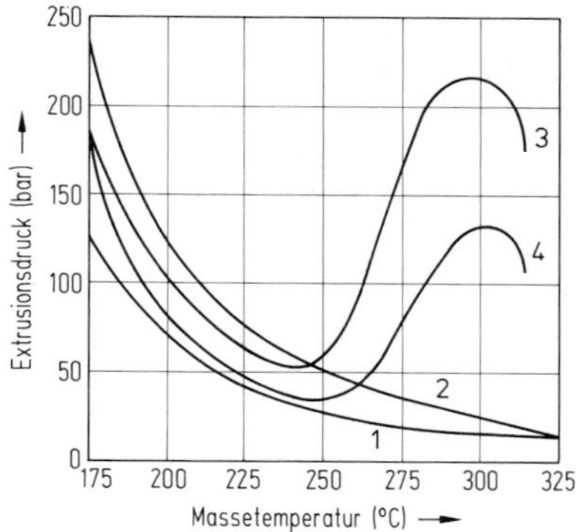

Styrol-Butadien-Blockcopolymer. BASF, Ludwigshafen, Firmenschrift.

Ein Nachteil ist die relativ hohe → Durchlässigkeit der Folien aus SB-Polymerisaten für Wasserdampf und Gase.

Die Tabelle (s.S. 448) zeigt die Durchlässigkeit einiger Folien aus SB-Polymerisaten, die nach abfallender → Schlagzähigkeit und ansteigender → Wärmeformbeständigkeit angeordnet sind. Die Dicke der Folien betrug ca. 100 μm, gemessen wurde bei 23 °C.

Styrol-Butadien-Blockcopolymere werden sehr oft in Mischung mit anderen Thermoplasten, vor allem mit Standard-Polystyrol eingesetzt.

Styrol-Butadien-Blockcopolymere werden auch als → Haftvermittler bei der Herstellung von → Verbundfolien verwendet.

Substitutionsgrad, *<degree of substitution, D.S.>*, → Cellophan.

Styrol-Butadien-Blockcopolymer.

Wasserdampf $g \cdot m^{-2} \cdot d^{-1}$	Sauerstoff	Stickstoff $cm^3 \cdot m^{-2} \cdot d^{-1} \cdot bar^{-1}$	Kohlendioxid
13,8	2600	700	15000
13,3	2400	600	13000
11,3	1600	350	8000
12,7	1900	450	10000

Quelle: BASF, Ludwigshafen, Firmenschrift

T

Tabakfolie, *Bandtabak <tobacco film>*, wird meist aus Abfällen der Tabakwaren-Herstellung, z.B. aus Tabakstaub, gewonnen. Dieser wird mit Hilfe von Bindemitteln zu einer Folie verarbeitet, die zu mindestens 75% aus Tabak besteht. Bei neueren Verfahren werden als Bindemittel aus Tabak gewonnene Pektine eingesetzt. Solche Produkte enthalten wenig Nikotin und sind in ihrer chemischen Zusammensetzung dem Naturtabak sehr ähnlich.
Tabakfolien sollen sehr porös sein, damit der Luftzutritt in die Glimmzone begünstigt wird. Dies führt wiederum zu einer Verminderung der Kondensatwerte im Rauch.
Tabakfolien sind wie Rohtabak hygroskopisch und müssen entsprechend gelagert werden.

Taktizität, *<tracticity>*, → Polypropylen.

Tandemextruder, *<tandem extrusion line>*, zwei → Extruder, die bei der Folienherstellung oder -Verarbeitung zusammenwirken. Wichtigste Beispiele für den Einsatz von Tandem-Extrudern sind die Herstellung von → Schaumfolien, die Produktion von → Polyesterfolien und → BOPP mit sehr hohen Durchsätzen und Anlagen zum → Beschichten, bei denen beide Seiten einer Trägerbahn beschichtet werden.

Tänzerrolle, *<dancer roll>*, → Tänzerwalze.

Tänzerwalze, *Losrolle, Tänzerrolle <dancer roll, free roll, loose roll>*, eine zwischen zwei fest gelagerten Walzen (A und B) beweglich angeordnete Rolle (C), mit der die Bahnspannung der → Folienbahn reguliert wird (Abbildung).

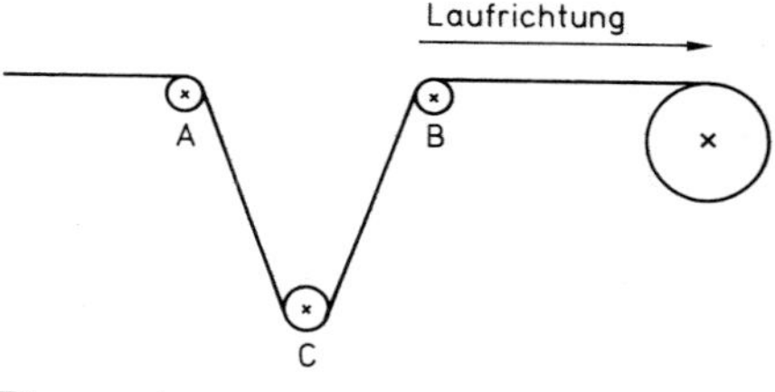

Tänzerwalze.

Tamper-evident-Verpackung, → verfälschungssichere Verpackung.

Tamper-proof-Verpackung, → verfälschungssichere Verpackung.

Tamper-resistant-Verpackung, → verfälschungssichere Verpackung.

tan δ**,** → Verlustfaktor.

Tapetenfolie, *<wall paper film>*, Folie aus Kunststoff, vorzugsweise Polyethylen, oder Metall, vorzugsweise Aluminium, die in Verbindung mit Papier zur Herstellung von Tapeten dient. Man verwendet sie zur Erzielung besonderer Effekte und zur Erhöhung der Haltbarkeit von Tapeten. Besondere Dekors sind durch → Bedrucken oder → Metallisieren der Folien erzielbar.

Tauchen, <*dip moulding*>, → Tauchformverfahren.

Tauchformverfahren, *Tauchen,* <*solvent casting, solvent moulding, dip moulding*>, Eintauchen von beheizten Patrizen mit den Innenkonturen des herzustellenden Formteils in die Lösung eines Polymeren. Die in der Regel beheizten Metallformen werden nach kurzem Eintauchen dem Bad entnommen und unter Erwärmung getrocknet. Dabei kann es sich um eine rein physikalische Trocknung oder um eine Aushärtung unter Ablauf chemischer Reaktionen handeln. Zum Schluß wird der geformte Gegenstand entfernt und die Form wieder in den Prozeß zurückgeführt.
Der Prozeß ist verwandt mit den → Gießverfahren. Er ist einfach und zur Herstellung von Massenartikeln geeignet. Es werden einseitig offene Hohlkörper, wie Handschuhe, Fingerlinge oder Stiefeleinsätze hergestellt. Rohstoffe sind Latex oder Polyvinylchlorid.

technische Folien, <*technically applicated films*>, unpräzise Bezeichnung für Folien, die nicht auf dem sehr großen Anwendungsgebiet → Verpackung, sondern auf dem → technischen Sektor eingesetzt werden.

technischer Sektor, <*technical sector*>, ein großes, in seiner Bedeutung für die → Folienanwendung wachsendes Gebiet, das im Vergleich zum Bereich → Verpackung wohl noch stärker ausbaufähig ist. Es geht dabei gelegentlich nicht um große Produktionsmengen, sondern um technisch hochwertige, dem Verwendungszweck optimal angepaßte Folien. Beispiele für wichtige Folienanwendungen auf dem technischen Sektor sind Trägerfolien wie → Magnetbandfolien und → Photofolien, → Elektroisolierfolien, → elektrisch leitende Kunststoff-Folien, → Nachleuchtfolien, → Polarisationsfolien, → Kondensatorfolien, → Dekorfolien, → Prägefolien, → Isolierfolien, → Foliengarn, → Folienbändchen, → Frontfolien, → Prägefolien, → Trennfolien, → Abdeckfolien oder Folien für den → Korrosionsschutz.
→ Haushaltsfolien sind zum Teil zur Verpackung, zum Teil aber auch dem Technischen Sektor zuzuordnen. → Bürofolien haben eine ähnliche Zwischenstellung.
Folien werden auch auf vielen Einzelgebieten als Hilfsmittel oder Bauteile technisch genutzt. Beispiel sind → Folienschalter, → gedruckte Schaltungen, → elektrostatische Abschirmung, → Schichtmantelkabel und → Gurtbänder für elektronische Bauelemente.
→ Hochleistungsfolien wurden aus neuen Kunststoffen entwickelt, der Einsatz von → flüssigkristallinen Kunststoffen für → LCP-Folien steht noch am Anfang.
Die Folientechnologie hat hier sicher noch viele Möglichkeiten, im Sinne des sorgsamen Umgangs mit knappen Ressourcen unter umweltgerechten Bedingungen Problemlösungen zu finden.

TEG, → Triethylenglykol.

TEG-Verfahren, → Reinigen von Werkzeugen.

Teilchengröße, <*grain size*>, → Korngröße.

Teleskopieren, <*telescoping*>. Eine Folienrolle "teleskopiert", wenn sich die äußeren Lagen gegen die inneren Lagen verschieben. Die Rolle wird wie ein "Fernrohr" auseinandergezogen. Ihre Seitenbegrenzung stellt dann nicht mehr eine ebene Fläche dar, die im Idealfall an die Oberfläche einer Schallplatte erinnert (die Lagen der Folienbahn täuschen die Rillen einer Schallplatte vor). Teleskopierte Folienrollen sind nur schwierig, meist gar nicht mehr weiterzuverarbeiten. Das Teleskopieren von Folienrollen tritt z.B. bei sehr gleitfähigen, sehr glatten Folien oder bei nicht sachgemäßem → Wickeln auf.

Temperaturbeständigkeit, <*temperature resistance*>, → Wärmebeständigkeit, → Kältebeständigkeit.

tensilized Folie, <*tensilized film*>, → Magnetband-Folie.

Tenterprozeß, → Reckverfahren.

Testlebensmittel, <*test foods*>, → Prüflebensmittel.

Tetraeder-Verpackung, <*tetra pack*>, → Faltkarton.

TG, <*TG*>, → Thermogravimetrie.

thermische Analyse, <*thermal analysis*>, → Differentialthermoanalyse.

thermische Eigenschaften, <*thermal properties*>, von Folien müssen wie viele andere → Folieneigenschaften vor allem bei Anwendungen auf dem → technischen Sektor beachtet werden. Aber auch bei Folien zur → Verpackung sind → Kältebeständigkeit bzw. → Wärmebeständigkeit z.B. zur Verpackung von Lebensmitteln, die in der Tiefkühlkette vertrieben und vor dem Verzehr erwärmt werden, von Bedeutung.
Auch das Verhalten einer Folie beim → Heißsiegeln wird von ihren thermischen Eigenschaften bestimmt.

thermische Längenausdehnung, <*thermal extension*>, unterschiedliche Ausdehnungskoeffizienten von → thermoplastischen Kunststoffen können sich negativ auf die → Planlage der Folienbahn auswirken.

Thermofixierung, <*thermosetting*>, die Festlegung eines bestimmten Zustands der → Kristallinität durch Wärmebehandlung. Bei der → Folienherstellung spielt die Thermofixierung bei vielen Prozessen eine Rolle, z.B. bei → Reckverfahren und bei der Produktion von → Schrumpf-Folien.

Thermoformen, <*thermoforming*>, → Warmformen.

Thermogravimetrie, *TG*, <*thermogravimetry, TG*>, eine Variante der → Differentialthermoanalyse. Es wird

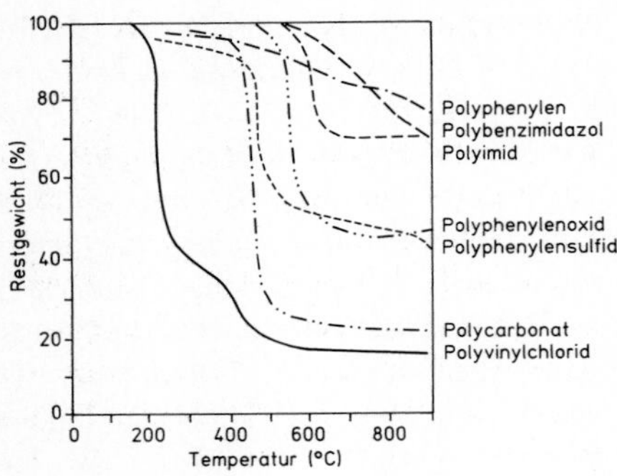

Thermogravimetrie. Nach Saechtling Kunststoff-Taschenbuch, München 1989, S. 432, Abb. 125.

der Gewichtsverlust von Polymeren bei schnell steigenden höheren Temperaturen mit einer Differential-Thermowage gemessen und aufgezeichnet. Man erhält sogenannte *Kunststoffthermogramme* oder *Pyrolysekurven*, die Rückschlüsse auf das Verhalten von Polymeren oder Kunststoff-Formmassen bei der Verarbeitung, ermöglichen.

So erkennt man beispielsweise, daß beim PVC in der Nähe der Verarbeitungs-Temperatur weitgehende thermische Zersetzung eintritt. Man kann die Wirksamkeit von → PVC-Stabilisatoren und → PVC-Verarbeitungshilfsmitteln mit der TG beurteilen.

Die Thermogramme von einigen neueren, hoch temperaturbeständigen Polymeren, die zur Herstellung von → Hochleistungsfolien Verwendung finden, zeigt die Abbildung. Die Kurven zeigen, daß manche Polymere sehr weitgehend zu gasförmigen Produkten zersetzt werden (PVC, Polycarbonat), während bei anderen ein wesentlicher Anteil des Materials durch Verkokung in temperaturbeständigen Kohlenstoff übergeht.

Die Befunde der Thermogravimetrie dienen auch zur Beurteilung des → Brennverhaltens von Folien und zur Charakterisierung und Identifizierung von hochmolekularen Stoffen.

Eine ähnliche Untersuchungsmethode, die → dynamische Differenzkalorimetrie, verfolgt das Wärmeaufnahmevermögen des untersuchten Polymeren.

Thermokaschieren, *Heißkaschieren*, <*thermocompression bonding*>, flächiges Zusammenfügen, → Kaschieren, von Materialbahnen ohne Anwendung von zuvor aufgetragenen Klebstoffen. Das Verfahren arbeitet unter Verwendung von *Kaschierfolien*, die auf den jeweiligen Anwendungsfall abgestimmt sein müssen. Es können zwei gleiche oder auch verschiedene Bahnen mit einer Kaschierfolie als Zwischenschicht miteinander verbunden werden. Auch das einseitige Kaschieren der verschiedensten Materialien mit einer Kaschierfolie ist möglich. Das System ist einfach, vielseitig anwendbar und arbeitet ohne Lösungsmittel.

Das Thermokaschieren wird zwischen zwei Trommeln, bei der Kaschierung von Geweben häufig auf einem Filzbandkalander durchgeführt. Das Prinzip zeigt die Abbildung.

Als Kaschierfolien können → Polyethylen-, → Polypropylen-, → Polyurethan-, → Weich- und → Hart-PVC- oder → Polyesterfolien eingesetzt werden. Entscheidendes Merkmal ist die Erweichungstemperatur der Folienoberfläche.

Deshalb werden häufig → Ethylen-Vinylacetat-Copolymere oder Polymerblends verwendet. Auch mehrschichtige Produkte, bei denen der Schmelzbereich der Schichten unterschiedlich ist, werden als Kaschierfolien genutzt.
Anwendungsbeispiele sind wasserbeständige Papiere, Vliese oder Gewebe für die Schuh- und Bekleidungsindustrie, medizinische Anwendungen, Herstellung von flammhemmenden Produkten oder Isolierstoffen gegen Wärme und Schall. Ein in letzter Zeit besonders schnell wachsendes Gebiet ist die → Hochglanzkaschierung von Papier.

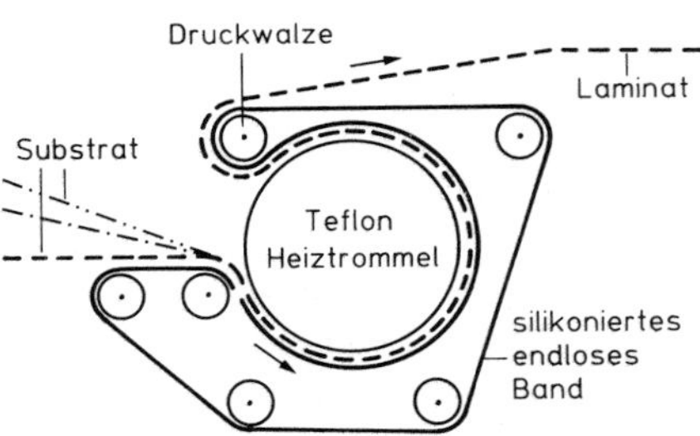

Thermokaschieren. Stork Brabant B.V. Boxmeer, Holland, Firmenschrift.

Thermoform-, Füll- und Schließmaschinen, <*thermoform fill/seal machinery*>, → Form-, Füll- und Schließverfahren.

Thermogramm, <*thermogram*>, → Thermogravimetrie.

Thermoplastbleche, → orientierte Polypropylenplatte.

Thermoplaste, <*thermoplastic*>, → thermoplastische Kunststoffe.

thermoplastische Elastomere, <*thermoplastic elastomers, TPE, TP elastomer*>. Diese noch relativ neue Kunststoffklasse vereinigt die Eigenschaften der → thermoplastischen Kunststoffe mit denen der → elastomeren Kunststoffe. Thermoplastische Elastomere sind im Gegensatz zu Elastomeren wesentlich leichter zu verarbeiten und stehen in dieser Hinsicht den thermoplastischen Kunststoffen nahe. Sie haben für die Herstellung von Folien in letzter Zeit zunehmend an Bedeutung gewonnen.
Thermoplastische Elastomere sind reversibel und temperaturabhängig vernetzt. Bei hohen Temperaturen liegt eine Schmelze aus linearen Makromolekülen in getrennten Phasen vor. Beim Abkühlen bildet sich eine harte und eine weiche Phase aus, die nicht miteinander verträglich sind. Die weiche Phase mit einem → Glasübergang unter Normaltemperatur stellt den gummielastischen Anteil, die harte Phase mit wesentlich höheren Glastemperaturen bewirkt die physikalische Vernetzung der Makromoleküle.
Wichtige Produktgruppen sind → Styrol-Butadien-Blockcopolymere, → EPDM-Polypropylen-Blends, → Polyurethan-Elastomere und → Copolyester/ether-Elastomere.

thermoplastische Kunststoffe, *Thermoplaste*, *TP*, <*thermoplastics*>, sind die mit Abstand wichtigsten Ausgangsmaterialien zur Herstellung von Folien. Viele dieser hochmolekularen Kunststoffe können wiederholt in der Wärme erweicht und durch Abkühlen wieder

erhärtet werden. Die → Fließeigenschaften von Thermoplasten ermöglichen eine fast beliebige thermoplastische Verformung. Die Makromoleküle von Thermoplasten haben meist lineare oder geringfügig verzweigte Struktur. Sie entstehen durch → Polymerisation, → Polykondensation oder → Polyaddition aus Monomeren, d.h. niedermolekularen Einzelmolekülen. Seltener ist die Herstellung von Kunststoffen durch → Umwandlung von Makromolekülen.
Für die Eigenschaften der thermoplastischen Kunststoffe sind ihre → Struktur und ihre Morphologie, der Feinaufbau ihrer Polymerketten, von großer Bedeutung. Ein gutes Beispiel dafür sind die → Polyethylene, eine für die Folienherstellung besonders wichtige Gruppe von thermoplastischen Kunststoffen.
Ein anderes Beispiel ist → Polyvinylchlorid, das zu den ältesten und vielseitigsten thermoplastischen Kunststoffen gehört. Seine im Prinzip schwierige Verarbeitung hat zur Entwicklung einer Fülle von → Additiven geführt, die PVC heute noch zu einem sehr wichtigen Rohstoff zur Folienherstellung machen. Allerdings wird die Problematik dieses Rohstoffs infolge seines extrem hohen Chlorgehalts zumindest auf dem Gebiet der Folien langfristig zur Ablösung durch chlorfreie Produkte führen.
In den letzten 20 Jahren haben sich → Polypropylen und → Polyethylenterephthalat als Rohstoffe zur Folienherstellung ganz besonders stark entwickelt. Die Vielseitigkeit thermoplastischer Kunststoffe zeigt sich nicht zuletzt in neuen Mischungen oder Legierungen von Thermoplasten, den → Blends. Lit.

thermoplastische Olefin-Elastomere, <*olefinics*>, → olefinische Elastomere.

thermoplastische Verformung, <*thermoplastic moulding*>, → thermoplastische Kunststoffe.

Thermosiegeln, <*heat sealing*>, → Heißsiegeln.

Thermostabilität, <*heat stability*>, die Stabilität von → thermoplastischen Kunststoffen bei der Verarbeitung zu Formkörpern, Fasern oder Folien über die Schmelze.
Bei Thermoplasten mit nicht ausreichender Thermostabilität muß die Verarbeitungstemperatur herabgesetzt werden. Dies geschieht z.B. beim → Polyvinylchlorid durch Zusatz von → Additiven, vor allem von → PVC-Stabilisatoren und von → PVC-Verarbeitungshilfsmitteln.
Unter den thermischen Eigenschaften von Folien ist die → Wärmebeständigkeit vor allem im → technischen Sektor von Bedeutung. Dagegen spielt bei der Verpackung die → Kältebeständigkeit eine größere Rolle.

Thermostabilität von PVC, <*heat stability of PVC*>, → PVC-Stabilisatoren.

Tiefdruck, <*gravure printing, intaglio printing, rotogravure printing*>, ein → Druckverfahren, bei dem die druckenden Teile der Druckwalze im Gegensatz

zum → Flexodruck tiefer als die nicht druckenden Teile liegen.
Bei der Herstellung der Druckwalzen werden diese um so tiefer geätzt, je mehr Druckfarbe sie aufnehmen sollen. Wenn der Druckzylinder aus dem Druckfarbenbad heraustritt, wird der Überschuß an Druckfarbe durch eine Rakel entfernt. Sobald der Druckzylinder in Kontakt mit dem zu bedruckenden Substrat kommt, wird die Druckfarbe durch eine elastische Gegendruckwalze aus den Zellen auf das Substrat übergeführt.
Die Herstellung von Tiefdruckzylindern ist aufwendig. Das Verfahren eignet sich deshalb für das → Bedrucken von Folien nur bei größeren Lauflängen.
Trotz der sehr weit fortgeschrittenen Entwicklung des Flexodrucks ist der Tiefdruck qualitativ auch heute noch das überlegene Verfahren. Dies gilt vor allem dann, wenn *Halbtöne* dargestellt und hervorragende, künstlerisch ansprechende Druckbilder erzeugt werden sollen. Die in den letzten Jahren aufgetretenen besonderen Probleme durch Einführung des → Strichcodes konnten im Tiefdruckverfahren schneller überwunden werden als mit dem Flexodruck.
Tiefdruckmaschinen für das Bedrucken von Folien werden heute in Breiten von 2.500 bis 3.000 mm angeboten. Die Druckgeschwindigkeiten betragen bis zu 300 m/Min. Elektronisch-optische Steuerung sorgt für hervorragende Paßgenauigkeit und → Rapportgenauigkeit.

Tiefdruckverfahren, <*gravure printing*>, → Druckverfahren.

Tiefziehen, <*deep drawing*>, → Warmformen.

Tierdarm, <*natural casing*>, → Naturdarm.

Tierkörperverpackung, <*raw meat packaging*>. Beim Versand von frisch geschlachteten Tieren oder Teilen von Schlachtfleisch muß die Ware wirksam geschützt werden. Bei der meist üblichen Methode der Umhüllung mit Geweben sind negative Einwirkungen durch Oxydation oder Mikrobenbefall nicht auszuschließen. Die Ware wird deshalb immer häufiger zusätzlich mit Folien umhüllt. Verwendet werden → Polyethylenfolien und → Polypropylenfolien mit Dicken zwischen 20 und 100 μm. Auch → Stretchfolien werden eingesetzt.

Tintentest, <*ink test*>, empirische Methode zur Ermittlung der Oberflächenspannung einer Folie und damit der Wirksamkeit der → Oberflächenbehandlung. Prüfnorm DIN 53346.
Die Folienoberfläche wird mit verschiedenen, gefärbten Flüssigkeiten bestrichen, die eine definierte, abgestufte Oberflächenspannung haben.
Die Oberflächenspannung derjenigen Tinte, von der die Folie gerade noch benetzt wird, gibt den Wert für die Oberflächenspannung der Folie an.
Die Methode ist sehr grob und birgt viele Fehlermöglichkeiten in sich. Sie ist jedoch einfach durchzuführen und

konnte bisher in der Praxis durch kein besseres Verfahren ersetzt werden.
Die exakte Bestimmung der Oberflächenspannung einer Folie, z.B. durch Randwinkelmessungen, ist aufwendiger, aber wesentlich aussagefähiger.

Titandioxid, <*titanium dioxide*>, TiO_2, das bei weitem wichtigste Weißpigment mit dem höchsten Aufhell- und Deckvermögen. Es dient zur Weißeinfärbung einer Vielzahl von Produkten und zur Aufhellung von Buntpigmenten.
Titandioxid besitzt photochemische Aktivität und kann dadurch die oxidative Schädigung von pigmentierten Kunststoffoberflächen beschleunigen (Kreidung). Beim Einsatz in Folien kann die Zerstörung der Folien stark beschleunigt und die Wirkung von → Lichtschutzmitteln wesentlich herabgesetzt werden.
Von den drei Modifikationen des Titandioxids wird zur Pigmentierung von Folien fast ausschließlich die stabile Rutilform verwendet. Durch gezielte Oberflächenbehandlung (coating) wurde eine große Vielfalt von Titandioxid-Typen geschaffen, die dem jeweiligen Verwendungszweck optimal angepaßt sind. Die Abbildung zeigt den Einfluß von acht verschiedenen kommerziell erhältlichen TiO_2-Typen (Zusatz von 1,2% TiO_2) auf die Lichtbeständigkeit von 50 μm dicken Polypropylenbändern. Das Schädigungs-Kriterium lag bei 50% der ursprünglichen Reißfestigkeit. Es ist leicht zu erkennen, wie wichtig die Auswahl geeigneter Titandioxidtypen für die Pigmentierung von Folien ist, wenn diese atmosphärischen Bedingungen ausgesetzt sind.

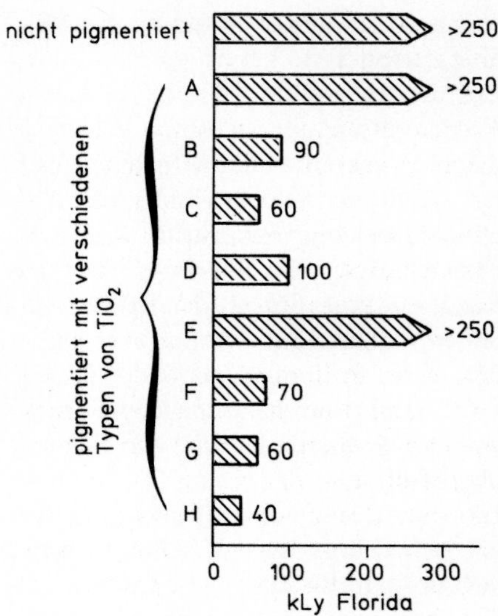

Titandioxid. Ciba-Geigy AG, Basel, Firmenschrift.

Titandioxid wird zur Herstellung von → opaquem BOPP, für weiß eingefärbte → Hart-PVC-Folien und → Weich-PVC-Folien und bei der Herstellung von → Photopapieren eingesetzt.
→ Landwirtschaftsfolien erhalten durch Zusatz von Titandioxid eine Infrarot-Sperre. Gerade bei diesem Gebiet ist die eventuelle Beeinträchtigung der Lichtstabilität besonders zu beachten. Die Wahl eines geeigneten Titandioxids und der Zusatz wirksamer → Lichtschutzmittel, insbesondere von → HALS ist von Praxisversuchen abhängig zu machen.

Tonband, <*recording tape*>. → Magnetbandfolie.

Tonträgerfolie, <*substrate film for magnetic tapes*>, → Magnetbandfolie.

Torsionsschwingversuch, <*torsion vibration test*>, ein Versuch zur Bestimmung von Zustandsänderungen bei Polymeren über einen weiten Temperaturbereich. Prüfnorm ISO/R 537, DIN 53445. Die Abbildung zeigt das Prinzip. Der Prüfstreifen wird am oberen Ende fest, am unteren Ende drehbar befestigt. Das in einer Temperierkammer befindliche System wird in freie, gedämpfte Schwingungen versetzt, deren Abklingen aufgezeichnet wird. Die Kurven ermöglichen Messungen des Schubmoduls in Abhängigkeit von der Temperatur. Zustandsänderungen beim → Glasübergang und bei der → Kristallinität können erkannt und bei der Verarbeitung von → thermoplastischen Kunststoffen genutzt werden.

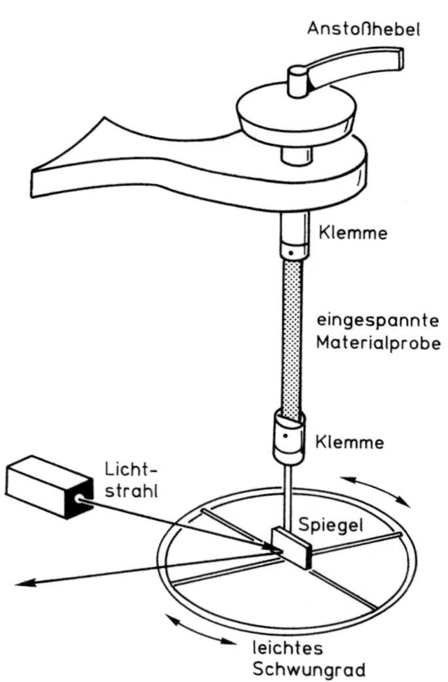

Torsionsschwingversuch. Saechtling, Kunststoff-Taschenbuch, 24. Ausgabe, München 1989.

TP, <*TP*>, → thermoplastische Kunststoffe.

Trägerfolie, <*substrate film*>.
1. Unterlage oder Basis für meist in sehr dünnen Schichten aufgebrachte Stoffe mit besonderen Aufgaben und Eigenschaften. Die wichtigsten Beispiele sind → Magnetbandfolien als Informationsträger, Folien als Unterlage für photographische Schichten (→ Photofolien), Basisfolien für → Klebstoffbänder und → Schreibbänder sowie Folien zur Herstellung von → Etiketten. Im weiteren Sinne können als Trägerfolien auch manche → Bürofolien, Folien für → gedruckte Schaltungen, Skalen, Zifferblätter oder anderer Informationen auf flexiblen oder standfesten Platten bezeichnet werden.
2. Stabilitätsgeber für andere, meist wesentlich dünnere und mechanisch instabile Folien. Der Einsatz eines solchen Folienverbunds verläuft nach zwei verschiedenen Prinzipien:
a. Die Aufgabe der Trägerfolie ist mit ihrer Verarbeitung abgeschlossen, sie wird bei oder vor der Herstellung des Endprodukts entfernt und kann in der Regel nicht wieder verwendet wer-

den. Beispiele sind ein Verfahren zur Herstellung von → Polyurethan-Folien durch Coextrusion von Polyurethan und Polyethylen sowie → Präge- und → Dekorfolien.
b. Die Trägerfolie bleibt bei der Herstellung des Endprodukt integrierter Bestandteil der → Verbundfolie. Der Gebrauch des Begriffs Trägerfolie ist hier verschwommener. Meist wird derjenige Verbundfolienbestandteil als Trägerfolie bezeichnet, der die größere Masse oder den wichtigeren Eigenschaftsanteil stellt. So sind bei → Sperrschichtfolien z.B. → Polyethylen, → Polyamid, → Polyester "Trägerfolien" für die gewünschten Sperrschicht-Eigenschaften. Bei → PA/PE-Folien bezeichnet man oft die Polyamidschicht als Trägerfolie, weil sie die entscheidenden Eigenschaften für die Anwendungsgebiete dieser Verbundfolien mitbringt.

Trägerfolie für photographische Schichten, <*substrate film for photolayers*>, → Photofolie.

Trägerkarton-Verpackung, → Blisterverpackung.

Tragetasche, <*merchandizing bag, commercial bag, carrier bag*>, Beutel aus Papier oder Folie mit Tragevorrichtung.
Tragetaschen werden in den verschiedensten Formen und aus sehr unterschiedlichen Materialien hergestellt. Sie können aus sehr billigen thermoplastischen Kunststoffen oder aus hochglanzkaschiertem, aufwendig bedrucktem Papier bestehen. Ihre Funktion beschränkt sich keinesfalls auf den bequemen Transport einer eingekauften Ware. Sie haben vielmehr einen bedeutenden Werbeeffekt. Wie in manchen anderen Fällen kommt diese Funktion im Englischen bedeutend besser zum Ausdruck als im Deutschen. Es ist vielleicht typisch, daß gerade in der Bundesrepublik Deutschland die Tragetaschen aus Folien bei vielen Bürgern zum Symbol für unnötigen Luxus geworden ist.
Im Gegensatz zu dieser Auffassung hat eine in jüngster Zeit vom → Bundesamt für Materialprüfung durchgeführte Studie eindeutig gezeigt, daß bei vergleichbaren, aus PE-Folien bzw. Papier angefertigten Tragetaschen die Kunststofftasche die bessere → Ökobilanz aufweist.
Folien für Tragetaschen werden überwiegend aus → Polyethylen niedriger Dichte gefertigt, meist durch → Blasfolienextrusion. Die Durchmesser der → Formwerkzeuge liegen bei etwa 150 mm, wenn die Folienbahn direkt weiterverarbeitet werden soll. Größere Durchmesser führen zu Folienbahnen, aus denen mehrere Nutzen gewonnen werden. Auch Mischungen verschiedener Polyethylene werden eingesetzt. Die Dicke der Folien liegt zwischen etwa 30 und 65 μm.
Zur Herstellung von Tragetaschen von der Folienrolle gibt es mehr oder weniger stark automatisierte Anlagen. Es können Taschen mit und ohne Seitenfalten, mit Schlaufengriff oder Griffschlitz, mit Verstärkung des Griffbereichs usw. hergestellt werden. Die Formate sind in weiten Grenzen einstellbar, bei modernen Maschinen auch während

der Fertigung. Wie bei der Herstellung von → Beuteln wird das → Heißsiegeln angewendet. Es werden bis zu 120 Schweißtakte pro Minute bei einer maximalen Bahngeschwindigkeit von 60 m/min. erreicht. Das bedeutet eine Produktion von etwa 100.000 Stück Tragetaschen je 8-Stunden-Schicht.
Sehr einfache Tragetaschen werden seit einigen Jahren aus einer sehr dünnen Polyethylenfolie hergestellt. Sie dienen u.a. zum Einpacken von Obst und Gemüse in der Selbstbedienung.

Transfer-Metallisierung, *<transfer metallizing>*, → Metallisieren

Transparenz, *Durchsichtigkeit, Klarsichtigkeit, <transparency, clearness, clarity>*. Die Lichtdurchlässigkeit einer Kunststoff-Folie ist für sehr viele → Folienanwendungen, vor allem bei der → Verpackung aber auch im → technischen Sektor, z.B. bei → Frontfolien von großer Bedeutung. Die Lichtdurchlässigkeit kann durch Messung der Intensität einer Lichtquelle mit und ohne Zwischenschaltung einer Folie festgestellt werden. Der Meßwert wird als Prozentsatz ausgedrückt. Folien mit ca. 90% Transparenz erscheinen dem Auge bereits glasklar.
Transparenzwerte allein sind für den Gebrauchswert von Folien noch nicht sehr aussagefähig. Eine Folie kann z.B. für die Verpackung eng anliegender Güter durchaus geeignet sein *(Kontakttransparenz)*, während sie bei von der Folie entferntem, beispielsweise stückigem Packgut unannehmbar ist. Eine praxisnähere Methode beobachtet deshalb den Grad der Verzerrung eines Objekts, wenn dieses durch eine Folie betrachtet wird. So kann das Aussehen eines Netzgitters durch die Testfolie mit einer Reihe von acht Abbildungen verglichen werden, bei denen die Beeinträchtigung des Bildes durch verschieden transparente Folien standardisiert wurde. Die Testfolie erhält die Nummer des Standardbildes, dem ihre Transparenz am nächsten kommt.
Für die Beurteilung der Lichtdurchlässigkeit von PVC-Folien wurde ein spezieller Test entwickelt. Danach wird die Transparenz unter Standardbedingungen hergestellter Prüfplättchen mit einem Rotlichtphotometer gemessen. Diese Lichtquelle schaltet den Einfluß von Verfärbungen, die keine Trübung verursachen, aus. Der Test dient besonders zur Beurteilung von → Gleitmitteln. Gemessen werden Probefolien mit unterschiedlichem Gleitmittelgehalt. Die Transparenz dieser Proben wird in Prozent der gleitmittelfreien Folie angegeben.
Neben der Transparenz spielen → Glanz und → Trübung eine wichtige Rolle bei der Beurteilung der Optischen Eigenschaften einer Folie. Ein Sonderfall sind die → Lichtstreufolien.

Traversierrahmen, *<traversing unit>*, → Dickenmessung.

Treibmittel, *<propellant, blowing agent, foaming agent, expanding agent>*, ein Stoff, der allein oder in Verbindung mit anderen Substanzen in einem polymeren Substrat eine Zellstruktur und damit ein geschäumtes Material er-

zeugt, dessen Dichte wesentlich geringer als die des Ausgangsproduktes ist. In der Folientechnologie werden Treibmittel verhältnismäßig selten eingesetzt. Zudem werden auch dünne, flexible, flächige Gebilde aus geschäumten Polymeren meist den Schaumstoffen und nicht den Folien zugerechnet.
Als physikalische Treibmittel sind niedrig siedende Kohlenwasserstoffe bei der Herstellung von schäumbarem → Polystyrol von Bedeutung, das zur Produktion von → Schaumfolien eingesetzt wird.
Chemische Treibmittel zersetzen sich bei höherer Temperatur. Diese muß der Verarbeitungstemperatur des Kunststoffs angepaßt sein und möglichst gleichmäßig innerhalb eines definierten, nicht zu großen Temperaturbereichs erfolgen. Die entstehenden Gase sind Stickstoff, Kohlendioxid, Kohlenmonoxid und Wasserdampf. Treibmittel müssen sich gut in die zu verschäumenden Polymeren einarbeiten lassen und eine möglichst hlhe Gasausbeute ergeben. Die Treibmittel-Rückstände sollen die Eigenschaften des Kunststoff-Formteils möglichst nicht negativ beeinflussen.
Das mit Abstand wichtigste Treibmittel ist *Azodicarbonamid*,

$$H_2N\text{-}CO\text{-}N{=}N\text{-}CO\text{-}NH_2.$$

Es stellt ein gelbes bis orangefarbenes, kristallines Pulver dar. Die Zersetzungstemperatur liegt bei 205 bis 215 °C. Seine Gasausbeute ist mit 220 ml/g die höchste aller Treibmittel. Weitere Produkte sind Hydrazinderivate, Semicarbazide, Benzoxazine und Tetrazole.
Die chemischen Treibmittel sind meist pulverförmige Stoffe, die in die zu verschäumenden Polymeren vor der Verarbeitung eingearbeitet werden. Sie lassen sich bei vielen der üblichen Verarbeitungsmethoden, so beim → Kalandrieren oder bei der → Blasfolienextrusion anwenden.
Für die Herstellung von → Schaumstoffen gibt es eine Reihe technisch hervorragend durchgearbeiteter Verfahren, die auf der Einbringung von gasförmigen Treibmitteln während der thermoplastischen Verarbeitung der Polymeren beruhen. Im allgemeinen werden danach jedoch Platten oder Blöcke erzeugt. Diese können dann durch Schneidprozesse zu flexiblen Platten oder Folien verarbeitet werden.
Bei der Herstellung von Schaumstoffen durch Polyaddition von Isocyanaten und Polyalkoholen wird Kohlendioxid gebildet, welches als Treibmittel für die entstehenden Polymeren wirkt (→ Polyurethane).

Trennahtschweißen, *<hot wire welding>*, → Heißsiegeln.

Trennfolie, *<release film>*,
1. Folie, die dem Schutz der Oberflächen von Werkstoffen, in der Regel von flächigen Gebilden dient und die das Handhaben dieser Produkte erleichtert. So sind z.B. Selbstklebeetiketten, empfindliche bedruckte Papiere, Wundpflaster oder selbstklebende Bürohilfsmittel mit Folien durch eine Klebeschicht verbunden. Vor dem Gebrauch der genannten Artikel wird die Trennfolie durch

einfaches Abziehen entfernt. Derartige Folien können aus → Polyethylen, → PVC oder → Polypropylen bestehen. Da diese Anwendung relativ anspruchslos ist, werden allerdings meist keine Folien, sondern Trennpapiere verwendet. Ein spezieller Fall ist der Einsatz von Trennfolien für die Herstellung von → Prägefolien und bei der → Metallisierung.
2. Folien, die als Zwischenlagen für andere, in Form von Bahnen vorliegende Produkte dienen und die das → Blocken dieser Materialien verhindern. Beispiele sind die Herstellung von → Polyurethanfolien, → Harzmatten und → Dachbahnen.
3. Folien, die als Hilfsmittel bei der Herstellung von Formteilen aus Duroplasten dienen. Sie ermöglichen eine leichte Trennung des Formteils von der Wand des Formwerkzeugs. Trennfolien werden besonders bei der Herstellung von flächigen Gebilden wie Schichtstoffplatten aus Melamin-, Phenol-, Acryl- und Epoxyharzen verwendet. Es werden → Weich-PVC-Folien und → Polyethylen-Vinylacetatfolien eingesetzt. Auch → BOPP ist auf Grund seiner guten → mechanischen Eigenschaften, der guten → Chemikalienbeständigkeit und → Dimensionsstabilität und der hohen → Flächenausbeute als Trennfolie sehr gut geeignet. Der Glanz der Oberfläche des Endprodukts kann durch die Wahl der Folie beeinflußt werden. Glatte bzw. matte Oberflächen der Folien ergeben entsprechende Oberflächen der Endprodukte. Je mehr die Preßtemperatur in die Nähe des Schmelzbereichs der BOPP-Folie kommt (etwa 165 °C), um so weicher wird die Folie und um so matter wird der Oberflächenglanz des Endprodukts.

Trennmittel, *<parting agent>*, → Antiblockmittel.

Trennahtschweißen, *<hot wire welding>*, → Heißsiegeln.

Triethylenglykol, *TEG*, *Triglykol*, *<Triethylene-glycol>*,
$H\text{-}(\text{-}O\text{-}CH_2\text{-}CH_2\text{-})_3\text{-}OH$, farb- und geruchlose, viskose Flüssigkeit. Wird als Weichmacher und Feuchthaltemittel für → Cellophan eingesetzt. Das Produkt hat vor einiger Zeit das ebenfalls wirksame und zugleich wirtschaftlichere → Diethylenglykol ersetzt, welches zu Unrecht als "giftige Chemikalie" angegriffen wurde.
Dient im TEG-Verfahren zum → Reinigen von Werkzeugen.

Triethylenglykol-di-(2-ethylbutyrat), *<triethyleneglycol-(di-2-ethyl-butyrate)>*, Weichmacher für Polyvinylbutyral-Folien, die bei der Herstellung von Sicherheits-Verbundglas verwendet werden (→ Polyvinyl-acetale). Das Produkt wird durch Veresterung von Triethylenglykol, $H\text{-}(O\text{-}CH_2\text{-}CH_2\text{-})_3\text{-}O$ mit 2-Ethyl-buttersäure,
$CH_3\text{-}CH_2\text{-}CH(CH_2\text{-}CH_3)\text{-}COOH$ gewonnen. Der Weichmacher hat ausgezeichnete Lichtbeständigkeit und bewirkt eine sehr gute Glasadhäsion der Folie, die zwischen -40 °C und + 70 °C in etwa konstant ist. Dadurch ist bei Bruch der Glasscheibe eine gute Splitterhaftung gesichert.

Triglykol, → Triethylenglykol

Trikresylphosphat, *<tricresyl phosphate, TCP>*, → Phosphorsäureester.

Trimellitat, → Trimellitsäureester.

Trimellitsäureester, *Trimellitat*, *<trimellitates>*, Ester der 1,2,4-Benzoltricarbonsäure.

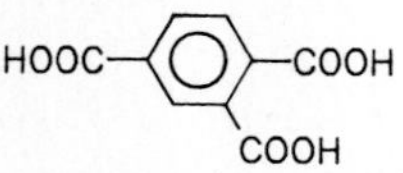

HOOC–⌬–COOH
COOH

Die Ester mit höheren Alkoholen, C_6 bis C_8, werden als → Weichmacher, vor allem bei der Herstellung von → Weich-PVC-Folien eingesetzt. Wichtigstes Produkt ist der Trioctylester (2-Ethyl-hexyl-ester).

Trinkwassergewinnung, *<drinking-water production>*, → Membran.

Trockengießverfahren, *<dry film casting>*, → Gießverfahren.

Trockenkanal, *<drying tunnel>*, → Bedrucken von Folien.

Trockenkaschieren, *<dry laminating>*. Zum → Kaschieren wird der → Kaschierklebstoff auf eines der beiden Substrate aufgetragen. Bei lösungsmittelhaltigen Klebstoffen wird das Lösungsmittel, in der Regel in einem Trockenkanal unter Zuführung von Heißluft, entfernt. Danach werden die beiden Substrate unter erhöhter Temperatur zwischen Kaschierwalzen oder in einer Kaschierpresse verbunden. Bei lösungsmittelfreien Kaschierklebstoffen entfällt die Entfernung des Lösungsmittels. Insbesondere zur Herstellung von → Verbundfolien werden häufig → Schmelzklebstoffe (Hotmelts) verwendet. Der aufgeschmolzene Klebstoff wird auf ein Substrat aufgetragen und dieses dann mit einer zweiten Folienbahn zusammengeführt.
Das Trocken-Kaschierverfahren ist weiter verbreitet als das → Naßkaschieren.

Trommelgießverfahren, *<drum film casting>*, → Gießverfahren.

Trommel, *Zylinder*, *<cylinder, drum>*, ein zylinderförmiges Maschinenteil, bei dem im Gegensatz zur → Walze der Durchmesser wesentlich größer als die Walzenoberflächenbreite ist.
Trommeln werden zum Heizen oder Kühlen von Folienbahnen dann eingesetzt, wenn die Übertragungsfläche besonders groß sein soll. Im Gegensatz zu Walzen können Trommeln nur sehr geringe Zugkräfte übertragen. Deshalb wird auch häufig eine größere Anzahl von → Kühlwalzen oder → Heizwalzen an Stelle einer Trommel eingesetzt.
Trommeln werden auch beim → Gießverfahren für die Folienherstellung verwendet.

tropensichere Blisterverpackung, *<tropicalized blister packaging>*, eine Verpackungsart, die die Vorteile der Blisterverpackung mit der Aluminium-Formpackung zu vereinigen sucht.
Eine Blisterpackung mit PVC-Bodenfolie und siegelbarer Aluminium-Deckfolie wird mit einer Untersiegelwanne

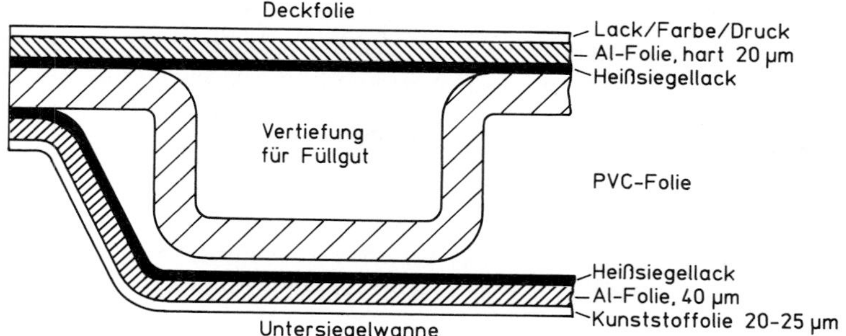

tropensichere Blisterverpackung. Alusingen, Firmenschrift.

aus einem Aluminium-Kunststoff-Verbund vereinigt. Die Abbildung zeigt die schematische Darstellung dieser Verpackung.
Gegenüber der Standard-Blisterpackung ist hier der Randbereich zwischen den Blistern verbreitert, um größere Siegelflächen zur Verfügung zu haben. Der von unten an die Bodenfolie gesiegelte Aluminiumverbund besteht aus einer etwa 40 μm dicken Aluminiumfolie mit Heißsiegellack und einer biaxial verstreckten Kunststoff-Folie, deren Dicke zwischen 15 und 40 μm liegt und die die Steifheit der Packung bestimmt. Das Material wird kalt vorgeformt. Seine ebene Unterseite bietet zusätzliche Fläche, die zum Bedrucken genutzt werden kann.

Trübung, <*haze*>, Maß für das wolkige oder milchige Aussehen einer transparenten Folie. Man unterscheidet innere Trübung oder Volumentrübung durch Inhomogenitäten in der Folie und Oberflächentrübung durch Fehler in der Oberfläche. Einheit: %. Prüfnorm: ASTM-D 1003-61, DIN 5036, 53490. Je geringer die Trübung einer Folie, um so höher sind → Transparenz und → Glanz. Zur Erzielung bestimmter → optischer Eigenschaften werden Folien mit → Färbemitteln versetzt. Es werden durchscheinende (translucente) oder opake Produkte erhalten, z.B. → opaque BOPP-Folien.

Tube, <*collapsible tube*>, Packmittel für viskose Produkte, das ein gezieltes Herausdrücken abgemessener Mengen des Füllgutes ermöglicht. Der Tubenverschluß sichert leichte Handhabung und schützt den Inhalt für längere Zeit. Tuben auf Basis von Metallfolien dienten seit etwa 1840 zur Aufnahme von Malerfarben. Die → Metalltuben wurden seit Ende des 19. Jahrhunderts auch für Kosmetika verwendet und setzten sich um 1920/1930 mit der Einführung von Zahncremes als Massenverpackungsmittel durch. Seit Anfang der 50er Jahre wurde die → Kunststofftube entwickelt, seit den 70er Jahren die → Laminattube. Die wirtschaftliche Bedeutung der Tube ist beachtlich. So werden für die USA jährlich Produktionszahlen von 2 Milliarden Stück angegeben. Einige Zahlen für die Bundesrepublik Deutschland veranschaulichen Bedeutung und Entwicklung der Tubenverpackung:

Aluminiumtuben	1950	150 Mio
	1970	1.100 Mio
Kunststofftuben	1985	250 Mio
Laminattuben	1988	175 Mio
Aluminiumtuben	1988	1.100 Mio

Nach der sehr stürmischen Entwicklung in den letzten Jahrzehnten hat sich der Anstieg der Tubenproduktion naturgemäß verlangsamt. Dennoch ist auch heute eine leicht steigende Tendenz vorhanden. Die seit einigen Jahren vor allem für Zahnpasta propagierten Spender werden als Kunststoff-Spritzgußkörper gewonnen. Ihre Herstellung dürfte aufwendiger als die Fertigung von Tuben sein. Es scheint deshalb fraglich, ob sie auf die Dauer eine vernünftige Alternative zur Tube sind.

U

Übertragungs-Metallisierung, *<transfer metallization>*, → Metallisieren.

Überverpackung, *<excessive packaging>*, → Umverpackung.

Ultraschallschweißen, *<ultrasonic welding>*, → Heißsiegeln.

Umkehrwalzenbeschichter, *<reverse roll coater>*, → Beschichten.

Umreifen, *Umschnüren*, *<strapping>*, die Sicherung von Packungen oder Packungs-Einheiten durch Anwendung von Bändern, die unter Spannung eng um die Packung gelegt werden. Die Umreifung wird vor allem in der → Palettenverpackung angewendet, jedoch ist die Bedeutung des Verfahrens in den letzten Jahren zu Gunsten der Anwendung von → Schrumpf- oder → Stretchfolien zurückgegangen.
Als Umreifungsmaterial wurden zunächst Stahlbänder eingesetzt. Später kamen Kunststoffbänder aus → Polypropylen, → Polyethylenterephthalat oder → Polyamid hinzu. Die Breiten dieser Bänder liegen bei 10 bis 30 cm, ihre Dicke bei ca. 0,5 mm. Bänder aus verstreckten → Polypropylenfolien sind eine besonders wirtschaftliche Lösung.
Wichtige Kennwerte für Umreifungsmaterial sind Reiß- und Zugfestigkeit, Spannungsverhalten, Dehnung und Rückschrumpf. Reiß- und Zugfestigkeit sind bei Kunststoff-Bändern wesentlich geringer als bei Stahlbändern, für die meisten nicht allzu schweren Packungen aber völlig ausreichend. Der Arbeitsbereich ist bei Kunststoff-Bändern wegen ihrer besseren Dehnfähigkeit wesentlich größer. Die Spannung, mit der die Bänder angewendet werden, kann bei sehr empfindlichen Gütern nahe Null liegen und bei robusten Produkten theoretisch bis zum Wert der Zugfestigkeit gehen. Folienbänder sind fähig, die beim Umreifungsvorgang erzeugte Spannung lange Zeit aufrecht zu erhalten. Durch ihre Fähigkeit zum Rückschrumpf können sich Materialien aus Kunststoff der Form einer Verpackungseinheit in gewissen Grenzen anpassen, wenn sich diese bei der Handhabung, durch Vibrationen beim Transport oder durch den Einfluß von Feuchtigkeit oder Temperatur ändert.

Umschnüren, *<strapping>*, → Umreifen.

Umverpackung, *Zweitverpackung*, *Mehrfachverpackung*, *<overwrap>*, die nochmalige Verpackung einer bereits verpackten Ware. Eine solche Mehrfach-Verpackung wird beim Verbraucher oft als unnötige "Überverpakkung" empfunden. Dies mag in einzelnen Fällen richtig sein. Die Umverpackung hat jedoch meist einen vernünftigen Grund. Sie kann z.B. zur Bündelung von Einzelpackungen oder zur Herstellung von → Verfälschungssicheren Packungen dienen. Andere Verpackungen bringen Waren in eine besser stapelbare Form. Beim → Griffschutz ist die Umverpackung sogar gesetzlich vorgeschrieben.

Umwandlung von Makromolekülen, <*conversion of macromolecules*>, eine Methode zur Synthese von Kunststoffen, die z.B. zur großtechnischen Herstellung von → Celluloseacetat, von → Celluloseester-Folien, von → Polyvinylacetalen, → Polyvinylalkohol und → Ethylen-Vinylalkohol-Copolymerisaten genutzt wird. Die Abwandlung von Polymeren ist grundsätzlich schwieriger als ihr Aufbau aus Monomeren. Deshalb haben auch die Verfahren der → Polymerisation, → Polykondensation und → Polyaddition weitaus größere Bedeutung erlangt als die Umwandlung von Makromolekülen.

Umweltbundesamt, *UBA*, 1974 gegründete obere Bundesbehörde des Ministeriums für Umwelt, Naturschutz und Reaktorsicherheit. In den Zuständigkeitsbereich des Amtes fallen u.a. Immissionsschutz, Umweltplanung und Abfallbeseitigung. Vom Umweltbundesamt wurde z.B. eine → Ökobilanz zum Thema → Tragetaschen vorgelegt.

Unbedenklichkeit, <*harmlessness*>, → physiologische Unbedenklichkeit.

Unfallsicherheit, <*safety provissions*>, → Arbeitsschutz.

UPC-Code, <*Universal Product Code*>, → Strichcode.

US Department of Agriculture, → Gesetzgebung in den USA.

UV-Absorber, <*UV-absorber*>, → Lichtschutzmittel.

V

Vakuumbeutel, <*vacuum bag*>, → Frischfleischreifung; → Kaffeeverpakkung.

Vakuumformkaschieren, *Formkaschieren, Vakuumkaschieren,* <*vacuum laminating*>, ein Verfahren zum → Kaschieren von meist kleineren Gegenständen mit einer Folie. Der zu kaschierende Gegenstand dient dabei gleichzeitig als Form. Er wird auf einen evakuierbaren Unterbau aufgelegt. Die Kaschierfolie befindet sich in einem Rahmen und wird mit diesem dicht über dem Gegenstand geführt. Durch Anlegen von Vakuum wird die Folie aufgedrückt und mit dem zu kaschierenden Stück fest verbunden. Der dazu nötige → Kaschierkleber wird vorher auf die Folie oder auf den Gegenstand aufgebracht.
Das Verfahren dient häufig zu Dekorationszwecken. Die Kaschierfolie ist dann geprägt oder bedruckt. Zur → Dekoration größerer, vor allem flächiger Gegenstände werden → Prägefolien eingesetzt.
Das Verfahren ist mit dem Prozeß zur Herstellung von → Skin-Verpackungen verwandt. Bei der Vakuum-Formkaschierung wird die Folie jedoch fest mit dem zu kaschierenden Stück verbunden, während sie bei der Skin-Verpackung durch Aufschneiden leicht vom Packgut entfernt werden kann.

Vakuumkaschieren, <*vacuum laminating*>, → Vakuumformkaschieren.

Vakuumpyrolyse, <*vacuum pyrolysis*>, → Reinigung von Werkzeugen.

Vakuum-Verpackung, <*vacuum packaging, controlled atmosphere packaging, CAP, modified atmosphere packaging, MAP*>, die Verpackung von verderblichen Gütern, vor allem von Lebensmitteln, unter Vakuum. Der dadurch erreichte Ausschluß von Luftsauerstoff bewirkt eine wesentlich verlängerte → Lagerbeständigkeit der Ware. Der gleiche, manchmal sogar ein besserer Effekt kann mit Hilfte der → Schutzgasverpackung erreicht werden. Der im Englischen für beide Packungsarten gebräuchliche Oberbegriff der "Verpackung in kontrollierter oder modifizierter Atmosphäre" hat sich im Deutschen nicht eingebürgert.
Für die Vakuumverpackung können Schalen, die nach der Befüllung mit → Stretch- oder → Schrumpffolien abgedeckt werden, → Beutel oder Muldenpackungen dienen.
Als Folien werden vor allem → Sperrschichtfolien z.B. → PA/PE-Folien, Polyester/PE-Folien oder *Aluminiumverbunde* eingesetzt.
Das Vakuum in der Packung kann auf verschiedene Weise erzeugt werden. Das älteste aber heute noch sehr häufig angewendete Verfahren ist das → Kammerverfahren. Viele moderne Form-, Füll-, und Verschließmaschinen verfügen über Einrichtungen zum Evakuieren oder Begasen der Packungen vor dem Verschließen mit der → Deckelfolie. Eine noch relativ neue Entwicklung ist das → Hi-vac-Verfahren.
Durch die Evakuierung kann der Sauer-

stoffgehalt der Packung auf Werte unter 1 mbar abgesenkt werden. Dies bedeutet eine wesentliche Verlängerung der Haltbarkeit der verpackten Ware. Vakuum wird bei der → Fleisch- und Fleischwarenverpackung, bei → Backwarenverpackung, bei der → Kaffeeverpackung und bei manchen anderen Gütern angewendet.

VCI-Folie, <*VCI-film*>, → Korrosionsschutz-Folie.

Ventil-Beutel, <*valve bag*>. Aus Folien hergestellte → Beutel werden bei den meisten Anwendungen durch → Heißsiegeln dicht verschlossen. Für spezielle Fälle wurden Beutel mit Ventilen entwickelt, die das Austreten von Gas aus der fertigen Packung ermöglichen, ein Eindringen von Luft jedoch verhindern. Die Ventile sind etwa 20 mal 20 mm groß und werden bei der Beutelherstellung in line in die Folie eingearbeitet. Sie können in die Beutelwand eingelassen sein oder aus dieser herausragen. Ventilbeutel können bei Füllgütern eingesetzt werden, die Gase abgeben. Sie wurden vor allem bei der → Kaffeeverpackung in den USA erprobt, und werden auch für die Verpackung von Käse oder von Chemikalien empfohlen. Ihr Einsatz ist aus Kostengründen beschränkt.
Steigende Bedeutung gewinnen dagegen *Ventilsäcke*. Dies gilt für Papiersäcke und für → Säcke aus Folien.

Ventilsäcke, <*valve sack*>, → Ventilbeutel.

Verarbeitungshilfsmittel, <*processing agent*>, → PVC-Verarbeitungshilfsmittel.

Verblocken, <*blocking*>, → Blocken.

Verbinden, <*bonding*>, das Zusammenfügen von zwei oder mehreren gleichen oder verschiedenen Materialien. In der Folientechnologie sind grundsätzlich zu unterscheiden
1. das Verbinden von Folienbahnen über die gesamte Fläche zu → Doppelfolien oder → Verbundfolien. Das wichtigste Verfahren dazu ist das → Kaschieren. Durch → Extrusionsbeschichtung oder → Coextrusion werden ebenfalls Verbundfolien erhalten;
2. das Verbinden von Folienbahnen oder Folienzuschnitten zur Herstellung größerer Folienflächen, die Produktion von → Beuteln, → Säcken oder → Folienschläuchen und das Verschließen von Behältern mit → Deckelfolien. Das wichtigste Verfahren für diese Folienanwendungen sind das → Siegeln, vor allem das → Heißsiegeln. → Kleben und → Nähen werden zum Verbinden von Folien und zum Verschließen von aus Folien aufgebauten Verpackungen nur selten angewendet.

Verbrennung, <*combustion, incineration*>, der Einsatz von Folienabfällen in Heizkraftwerken. Bei dieser Methode zur → Entsorgung wird immerhin der bei den meisten Kunststoff-Folien beträchtliche Heizwert genutzt. Dieser liegt bei Folien aus Polyolefinen, also bei den in großen Mengen eingesetzten → Polyethylen- und → Polypropylen-

folien in der gleichen Höhe wie bei Mineralöl oder Erdgas, bei vielen anderen Folien nur wenig darunter.
Die Verbrennung von Folienabfällen erfolgt in der Regel zusammen mit Hausmüll in entsprechend konzipierten Heizkraftwerken.
Wegen des hohen Gehalts an chemisch gebundenem Chlor von 56% ist die Verbrennung von → PVC-Folien problematisch. Der entstehende Chlorwasserstoff muß durch basische Stoffe wie Kalk oder Dolomit neutralisiert und dadurch in Calciumchlorid übergeführt werden. Dieses sehr leicht in Wasser lösliche Produkt kann durch Natriumsulfat in unlösliches Calciumsulfat umgewandelt werden. Es entsteht allerdings auf ein Kilogramm PVC etwa ein Kilogramm Calciumsulfat. Das direkte Einbringen der PVC-Folien in die → Deponie dürfte deshalb sinnvoller sein. Die in neuester Zeit vorgeschlagenen Konzepte "Global Recycling am Beispiel PVC" sind in sich gut durchdacht und im Prinzip technisch zu verwirklichen. Zumindest für die Entsorgung von PVC-Folien erscheinen ihre Wirtschaftlichkeit und Finanzierbarkeit jedoch äußerst zweifelhaft.
Der Einsatz von → abbaubaren Kunststoffen zur Herstellung von Folien bringt keine Lösung des Entsorgungsproblems. Unrealistisch erscheint auch der Vorschlag einer völlig → kunststofffreien Verpackung.
Am Verfahren der → Pyrolyse von Folien wird gearbeitet.

Verbundfolie, *Mehrschichtfolie*, <*composite film, multi-layer film*>, eine aus mehreren verschiedenen Schichten bestehende Folie. Produkte, die aus einem einheitlichen Werkstoff bestehen, bezeichnet man dagegen als → Solofolie. Wenn diese beschichtet oder lackiert sind, spricht man üblicherweise nicht von Verbundfolien, jedoch ist die Nomenklatur hier nicht einheitlich. Folien aus zwei Schichten des gleichen Materials werden nicht als Verbundfolien, sondern als → Doppelfolien bezeichnet.
Durch den Aufbau von Verbundfolien gelingt die Kombination verschiedener Eigenschaften der Einzelfolien zu einem Eigenschaftsprofil, das dem jeweiligen Verwendungszweck optimal angepaßt werden kann ("maßgeschneiderte Folien"). Beispiele sind die Herstellung von Verbundfolien für die → Fleisch- und Fleischwarenverpackung, für → Silagefolien, für → Standfeste sterisierbare Packungen oder für die → medizinische Verpackung. Besonders wichtige Gruppen von Verbundfolien sind → Aluminium-Verbunde, → PA/PE-Folien und → Sperrschichtfolien. Die Kombinationsmöglichkeiten sind außerordentlich vielfältig.
Zur Herstellung von Verbundfolien werden die → Kaschierung, die → Extrusionsbeschichtung und vor allem die → Coextrusion angewendet.
Bei der Herstellung von Verbundfolien können die bei Solofolien bekannten Probleme einer fehlerhaften → Folienbahn, besonders Schwierigkeiten mit der → Planlage, verstärkt auftreten.

Verbundhaftung, <*bonding strength*>, → Delaminieren.

Verbund-Sicherheitsglas, <*compound glass*>, → Polyvinylacetale.

verfälschungssichere Packung, <*tamper-resistent packaging*>, eine Packung mit einer Sperre, die zerstört oder entfernt werden muß, bevor die Packung geöffnet werden kann. Diese Sperre muß so gestaltet sein, daß der Verbraucher ihre Verletzung leicht erkennen kann.

Die Verfälschung von Nahrungs-, Genuß- und Arzneimitteln ist in der Vergangenheit in den USA wesentlich häufiger als in Europa aufgetreten. Wie die Abbildung zeigt, erreichten die an die → Food and Drug Administration (FDA) gemeldeten Verfälschungsfälle im Jahre 1986 mit fast 1.700 einen dramatischen Höhepunkt. In dieser Zeit mußten sogar einige Todesfälle registriert werden.

Es ist deshalb verständlich, daß sich die Verpackungsindustrie in den Vereinigten Staaten stärker als bei uns mit dem Problem beschäftigt hat. Es wurden neue Problemlösungen entwickelt, um auch der seit Anfang der 80er Jahre ständig umfangreicher werdenden Gesetzgebung gerecht zu werden.

Beispiele für verfälschungssichere Pakkungen nach Empfehlungen der FDA sind:

1. Einschlag eines verpackten Produkts mit einer durchsichtigen, auffällig gekennzeichneten, bedruckten Folie. Diese muß durch Aufschneiden oder Aufreißen zerstört werden, um die Packung zu öffnen (Umverpackung).

2. Bei der → Blisterverpackung müssen die Dosiereinheiten für z.B. Kapseln

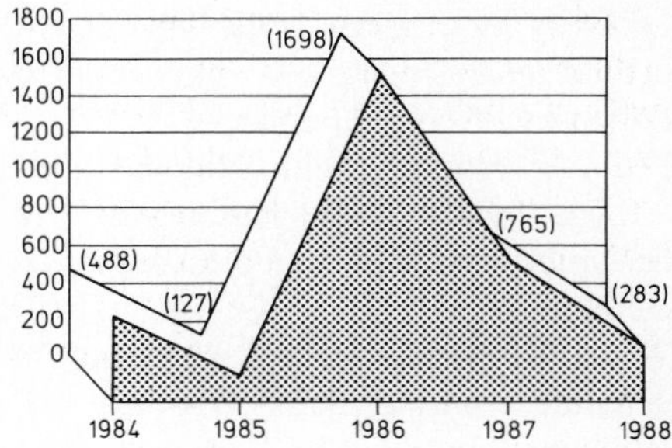

verfälschungssichere Packung. M. Larson, Tamper Evidence in Perspective, Packaging, Mai 1989, 35-36.

oder Tabletten individuell in Kunststoff- oder Aluminiumfolie eingesiegelt sein.

3. Alle Klappen von Kartonverpackungen werden mit → Klebebändern aus Folien oder Papier versiegelt.

4. Container- oder Flaschenverschlüsse werden durch → Schrumpfbänder derart versiegelt, daß ein Öffnen des Verschlusses nur nach Zerstörung des Schrumpfbandes möglich ist.

Diese Beispiele zeigen, daß es eine absolut verfälschungssichere Packung unter Verwendung von Folien kaum geben kann. Die Forderung nach tamperproof-packaging ist deshalb auch in der USA durch den Begriff tamper-evident-packaging oder tamper-resistent-packaging ersetzt worden. Auch im Deutschen wurden diese amerikanischen Begriffe weitgehend übenommen.

Entscheidend ist immer, daß der Endverbraucher ein starkes Signal erhält, wenn ein Produkt verfälscht worden ist. Die Anforderungen an Verfälschungs-Sicherung sind naturgemäß bei Pharmaprodukten noch größer als bei Lebensmitteln.

Problemlösungen können nur in Zusammenarbeit der Hersteller von Verpackungsmaterialien mit den Anwendern dieser Produkte gefunden werden. Eine einfache und wirtschaftliche Möglichkeit zur Herstellung verfälschungssicherer Packungen ist die Mehrfachverpackung. Guten Schutz bietet z.B. die → Umverpackung eines bereits verpackten Füllguts mit transparenten Folien. Dem steht allerdings gerade in der Bundesrepublik Deutschland die Forderung nach weniger Verpackung zwecks Vermeidung von Abfall entgegen. Es wird schwierig sein, die Notwendigkeit einer scheinbaren Überverpackung oder einer angeblich exzessiven Verpackung im Bewußtsein des Verbrauchers durchzusetzen.
Ein weiteres Problem bei den Versuchen zur Entwicklung vefälschungssicherer Packungen ist die Handhabung dieser Packungen durch ältere oder behinderte Verbraucher. Wenn die Öffnung von Verpackungen komplizierter und schwieriger wird, leiden diese Verbraucher besonders stark darunter. Die Anordnung von → Öffnungshilfen muß auch unter dem Gesichtspunkt der verfälschungssicheren Packung bedacht werden. Hier werden Kompromisse zwischen der Forderung nach leichter Handhabung und bequemer Öffnung von Packungen und der Notwendigkeit, den Inhalt vor Verfälschung zu schützen, erforderlich sein. Lit.

Verkleben, *<bonding>*, → Kleben.

Verlustfaktor, *dielektrischer Verlustfaktor, tan δ, <dielectric dissipation factor, loss factor, dissipation factor>*, eine elektrische Eigenschaft. Prüfnorm DIN 40634, VDE 0345. Der Verlustfaktor wird als tan δ des *Verlustwinkels* angegeben.
Der dielektrische Verlustfaktor ist ein Maß für die in einem Kondensator auftretenden Verluste infolge der Umwandlung von elektrischer Energie in Wärme. → Elektroisolierfolien und → Kondensatorfolien sollten einen möglichst kleinen und von der Temperatur möglichst unabhängigen tan δ haben. Für die in der Elektrotechnik wichtigen → Polyesterfolien zeigt die Abbildung 1, für → Polycarbonatfolien die Abbildung 2, (S. 472) die Abhängigkeit des dielektrischen Verlustfaktors von Temperatur und Frequenz. Vergleichsweise betragen die dielektrischen Verlustfaktoren von Transformatorenöl 0,005, von Hartpapier 0,04 und von Porzellan 0,02.

Verpacken, *<packaging>*, → Verpackung.

Verpackung, *Verpacken, <packaging>*, das bedeutendste, geschlossene Gebiet der → Folienanwendung. Nahezu alle Typen von → Folien werden auf diesem Sektor eingesetzt. Die Möglichkeit zur Herstellung von Produkten, die dem jeweiligen Verpackungszweck optimal angepaßt sind, ist fast unbegrenzt. In der Folienanwendung steht dem Bereich Verpackung der → technische Sektor gegenüber.
Der Einsatz von Folien hat neben anderen → Packmitteln zum Aufbau unseres heutigen Distributionssystems für Güter

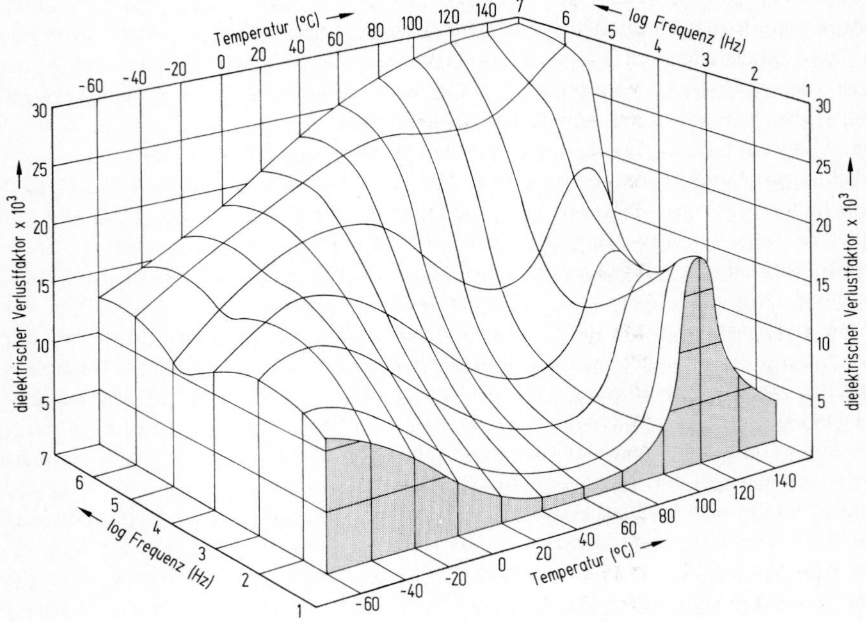

Verlustfaktor. Abb. 1. Höchst AG, Firmenschrift.

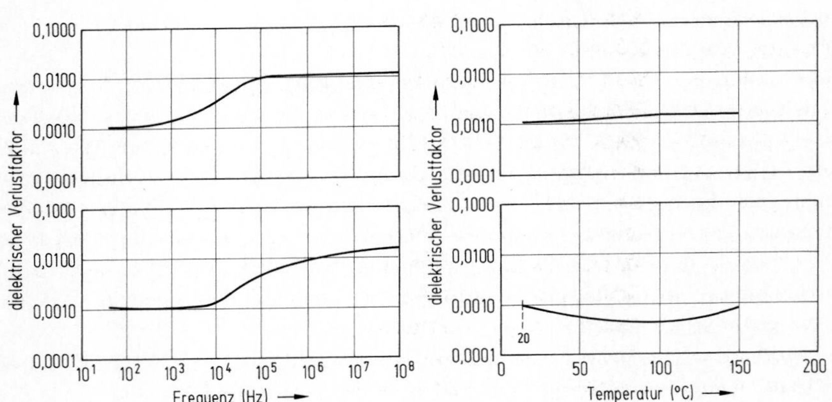

Verlustfaktor. Abb. 2. Bayer AG, Leverkusen, Firmenschrift.

aller Art nach Ende des zweiten Weltkriegs ganz wesentlich beigetragen. Es entstand eine weltweit kooperierende Verpackungsindustrie mit organisierten Verbänden (s. Anhang), → Fachzeitschriften, → Forschungsinstituten und regelmäßig stattfindenden → Messen.
Die Technologie der Verpackung muß auf das Packgut oder Füllgut abgestimmt sein. Spezielle Gebiete mit besonderen Anforderungen sind → Lebensmittelverpackung, → medizinische Verpackung, → Zigarettenverpackung oder → Pharmaverpackung. Für die verschiedenen, im Laufe der letzten Jahrzehnte immer weiter entwickelten Verpackungsarten gibt es eine große Vielfalt von → Verpackungsmaschinen.
Seit einigen Jahren gibt es insbesondere in der Bundesrepublik Deutschland eine zum Teil sehr heftig geführte Diskussion um Nutzen oder Schaden der Verpackung. Dabei wird hauptsächlich die Frage der → Rückführung der Rohstoffe und der → Entsorgung der Abfälle diskutiert. Vorgeschlagen wurde z.B. die → kunststofffreie Verpackung oder der Einsatz → abbaubarer Kunststoffe zur Folienherstellung. Beide Wege stellen nach Ansicht fast aller Experten keine Lösung dar.
Eine Lösung der zweifellos vorhandenen Probleme wird jedenfalls nicht *gegen* sondern nur gemeinsam *mit* der Verpackungsindustrie möglich sein.
Es ist auch unbestritten, daß es bei der Verpackung gelegentlich Übertreibungen und häufig Suboptimierungen gibt. Trotzdem ist heute die Verpackung ein unverzichtbarer Bestandteil der Warenerzeugung und -verteilung. Sie schützt das Packgut, hat wesentlich zur Verbreiterung des Warenangebots beigetragen und macht die Erfüllung der Kennzeichnungs- und Hygienevorschriften erst möglich.
Schon im Jahre 1926 hat Ewald Sachsenberg in seinem "Handbuch für den täglichen Gebrauch in Handel und Industrie", erschienen in Berlin, geschrieben:
"Das Verpacken von Waren, die in der Fabrik hergestellt sind, von Gütern, die in der Landwirtschaft geerntet wurden und von denen, die im Handel von Hand zu Hand wandern müssen, ist in jedem Fall der letzte Arbeitsgang, der für die Waren angewandt wird. Dieser Arbeitsgang soll die Ware teils schützen vor den Gefahren des Transports, teils soll er sie verschönern, um sie leichter käuflich zu machen, teils soll er dazu dienen, die Ware nach handelsfähigen Größen und Mengen zu unterteilen."
Diesem Text ist nach über 60 Jahren wenig hinzuzufügen. Lit.

Verpackungsmaschine, *<packaging machinery>*, eine für die → Verpackung erforderliche Maschine. Hierzu gehören Hauptvorgänge wie Füllen, Verschließen und Einschlagen sowie vor oder nachgeschaltete Vorgänge, die dazu dienen, die Lager- und Verkaufsfähigkeit der Packungen zu verbessern.
Verpackungslinien sind Verkettungen von Verpackungsmaschinen mit automatischem Arbeitsablauf. Im einzelnen unterscheidet man folgende wichtige Gruppen von Verpackungsmaschinen:

1. *Füllmaschinen* bringen Füllgüter in genau bestimmbaren Mengen in Packmittel ein. Man unterscheidet die Mengenzuteilung durch Volumen, Gewicht oder Stückzahl, und nach Art der verarbeiteten Füllgüter in Maschinen für feste, flüssige und gasförmige Produkte.
2. *Verschließmaschinen* sind Verpackungsmaschinen, die nach dem Füllvorgang Packmittel verschließen und gegebenenfalls den Verschluß sichern. Das Verschließen kann durch mechanisches Umformen, z.B. bei → Aluminiumbehältern, durch → Siegeln, bei Folien insbesondere durch → Heißsiegeln, durch → Kleben, → Nähen, → Umreifen, → Abbinden, → Clippen, durch → Schrumpf- oder → Stretchsysteme oder mit → Beutelverschlüssen erfolgen.
3. *Einschlagmaschinen* dienen dazu, Packgüter oder Packungen ganz oder teilweise mit flächigem Packstoff zu umhüllen. Man unterscheidet Teil- und Volleinschlagmaschinen, Maschinen zum Verpacken mit → Schrumpf-Folien, Anlagen für die → Palettenverpackung oder → Skin-Packmaschinen.
4. Mehrfunktions-Verpackungsmaschinen ergeben sich durch Kombination mehrerer Verpackungsfunktionen. Sehr rationell und weit verbreitet sind → Form-, Füll- und Verschließmaschinen.
5. Maschinen zum Reinigen, Trocknen oder zur → Sterilisation des Packguts können den Hauptfunktionen vor- oder nachgeschaltet sein.
6. Maschinen zum Ausstatten, Kennzeichnen und Sichern von Packungen sind in der Regel den Hauptfunktionen nachgeschaltet. Beispiele sind das → Bedrucken oder → Prägen von Packungen oder das Anbringen von → Etiketten.
7. Auch zur Auflösung von Sammelpackungen und Lagereinheiten gibt es maschinelle Einrichtungen. Für den Endverbraucher wird das Öffnen von Sammel- oder Einzelpackungen meist durch → Öffnungshilfen erleichtert.

Informationen zu Verpackungsmaschinen liefern Verbände und → Forschungsinstitute, z.B. der Verband Deutscher Maschinen- und Anlagenbau e.V., Fachgemeinschaft Nahrungsmittel- und Verpackungsmaschinen, Frankfurt am Main, die Technische Fachhochschule Berlin, Fachbereich Lebensmittel-Technologie und Verpackungstechnik, Berlin oder das → Fraunhofer-Institut für Lebensmittel-Technologie und Verpackung.

Verpackungsmittel, *<packaging material>*, → Packmittel.

Verpackungstechnik, *<packaging technology>*, → Verpackung.

Verschließen, *<closing>*, in der Verpackungstechnologie
1. das dauerhafte und dichte Verschließen, z.B. von → Beuteln, Packungen und → Säcken (das mit Abstand am häufigsten angewendete Verfahren ist das → Verbinden durch → Siegeln);
2. das mechanische Verschließen, bei Beuteln durch → Beutelverschlüsse.

Verschließmaschine, *<closing machinery>*, → Verpackungsmaschine.

Verschlußclip, *<clip closure>*, → Beutelverschluß.

Verschlußlasche, *<closing flap>*, → Beutelverschluß.

Verspröden, *<embrittle>*, → Chemikalienbeständigkeit.

Verstärkerfolie für Röntgenfilme, *Röntgenfilmverstärker*, *<X-ray film reinforce>*, eine Folie mit einem Röntgenleuchtstoff, z.B. ein Calciumwolframat. Der Röntgenfilm (→ Photofolie) wird zwischen zwei derartigen Verstärkerfolien eingebettet. Das in diesen Folien erzeugte Lumineszenzlicht kann die Schwärzung des Röntgenfilmes um ein Mehrfaches verstärken.

Verstreckung, *<stretching (e.) drawing (am.)>*, → Reckverfahren.

Verunreinigungen, *<impurities>*, → Stippen.

Vicat-Erweichungstemperatur, *VTS*, *<Vicat softening temperature, VTS>*, bei → thermoplastischen Kunststoffen ein Maß für die → Wärmebeständigkeit, das zur Beurteilung der → thermischen Eigenschaften von Folien wichtige Hinweise geben kann (Abb.).
Ein Stab mit einem kreisrunden Querschnitt von 1 mm^2 dringt unter Belastung in einen Probekörper ein. Dieser wird in einem Flüssigkeitsbad, seltener in der Luft, kontinuierlich erwärmt, bis eine Eindringtiefe der Vicat-Nadel von 1 mm Tiefe erreicht ist.
Die → Formbeständigkeit in der Wärme kann auch unter Einwirkung einer Biegespannung gemessen werden. Die nach den verschiedenen Methoden erhaltenen Werte sind nicht vergleichbar.

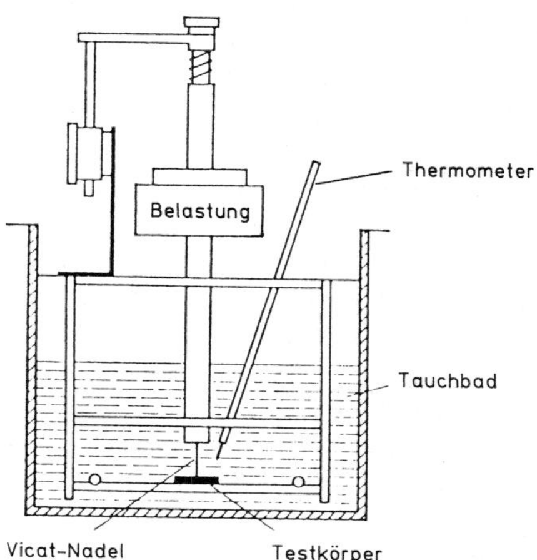

Vicat-Erweichungstemperatur. Wittfoht, Kunststoff-Technisches Wörterbuch 2, S. 493.

Videoband, *<video tape>*, → Magnetbandfolie.

Vinylacetat Ethylen-Copolymere, *<vinylacetate-ethylene copolymers>*, → Ethylen-Vinylacetat-Copolymere.

Vinylchlorid, *<vinyl chloride>*, → Polyvinylchlorid.

Vinylidenchlorid-Copolymer, *<vinylidenchloride copolymer>*, → Polyvinylidenchlorid.

Viskometer, *<viscosimeter>*, → Viskosimeter.

Viskose, <*viscose*>, → Cellophan.

Viskosimeter, *Viskometer*, <*viskosimeter*>, ein Gerät zur Messung der → Viskosität. Die wichtigsten Viskosimeter sind
Engler, Vogel-Ossag (DIN 51560),
Fritz-Simons (ASTM D 455),
Fordbecher (DIN 53211),
Saybolt-Universal (ASTM D 88),
Saybolt-Furol (ASTM D 244),
Ubbelohde (DIN 51562).

Viskosität, <*viscosity*>, die *Zähigkeit* oder innere Reibung von Flüssigkeiten. Bei der → Folienherstellung aus → thermoplastischen Kunststoffen ist die Viskosität ein wichtiges Maß für die Molekülmasse und damit für die Verarbeitungsbedingungen und die zu erwartenden → Folieneigenschaften.
Maßeinheiten für die Viskosität waren früher Poise, Centipoise oder Engler-Grad. Als neue Einheit gilt nach ISO/R 1628 Pascal · Sekunde (Pa · s).
Die Messung der absoluten oder dynamischen Viskosität ist schwierig und für die meisten praktischen Probleme der Folienherstellung auch nicht erforderlich. Ausreichende Hinweise auf das → Fließverhalten von Thermoplasten gibt die Messung der → Viskositätszahl, des → Schmelzindex oder der → Schmelzviskosität. Die am häufigsten verwendeten → Viskosimeter sind genormt.
Zur Erniedrigung der Viskosität von Thermoplasten werden häufig → Additive, vor allem → Weichmacher, zugesetzt.

Viskositätszahl, <*viscosity number, reduced viscosity*>, ein Maß für den mittleren Polymerisationsgrad bzw. die → Molekülmasse eines Makromoleküls. Die Viskositätszahl J, ISO/R 174 für PVC, 1191 für PE und PP, 1157 für Celluloseacetat, 1228 für PET) wird in cm^3/g angegeben. Sie korrespondiert mit dem K-Wert, der eine dimensionslose Zahl ist (DIN 53726 für PVC, 53727 für Polyamid). Beide Größen beruhen auf der Messung der relativen Lösungsviskosität. Den Zusammenhang beider Zahlen zeigt für PVC die Tabelle.
Viskositätszahl und *K-Wert* sind relativ leicht zu bestimmen und geben für die einzelnen Klassen von Polymeren gute Hinweise auf ihre Verarbeitung und Anwendung. Unterhalb bestimmter K-Werte sind Thermoplasten überhaupt nicht erfolgreich zu verarbeiten. Ihre Molekülmasse ist zu klein. Mit höherem K-Wert werden die Eigenschaften der aus den Polymeren hergestellten Folien verbessert. Allerdings steigt mit höheren K-Werten die → Schmelzviskosität an, so daß die Schwierigkeiten bei der thermoplastischen Verarbeitung größer werden.
K-Werte liegen beispielsweise bei PVC für die thermoplastische Verarbeitung zwischen 55 und 80. Zur Folienherstellung aus → Hart-PVC sind K-Werte von 75 bis 80 beim Kalandrieren, von 60 bis 65 bei der Extrusion üblich. Für → Weich-PVC liegen die K-Werte zwischen 65 und 70.

Vlies, <*non woven*>, → Non-woven fabric.

Viskositätszahl.

K-Wert	Viskositätszahl in cm^3/g	K-Wert	Viskositätszahl in cm^3/g
45	49,5	65	105
46	51,6	66	109
47	53,8	67	112
48	56,1	68	116
49	58,5	69	120
50	60,9	70	124
51	63,3	71	128
52	65,8	72	132
53	68,4	73	136
54	71,1	74	141
55	73,8	75	145
56	76,6	76	150
57	79,5	77	155
58	82,4	78	159
59	82,5	79	164
60	88,5	80	169
61	91,7	81	174
62	95,0	82	180
63	98,3	83	185
64	102	84	191

Saechtling, Kunststoff-Taschenbuch, 23. Ausgabe S. 257

Volumenwiderstand, *<volume resistivity>*, → Durchgangswiderstand, elektrischer.

volumetrisches Dosieren, *<volumetric feeding, ~ proportioning, ~ dosing (A), ~ metering (E)>*, → Dosieren.

Vorbehandlung, sehr verbreiteter aber ungenauer Ausdruck für die → Oberflächenbehandlung von Folien, um diese in ihren Eigenschaften zu verändern und damit für weitere Verarbeitungs-Schritte, vor allem zum → Bedrucken und → Kaschieren geeignet zu machen.

Vorstreckung, *<pre-stretching>*, → Stretchfolien-Verpackung.

Vorwalzbänder, *<rerolling stock>*, → Aluminiumfolie.

VTS, *<VTS>*, → Vikat-Erweichungstemperatur.

Vulkanisation, *<vulcanization>*, die Vernetzung von Kautschuk-Molekülen durch chemische Reaktionen, wobei das Material vom plastischen, noch verformbaren Zustand irreversibel in den gummi-elastischen Zustand übergeht. Die bei der → Kautschukformgebung erhaltenen Produkte können diskontinuierlich oder kontinuierlich vulkanisiert werden. Die diskontinuierliche Vulkanisation erfolgt in beheizten Formen unter Druck oder durch Erhitzen in Vulkanisierkesseln bzw. Autoklaven. Zur Behandlung von größeren flächigen Teilen, z.B. von Förderbändern werden Etagenpressen eingesetzt. Schläuche, die bereits ihre endgültige Form erhalten haben, werden durch die Wärmebehandlung fixiert. Folien und Schläuche werden auch in aufgewickelter Form vulkanisiert. Die kontinuierliche Vulkanisation erfolgt im einfachsten Fall drucklos mit Heißluft. Die Produkte werden auf Transportbändern durch bis zu 150 m lange Tunnels geführt und auf 160 bis 300 °C erhitzt.

W

Wachskaschieren, <*hot melt laminating*>, → Schmelzklebstoffe.

Walzen, <*roll* bei größeren, *roller* bei kleineren Walzen>, zylinderförmige Maschinenteile, die sehr vielfältige Funktionen in Anlagen zur Folienherstellung und -verarbeitung haben. Walzen werden durch *Walzenoberflächenbreite* oder *Ballenbreite* (A), *Lagerzapfen* (B) und *Durchmesser* (C) beschrieben:

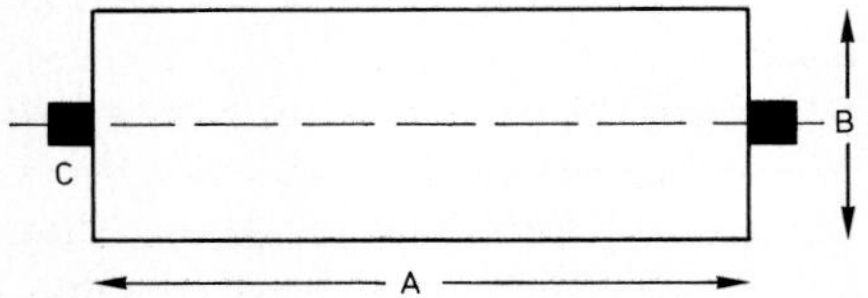

Walzen. Abb. 1.

Walzen mit einem im Verhältnis zur Ballenbreite sehr großen Durchmesser werden als → Trommeln oder Zylinder bezeichnet.
Walzen dienen der Führung oder Umlenkung von → Folienbahnen. Neben dieser rein mechanischen Funktion können Auftragswalzen zum → Bedrucken oder → Beschichten von Folien genutzt werden. Sie dienen als → Kühlwalzen, → Heizwalzen oder → Abquetschwalzen. Andruckwalzen, Gegendruckwalzen, Vorwärmwalzen und Verteilerwalzen zeigen ihre Funktion in ihrem Namen. Prägewalzen dienen zum → Prägen von Folien, Nadelwalzen zur Herstellung von → Foliengarn.
→ Breithaltewalzen regulieren die → Planlage, → Tänzerwalzen die Spannung von Folienbahnen.
Zur Erzielung einer guten Folienqualität ist die Gestaltung der Walzenoberfläche außerordentlich wichtig. Sie muß bei vielen Prozessen möglichst glatt sein und besteht meist aus hochvergütetem Edelstahl. Weiche Oberflächen werden durch Gummierung, nicht adhesive Oberflächen durch Beschichtung mit Folien aus → Fluorpolymeren erhalten. Häufig werden Walzenoberflächen auch mit Rillen versehen, um Faltenbildung durch Lufteinschlüsse zwischen Walze und Folienbahn zu verhindern. Abbildung 2 zeigt zwei Möglichkeiten der Rillenanordnung, Umfangsrillen und Doppelhelix-Rillen. Durch die Bahnspannung wird die anhaftende Luft in die Rillen gedrückt und kann über diese entweichen. Je niedriger die Bahnspannung und je höher die Produktionsgeschwindigkeit, um so größer muß die Anzahl der Entlüftungswalzen bei einer Anlage sein.

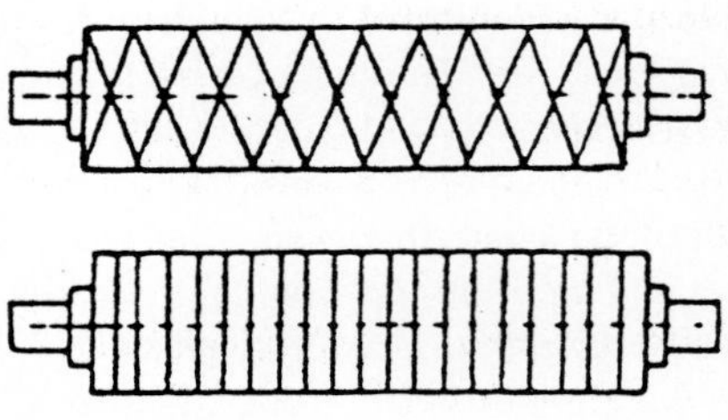

Walzen. Abb. 2.

Beim → Kalandrieren sind Walzen besonders hohen Belastungen ausgesetzt. Um einer Durchbiegung der Wal-

zen entgegenzuwirken, kann man diesen eine gewölbte Form geben (ballige Walze), eine Kompensationsdurchbiegung durch entsprechende Lagerung oder eine Schrägverstellung vornehmen.
Walzen können angetrieben oder nicht angetrieben sein. Bei gegenläufigen Walzenpaaren bestimmt der Walzenspalt, der vertikale Abstand zwischen den Walzen, die Dicke einer dazwischen laufenden Folienbahn. Lit.

Walzenauftragswerk, *<roll coater>*, → Beschichten.

Walzenglasieren, *<roll glazing>*, → Glanz.

Walzenmischer, *<roll mill>*, → Prüfwalzwerk.

Walzenmühle, *<roll mill>*, → Prüfwalzwerk.

Walzöl, *<rolling oil>*, → Aluminiumfolie.

Walzporen, *<pinholes>*, → Porosität.

Walzwerk, *<roll mill, roller mill, am: plastics mill>*, → Kautschukmischungen

Walzverfahren, *<rolling procedure>*, → Aluminiumfolie.

Wärmeabstrahlung von Folie, *<heat radiation of film>*, → Landwirtschaftsfolie.

Wärmebeständigkeit, *Dauerwärmebeständigkeit, maximale Gebrauchstemperatur, <heat stability, high temperatur operational life>*. Als Maß für die Wärmebeständigkeit von Kunststoff-Folien werden entweder Temperaturgrenzen für den Gebrauch oder Zeitgrenzen für die Beständigkeit bei bestimmten Temperaturen angegeben. Diese Werte sind relativ, weil sie von vielen Einflüssen abhängen.
Entscheidend ist natürlich das Folienmaterial und seine Morphologie, vor allem die → Kristallinität. Aber auch Einflüsse der Folienherstellung und der Zusatz von Additiven spielen eine Rolle.
Sehr brauchbare Hinweise geben die in der Kunststofftechnik üblichen Werte für die → Formbeständigkeit in der Wärme oder die → Vicat-Erweichungstemperatur. Ein objektives Maß für die Wärmebeständigkeit eines Kunststoffs liefert die → Thermogravimetrie. Dort finden sich auch Angaben über neuere Polymere mit sehr hoher Wärmebeständigkeit. Die Grenzen für die Dauerwärmebeständigkeit im praktischen Gebrauch von Folien liegen selbstverständlich unter den in der Thermogravimetrie ermittelten Werten. Beispielsweise gilt für → BOPP etwa 120 °C, für → Polyesterfolien etwa 150 °C, für → Polycarbonatfolien etwa 140 °C. → Hart-PVC-Folien und → Weich-PVC-Folien liegen bei 75 bzw. 50 °C und → Polyamidfolien bei 180 °C. Weitere Angaben für hochtemperaturbeständige neuere Polymere bei → Hochleistungsfolien und → Thermogravimetrie. Die Beurteilung der

Wärmebeständigkeit von Folien muß abhängig vom Einsatzgebiet erfolgen. Für Langzeit-Anwendungen im → Technischen Sektor gelten naturgemäß strengere Maßstäbe und höhere Anforderungen als beim Einsatz der gleichen Folie auf dem Verpackungssektor, wo oft nur eine einmalige Wärmebelastung erfolgt. Ein Beispiel ist die → Mikrowellentechnik, bei der z.B. Polyesterfolien kurzzeitig bis 230 °C belastet werden können.

Wärmestrahlungsschweißen, *<radiant heat welding, delete welding>*, → Heißsiegeln.

Warmformen, *Warmformung, Tiefziehen, Streckformen, <thermoforming>*, die Umformung einer thermoplastischen Folie oder Platte in ein dreidimensionales Gebilde. Ausgangsprodukte sind in der Regel Folienbahnen, seltener Folienzuschnitte, in der Kunststofftechnik auch Platten zur Herstellung großflächiger Formteile.

In der Folientechnologie wird das Warmformen meist zur Herstellung von Verpackungsmaterialien, wie Bechern, Schalen oder Trays, genutzt.

Dazu wird die in einem Spannrahmen fixierte Folie zunächst mit Infrarotstrahlern ein- oder beidseitig erwärmt, bis der plastische Zustand erreicht ist. Für die nachfolgende Verformung gibt es verschiedene Möglichkeiten, die häufig miteinander kombiniert werden. Es werden Druckluft, Vakuum, mechanische Hilfsmittel und Formwerkzeuge eingesetzt. Beim Blasen in den freien Raum, d.h. ohne Formbegrenzung wird die Gestalt des Blasteils durch den Umriß des Spannrahmens, des Luftdrucks und der Temperatur bestimmt (A). In den meisten Fällen wird die Gestalt des Formteils jedoch durch Werkzeuge vorgegeben. Beim Blasen in eine Negativ-Form oder Matrize (B) kann die Verformung mechanisch durch den Einsatz von Vorstreck-Stempeln unterstützt werden (C). Auch die Vakuumformung kann ohne (D) oder mit mechanischer Vorstreckung (E) erfolgen. Bei einfachen Formteilen ist auch rein mechanische Formung in einem Negativ/Positiv-Werkzeug, mit Patrize und Matrize, möglich. Pressen und Blasen können zur Formung der Folie auch kombiniert werden (F). Die Wandstärke der Formteile läßt sich sehr gut mit der Vakuumformung mit Luftkissen oder Luftblase regulieren (G).

Zum Warmformen ist eine große Zahl verschiedener Folientypen geeignet, die nach den jeweiligen Anforderungen ausgewählt werden müssen. → Hart-PVC-Folien bieten sehr gute → optische Eigenschaften. Durch → Kalandrieren gewonnene Folien haben bessere Dickengleichmäßigkeit als durch → Extrusion hergestellte Produkte und liefern dadurch Formteile mit besserer Dimensionsstabilität. Häufig werden → Polystyrolfolien eingesetzt. Eine neuere Entwicklung sind Polystyrol-Polyethylen-Blends, die Formteile mit deutlich verbesserter Standfestigkeit ergeben. Auch → Schaumfolien aus Polystyrol werden verwendet. → Polyesterfolien werden als Standard-Typen und als Copolymere bzw. glykol-modifizierte Produkte eingesetzt. → Polypropylen- und → Polycarbonatfolien sind ebenfalls warmformbar. Sehr häufig werden → Verbundfolien, vor allem → PA/PE-Folien eingesetzt.

Die Dicke der zum Warmformen eingesetzten Folien liegt zwischen etwa 50 und etwa 1500 μm. Zur Herstellung von Spezialprodukten, z.B. von → standfesten, sterilisierbaren Packungen, kann sie noch höher sein. → Deckelfolien werden meist aus den gleichen Materialien aber wesentlich dünner angeboten. Die Folienbahnen können separat oder in line hergestellt werden. → Extrusion des → thermoplastischen Kunststoffs zur Folie und Warmformen werden dabei direkt hintereinander in einer geschlossenen Anlage durchgeführt. Dabei kann der Wärmeinhalt der frisch hergestellten Folien genutzt werden. Anlagen zur Warmformung, oft als Thermoform-Automaten oder Tiefziehanlagen bezeichnet, werden in großer Vielfalt angeboten. Sie sind oft auf bestimmte Formteile spezialisiert und weitgehend automatisiert. Ihre Leistungen konnten in den letzten Jahren enorm gesteigert werden. So sollen z.B. bei Joghurt-Bechern bis zu 700, bei Minibehältern für Sahne bis zu 1700 Stück pro Minute erreichbar sein.

Die Warmformung spielt nicht nur zur Herstellung von Formteilen eine wichtige Rolle. Warmformung wird auch bei der → Vakuumverpackung, vor allem zur → Fleischverpackung, bei der → Blisterverpackung, zur Herstellung von → Noppen- und Luftpolsterfolien angewendet. Nicht zur Warmformung rechnet man die Anwendung von → Schrumpffolien. Lit.

Warmformung, <*thermoforming*>, → Warmformen.

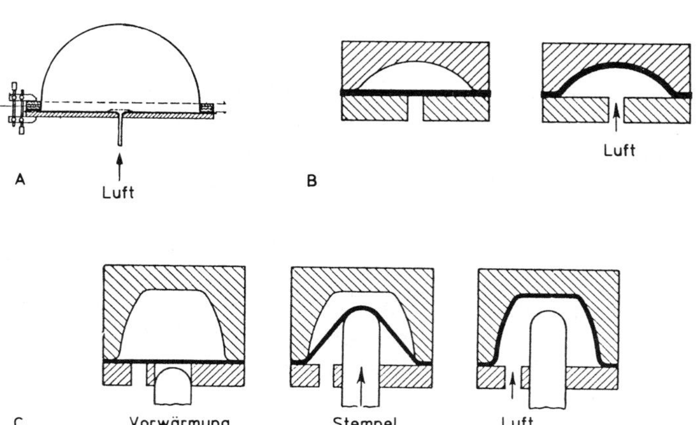

Warmformen. Abb. 1. Wittfoht, Kunststoffchemisches Wörterbuch **3**, S. 177f.

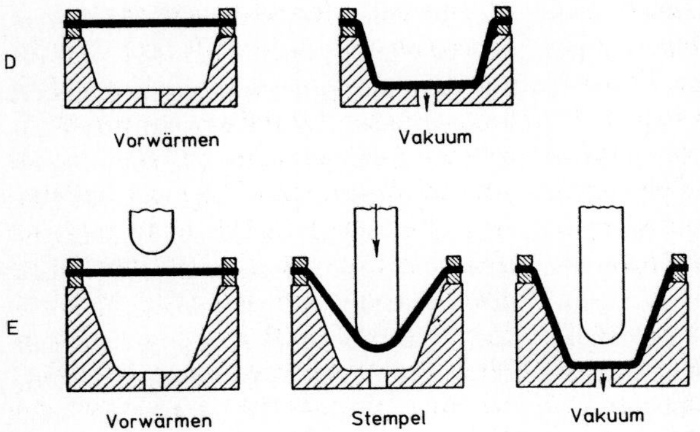

Warmformen. Abb. 2. Quelle wie Abb. 1.

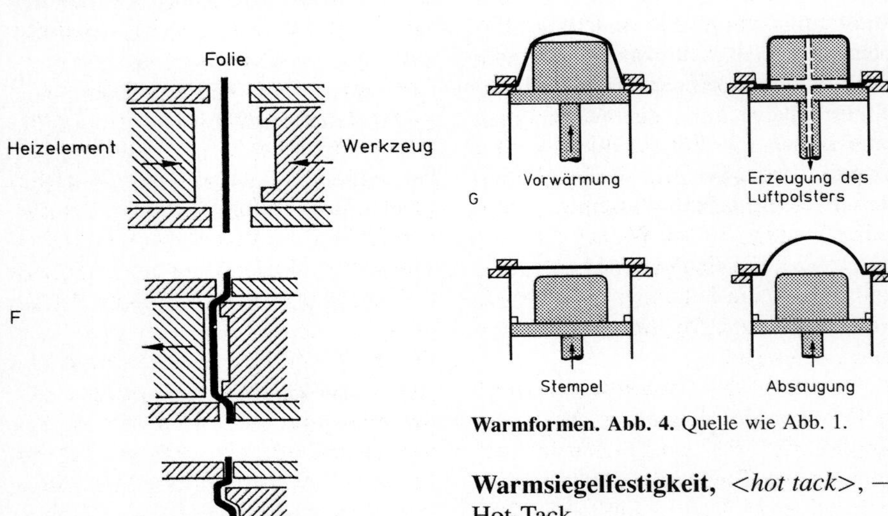

Warmformen. Abb. 3. Quelle wie Abb. 1.

Warmformen. Abb. 4. Quelle wie Abb. 1.

Warmschweißen, *<heat sealing>*, → Heißsiegeln.

Warmsiegelfestigkeit, *<hot tack>*, → Hot-Tack.

Wasseraufnahme, *Feuchtigkeitsaufnahme, <moisture pick-up, moisture absorption>*,
1. die nach Lagerung in Wasser von einer Folie aufgenommene Wassermenge in Gewichts-%. Prüfnormen: DIN 53472, 53495-1L, ISO/R 62. Mit Ausnahme von → Cellophan, bei dem

die Wasseraufnahme sehr hoch und stark vom jeweiligen Typ abhängig ist, liegen die Werte für Folien aus Polyolefinen, Polystyrol, PVC und vielen anderen Thermoplasten unter 0,1%. → Polyesterfolien zeigen 0,5%, → Polycarbonatfolien 0,25%, → Polyamidfolien je nach Typ und Versuchsbedingungen bis zu etwa 10%.

Die Aufnahme von Wasser beeinflußt in den meisten Fällen die Eigenschaften der Folien sehr stark. Dies ist vor allem für Anwendungen wichtig, wo es auf gute → Dimensionsstabilität oder auf hervorragende → elektrische Eigenschaften ankommt. Ein besonderes Problem ist die → Durchlässigkeit von Folien für Sauerstoff. So nimmt das zur Herstellung von → Sperrschichtfolien eingesetzte → Ethylen-Vinylalkohol-Copolymerisat bei der Pasteurisierung von Packungen im Wasserbad relativ schnell einige % an Wasser auf. Dadurch wird die Sauerstoff-Durchlässigkeit größer, die Schutzwirkung für das Füllgut geringer. Der Vorgang ist allerdings reversibel.

2. die von → thermoplastischen Kunststoffen bei der Lagerung durch Absorption aus der Umgebungsluft aufgenommene Feuchtigkeit. Diese wirkt sich bei einer Verarbeitung des Materials durch → Extrusion negativ aus und kann zu Zersetzungen des Polymeren führen. Empfindliche Themoplasten, die zur Wasseraufnahme bei Lagerung neigen, müssen deshalb vor der Verarbeitung getrocknet werden. Beispiele sind → Polycarbonat, → Polyamid und → Polyethylenterephthalat.

Wasserdampfdurchlässigkeit, *Durchlässigkeit für Wasserdampf, WDDu, <moisture vapor transmission, MVT, water vapor transmission (am.), WVT, water vapor permeability (engl.)>*, die Menge Wasserdampf, die bei definiertem Luftfeuchte-Gefälle und definierter Temperatur in 24 Stunden durch eine Fläche von 1 m^2 Folie hindurchtritt. Prüfnorm: DIN 53122, Einheit: g/m^2·d.

Niedrige Wasserdampfdurchlässigkeit ist Voraussetzung für den Schutz von Füllgütern vor dem Austrocknen und damit zum Erhalt der Frische von Lebens- und Genußmitteln. Sie ist insbesondere für die → Zigarettenverpackung von großer Bedeutung.

Niedrige WDDu von ca. 1 bis ca. 3 g/m^2 · d zeigen Folien aus → Polyethylen, → Polypropylen, → Polyvinylchlorid und PVDC-lackiertem → Cellophan. → Polyesterfolien, → Polycarbonatfolien, → Polyamidfolien und → Weich-PVC-Folien zeigen eine in dieser Reihenfolge wesentlich höhere WDDu zwischen ca. 10 ca. 100 g/m^2 · d. Die hohe WDDu von → Polyurethanfolien bei gleichzeitiger völliger Undurchlässigkeit für Wasser wird bei Anwendungen, die ein "Atmen" der Folie erfordern, wie bei der Herstellung von Regenkleidung oder → Dachunterspannbahnen, ausgenutzt. Ebenso ist bei der Verpackung stark wasserhaltiger Güter eine hohe WDDu wünschenswert (→ Antifog-Effekt).

In der Regel ist die Wasserdampfdurchlässigkeit der Dicke der Folien umgekehrt proportional. Dies gilt nicht für Zellglas, wo die WDDu im übrigen stark von der Art der Lackierung

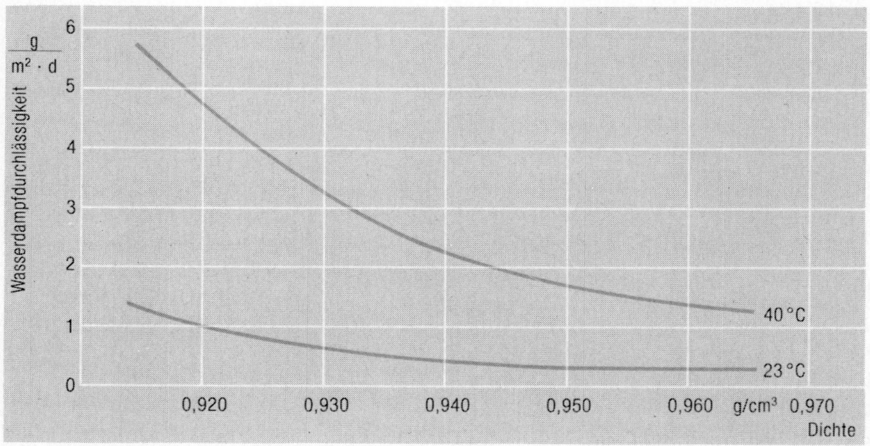

Wasserdampf-Durchlässigkeit. Nach BASF, Ludwigshafen, Firmenschrift.

abhängig ist. Unlackiertes Zellglas hat Durchlässigkeiten für Wasserdampf von über 1000 g/m^2 · d.

Die WDDu steigt mit steigenden Temperaturen an. Sie ist ferner stark von der Kristallinität der Polymeren abhängig. Als Beispiel sei die WDDu von Polyethylen-Folien in Abhängigkeit von Dichte und Temperatur dargestellt (nach DIN 53122, 85% gegen 0% r.F., Abb.).

Bei der Herstellung von → Verbundfolien ist auf die Wasserdampfdurchlässigkeit der einzelnen Schichten zu achten, da diese natürlich die Eigenschaften des Gesamtverbunds beeinflussen.

Die Wasserdampfdurchlässigkeit beeinflußt die → Durchlässigkeit für Dämpfe und die → Aromadurchlässigkeit von Folien.

WDDu, Abkürzung für → Wasserdampfdurchlässigkeit.

Weichbackwaren, <*baked goods*>, → Backwarenverpackung.

Weichmacher, <*plasticizer*>, ein Additiv, das hochmolekularen Stoffen zugesetzt wird, um deren Verarbeitungseigenschaften, Plastizität, Dehnbarkeit und Flexibilität zu verbessern. Weichmacher setzen das → Elastizitätsmodul, den → Schmelzbereich und die Einfriertemperatur beim → Glasübergang der Polymeren herab.

Man unterscheidet zwischen *äußerer Weichmachung* durch Zusatz von Weichmachern, die die chemische Natur der Polymeren nicht verändern und *innerer Weichmachung*, bei der die Makromoleküle gezielt durch Einbau weichmachender Bestandteile modifiziert werden.

Weichmacher sind vor allem bei der Herstellung von → Weich-PVC-Folien von großer Bedeutung. Insbesondere

Weichmacher.

Weichmacher	M	Substanz-Flüchtigkeit 100 h/100 °C	Flüchtigkeit 24 h/100 °C	Benzin-Extrakt 100 h /20 °C
Dibutylphthalat	278	19,5%	60,5%	25,1%
Dioctylphthalat	390	1,0%	4,5%	80,0%
Trikresylphosphat	368	0,5%	1,0%	3,0%
Octyldiphenylphosphat	362	1,2%	6,0%	20,6%
Dioctyladipat	370	2,8%	13,0%	91,0%
Polymerweichmacher	6000	0,2%	0,4%	0,4%

Nach Ullmann **24**, S. 351/352

bei der Anwendung zur Lebensmittelverpackung sind → physiologische Unbedenklichkeit, Geruchs- und Geschmacks-Neutralität und geringe Neigung zur → Migration unerläßliche Voraussetzungen. In letzter Zeit wird in dieser Hinsicht der Einsatz von → Phthalaten kritisch diskutiert. Beim Einsatz von Weichmachern in Weich-PVC-Folien für technische Anwendungen sind die Flüchtigkeit und das Verhalten gegen Benzin wichtige Kriterien (Tabelle).

Die Werte wurden an 0,5 mm dicken Folien mit einem Weichmachergehalt von 40% ermittelt.

Man unterscheidet monomere Weichmacher, wie Phthalsäureester, → Adipinsäureester, → Alkylsulfonsäureester, → Phosphorsäureester und → Trimellitsäureester. → Polymerweichmacher zeichnen sich durch besonders gute Wärmebeständigkeit aus. → Epoxydweichmacher bewirken neben der Weichmachung noch eine zusätzlich Stabilisierung des PVC. → Zitronensäureester zeichnen sich durch physiologische Unbedenklichkeit aus.

Der Einsatz von Weichmachern bei anderen Polymeren als Weich-PVC ist bei der Herstellung von Folien selten. Ein Spezialprodukt für die Herstellung von Verbund-Sicherheitsglas ist → Triethylenglykol-di-(2-ethyl-butyrat). Weichmacher für Folien auf Basis regenerierter Zellulose → Cellophan. Lit.

Weich-PVC, *PVC-Formmasse*, *<flexible, platicized PVC>*, entsteht aus → Polyvinylchlorid, PVC, durch Einarbeitung von → Weichmachern. Die starken zwischenmolekularen Bindungskräfte der PVC-Moleküle werden durch die Weichmacher gelockert. Die gute chemische Beständigkeit und das gute Alterungsverhalten bei Bewitterung des PVC bleiben dabei weitgehend erhalten. Der Werkstoff erhält durch den Weichmacher jedoch Flexibilität und → Dehnfähigkeit und wird deshalb in großem Maßstab zur Herstellung von → Weich-PVC-Folien eingesetzt.

Die *Weichmacheraufnahme* durch das PVC wird hauptsächlich von der →

Korngröße, der Korngrößenverteilung und der Kornstruktur des PVC beeinflußt.

Die Abbildung 1 zeigt die Geschwindigkeit der Weichmacheraufnahme zweier PVC-Typen mit unterschiedlichem → K-Wert bei 75 °C nach DIN 54802.

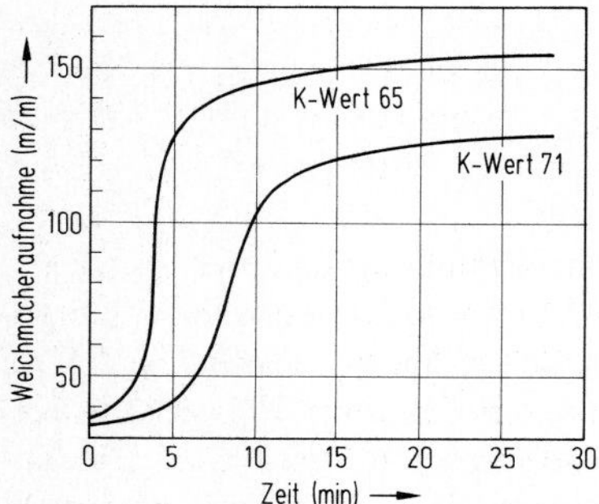

Weich-PVC. Abb. 1. BASF, Ludwigshafen, Firmenschrift.

Bei geringen Weichmacherzusätzen tritt oft zunächst eine Versprödung des PVC auf. Bei etwa 15 bis 20% Weichmachergehalt spricht man von halbharten Einstellungen. Weichmacher-Gehalte von über 20% führen dann zu immer weicheren und flexibleren Produkten. Einige für die Herstellung von → Weich-PVC-Folien besonders wichtige Eigenschaften des Ausgangsmaterials in Abhängigkeit von Art und Menge der eingearbeiteten Weichmacher zeigen die folgenden Abbildungen.

Die Abbildung 2 stellt den Einfluß der Struktur und der Menge des Weichmachers auf die Reißfestigkeit σ_R und die Reißfestigkeit ϵ_R. Die Abbildung 3 verdeutlicht die Abhängigkeit der Shore-Härte A und D eines S-PVC mit dem K-Wert 70 mit Dioctylphthalat als Weichmacher. Die Abbildung 4 zeigt den Einfluß verschiedener Weichmacher in Abhängigkeit von Ihrer Konzentration auf die *Kältebruchtemperatur* von Weich-PVC (1 = Dioctylphthalat, 2 = Dioctylphthalat + Di-2-ethylhexyladipat (1:1), 3 = Di-2-ethyl-hexyladipat).

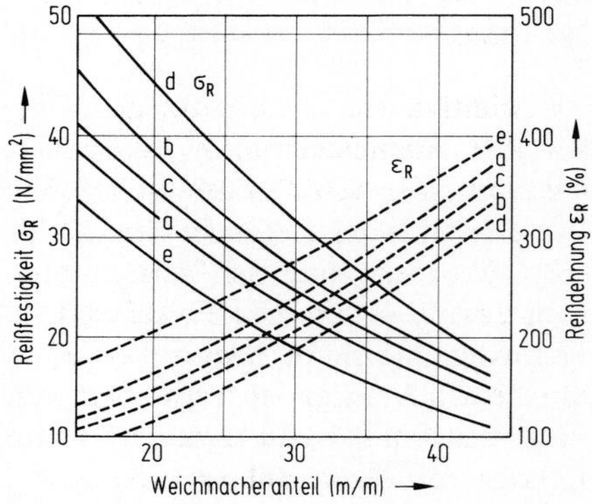

Weich-PVC. Abb. 2. BASF, Ludwigshafen, Firmenschrift.

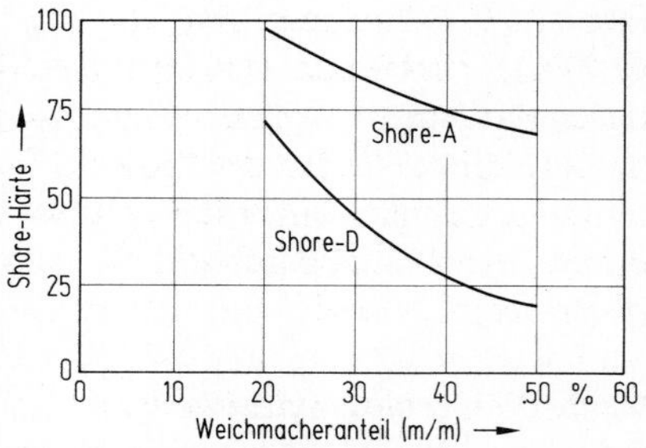

Weich-PVC. Abb. 3. BASF, Ludwigshafen, Firmenschrift.

Neben Weichmachern müssen dem PVC vor der Verarbeitung die nötigen

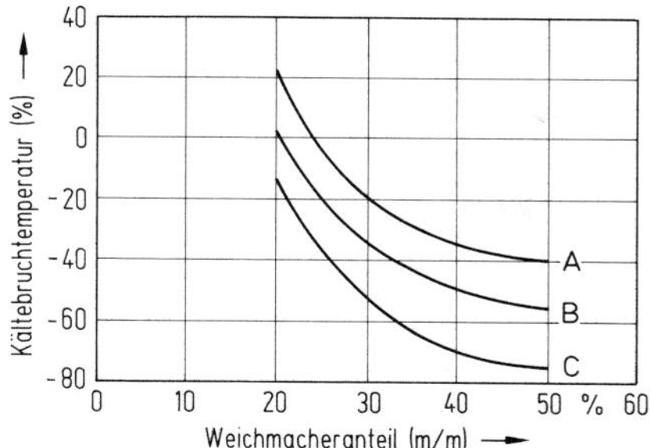

Weich-PVC. Abb. 4. BASF, Ludwigshafen, Firmenschrift.

→ Additive wie → Lichtschutzmittel, → PVC-Stabilisatoren, → PVC-Verarbeitungshilfsmittel zugesetzt werden. Die Einarbeitung dieser Hilfsmittel erfolgt üblicherweise bei Temperaturen zwischen 110 und 130 °C auf schnell laufenden Mischern oder in → Knetern. Nach homogener Verteilung sind die erhaltenen Produkte bei Wahl der richtigen Rezeptur gut rieselfähig und lassen sich problemlos fördern, dosieren und verarbeiten. Für die → Compoundierung von verarbeitungsfertigen Weich-PVC-Formulierungen, die auch als PVC-Formmassen bezeichnet werden, hat sich eine eigene Technologie entwickelt. Die Vielfalt der Produkte ist fast unübersehbar, da für die einzelnen Anwendungen maßgeschneiderte Lösungen möglich sind.

Weich-PVC-Folie, <*flexible PVC film*>, eine Folie, die aus → Weich-PVC hergestellt wird. Weich-PVC-Folien enthalten im Gegensatz zu → Hart-PVC-Folien größere Mengen von → Weichmachern. Der Werkstoff → Polyvinylchlorid ist auf Grund seiner Fähigkeit zur Aufnahme von Weichmachern und → Additiven aller Art besonders vielseitig einsetzbar und darüber hinaus sehr wirtschaftlich. Allerdings wird zunehmend die Tatsache beachtet, daß bei der → Entsorgung durch Verbrennung wegen des sehr hohen Chlorgehalts des PVC Probleme auftreten. Weich-PVC-Folien können durch → Kalandrieren oder durch → Extrusion hergestellt werden. Das neben der → Flachfolienextrusion am häufigsten angewendete Verfahren ist die → Blasfolienextrusion. Das Kalandrieren ist auf die Herstellung dickerer Folien beschränkt. Im Gegensatz zu den meisten anderen Thermoplasten wird PVC in vielen Fällen vom Hersteller nicht in verarbeitungsfertiger Form geliefert. Der Verarbeiter modifiziert vielmehr das Produkt mit Hilfe von → Additiven und → Weichmachern entsprechend dem Herstellungsverfahren und der gewünschten Anwendung.

Weich-PVC-Folien werden in Dicken von etwa 10 bis 1000 μm hergestellt. Durch Variation von Art und Menge der verwendeten Weichmacher lassen sich die Folien in fast beliebiger Flexibilität einstellen. Sie sind gut zu verschweißen, zu verkleben und zu bedrucken.

Die Durchlässigkeit von PVC für Sauerstoff macht Folien aus diesem Material besonders für die Verpackung von frischen → Fleischwaren geeignet. Die Verpackung kann von Hand im Einzelhandel oder maschinell als → Schrumpfverpackung erfolgen. Für die Verpackung von Obst und Gemüse ist die Durchlässigkeit der Weich-PVC-

Folien für Sauerstoff und Kohlendioxid ebenfalls erwünscht. Weit verbreitet ist der Einsatz von Weich-PVC-Folien zur Verpackung von Fertiggerichten aller Art. Klarheit und gute Haftung der Folie sind wichtig.
Weich-PVC-Folien werden in der Bauindustrie z.B. als → Dachabdichtungsfolien oder → Isolierfolien und im → technischen Sektor, z.B. für die Innenausstattung von Kraftfahrzeugen verwendet. Zur Herstellung von → Klebebändern und → Dekorfolien sowie im Bürobereich werden ebenfalls Weich-PVC-Folien in großen Mengen eingesetzt.
Grundsätzlich ist die Abgrenzung von Weich-PVC-Folien von Hart-PVC-Folien willkürlich. Es gibt eine Vielzahl von nicht klar definierbaren Übergängen zwischen weichen, halbharten und harten PVC-Folien.
Neben der thermoplastischen Verarbeitung ist die Verarbeitung von PVC-Pasten von geringerer Bedeutung. Dabei werden feinteilige PVC-Typen mit Hilfe von Weichmachern zu Pasten verarbeitet. Diese werden durch Streichen, Gießen oder Tauchen verarbeitet und ausgeformt. Das PVC wird durch Erhitzen auf höhere Temperaturen von etwa 200 °C verfestigt. Die Herstellung von Weich-PVC-Folien durch → Gießverfahren ist selten.

"Weiße Folien", *<white foil>*, die bei der Herstellung von → Aluminiumfolien nach dem letzten Glühprozeß anfallenden Produkte.

Weiterreißfestigkeit, *<tear propagation strength>*, → Weiterreißwiderstand.

Weiterreißwiderstand, *Weiterreißfestigkeit, <tear propagation strength, resistance to tear propagation>*, Prüfnorm: DIN 53363, 53575, ASTM D 1922. Einheit: N/mm. Der Weiterreißwiderstand wird bei Folien in Längs- und Querrichtung gemessen. Er ist bei Folien aus Polyolefinen mit 8 bis 20 N/mm sehr klein. Bei Verbundfolien liegt er, abhängig von der Dicke der Folien, bei mehreren hundert N/mm. Biaxial verstreckte → Polyesterfolien haben Weiterreißfestigkeiten um 200 N/mm.
Der Weiterreißwiderstand spielt auch bei der Beurteilung des → Schälverhaltens von Wursthüllen eine Rolle.

Weißbruch, *<crazing, flex-cracking>*, ein unregelmäßiges Netzwerk sehr feiner weißer Risse, die bei der → Orientierung von Folien auftreten können und das Produkt wegen schlechter → optischer Eigenschaften für die Anwendung unbrauchbar machen.
Wenn Mischungen verschiedener thermoplastischer Kunststoffe (Compounds) zur Folienherstellung verwendet werden, und sich die Komponenten teilweise in der Schmelze entmischen, treten Störungen in der Einheitlichkeit der Folien auf. Besonders beim → Warmformen kann es dann zu Weißbruch kommen.
Weißbruch kann auch beim Knicken von Folien auftreten. In diesem Falle

tritt in der klar durchsichtigen Folie eine Weißfärbung der Knickstelle auf. Wegen dieses Verhaltens sind z.B. → Polystyrolfolien trotz anderer günstiger Eigenschaften für die Verwendung als → Photofolien unbrauchbar.

Welligkeitsprofil, *<waviness profile>*, → Rauheit.

Wellpappe auf Kunststoffbasis, *Wellplatten, <corrugated plastic>*, in Anlehnung an Wellpappe *<corrugated board, corrugated paper>*, vor allem in USA eingesetztes Verpackungsmaterial. Thermoplasten, überwiegend → Polypropylen-Copolymere und → Polyethylen hoher Dichte, seltener → Polycarbonate werden extrudiert oder coextrudiert. Die erhaltene, glatte oder geriffelte Kunststoffbahn wird in Längs- oder Querrichtung gewellt. Auch die Kombination von zwei oder drei verschiedenen Bahnen durch Lamination zu einem S-förmigen Material ist möglich.
Die Produkte besitzen gegenüber herkömmlicher Wellpappe in der Verpackungstechnik einige Vorteile. Sie haben eine wesentlich längere Lebensdauer, sind stabil gegen Chemikalien und gegen Wasser und besitzen im Verhältnis zu ihrem Gewicht wesentlich bessere mechanische Eigenschaften. Sie können außerdem in verschiedener Einfärbung geliefert werden. Nachteile sind vor allem die höheren Kosten, aber auch die geringere Verformbarkeit.
Die Verarbeitung von gewellten Kunststoffbahnen zu Schachteln oder Kisten ist auf den für Wellpappe üblichen Maschinen möglich. Die Verbindungstechnik muß dem Kunststoff-Material angepaßt werden. Kleben ist mit speziellen Stoffen, wie Silikonen oder → Schmelzklebstoffen möglich, wenn die Oberfläche einer → Vorbehandlung unterworfen wurde. Schweißen mit Hochfrequenz ist jedoch das am häufigsten angewendete Verfahren.
Auch geschäumte Polystyrolfolie findet neuerdings zur Herstellung von Wellpappe Verwendung. Diese → Schaumfolie ist 2 bis 3 mm dick und wird auf beiden Seiten mit Papier laminiert. Die Fertigung verläuft kontinuierlich. Die Extrusion der Schaumfolie erfolgt wie üblich im horizontalen Blasverfahren. Nach Flachlegung und Aufschneiden wird beidseitig laminiert und konfektioniert. Das so gewonnene Produkt kann wie konventionelle Wellpappe verarbeitet werden. Es hat eine wesentlich verbesserte Beständigkeit gegen Feuchtigkeit.

Wellplatten, *<corregated plastics>*, → Wellpappe auf Kunststoffbasis.

Wendelverteilerwerkzeug, *<spiral mandrel die>*, → Blasfolienextrusion.

Werkzeug, *<mould, tool>*, → Formwerkzeug.

Werkzeugreinigung, *<mould cleaning>*, → Reinigung von Werkzeugen.

Wickeln, *<winding and rewinding>*. Folien fallen bei ihrer Herstellung fast immer in Form von Folienbahnen an.

Diese werden nur selten direkt weiterverarbeitet, z.B. zu → Folienbögen, → Beuteln, → Säcken oder → Tragetaschen. In der Regel müssen die Folienbahnen vor ihrer Weiterverwendung zu → Folienrollen aufgewickelt werden.

Bei der → Flachfolienextrusion werden in den meisten Fällen Folienbahnen von erheblicher Breite erzeugt. Diese können z.B. bei der Herstellung von → Polyesterfolien oder → BOPP bei über 8 m liegen. Wickeln und Handhabung solcher Rollen sind natürlich schwierig. Die Verfahrenstechnik wird jedoch gut beherrscht. Es sollen sogar bereits Wickler für Rollenbreiten von 12 m in Planung sein.

Auch durch → Blasfolienextrusion hergestellte Produkte müssen auf Rollen gewickelt werden. Hier verteilt man die unvermeidlichen Fehler in der Folienbahn durch → Rotations- und Reversiersysteme über die Breite der Folienbahn, damit sie sich nicht beim Wickeln auf der Folienrolle addieren.

Man bezeichnet die unmittelbar bei der Herstellung erhaltenen Folienrollen auch als Rohrollen oder Mutterrollen, die später in schmalere Breiten geschnitten und auf entsprechend kleineren Rollen aufgewickelt werden müssen. Folienstreifen mit Breiten von etwa 40 mm dürften die untere Grenze darstellen, wo noch stabile Rollen erhalten werden können. Die Herstellung von → Aufreißstreifen stellt die kleinste mögliche Breite von Folienbändern dar. Diese werden jedoch nicht mehr gewickelt, sondern nach dem Spulenspinn-Verfahren aufgearbeitet.

Das Wickeln von Folien ist kein einfacher Prozeß. Die Schwierigkeiten hängen vom Folien-Grundmaterial, von der Ausrüstung der Folien mit → Additiven, vor allem mit → Antiblockmitteln, von der Foliendicke, und auch vom Herstellungsprozeß ab. Selbst Folien aus dem gleichen Thermoplasten und mit gleicher Dicke können abhängig vom Hersteller unterschiedliches Wickelverhalten aufweisen. Auch die Lagerzeit von Folienrollen hat einen Einfluß auf die Wickelprobleme. Dies ist verständlich, weil Additive durch → Migration an die Folienoberfläche wandern und diese verändern können.

Grundsätzlich wird bei den hohen Geschwindigkeiten beim Wickeln immer eine Grenzschicht von Luft an der Folienoberfläche mitgenommen. Bei hohen Geschwindigkeiten scheint diese Schicht dicker zu sein. Die Abquetschkräfte, die das Einziehen der Luft in die Folienrolle verhindern, müssen dann größer sein.

Weitere Probleme können durch Ungleichmäßigkeiten oder Fehler in der → Folienbahn auftreten. Folien mit sehr glatten Oberflächen sind besonders schwierig zu wickeln. Ein Maß für ihre Oberflächenbeschaffenheit ist die → Reibungszahl.

Man unterscheidet beim Wickeln die Kontaktwicklung und die Zentralwicklung. Sehr häufig werden beide Verfahrensprinzipien kombiniert. Die Abbildung zeigt drei Varianten. Bei der reinen Kontaktwicklung (A) liegt die Folienrolle auf einer angetriebenen Walze an. Der Anpreßdruck ist eine Funktion des Durchmessers der Aufwickelrolle.

Diese Wickelart wird auch als Umfangswicklung bezeichnet. Sie ist nur für das Wickeln stumpfer, dehnfähiger Folien geeignet. Auch Papier, das gegenüber Folien den Vorteil der Luftdurchlässigkeit hat, kann nach diesem Prinzip gewickelt werden. Bei der Kontaktwicklung mit Anpreßdruck-Regelung wird der Anpreßdruck konstant gehalten. Er beträgt mindestens 10 kp (B). Bei der Zentralwicklung wird die Wickelwelle angetrieben. Die Abwicklung ist durch angetriebene Walzen im Schneidebereich völlig von der Aufwicklung isoliert. Der Anpreßdruck ist gleich Null (C). Dieses, auch als freie Wicklung bezeichnete Prinzip ist ebenfalls bei Papier gut, bei Folien nur begrenzt anwendbar. Die Entscheidung für ein bestimmtes System muß bei Hochleistungsmaschinen für technisch anspruchsvolle Folien immer individuell getroffen werden. Moderne Maschinen haben für jede einzelne Walze Individualantrieb. Der Antrieb der einzelnen Schnittrollen wird unabhängig voneinander über den Anpreßdruck kontrolliert und geregelt. Der Hydraulikantrieb ist wegen der unvermeidlichen Ölverluste problematisch. Beim elektrischen Antrieb mit Gleichstrommotoren ist die räumliche Unterbringung schwierig. Durch Einsatz von Scheibenläufer-Motoren ist das Problem jedoch lösbar. Die Wickelspannung wird vorgegeben und muß über den gesamten Wickelvorgang unabhängig vom Rollendurchmesser konstant gehalten werden. Durch die Bahnspannung wird die Wickelhärte bestimmt.

Durch Einsatz moderner Meß- und Re-

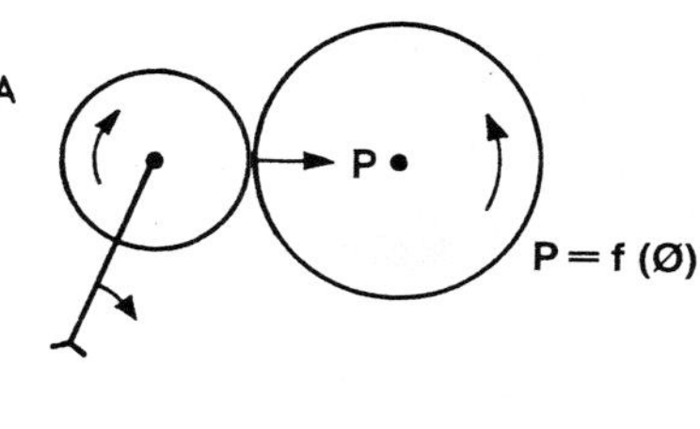

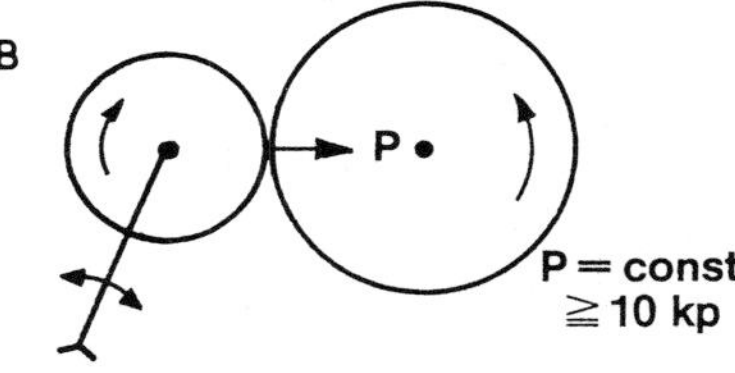

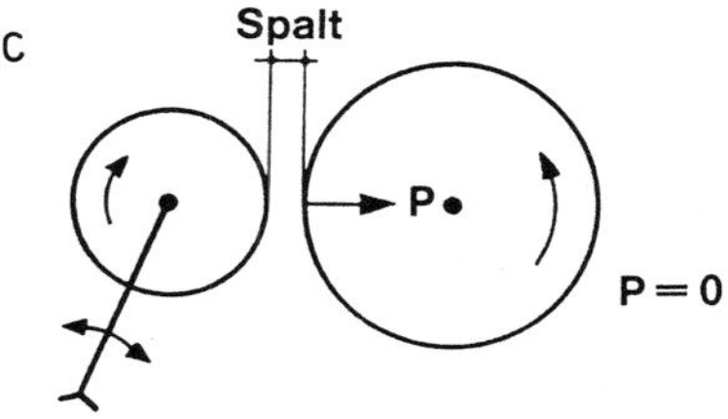

Wickeln. Reifenhäuser GmbH, Troisdorf, Firmenschrift.

geltechnik werden bei hohen Geschwindigkeiten ausgezeichnete Wickelqualitäten erzielt. Gute Qualifikation und Erfahrung des Maschinenfahrers sind jedoch genau so wichtig.

Die Wicklung darf nicht zu hart und nicht zu weich sein. Die Messung der Härte der Wicklung kann durch Bestimmung der → Shore-Härte erfolgen. Es gehört jedoch auch dazu viel Erfahrung, damit die Rolle nicht geschädigt wird. Zur Erzielung kantengleicher Wicklung dient die auch bei anderen Anlagen zur Folienverarbeitung eingesetzte → Kantensteuerung. Eine gut gewickelte Rolle soll von der Seite wie die Obefläche einer Schallplatte aussehen. Lit.

Widerstand, <*resistance*>, → Kondensatorfolie.

Wiedergewinnung, <*recycling*>, → Rückführung.

Witterungsbeständigkeit, <*weather resistance*>, → Bewitterung.

wurstähnliche Verpackungen, <*chub packaging*>, werden nach dem Prinzip der Produktion einiger → Wursthüllen hergestellt. Sie sind in den USA weit stärker verbreitet als in Europa. Der amerikanische Ausdruck leitet sich von der Bezeichnung "chubby" sausages (dickere, bratwurstähnliche Produkte) ab.
Wie bei der Verpackung von Würsten wird eine Folie über eine Formschulter überlappend gesiegelt. Es entsteht ein Schlauch. Dieser wird zunächst an einer Seite und nach dem Befüllen auf der anderen Seite verschlossen.
Es entstehen wurstförmige Packungen, deren Durchmesser zwischen 15 und 150 mm liegen, und deren Länge bis zu ca. 1000 mm betragen kann. Abhängig von der Packungsgröße sind Produktionsgeschwindigkeiten bis zu 100 Stück/Min. möglich.
Bei den verpackten Gütern handelt es sich meist um viskose, zäh fließende Produkte. Diese werden in der Regel durch Pumpen gefördert und können so sehr rationell verpackt werden.
Das Verfahren wird in den USA für eine Vielzahl der verschiedensten Lebensmittel angewendet. Beispiele sind Butter, Käsecreme, Schokoladenmassen, Saucen, gefrorene Obstsäfte, Eiscreme, Fleischsalat, Suppen, Kuchenteig in konservierter oder gefrorener Form, Pizzateig und -sauce, Kartoffelbrei und Haustiernahrung. Aber auch einige technische Produkte werden auf diese Weise verpackt, z.B. Zweikomponentenharze oder Dichtungsmassen.
Die so verpackten Produkte werden im Verbrauchermarkt und in der Industrie in großem Maße angewendet.
Als Packmaterial werden überwiegend Verbundfolien, z.B. → PA/PE-Folien eingesetzt.

Wursthüllen <*sausage casings properties*>. Die Anforderungen an die Eigenschaften von Wursthüllen zeigen viele Parallelen mit den auf gleicher Grundlage hergestellten Folien. An erster Stelle steht, wie bei Folien zur → Lebensmittelverpackung die → physiologische Unbedenklichkeit. Verzehrfähige Wursthüllen (Hautfaserdarm) sind Lebensmittel, nicht eßbare Wursthüllen sind Bedarfsgegenstände im Sinne des Lebensmittelgesetzes, § 5, Nr. 1 und § 31, Nr. 1. Zur Präzisierung der dort aufgestellten Anforderungen wurde durch die Kunststoff-Kommission des → Bundesgesundheitsamtes die Empfehlung XLIV "Kunstdärme" (*Kunstdarm-Empfehlung*) geschaffen.
Wichtige Eigenschaften sind die Gleichmäßigkeit des → Kalibers, das → Schälverhalten und das → Schrumpfverhalten. Für die Verarbeitung der Wursthüllen sind ihre →

mechanischen Eigenschaften wichtig. Diese sind bei synthetischen Produkten bedeutend besser als beim → Naturdarm. Werte für die mechanischen Eigenschaften können analog zu den bei Folien angewendeten Verfahren ermittelt werden. Eine weitaus praxisnähere Prüfung stellt jedoch die Ermittlung des → Platzkalibers und des Platzdrucks dar.

Die Prüfung der Einreißfestigkeit und der Weiterreißfestigkeit ist für die Beurteilung des → Schälverhaltens wichtig. Wursthüllen mit geringer Weiterreißfestigkeit haben in der Regel gutes Schälverhalten. Dagegen kann bei einem Produkt mit hoher Weiterreißfestigkeit das Schälen erheblich erschwert sein. Wie bei den zur Verpackung von Lebens- und Genußmitteln bestimmten Folien haben auch bei Wursthüllen die → Durchlässigkeit für Sauerstoff, die → Wasserdampfdurchlässigkeit sowie die → Aromadurchlässigkeit große Bedeutung. Zusätzlich ist die Rauch-Durchlässigkeit von Wursthüllen wichtig, die weitgehend mit der Gas- und Wasserdampfdurchlässigkeit parallel geht. Einen Vergleich der Sauerstoff-Durchlässigkeit wichtiger Wursthüllen zeigt die Abbildung 1, Wasserdampf-Durchlässigkeiten sind in Abbildung 2 dargestellt.

Die → optischen Eigenschaften haben bei Wursthüllen nicht die hohe Bedeutung wie bei Verpackungsfolien. Dennoch spielen → Glanz und → Transparenz für die Auswahl von Wursthüllen für den jeweiligen Verwendungszweck eine wichtige Rolle.

Da Wurstwaren durch Einwirkung von Licht geschädigt werden können, ist die Lichtdurchlässigkeit der Wursthüllen eine unerwünschte Eigenschaft. Viele synthetisch hergestellte Wursthüllen werden deshalb mit Pigmenten eingefärbt. Die gebräuchlichsten Farbtöne sind weiß, creme, gelb, orange, rot, braun, dunkelbraun, schwarz, silber und gold. Die so erhaltenen Produkte dienen auch der besseren Präsentation der Ware.

Die → thermischen Eigenschaften von Wursthüllen sind in der Regel für die Anwendung nicht kritisch. → Naturdarm darf während der Verarbeitung nicht über 80 bis 90 °C belastet werden. Synthetische Wursthüllen sind dagegen bei wesentlich höheren Temperaturen beständig. So können höhere Gartemperaturen angewendet werden, wodurch die Garzeiten verkürzt und eine größere Haltbarkeit der Fertigprodukte erzielt werden. Wursthüllen aus Thermoplasten, insbesondere Polyester- und → Polyamid-Wursthüllen, gestatten die Anwendung von Temperaturen über 121 °C. Die so erzielte Sterilisation der Ware führt zu Produkten, die als Halb- oder Dreiviertelkonserven bezeichnet werden.

Unter den → chemischen Eigenschaften der Wursthüllen sind die Öl- und Fettbeständigkeit wichtig. In der Undurchlässigkeit für Fette und Öle sind synthetische Wursthüllen aus Thermoplasten und → Cellulosedärmen dem → Naturdarm überlegen. Dennoch ist beim Einsatz von bedruckten Wursthüllen darauf zu achten, daß der Druck fettbeständig ist.

Synthetische Wursthüllen, Kunstdärme

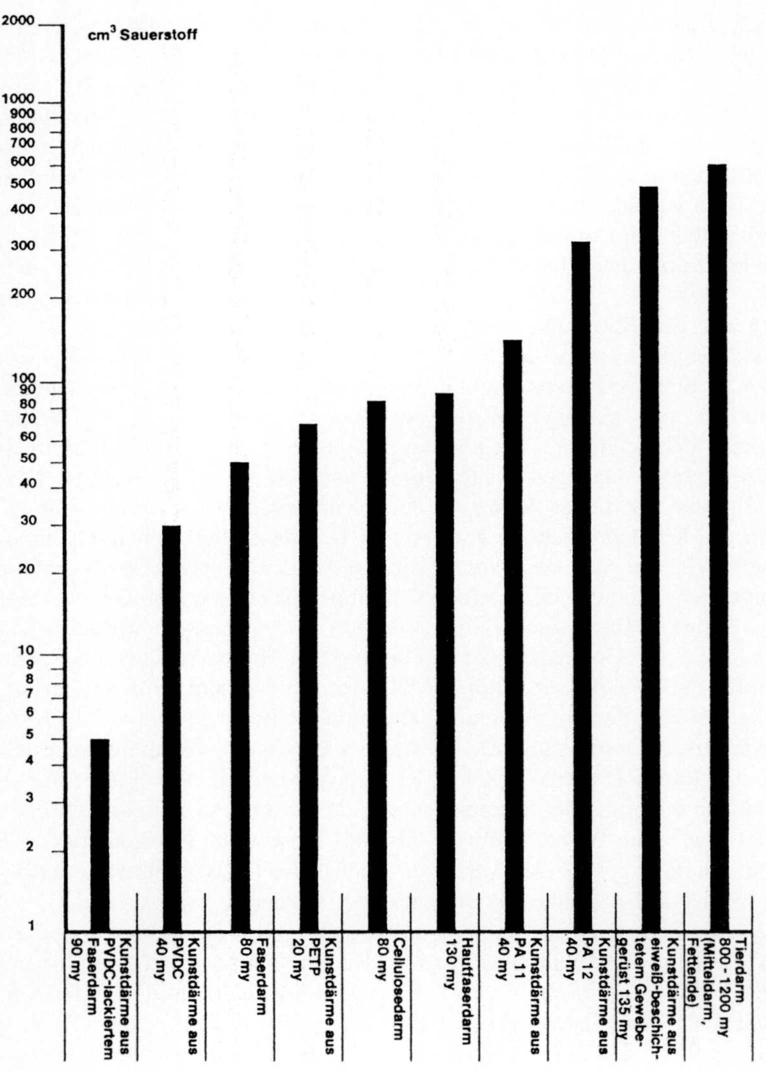

Sauerstoffdurchlässigkeiten der gebräuchlichsten Kunstdärme gemessen in $\frac{cm^3\,(NTP)}{m^2 \cdot d \cdot atm}$ *bei 0° C und 75 % rel. F.*

Wursthüllen. Abb. 1 G. Effenberger, Kunstdärme, 1976, Neuauflage: Bad Wörrishofen, 1990.

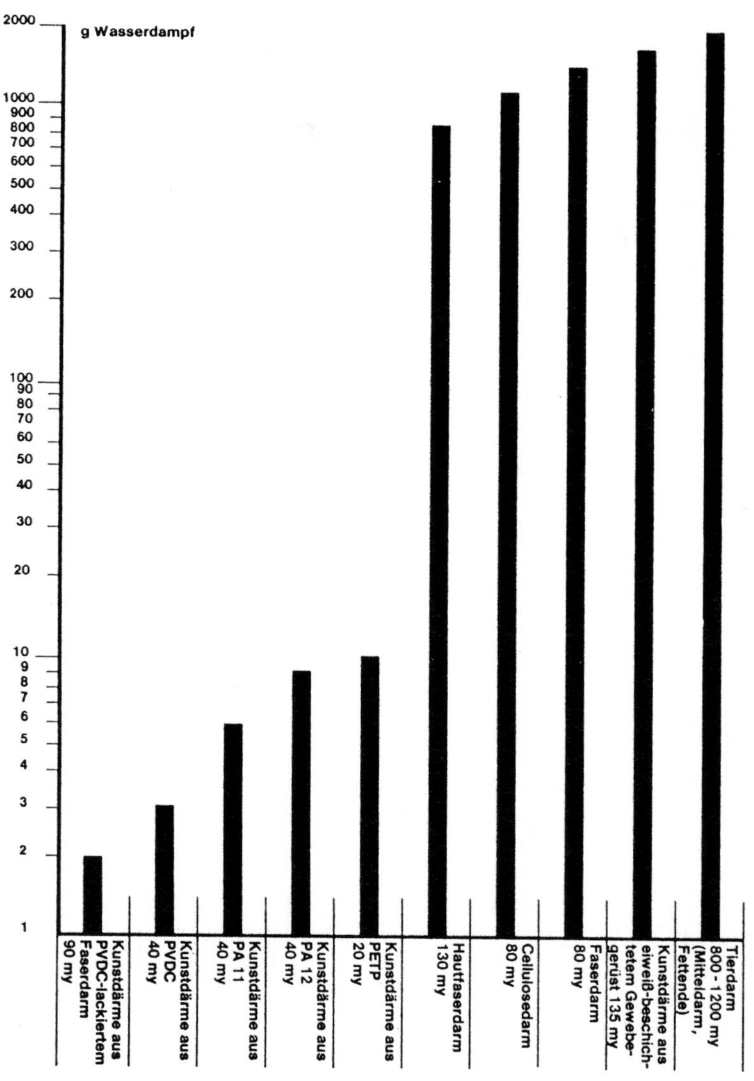

Wasserdampfdurchlässigkeiten der gebräuchlichsten Kunstdärme gemessen in $\frac{g}{m^2 \cdot d}$ *bei 20° C, 760 Torr und Feuchtegefälle 85 % / 0 % rel. Feuchte.*

Wursthüllen. Abb. 2.

<*sausage casings*>, sind schlauchförmige Gebilde aus Naturdarm, veredeltem Papier, Verbundwerkstoffen aus Fasern oder Geweben und aus Folien auf Basis verschiedener Rohmaterialien. Sie bilden bei der Herstellung von Wurst die formgebende und schützende Hülle. Der → Naturdarm war Vorbild für die Entwicklung synthetischer Wursthüllen. Diese werden deshalb auch heute noch häufig als *Kunstdarm* bezeichnet. Die ersten synthetischen Wursthüllen wurden aus Echt-Pergament hergestellt. Sie dienten bereits vor mehr als 100 Jahren nicht nur zur Abfüllung von Fleisch- und Wurstwaren, sondern auch als Verpackung für die "Eiserne Ration" der Heeresverpflegung. Diese auch als Papierdarm bezeichnete erste synthetische Wurthülle stellte jedoch wegen ihrer mangelhaften Eigenschaften keine ernst zu nehmende Konkurrenz für den Naturdarm dar. Die Produkte sind praktisch nicht mehr im Markt.

Wursthüllen mit wesentlich interessanteren Eigenschaften wurden Anfang dieses Jahrhunderts aus regenerierter → Cellulose gewonnen. Die Gruppe der → Cellulosedärme hat heute mit etwa 50% den größten Marktanteil. Besonders große Bedeutung haben → Schäldarm und → Faserdarm.

Wursthüllen aus gehärtetem Eiweiß (Hautfaserdärme) haben einen Marktanteil von etwa 20%. Dagegen sind Wursthüllen aus eiweißbeschichtetem Gewebegerüst von geringer Bedeutung. Eine noch relativ neue Entwicklung stellen Wursthüllen aus thermoplastischen Polymeren dar. Die zwei wichtigsten Produktgruppen sind → Polyamid-Wursthüllen und → PVDC-Wursthüllen mit je etwa 10 bis 15% Anteil am Markt für synthetische Wursthüllen. Eine wichtige Rolle für ihren Einsatz spielt die → Konfektionierungsform synthetischer Wursthüllen.

Wursthüllen aus Thermoplasten, Kunststoffdärme <*sausage casings based on thermoplastic polymers*> sind schlauchförmige Produkte aus → thermoplastischen Kunststoffen, die

1. durch Extrusion über Ringdüsen oder
2. durch Formen und Verschweißen von Flachfolien

gewonnen werden.

Das erste Verfahren entspricht im Prinzip der → Blasfolienextrusion, jedoch verlangt das sehr viel kleinere → Kaliber der Wursthüllen eine spezielle Verfahrenstechnik. Wichtig ist ferner ein hoher Reinheitsgrad der eingesetzten Rohstoffe. Die Extrusion des Kunststoffschlauchs kann horizontal, vertikal absteigend oder vertikal aufsteigend erfolgen. Nach seinem Austritt aus der Ringdüse wird der Schlauch mit Luft aufgeweitet und erhält damit seinen endgültigen Durchmesser und seine endgültige Dicke. Durch diese Aufweitung kann das → Schrumpfverhalten der Wursthüllen beeinflußt werden.

Das zweite Verfahren zur Herstellung von Wursthüllen aus Thermoplasten geht von → Folienbahnen aus, die auf größeren Extrusionsanlagen hergestellt wurden und Breiten von mehreren Metern haben. Diese werden, gegebenenfalls nach Bedrucken, zu schmaleren Bahnen aufgeschnitten, deren Breite in etwa dem Umfang der herzustellenden Schläuche entspricht. Die Flachfolie wird zunächst in Temperierkammern erwärmt und dadurch dehnbar gemacht. Die Schlauchbildung erfolgt maschinell von der Folienrolle über eine Formschulter und anschließendes → Heißsiegeln.

Die so erhaltenen Wursthüllen haben verfahrensbedingt eine Längsnaht, was für viele Anwendungen einen Nachteil bedeutet. Andererseits stellt die sehr rationelle Herstellung solcher Wurstwaren, die in der Regel kontinuierlich von der Folienrolle durch Formen, Füllen und → Clippen erfolgt, einen bedeutenden Vorteil dar. Die Parallele zu der in der → Folienanwendung eingesetzten → Form-, Füll- und Verschließmaschinen ist offensichtlich. Die Anlagen zur Wurstherstellung sind jedoch komplizierter und spezialisierter.

Die wichtigsten Wursthüllen aus Thermoplasten sind → Polyamid- und → PVDC-Wursthüllen. Polyethylen-, Polyester- und Polypropylen-Wursthüllen haben zur Zeit noch keine Bedeutung.

Wursthüllen aus Thermoplasten stehen im Wettbewerb mit einer großen Anzahl anderer Produkte, vor allen mit den → Cellulosedärmen. Sie haben diese aus manchen Einsatzgebieten verdrängt. Parallelen zur Substitution von → Cellophan durch Kunststoff-Folien, vor allem durch → BOPP, drängen sich auf (→ Cellopp-Markt), jedoch sind die beiden Märkte im Grunde nicht zu vergleichen. → Cellophan ist ein sehr altes Produkt, seine Entwicklungsmöglichkeiten sind ausgeschöpft. Folien aus Thermoplasten konnten in kurzer Zeit konkurrenzlos billig hergestellt werden. Die schnelle Entwicklung der erforderlichen anwendungstechnischen Eigenschaften ließen dem Cellophan wenig Chancen. Der Cellulosedarm ist dagegen ein wesentlich jüngeres Produkt und bietet noch Möglichkeiten zur Rationalisierung der Produktion und der Optimierung seiner Eigenschaften. Viele Ansätze, Cellulosedärme durch Wursthüllen aus Thermoplasten zu ersetzen, sind über Anfangserfolge nicht hinausgekommen. Möglicherweise führt die → Coextrusion zweier oder mehrerer polymerer Stoffe zu einer Optimierung der erforderlichen Eigenschaften.

Wursthüllen aus eiweißbeschichteten Geweben, <collagen coated fabrics>, bestehen aus einem schlauchförmigen Gewebegerüst, das mit einer Masse aus aufgeschlossenem Eiweiß imprägniert ist. Für die 1914 aufgenommene Produktion verwendete man zunächst Naturseide, die sich durch große Feinheit hohe Festigkeit und gute Elastizität auszeichnet. Später wurde das Produkt durch den Einsatz von Baumwoll- und Kunstfasergeweben, insbesondere auf Basis von Polyamidfasern, weiterentwickelt. Dadurch konnte vor allem die Festigkeit beim → Clippen der Wursthüllen verbessert werden.

Der Marktanteil der Produkte ist heute unbedeutend. Unter den → Cellulosedärmen stellen die → Faserdärme einen im Prinzip ähnlich aufgebauten Verbundwerkstoff dar.

Wursthüllen aus gehärtetem Eiweiß, Hautfaserdärme, Kollagendärme,

<*collagen casings*>, werden in Form von geraden oder gebogenen Schläuchen hergestellt. Als Rohstoffe dienen tierische Häute bzw. der von der Innenseite der aufbereiteten Rinderhaut abgelöste "Hautspalt". Durch Aufschluß dieser Materialien wird eine Masse aus Bindegewebe-Eiweiß, → Kollagen, erhalten, die nach einem Trockenspinnverfahren, wie es im Prinzip auch bei den → Gießverfahren für die Folienherstellung angewendet wird, in die gewünschte Schlauchform gebracht werden kann.

Der Aufschluß erfolgt durch Einwirkung von Alkalien in Mischung mit Quellmitteln und Enzymen. Eine zu lange Einwirkung von Alkali oder eine zu hohe Konzentration an basischen Stoffen führt zu einer übermäßigen Schädigung der Hautfasern, die bis zu einem vollständigen Abbau zu Gelatine bzw. Leim führen kann. Neben der richtigen Auswahl der Aufschlußmittel hat die Weiterentwicklung der Zerkleinerungstechnik und die Verarbeitung der Hautfasermasse bei tieferen Temperaturen zu immer schonenderen Abbaubedingungen geführt. Der zur Verarbeitung zu Wursthüllen vorbereitete Kollagenbrei enthält Fasern zwischen etwa 0,15 und 30 μm Dicke und ca. 40 mm Länge. Nach der Zerkleinerung und dem Aufschluß der Rohstoffe erhält die Masse durch Zusatz von Weichmachern, Farbpigmenten, Säuren und Härtungsmitteln ihre endgültige Formulierung. Die Masse wird unter mäßigem Druck durch eine Reihe von Sieben und danach durch eine Ringschlitzdüse gepreßt. Der Schlauch wird mit Innenluft aufgeblasen, getrocknet und flachgelegt. Dabei ist die Einhaltung konstanter Prozeßbedingungen, wie Temperatur, Feuchte, Strömungsgeschwindigkeit der Luft und Produktionsgeschwindigkeit zur Erzielung qualitativ hochwertiger Wursthüllen außerordentlich wichtig. Moderne Anlagen sind weitgehend automatisiert.

Die Härtung der Schläuche erfolgt überwiegend durch Regenerierung des ursprünglichen, natürlichen Kollagen-Gewebes. Durch Wasserentzug lagern sich die aufgeschlossenen Eiweißfasern wieder zu einem stabilen Netzwerk zusammen. Der Härtungsprozeß kann durch Einsatz von Aldehyden oder von Dialdehyden, z.B. von Glyoxal, unterstützt werden.

Bei der Anwendung von Wursthüllen aus gehärtetem Eiweiß unterscheidet man die relativ dickwandigen Produkte, die zum Verzehr ungeeignet sind, von den kleinkalibrigen, dünnwandigen Hautfaserdärmen, die eßbar aber unverdaulich sind. Diese werden auch als Hautfasersaitlinge bezeichnet und sind als Lebensmittel anzusehen.

Die Wursthüllen aus gehärtetem Eiweiß gehören mit einem Marktanteil von etwa 20% zu den bedeutendsten Gruppen synthetischer → Wursthüllen.
Lit.

X

Xanthogenat-Verfahren, → Cellophan.

XF-Folie, → Doppelfolie.

Z

Zackenschnitt, *<zig zag cut, jagged cut>*, eine → Öffnungshilfe durch zackenförmiges Abschneiden einer oder beider Seiten bei Folienbeuteln oder Tiefziehpackungen. Beim Aufreißen der Packung vom Rand her ist der Weiterreiß-Widerstand in den Einkerbungen naturgemäß geringer als bei einem gerade abgeschnittenen Packungsrand.
Der Zackenschnitt wird häufig bei der Verpackung von Schokoriegeln, Kleingebäck, Snackartikeln und bei flachen Packungen für Wurstscheiben angewendet. Er stellt eine wirksame Öffnungshilfe für fast alle Folienarten dar.
In ähnlicher Weise wirkt die *Aufreißkerbe*, die beim Abpackvorgang im versiegelten Bereich der Packung eingeschnitten wird. Auch hier ist die Reißfestigkeit geschwächt, das Öffnen der Packung wesentlich erleichtert.
Anwendungsbeispiele sind Kleinstpakkungen von Wurstwaren wie Minisalami und Kosmetikartikel wie Feuchtigkeitstücher.

Zähigkeit, *<toughness>*,
1. Die Eigenschaft einer Folie, mechanischen Beanspruchungen aller Art, vor allem bei der Anwendung für die → Verpackung, zu widerstehen. Als Testmethoden für die Prüfung der Zähigkeit von Folien dienen vor allem der → Dart-drop-Test und der → Dyna-Test.
Die Zähigkeit von Folien bei Temperaturbeanspruchung wird entscheidend durch die → Wärmebeständigkeit bestimmt.
2. Die Widerstandsfähigkeit gegen Stoß- oder Schlagbeanspruchungen die durch die → Schlagzähigkeit definiert ist.
3. Der Ausdruck Zähigkeit wird häufig auch für die → Viskosität von Kunststoff-Schmelzen oder - Lösungen gebraucht.

Zeitstandsfestigkeit, *<creep strength>*, → Wärmebeständigkeit.

Zellglas, → Cellophan.

Zellglasaffäre, → Diethylenglykol.

Zellglasempfehlung, → Gesetzgebung in der EG.

Zellstoff, *<pulp>*, → Cellulose.

Zielfestlegungen der Bundesregierung, Zur Abfallverminderung aus Kunststoffverpackungen wurden als eine Fortschreibung der → Gesetzgebung in der Bundesrepublik Deutschland vom Bundesminister für Umwelt, Naturschutz und Reaktorsicherheit Zielfestlegungen aufgestellt. Diese Ziele werden die Hersteller und Anwender von Verpackungsfolien vor ernste Probleme stellen. Folgende Punkte sind für Hersteller und Anwender von Folien wichtig. Sie werden auch in der → Folientechnologie deutliche Spuren hinterlassen und sollen deshalb im Wortlaut mit anschließendem Kommentar wiedergegeben werden:
1. *Kennzeichnung.* „Beginnend ab 1. Februar 1990, abschließend bis zum 31. Dezember 1990, ist auf Bechern, Dosen, Eimern, Fässern, Flaschen, Ka-

nistern, → Säcken und → Tragetaschen die jeweilige Kunststoffart ... anzugeben. ... Eine Kennzeichnung von Behältnissen mit einem Volumen von weniger als 100 ml ist nicht erforderlich." Bei Folienverpackungen mit einer Gesamtoberfläche bis zu etwa 1.500 cm^2 ist voraussichtlich keine Kennzeichnung notwendig. Es fehlt deshalb auch der Begriff → Beutel. Grundsätzlich ist eine Kennzeichnung zu begrüßen, da sie die → Rückführung von Rohstoffen erleichtern und vielleicht auch das Bewußtsein für den Umgang mit Kunststoffen schärfen wird.

2. *Stoffliche Verwertung*. Zur Verbesserung der stofflichen → Rückführung ist „ab 1. Februar 1990, abschließend bis zum 1. März 1991, bei Bechern, Blistern, ... Säcken und Tragetaschen die Anzahl der verwendeten Kunststoffarten auf das zum Schutz des Füllgutes unmittelbar notwendige Maß zu beschränken." Diese Formulierung stellt gegenüber der früher geforderten Vermeidung von Verbundmaterial einen wesentlich Fortschritt dar. Gerade die Entwicklung von → Verbundfolien und von Kombinationen von Folien mit Papier hat wesentlich dazu beigetragen, mit immer weniger Material immer bessere technische Effekte zu erzielen. Weiterhin sind „beginnend ab 1. Februar 1990, abschließend bis zum 31. Dezember 1990 ... nur solche Verschlüsse, → Deckel, → Etiketten und ähnliche Verbunde zu verwenden, die leicht und vollständig abgetrennt werden können." Wie damit die gesetzlich geforderte Sicherheit und dauerhafte Kennzeichnung von Packungen gewährleistet werden kann, bleibt dabei offen, die Frage nach einer → verfälschungssicheren Packung bleibt ungelöst.

3. *Thermische Verwertung*. Zu ihrer Verbesserung sind „Kunststoffe zu vermeiden, wenn bei deren Verbrennung ein erhöhter technischer Aufwand an den Verbrennungsanlagen erforderlich ist oder wenn deren Rückstände im Verhältnis zur Entsorgung der Rückstände anderer Kunststoffe erhebliche Mehrkosten erfordern, es sei den, der Einsatz solcher Kunststoffe ist aus Gründen des Schutzes bestimmter Füllgüter oder bestimmter technischer Anwendungszwecke vorrangig oder weniger umweltbelastend als der Einsatz anderer thermisch verwertbarer Verpackungsmaterialien." - Dieser Punkt ist sehr ausgewogen formuliert, aber man kann leicht erkennen, daß → Polyvinylchlorid einen schweren Stand haben wird. - Einige Ziele zur Verbesserung der thermischen Verwertung sind längst erreicht. So ist das Verbot gesundheitsgefährdender Additive Bestandteile der Gesetzgebung. Schwermetalle sind in → Druckfarben für das Bedrucken von Folien seit langem substituiert.

4. *Konstruktive Gestaltung von Packungen*. Unbestreitbar haben sich die Verpackungstechnik und die kunststoffverarbeitende Industrie bisher zu wenig um die umweltfreundliche Gestaltung von Packungen gekümmert. Hier gibt es gerade für den Einsatz von Folien sicherlich noch vielfältige Möglichkeiten. Dagegen scheint die Schaffung von

Rücknahmesystemen beim Einsatz von Folien bis auf wenige Ausnahmen (→ Säcke, → Landwirtschaftsfolien) außerordentlich schwierig.

5. *Biologisch abbaubare Kunststoffe.* Die Forderung, ... „Kunststoffe zu entwickeln und einzusetzen, die auf Grund ihrer biologischen Abbaubarkeit umweltverträglich kompostiert werden können" (keine Fristsetzung) ist völlig neu. Der Sinn → abbaubarer Kunststoffe wird von den meisten Experten verneint.

Die Zielfestlegungen sind an das Abfallgesetz gekoppelt. Sie haben zwar keine rechtsbindende Wirkung, sind aber eine klare Aufforderung der Bundesregierung zur Verwirklichung freiwilliger Maßnahmen der beteiligten Wirtschaft. Nach Ablauf der gesetzten Fristen, die außerordentlich kurz sind, können Rechtsverordnungen erlassen werden.

Zigarettenverpackung, *<cigarette packaging>*, die Verpackung von Zigaretten, exakt von Zigarettenpäckchen. Hier werden an den Packstoff aus mehreren Gründen besonders hohe Anforderungen gestellt.

1. Die → optischen Eigenschaften der Folie, wie Glanz und Transparenz sollen hervorragend sein, um dem Markenartikel "Zigarette" ein ansprechendes Erscheinungsbild zu geben.

2. Die → Durchlässigkeit für Wasserdampf soll möglichst gering sein und bei 23 °C und 85% rel. Luftfeuchtigkeit zwischen 1 und 2 g/m^2 · d liegen. Ebenso wichtig für den Erhalt der Qualität des Packguts ist eine geringe → Durchlässigkeit für Aromastoffe. → physiologische Unbedenklichkeit wird als sebstverständlich vorausgesetzt.

3. Äußerst wichtig sind gute → Maschinengängigkeit der Folie, verbunden mit einwandfreiem → Heißsiegeln bei möglichst niedriger → Siegeltemperatur.

Für die genannten hohen Anforderungen an die anwendungstechnischen Eigenschaften einer Verpackungsfolie für Zigaretten gibt es mehrere Gründe. Die Maschinengeschwindigkeit beim Päckchen-Einschlag ist mit 600 Stück/Minute sehr hoch. Der jedenfalls in Mitteleuropa hohe Anteil beim Automatenverkauf, bei dem das empfindliche Füllgut starken Temperaturschwankungen (im Winter bis -20 °C, im Sommer bei Sonneneinstrahlung bis 60 °C) ausgesetzt ist, bedingt besonders hohe Anforderungen an die → Siegelfestigkeit. Zur Verhinderung des → Blockens werden geeignete → Additive zugesetzt. Die Folie enthält außerdem → Antistatika.

Die wichtigste Folie für die Zigarettenverpackung war lange Zeit das → Cellophan. Dieses besitzt auch heute noch Vorteile vor allem wegen seiner hervorragenden Maschinengängigkeit. Es wird trotzdem seit dem Beginn der 80er Jahre immer stärker von → BOPP, der biaxial verstreckten Polypropylenfolie verdrängt (→ Cellopp-Markt). Der Ablöseprozess wurde gebremst, weil bei einer Umstellung von Cellophan auf BOPP Kosten für die Umrüstung der Verpackungsmaschinen anfallen. Die Wirtschaftlichkeit von BOPP ist jedoch so viel höher, daß Cellophan für die Zigarettenverpackung auf die Dauer wohl

ohne Chancen ist.
Insgesamt dürfte der Markt für Zigarettenfolien trotz Antiraucher-Kampagnen in den nächsten Jahren noch langsam weiter wachsen. Gründe dafür sind eine ständige Zunahme des Zigarettenverbrauchs in Asien und der Dritten Welt und eine Steigerung der Verpackungs-Qualität durch Substitution von Papier durch Kunststoff-Folien.
Für die Tabakverpackung hat sich BOPP ebenfalls sehr gut bewährt. Die Dicke der meist antistatisch ausgerüsteten Folien liegt wegen des notwendigen Schutzes vor Luftfeuchtigkeit bei 200 μm oder darüber.

Zinnfolie, <*tin foil*>, → Stanniol.

Zitronensäureester, <*citric acid esters*>, könnten wegen ihrer physiologischen Unbedenklichkeit als → Weichmacher für die Herstellung von Folien aus → Weich-PVC eingesetzt werden, die zur Verpackung von Lebensmitteln bestimmt sind. Ob diese Ester tatsächlich die aus Umweltgründen problematischen → Phthalate ersetzen können, erscheint jedoch fraglich.
Zitronensäureester können auch als Weichmacher beim Beschichten von Folien verwendet werden.

Zugfestigkeit, <*tensile strength*>, Einheit: N/mm^2. Prüfnorm DIN 53455, VDE 0345, ISO/R 527. Die Zugfestigkeit wird bei Folien meist in → Längsrichtung und in Querrichtung angegeben, da Folien selten über die Folienbahn isotrop sind. Die Zugfestigkeit gehört zu den → Folieneigenschaften, die durch → Reckverfahren wesentlich verbessert werden können. Wenn die Zugfestigkeiten in Abhängigkeit von der Temperatur gemessen werden, erhält man ein Bild von der → Temperaturbeständigkeit der Folie.
Besonders gute Zugfestigkeiten weisen → Zellglas, → BOPP, Polyesterfolien und → Polycarbonatfolien auf.
Die → Reißfestigkeit ist der Wert der Zugfestigkeit beim Abriß.

Zugspannung, <*tensile stress, ten-break sion*>, Prüfnorm: DIN 53455, Einheit N/mm^2 bei einer vorgegebenen → Dehnung.

Zugversuch, <*tensile test, früher tension test*>, DIN 53455, ISO/R 527, ASIM D 638, BS 771.
Bei konstanter Prüfgeschwindigkeit von 100 bis 500 mm/min wird eine langsame Belastung ausgeübt. Als Ergebnis werden bei Folien die → Reißfestigkeit und die → Reißdehnung angegeben. Die Reißfestigkeit ist gleich dem Wert der → Zugfestigkeit beim Abriß.

Zusatzstoffe, <*additivs*>, → Additive.

Zustandsformen von Polymeren, Morphologie von Polymeren.

Zweikammer-Druckpackungen, <*bag for pressurized containers*>, → Spraybehälter-Innenbeutel.

Zweitverpackung, <*over wrap*>, → Umverpackung.

Zylinder, <*cylinder*>, → Trommel.

Kurzzeichen für Homopolymere und polymere Naturstoffe sowie deren Bedeutung

Kurzzeichen	Bedeutung
CA	Celluloseacetat
CAB	Celluloseacetobutyrat
CAP	Celluloseacetopropionat
CF	Kresol-Formaldehyd
CMC	Carboxymethylcellulose
CN	Cellulosenitrat
CP	Cellulosepropionat
CSF	Casein-Formaldehyd
CTA	Cellulosetriacetat
EC	Ethylcellulose
EP	Epoxid
MC	Methylcellulose
MF	Melamin-Formaldehyd
PA	Polyamid[1)]
PAI	Polyamidimid
PAN	Poly(acrylnitril)
PB	Polybuten-1
PBA	Poly(butylacrylat)
PBT	Poly(butylenterephthalat)
PC	Polycarbonat
PCTFE	Poly(chlortrifluorethylen)
PDAP	Poly(diallylphthalat)
PE	Polyethylen
PE-C	chloriertes Polyethylen
PEOX	Poly(ethylenoxid)
PEI	Poly(etherimid)
PEEK	Poly(etheretherketon)
PES	Poly(ethersulfon)
PET	Poly(ethylenterephthalat)
PF	Phenol-Formaldehyd
PI	Polyimid
PIB	Polyisobutylen
PIR	Polyisocyanurat
PMI	Poly(methacrylimid)
PMMA	Poly(methylmethacrylat)
PMP	Poly(-4-methylpenten-1)
PMS	Poly(-α-Methylstyrol)
POM	Polyoxymethylen; Polyformaldehyd; Polyacetal
PP	Polypropylen
PPE	Poly(Phenylenether)
PPOX	Poly(propylenoxid)
PPS	Poly(phenylensulfid)
PPSU	Poly(phenylensulfon)
PS	Polystyrol
PSU	Polysulfon
PTFE	Poly(tetrafluorethylen)
PUR	Polyurethan
PVAC	Poly(vinylacetat)
PVAL	Poly(vinylalkohol)
PVB	Poly(vinylbutyral)
PVC	Poly(vinylchlorid)
PVC-C	chloriertesPoly(vinylchlorid)
PVDC	Poly(vinylidenchlorid)
PVDF	Poly(vinylidenfluorid)
PVF	Poly(vinylfluorid)
PVFM	Poly(vinylformal), Poly(vinylformaldehyd)
PVK	Poly(vinylcarbazol)
PVP	Poly(vinylpyrrolidon)
SI	Silicon
SP	gesättigter Polyester
UF	Harnstoff-Formaldehyd
UP	ungesättigter Polyester

Verbände

Für Herstellung und Anwender von Folien sind die folgenden Verbände von Interesse:

Beratung und Information über Aluminiumfolien: Aluminiumzentrale e.V. Königsallee 30, 4000 Düsseldorf.

Fachgemeinschaft Nahrungsmittelmaschinen und Verpackungsmaschinen im Verband Deutscher Maschinen- und Anlagenbau e.V. (VDMA) D-6000 Frankfurt/M. 71, Lyoner Straße 18

Fachverband Verpackung und Verpackungsfolien aus Kunststoff im GKV D-6000 Frankfurt/M. 1, Am Hauptbahnhof 12

Gesamtverband Kunststoffverarbeitende Industrie e.V. (GKV) Am Hauptbahnhof 12, 6000 Frankfurt/M. 1

Hauptverband der Papier, Pappe und Kunststoffe verarbeitenden Industrie e.V. (HPV) D-6000 Frankfurt/M. 1, Arndtstraße 47

Industrieverband Kunststoffbahnen e.V. (IKV) Georg-Speyer-Str. 6, 6000 Frankfurt/M. 90

Industrieverband Verpackung und Folien aus Kunststoff e.V. (IK) Fellnerstr. 5, 6000 Frankfurt/M. 1

The Flexible Packaging Association, Washington D.C. (USA) 1090 Vermont Ave.

Verband der Aluminium verarbeitenden Industrie e.V. D-6000 Frankfurt/M. 1, Schumannstraße 46

Verband der Chemischen Industrie e.V. D-6000 Frankfurt/M., Karlstraße 21

Verband Deutscher Maschinen- und Anlagenbau e.V., Fachgemeinschaft Nahrungsmittel- und Verpackungsmaschinen Lyoner Str. 18, 6000 Frankfurt 71.

Verband Deutscher Papierfabriken e.V. (VDP) (Vereinigung der Papier-, Pappen-, Zellstoff- und Holzstofferzeugung) D-5300 Bonn, Adenauerallee 55

Verband Kunststofferzeugende Industrie e.V. (VEK) Karlstr. 21, 6000 Frankfurt/M. 1

Verband Metallverpackungen (Zusammenschluß der Hersteller von Feinstblechpackungen e.V.) D-4000 Düsseldorf 30, Kaiserswerther Straße 135

Referenzliste Englisch/Deutsch

ABS Acrylnitril-Butadien-Styrol-Copolymer
acetic acid Essigsäure, Eisessig
acetic anhydride Essigsäureanhydrid, Acetanhydrid
acrylonitrile-butadiene-styrene copolymer Acrylnitril-Butadien-Styrol-Copolymer, ABS
acrylonitrile copolymer Acrylnitril-Copolymer
adapter coextrusion Adapter-Coextrusion
addition polymerisation Polyadditiion
additives Additive, Zusatzstoffe
adhesive film Selbstklebefolie, Klebefolie
adhesive joining Haftklebung
adhesive Kleber, Klebstoff
adhesive layer for photographic film Haftschicht für Photofolie
adhesive tape application device Klebeband-Verarbeitungsgerät
adhesive tape applicator Abroller, Bandspender
adhesive tape Klebeband, Klebstoffband, Selbstklebeband
adhesive tear tape selbstklebender Aufreißstreifen
adipate Adipinsäureester, Adipat
agricultural film Gartenfolie, Landwirtschaftsfolie
air-brush Luftbürste, Luftmesser, Luftrakel
air cushioning film Luftpolsterfolie
air-jet Luftbürste, Luftmesser, Luftrakel
air-knife Luftbürste, Luftmesser, Luftrakel
alkyl-sulfonic-acid-esters Alkylsulfonsäureester, ASE
aluminium Aluminium
aluminium container Aluminiumbehälter
aluminium foil Aluminiumfolie, Alufolie
aluminium multi-layer film Aluminium-Verbunde
aluminium thin strip Aluminiumband
aluminium tube Aluminiumtube
ampoule package Ampullenverpackung
aniline printing Anilindruck
anisotropy Anisotropie
annealing Glühen
anti-blocking agent Antiblockmittel, Slipmittel, Trennmittel
anti-freezing properties Kältebeständigkeit, Kältefestigkeit
antifog Antibeschlageffekt, Antifogeffekt
antifogging agent Antibeschlagmittel, Antifogmittel
antioxydant Antioxydant
antistatic agent Antistatikum
apparent density of moulding powders Schüttdichte; Schüttgewicht
aseptic packaging aseptische Verpackung
atmos-pack technique Atmos-Pak-Verfahren
automation Automatisierung
auxiliary agents Additive, Hilfsmittel
bactericide Baktericide
bag Beutel
bag closing Beutelverschluß
bag for pressurized containers Zweikammer-Druckpackung
bag-in box Bag-in-Box
baked goods Weichbackwaren
baked goods packaging Backwarenverpackung
baking film Bratfolie
band sealing Heißbandschweißen
bar code Strichcode
bar sealing Kontaksiegeln
barrier film Barrierefolie, Sperrschichtfolie
barrier plastics Barrierekunststoffe
base film for photographic applications Photo-Folie
belt film casting Bandgießverfahren
beta-ray method Betastrahlen-Methode
biaxially oriented polypropylene biaxial orientiertes Polypropylen, BOPP
BIB Bag-in-Box
big bag Großsack, Big-Bag
binder Bindemittel
binding agent Bindemittel
biodegradable PE-film abbaubare PE-Folie
biodegradable plastics [biologisch] abbaubare Kunststoffe
biodegradation of films biologischer Abbau von Folien
biodeterioration stabilizers Bakterizide; Biostabilisatoren; Fungizide
biscuits Hartbackwaren
bitumen roof covering Bitumenbahn
blade Rakel, Rakelmesser
bleed-out Durchschlag
bleedthrough Durchschlag

blend Kunststofflegierung; Legierung von Thermoplasten, Blends, Compounds
blister film Muldenfolie
blister package (packaging) Blasenverpackung, Blister-Verpackung, Druchdrückpackung, Glockenverpackung, Konturenverpackung, Trägerkartonverpackung
blister-packaging machine Blister-Packmaschine
block copolymer Blockcopolymer
blocking Blocken, Blockneigung, Verblocken
blocking in cigarette vending machines Automatenblocken
blocking resistance Gleitfähigkeit
blooming Ausblühen, Ausschwitzen
blooming test Blooming-Test
blowing agent Treibmittel
blown film Blasfolie
blown film extrusion Blasfolienextrusion, Schlauchfolienextrusion
blown film production Blasfolienherstellung
blueing Blaueffekt
bobbin machine Spulmaschine
bobbin spinning Spulenspinnen
boil-in bag Kochbeutel, kochfeste Verpackung
boil-in-pouch Kochbeutel, kochfeste Verpackung
bonding Kleben, Verbinden, Verkleben
bonding agent Bindemittel
BOPP [biaxial] orientiertes Polypropylen, BOPP
bottom film Bodenfolie
bowl width Ballenbreite
breaker plate Lochscheibe
brightening agent optischer Aufheller
brittle Verspröden
brushing Bürsten
bubble packaging Blasenverpackung,-Blister-Verpackung, Glockenverpackung, Konturenverpackung, Trägerkarton-Verpackung
bubble sizing Kalibrierung
bulk density Schüttdichte; Schüttgewicht
bulk plastic Massenkunststoff
burning rate Brandverhalten, Brennverhalten; Entflammbarkeit
burst caliper Platzkaliber
bursting pressure test Berstdruckprüfung
calender Kalander
calendering Kalandrieren
calibration basket Kalibrierkorb
caliper Durchmesser des Folienschlauchs, Kaliber
can Dose
CAP (controlled atmosphere packaging) Schutzgasverpackung, Vakuumverpackung
capillary rheometer Kapillar-Rheometer
carbon black Farbruß, Ruß
carbon disulfide Carbondisulfid; Schwefelkohlenstoff
carbon paper Kohlepapier
carbonyl number Carbonylzahl
cardboard Pappe, Karton
carded packaging Blasenverpackung, Blister-Verpackung, Glockenverpackung, Konturenverpackung, Trägerkartonverpackung
carrier tape for electronic elements Gurtband für elektronische Bauelemente
cascade extruder Kaskadenextruder
casting for cured meat produce Einziehdarm
catalyst Katalysator
cellophane Cellophan, Zellglas
cellophane membrane Cellophan-Membran
cellophane production Cellophanherstellung
Cellopp-market Cellopp-Markt
cellulose Cellulose
cellulose acetate Celluloseacetat
cellulose acetobutyrate Celluloseacetobutyrat
cellulose butyrate Cellulosebutyrat
cellulose nitrate Cellulosenitrat
celluloseester Celluloseester
cellulosic fibrous casing Faserdarm
cellulosic sausage casing Cellulosedarm
ceramic film keramische Folie
cereals Getreideprodukte
channel black Farbruß, Ruß
chemical resistance Chemikalienbeständigkeit, Chemikalienfestigkeit, chemische Beständigkeit
chemical sterilization chemische Sterilisation, Gassterilisation
child resistent package kindersichere-Packung
chill roll Chill-Roll, Kühlwalze
chill roll extrusion Breitschlitzfolien-Extrusion, Chill-Roll-Extrusion, Flachfolien-

extrusion, Flachfolienverfahren
chlorinated polyethylene chloriertes Polyethylen
chub packaging wurstähnliche Verpackung
cigarette packaging Zigarettenverpackung
citric acid ester Zitronensäureester
clarity Durchsichtigkeit, Klarsichtigkeit, Transparenz
clearness Durchsichtigkeit, Klarsichtigkeit, Transparenz
clip closure Verschlußclip
clipping Clippen
cloche Schutzhaube
closing Verschließen
closing flap Verschlußlasche
closing machine Verschließmaschine
CO number Carbonyl-Zahl, CO-Zahl
coating Beschichten, Lackieren
coding Codierung
coextrusion Coextrusion
coffee packaging Kaffeeverpackung
cohesive seal Kaltsiegeln
coil Coil, Aluminium-Folienrolle
cold glue sealing Kaltsiegeln
cold resistance Kältebeständigkeit, Kältefestigkeit
cold seal Kaltsiegeln
collagen Kollagen
collagen casing Kollagendarm, Hautfaserdarm. Wursthülle aus gehärtetem Eiweiß
collagen coated fabrics Wursthüllen aus eiweißbeschichteten Geweben
collapsible tube Tube
colorant Farbmittel, Färbemittel, Farbstoffe
colouration Einfärbung
colouring matter Farbstoff
colouring substance Farbstoff
combustion Verbrennung
combustion behaviour Brandverhalten, Brennverhalten, Entflammbarkeit
commercial bag Tragetasche
composite can Papierdose, Papierbehälter, Papierverbunddose
composite film Mehrschichtfolie, Verbundfolie
compound glass Sicherheitsglas, Verbund-Sicherheitsglas
compounding Compundierung
compound Kunststofflegierung, Blend, Compound, Kunststoffblend
computer tape Computerband
condensation polymerization Polykondensation
conserve Konserve
contact-free printing berührungsloses Drucken
contact transparency Kontakttransparenz
controlled atomsphere packaging Vakuum-Verpackung, Schutzgasverpackung
conversion of macromolecules Umwandlung von Makromolekülen
cooling cylinder Chill-Roll, Kühlwalze
copolyester/ether-elastomere Copolyester/Ether-Elastomer
copolymerisation Copolymerisation, Mischpolymerisation
copper foil Kupferfolie
corona treatment Coronabehandlung
corrosion protection by films Korrosionsschutz durch Folien
corrugated board Wellpappe, Wellplatte
corrugated paper Wellpappe, Wellplatte
corrugated plastic Wellpappe auf Kunststoffbasis, Wellplatte
covering film Abdeckfolie, Deckfolie,-Frontfolie
crazing Spannungsrißbildung, Spannungsrißkorrosion, Weißbruch
credit card Kreditkarte
creep strength Zeitstandsfestigkeit
criss cross film Criss-Cross-Folie
crop acceleration Ernteverfrühung
cross breaking strength Biegefestigkeit
crosswise direction Querrichtung
crown cap Kronenkorken
cryovac process Cryovac-Verfahren
crystal structure of polymers Kristallinität von Polymeren
crystallit melting point Kristallit-Schmelzpunkt
cuprophane membrane Cuprophan-Membran
curling Rollneigung
cylinder Zylinder, Trommel
dam restriction Staubalken
dancer roll Losrolle, Tänzerwalze, Tänzerrolle
dart-drop-test Fallbolzenprüfung, Dart-drop-Test
DDC dynamische Differenzkalorimetrie, DDK
de-metallizing Demetallisierung, Entmetallisierung
deadfold Deadfold
decorating Dekorieren
decorating film Dekorfolie, Prägefolie

decorating foil Dekorfolie, Ornaminfolie
deep drawing Tiefziehen
deflection temperature under load Formbeständigkeit in der Wärme, HDT
DEG case DEG-Affäre
degree of penetration Penetrationsgrad
degree of substitution Substitutionsgrad
delamination Delaminieren
density Dichte
destatization Destatisierung
diameter of a roll Rollendurchmesser
diaphragm Membran
dichloromethane Dichlormethan
dichroism Dichroismus
die Düse; Formwerkzeug, Werkzeug
die coextrusion Düsencoextrusion
die glazing Düsenglasieren
die pressure Massedruck
dielectric constant Dielektrizitätskonstante, Dielektrizätszahl
dielectric dissipation factor dielektrischer Verlustfaktor
dielectric strength Durchschlagfestigkeit, elektrische Festigkeit, Isolationsfestigkeit
dielectric welding dielektrisches Schweißen, Hochfrequenzschweißen
diethylenglycol Diethylenglykol, DEG
differential thermal analysis Differential-Thermo-Analyse, thermische Analyse, DTA
dimensional stability Dimensionsstabilität , Maßbeständigkeit
dioctyl phthalate Diocthylphthalat
dip moulding Tauchformverfahren, Tauchen
direct metallization Direktmetallisierung
dispersion Dispersion
display film Fensterfolie, Sichtfensterfolie, Sichtfeldfolie
display package Sichtpackung
disruptive discharge Durchschlag
dissipation factor [dielektrischer] Verlustfaktor
doctor Rakel, Rakelmesser
doctor blade Rakel, Rakelmesser
doctor knife Rakel, Rakelmesser
dosing Dosieren
double film Doppelfolie, Duplo-Folie
double packaging Mehrfach-Verpackung
double screw extruder Doppelschneckenextruder
doubling Doublieren, Kaschieren, Laminieren
draft Konizität
draw Konizität
draw ratio Reckverhältnis
draw stand Reckrahmen, Reckwerk
drawing Verstreckung
drinking-water production Trinkwassergewinnung
drop-out Drop-out
drum cleaner Putzwalze
drum cleaning roll Putzwalze
drum film casting Trommelgießverfahren
drum Trommel, Zylinder
dry film casting Trockengießverfahren
dry laminating Trockenkaschieren
dryblend Dryblend
drying tunnel Trockenkanal
dual ovenability Dual-Ovenability
DYNA-test DYNA-Test
dynamic difference calorimetry Dynamische Differenz-Kalorimetrie, DDK
easy peel film Easy-peel-Folie
edge control Kantensteuerung
edge trimm Randbeschnitt, Randstreifen
education Ausbildung
elastic modul Elastizitätsmodul, E-Modul
elastomer Elastomerfolie, Gummifolie, Kautschuk-Vulkanisat
elastomer plastic Elastomer, elastomerer Kunststoff
elastomeric compound Elastomerfolie, Gummifolie, Kautschuk-Vulkanisat
elastomeric film Gummifolie
electrical charge elektrostatische Aufladung
electricl properties elektrische Eigenschaften
electro-conductive film [elektrisch] leitfähige Kunststoff-Folie
elongation Dehnung
elongation at rupture Bruchdehnung, Reißdehnung
embossing Prägen
enviromental stress cracking Spannungsrißbildung, Spannungsrißkorrosion
environmental profile analysis Öko-Bilanz
epoxide Epoxid
epoxide plasticizers Epoxid-Weichmacher
ESC Spannungsrißbildung, Spannungsrißkorrosion
ethyl-cellulose film Ethylcellulose-Folie
ethylen-vinyl-acetate Ethylen-Vinylacetat-Copolymer, EVA
ethylene-vinylalcohol-copolymer Ethylen-

Vinylalkohol-Copolymer, EVAL, EVOH
etylene oxide Ethylenoxid, EO, Oxiran
EVA Ethylen-Vinylacetat-Copolymer, EVA
EVOH Ethylen-Vinylalkohol-Copolymer, EVAL, EVOH
ex-line production Ex-line-Produktion
excessive packaging Überverpackung
exhibition Ausstellung, Messe
expandable polystyrene schäumbares Polystyrol
expanded film Schaumfolie
expanded polystyrene EPS
expanded polystyrene geschäumtes Polystyrol
expander Breithalter, Breithaltewalze
expanding agent Treibmittel
export packaging Exportverpackung
extender filler Extender-Füllstoff
extensibility Ausziehfähigkeit, Dehnbarkeit, Dehnfähigkeit
extens[i]ometer Rheometer
external cooling Außenkühlung
external plasticizer äußerer Weichmacher
extruder Extruder, Schneckenstrangpresse, Schneckenpresse, Schnecke
extrusion Extrusion, Extrudieren, Strangpressen
extrusion coating Extrusions-Beschichten, Extrusions-Kaschieren
extrusion laminating Extrusions-Beschichten, Extrusions-Kaschieren
face printing Frontaldruck
face width Ballenbreite
fair Ausstellung, Messe
falling ball test Kugelfallprobe
falling dart test Kugelfallprobe
feeding Dosieren
fibrillated fibre Spleißfaser
fibrillated yarn fibrilliertes Garn, Foliengarn, Spaltfasergarn; Spleißfäden
filler Füllstoff, Füller
filling machinery Füllmaschine
film Film, Folie, Monofolie, Solofolie
film and foil manufacturing Folienherstellung, Folienproduktion
film and foil processing Foilienverarbeitung
film and foil properties Folieneigenschaften
film and foil technology Folientechnik
film and foil testing Folienprüfung
film application Folienanwendung
film casting Naßgießverfahren, Gießverfahren
film for electrical capacitors Kondensator-Folie
film for electrical insulation Elektroisolierfolie
film for magnetic tape Magnetbandfolie
film for the building industry Baufolie
film haul-off Folienabzug
film Kunststoff-Folie
film lacquer Folienlack
film-printing Bedrucken von Folien; Drucken; Foliendruck
film sheet Folienbogen
film surface modification Oberflächenbehandlung von Folien
film tape Folienbändchen
film web Folienbahn
film window Folienfenster
filter pack Filterpaket
fin seal pack Flossenpackung
finish caliper Fertigkaliber
fire proofing Brandschutzausrüstung
fish eye Fischauge, Stippen
flame bonding Flammkaschieren
flame treatment Flammbehandlung
flammability Brandverhalten, Brennverhalten, Entflammbarkeit
flat film Flachfolie
flat film extrusion Breitschlitzextrusion
flat printing Flachdruckverfahren
flattening Flachlegung
flavour Aromastoffe
flavour permeability Aromadurchlässigkeit
flex-cracking Weißbruch
flex-lip die Flex-Lip-Düse
flexibility Flexibilität
flexible bag method for isostatic compaction Sackverfahren
flexible PVC film Weich-PVC-Folie
flexographic printing Anilindruck, Flexodruck
flexography Anilindruck, Flexodruck
flexoprinting Anilindruck, Flexodruck
flexural strength Biegefestigkeit
flock finishing Beflocken
flocking Beflocken
floor covering Fußbodenbelag, Bodenbelag
Florida outdoor exposure Florida-Bewitterung
flow agent Fließhilfe
flow properties Fließeigenschaften, Fließverhalten von Thermoplasten, Rheologie von Kunststoffschmelzen

fluidized bed Aluminiumoxid-Wirbelbett
fluorescent bleaches optische Aufheller
fluorination Fluorierung
fluoropolymere Fluorpolymere
fluxing Plastifizierung
flying splice automatischer Rollenwechsel, fliegender Rollenwechsel
flying transfer automatischer Rollenwechsel, fliegender Rollenwechsel
foamed film Schaumfolie
foamed polystyrene geschäumtes Polystyrol, EPS
foaming agent Treibmittel
foil Folie, Film, Aluminiumfolie, Alufolie, Blattmetall, Metallfolie, Monofolie, Solofolie
foil-printing Bedrucken von Folien
fold-tape and seal Folienstreifenverschluß, F.T.S.-Verschluß
folding carton Faltkarton
food packaging Lebensmittelverpackung
food regulations Lebensmittelrecht
form laminating Formkaschieren
formaldehyde Formaldehyd, Methanal
form/fill/seal-processes Form-, Füll- und Schließverfahren
free flowing property Rieselfähigkeit
free roll Losrolle
friction coefficient (index) Reibungszahl, Reibungswert, Reibungsindex
frozen meat packaging Gefrierfleischverpackung
fungicide Fungizid
fused mass temperature Massetemperatur
gamma-ray method Gammastrahlenmethode
gamma transition Glasübergang
gas barrier property Gasdurchlässigkeit, Gaspermeabilität
gas black Farbruß, Ruß
gas injection extruder Begasungsextruder
gas permeability Gasdurchlässigkeit, Gaspermeabilität
gas-plasma techniques Gas-Plasma-Technik
gas sealing Gasschweißen
gas sterilization Gassterilisation
gauge band Kolbenring
gel Fischaugen, Gelteilchen, Stippen, Verunreinigungen
glass as packaging material Glas als Packmaterial
glass transition Glasübergang
glass transition temperature Einfriertemperatur, Glasübergangstemperatur
glassine Pergaminpapier, Pergamin, Pergamyn
glazing Glasieren
gloss Glanz, Hochglanz
glycerol 1,2,3-Propantriol, Glycerin
godet unit Reckrahmen, Reckwerk
gold film Goldfolie
good manufacturing practices Good Manufacturing Practices, GMP
graft copolymer Pfropfcopolymer[es]
grain layers Kornschichten
grain size Teilchengröße, Korngröße
grain size distribution Korngrößenverteilung
granular size Teilchengröße, Korngröße
gravimetric dosing (feeding, metering, proportioning) gravimetrisches Dosieren
gravure printing Tiefdruck
grease resistant paper fettbeständiges Papier
green house Gewächshaus
grid-type sheet Gitterfolie
grip protection Griffschutz
half-tone Halbton
HALS sterisch gehinderte Amine, HALS
ham casting Einziehdarm
ham packaging Kochschinkenherstellung
hard spots Fischaugen, Gelteilchen, Stippen, Verunreinigungen
harmlessness to life physiologische Unbedenklichkeit
HCP medizinische Verpackung
HDPE-film Hochdruck-Polyethylen-Folie, PE-HD-Folie
HDT Formbeständigkeit in der Wärme, HDT
health care packaging medizinische Verpackung
heat distortion temperature Formbeständigkeit in der Wärme, HDT
heat endurance maximale Gebrauchstemperatur
heat radiation of film Wärmeabstrahlung von Folie
heat sealing Heißsiegeln, thermisches Schweißen, Thermosiegeln, Warmschweißen
heat stability Dauerwärmebeständigkeit, Thermostabilität, Wärmebeständigkeit
heat stability of PVC Thermostabilität von PVC

heating layer Heizschicht
heating rolls Heizwalzen
heavy-duty-bag Schwergutsack, Sack
helium detector Helium-Detektor
high-density polyethylene film Hochdruck-Polyethylen-Folie, PE-HD-Folie
high frequency welding Dielektrisches Schweißen, Hochfrequenzschweißen
high gloss laminating Glanzfolienkaschierung, Hochglanzkaschieren
high impact polystyrene schlagfestes Polystyrol, HIPS
high-performance film Hochleistungs-Folie
high pressure process Hochdruckverfahren
high purity manufacturing technique Reinraumtechnik
high-solid system High-Solid-System
high temperature operational life Dauerwärmebeständigkeit, maximale Gebrauchstemperatur, Wärmebeständigkeit
high temperature process HTV-Verfahren
hindered amines light stabilizers sterisch gehinderte Amine als Lichtschutzmittel
Hoogoven screen Hoogoven-Raster
hopper Düse, Gießer
hot bar Heizstab
hot-melt Schmelzklebstoff, Hotmelt
hot melt laminating Wackskaschieren
hot pressing Drucksintern
hot-stamp film Dekorfolie, Prägefolie
hot-tack Warmsiegelfestigkeit, Hot-Tack
hot wire welding Glühdrahtschweißen, Trennahtschweißen
household film Haushaltsfolie
hydroxy butyric acid Hydroxy-Buttersäure
ID-card Identitätskarte, ID-Karte, Ausweiskarte
idendity card Identitätskarte, ID-Karte, Ausweiskarte
impact modifier Schalgzähigskeitsverbesserer
impact resistance Schlagzähigkeit
impact strength Schlagzähigkeit, Kerbschlagzähigkeit
impact strength test Schlagversuch
impermeability of packages Dichtheit von Packungen
impulse sealing Impulssiegeln
impurities Fischaugen, Gelteilchen, Stippen, Verunreinungen
in-line production In-Line-Produktion
incineration Verbrennung
induction coil Induktionsspule
inductive thickness measurement induktive Dickenmessung
infrared measurement Infrarot-Messung
ink Druckfarbe
ink test Tintentest
inking ribbon Farbband
inliner Inliner, Innenbeutel
inliner for spraying cans Innenbeutel für Spraybehälter
insulation film Isolierfolie
insulation material Isolierstoff
intaglio printing Tiefdruck
internal cooling Innenkühlung
internal mixer Innenmischer
ionomer Ionomer
iris diaphragm Irisblende
isocyanate Isocyanat
isopack technique Isopack-Verfahren
isotropy Isotropie
jagged cut Zackenschnitt
K factor K-Wert
K-fair K-Messe
K value K-Wert
kneader Kneter
knife Rakel, Rakelmesser
kosher packaging koschere Verpackung
label Etikett
lactic-acid fermentation Milchsäuregärung
laminated sheath cable Schichtmantelkabel
laminated tube Laminattube, Mehrschichttube
laminating films Kaschierfolien
lamination Kaschieren, Laminieren
lamination adhesive Kaschierklebstoff
laser technique Lasertechnik
laws and regulations Gesetzgebung
LCP film LCP-Folie
LDPE- and LLDPE-film Polyethylen-Folie niedriger Dichte, LDPE- und LLDPE-Folie, Niederdruck-PE-Folie, PE-LD- und PE-LLD-Folie
leaf gold Blattgold
leakage testing of packages Lecksuche bei Packungen
leakages in the film web Löcher in der Folienbahn
length of foil unwinding under its own weight Fall-Länge
letterpress printing Anilindruck, Flexodruck
lidding film Deckelfolie
light barrier Lichtundurchlässigkeit

light-diffusing film Streulichtfolie
light polarizing film Polarisationsfolie, Pol-Folie
light protection Lichtschutz
light stability of film Lichtbeständigkeit von Folie
light transmission Lichtdurchlässigkeit
liner Einstellsack
lining Auskleiden
liquid crystal display Flüssigkristallanzeige, LCD
liquid crystal polymer film LCP-Folie
liquid crystal polymer flüssigkristalliner Kunststoff, Flüssigkristall
litter problem Litterproblem
logistics Logistik
longitudinal direction Längsrichtung, Maschinenrichtung
loose roll Losrolle, Tänzerwalze
loss factor [dielektrischer] Verlustfaktor
low temperature brittleness Kältebruchtemperatur
LPC flüssigkristalliner Kunststoff, Flüssigkristall, LPC
lubricant Gleitmittel
machine direction Längsrichtung, Maschinenrichtung
machineability Maschinengängigkeit
MAP Vakuum-Verpackung, Schutzgasverpackung
masking film Abdeckfolie
masterbatch Masterbatch
maximum surface strength in bend Biegefestigkeit
MD Maschinenrichtung, Längsrichtung
meat cling Bräthaftung
meat oxydation Aufrötung
meat packaging Fleisch- und Fleischwaren-Verpackung
mechanical properties mechanische (physikalische) Eigenschaften
melt blowing technology Schmelzblasverfahren
melt flow index Schmelzflußindex, Schmelzindex, MFI
melt fracture elastische Turbulenz, Schmelzebruch, Schmelzbruch
melt index Schmelzflußindex, Schmelzindex, MFI
melt viscosity Schmelzeviskosität
melting point Schmelzbereich, Schmelzpunkt, Schmelztemperatur
membrane Membran
membrane keyboard Folientastatur
membrane switch Folienschalter, Folientastatur, Membranschalter, Schaltfolie
memory effect Errinerungsvermögen
merchandizing bag Tragetasche
metal tube Metalltube, Aluminiumtube
metallic materials in packaging metallische Werkstoffe
metallization Metallisieren, Metallisierung
metering Dosieren
metering extruder Extrusiometer
methanol Methanol
methylene chloride Dichlormethan, Methylenchlorid
microperforation Mikroperforation
microwave sterilization Mikrowellensterilisation
microwave technique Mikrowellentechnik
microwaveability Mikrowellenfestigkeit
migrate Migrat
migration Migration
migration testing Migrationsprüfung
mixing and shearing aggregates Misch- und Scherelemente
modified athmosphere packaging Schutzgasverpackung, Vakuum-Verpackung
modulus of elasticity Elastizitätsmodul, E-Modul
modulus of stretch Reckmodul
moisture absorption Feuchtigkeitsaufnahme, Wasseraufnahme
moisture pick-up Feuchtigkeitsaufnahme, Wasseraufnahme
moisture vapor transmission Durchlässigkeit für Wasserdampf, Wasserdampfdurchlässigkeit, WDDu
molded pulp Cellulosebehälter
molding compound Kunststoff-Formmasse, Formmasse
molding process Preßverfahren
molecular weight [relative] Molekülmasse, Molekulargewicht, MG, M
mould Werkzeug
mould and die cleaning Werkzeugreinigung
mould cleaning Werkzeugreinigung
moulding compound PVC-Formmasse
moulding material Kunststoff-Formmasse, Formmasse
mulching Mulchen
mulching film Mulchfolie
multi-colour printing Mehrfarbendruck
multi-layer coextrusion Mehrschicht-

extrusion
multi-layer film Mehrschichtfolie, Verbundfolie
multi-layer tube Mehrschichttube
MVT Durchlässigkeit für Wasserdampf, Wasserdampfdurchlässigkeit, WDDu
myoglobin Myoglobin
NAS-film NAS-Folie
natural casings Tierdarm, Naturdarm
neck-in Einschnürung, Neck-In
net film Gitterfolie
nitrocellulose Nitrocellulose
nominal size Nennkaliber
non-stop roll transfer automatischer (fliegender) Rollenwechsel
non-woven [fabric] Non-Woven, Vlies, Vliesstoff
nucleating agent Nukleiermittel
nucleation Keimbildung, Nukleierung
nylon Polyamid, PA
nylon film Polyamidfolie, PA-Folie, Nylonfolie
nylon multilayer Polyamid/Polyethylen-Folie, PA/PE-Folie
nylon-polyethylene structures Polyamid/ Polyethylen-Folie, PA/PE-Folie
off-line production Off-line-Produktion
olefinic thermoplastic elastomer olefinisches Elastomer, thermoplastisches Olefin-Elastomer
olefinics Olefinics
olefinics olefinische Elastomere, thermoplastische Olefin-Elastomere
ON orientierte Polyamid- (PA-, OPA-) Folie
one-layer film Monofolie
one-pack One-Pack
opacity Lichtundurchlässigkeit
open-mesh packaging Netzverpackung
opening aid Öffnungshilfe
optical brightener optischer Aufheller
optical properties optische Eigenschaften
organic loss Abbrand
orientation Orientierung, Reckverfahren, Stenterprozeß, Verstreckung
oriented Nylon film orientierte Polyamid-(PA-, OPA-)Folie
oriented polyamide film orientierte Polyamid-(PA-, OPA-)Folie
oriented polypropylene sheet [orientierte] Polypropylenplatte
oriented polystyrene film orientierte Polystyrolfolie
ornamine film Dekorfolie, Ornaminfolie
OTE thermoplastisches Olefin-Elastomer, olefinisches Elastomer
outdoor exposure Bewitterung
ovenability Ofenfestigkeit
overlay Frontfolie
overwrap Mehrfachverpackung, Umverpackung, Zweitverpackung
oxifluorination Oxifluorierung
oxygen absorber Sauerstoffabsorber
oxygen permeability Sauerstoffdurchlässigkeit
PA film Polyamidfolie, PA-Folie, Nylonfolie
packaging Verpacken, Verpackung
packaging machinery Verpackungsmaschine
packaging material Verpackungsmittel,-Packmittel, Packstoffe
packaging technology Verpackungstechnik
palettizing Paletten-Verpackung
paper Papier
paper can Papierbehälter, Papierdose
partial thickness control selektive Dickenmessung
parting agent Trennmittel
PE-film PE-Folie
PE-HD Niederdruck-Polyethylen
PE-LD film Hochdruck-Polyethylen-Folie
PE-LD film Niederdruck-PE-Folie
PE-LD Hochdruck-Polyethylen
peel behaviour Schälverhalten
peel casing Schäldarm
peel film Peel-Folie
pelletizing Granulieren
penetration test Durchstoßversuch
percentage elongation at break Bruchdehnung, Reißdehnung
perforation Perforation
permeability Diffusion, Durchlässigkeit, Permeabilität, Permeation
PET-film PET-Folie
pharmaceutical packaging Pharmaverpackung
phosphate Phosphat, Phosphorsäureester
phosphorescing film Leuchtfolie, Nachleuchtfolie
photographic paper Photopapier
photooxydation Photooxytation
phthalate Phthalat, Phthalsaäureester
phthalic acid ester Phthalat, Phthalsäureester

physical properties physikalische Eigenschaften
pigment Pigment
pin hole detector Lochsuchgerät
pin-holes Walzporen
planar webb Planlage
plastic Chemiewerkstoff, Kunststoff, Hochpolymer
plastic bag Kunststoffsack
plastic blend Kunststoffblend
plastic film Kunststoff-Folie
plastic films for offics equipment Bürofolien
plastic-free packaging kunststofffreie Verpackung
plastic material Chemiewerkstoff, Hochpolymer, Kunststoff
plastic meld Kunststoffschmelze
plastic thermogram Kunststoffthermogramm
plastic tube Kunststofftube
plasticized PVC PVC-Formmasse, Weich-PVC
plasticizer Weichmacher
plastics Chemiewerkstoffe
plastics commission Kunststoff-Kommission
plastics directive Kunststoffrichtlinie
plastics mill Mischwalze, Prüfwalzwerk, Walzwerk, Walzenmühle, Walzenmischer
plastification Plastifizierung
plastometer Rheometer
plate Klischeeklebfolie
plate out test Plate-out-Test
poison preventing package kindersichere Packung
poly-ethylene-terephthalate Polyethylenterephthalat, Polyester, PET
poly-ethylene-terephthalate film Polyethylenterephthalatfolie
poly-hydroxy-butyroacid Polyhydroxybuttersäure
poly-methyl methacrylate Polymethylmethacrylat,PMMA
poly-phenyl sulfide Polyphenylensulfid, PPS
poly-phenylenoxide Polyphenylenoxid, Polyphenylenether, PPE, PPO
poly-vinyl-alcohol Polyvinylalkohol, PVA
poly-vinyl-benzene Polyvinylbenzol
poly-vinyl-butyral Polyvinylbutyral
poly vinyl fluoride film Poly(vinylfluorid)-Folie
poly-(vinylidene fluoride)-film Poly-(vinylidenfluorid)-Folie
poly(4-methyl-1-pentane) Poly-(4-methyl-1-pentan), PMP
polyacrylonitrile Polyacrylmitril, PAN
polyaddition Polyadditiion
polyamide Polyamid, PA
polyamide film Polyamidfolie, Nylon-Folie, PA-Folie
polyamide sausage casings Polyamid-Darm, Polyamid-Wursthülle
polyarylamid Polyarylamid
polybenzimidazole Poly-benzimidazol
polybutene film PIB
polybutylene Polybutene, Polybutylen
polybutylene-terephthalate Polybutylentetraphthalat, PBTP
polycarbonate Polycarbonat, PC
polycarbonate film Polycarbonatfolie, PC-Folie
polychlorotrifluoroethylen film Polychlortrifluorethylen-Folie
polycondensation Polykondensation
polyester Polyester
polyester film Polyethylenterephthalat-Folie, Polyesterfolie, PET-Folie
polyester sausage casing Polyesterdarm, Polyester-Wursthülle
polyethene Polyethylen, PE
polyether/ester-elastomeric plastic Copolyester/Ether-Elastomer, Polyether/Polyester-Elastomer
polyetherether ketone Polyether-etherketon, PEEK
polyetherimide PEI
polyetherimide Polyetherimid, PEI
polyetherketone Polyetherketon, PEK
polyethersulfone Polyethersulfon, PES
polyethylene Polyethylen, PE
polyethylene film Polyethylenfolie, PE-Folie
polyethylene isophthalate Polyethylenisophthalat
polyethylene-naphthenate Polyethylennaphthenat, PEN
polyethylene-sausage casing Polyethylendarm, Polyethylen-Wursthülle
polyethylene-tetrafluoroethylene film PETFE-Folie
polyethylene-tetrafluoroethylene film polyethylene-tetrafluoroethylene film
polyimide film Polyimid-Folie, PI-Folie
polymer Polymer, Hochpolymer

polymer plasticizer Polymerweichmacher
polymerizable plasticizing innere Weichmachung
polymerization Polymerisation
polyolefine Polyolefin
polypropylene Polypropylen, Polypropen, PP
polyphenylene-ether Polyphenylenether
polypropylene film Polypropylen-Folie,-PP-Folie
polypropylene-sausage casing Polypropylen-Wursthülle, Polypropylendarm
polypyrrole film Polypyrrolfolie
polystyrene Polystyrol, Polyvinylbenzol, PS
polystyrene film Polystyrolfolie, PS-Folie
polysulfone Polysulfon, PSU
polytetrafluoroethylen film Poly-(tetrafluorethylen)-Folie
polyurethane Polyurethan
polyurethane film Polyurethanfolie
polyurethane rubber Polyurethan-Elastomer, thermoplastisches Polyurethan-Elastomer
polyvinyl-acetal Polyvinylacetal
polyvinyl-acetate Polyvinylacetat, PVA, PVAC
polyvinylchloride Polyvinylchlorid, PVC
polyvinylidenechloride Polyvinylidenchlorid, PVDC
pore forming agent Porenbildner
porosity Porosität
positiv list Positivliste
pre-stretching Vorstreckung
preimpragnated mat Harzmatte, Prepreg
prepreg Harzmatte, Prepreg
preserve Konserve; Halbkonserve, Preserve
pressure sensitive tape Klebeband, Klebstoffband, Selbstklebeband
primary film Primärfilm
primer Haftvermittler, Primer
printing ink Druckfarbe
printability Bedruckbarkeit
printed circuit gedruckte Schaltung
printing Drucken, Bedrucken von Folien; Foliendruck
printing process Druckverfahren
process control Prozeßleittechnik
processed meat packaging Fleischwaren-Verpackung
processing agent Verarbeitungshilfsmittel
proportioning Dosieren
propyleneglycol 1,2-Propylenglykol, Propandiol-1,2, Propylenglykol
protective cap Folienschutzhaube
protective tunnel Schutztunnel
protein skin Proteinhaut
PS Polystyrol, Polyvinylbenzol, PS
pull tape Aufreißstreifen,
pulp Zellstoff
PVA Polyvinylalkohol, PVA
PVC-processing agent PVC-Verarbeitungshilfsmittel
PVC-stabilizer PVC-Stabilisator
PVDC dispersion PVDC-Dispersion
PVDC film Polyvinylidenchlorid-Folie, PVDC-Folie
PVDC-sausage casing PVDC-Darm, PVDC-Wursthülle
PVDC solution PVDC-Lösung
pyrolysis Pyrolyse
pyrolysis diagram Pyrolysekurve
quality control Qualitätskontrolle
quenching Abschrecken, Quenchen
radiation crosslinking Strahlenvernetzung
radiation heat welding Wärmestrahlungsschweißen
radiation sterilization Bestrahlungssterilisation, Strahlensterilisation
ram extrusion Ram-Extrusion
ram moulding Stempelverformung
random copolymer Random-Copolymer
rasor slitting Klingenschnitt
raw materials for film and foil manufacturing Rohstoffe zur Folienherstellung
raw meat packaging Tierkörperverpackung
reaction adhesive Reaktionsklebstoff
recording tape Tonband
recycling Rückführung, Rückgewinnung, Recycling, Wiedergewinnung
recycling extruder Rückführextruder
red meat colour Frischfleischfarbe
red meat packaging Frischfleischverpackung
red meat ripening Frischfleischreifung
reduced viscosity Viskositätszahl
reel changing Rollenwechsel
refractive index Brechungsindex, Brechungszahl
register mark Steuermarke
regranulation Regranulierung
relative permittivity Dielektrizitätskonstante, Dielektrizätszahl
release coating Release-Schicht
release film Trennfolie
repeat accuracy Rapportgenauigkeit

rerolling stock Vorwalzband
research institute Forschungsinstitut
residual solvent quantity Rest-Lösemittelgehalt
resistance Widerstand
resistance to chemical substances Chemikalienbeständigkeit, Chemikalienfestigkeit, chemische Beständigkeit
resistance to tear propagation Weiterreißfestigkeit, Weiterreißwiderstand
restrictor bar Staubalken
retortable flexible packages flexible sterilisierbare Packungen
reverse printing Konterdruck
reverse roll coater Umkehrwalzenbeschichter
reversing and rotating system Rotations- und Reversiersystem
rheology Rheologie
rheometer Rheometer
rigid package standfeste Packung
rigid PVC Hart-PVC
rigid PVC film Hart-PVC-Folie
roll Folienrolle; Walzen
roll coater Walzenauftragswerk
roll glazing Walzenglasieren
roll mill Mischwalze, Prüfwalzwerk, Walzenmühle, Walzenmischer, Walzwerk
roll transfer Rollenwechsel
roller Walzen
roller mill Mischwalze, Prüfwalzwerk, Walzenmühle, Walzenmischer, Walzwerk
rolling mill Mischwalze, Prüfwalzwerk, Walzenmühle, Walzenmischer
rolling oil Walzöl
rolling procedure Walzverfahren
roof lining Dachunterspannbahn
roof membrane Dachbahn, Dachfolie, Dachschweißbahn
roof paper Dachpappe
roof substrate Dachunterspannbahn
roofing membrane Dachbahn, Dachfolie, Dachschweißbahn
rotary blade Rundmesserschnitt
rotogravure Tiefdruck
rotogravure printing Tiefdruck
round blank Rondelle
rubber article Elastomerfolie, Gummiartikel, Gummifolie, Kautschuk-Vulkanisat
rubber coating Gummibelag
rubber film Elastomerfolie, Gummifolie, Kautschuk-Vulkanisat
rubber forming Kautschukforgebung
rubber mixing Kautschukmischungen
rubbery transition Glasübergang
running roll length Lauflänge
sack Schwergutsack, Sack
safety film Sicherheitsfolie
safety provisions Arbeitsschutz, Unfallsicherheit
salt melt Salzschmelze
SAN Styrol-Acrylnitril-Copolymer, SAN
sausage casings fabrication Konfektionierung von Wursthüllen
sausage casings Wursthüllen
SB Styrol-Butadien-Blockcopolymer, SB-Blockpolymer
scalping Delaminieren
scrap layer Scrap-Schicht
screen pack Siebpaket
screen printing Siebdruck; Durchdruckverfahren
screw extruder Extruder, Schnecke
screw extruder Schneckenpresse, Schneckenstrangpresse
seal strength Siegelfestigkeit, Siegelnahtfestigkeit
sealant Heißsiegelschicht, Siegelschicht
sealing bar Siegelbalken
sealing layer Heißsiegelschicht, Siegelschicht
sealing range Siegelbereich, Siegeltemperatur
sealing Siegeln
sealing temperature Siegelanspringtemperatur, Siegelbereich, Siegeltemperatur
second order transition Glasübergang
semi-rigid lightweight container halbstarrer Leichtbehälter
sewing Nähen
shear Scherspannung
shear rate Schergeschwindigkeit
shear stress Scherspannung
sheet Film, Folie
shelf life Lagerbeständigkeit; maximale Lagerzeit
shingle pack Fächerpackung
shirring Raffen
shock cooling Abschrecken, Quenchen
shore hardness Shore-Härte
shrink bag Schrumpfbeutel
shrink band Schrumpfband
shrink coil Schrumpfspule
shrink film Schrumpffolie

shrink-film packaging Schrumpffolienverpackung
shrink frame Schrumpfgerät, Schrumpfrahmen
shrink label Schrumpfetiketten
shrink pile Schrumpfsäule
shrink pillar Schrumpfsäule
shrink sleeve Flaschenkapseln
shrink tunnel Schrumpftunnel
shrinking behaviour Rückstellvermögen, Schrumpfverhalten
shrinking device Schrumpfgerät
silage bag Silage-Sack
silage film Silagefolie
silage in sack Postionssilage
silicium monoxide deposition Silicium-Monoxid-Bedampfung
silicone Silicon
silver foil Silberfolie
silver leaf Blattsilber
simultaneous stretching Simultanreckung
single screw extruder Einschneckenextruder
sinter extrusion Sinterextrusion
sintering Sinterverfahren
sintering under pressure Drucksintern
skin packaging Hautverpackung, Skin-Verpackung
skin-packaging machinery Skin-Packmaschine
slip agent Slipmittel, Abstandshalter, Antiblockmittel, Trennmittel
slitting Schneiden
snack-packaging Snack-Verpackung
sodium hypochloride Natriumhypochlorid
soil sterilization Bodensterilisation
solution viscosity Lösungsviskosität
solution welding Lösungsschweißen, Lösungssiegeln, Quellschweißen, Quellsiegeln, Lösungssiegeln
solvent Kleblöser, Lösungsmittel
solvent bath Lösungsmittelbad
solvent casting Tauchen, Tauchformverfahren
solvent moulding Tauchen, Tauchformverfahren
solvent recovery Lösungsmittelrückgewinnung
solvent welding Lösungsschweißen, Lösungssiegeln, Quellschweißen, Quellsiegeln
spacer film Distanzfolie, Spacer-Folie
spacing film Dostanzfolie, Spacer-Folie
specific induction capacity Dielektrizitätskonstante, Dielektrizätszahl
specific insulation resistance spezifischer Durchgangswiderstand, spezifischer Isolationswiderstand, Volumenwiderstand
specific migrate spezifisches Migrat
specks Fischaugen, Gelteilchen, Stippen, Verunreinungen
spinbonded fabric Spinnvlies
spinning Spinnverfahren
spiral flow test Spiraltest
spiral mandrel die Wendelverteilerwerkzeug
splicing tape Spleißband
split Spalten, Spleißen
squeeze Abquetschen
squeeze rolls Abquetschwalzen
squeezing rolls Abquetschwalzen
stacking pack Stapelpackung
staff diameter Füllkaliber
standardization Normung, Standardisierung
staple Heften mit Metallklemmen
starch for film production Stärke zur Folienherstellung
static shield elektrostatische Abschirmung, statischer Schirm
steam sterilization Dampfsterilisation, Hitzesterilisation
steel foil Stahlfolie
stenter process Stenterprozeß
stereo adhesive film Klischeeklebfolie
sterilizable rigid package standfeste sterilisierbare Packung
sterilization Sterilisation
sterilized packaging keimfreies Abpacken
sticking Blocken, Blockneigung
sticking of aluminium foil Kleben von Aluminiumfolien
stitching Nähen
storage life Lagerbeständigkeit, maximale Lagerzeit
strand Raffraupe
strapping Umreifen, Umschnüren
strech film Dehnfolie, Strechfolie
stress cracking Spannungsrißbildung, Spannungsrißkorrosion
stretch film Dehnfolie
stretch film packaging Stretchfolienverpackung
stretch-formed aluminium package Aluminium-Formverpackung, Alu-Formverpackung

stretch forming Streckformen
stretchability Dehnbarkeit, Dehnfähigkeit
stretching Verstreckung
stretching process Reckverfahren, Stenterprozeß, Verstreckung
strip packaging Streifen-Packung
stud-type sheet Noppen-Folie
styrene-acrylonitril Styrol-Acrylnitril-Copolymer, SAN
styrene-butadien copolymer Styrol-Butadien-Blockcopolymer, SB-Blockpolymer
substrate film Trägerfolie
substrate film for magnetic tapes Tonträgerfolie
substrate film for photo-layers Trägerfolie für photographische Schichten
support film Stützfolie
surface resistance Oberflächenwiderstand
surface roughness Rauheit, Rauhigkeit; Rauheitsprofil
surface tension Oberflächenspannung
susceptor Empfänger
swedging Prägen
switch-panel Folienschalter, Folientastatur, Membranschalter
synthetic sausage casing Kunstdarm
tacticity Taktizität
tandem extrusion line Kaskadenextruder, Tandemextruder
tape for electrical insulation Elektroisolierband
tapering Konizität
tar paper Dachpappe
TCP Trikresylphosphat
tear notch Aufreißkerbe
tear peforation Aufreißperforation
tear propagation strength Weiterreißfestigkeit, Weiterreißwiderstand
tear tape Aufreißstreifen, AS
technical sector technischer Sektor
technically applicated films technische Folien
telescoping Teleskopieren
temper-resistent packaging verfälschungssichere Packungen
temperature resistance Temperaturbeständigkeit
tensile strength Zugfestigkeit
tensile strength at break Reißfestigkeit
tensile stress Zugspannung
tensile stress at yield Streckspannung
tensile test Zugversuch
tensilized film tensilized-Folie
tension Zugspannung
tension test Zugversuch
test film Prüffolie
test food Prüflebensmittel, Testlebensmittel
testing Qualitätskontrolle
Tetrammino-copper-hydroxyde Kupferoxid-Ammoniak, Cuoxam
TG Thermogravimetrie, TG
thermal analysis thermische Analyse
thermal extension thermische Längenausdehnung
thermal properties thermische Eigenschaften
thermocompression bonding Thermokaschieren, Heißkaschieren
thermoform fill/seal machinery Thermoform-, Füll- und Schließmaschinen
thermoforming Streckformen, Thermoformen, Tiefziehen, Warmformen, Warmformung
thermogram Thermogramm
thermogravimetry Thermogravimetrie, TG
thermoplastic elastomer thermoplastisches Elastomer
thermoplastic moulding thermoplastische Verformung
thermoplastics Thermoplaste, thermoplastische Kunststoffe, TP
thermoset plastics Duroplaste, duroplastische Kunststoffe
thermosetting Thermofixierung
thickness control Dickenmessung
thickness controlling die Automatik-Düse
thickness gauge Dickengleichmäßigkeit
thickness gauging Dickenmessung
tie Abbinden
tin foil Zinnfolie, Stanniol
titanium dioxide Titandioxid
tobacco film Bandtabak, Tabekfolie
tool Formwerkzeug, Werkzeug; Düse
torque rheometer Drehmoment-Rheometer
torsion vibration test Torsionsschwingversuch
total migrate Gesamtmigrat
toughness Zähigkeit
TP thermoplastischer Kunststoff, TP
TP elastomer thermoplastisches Elastomer
TPE thermoplastisches Elastomer
transfer metallizing Transfer-Metallisierung
transparency Durchsichtigkeit, Klarsichtigkeit, Transparenz
transverse direction Querrichtung

traversing unit Traversierrahmen
tricresyl phosphate Trikresylphosphat
triethylene-glycol Triethylenglykol, Triglykol, TEG
triethylenglycol-(di-2-ethyl-butyrate) Triethylenglykol-di-(2-ethylbutyrat)
trimellitate Trimellitat, Trimellitsäureester
tropicalized blister packaging tropensichere Blisterverpackung
tube sizing Schlauchkalibrierung
tubular film extrusion Blasfolienextrusion, Schlauchfolienextrusion
twist wrapping Dreheinschlag
two stage stretching Stufenreckprozess
typewriter tape Farbband, Schreibband
ultimate strength Reißfestigkeit
ultrasonic welding Ultraschallschweißen
Universal Product Code UPC-Code
urea Carbamidsäureamid, Carbamid, Harnstoff, Kohlensäure-Diamid
UV absorber Lichtschutzmittel, UV-Absorber
UV protective layer Lichtschutzschicht
vacuum bag Vakuumbeutel
vacuum deposition Bedampfen
vacuum laminating Vakuum-Formkaschieren, Formkaschieren, Vakuumkaschieren
vacuum packaging Vakuumverpackung
vacuum pyrolisis Vakuumpyrolyse
vakuum chamber process Kammerverfahren
valve bag Ventil-Beutel
valve sack Ventilsäcke
vapour phase inhibitor film Korrosionsschutzfolie, VCI-Folie
varnishing Lackieren
VCI-film Korrosionsschutzfolie, VCI-Folie
vellum paper Pergamentpapier
vellum paper surrogate Pergamentersatz
Vicat softening temperature Vicat-Erweichungstemperatur, VTS
video tape Videoband
vinylacetate-ethylene copolymer Vinylacetat-Ethylen-Copolymer
vinylalcohol-ethylene-copolymer Polyvinylalkohol-Ethylen-Copolymerisat
vinylchlorid Vinylchlorid
vinylidenchlorid copolymer Vinylidenchlorid-Copolymer
viscose Viskose
viscosimeter Viskosimeter
viscosity Viskosität
viscosity number Viskositätszahl
volume plastic Massenkunststoff
volume resistivity spezifischer Durchgangswiderstand, Isolationswiderstand, Volumenwiderstand
volumetric dosing (feeding, metering, proportioning) volumetrisches Dosieren
VTS Vicat-Erweichungstemperatur, VTS
vulcanization Vulkanisation
wall paper film Tapetenfolie
waste Abfall
waste deposit Mülldeponie, Deponie
waste economy Abfallwirtschaft
waste removal Entsorgung
water absorption Feuchtigkeitsaufnahme
water vapor permeability (transmission) Durchlässigkeit für Wasserdampf, Wasserdampfdurchlässigkeit, WDDu
weather resistance Witterungsbeständigkeit
weathering Bewitterung
web break Abriß
web-cleaning systems Folienbahn-Reinigungssysteme
web defect Bahnfehler
web off-center Bahnverlauf
web tension Bahnspannung
weight per area Flächengewicht; Flächenmasse
wet laminating Naßkaschieren
wetting power Benetzbarkeit
white foil "Weiße Folie"
width of a roll Rollenbreite
winding and rewinding Wickeln
window film Fensterfolie
window package Sichtpackung
windowing film Fensterfolie, Sichtfensterfolie, Sichtfeldfolie
wire mesh Filterpaket, Siebpaket
wire tie Drahtband
wire welding Heißdraht-Schweißen
wood copy Holzimitation
wood imitation Holzimitation
wrapping machine Einschlagmaschine
WVT Durchlässigkeit für Wasserdampf, Wasserdampfdurchlässigkeit, WDDu
X-ray film reinforcer Röntgenfilmverstärker
X-ray reinforce film Verstärkerfolie für Röntgenfilme
yield Ausbeute, Flächenausbeute, Ergiebigkeit
yield point Streckspannung
zig zag cut Zackenschnitt

Literatur

abbaubare Kunststoffe *Chemische Rundschau*, Nr. 27, Juli 1989.
B. Weßling, Kunststoffe in der Umwelt: Problem oder Problemlöser?, *Kunststoffe* **80**, 463 bis 470 (1990).
B. Weßling, Bioabbaubare Kunststoffe: Mehr Nachteile als Vorteile?, *Verpackungs-Rundschau* **41**, 396 bis 397 (1990).
Sind abbaubare Materialien die Alternative? Beobachtung verschiedener Anbieter auf der Interpack '90. Verpackungsrundschau **41**, 956 bis 960 (1990).

Additive R. Gächter, H. Müller, H. Andreas, *Taschenbuch der Kunststoff-Additive*, 3. Auflage, Carl Hanser Verlag München Wien, 1990.
J.T. Lutz, Jr. (Herausgeber), *Thermoplastic Polymer Additives*, Marcel Dekker Inc., New York and Basel, 1989.
New Developments in Plastic Additives, Innovation 128, 1989 V, 185 Bl. Techtrends. *International Reports on Advanced Technologies.*

Aluminium 2. Internationales Symposium Aluminum und Verpackung, München, Oktober 1989, Dokumentation.

Aluminiumformpackung M. Gerber und Mitarb. *Verpackungs-Rundschau* **35**, 354 (1984).

Aromadurchlässigkeit A. Gots, *Packaging for Flavor-contained Products*, Packaging Japan **9**, 25 (1988).

aseptische Verpackung Entkeimung von Lebensmittel-Verpackungsfolien aus Kunststoff durch Mikrowellenbehandlung, *Deutsche Lebensmittel Rundschau* **85**, 14 (1989).
H. Reuter, *Aseptisches Verpacken von Lebensmitteln*, Behr's Verlag, Hamburg, 1988.
Wolpert, Aseptic and Sterile Packaging, *International Techno-Economic Report*, Verlag Wolpert und Jones (Studies) Ltd., London, 1986.

Bestrahlung, Einfluß auf Verpackungsfolien D.R. Randell, *Radiation Curing of Polymers*, Royal Society of Chemistry, University of Lancaster, Symposium Sept. 1986.

Bestrahlungssterilisation *Chemische Rundschau*, Nr. 40, 1989.

Bewitterung G. Kämpf, Wetterbeständigkeit von Polymeren, Die Angewandte Makromolekulare Chemie **176/177**, 1 bis 25 (1990).

Blasfolienherstellung, Optimierung K.D. Voigt, Automatisierungsmöglichkeiten bei PE-HD-Blasfolienanlagen, *Kunststoffe* **80**, 682 bis 685 (1990).

Blends D.R. Paul, S. Newman, *Polymer Blends*, 2 Bände, Academic Press, New York, 1978.
P. Harnischfeger und Mitarb. The Influence of Electron Irraditation on the

Mechanical Properties of Polypropylen/EPDM Rubber Blends, Die Angewandte Makromolekulare Chemie **175**, 157 bis 168 (1990).

Blister-Verpackung G. Erickson, Drug Trends Point to Blisters, *Packaging*, June 1990, 58-60.

BOPP Seifried, *Kunststoffe* **79**, 1233-1237 (1889).

Cellophan C.H. Ward-Jackson, *The "Cellophane" Story: Origins of a British Industrial Group*, British Cellophane Ltd., Bridgewater, Sommerset UK 1977.

Cellophanmembran P. Dittrich u.a., *Hämodialyse und Peritonealdialyse*, Berlin 1969.
H.E. Franz, *Praxis der Dialysebehandlung*, Stuttgart 1973.

chemische Sterilisation Starr, *Ethylenoxid-Sterilisation*, Berlin, Springer-Verlag 1979.
Lüch, *Chemische Lebensmittelkonservierung*, Berlin, Springer-Verlag 1977.

Coextrusion Kombination mit Coextrusion, *Verpackungs-Rundschau* 1988, S. 734 bis 741 und 816 bis 824.
Th. Strauch, Ein Beitrag zur rheologischen Auslegung von Coextrusions-Werkzeugen, Institut für Kunststoff-Verarbeitung (IKV), Technische Hochschule Aachen, 1986.

CO-Zahl G. Löschau und P. Trubiroha, *World Conference on Packaging '89*, Hamburg, Handbuch, S. 541 bis 551.

Dekorfolie Ornamin GmbH, Minden/Westfalen, Firmenschriften.

Dickenmessung W. Harbig, Infrarotoptische on-line Dickenmeßtechnik in der Beschichtungs- und Folienproduktion, *Papier- und Kunststoff-Verarbeiter* 12, 1982.

Dosieren H.J. Sohn, *Kunststoffe* **79**, 1168-1171 (1989).

Durchlässigkeit F.W. Müller und Mitarb., Temperaturabhängigkeit der Ammoniak-Diffusion in Polymerfilmen, Die Angewandte Makromolekulare Chemie, **175**, 41 (1990)

elektrisch leitfähige Kunststoff-Folie St. Koal, Antistatische und elektrisch leitfähige Polymerfolien, *die Verpakkung* **28**, 23 (1987).
H.J. Mair und S. Roth (Herausgeber), *Elektrisch leitende Kunststoffe, 2. Auflage*, Carl Hanser Verlag München Wien 1989.

elektrische Eigenschaften Chen C. Ku and R. Liepiens, *Electrical Properties of Polymers*, Carl Hanser Verlag München Wien 1987.

Extruder VDI (Herausgeber), *Der Extruder im Extrusionsprozeß*, Verlag des Vereins Deutsche Ingenieure, Düsseldorf 1989, Tagung Bamberg, 10. und 11. 5. 1989.

Extrusion F. Hensen, W. Knappe und H. Potente (Herausgeber). *Handbuch der Kunststoff-Extrusionstechnik, Band 1: Grundlagen, Band 2: Extrusionsanlagen*, Carl Hanser Verlag, München Wien, 1989 und 1986.
W. Predöhl, *Technologie extrudierter Kunststoff-Folien*, VDI-Verlag, Düsseldorf 1979.
VDI (Herausgeber). *Messen und Regeln beim Extrudieren*, Verlag Verein Deutscher Ingenieure, Düsseldorf 1982.

Fleisch- und Fleischwarenverpakkung W. Ermert, *Verpackung von Fleisch und Fleischwaren*, Hans Holzmann Verlag, Wörrishofen, 2. Aufl. 1987.
Fleischwirtschaft, Spannholz-Verlag, Frankfurt/M.
Die Fleischerei, Internationale Fachzeitschrift für Fleischverarbeiter in Handwerk und Industrie, Hans Holzmann Verlag, Wörrishofen.
Th. Maciej, Frischfleisch: Gut verpackt ist halb verkauft, *Neue Verpackung* **42**, 22-33 (1989).

flüssigkristalline Kunststoffe
H. Bangert, *Kunststoffe* **79**, 1327 (1989).
J.H. Wendorff, Deutsches Kunststoff-Institut, Darmstadt, Flüssigkristalline Polymere, Chemie, Eigenschaften, Verarbeitung, Anwendung. *Literaturdokumentation aus den Datenbanken Chemical Abstracts*, 455 S., Carl Hanser Verlag, 1989.

Fluorierung T. Volkmann und H. Widdecke, *Kunststoffe* **79**, 743 bis 744 (1989).
R. Miller und A. Koch, *Adhäsion*, 1989, Nr. 6, 33 bis 35.

Folien J. Briston, *Plastic Films, 2nd edition*, Longman Inc., New York, 1983.
P. Schmitz and S. Janocha, Ullman's Encyclopedia of Industrial Chemistry, Vol. A 11, pages 85-111, VCH Weinheim 1988.
P. Schmitz, Ullmanns Enzyclopädie der Technischen Chemie, 4. Auflage, Band 11, *Folien*, S. 673 bis 686, VCH Weinheim 1976.

Folienschalter W. Waldenrath, Kunststoff-Folien für Membranschalter, *Kunststoffe* **74**, 450 (1884).

Folien-Schutzhaube *Kunststoffe* **80**, 196 (1990).

Füllstoffe D. Vink, Funktionale Füllstoffe, *Kunststoffe* **80**, 842-846 (1990).

Gleitmittel T. Riedel, Gleitmittel und Formtrennmittel, *Kunststoffe* **80**, 827-830 (1990).

Gurtband für elektrische Bauelemente H. Langen und W. Post, *packung und transport*, Heft 6, 1987.

Harzmatten De Antonis, US-Patent 4.362.585 (1982).

Hochleistungsfolie G. Lux und B. Huber, *Kunststoffe* **79**, 505 bis 509 (1989).

ID-Karten S. Bernatz und L. Kaiser, *Kunststoffe* **77**, 880 bis 881 (1987).

Kalandrieren G. Müller, *Kunststoffe* **80**, 95 bis 98 (1990).

Kaschieren N. Avramova und S. Fakirov, A New Approach to Welding and Lamination of Polyamides, Die Angewandte Makromolekulare Chemie, **179**, 1 bis 4 (1990).

Kaschierklebstoffe B. Kujawa-Penczek und P. Penczek, Polyurethan-Klebstoffe 1984-1988, *Adhäsion*, 1989, Heft 9, Seite 38 bis 42.

Klebeband R. Jordan, *Haftklebstoffe, Band 6a, Lösungsmittelhaltige und wäßrige Systeme*, Hinterwaldner Verlag München 1989.

Kleben J. Shields, *Adhesives Handbook, 3. Auflage*, Butterworths London 1984.

Korrosionsschutzfolie Firmenschrift MDV Papierveredelung GmbH, D-8752 Kleinostheim.
M. Bahr, *Kinetic investigations and testing procedures relating to anticorrosive VCI agents*, 6. IAPRI-Konferenz, Hamburg 1989, Handbuch, S. 399.
H.J. Rieckmann, *VCI-Material of practice*, 6. IAPRI-Konferenz, Hamburg 1989, S. 407.

koschere Verpackung S. Sacharow, *Paper, Film & Foil Converter* **63**, 176 bis 179 (1989).

Kunststoff M. Alger, *Polymere Science Dictionary*, Elsevier Science Publishers Ltd. 1989.
H. Batzer, *Polymere Werkstoffe*, 3 Bände, Georg Thieme Verlag, Stuttgart, 1985. Band 1: Chemie und Physik, Band 2: Technologie I, Band 3: Technologie II.
H. Batzer und F. Lohse, *Einführung in die makromolekulare Chemie, 2. Auflage*, Hüthig und Wipf Verlag, Basel 1976.
K. Bartning u.a., *Prüfung polymerer Werkstoffe, Grundlagen und Prüfmethoden*, Carl Hanser Verlag, München, Wien 1977.
H.G. Elias, *Makromoleküle, 4. Auflage*, Hüthig und Wipf Verlag, Basel 1980.
H.G. Elias und F. Vohwinkel, *Neue polymere Werkstoffe für die industrielle Anwendung*, Carl Hanser Verlag, München, Wien 1983.
The Encyclopedia of Polymer Science and Engeneering, John Wiley, New York 1987.
W. Hellerich, G. Harsch, S. Haenle, *Werkstoff-Führer Kunststoffe. Eigenschaften, Prüfungen, Kennwerte, 5. Auflage*, Carl Hanser Verlag 1989, 428 S.
J. Jäger, *Die Kunststoffverarbeitung in den 90er Jahren. Entwicklung und Wachstumsperspektiven für die Kunststoff verarbeitende Industrie in der BRD*, Carl Hanser Verlag 1989.
G. Kämpf, *Charakterisierung von Kunststoffen mit physikalischen Methoden*, Carl Hanser Verlag, München, Wien 1982.

G. Menges, *Einführung in die Kunststoffverarbeitung*, Carl Hanser Verlag, München, Wien 1975.
G. Menges und H. Recker, *Automatisierung in der Kunststoffverarbeitung*, Carl Hanser Verlag, München, Wien 1986.
P.C. Powell, *Engeneering with Polymers*, New York 1983.
N.S. Rao, *Formeln der Kunststofftechnik*, Carl Hanser Verlag, München, Wien 1989, 144 S.
H. Saechtling, *Kunststoff-Taschenbuch, 24. Ausgabe*, Carl Hanser Verlag, München, Wien 1989.
E.A. Turi (Herausgeber) *Thermal Characterization*, Academic Press, New York 1981.
B. Vollmert, *Grundriß der makromolekularen Chemie, 5 Bände*, E. Vollmert Verlag, Karlsruhe 1980.
Winnacker-Küchler, *Chemische Technologie, Band 6, Kunststoffe*, Seite 311 bis 513, Carl Hanser Verlag, München, Wien 1982.
A.M. Wittfoht, *Kunststofftechnisches Wörterbuch*, 3 Bände, Carl Hanser Verlag, München, Wien 1981.

Laminattube R. Brandt und R. Kaercher, American Can Corp. U.S.-Patent 3.260.410 (1966).
R. Brandt und N. Mestanas, American Can Corp. U.S.-Patent 3.347.411 (1967).
D. Haas, American Can Corp. U.S.-Patent 3.505.143 (1970).

Landwirtschaftsfolien V.M. Wolper, *Paper, Film & Foil Converter*, 1988, 68 bis 71.
J. Michallik, Coextrudierte Folien zur Ernteverfrühung, *Kunststoffe* **77**, 3 (1988).

Lebensmittelverpackung R. Heiss, *Verpackung von Lebensmitteln*, Berlin 1980.
R. Heiss, Probleme bei der Weiterentwicklung von Lebensmittelverpackungen, *Neue Verpackung* **43**, 32 bis 35 (1990).

Lecksuche bei Packungen U. Ernst, 6. IAPRI-Konferenz, Hamburg, Handbuch, S. 651 bis 660.

Lichtschutzmittel *Chemische Rundschau*, Nr. 44, 1989.

medizinische Verpackung Placencia und Peeler, 6. IAPRI-Kongress 1989, Hamburg, Handbuch, Seite 531 bis 540.

Membran R.E. Kesting, *Synthetic Polymeric Membranes*. A structural perspective, New York 1985.
H. Strahtmann, *Chemie-Technik* **7**, 60 (1987).

Metallisieren G. Wille, Über Eigenschaften von Verbundfolien mit metallisierter Komponente, *Neue Verpackung* **43**, 60 bis 63 (1990).
G. Schricker und Mitarb. zum Einfluß mechanischer Belastungen auf die Dichtigkeit von metallisierten Kunststoff-Folien und Aluminiumfolienverbunden mit Kunststoffen, *Verpackungs-Rundschau* Juli 1990, Techn.-wiss. Beilage, 45-48.

Migration N.T. Crosby, *Food Packaging Materials, Aspects of Analysis and Migration of Contaminants*, Applies Science Publishers Ltd., London 1981.
Hauschild-Springler, *Migration bei Kunststoff-Verpackungen*, Wiss. Verlagsgesellschaft, Stuttgart 1988.

Mikrowellentechnik Ahvenainen u.a., Food packages in microwave ovens, 6. IAPRI-Kongress, 1989, Hamburg, Handbuch, Seite 671 bis 674.
M.E. Miller, Microwave Susceptors Hold Challenges for Converters, *Paper, Film & Foil Converter*, June 1990, 64-68.
S. Sacharow, Microwaves technology advances throughout Europe, *Paper, Film & Foil Converter*, Okt. 1988, S. 106 bis 110.

Öffnungshilfen durch Laserspur E. Couwvenhoven, Zeitschrift *Verpakkings Management* **3**, 1990, Niederlande. LPF Verpakkingen B.V. 8913 HR Leeuwarden.

Ökobilanz B. Grahl und A. Podbielski, Kriterien für eine Weiterentwicklung praxisorientierter Ökobilanzen am Beispiel Verpackungsmaterialien, *Verpakkungs-Rundschau*, technisch-wissenschaftliche Beilage, **41**, Nr. 6, S. 39 (1990).
I. Fecker, *Herstellung von Aluminium*, Eidgenössische Materialprüfungs- und Forschungsanstalt, St. Gallen 1989.
K.J. Thomé-Kozmiensky und M. Franke, *Umweltauswirkungen von Verpackungen aus Kunststoff und Glas*, Technische Universität, Berlin.
Umweltbundesamt (Herausgeber), *Vergleich der Umweltauswirkungen von Polyethylen- und Papiertragetaschen, Reihe Texte 5/88*, Berlin 1988.
W. Plehn, Polyethylen- oder Papierverpackung beim Buch, Verpackungsrundschau, **41**, Techn.-Wiss. Beilage, 53 bis 56.

orientierte Polypropylenplatte W. Seifried, *Kunststoffe* **79**, 1233-1237 (1989).
Technische Universität Berlin, *Kunststoff-Forschung* 9, 21.

orientierte Polystyrolfolie OPS - Die Alternative für PVC? *Neue Verpackung* **41**, 18 bis 23 (1988).
Neue Märkte durch OPS, *Neue Verpackung* **42**, 44 (1989).

PA/PE-Folien H. Schulte und Mitarb., *Kunststoffe* **79**, 818-822 (1989).

Pharmaverpackung Helbig-Spingler, *Kunststoffe für die Pharmazeutische Verpackung*, Wiss. Verlagsgesellschaft, Stuttgart 1985.

Polarisationsfolie S.J. Baum, Polarizers for Liquid Crystal Displays, *Optical Engineering* **16**, 291-294 (1977).

Polycarbonat K. Heidenreich, Leichtfließende Typen vereinfachen die Coextrusion von Polycarbonat-Verbundfolien, *Neue Verpackung*, April 1990, 32 bis 40.

Polyesterfolie W. Seifried, *Kunststoffe* **75**, 773 bis 777 (1985).
Encyclopedia of Polymer Science and Engeneering, Vol. **12**, 193 bis 216, John Wiley & Sons, Inc., Chichester 1988.

Polyolefin M. Trifonova und Mitarb., Investigation of the Thermal Ageing of Polyethylen and Polystyrene with the Purpose of Predicting their Shelf-Life.
F. Gugumus, Mechanisms of Photooxidation of Polyolefins, Die Angewandte Makromolekulare Chemie, **176/177**, 27 bis 42 (1990).

Polyurethan G. Oertel (Herausgeber), *Polyurethane Handbook*, Carl Hanser Verlag, München, Wien 1985.
G. Woods, *The ICI Polyurethanes Book*, John Wiley & Sons Inc., Chichester 1987.

Polyvinylchlorid G.W. Becker und D. Braun (Herausgeber), *Kunststoff-Handbuch, Band 2, Polyvinylchlorid*, Carl Hanser Verlag, München, Wien 1986.
PVC-Verpackungen in ganzheitlicher Betrachtung, Symposium Berlin, 19. Febr. 1990, *Kunststoffe* **80**, 790-794 (1990).

Polyvinylidenchlorid K. Götz, *Verpakkungs-Rundschau*, 1989, 649-654.
H.J. Jahr, *Differentialkalorimetrische und infrarotspektroskopische Untersuchungen an Folien aus Polyvinylidenchlorid*, Dissertation Technische Universität Berlin, 1986.

PVC-Verarbeitungshilfsmittel D.L. Dunkelberger und Mitarb., PVC-Verarbeitungshilfsmittel, *Kunststoffe* **80**, 816-821 (1990).

Pyrolyse W. Kaminsky und H.J. Sinn, *Nachr. aus Chemie und Technik* **38**, 333 (1990).
Veröffentlichung der Voest-Alpine, Graz, Österreich.

Reinigen von Werkzeugen F. Fournè, Reinigen kunststoffverschmutzter Maschinenteile und Werkzeuge, *Kunststoffe* **79**, 807 bis 813 (1989).

Rheologie *Praktische Rheologie der Kunststoffe*, VDI-Verlag, 1978.

Rückführung Konzept Kunststoff-Kreislauf, Arbeitsgemeinschaft PVC und Umwelt e.V. Adenauerallee 45, 5300 Bonn 1 (Juni 1989).
6. Internationaler Recycling Kongreß, Referate in *Neue Verpackung*, März 1990, 104 bis 115.
V. Hess und U. Keitel, Folienabfälle in Zentralanlagen aufarbeiten, *Kunststoffe* **80**, 490 bis 493 (1990).
Gesamtverband Kunststoffverarbeitende Industrie, GKV (Herausgeber), *Kunststoff-Recycling*, Carl Hanser Verlag, München, Wien 1986.
U. Gnür, Praxis beim Recycling gebrauchter Folienabfälle, *Kunststoffe* **80**, 496 bis 498 (1990).
M. Larson, Consumers Grapple With "Green" Packaging, Packaging, July 1990, 9.
Z. Jelcic und Mitarb., Poolyethylene Recycling During Processing, Die An-

gewandte macromolekulare Chemie, **176/177**, 65 bis 78 (1990).

Schutzgasverpackung P.E. Brecht, Use of Controlled Atmospheres to retard Deterioration of Produce, *Food Technology* 1980, 45 bis 50.
J. Delventhal und H. Tamke, Folien für Schutzgasverpackungen, *Neue Verpackung* 1/1990, 26 bis 29.

Siegelfestigkeit Fraunhofer-Institut für Lebensmitteltechnologie und Verpakkung, Tätigkeitsbericht 1988, S. 204.
G. Hohl, Folienqualität und Siegelnahtgüte bei orientierten Polypropylenfolien, *Verpackungsrundschau*, 9/89, 951-955.

Silagefolie Michallik, *Kunststoffe* **77**, 702 (1987).

Sperrschichtfolie Luxenhofer, High-Barrier Structures for Flexible Laminates, Part 1: Recent developments and future trends in Western Europe, Part 2: Cost calculating, 10/468, 1989.

Sperrschichtfolie für Sauerstoff K. Ikari, New applications and technologies of EVAL, *Packaging Japan* Vol. 10, 43 bis 47 (1989).

Spraybehälter-Innenbeutel *Kunststoffe* **79**, 43 bis 47 (1989).
Stoffel, *Neue Verpackung*, 12/1989, 20.

Stärke Batelle Informationen Nr. 6, Mai 1989, Seite 1,
Packaging Japan Nov. 1988, 27.
J. Marten, Informationen der GKL (Gesellschaft für Kunststoffe in der Landwirtschaft, Bartningstr. 49, D-6100 Darmstadt, *Chemische Rundschau* Nr. 44 (1989).

Strichcode Strichcode - warum?, *Neue Verpackung*, **41**, 62 bis 64 (1988).

thermoplastische Kunststoffe B. Carlowitz und J. Werer, *Kunststoffe, Technische Daten von Handelsprodukten, Thermoplaste*, 12 Bände, herausgegeben vom Deutschen Kunststoff-Institut, Springer-Verlag, berlin 1988 und 1989.

verfälschungssichere Packung J. Stilwell and S.E. Rudolph, Strategies for foiling Tamperers, *Packaging*, May 1989, 39.
M. Larson, Tamper-evidence in perspective, *Packaging*, May 1989, 35.

Verpackung O. Ahlhaus, Der Markt für Kunststoff-Verpackungen, *Kunststoffe* **80**, 640 bis 641 (Juni 1990).
M. Bakker (Herausgeber), *The Wiley Encyclopedia of Packaging Technology*, John Wiley & Sons, New York 1986.
C.J. Benning, *Plastic Films for Packaging*, Technomic Publishing Co., 1983.
D. Berndt und A. Riedel, *Das Verpackungswesen in der DDR, Studie*, Verlag Technische Fachhochschule Berlin, 1000 Berlin 30.
D. Dietz und R. Lippmann (Herausgeber), *Verpackungstechnik*, VEV Fachbuchverlag, Leipzig, 1985.
E. Eidt, Verpackung aus Kunststoff, *Fleischerei-Technik* **6**, Nr. 1, 1990.

J.F. Hanlon, *Handbook of Package Engeneering, 2nd edition*, McGraw-Hill Book Company, New York 1984.
R. Hess, *Verpackung von Lebensmitteln*, Springer Verlag, Berlin 1980.
L.L. Katon, *Packaging, Environment and Recycling, A Scientific Assessment*, Elsevier International Bulletins, Oxford, England 1987.
G. Kühne, *Verpacken mit Kunststoffen*, Carl Hanser Verlag, München, Wien 1974.
V. Langhoff, Kunststoffpackmittel im Innovationswettbewerb, *Neue Verpakkung*, **41**, 34 bis 36 (1988).
U. Mack, Lebensmittelverpackung im Trend der 90er Jahre, *Neue Verpackung*, Mai 1990, S. 28 bis 49.
Österreichisches Institut für Verpakkungswesen, Wirtschaftsuniversität, Wien, Verpackung - Umwelt - Öffentliche Meinung (Verpackung und Abfallwirtschaft), 1987.
F. Pardos, Kunststoffverpackungen - Trends und Prognosen, *Neue Verpackung*, **42**, 34-43 (1989).
J. Steepek und sechs weitere Mitarb., Polymers as Materials for Packaging, Ellishorwood Ltd. Publishers, Chichester.
VDI (Herausgeber), *Verpacken mit Kunststoff-Folien*, VDI-Verlag, Düsseldorf 1982.
World Packaging Directory, London 1987, Cornhill Publications Ltd.

Walzen H.L. Weiss, *Paper, Film & Foil Converter* Nov. 1989, 131-134.

Warmformen F. Brinken, Untersuchungen zur Wärmeübertragung beim Thermoformen von Thermoplasten, Institut für Kunststoffverarbeitung (IKV), Aachen 1979.
H.J. Keim, *Kunststoffe* **80**, 98 bis 100 (1990).

Weichmacher Kemper und Mitarb., *Phthalsäuredialkylester, pharmakologische und toxikologische Aspekte*, Frankfurt, Verband der Kunststofferzeugenden Industrie, 1983.

Wickeln H. Weiss, In-Line Slitting Methods Can Prove Profitable, Practical, Paper, Film & Foil Converter, Mai 1990, 176 bis 179.

Wursthüllen G. Effenberger, *Wursthüllen/Kunstdärme. Herstellung, Eigenschaften, Anwendung*, Holzmann-Verlag, Wörrishofen 1990.
G. Effenberger, Messung des Binnendrucks in Wursthüllen bei der Wurstfertigung, *Die Fleischerei*, Heft 10/1981.
H. Koch, *Die Fabrikation feiner Fleisch- und Wurstwaren*, 1982.
A. Stiebing, *Prepackaging and canning of Kochwurst and cooked, cured products.*
Technischer Arbeitskreis der Fachgemeinschaft "Kunstdarmerzeugnisse", Analytik von Kunstdärmen, die der Empfehlung XLIV des Bundesgesundheitsamtes unterliegen, *Deutsche Lebensmittel-Rundschau* **76**, 317 bis 320 (1980).

Zeitschriften

Acta Polymerica, Akademie-Verlag, Berlin

Adhäsion, Fachzeitschrift für Kleben und Dichten, Heinrich Vogel, Fachzeitschriften GmbH, München 80

Chemische Rundschau, Wochenzeitung für Chemie, Pharmazie und Lebensmitteltechnik, Vogt-Schild AG und VCH-Verlagsgesellschaft

COATING, internationale Fachzeitschrift für chemische und technische Beschichtung, Klebstoffe, Druckfarben-Chemie

WachsTechnologie, Schleif- und Poliermittel, Verlag Coating, Thomas & Co, St. Gallen

Die Angewandte Makromolekulare Chemie, Hüthig & Wepf Verlag, Basel

Fleischerei, Internationale Fachzeitschrift für Fleischverarbeiter in Handwerk und Industrie, Hans Holzmann Verlag, Bad Wörrishofen

Deutsche Lebensmittel-Rundschau, Zeitschrift für Lebensmittelkunde und Lebensmittelrecht, Wissenschaftliche Verlagsgesellschaft mbH, Stuttgart

European Packaging, Nr. 1, April 1990, The international review of packaging technologies and economics

Fleischwirtschaft, Spannholz-Verlag, Frankfurt/M

Journal of Polymer Science, Part A: Polymer Chemistry, Part B: Polymer Physics, Part C: Polymer Letters, John Wiley & Sons, Inc., New York

Kunststoffe, Organ Deutscher Kunststoff-Fachverbände, seit 1910, Carl Hanser Verlag, München

Kunststoffe Plastics, Zeitschrift für Herstellung, Verarbeitung und Anwendung von Kunststoffen, Vogt-Schild AG, Druck und Verlag, Solothurn

Modern Plastics International, McGraw-Hill Publications, Lausanne

Neue Verpackung, nv, Verlag für Fachliteratur GmbH, Verlagsgruppe Dr. Alfred Hüthig, Heidelberg

Packaging, Cahners Publishing Co, a Division of Reed Publishing, USA

Packaging Japan, Packaging Review, Materials, Machines, Techniques, Markets, Designs, Research and Forecasts, Nippo Co. Ltd., Tokio

Packaging Production International, Fachzeitschrift für *Packmittelproduktion*, erstmalls erschienen anläßlich der → Papro 1988, Hüthig Verlag, Heidelberg

Packaging Science and Technology Abstracts, PSTA, Referatedienst Verpackung, International Food Information Service (IFIS) in cooperation with → Fraunhofer-Institut für Lebensmitteltechnologie und Verpackung (ILV)

Packaging Technology & Science, an international Journal, John Wiley & Sons, New York

Paper, Film & Foil Converter, Mclean Hunter Publishing Co, Chicago

Packaging Produktion International, Fachzeitschrift für

Papier- und Kunststoff-Verarbeiter Verlag

Packmittelproduktion, Hüthig Verlag, Heidelberg

Verpackungs-Rundschau, VR, P. Keppler GmbH & Co KG, Heusenstamm

Polymer, the international journal for the science and technology of polymers, Butterworth-Heinemann Ltd., London

Polymer-Plastics Technology and Engeneering, Marcel Dekker, Inc., New York

Abbildungen und Tabellen (Quellen)

Die Abbildungen und Tabellen entstammen, teilweise redaktionell verändert, folgenden Quellen, denen freundlich gedankt wird:

Aluminium Energieverbrauch bei der Aluminium-Gewinnung, 1950 bis 1990
Firmenschrift Alcan Deutschland GmbH, D-6236 Eschborn

Aluminiumbänder Zugfestigkeit und Bruchdehnung in Abhängigkeit von der Banddicke
W. Geier, Vortrag 08.10.1986, Alusingen, Singen

Aluminiumbehälter Vergleich zwischen Bördel- und Siegelverschluß
Runddose und flacher Leichtbehälter, Anstieg der Kerntemperatur
Alusingen, Singen/Hohentwiel, Firmenschrift

Aluminiumfolien Pro-Kopf-Verbrauch von Alufolie in Europa
EAFA, Europäische Aluminium-Folien Vereinigung
Aluminium-Folien-Verbrauch in Europa, Tendenz der Foliendicken
Vortrag W. Geier, 08.10.1986, Alusingen, Singen

Aluminiumformverpackung Aufbau der Verbundfolien
Alusingen, Firmenschrift
Aufbau der Verbundfolien im Einzelnen
Gerber, Verpackungsrundschau 35, 354 (1984)
Prinzip des Umformverfahrens
Gerber, Verpackungsrundschau 35, 354 (1984)

Aluminiumverbund Beispiele für den Aufbau
Nach: Alusingen, Singen/Hohentwiel, Firmenschrift

Antioxydantien Wirkung von Antioxydantien auf die Stabilität von PP bei mehrfacher Extrusion
Gächter/Müller, Taschenbuch der Kunststoff-Additive, 2. Ausgabe, Carl Hanser Verlag, München Wien 1983
Ofenstandzeiten von Folienbändchen aus PP mit verschiedenen Antioxydantien
Gächter/Müller, Taschenbuch der Kunststoff-Additive, 2. Ausgabe, Carl Hanser Verlag, München Wien 1983

Aufreißstreifen Anwendung von der Spule und von der Rolle
Wolff Walsrode AG, Firmenschrift

Automatikdüse Schematische Darstellung einer Breitschlitzdüse mit Translatoren-Regulierung
Reifenhäuser-Nachrichten, Nov. 1987
Datenkreis zur Überwachung der Foliendicke
Reifenhäuser-Nachrichten, Nov. 1987

Bahnverlauf Bahnverlauf
Autor

Beflockung Verfahrensschema
Ullmann, Enzyklopädie der chemischen Technik, 4. Aufl., Bd. 15, 347 (stark verändert)

Beschichten Auftragswerk mit Tauchwalze
A.M. Wittfoht, Kunststofftechnisches Wörterbuch, Englisch-Deutsch/Deutsch-Englisch, Carl Hanser Verlag München Wien,

1981, 3, 71, 3a, verändert
Umkehrbeschichtung
A.M. Wittfoht, Kunststofftechnisches Wörterbuch, Englisch-Deutsch/Deutsch-Englisch, Carl Hanser Verlag München Wien, 1981, 3, 71, 3a, verändert
Kalander-Beschichtung
A.M. Wittfoht, Kunststofftechnisches Wörterbuch, Englisch-Deutsch/Deutsch-Englisch, Carl Hanser Verlag München Wien, 1981, 3, 69, 1a
Rakel-Beschichtung
A.M. Wittfoht, Kunststofftechnisches Wörterbuch, Englisch-Deutsch/Deutsch-Englisch, Carl Hanser Verlag München Wien, 1981, 3, 69, 1a

Beutelherstellung *Autor*

Beutelverschlüsse Beispiel
Autor
Beispiele
Autor

Blasfolienextrusion Schema einer Blasfolien-Extrusion
Ullmann
Wendelverteiler
BASF, Firmenschrift
Dickengleichmäßigkeit der Blasfolie
BASF, Firmenschrift
Kühlring
BASF, Firmenschrift
Kühlring mit Irisblende
BASF, Firmenschrift
Innenkühlung
BASF, Firmenschrift
Leistungsfähigkeit von Blasfolien-Anlagen bei Innen- und Außenkühlung
BASF, Firmenschrift

Blasfolienherstellung, Optimierung
Schlauchform
BASF, Firmenschrift
Ausziehfähigkeit und Einfriergrenze
BASF, Firmenschrift
Ausziehfähigkeit und Aufblasverhältnis
BASF, Firmenschrift
Prozeßführung mit "langem Hals"
BASF, Firmenschrift

Blister-Packmaschine Verfahrensprinzip
Bakker, A.M. Wittfoht, Kunststofftechnisches Wörterbuch, Englisch-Deutsch/Deutsch-Englisch, Carl Hanser Verlag München Wien, 1981 (verändert)

Blister-Verpackung Aufbau-Prinzipien
Bakker, S. 128
Gas- und Wasserdampfdurchlässigkeit von Hart-PVC-Folien in Abhängigkeit von der Foliendicke
Höchst AG, Geschäftsbereich Folien, Firmenschrift

Bodenbeläge Schema des Herstellungsverfahrens
Ullmann, Enz. d. chem. Technik, 4. Aufl., Bd. 12, 27, Abb. 5

BOPP Siegelnahtfestigkeit von beschichteten und coextrudierten Produkten
G. Hohl, Verpackungsrundschau 9/89, S. 951-955
Hot-Tack von beschichteten und coextrudierten Produkten
G. Hohl, Verpackungsrundschau 9/89, S. 951-955
Verbrauch 1960 bis 1992
W. Seifried, Kunststoffe 79, 1233-1237 (1989)

Brandschutzausrüstung Rezeptur für Weich-PVC-Folien
Gächter/Müller, Taschenbuch der Kunststoff-Additive, 2. Ausgabe, Carl Hanser Verlag, München Wien 1983

Breithaltewalzen Funktionsprinzip
H.L. Weiss, Paper, Film & Foil Converter, Nov. 1989, S. 131-134

Cellophan Foliendicke, Umrechnung von SI-Einheiten in Englische Einheiten
M. Bakker (Herausgeber) The Wiley Encyclopedia of Packaging Technologie, John Wiley a. Sons, New York 1986

Cellophanherstellung Schema zur Herstellung von Viskose
Ullmann, Enz. d. chem. Techn., 5. Aufl., Bd. A5, 403
Verteilung der Xanthogenat-Gruppen in den Glukose-Einheiten
Ullmann, Enz. d. chem. Techn., 5. Aufl., Bd. A5, 403
Schema zur Herstellung von Cellophan
Ullmann, Enz. d. chem. Techn., 5. Aufl., Bd. A11, 88

Cellophanmembranen Struktur und Morphologie
H. Mark und A.V. Tobolsky, Physical Chemistry of high polymeric Systems, New York, Interscience Publ. 1950
Wasserrückhaltevermögen von Cuprophan und Cellophan
G. Jayme und K. Balser, Das Papier 21, 678-688 (1967)

Cellopp-Markt Marktentwicklung 1930 bis 1990
W. Seifried, Kunststoffe 79, 1233-1237 (1989)

Coextrusion Adapter- und Düsen-Coextrusion

Compoundieren Verfahrensschema einer kontinuierlichen Anlage
Buss AG, Basel, Firmenschrift

Corona-Behandlung Abnahme der Wirkung mit der Lagerzeit
BASF, Firmenschrift

CO-Zahl CO-Zahl bei Photooxydation von PE-Folien in Abhängigkeit von rel. Luftfeuchte und Temperatur
G. Löschau und P. Trubiroha, World Conference on Packaging, Hamburg 1989, Handbuch, S. 541-551

Dart-drop-Test Apparatur
BASF, Firmenschrift
Auswertung der Ergebnisse
BASF, Firmenschrift

Dickenmessung Nullprofil eines 12 m langen Traversierrahmens
Betastrahlen-Methode, Verfahrensprinzip
Infrarot-Messung, Verfahrensprinzip
Induktive Dickenmessung, Verfahrensprinzip
Lippke GmbH, Neuwied

Dielektrizitätszahl Temperatur- und Frequenz-Abhängigkeit bei Polyesterfolien
Höchst AG, Geschäftsbereich Folien, Firmenschrift
Temperatur- und Frequenz-Abhängigkeit bei Polycarbonat-Folien
Bayer AG, Firmenschrift

Dosieren Verfahrensprinzipien
H.J. Sohn, Kunststoffe 79, 1168-1171 (1989)

Dreheinschlag Schema einer Hochleistungsmaschine
Otto Hänsel GmbH, Hannover, Firmenschrift

Durchlässigkeit Durchlässigkeit von BOPP in Abhängigkeit von der Foliendicke
Wolff Walsrode AG, Firmenschrift

Vergleich der Durchlässigkeit von PP-Flachfilm und BOPP
Wolff Walsrode AG, Firmenschrift

Durchlässigkeit für Flüssigkeiten Durchlässigkeit von Polypropylen in Abhängigkeit von der Dichte
BASF, Firmenschrift

Durchschlagfestigkeit Polyesterfolien verschiedener Dicke
Höchst AG, Geschäftsbereich Folien, Firmenschrift
Temperaturabhängigkeit der Durchschlagfestigkeit einer Polyesterfolie
Höchst AG, Geschäftsbereich Folien, Firmenschrift
Abhängigkeit der Durchschlagfestigkeit von Polycarbonat-Folien von der Alterung
Bayer AG, Firmenschrift

DYNA-Test Apparatur
BASF, Firmenschrift
Auswertung
BASF, Firmenschrift

elastomere Kunststoffe Spannungs-Dehnungs-Verhalten von thermoplastischen und elastischen Kunststoffen

elektrisch leitfähige Kunststoff-Folie Abhängigkeit der spezifischen Leitfähigkeit von der Lagerzeit
BASF, Firmenschrift
Spezifischer Oberflächenwiderstand von Ruß-gefüllten Polycarbonat-Folien
Bayer AG, Leverkusen, Firmenschrift

Elektroisolierfolie Vergleich wichtiger Eigenschaften von Folien aus verschiedenen Thermoplasten
Saechtling, 23. Ausgabe Hanser Verlag

Ethylen-Vinylacetat-Copolymer Eigenschaften und Anwendungen in Abhängigkeit von VA-Gehalt
Saechtling, 23. Ausgabe, S. 234

Ethylen-Vinylalkohol-Copolymer Eigenschaften
Autor

Extruder Schematischer Aufbau eines Extruders
Schneckengeometrie bei Einschnecken-Extrudern
Ullmann, Enzykl. d. techn. Chemie, 4. Aufl., 15, 297
Doppelschnecken-Systeme
Winnacker, Bd. 6, S. 461

Extrusiometer Meßkurven für eine PVC-Mischung
Gächter/Müller, Taschenbuch der Kunststoff-Additive, 2. Ausgabe, Carl Hanser Verlag, München Wien 1983

Extrusionsbeschichtung Herstellung eines Zweischichtverbundes
BASF, Firmenschrift
Herstellung eines Dreischichtverbundes
BASF, Firmenschrift

Färbemittel Einfluß organischer Pigmente auf die Lichtbeständigkeit von PP-Folien
Ciba-Geigy AG, Firmenschrift
Einfluß anorganischer Pigmente auf die Lichtbeständigkeit von PP-Folien
Ciba-Geigy AG, Firmenschrift

Faserdarm Lichtdurchlässigkeit eingefärbter Produkte in Abhängigkeit von der Wellenlänge
Wolff Walsrode AG, Walsrode

Flachfolienextrusion Schema einer Extrusionsanlage
Ullmann, Enzykl. d. techn. Chemie, 5. Aufl., A11, 89
Breitschlitzdüse

Autor
Flex-Lipp-Düse
BASF, Firmenschrift
Flex-Lipp-Düse mit Staubalken
BASF, Firmenschrift

Flächengewicht Zusammenhang mit der Ergiebigkeit (Ausbeute)
Wolff Walsrode AG, Firmenschrift

Fluorierung Anwendung bei verschiedenen Folien
R. Milker und A. Koch, Adhäsion 1989, Nr. 6, S. 33-35

Foliengarn Herstellungsprinzip
Autor

Folienrolle Zusammenhänge wichtiger Kenngrößen, Beispiel BOPP
Wolff Walsrode AG, Walsrode, Firmenschrift

Folienschalter Funktionsprinzip
Waldenrath, Kunststoffe 74, 450 (1984)

Formbeständigkeit in der Wärme Prüfung im Tauchbad
A.M. Wittfoht, Kunststofftechnisches Wörterbuch, Englisch-Deutsch/Deutsch-Englisch, Carl Hanser Verlag München Wien, 1981, 2, S. 155
Prüfung nach Martens
A.M. Wittfoht, Kunststofftechnisches Wörterbuch, Englisch-Deutsch/Deutsch-Englisch, Carl Hanser Verlag München Wien, 1981, 2, S. 155

Forschungszentrum Verpackung, Dresden Organisation und Arbeitsgebiete
Neue Verpackung, April 1990, S. 174

Fraunhofer-Institut für Lebensmitteltechnologie und Verpackung Organisation

Frischfleischreifung Eigenschaften verschiedener Verbundfolien
Wolff Walsrode AG, Firmenschrift
Folienformate für verschiedene Fleischteile
Wolff Walsrode AG, Firmenschrift
Gewichtsverlust von Rindfleisch beim Abhängen
Ermert, Verpackung von Fleisch und Fleischwaren

Frontfolie Lichtdurchlässigkeit einer Polycarbonat-Folie in Abhängigkeit von der Wellenlänge
Bayer AG, Leverkusen, Firmenschrift

Füllstoffe Beeinflussung der Lichtbeständigkeit von PE-LD-Folien durch Füllstoffe
Ciba-Geigy AG, Firmenschrift

Gasdurchlässigkeit Durchlässigkeit von Polyethylenfolien in Abhängigkeit von der Dichte
BASF, Firmenschrift

Gesetzgebung Lebensmittel- und Bedarfsgegenständegesetz
nach Hauschild-Spingler (s. Migration)
Gesetzes-Inflation 1865 bis 1990
Volkswagen AG, Wolfsburg (wurde zur Veröffentlichung freigegeben)

Gießverfahren Schema eines Gießverfahrens
Ullmann, Enzykl. d. techn. Chemie, 5. Aufl., A11, 86

Glasübergang Werte für wichtige thermoplastische Kunststoffe
M. Bakker (Herausgeber) The Wiley Encyclopedia of Packaging Technologie, John Wiley a. Sons, New York 1986, 531 bis 533

Gleitmittel Richtrezepturen für die Verarbeitung von Hart- und Weich-PVC
Gächter/Müller, Taschenbuch der Kunst-

stoff-Additive, 2. Ausgabe, Carl Hanser Verlag, München Wien 1983
Fließverhalten von Hart-PVC mit verschiedenen Gleitmitteln
Gächter/Müller, Taschenbuch der Kunststoff-Additive, 2. Ausgabe, Carl Hanser Verlag, München Wien 1983

Granulieren Granulieranlage
Automatik GmbH, Großostheim, Firmenschrift

Gurtband für elektronische Bauelemente Verfahrensprinzip
H. Langen und W. Post, packung und transport, Heft 6, 1987

Haftkleben Haftung einer PVC-Folie auf verschiedenen Werkstoffen
Lohmann GmbH, Neuwied, Firmenschrift

Hals Wirkung verschiedener sterisch gehinderter Amine als Lichtschutzmittel in PE-LD-Folien
Ciba-Geigy AG, Firmenschrift, 1986

Heißsiegeln Prinzip eines Siegelwerkzeugs
Autor
Siegelwerkzeug, Gegendruckbalken
Autor
Werkzeug für die Impulssiegelung
Autor

Hochglanzkaschieren von Papier Abhängigkeit der Verbundhaftung von der Kaschiertrommel-Temperatur und der Produktionsgeschwindigkeit
Vortrag Reiners, Wolff Walsrode AG, Walsrode

Hochleistungsfolie Eigenschaftsvergleich von Isolationsfolien
G. Lux und B. Huber, Kunststoffe 79, 507 (1989)

Hoogoven-Raster Rasterbild vor und nach der Verformung
Gerber, Verpackungs-Rundschau 35, 354 (1984)

Ionomere Struktur von Ionomeren
M. Bakker (Herausgeber) The Wiley Encyclopedia of Packaging Technologie, John Wiley a. Sons, New York 1986, S. 422

Kalandrieren Schema einer Kalandrieranlage
Ullmann, Enzykl. d. techn. Chemie, A11, 88
Kalander-Typen
Wittfoht, 3, 58

Kaliber Vergleich der Angelsächsischen Kaliberbezeichnung mit Nennkaliber in mm
G. Effenberger, Kunstdärme, Verlag der Rheinhessischen Druckwerkstätte Alzey 1976, (jetzt: Holzmann-Verlag Bad Wörrishoffen)

Kalibrierkörbe Funktionsprinzip
Alpine AG, Augsburg, Firmenschrift

Kalibrierung von Folienblasen Verfahrensschema
Windmöller und Hölscher, Lengerich, Firmenschrift

keramische Folie Materialien und Erzeugnisse
Kerafol GmbH, D-8489 Eschenbach

Klebeband Einfaches und verstärktes Klebeband
M. Bakker (Herausgeber) The Wiley Encyclopedia of Packaging Technologie, John Wiley a. Sons, New York 1986, S. 632, Fig. 1 und 2
Thermoschrumpfendes Klebeband mit Aufreißstreifen
M. Bakker (Herausgeber) The Wiley Encyclopedia of Packaging Technologie, John

Wiley a. Sons, New York 1986, S. 634, Fig. 4
Klebeband zur verfälschungssicheren Verpackung
M. Bakker (Herausgeber) The Wiley Encyclopedia of Packaging Technologie, John Wiley a. Sons, New York 1986, S. 634

Kleben von Aluminiumfolie Prüfmethode zur Kohäsion von Aluminiumfolie
W. Geier, Vortrag 08.10.1986, Alusingen, Singen

Kondensatorfolien Eigenschaftsvergleich von Kondensatorfolien aus verschiedenen Thermoplasten
Süddeutsches Kunststoffzentrum
Produktionsbedingungen für verschiedene Foliendicken
Leybold-Heraeus GmbH, Firmenschrift

Korngröße Korngrößenverteilung bei einem
PVC-Suspensionspolymerisat
BASF, Firmenschrift

Kühlwalzen Trübung und Glanz von PP-Folien, Abhängigkeit von der Kühlmitteltemperatur
BASF, Firmenschrift
Steifigkeit und Zähigkeit von PP-Folien, Abhängigkeit von der Kühlmitteltemperatur
BASF, Firmenschrift

Kunststoff-Folie Folienbedarf in USA bis zum Jahre 2000
Paper, Film & Foil Converter, September 1988

Laminattube Aufbau-Prinzip
Alusingen, Firmenschrift
Hochwertige Verbundfolie für Laminattuben
M. Bakker (Herausgeber) The Wiley Encyclopedia of Packaging Technologie, John Wiley a. Sons, New York 1986, S. 686

Landwirtschaftsfolie Einfluß von Füllstoffen auf die Energiebilanz
Einfluß von Füllstoffen auf die Wärmeabstrahlung

LCP-Folie Morphologie von Schmelze und LCB-Band
Bayer AG, Firmenschrift
Mechanische Eigenschaften
Bayer AG, vorläufiges Datenblatt

Lecksuche bei Packungen Methoden zum Auffinden und Lokalisieren von Leckstellen
Autor

Lichtschutzmittel Lichtschutzmittel in-Landwirtschaftsfolien aus PE-LD
Gächter/Müller, Taschenbuch der Kunststoff-Additive, 2. Ausgabe, Carl Hanser Verlag, München Wien 1983
Kombination von Lichtschutzmitteln in Landwirtschaftsfolien aus PE-LD
Gächter/Müller, Taschenbuch der Kunststoff-Additive, 2. Ausgabe, Carl Hanser Verlag, München Wien 1983
Lichtschutzmittel in Folienbändchen aus PP
Gächter/Müller, Taschenbuch der Kunststoff-Additive, 2. Ausgabe, Carl Hanser Verlag, München Wien 1983
Lichtschutzmittel in Weich-PVC-Folien
Gächter/Müller, Taschenbuch der Kunststoff-Additive, 2. Ausgabe, Carl Hanser Verlag, München Wien 1983

MAD-Test Blockschaltbild der Test-Station
Gerber, Verpackungs-Rundschau 35, 354 (1984)

Magnetbandfolie Zug-Dehnungsverhalten von Polyesterfolien
Höchst, High Chem Magazin 5/1988

Beschichtungsverfahren
Ullmann, Enzykl. d. techn. Chemie, 4. Aufl., 16, 265
Weltmarkt für Magnetbandfolien 1981 - 1991
Winnacker-Küchler, Chemische Technologie, Band 6, 4. Aufl. Carl Hanser Verlag München Wien 1982, 520

medizinische Verpackung Rückruf medizinischer Artikel in %-Anteilen der verschiedenen Ursachen
A.M. Placencia und J.T. Peeler, World Conference on Packaging, Hamburg 1989, Handbuch, S. 531-540
Übersicht über verschiedene Membrantypen und deren Anwendungen
H. Strahtmann, Chemie-Technik 7, 60 (1987)

Metallisieren Vakuum-Kammern zum Metallisieren von Folien
Leybold-Heraeus GmbH, Firmenschrift
Schema des Übertragungsverfahrens
Autor
Sauerstoff- und Wasserdampf-Durchlässigkeit von metallisierten und nicht metallisierten Folien
M. Bakker (Herausgeber) The Wiley Encyclopedia of Packaging Technologie, John Wiley a. Sons, New York 1986
Vakuum-Aufbau am Beginn eines Metallisierungszyklus
Leybold-Heraeus GmbH, Firmenschrift

Metalltube Falz- und Sattelverschlüsse
Autor

Migration von Folieninhaltsstoffen Migration von Additiven aus verschiedenen Folien in Abhängigkeit von der Temperatur
Hauschild-Spingler, Migration bei Kunststoffverpackungen, Wiss. Verlagsgesellschaft, Stuttgart 1988, S. 49

Migrationsprüfung Prüfbedingungen, vorgegeben vom Bundesgesundheitsamt
Hauschild-Spingler, Migration bei Kunststoffverpackungen, Wiss. Verlagsgesellschaft, Stuttgart 1988, S. 49
Prüfbedingungen, vorgegeben von der Gesetzgebung in der EG
Hauschild-Spingler, Migration bei Kunststoffverpackungen, Wiss. Verlagsgesellschaft, Stuttgart 1988, S. 49

Mikrowellentechnik Penetrationsgrad der Mikrowelle in westeuropäischen Haushalten
S. Sacharow, Paper, Film & Foil Converter, Oct. 1988, 106-110
Materialien für die Verpackung von "microwaveable food"
S. Sacharow, Paper, Film & Foil Converter, Oct. 1988, 106-110
Migration bei verschiedenen Folien unter den Bedingungen der Mikrowelle
Food Packages in Microwave Ovens, World Conference on Packaging 1989, Handbuch, S. 671-674

Misch- und Scherelement Schematische Darstellung verschiedener Konstruktionsprinzipien
BASF, Firmenschrift

Molekülmasse Häufigkeitsverteilung der Molekülmasse
Autor

Nukleierung Kristallisationsisothermen von nukleiertem PET
Gächter/Müller, Taschenbuch der Kunststoff-Additive, 2. Ausgabe, Carl Hanser Verlag, München Wien 1983
Optische Eigenschaften von Polypropylenfolie in Abhängigkeit von der Nukleierung
Gächter/Müller, Taschenbuch der Kunststoff-Additive, 2. Ausgabe, Carl Hanser Verlag, München Wien 1983

Nutbuchsen-Extruder Durchsatz von PE-LD
BASF, Firmenschrift
Durchsatz für PP
BASF, Firmenschrift

Öffnungshilfe Öffnungshilfe für Blisterverpackungen

Ökobilanz Stofflußschema zur Herstellung von flächigem Aluminium
I. Fecker, Eidgenössische Materialprüfungs- und Forschungsanstalt (ENPA)

orientierte Polyamidfolien Eigenschaften ungereckter, längs gereckter und biaxial gereckter Folien
M. Bakker (Herausgeber) The Wiley Encyclopedia of Packaging Technologie, John Wiley a. Sons, New York 1986, S. 480

orientierte Polypropylenplatte Vergleich mit mechanischen Eigenschaften von nicht orientierten Platten
W. Seifried, Kunststoffe 79, 1233-1237 (1989)

orientierte Polystyrolfolie Eigenschaften
Kleppsch & Co. GmbH, Scheydgasse 30, A-1210 Wien

Packmittel Packmittelproduktion Westeuropa
1985/1990, Wertanteil verschiedener Materialien
Studie "European Packaging Industry, Trends & Forecasts 1980-1990", Euromonitor Publications Ltd., London

PA/PE-Folie Beispiele für den Aufbau der Folien
H. Schulte und Mitarb., Kunststoffe 79, 818-822 (1989)
Einfluß der Viskosität auf die Schichtdickenverteilung
H. Schulte und Mitarb., Kunststoffe 79, 818-822 (1989)
Wasserdampf-Durchlässigkeit von PA- und PE-Folien
Bayer AG, Leverkusen, Firmenschrift

Papier Eigenschaftsvergleich von Folien und Verbunden aus Papier und Folien
Heiß, Verpackung von Lebensmitteln, Berlin 1980, S. 76

Papierverbunddose Schema des Herstellungsverfahrens
M. Bakker (Herausgeber) The Wiley Encyclopedia of Packaging Technologie, John Wiley a. Sons, New York 1986, S. 95

PE-LD- und PE-LLD-Folie Eigenschaftsvergleich von Folien verschiedener Dicke
CdF Chimie
Produktion von PE-LD und PE-LLD 1980 bis 1990
M. Bakker (Herausgeber) The Wiley Encyclopedia of Packaging Technologie, John Wiley a. Sons, New York 1986, S. 527, Fig. 2
Kapazitäten für PE-LLD
Einsatzgebiete für PE-LLD-Folien
Einfluß von Lichtstabilisatoren
Ciba-Geigy AG, Firmenschrift
Lichtstabilität von Mischungen aus PE-LD und PE-LLD
Ciba-Geigy AG, Firmenschrift

Perforation Kunststoff-Folie mit Lochstruktur

Planlage Thermische Längenausdehnungs-Koeffizienten für Polymere und Aluminium
BASF, Firmenschrift

Platzkaliber Ermittlung bei PVDC-lackierten Faserdärmen

Polarisationsfolie Zusammenhang zwischen Wirksamkeit und Transparenz
S.J. Baum, Polarizers for Liquid Crystal Displays, Optical Engineering 16, 291-294 (1977)

Polyamid Typische Temperaturprofile für die Extrusion von Polyamiden
M. Bakker (Herausgeber) The Wiley Encyclopedia of Packaging Technologie, John Wiley a. Sons, New York 1986
Verbesserung der Folien-Eigenschaften durch Nukleierung, Trübung
H. Schulte und Mitarb., Kunststoffe 79, 818-822 (1989)
Verbesserung der Folien-Eigenschaften durch Nukleierung, Durchlässigkeit für Sauerstoff
H. Schulte und Mitarb., Kunststoffe 79, 818-822 (1989)
Viskosität und Schergeschwindigkeit von Polyamid bei verschiedenen Temperaturen
Bayer AG, Leverkusen, Firmenschrift

Polyamidfolie Eigenschaften von Folien aus verschiedenen Polyamiden
M. Bakker (Herausgeber) The Wiley Encyclopedia of Packaging Technologie, John Wiley a. Sons, New York 1986, S. 476

Polycarbonatfolie Temperaturabhängigkeit der Elektrischen Durchschlagfestigkeit
Bayer AG, Leverkusen, Firmenschrift
Wärmestandfestigkeit isotroper und längsverstreckter Folien
Bayer AG, Leverkusen, Firmenschrift

Poly-(chlor-trifluor-ethylen)-Folie Wasserdampf-Durchlässigkeit im Vergleich zu anderen Kunststoffen
M. Bakker (Herausgeber) The Wiley Encyclopedia of Packaging Technologie, John Wiley a. Sons, New York 1986, S. 312

Polyesterfolie Morphologie und Struktur von Polyethylenterephthalat
W. Seifried, Kunststoffe 75, 773 (1985)
Herstellungsprinzip
Encyclopedia of Polymer Science and Engeneering, Vol. 12, second Edition 1988, John Wiley and Sons, Inc., Pages 193-216
Zugspannung und Dehnung von längs, quer und biaxial gereckten Folien
Höchst AG, Geschäftsbereich Folien, Firmenschrift
Elastizitätsmodul in Abhängigkeit von der Temperatur
Höchst AG, Geschäftsbereich Folien, Firmenschrift
Produktion von Polyesterfolien 1955 bis 1985
Encyclopedia of Polymer Science and Engeneering, Vol. 12, second Edition 1988, John Wiley and Sons, Inc., Pages 193-216
Marktvolumina weltweit 1984
Encyclopedia of Polymer Science and Engeneering, Vol. 12, second Edition 1988, John Wiley and Sons, Inc., Pages 193-216

Polyethylen Struktur von PE-LD, PE-HD und PE-LLD
BASF, Firmenschrift
Beziehung zwischen Dichte und Kristallinität bei Polyethylen
BASF, Firmenschrift
Beziehung zwischen Schmelzindex und Dichte bei Polyethylen
BASF, Firmenschrift
Beziehung zwischen Schmelzindex und Comonomerengehalt bei Polyethylen
BASF, Firmenschrift

Polypropylen Abhängigkeit des Elastizitäts-Moduls von der Kristallinität
BASF, Ludwigshafen, Firmenschrift

Polypropylenfolie Schädigungsarbeit bei PP-Homo- und Copolymerisaten
BASF, Ludwigshafen, Firmenschrift

Optische und mechanische Eigenschaften in Abhängigkeit von der Kühlmitteltemperatur
BASF, Ludwigshafen, Firmenschrift

Polystyrolfolie Durchlässigkeit für Wasserdampf und Gase
BASF, Firmenschrift
Lichtdurchlässigkeit in Abhängigkeit vom PS-Anteil in Styrol-Butadien-Copolymeren
BASF, Firmenschrift
Wasserdampf-Durchlässigkeit von Folien aus Polystyrol und PS-Blends
BASF, Firmenschrift

Polyurethanfolie Eigenschaftsvergleich mit anderen Materialien
Wolff Walsrode AG, Walsrode

Polyvinylchlorid Eigenschaftsvergleich-PVChart / PVC-weich
Winnacker-Küchler, Chemische Technologie, Band 6, 4. Aufl. Carl Hanser Verlag München Wien 1982, 6, S. 399

Polyvinylidenchlorid Effekt einer PVDC-Beschichtung verschiedener Folien auf die Durchlässigkeit für Sauerstoff
K. Götz, Verpackungsrundschau 1989, 649-654

Porosität Qualitätskontrolle auf Poren bei der Herstellung von Aluminiumfolien
W. Geier, Vortrag 08.10.1986, Alusingen, Singen

Prägefolie Aufbauprinzip
Autor
Prägewerkzeug
Ullmann, Enzykl. d. techn. Chemie, Band 15, S. 347

Prozeßleittechnik Funktionen am Beispiel der Blasfolien-Extrusion
Windmöller und Hölscher, Lengerich, Firmenschrift

PVDC-Wursthülle Mechanische Eigenschaften und Durchlässigkeiten
Wolff Walsrode AG, Walsrode, Firmenschrift

Pyrolyse Wichtige Verfahren, Einsatzmöglichkeiten und Entwicklungsstand
W. Kaminsky und H.J. Sinn, Nachr. aus Chemie und Technik 38, 333 (1990)

Quenchen Trübung von PP-Folien in Abhängigkeit von der Kühlwassertemperatur
BASF, Firmenschrift
Trübung von PP-Folien in Abhängigkeit von der Foliendicke
BASF, Firmenschrift

Rapportgenauigkeit Toleranzen
Autor

Rauheit Rauheits- und Welligkeitsprofil von Magnetbandfolien
AGFA-Gevaert GmbH, München

Reckverfahren Feinstruktur der Folien vor und nach dem Reckprozeß
Autor
Schema des Double-Bubble-Verfahrens
Autor
Schema der Quer- und Längsreckung
Ullmann, Enzykl. d. techn. Chemie, 5. Aufl., A11, 92
Temperaturprofil beim Reckverfahren
Ullmann, Enzykl. d. techn. Chemie, 5. Aufl., A11, 92

Reibungszahl Reibungszahlen von Folien für die Zigarettenverpackung
Wolff Walsrode AG, Walsrode, Firmenschrift

Rotations- und Reversiersystem Vergleich der Systeme
S.M. Schultheis und H. Brandstetter, Fortschritte bei der Folienproduktion und -verarbeitung, Darmstadt, 17.-18.11.1988, 3/5

Rückführung Einsparung von teuren Rohstoffen beim Randbeschnitt von Verbundfolien
Autor
Verfahrensschema zur Rückführung von Folienabfällen
Maschinenfabrik Andritz, Graz, Österreich

Ruß Verbesserung der Lichtstabilität von mit Ruß pigmentierten PP-Folien durch HALS
Ciba-Geigy AG, Firmenschrift

Schaumfolie Begasungsextruder
Predöhl, Technologie extrudierter Kunststoffolien, VDI-Verlag, Düsseldorf 1979, S. 208
Begasungsextruder, Tandemanordnung
Predöhl, Technologie extrudierter Kunststoffolien, VDI-Verlag, Düsseldorf 1979, S. 208
Schaumdichte in Abhängigkeit vom Treibmittel
M. Bakker (Herausgeber) The Wiley Encyclopedia of Packaging Technologie, John Wiley a. Sons, New York 1986, S. 346

Schergeschwindigkeit Viskosität und Schergeschwindigkeit verschiedener PVC-Typen
Wacker Chemie, München, Firmenschrift

Scherspannung Zusammenhang zwischen Viskosität und Scherspannung bei wechselnden Extrusionstemperaturen und Schergeschwindigkeiten
Zusammenhang zwischen Scherspannung und Schergeschwindigkeit bei verschiedenen Extrusionstemperaturen
Beispiel: modifiziertes Polyethylenterephthalat
Eastman Chemical International AG, Zug, Schweiz

Schmelzfluß-Index, Prüfgerät nach DIN 53 735

Schmelzviskosität Zusammenhang mit der Schergeschwindigkeit am Beispiel von PA-6
H. Schulte und Mitarb., Kunststoffe 79, 818-822 (1989)

Schneiden Tangentialschnitt und umschlungener Schnitt
Autor

Schrumpfband Anwendungsbeispiele
M. Bakker (Herausgeber) The Wiley Encyclopedia of Packaging Technologie, John Wiley a. Sons, New York 1986, S. 43
Schrumpf in Längs- und Querrichtung
Höchst AG, Geschäftsbereich Folien, Frankfurt/M., Firmenschrift

Schrumpffolie Mechanische Eigenschaften verschiedener Folien

Schrumpffolienverpackung Verfahrensschema
Autor

Schutzgasverpackung Anwendungsbeispiele
Wolff Walsrode AG

Siegelfestigkeit BOPP und Opaques BOPP
Höchst AG, Geschäftsbereich Folien, Firmenschrift
Siegelfestigkeit von Verbundfolien in Abhängigkeit von der Werkzeuglänge
Fraunhofer-Institut für Lebensmitteltechnologie und Verpackung, Tätigkeitsbericht 1988, S. 204

Silagefolie Vergleich Einschicht-Folie und Verbundfolie

J. Michallik, Anwendung von Einschicht- und Mehrschichtfolien bei der Futtersilage, Kunststoffe 77, 702 (1987)
Sternnahtverschweißung für Portionsilage
J. Michallik, Anwendung von Einschicht- und Mehrschichtfolien bei der Futtersilage, Kunststoffe 77, 702 (1987)

Skin-Verpackung Prinzip-Schema für die Blister- und Skin-Verpackung
Autor

Sperrschichtfolie für Sauerstoff Sauerstoff-Durchlässigkeit verschiedener Kunststoffe
Eigenschaftsvergleich EVOH/PVDC
Autor
Aufbau von Sperrschicht-Folien für Sauerstoff
Autor
Sauerstoff-Durchlässigkeit von PVDC und EVOH in Abhängigkeit von der Luftfeuchte
Neue Verpackung, 1/1988, S. 53
Sauerstoff-Durchlässigkeit in Abhängigkeit von der Lagerzeit, symmetrischer Verbund
K. Ikari, Packaging Japan, July 1988
Sauerstoff-Durchlässigkeit in Abhängigkeit von der Lagerzeit, unsymmetrischer Verbund
K. Ikari, Packaging Japan, July 1988
Kristallinität von EVOH und Sauerstoff-Durchlässigkeit
K. Ikari, Packaging Japan, July 1988

Streulichtfolie Prüfung von Streulicht-Folien
Bayer AG, Leverkusen, Firmenschrift

Strichcode Beispiele für wichtige Strich-Codes
M. Bakker (Herausgeber) The Wiley Encyclopedia of Packaging Technologie, John Wiley a. Sons, New York 1986, S. 45 und Neue Verpackung, 11/1988, S. 62

Styrol-Butadien-Block-Copolymere Abhängigkeit des Extrusionsdrucks von der Massetemperatur
BASF, Firmenschrift
Durchlässigkeit für Wasserdampf und Gase
BASF, Firmenschrift

Tänzerwalze Funktionsprinzip
Autor

Thermogravimetrie Untersuchungsergebnisse
verschiedener Polymere
Saechtling, Kunststoff-Taschenbuch, 22. Ausgabe, S. 432, Abb. 125, Karl Hanser Verlag München

Thermokaschieren Verfahrensschema
Stork Brabant B.V., Boxmeer, Holland, Firmenschrift

Titandioxid Einfluß verschiedener Titandioxide auf die Lichtbeständigkeit von PP-Bändern
Ciba-Geigy AG, Firmenschrift

Torsionsschwingversuch Darstellung der Apparatur
Saechtling, Kunststoff-Taschenbuch, 23. Ausgabe, S. 500, Karl Hanser Verlag München

tropensichere Blisterverpackung Schematischer Aufbau der Packung
Alusingen, Firmenschrift

Verlustfaktor, dielektrischer Temperatur- und Frequenz-Abhängigkeit bei Polyesterfolien
Höchst AG, Geschäftsbereich Folien, Firmenschrift Temperatur- und Frequenz-Abhängig-
keit bei Polycarbonat-Folien
Bayer AG, Firmenschrift

verfälschungssichere Packung Verfälschungsfälle in den USA, 1984 bis 1988
M. Larson, Tamper Evidence in Perspective, Packaging, May 1989, 36-36

Vicat-Erweichungstemperatur Skizze der Apparatur
Wittfoht, Kunststoff-Technisches Wörterbuch, 2, S. 493

Viskositätszahl Viskositätszahl und K-Wert bei PVC
Saechtling Kunststoff-Taschenbuch, 22. Ausgabe, S. 246, Karl Hanser Verlag München

Walzen Konstruktions-Schema
Autor
Rillenanordnung
H.L. Weiss, Paper, Film & Foil Converter, Nov. 1989, S. 131-134

Warmformen Verschiedene Prinzipien zur Warmformung
Wittfoht, Teil 3, S. 177 ff.

Wasserdampfdurchlässigkeit Durchlässigkeit von Polyethylenfolien in Abhängigkeit von der Dichte
BASF, Firmenschrift

Weichmacher Eigenschaften wichtiger Weichmacher
Ullmann, Enzykl. d. techn. Chemie, 4. Aufl., 24, 351/352

Weich-PVC Weichmacheraufnahme von PVC
BASF, Firmenschrift
Weichmacher-Einfluß auf die mechanischen Eigenschaften von PVC
BASF, Firmenschrift
Shore-Härte und Weichmacher-Anteil
BASF, Firmenschrift
Kältebruchtemperatur und Weichmacher-Anteil
BASF, Firmenschrift

Wickeln und Schneiden Verfahrensprinzipien
Reiffenhäuser GmbH, Troisdorf, Firmenschrift

Wursthüllen Sauerstoffdurchlässigkeit gebräuchlicher Wursthüllen
G. Effenberger, Kunstdärme, Verlag der Rheinhessischen Druckwerkstätte Alzey 1976, (jetzt: Holzmann-Verlag Bad Wörrishofen)
Sauerstoffdurchlässigkeit gebräuchlicher Wursthüllen
G. Effenberger, Kunstdärme, Verlag der Rheinhessischen Druckwerkstätte Alzey 1976, (jetzt: Holzmann-Verlag Bad Wörrishofen)